문제회피

Be the Solver
제품 설계 방법론

문제회피

Be the Solver

제품 설계 방법론

송인식 지음

'문제 해결 방법론(PSM)'[1]의 재발견!

오랜 기간 기업의 경영 혁신을 지배해온 「6시그마」의 핵심은 무엇일까? 필자의 과제 수행 경험과 강의, 멘토링, 바이블 시리즈 집필 등 20년 넘게 연구를 지속해오면서 6시그마를 지배하는 가장 중요한 요소가 무엇인지 깨닫게 되었다. 그것은 바로 **'문제 처리(Problem Handling)', '문제 해결(Problem Solving)', '문제 회피(Problem Avoiding)'**이다. 이에 그동안 유지해온 타이틀 『6시그마 바이블』 시리즈와 『Quality Bible』 Series를 이들 세 영역에 초점을 맞춘 **『Be the Solver』** 시리즈로 통합하고, 관련 내용들의 체계를 재정립한 뒤 개정판을 내놓게 되었다.

기업에서 도입한 경영 혁신의 핵심은 대부분 '문제 처리/문제 해결/문제 회피(이하 '3대 문제 유형')'를 위해 사전 활동으로 '과제 선정'이 요구되고, '3대 문제 유형'을 통해 사후 활동인 '성과 평가'가 이루어진다. 또 '3대 문제 유형'을 책임지고 담당할 '리더'가 정해지고, 그들의 '3대 문제 유형' 능력을 키우기 위해 체계적인 '전문 학습'이 기업으로부터 제공된다. 이들을 하나로 엮으면 다음의 개요도가 완성된다.[2]

---

1) Problem Solving Methodology.
2) 송인식(2016), 『The Solver』, 이담북스, p.38 편집.

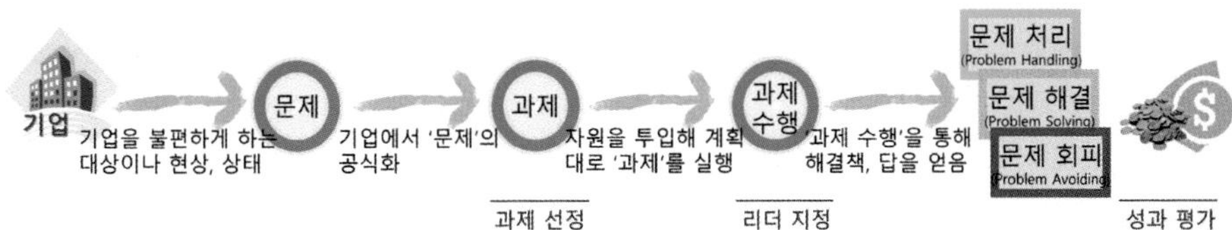

상기 개요도에서 화살표로 연결된 내용들은 '용어 정의'를, 아래 밑줄 친 내용들은 '활동(Activity)'을 각각 나타낸다. 기업에는 모든 형태의 문제(공식화될 경우 '과제')들이 존재하고 이들을 해결하기 위해 세계적인 석학들이 다양한 방법론들을 제시했는데, 이같이 문제들을 해결하기 위한 접근법을 통틀어 **'문제 해결 방법론(PSM, Problem Solving Methodology)'**이라고 한다.

필자의 연구에 따르면 앞서 피력한 대로 문제들 유형은 '문제 처리 영역', '문제 해결 영역', 그리고 '문제 회피 영역'으로 나뉜다. '문제 처리 영역'은 '사소한 다수(Trivial Many)'의 문제들이, '문제 해결 영역'은 고질적이고 만성적인 문제들이, 또 '문제 회피 영역'은 연구 개발처럼 '콘셉트 설계(Concept Design)'가 필요한 문제 유형들이 포함된다. '문제 회피(Problem Avoiding)'의 의미는 설계 제품이 아직 고객에게 전달되지 않은 상태에서 "향후 예상되는 문제들을 미리 회피시키기 위해 설계 노력을 강구함"이 담긴 엔지니어 용어이다. 이들 '3대 문제 유형'과 시리즈에 포함돼 있는 '문제 해결 방법론'을 연결시켜 정리하면 다음과 같다.

[총서]: 문제 해결 역량을 높이기 위한 이론과 전체 시리즈 활용법 소개.

- The Solver → 시리즈 전체를 아우르며 문제 해결 전문가가 되기 위한 가이드라인 제시.

[문제 처리 영역]: '사소한 다수(Trivial Many)'의 문제들이 속함.

- 빠른 해결 방법론 → 전문가 간 협의를 통해 해결할 수 있는 문제에 적합.

'실험 계획(DOE)'[3]을 위주로 진행되는 과제도 본 방법론에 포함됨(로드맵: 21 – 세부 로드맵).

▪ 원가 절감 방법론 → 원가절감형 개발 과제에 적합. 'VE'[4]를 로드맵화한 방법론(로드맵: 12 – 세부 로드맵).

▪ 단순 분석 방법론 → 분석량이 한두 건으로 적고 과제 전체를 5장 정도로 마무리할 수 있는 문제 해결에 적합.

▪ 즉 실천(개선) 방법론 → 분석 없이 바로 처리되며, 1장으로 완료가 가능한 문제 해결에 적합.

▪ 실험 계획(DOE) → '요인 설계'와 '강건 설계(다구치 방법)'로 구성됨(로드맵: PDCA Cycle).

[문제 해결 영역]: 고질적이고 만성적인 문제들이 속함.

▪ 프로세스 개선 방법론 → 분석적 심도가 깊은 문제 해결에 적합(로드맵: 40 – 세부 로드맵).

▪ 통계적 품질 관리(SQC) → 생산 중 문제 해결 방법론. '통계적 품질 관리'의 핵심 도구인 '관리도'와 '프로세스 능력'을 중심으로 전개.

▪ 영업 수주 방법론 → 영업 수주 활동에 적합. 영업·마케팅 부문(로드맵: 12 – 세부 로드맵).

▪ 시리즈에 포함되지 않은 동일 영역의 기존 방법론들 → TPM, TQC, SQC, CEDAC, RCA(Root Cause Analysis) 등.[5]

[문제 회피 영역]: '콘셉트 설계(Concept Design)'가 포함된 문제들이 속함.

---

3) Design of Experiment.

4) Value Engineering(가치 공학).

5) TPM(Total Productive Maintenance), TQC(Total Quality Control), SQC(Statistical Quality Control), CEDAC(Cause and Effect Diagram with Additional Cards).

- 제품 설계 방법론 → 제품의 설계·개발에 적합. 연구 개발(R&D) 부문(로드맵: 50－세부 로드맵).
- 프로세스 설계 방법론 → 프로세스 설계·개발에 적합. 금융/서비스 부문(로드맵: 50－세부 로드맵).
- FMEA → 설계의 잠재 문제를 적출해 해결하는 데 쓰임. Design FMEA와 Process FMEA로 구성됨. 'DFQ(Design for Quality) Process'로 전개.
- 신뢰성(Reliability) 분석 → 제품의 미래 품질을 확보하기 위해 수명을 확률적으로 분석·해석하는 데 적합.
- 시리즈에 포함되지 않은 동일 영역의 기존 방법론들 → TRIZ, NPI 등.6)

본문은 '**[문제 회피 영역]**'을 다루고 있으며 특히 '제품 설계 방법론'을 상세히 소개한다. 이해를 돕기 위해 개요도로 나타내면 다음과 같다.

개요도에서 본문은 '문제 회피 영역'을 위해 개발된 기존 여러 방법론들 중 '제품 설계 방법론'을, 다시 '제품 설계 방법론'은 **'50－세부 로드맵'**과 **'도구(Tools)'**로 구성돼 있음을 강조한다.

---

6) TRIZ(Teoriya Resheniya Izobretatelskikh Zadach), DFQ Process(Design for Quality Process), NPI(New Product Introduction).

다음은 지금까지의 내용을 요약한 표로, 굵게 표시한 항목이 본문의 주제이다. 『**Be the Solver**』 시리즈에 포함된 다른 방법론들도 동일한 구조로 표현되므로 각 책의 본문에 들어가기 전 반드시 정독해주기 바란다.

분류	『Be the Solver』 시리즈
총서	The Solver
문제 해결 방법론 (PSM)	[문제 처리 영역] 빠른 해결 방법론, 원가 절감 방법론, 단순 분석 방법론, 즉 실천(개선) 방법론 [문제 해결 영역] 프로세스 개선 방법론, 영업 수주 방법론 [문제 회피 영역] **제품 설계 방법론**, 프로세스 설계 방법론
데이터 분석 방법론	확증적 자료 분석(CDA), 탐색적 자료 분석(EDA), R분석(빅 데이터 분석), 정성적 자료 분석(QDA)
경영 혁신 방법론	혁신 운영법, 과제 선정법, 과제성과 평가법, 문제 해결 역량향상 학습법
품질 향상 방법론	[문제 처리 영역] 실험 계획(DOE) [문제 해결 영역] 통계적 품질 관리(SQC) – 관리도/프로세스 능력 중심 [문제 회피 영역] FMEA, 신뢰성 분석

본문의 구성

본문은 '[문제 회피(Problem Avoiding) 영역]'을 다루는 여러 방법론들 중 6시그마에서 유래한 '제품 설계 방법론'에 한정한다. '제품 설계'는 '연구 개발(R&D) 부문'에서 이루어지는 활동으로 로드맵은 'DMADV'이다. 이들 각각을 'Phase'라 부르고 접근성을 높이기 위해 한국형으로 체계화한 것이 '15－Step'이다. 그러나 앞으로 본문에서 '15－Step'보다 훨씬 더 조밀한 '50－세부 로드맵'에 대해 학습한다. 상황에 따라 각 '세부 로드맵'을 설명할 때 반드시 필요한 도구(Tools)들의 용법에 대해서도 기술할 것이며, 다른 서적에서 볼 수 없는 '파워포인트' 장표의 작성 방법에 대해서도 상세하게 다룰 것이다. 따라서 본 책의 본문을 리더가 접하면 '제품 설계 방법론'의 'A'부터 'Z'까지를 깊이 있게 학습하는 기회를 갖는다. 또 DMADV 각 초입부에 해당 Phase별 개념을 파악할 수 있도록 필자의 강의 노하우를 전수하고 있어 사내 멘토로서의 활동을 수준 높게 영위할 수 있도록 지원한다. 본문 구성을 간단히 요약하면 다음과 같다.

「'문제 회피(Problem Avoiding)' 개요」는 시리즈의 공통된 내용이다. 먼저 「1. The Solver의 탄생」에서는 앞으로 집중해야 할 대상이 '기업 내 문제 해결'임을 알리고, 그와 관련된 용어 정의 및 '제품 설계 방법론'의 기본 사항들을 조목조목 담고 있다. 「2. 로드맵에 대한 고찰」은 '로드맵 탄생 배경'과 '정의'에 대해 학습한 후 핵심에 자리하는 '로드맵'엔 어떤 것들이 있으며, 또 각각 어떻게 생겨났는지를 알아보고 로드맵을 과연 어떻게 이해하고 받아들여야 하는지 나름대로의 시각에서 해석한다. 「3. 로드맵 'DMADV'의 이해」는 'DMADV 로드맵'이 'DMAIC 로드맵'으로부터 유도될 수 있음을 보인다. 독자들은 이 학습으로 '제품 개발 로드맵'에 대해 구체적이고 쉬우며 깊이 있게 이해할 수 있는 기회를 갖는다. 이후부터는 Define, Measure, Analyze, Design, Verify Phase별 상세한 내용이 전개된다.

또 책 초반부의 **'『Be the Solver』 시리즈 전체 이해하기'는 본문으로 가기 위한 중요한 기본 정보를 제공하므로 반드시 최우선적으로 필독**하기 바란다. 그러나 내용에 익숙한 독자면 건너뛰고 바로 본문으로 들어가도 좋다.

다음은 독자들의 이해를 돕기 위해 반영한 본문의 특징들이다. 읽어 나가는 데 도움 되므로 참고하기 바란다.

1. 본 책의 구성은 '조립 제품'을 중심으로 전개한다. 따라서 동일 분야에 속한 연구원이면 그대로 읽어 나간다. 그러나 화학, 식품, 바이오, 제철 등의 분야는 연구 과제가 대부분 Analyze Phase(콘셉트 설계)부터 Design Phase(상세 설계_최적화)까지 '실험 계획(DOE)'이 지배하는 경우가 많다. '실험 계획'형 연구 과제는 '[문제 처리 영역]'의 '빠른 해결 방법론(로드맵명: DMWC)'을 참고하고 '실험 계획'형 과제가 아니면 본인 사업 분야에 필요한 본문만 참고해도 좋다.

2. '15 - Step'은 'Step - 1 ~ Step - 15'로 순서 있게 번호를 붙이고, 그 아래 흐름인 '세부 로드맵' 경우도 'Step - 1.1 ~ Step - 15.1'과 같이 구분해 현재 어느 위치에 있으며 무엇을 해야 하는지 명확히 하였다. 흐름의 세분화는 팀원 쌍방 간 의사소통을 원활히 하고 각 활동별 완성도를 높이는 데 큰 도움을 준다.

3. 처음 입문하는 연구원들은 과제 수행 산출물을 문서로 표현하는 데 매우

서툰 경향을 보이며 로드맵 흐름도 자주 끊기곤 한다. 이에 각 '세부 로드맵'별 표현법을 PPT로 작성해 상세 설명과 함께 본문에 포함시켰다. 또 템플릿은 독자들의 요청 시 제공하고 있다(http://www.ps-lab.co.kr [공지]). 혹자는 템플릿 활용이 과제 수행의 독창성을 깰 것이라 주장하지만 필자의 의견은 그 반대다. 화가가 캔버스가 같다고 모두 동일한 그림을 그리는 것은 아니기 때문이다. '세부 로드맵(캔버스에 대응)'은 흐름을 관장하는 '횡적 개념'으로 누구나 학습을 통해 체득되는 반면, 각 '세부 로드맵'에 위치했을 때 요구된 결과를 얼마나 잘 만들어내는지는 순전히 연구원별 역량이 결정(명작을 만들어냄)하므로 같은 템플릿 활용으로 생기는 병폐란 그저 기우에 불과하다. 이 같은 활동을 '종적 개념'이라 하고 관련 내용은 「2.3. '세부 로드맵의 탄생'」에서 자세히 다룬다.

4. 본문은 '세부 로드맵'을 설명하면서 "최적화 방법론을 통한 토이 박스[7] 개발"이라는 가상의 주제를 활용한다. 제품 구조가 단순해 다양한 기술적 설명이 자유롭고, 또 설계가 어떻게 구성되고 실체화돼 가는지를 이해하는 데 큰 도움을 준다. 통상 연구 개발 대상을 조립, 화학(바이오/식품 포함) 부문으로 구분하면 '토이 박스'가 이들 유형을 모두 수용할 수 있을 것이란 기대도 작용하였다.[8] 그러나 실제 제품을 개발하기보다 내용을 이해시키는 데 목적이 있으므로 '아이디어 도출'이나 '상세 설계'에 필요한 몇몇을 제외하곤 대부분 가정된 상황이므로 이에 대한 오해가 없길 바란다.

5. 본문 중 공통화 내용들, 예를 들면 '개요'는 로드맵 탄생 배경과 개론, 용법 등 시리즈 전체 방법론들에 공통이므로 동일하게 삽입돼 있다. 또 Define, Measure와 Analyze 일부 및 Verify Phase 등은 '프로세스 설계 방법론'과 본문이 일치한다. 이것은 동일 내용을 다른 모습으로 표현할 하등의 이유가 없을뿐더러, '_c(Commercial)'와 '_t(Technical)'를 모두 알아야 할 연구원의 입장을 고려

---

7) 일명 '깜짝 상자'라고도 하며, 뚜껑을 열면 인형 등이 튀어나오도록 설계된 상자.

8) 상자를 조립할 때 화학제품인 '접착제' 등을 고려할 수 있다.

하였다. 만일 '프로세스 설계 방법론'을 익힌 연구원이면 동일한 내용들은 뛰어넘어도 좋다.

본 개정판을 통해 국내 기업의 경영 혁신 흐름이 Post−Sigma로 진입하는 계기가 되며, 내용적으로도 한 단계 더 업그레이드되는 데 일조하길 간절히 기원하는 바이다. 아울러 '제품 설계 방법론'의 '세부 로드맵'과 내용 전개에 대한 책이 부족한 현실에서 본 책이 많은 연구원들의 훌륭한 지침서가 되길 바란다.

차례

1

제품 설계 방법론 개요

'제품 설계 방법론'의 탄생 배경과 '로드맵' 종류에 대해 알아보고, 가장 기본적인 '프로세스 개선 로드맵'과의 비교를 통해 거시적으로는 '제품 설계 로드맵'이 '프로세스 개선 로드맵'과 차이가 없음을 확인한다. 이로부터 어느 문제 유형을 접하더라도 로드맵을 자유자재로 활용할 수 있는 능력을 스스로 배양한다.

1. The Solver의 탄생

지금까지 6시그마 경영 혁신이 국내 기업들의 저변에까지 상당 기간 확산됐지만 운영의 묘를 살리지 못한 점은 해결해야 할 숙제로 남게 됐다. 운영의 긍정적인 면은 살리고 부정적인 면은 줄이거나 없애는 노력이 필요한 시점이다. 그러기 위해선 기업에서 선호되는 경영 혁신 방법론들 모두에 대해서도 전면적인 고찰이 필요하다.

기업에서 오랜 기간 선호되는 대표적 경영 혁신 도구들에 'TQC', 'TPM', 'TPI'와 같이 전사를 대상으로 한 접근법들이 있다. 'T'는 'Total'의 첫 자로 '전사'를 지칭한다. 최근엔 'TRIZ'나 'Moonshot Thinking'들도 거론된다. 주로 국내외 선진 기업들에 도입된 방식들이 벤치마킹 대상이 되는 공통점이 있다. 선진 기업에서 도입한 방식이고 또 계속 유지하고 있으니 검증됐다고 판단하는 모양새다. 6시그마도 같은 맥락에서 크게 확산된 바 있다.

그런데 이들 방식엔 공통점이 있다. 회사 관점에서 도입하다 보니 전체가 내용을 공감하며 함께 학습해 나가야 하므로 낮은 단계부터 기반을 하나씩 쌓아가야 하고 운영을 위한 규칙도 마련해야 한다. 예를 들어 설비를 보전하기 위해서는 기본 단계인 '3정 5S'부터 시작해 '자주 보전' 수준을 확립하고 이후 최고 수준인 '예측 보전'까지 가든가, 부문 내 문제를 해결하기 위해 '동아리'의 조직화, 기본 도구들의 학습, 성과 평가의 체계화를 이룰 필요가 있다. 또는 사전 학습이 필요한 경우 교육 일정 마련, 커리큘럼 결정, 인증 제도나 과제 관리 체계 정립을 통해 모두가 한 방향으로 하나의 제도 안에서 움직이도록 유도한다. 그런데 바로 이 부분에 약간의 불가피한 독이 숨어 있다. 전체를 위한 '운영'을 강조하다 보면 경영 혁신 방법들을 도입한 애초의 배경, 또는 본질이 흐려지는 사태가 발생하곤 한다. 본말이 전도되는 사항으로 쉽게 말해 부작용이 생길 수 있는 환경이 조성된다.

부작용은 저항 세력을 양산하고 이들은 기회가 있을 때마다 혁신 추진 동력을 약화시킨다. 이 같은 마찰이 자연스럽게 동력으로 재연소하면 더 큰 추진력을 얻지만 충분히 설득하지 못할 경우 뒷다리를 잡는 일부터 시작해 상황이 나빠질 경우 전체를 와해시키는 압력 집단으로 성장한다. 저항 세력에 의한 와해는 곧 해왔던 모든 것들이 "오랫동안 쌓이고 쌓인 폐단", 즉 '적폐(積弊)'가 되며 순식간에 청산되는 대상이 된다. 주로 대표이사가 바뀌는 시점에 소위 '적폐 청산'이 이루어진다.

그렇다면 **기업이 여러 경영 혁신 방법들을 도입한 배경, 즉 본질은 무엇일까? 앞으로 이 부분에 집중할 경우 그동안 운영에서 야기됐던 부작용을 줄이면서 소기의 목적을 달성할 수 있지 않을까? '본질'은 "본디부터 갖고 있는 모습"이므로 본질을 이해하는 일은 곧 모든 활동의 정상화의 지름길이다.** 이제 '본질'에 대해 알아보자.

1.1. "6시그마를 한다?" 에서 "문제를 해결한다!" 로

기업에서 추진하는 경영 혁신 활동은 목적이나 처한 상황이 다르므로 어느 방식을 택할 것인지 특정 짓긴 어렵다. 또 방식을 바꿔가며 점차 발전해 나가기도 하므로 현재 어느 방식을 도입하고 있는지 관찰하는 것만으로 잘하고 있는지 그렇지 않은지의 평은 의미가 없다. 그러나 기업에서 경영 혁신을 도입하는 목적은 체질 강화를 통한 수익 실현에 있으며 수익은 곧 기업 내 존재하는 해결할 사안들, 또는 해야 할 일들이 원하는 목표 수준에 도달돼야 창출된다. 이때 "해결할 사안들"과 "해야 할 일들"을 묶어 당면한 기업의 '문제(Problem)'로 정의하면 결국 기업은 '문제 해결(Problem Solving)'이 경영 혁신 활동을 수행하는 주된 이유로 작용한다. 물론 경영 혁신 활동이 체질 강화를 목적으로 이용된다지만 이 역시 궁극적으로 수익 창출을 위한 체질 강화적 차원에서 이해돼야 한다.

기업 내에서 관찰되는 '문제'들은 사소한 일상적인 문제부터 아주 복잡하고 어려운 문제에 이르기까지 다양한 형태로 존재한다. 예를 들어 전표를 찍는 정상적인 활동은 단순하지만 수행하는 담당자는 반복적인 업무에 문제의식을 갖고 자동화하는 방안을 고려할 수 있다. 반면, 생산에 종사하는 엔지니어는 상위 5대 불량들의 해결을 위해 노력하지만 근본 원인을 찾지 못해 골머리를 앓을 수도 있다. 이들 사이에도 다양한 형태의 문제들이 존재하는데 고객을 대면할 때의 설득 문제, ERP 검색 시 컴퓨터 작동이 느린 문제, 설비 작동 시 소음 문제, 소모품 구매 후 경비 처리가 불편한 문제, 보고서 작성 때 문서 레이아웃이 불편했던 문제 등등 수없이 많은 문제들이 기술될 수 있다.

그러나 이들 모든 문제를 다 해결하려고 나서지 않는 이유는 그냥 둬도 자연히 무마되거나 굳이 시간을 들여 처리할 필요가 없는 소소한 일상적 문제들이 상당수 포함돼 있기 때문이다. 결국 현 문제들의 우선순위화가 중요하고 이때 순위가 높다고 판단되는 '문제'들은 공식화 과정을 밟는다. '공식화'란 문제 해결의 중요도를 감안해 특별히 적합한 인력을 리더로 지정하고, 활동에 필요한 지원도 결정해주며 해결에 요구되는 적절한 시간적 범위도 제공되는 일종의 승인 과정이다. 따라서 리더는 책임 의식을 갖고 몰두할 수 있는 환경을 제공받는다. 이와 같이 기업에서 일련의 과정을 거쳐 우선순위를 정한 뒤 모든 임직원들 앞에서 **최종 공식화한 '문제'를 '과제(Project)'**라고 한다. 다음 [그림 O－1]은 기업에서 '과제'와 관련된 용어 정의를 표현한 개요도이다.[9]

---

9) 송인식(2016), 『The Solver』, 이담북스, p.38.

[그림 O-1] 용어들 정의와 서로 간 관계

[그림 O-1]에서 화살표 아래 글을 차례로 읽어 나가면 원 안의 용어 정의를 이해할 수 있다. 예를 들어 "기업을 불편하게 하는 대상이나 현상, 상태를 '문제'라 하며, 기업에서 '문제'의 공식화를 '과제'라고 한다. 또 자원을 투입해 계획대로 '과제'를 실행하면 '과제 수행'이라 하고 '과제 수행'을 통해 해결책, 답을 얻으면 이를 '문제 해결'이라고 한다"이다.

정리하면 **지금껏 많은 기업에서 추진했던 '6시그마 경영 혁신'의 사실상 본질은 기업에서 겪고 있는 난제들을 해결함으로써 수익 향상과 성장을 꾀하려는 것이며, 따라서 "6시그마를 하고 있는가?"의 표현에서 "문제 해결을 잘하고 있는가?"처럼 '문제'에 초점을 맞추는 노력이 필요**하다.

1.2. '문제(Problem)' 의 유형

기업에는 수익 창출이란 공동의 목표를 달성하기 위해 여러 기능 부서들이 하나의 큰 흐름을 형성하며 상호작용한다. 만일 이들을 분리해 독립적으로 관찰하면 각 기능 부서별로 각자의 목표가 있음을 알 수 있다. 각기 역할이 다르기 때문에 나타나는 현상이다. 예를 들어 구매팀은 아이템 단가 절감을, 생산은 생산원가나 불량률 저감, 기획팀은 미래 회사 먹을거리 아이템 결정 여부가 중요하다. 또 연구소는 매출에 기여할 신상품 개발이, 영업은 당연히 매출이나 판매량 증대가 주요 목표다.

기업 관점에서 반드시 이행해 목표를 달성해야 하는 우선순위가 높은 문제들, 즉 공식화된 '과제'들은 이들 기능 부서에 배분되며 해당 부서원들은 본인들의 업무 특성에 맞는 본인들만의 시각에서 배분된 문제(과제)들을 바라본다. 그러나 **해결이 필요한 '문제'의 속성은 기능 부서의 업무 프로세스나 특성에 맞춰 결정되기보다 이미 탄생 시점부터 고유한 모습으로 존재하며, 따라서 문제의 속성을 구분할 경우 가장 효율적인 접근법 결정이 가능**하다. 다음 [그림 O-2]는 기업에서 발생하는 모든 문제들을 수용할 수 있는 '문제 유형'의 영역 구분도이다.[10)]

[그림 O-2] '문제 유형'의 영역 구분도

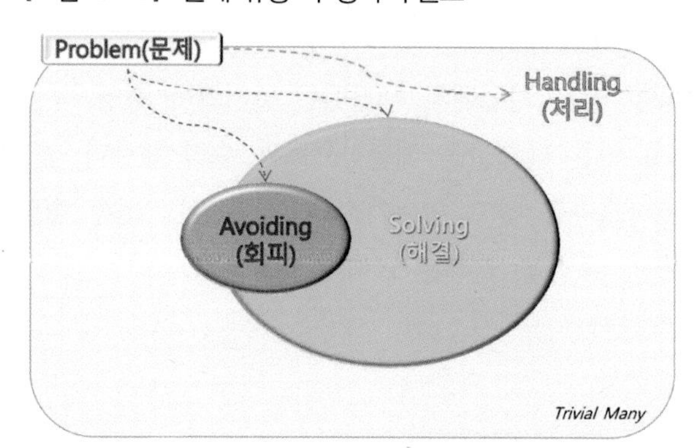

[그림 O-2]에서 '**[문제 처리(Problem Handling) 영역]**'은 빠른 문제 해결을 요하는 '사소한 다수(Trivial Many)'의 과제들이 대상이다. 이 영역에는 담당자들이 모여 협의를 통해 전개되는 '빠른 해결 방법론', 원가절감형 과제에 적용되는 '원가 절감 방법론', 단순 분석이 요구되며 5장 정도로 정리되는 '단순 분석 방법론', 분석이 필요치 않거나 별 고려 없이 바로 실행하는, '즉 실천(개선) 방법론' 및 실험으로만 전개되는 '실험 계획(DOE)'이 포함된다.

10) 송인식(2016), 『The Solver』, 이담북스, pp.72~80.

반면에 '**[문제 해결(Problem Solving) 영역]**'은 심도 깊은 원인 분석 과정이 요구되는 과제들이 포함되며, 이때 '분석'은 '데이터 분석(Data Analysis)'과 '고장 해석(Failure Analysis)' 모두가 활용된다. 이 영역의 대표 방법론에 '프로세스 개선 방법론', '영업 수준 방법론' 및 생산 중 문제 해결 접근인 '통계적 품질 관리(SQC)'가 있다.

끝으로 '**[문제 회피(Problem Avoiding) 영역]**'은 개발 중인 제품의 향후 발생 가능한 문제를 미리 회피시키는 유형들로 이 영역의 대표 방법론에 '제품 설계 방법론'과 '프로세스 설계 방법론', 'FMEA' 및 '신뢰성 분석'이 있다. 본문은 '문제 회피'에 대해서만 설명하고 있으며 다른 유형들에 대해서는 관련 서적을 참고하기 바란다.[11)]

1.3. '제품 설계 방법론' 은?

앞서 [그림 O-2]의 '문제 유형' 영역들 중 '문제 회피(Problem Avoiding)'에 대해 좀 더 알아보자. 빠른 해결이 가능한 '문제 처리', 원인 규명을 위해 심도 있는 분석이 필요한 '문제 해결'과 달리 '문제 회피'는 연구 개발(R&D) 부문과 밀접한 관계에 있다.

'연구 개발'은 기존에 없던 신제품을 창조하거나 현재 판매 중인 제품에 새로운 기능의 추가 또는 변경 업무가 일상이다. 현재 판매 중인 제품은 고객 요구를 충족시키므로 생산성 향상이 중요하지만 판매 제품에 변경이 발생하면 고객 요구를 충족하는지에 대한 새로운 고민이 필요하다. 변경된 기능이 기대 수명에 미치지 못하거나 다른 아이템들과의 상호작용으로 예상치 못한 문제를 양산할 수

11) 송인식(2016), 『The Solver』, 이담북스, pp.72~80.

있기 때문이다. 결국 '연구 개발'은 좋은 의도이긴 하나 제품에 '변경점'이 생기므로, 출시 후 미래 시장 환경에서 가능한 한 원치 않는 문제들이 발생하지 않도록 회피시키려는 노력이 매우 중요하다.

그러나 '문제 회피'는 매우 어려운 영역이다. 미래의 사건을 예상하기도 어렵거니와 고객의 모든 사용 환경을 고려해 제품을 튼실하게 만드는 일 역시 쉽지 않기 때문이다. 따라서 다음의 고려가 매우 중요하다.

1) 연구 개발 과정 중 꼭 해야 할 중요한 활동들을 빠트려선 안 된다. 이를 위해 전 개발 과정을 세분해 놓은 '제품 설계 50－세부 로드맵'의 이해가 필요하다.
2) 제품의 고장은 예상치 못한 고객 환경의 '잡음 인자'에 기인한다. 따라서 개발 환경하에서 '잡음 인자'에 둔감토록 '강건 설계'를 실시한다.
3) 충족된 제품의 강건성이 설계 수명에 이를 수 있도록 신뢰성을 확보한다. 이때 신뢰성 시험과 수명 데이터의 확률 분석 능력이 중요하다.
4) 완전히 새로운 제품을 창출하는 연구 개발보다 기존 제품의 기능 향상 연구 빈도가 매우 높다. 따라서 개발 중인 제품과 유사한 자매품들의 시장 데이터 분석을 통해 현 수준 파악, 불량 유형 또는 원인 규명 등의 정보 확보가 중요하다. 이를 위해 '빅 데이터 분석' 능력이 요구된다.

앞서 기술한 네 가지 활동 또는 능력은 '제품 설계 방법론'의 핵심이다. 그러나 언제 어느 상황에서 이들을 구분해 활용할 것인지 크게 고민할 필요는 없다. 왜냐하면 첫 번째 언급한 '제품 설계 50－세부 로드맵'을 차근차근 밟아 나가면 네 경우 모두를 이행할 시점에 저절로 이르기 때문이다. 다음 [그림 O－3]은 지금까지의 설명을 요약한 개요도이다.[12)]

[그림 O－3] '문제 회피'를 위한 연구 개발 삼각 구조(Triangle)

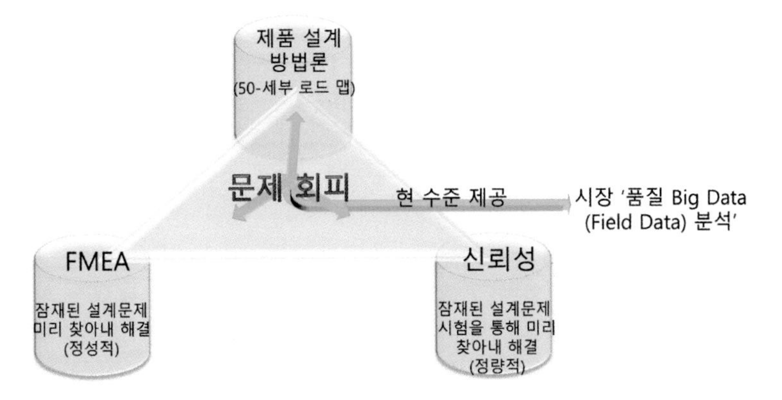

[그림 O－3]은 '문제 회피 방법론'으로서의 길을 안내할 '제품 설계 50－세부 로드맵', 미래의 잠재 문제를 정성적으로 찾아 미리 해결토록 하는 'FMEA' 및 제품 수명을 정량적으로 예측해 미흡 시 재설계토록 하는 '신뢰성'이 삼각 구조를 이룬다. 이들에 '시장 빅 데이터 분석'이 '현 수준 정보'를 제공함으로써 전체 '제품 설계 방법론'이 완성된다. 좀 더 상세한 설명은 『The Solver』(송인식 저)를 참고하기 바란다.

12) 송인식(2016), 『The Solver』, 이담북스, p.165.

2. 로드맵에 대한 고찰

'문제 해결'과 '문제 회피' 목적의 로드맵엔 어떤 것이 있고, 어떤 배경을 갖고 탄생했는지 알아본다. 또 국내에서 토착화된 '15-Step'과 저자가 주장하는 '세부 로드맵' 탄생에 대해서도 알아볼 것이다. 이하 내용은 '프로세스 설계 방법론'의 '개요' 부분 상당 부분과도 일치한다.

2.1. '로드맵'의 탄생 배경(DMAIC, DMADV, DIDOV)

본 시리즈에서 제공하는 여러 로드맵들의 탄생 배경에 대해 알아보자. 본문은 국내 컨설팅회사인 '네모 파트너즈'의 민철희 파트너가 조사해서 직원들과 공유한 내용을 그대로 옮겨 놓았다. 다음은 그 전문이다.

"제가 아는 내용과 첨부한 GE의 DFSS 총괄 담당자인 Roger Hoerl의 회고에 따르면, 1996년에 전면적으로 6시그마를 추진하면서 GE Capital에서 Define Phase가 추가돼 'DMAIC'가 완성되었고 이것이 GE 전체에 표준화됐습니다. 1997년부터 'CQ(Commercial Quality)', 'GB', 'DFSS'라는 Initiative가 시작되었는데, 'CQ'는 GE Capital같이 GE 내에 40%의 매출을 차지했던 Finance 영역에의 6시그마 적용 필요성, 또 GE Aircraft Engines이나 Power Systems와 같이 일반 제조(Manufacturing)와 성격이 다른 Engineering 사업, 또는 제조업 경우 매출 전표 처리 업무 등에서의 6시그마 적용 필요성을 충족시키는 활동으로 시작되었습니다. 그러나 'DMAIC'는 여전히 기본으로 사용된 것으로 보입니다. 다만, 일반 제조 회사의 생산 및 기술 분야에만 적용될 것으로 보였던 6시그마를 모든 영역에 확장할 수 있다는 가능성을 확인한 것이 'CQ' 활동의 시사점입니다.

당시 함께 시작된 DFSS는 신상품 개발 영역에서 '6시그마 수준' 확보를 위한 로드맵으로 외부 컨설턴트들의 도움을 받아 DMAIC와 균형을 맞추고 통합해 사용하도록 'DMADV'라는 5단계로 구성됐습니다. 이는 얼마 안 가 'CQ'의 Business Process Design의 DFSS 표준 로드맵으로도 사용되기 시작합니다.

한편 GE 내에 'CRD(Corporate Research & Development)를 비롯한 특정 연구소들에서는 'IDOV'라는 로드맵을 만들어 특허로 등록했습니다. 2001년에 GE CRD 홈페이지에서 다운로드했던 자료들에 의하면 'IDOV' 로드맵을 사용한 프로젝트는 2001년에 보고된 것이 처음이고, 'DMADV' 로드맵을 사용한 프로젝트는 1998년에 처음 보고되었습니다. 또한 'IDOV'의 특허 등록도 2001년입니다. 이러한 사실을 통해 짐작하기에는 초기에 'DMADV'를 DFSS 로드맵으로 표준화하면서 이를 Technology 영역과 CQ 영역 모두 사용하다 Technology 영역에 대해 다시 특화한 'IDOV' 로드맵을 개발한 것 같습니다. 또한 제가 가진 자료로 볼 때, 2000년에 GE가 발표했던 자료에 'IDOV'와 'DMADV'가 표현된 이후 발표된 어떤 GE DFSS 관련 소개 자료에도 IDOV 로드맵이 출현하지 않습니다. 따라서 이들 자료는 모두 'CQ'에 해당한다고 볼 수 있습니다.

'IDOV' 로드맵을 사용한 프로젝트는 워낙 중요한 기술 개발에 사용되어 외부 공개를 하지 않는 원칙이 적용돼 더 이상 찾아보기 어렵고, 'CQ'에 대한 GE 외부의 관심이 증대되면서 'DMADV' 로드맵과 사례들의 소개가 빈번해진 것이 아닌가 생각됩니다."

이상과 같이 마이클 해리의 'MAIC' 정립, 이후 과제 선정 배경 및 수행 당위성의 기술 필요로 'Define'이 추가되었고, 계속 'CQ'를 거쳐 'DMADV'와 연구소 CRD의 'IDOV 로드맵'이 탄생했음을 알았다. 국내는 어땠을까?

2.2. 한국형 로드맵 '15-Step'

국내에서 공식적으로 6시그마를 처음 도입한 회사는 '96년부터 '97년 사이 한국 중공업, LG전자 창원 공장, 삼성SDI(당시 '삼성전관')로 알려져 있다. 한국중공업과 LG전자는 미국 GE사와 밀접한 사업 관계로 국내 여타 기업들에 비해 6시그마 도입이 용이했던 것으로 알려져 있다. LG전자는 '96년 창원 공장을 시작으로 '98년 LG전자 전 사업 부문과 전 그룹 계열사로 확대되기 시작했으며, 로드맵은 'DMAIC'가 주축이 되고, 자체 'DFSS 연구회' 운영하에 서적 출판 등 '제품 설계 로드맵'에 대해서도 활발한 응용 연구를 수행하였다. 삼성그룹은 초기 삼성SDI의 자체 로드맵인 'CSI(Chart-Solve-Implement)'에서 '99년 미국 SBTI사 컨설팅을 기점으로 'DMAIC'와 'DIDOV' 등 GE가 정립한 결과물들이 정착되기 시작했다. 그러나 삼성전자, 삼성전기 등 계열사별로 미국 내 다른 컨설팅사로부터 6시그마가 도입돼 특징들이 생겨났고, 2000년 초부터 6시그마가 그룹 차원의 경영 혁신 도구로 자리매김하면서, '02년도에 각 계열사 MBB를 뽑아 그들의 축적된 경험과 정보를 통합, 그룹 공통 교재를 만들었다. 이때부터 'DMAIC'를 15개의 Step으로 구분해 설명하는 시도가 이루어졌다. 이것이 '03년도부터 각 계열사에 공통 교재로 배포되었으며 이후 삼성 MBB(BB)들이 퇴직해 컨설턴트로 활동하면서 국내 많은 회사에 15-Step이 전파 또는 정착되는 계기가 되었다. 물론 그 이전 미국으로부터 '12-Step'이나 '21-Step' 등 다양한 유형이 유입됐지만 삼성그룹의 핵심 인력들이 여러 출처로부터 수집한 자료를 중심으로 장기간 개발 과정을 거쳐 정립하였으므로 그만큼 실무적으로 유용한 결과물이 되었음을 인정하지 않을 수 없다. 그 이후 '제품 설계 로드맵'도 개발했는데 역시 15개로 구분했으며, 특허 등록된 'DIDOV'는 지적재산권 침해 우려로 'DMAD(O)V'가 정착되었다. 물론 'DMAD(O)V'는 기술 분야인 '_t(Technical)' 뿐 아니라 간접, 서비스의 '_c(Commercial)'도 함께 개발되었다. 특히, '삼성경제

연구소(SERI)'가 서비스 부문의 'DMAD(O)V'를 개발해 그룹 내 관련 분야 컨설팅을 수행하기도 하였다. 현재 국내에는 회사별, 업종별 차이는 있으나 로드맵은 기존 프로세스를 개선하는 개념이면 'DMAIC'의 15－Step을, 새로운 프로세스 정립이나 제품 개발이면 'DMAD(O)V'의 15－Step을 사용한다. 로드맵의 통합화나 체계화 관점에서 6시그마 발상지인 미국보다 한발 앞선 것이 아닌가 생각된다. 다음 [그림 O－4]는 일반적인 로드맵의 분류도이다.

[그림 O－4] **로드맵 분류도**

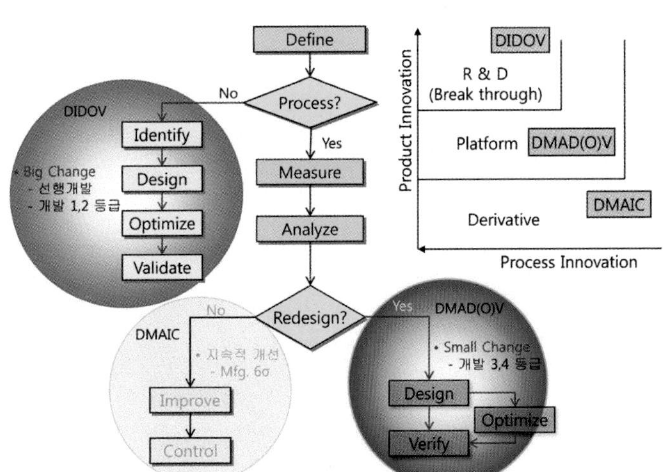

그림에서 'Process'가 존재하면 'MAIC'로 가되, 만일 '분석'에서 'Xs'를 파악한 결과 현 체계에서 최적화할 수 있는 대안이 없으면 'Small Change'의 필요성 때문에 'DOV'로 빠진다. 그러나 초기 'Process' 자체가 없어 신규로 개발해야 할 필요성이 있으면 'IDOV'로 들어가는 'Big Change' 과정이 전개된다. 새롭게 개발되는 대상(프로세스든 제품이든)이 규모가 크든 작든 사실 접근법은 유사하므로 'DIDOV'와 'DMAD(O)V'의 흐름 역시 유사하나 약간의 차이를 보이는 부분은 일반적으로 'DIDOV'의 다루는 범위가 훨씬 더 넓다. 예를 들면 새롭게 디자인해야 하는 영역이므로 초기 시장성부터 고려가 필요하고, 따라서 깊이 있는 마케팅 기법의 도입이라든가, 'Design Phase'에서의 '상위 수준 설계(High Level Design)' 시 생산 프로세스, 신뢰성 등의 폭넓은 고려가 있어야 하는 부담 등이다.

국내에서 지금까지 알려진 로드맵은 'DMAIC', 'DMAD(O)V', 'DIDOV' 외에 문제의 사안이 단순하거나 시간적으로 4~12개월이 아닌 1~3개월 내에 처리가 가능한 과제들도 통합, 운영되는 모델이 구축되기 시작했다. 따라서 로드맵도 이런 상황에 발맞춰 기업별 특성에 맞게 단순화하거나 약간씩의 변형이 이뤄지기도 하는데 이들은 하나의 응용적 과정으로 이해된다. 대표적인 예로 'Easy 6시그마', 'Quick Win', 'Lean 6시그마' 등인데, 로드맵은 대체로 'DMAIC', 'DMAD(O)V'를 단순화하거나 'Work-out' 등을 도입해 문제를 바로 해결하는 'DMWC(Define, Measure, Work-out, Control)'[13] 등이 그것이다. 이들에 대해서는 많은 기업 수만큼이나 그 다양성의 존재를 인정하면 될 것이나 역시 그 원조는 'DMAIC', 'DMAD(O)V', 'DIDOV'에 근거하고 있음을 인식해야 한다. GE가 왜 그렇게 벤치마킹이 돼야 하는지를 엿볼 수 있는 대목이다. 이제부터 로드맵을 좀 더 뜯어보는 시간을 가져보자. 그러나 'DMADV' 하나하나의 목표나 기법, 산출물 등이 아닌 꼭 필요하고 가슴 깊이 새겨놔야 할 개념적 내용에 초점을 맞출 것이다.

---

13) PS-Lab에서 개발. '[문제 처리 영역] 방법론' 참조.

2.3. '세부 로드맵'의 탄생

국내에서 20여 년에 걸쳐 기업 혁신 문화를 지배해온 '6시그마'는 '일하는 방법'에 관한 한 큰 변화를 일으켰다. 그러나 '일하는 방법'은 표현 자체가 너무 추상적이고 모호한 면이 있다. 당연히 "'일하는 방법'이 뭔데요?" 하는 의구심이 생겨난다. '일하는 방법'을 구체적으로 표현하면 바로 '로드맵'이다. 즉, '로드맵'이 '일하는 방법'의 실체인 셈이다. 누군가 필자에게 '6시그마'가 국내 기업에 제공한 가장 큰 선물들 중 하나를 고르라면 주저 없이 '로드맵'을 꼽는다.

연구 개발 과제를 수행하는 리더들이 'DMADV'보다 더 세분화된 '15－Step'을 접하면서 과제 수행 질이 크게 향상됐으며, 따라서 실무자에게 '15－Step'은 꼭 필요한 사전 지식으로 자리 잡았다. 반면에 임원은 Phase인 'DMADV'의 흐름만으로 충분했는데 이것은 과제를 직접적으로 수행하기보다 리더들의 과제 수행 과정을 파악하고 조언하는 정도면 충분했기 때문이다.

그러나 리더 개개인이 '문제 해결/문제 회피' 역량을 높이고 체질화까지 감당해야 할 현재의 상황은 좀 다르다. 기존의 학습이 주로 '도구'들 용법에 치중했다면, 2002년도의 '15－Step' 탄생으로 '로드맵' 학습에 집중한 시기가 도래했으며, 이제는 그보다 더 세분화된 '세부 로드맵'을 이해해야 하는 시기로 발전하였다. **'세부 로드맵'이란 필자가 부여한 명칭으로 국내외 2,000여 건의 수행 과제를 분석한 후 목표 달성을 위한 15개의 돌다리를 더욱 세분화함으로써 그동안 수면에 잠겨 있어 밟아야 하나 말아야 하나 고민하던 로드맵의 실체를 완전히 드러낸 결과물이다.**

"일하는 방법의 실체는 로드맵"이며, 로드맵은 강 이쪽에서 저쪽 편으로 건너가기 위해 밟아야 할 징검다리로 상상한다. 이론적으로 강을 건너 반대편으로 갈 수 있는 징검다리 수는 무한하다. 그 많은 경로들 중 가장 빠르고 효율적으로 건널 수 있는 최적의 루트가 바로 잘 알려진 'DMADV'이다. 이들은 'Phase'이며,

리더가 어느 분야에서 어떤 문제를 해결할지에 관계없이 강 건너 반대편의 불빛('목표'에 해당)을 향해 위험을 최소화해서 건너갈 경우 이들 '5개 Phase' 돌다리를 밟고 가면 최선이다. 그리고 각 'D－M－A－D－V'의 돌다리를 밟았을 때 각 Phase에서 무엇을 해야 하고 어느 산출물을 내야 하는지도 다 알려주므로 그대로 이행한다. **여기서 고려해야 할 중요한 요소는 '어느 분야, 무슨 목적을 갖든지 모두 동일한 돌다리를 밟고 갈 수 있다'는 데 그 효용성이 있다**. 그런데 최초의 돌다리인 'DMADV'는 너무 띄엄띄엄 위치해 초보자가 밟고 가기에 다소 어려움이 있었다. 따라서 초보자들을 더 쉽고 빠르게 적응시키기 위해 각 Phase를 3개로 분할해 15개로 구분했는데 이것이 '15－Step'의 탄생 배경이다. 즉, 돌다리를 15개로 쪼개 조밀하게 놓았으므로 강 반대편으로 가기가 훨씬 수월해진다. 이제 각 돌다리를 밟고 그곳에서 해야 할 일과 산출물을 만들어가되, 만일 목표인 강 건너 불빛에서 멀어지는 것으로 판단되면 밟고 왔던 돌다리를 빨리 되돌아보고 어디서부터 잘못 밟았는지 신속히 파악한다. 그리고 잘못이 시작된 위치로 다시 돌아가 올바른 판단을 재시도한다. 이전과 다른 점은 잘못 가고 있다고 판단한 위치까지 다시 오는 데 소요되는 시간과 노력은 크게 줄어든다.

그러나 과제 수행의 노하우가 쌓이면서 '15－Step'을 통해 '문제 해결/문제 회피'에 이르는 목표 요구 수준이 훨씬 더 높아지고 있다. 이에 각 Step에서의 활동과 산출물을 보다 정밀하게 요구하는 시점에 이르렀으며, '로드맵'은 기존에 정립한 체계보다 훨씬 더 섬세해지게 되었다. '15－Step'보다 명확하게 세분화된 최종의 로드맵을 '세부 로드맵'이라고 했다. 예를 들어, '15－Step' 관점에서 Define Phase는 3개 Step의 활동과 산출물만 정의하는 대신, '세부 로드맵' 관점에선 '과제 선정 배경 기술－전략 방향 도출－전략과의 연계－문제 기술－목표 기술－효과 기술－범위 기술－팀원 기술－일정 기술', 즉 "과제를 왜 하는지에 대한 대외적인 경향을 3C 관점에서 설명하고(과제 선정 배경 기술), 대외 환경을 좇아가지 못하는 우리의 문제가 무엇인지 기술하며(문제 기술), 그를 극복하면 목표가 달성될 것이고(목표 기술), 달성된 차이만큼의 양에 단가를 곱하면 수익이 생긴다(효과 기술). 여기까지가 과제를 해야 하는 당위성을 설명하는 것이며, 이후는 과제를 어떻게 할 것인지에 대한 '과제 관리' 차원의 기술이 필요한데, 우선 과제의 범위(프로세스, 공간적, 시간적, 유형적, 기술적)가 어디이며(범위 기술), 그 범위 속의 전문가와 함께 과제를 해야 성공 확률이 높아질 것이므로 팀 구성을 언급하고(팀원 기술), 이들과 함께 어느 일정으로 수행할 것인지를 간트 차트화한다(일정 기술)"와 같이 **하나의 명확한 이야기 구성(Story Line)을 완성**한다. 이것은 마치 강 이쪽에서 반대편으로 건너갈 때 밟고 가는 로드맵을 기존의 겅둥겅둥 정신없이 뛰어가는 데만 바빠한 대신 이제는 조밀하게 밟고 감으로써 앞뒤 간의 연계성이 명료해지고 따라서 동화를 읽는 듯한 이야기 구성이 가능해진다. 필자가 멘토링할 때는 "과제의 품질이 떨어지는 것은 이야기 구성의 맥이 끊기는 바로 그곳으로부터 시작됩니다. 과제의 첫 장을 들어 올리면 Verify Phase 마지막 장이 쭉 끌려오는 마치 물이 흘러가는 듯한 흐름을 유지해야 과제의 성공 가능성이 높아집니다"라고 강조한다. **리더들에게는 바로 '세부 로드맵'의 학습이 필요**하며, 지금까지 설명된 특징을 두 가지로 요약하면 다음과 같다.

· **'세부 로드맵'은 로드맵의 온전한 전체 모습이다.** 기업에서 '일하는 방법'의 실체는 바로 '로드맵'이다. '로드맵'은 목적지로 가기 위한 돌다리이며, 기존에는 'DMADV'처럼 밟아야 할 돌다리 간 거리가 멀어 접근성이 떨어졌으나 15-Step의 출현으로 이런 문제는 대부분 해소되었다. 그러나 20여 년의 적용 기간 동안 더욱 심화된 학습의 필요성이 대두됐으며, 이에 따라 그동안 존재하고는 있었으나 수면 위로 드러나지 않았던 '세부 로드맵'을 부상시킴으로써 로드맵의 완전한 실체를 드러냈다. 이제 15-Step은 기본이고 적어도 과제를 수행해야 할 리더이면 '세부 로드맵'을 학습해야 한다.

· **'세부 로드맵'의 활용은 이야기로 구성(Story Line)되도록 하는 것이다.** 밟고 가야 할 돌다리 간 간격이 더욱 짧아짐으로써 접근성이 매우 높아진 한편 앞뒤 간의 연계성도 명료해져 이 문제를 해결하기 위해 왜 이 돌다리를 밟았고, 또 다음 저 돌다리를 왜 밟아야 하는지에 대한 설명이 명확해졌다. 과제 수행은 목표를 달성했을 때 어떻게 그 일을 이루어냈는지 인과성이 설명돼야 한다. 그 인과성은 활동의 앞뒤 간 연계성을 갖는 것이 기본이며, 따라서 하나의 긴 소설 같은 구성이 필요하다. 이것은 성과를 이룬 결과가 우연히 일어난 것이 아니라 누군가에 의해 재현될 수 있는 결과임을 암시한다. 소설을 재미있게 읽고 결론에 공감하는 것도 이전 상황 전개에 대해 그 인과성을 분명히 받아들이기 때문이 아니겠는가? 이제 과제 수행은 소설과 같은 예술의 경지로 가야 할 때가 아닌가 싶다. 다음 [그림 O-5]는 '세부 로드맵'의 구성이다(15-Step 내에 전체 50개 세부 활동으로 이루어져 있다).

[그림 O-5] '제품 설계 방법론'의 '50-세부 로드맵'

Define	Measure	Analyze	Design	Verify
01 과제 선정배경	04 고객 정의	07 아이디어 도출	10 전이함수 개발	13 관리계획 수립
Step-1.1. 과제 선정 배경 기술 Step-1.2. 과제CTQ 도출 Step-1.3. 전략과의 연계	Step-4.1. 고객 조사 Step-4.2. 고객세분화 Step-4.3. 고객 선정	Step-7.1. 기능 분석 Step-7.2. 핵심 기능 선정 Step-7.3. 기능 대안 도출 Step-7.4. 기능 대안 확정	Step-10.1. 전이 함수 확정 Step-10.2. 핵심 설계 요소 보완	Step-13.1. 잠재 문제 분석 Step-13.2. 실수방지 Step-13.3. 관리계획 작성 Step-13.4. 표준화
02 과제정의	05 VOC 조사	08 컨셉 개발	11 상세 설계	14 실효성 검증
Step-2.1. 문제기술 Step-2.2. 목표기술 Step-2.3. 효과기술 Step-2.4. 범위기술 Step-2.5. 팀원기술 Step-2.6. 일정기술	Step-5.1. VOC 조사 방법 선정 Step-5.2. VOC 수집 계획 수립 Step-5.3. VOC 수집 Step-5.4. VOC 분석 Step-5.5. VOC 체계화	Step-8.1. 컨셉 후보 도출 Step-8.2. 최적 컨셉 평가/ 선정	Step-11.1. 상세 설계 계획 수립 Step-11.2. 상세 설계 수행	Step-14.1. 실효성 검증_Do Step-14.2. 실효성 검증_Check Step-14.3. 실효성 검증_Act/장기능력평가
03 과제승인	06 Ys 파악	09 상위수준 설계	12 설계 검증	15 이관/승인
Step-3.1. 과제기술서	Step-6.1. CCR 도출 Step-6.2. CTQ 선정 Step-6.3. Ys 결정 Step-6.4. Scorecard 작성	Step-9.1. 설계 요소 발굴 Step-9.2. 설계 요소 분석 Step-9.3. 설계 요소 별 산출물 실현 Step-9.4. 상위 수준 설계 검토	Step-12.1. 설계 검증_Plan Step-12.2. 설계 검증_Do/Check Step-12.3. 설계 검증_Act	Step-15.1. 가치/효과 평가 Step-15.2. 실행 계획서 작성 Step-15.3. 과제 이관 Step-15.4. 마무리/ 승인

이어 [그림 O−6]처럼 로드맵의 '종적 개념'과 '횡적 개념'에 대해 알아보자.

[그림 O−6] 로드맵의 '종적 개념', '횡적 개념' 개요도

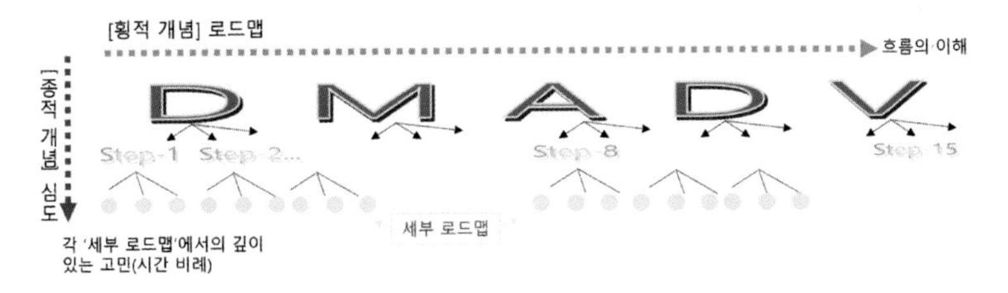

연구원들이 '문제 회피' 분야에 처음 입문한다고 가정해보자. 이들이 가장 먼저 접하는 일은 짧게는 3~5일에서 길게는 4주간의 교육 프로그램이다. 커리큘럼은 각종 도구들과 로드맵 학습을 포함하며, 이때 도구보다 '로드맵' 이해에 좀 더 많은 노력을 기울일 필요가 있다. '문제 해결/문제 회피'를 위해 가장 중요한 내용이 '로드맵'이기 때문이다. 앞서 설명한 대로 로드맵 교육도 'DMADV → 15−Step → 세부 로드맵'으로 세분화해 가며 그들 간 관계뿐만 아니라 내용에 대해서도 깊이 있는 학습이 요구된다. 이것이 바로 리더들이 받아들여야 할 '문제 회피'의 '횡적 개념'이다. 즉, '**횡적 개념**'이란 리더들이 '세부 로드맵'의 정의와 흐름을 명확히 이해하는 데서 출발한다. 그러나 교육의 현실을 되돌아보자. '흐름의 학습'보다 교육 시간의 대부분이 '도구의 학습'에 치중한다. '도구(Tools)'란 다음 [그림 O−7]과 같이 해당 Step(또는 돌다리)에 올라섰을 때 '문제 회피'를 위해 활용하는 툴들이다.

[그림 O-7] '로드맵'의 필요 위치에 형성된 '도구'들 개념도

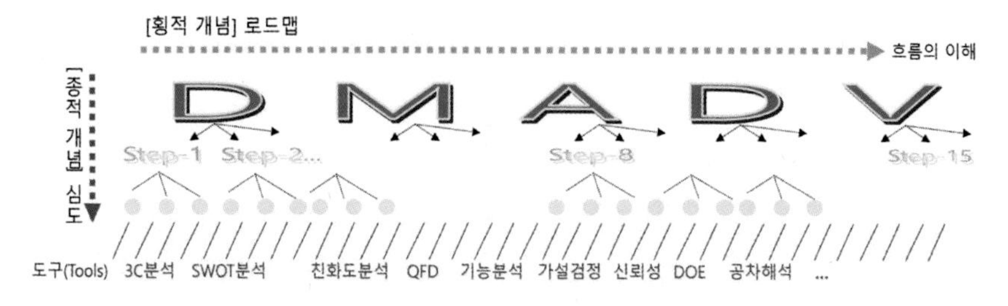

'제품 설계 방법론'의 가장 큰 장점 중 하나가 바로 도구들이 각 Phase별로 잘 배열돼 있다는 점이다. 도구들은 과거부터 필요에 의해 독립적 또는 관련성을 갖고 제각기 개발돼 방법론 속 로드맵 어디 필요한 구석에 정교하게 붙어 있다. 'QFD'와 Y의 '운영적 정의'에 이은 '기능 분석'이 그렇고, '개념 조합 표'와 '콘셉트 후보 도출'에 이은 'Pugh Matrix'의 사용도 그렇다. 또 'Deming Cycle'로 불리는 'PDCA Cycle'이 Design Phase 'Step-12. 설계 검증'과 Verify Phase 'Step-13' 및 'Step-14'에서 도구로 활용되는 것도 매우 의미 있는 일이다. 즉, 도구가 새롭게 발굴되거나 개발되면 로드맵의 필요한 구석에 그냥 턱턱 붙어버린다. 연구원들이 '문제 회피' 분야의 최초 입문 교육을 받을 때 로드맵 자체보다 도구들이 어렵다는 이유로 이들 학습에 많은 시간을 할애하는 현실이 안타깝다.

이제 수많은 도구들 중 Measure Phase부터 쏟아지는 '확률 통계'에 대해 생각해보자. 고등학교부터 대학교에 이르기까지 또 사회 각계 분야에 몸담고 있으면서 사실 '확률 통계'는 모두에게 그리 편하게 들리는 단어가 아니다. 가급적 대면하지 않기 위해 노력할뿐더러 설령 맞닥트리면 바로 신체와 사고가 딱 굳어버리는 증후군에 시달리는 게 일반적 현상이다. 또 한번 마음먹고 이해하려 시도하면 그 순간 더 이상 접근하지 못하도록 갖은 어려운 용어와 원리로 도배하는

바람에 조금 가다 그냥 포기해버리는 것도 악습 중의 하나다. 그런데 이런 두려운(?) '확률 통계'가 기업 내 경영 혁신 도입으로 전사에 적용되면서 직원 한 명 한 명에게 이젠 피할 수 없는 현실이 되고 말았다. 또 '문제 회피' 중 강조되는 '통계적 측정'으로 인해 교육 초기부터 '기초 통계'는 기본이고, '미니탭 교육'과 함께 Measure Phase부터 정신없이 쏟아지는 내용들에 그나마 학교를 벗어나 '확률 통계'의 늪에서 벗어났다고 안심하고 있던 대부분의 직장인들에게 아우성이 일기 시작했다. 리더 후보들은 '확률 통계'의 어려움을 호소하기 시작했고, '문제 회피'의 실체인 로드맵은 이런 목소리에 깊이깊이 잠기면서 '확률 통계'가 리더들의 전면에 부상해버리고 말았다. 급기야 리더들의 VOC를 접한 임원들은 '문제 회피 = 통계'라는 공식으로까지 인식하게 되었고, 그런 인식을 불식시킨다는 미명 아래 컨설팅 회사들은 교재와 교육 모두에 '확률 통계'의 비중을 더욱더 확대하는 계기가 되었다. 실로 악순환의 연속이다.

일상 업무 중에도 '확률 통계'를 알면 훨씬 효율적으로 문제 해결에 임할 수 있음은 자명하다. 그러나 '문제 회피 = 확률 통계'로 인식되는 것엔 전적으로 동의할 수 없다. 과거 운전면허 시험장에서 실기를 통과할 수 있는 다양한 운전 요령을 체득한 경험이 있다. 실제로 자동차의 기계적 작동 메커니즘을 잘 알지 못해도 목적지까지 운전해 갈 수 있듯이 '확률 통계'적 접근 또한 잘 만들어진 안내서를 참고해 얻고자 하는 결론을 유도해낼 수 있다. '확률 통계' 역시 목표 달성을 위해 쓰이는 많은 도구들 중 하나에 지나지 않음을 명심하자. 따라서 교육을 운영하는 측은 물론 교육을 받는 리더 후보들 역시 <u>로드맵인 '횡적 개념'을 이해하는 데 정해진 교육 시간의 많은 비중을 할애해야</u> 하고 <u>스스로도</u> 해당 학습을 위해 전념해야 한다.

[그림 O-8] '확률 통계'로 '문제 회피'에 중요한 '로드맵'이 가려진 개요도

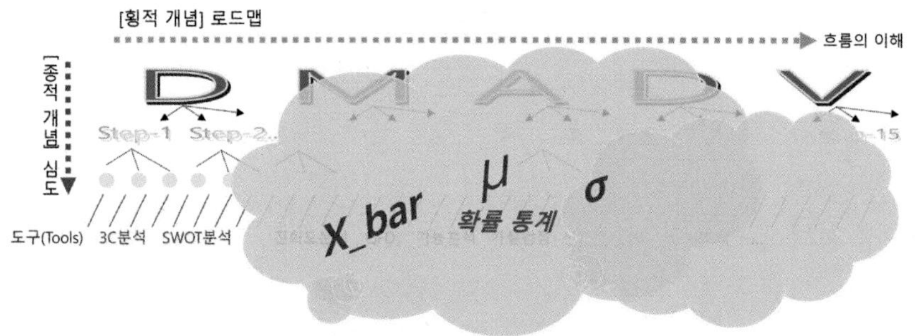

[그림 O-8]은 '확률 통계'의 어려움 호소로 관심이 비이상적으로 고조됨에 따라 '문제 회피'의 실체인 '로드맵'이 가려 아예 잘 보이지 않는 현실을 표현한 것이다. 다음은 '종적 개념'에 대해 알아보자.

'**종적 개념**'은 [그림 O-6] 또는 [그림 O-7]과 같이 리더들이 과제 목표를 달성하기 위해 로드맵, 즉 돌다리를 밟고 섰을 때, 그 위에서 얼마나 많은 고민을 거쳐 요구하는 산출물을 만들어내느냐를 나타내는 개념이다. 'DMADV'나 '15-Step' 또는 '세부 로드맵' 모두는 각 위치에서 반드시 얻어내야 하는 '산출물'을 정하고 있으며, 그 결과를 만들기 위해 리더 본인이 갖고 있는 모든 역량을 발휘하는 정도가 전적으로 과제 수행 품질을 좌우한다. 멘토링을 하다 보면 매 위치에 리더가 얼마나 심사숙고했는지가 PPT 장표상에 바로바로 나타난다. 예를 들어, '가설 검정'에서 한 요인의 통계적 검정을 수행할 때 '유의함'으로 결론을 내린 경우를 들 수 있다. 이때 유의하면 왜 유의한지 또는 유의하므로 프로세스의 어느 부분을 어떻게 상세 설계할 것인지 방향을 잡기 위해 분석의 심도를 높여야 함에도 단지 'p-값'을 통한 유의성 검정으로 모든 분석을 끝내버리는 경우가 참 많다. 또 데이터 수집이 되었음에도 그로부터 프로세스의 왜곡된

면이 무엇인지 찾기 위해 필요하다면 수일에 걸쳐 여러 방면으로 데이터를 해부하는 노력을 기울여야 함에도 마치 로드맵만 따르면 유용한 결과가 쉽사리 얻어진다고 믿고 있든가 아니면 아예 시도조차 하지 않는 경우도 비일비재하다. 또 정성적 분석에서 흔히 접하는 상황으로, 관련 전문가들의 협의로부터 결론을 내야 함에도 대부분 리더 혼자 평가하고 선정해버리는 빈도도 부지기수다. 이런 경험을 한 리더들은 여지없이 '문제 회피' 과정을 'Paper Work'로 치부해버리기 일쑤고 부질없는 활동에 본인들이 해야 할 업무의 상당한 시간을 방해받으며, 'Two Job'의 현실을 비관하거나 과정 전체를 부정하기에 이른다. 모든 혁신 활동들이 임직원 모두에 의해 전폭적으로 지지되는 상황을 기대하긴 어렵다. 그러나 필자가 역설하는 바는 적어도 'Two Job'이라는 의미가 제한된 시간 내에 담당 업무와 과제 수행의 중복으로 보기보다, 처음 입문하는 리더들 경우 '횡적 개념'의 '로드맵'을 이해해야 하는 데 들어가는 수고와 동시에 과제를 수행할 때 각 돌다리 위에서 깊이 있게 고민해야 하는 '종적 개념'의 두 경우를 'Two Job'으로 인식해야 한다는 점이다. 만일 '로드맵'을 완벽히 소화했다면 과제 수행 중 매 위치에서 좋은 결과를 얻기 위해 깊이 있는 고민, 즉 '종적 개념'에만 몰두한다. **초기 '문제 회피' 분야에 입문하는 리더들 경우 바로 '횡적 개념'과 '종적 개념'을 동시에 수행해야 하는 부담 때문에 어려움을 겪는다고 해석해야 옳다.** 그 외에 불필요한 'Paper Work'라든가 PPT만 멋있게 꾸미면 'OK'라는 인식을 통해 'Two Job'이라고 생각하는 것은 선정된 과제가 4개월에 걸쳐 수행할 정도의 분량이 아니던가, 아니면 실현 가능한 과제를 정치적 의도로 뽑은 것은 아닌지 스스로 자문해야 할 것이다. 일상 업무와 과제의 합치야말로 로드맵, 즉 '횡적 개념'을 완벽히 소화하는 데서 가능하며, 그제야 '문제 회피' 분야를 잘 이해하고 있으며 기업 문화로 정착되었다는 판단이 가능하다. 그리고 각 위치에서 깊이 있는 고민을 할 수 있을 정도(즉, '종적 개념'의 도입이 가능할 정도)의 과제를 선정하는 것도 중요한 활동으로 인식돼야 한다.

3. 로드맵 'DMADV'의 이해

"시작이 반이다"라는 속담이 있다. 그러나 '일하는 방법'의 실체인 '로드맵'을 이해하면 '반'이 아니라 '전부 다'를 알게 된다. '연구 개발 방법'인 '문제 회피'의 실체는 '로드맵'에 모두 녹아 있기 때문이다. 그 외의 것들은 모두 '도구(Tools)'들이다. '로드맵+도구'는 '방법론(Methodology)'의 핵심 구성 요소들이다. 따라서 본격적인 내용 전개에 앞서 15-Step 관점에서의 로드맵 'DMADV 구조'를 이해하는 것이 매우 중요하다. 숲을 보고 나무들을 파악해야 '세부 로드맵' 흐름이 눈에 들어온다. 우선 'DMADV와 DMAIC 로드맵'을 비교함으로써 사실은 그들이 동일한 순서로 짜여 있음을 확인한다. 즉, 과제 수행에 필요한 대표적인 두 개의 '로드맵'이 결국은 'DMAIC' 하나이며, **'DMADV'는 'DMAIC'의 특별한 경우로 해석**됨을 학습한다. 이어 'DMADV' 자체에 대한 특징들을 몇몇 소개할 것이다.

3.1. 로드맵 'DMAIC'와의 비교-Measure Phase

'DMAIC'는 프로세스가 존재한다는 전제하에 쓰이는 '프로세스 개선 방법론'이고, 'DMADV'는 연결이 잘 안 되는 프로세스(Broken Process)의 보완이나 신규 프로세스(New Process) 또는 신제품을 설계할 때 유용한 '제품 설계 방법론'이다. 따라서 용도가 다른 만큼 전개 역시 큰 차이를 보인다. 그러나 외형적으로 차이가 있을지언정 자세히 뜯어보면 'DMADV'가 'DMAIC'로부터 유도된다는 것을 발견한다. 다음 [그림 O-9]를 보자.

[그림 0-9] 'DMAIC 로드맵'과 'DMADV 로드맵'의 비교

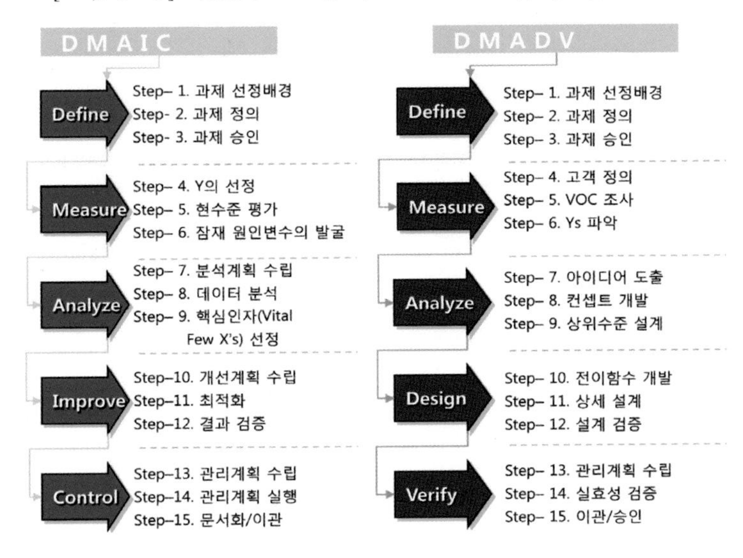

우선 'Define Phase' 경우 세 개의 Step 명칭들이 모두 동일하다. 물론 '제품 설계 방법론'은 '목표 기술'이나 '효과 기술' 측면에서 '프로세스 개선 방법론'보다 다양한 종류의 사전 조사가 요구된다. '프로세스 개선 방법론'이 통상 하나의 'Y'를 개선하는 데 비해 제품 개발은 여러 'Y'들을 동시에 만족시켜야 하기 때문이다. 따라서 본문은 'Step-2. 과제 정의'를 차별성 있게 다룰 예정이나 15-Step 관점에서 보면 '프로세스 개선 방법론'과 별반 차이가 없다.

'Measure Phase'는 각 Step 명칭들에 큰 차이를 보인다. 그러나 각각의 '세부 로드맵'으로 펼치면 다음 [그림 O-10]과 같은 공통점을 발견한다. 이하 본문은 로드맵들 간 관계 해석에 매우 중요한 내용임을 명심하자.

[그림 O-10] 'DMAIC'와 'DMADV' 로드맵의 비교 - Measure vs. Measure

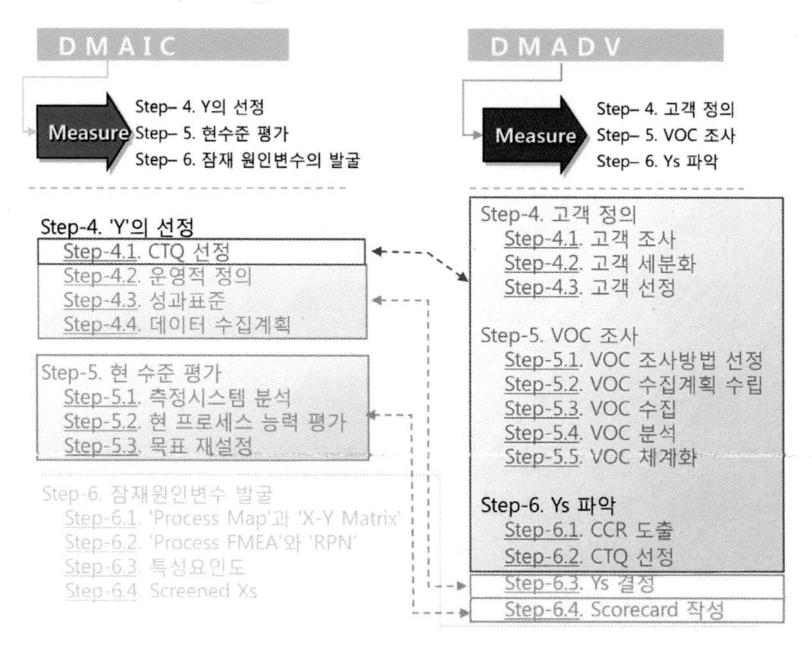

우선 'DMAIC_Measure Phase' 경우 'Step-4.1. CTQ 선정'은 과제 'Y'를 찾기 위한 과정으로, 파워포인트 장표는 '(VOC, VOB)~(CCR, CBR)~(CTQ, CTP)'의 단순 전개를 통해 최종 'CTQ'를 선정한다. 물론 전개상 '고객 정의'가 필요하면 그 앞장에 '고객'을 간단히 세분화한 뒤 과제에 맞는 '핵심 고객'을 선정한다. 그러나 'DMAIC' 경우 프로세스가 다년간 운영 중인 상황에서 '고객'이 누군지 거의 확실시돼 있고, 또 그들이 요구하는 '소리(VOC)'도 유사한 만큼 'CTQ 선정'은 단순히 'Y'를 정의하기 위한 수순쯤으로 여겨진다. 그러나 'DMADV_Measure Phase' 경우는 상황이 좀 다른데 '제품'을 하나 만들려면 수혜를 보는 고객층이 명확해야 하고 또 그들의 다양한 요구가 반영되도록 설계가 이루어져야 하므로 처음부터 '고객이 누군지', '그들은 무슨 요구를 하는지',

또 '다양한 소리를 어떻게 수집하고 담아 올 것인지' 등 절차는 'DMAIC'와 동일(그림에서 Measure Phase '세부 로드맵'을 묶은 색이 'DMAIC'와 'DMADV'가 동일한 순서로 위치)하지만, 규모에 있어서는 확실한 차이가 있다('DMADV' 경우 'CTQ 선정' 과정이 훨씬 많은 '세부 로드맵'으로 구성됨). Measure Phase에서 두 로드맵 간 차이를 가장 잘 대변하는 도구(Tools)가 있는데 바로 제품 개발 초기에 쓰이는 'QFD(Quality Function Deployment)'이다. 그림에서 **'DMAIC' 경우 'CTQ 선정'이 'Step－4.1'의 한 개 '세부 로드맵'으로 설명되는 반면, 'DMADV'는 규모의 차이로 인해 'Step－4.1. 고객 조사'부터 'Step－6.2. CTQ 선정'에 이르기까지 10개 '세부 로드맵'으로 'QFD' 내에서 전개된다**.

또, 'DMAIC'는 선정된 'CTQ'로부터 'Y'를 정하고, 'Step－4.2. 운영적 정의'와 'Step－4.3. 성과 표준'을 구분해 각각 기술하도록 강조하는 반면, 'DMADV' 경우 'Step－6.3. Ys 결정'에 이 과정들이 모두 포함된다. 'DMAIC'는 운영 중인 프로세스에서 개선할 대상(Y)이 무엇인지가 가장 중요한 반면, 'DMADV'는 제품을 구매해줄 고객의 의견, 요구 사항 조사가 매우 중요하기 때문이다. 일단 조사가 완벽히 이루어지면 그로부터 'Ys'를 정하는 일은 상대적으로 수월하다. 그러나 'Step－6.3. Ys 결정' 한 개 '세부 로드맵'으로 표현했어도 그 안에서는 'DMAIC 로드맵' 수준의 구분된 전개가 펼쳐진다.

끝으로 'DMAIC'의 'Step－5. 현 수준 평가' 전체는 'DMADV'의 'Step－6.4. Scorecard 작성' 한 개 '세부 로드맵'에 대응한다. 이 역시 'Step－6.4. Scorecard 작성' 내에 'DMAIC'의 'Step－5.1. 측정 시스템 분석'부터 'Step－5.3. 목표 재설정'까지 'Y'별로 조목조목 기술된다. '제품 설계 방법론' 경우 신규 설정이 많아 '프로세스 개선 방법론'처럼 다수의 데이터로 현 수준을 평가하기보다 몇몇 데이터 또는 한두 개의 정보로 현 수준을 가늠하는 빈도가 높다. 이에 'Ys'의 '현 수준'을 표기하는 'Scorecard'는 데이터의 많고 적음을 모두 포괄하고 단계별 완성도를 점검하는 데 매우 유용한 양식이다.

의문이 생긴다. [그림 O-10]의 'DMAIC 로드맵' 경우 'Step-6. 잠재 원인 변수의 발굴'은 뭘까? 비교 대상이 없다? 프로세스가 존재하는 상태는 '현 프로세스 능력'이 '6시그마 수준'에 미치지 못하게 할 '원인 변수'들이 존재할 것이므로 이들을 사전에 찾는 활동이 가능하나, '제품 설계' 과제는 'Xs'를 찾을 대상(프로세스, 또는 제품)이 없으므로 현 단계에서 '원인 변수'를 발굴할 수 없다. 따라서 '변수 발굴' 활동은 Analyze Phase 전반부에서 그 실체인 '제품(또는 프로세스)'이 완성된 후 가능하며, 따라서 'Step-9.1. 설계 요소 발굴' 과정은 Analyze Phase 후반부에 위치한다. 관련 내용은 Analyze Phase 비교 때 다시 자세히 논하게 될 것이다.

3.2. 로드맵 'DMAIC'와의 비교-Analyze Phase

'DMADV'의 'Analyze Phase'는 초반부에 설계 대상인 '제품'의 실체를 만들고(콘셉트 설계), 그다음에 최적화를 위한 '설계 요소('DMAIC'의 '잠재 원인 변수의 발굴'에 대응)'의 발굴이 이어진다. 이런 이유로 'DMAIC'의 전개와 큰 차이점이 생기는데 다음 [그림 O-11]에 잘 나타나 있다. 잘 표현하려 노력했는데 오히려 복잡해 보인다. 쉽게 설명하려는 의도만큼은 알아줬으면 한다.

[그림 O-11]에서 'DMAIC' 경우 'Step-5'와 'Step-6' 사이에 'DMADV'의 'Step-7' 및 'Step-8'이 끼어들어 간 모습이다. 제품의 '모양'이 만들어져야 그를 최적화하기 위한 'Xs', 즉 '설계 요소 발굴'이 가능하기 때문이다. 따라서 'DMAIC'의 'Step-6. 잠재 원인 변수의 발굴'은 'DMADV'의 'Step-9.1. 설계 요소 발굴'과, 'DMAIC'의 'Analyze' 전체는 'DMADV'의 'Step-9.2. 설계 요소 분석'에 각각 대응한다. 'DMADV'의 나머지 'Step-9.3'과 'Step-9.4'는 'Step-9.2. 설계 요소 분석'에서 나온 '설계 방향'을 토대로 '1차 최적화'를

[그림 O－11] ‘DMAIC’와 ‘DMADV’ 로드맵의 비교 - Analyze vs. Analyze

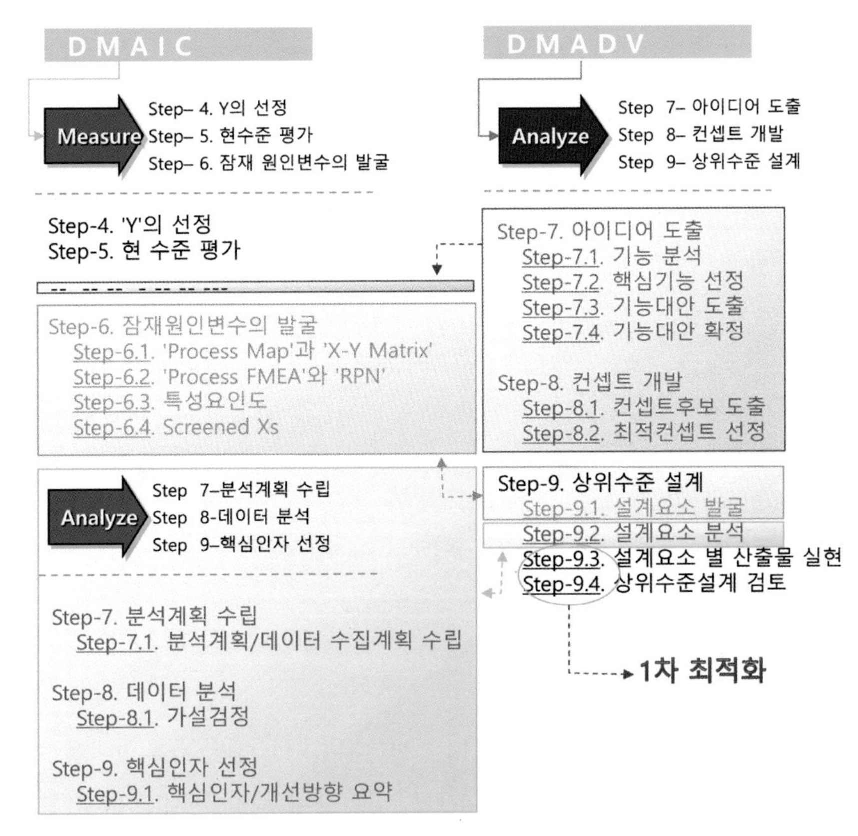

수행하는 활동이다. 물론 ‘2차 최적화’는 ‘Design Phase’의 ‘상세 설계’에서 진행된다.

3.3. 로드맵 'DMAIC'와의 비교–Design Phase

DMADV의 'Design Phase'는 DMAIC의 'Improve Phase'에 대응한다. 그러나 구조적으로 'Step–9. 상위 수준 설계'에서 '세부 로드맵'인 '설계 요소 발굴', '설계 요소 분석'을 거쳐 'Step–9.3', 'Step–9.4'를 '1차 최적화'로 설명한 바와 같이, '상세 설계' 영역인 Design Phase는 '2차 최적화' 과정에 해당한다.

[그림 O–12] 'Analyze'의 '1차 최적화'와 'Design'의 '2차 최적화' 설명도

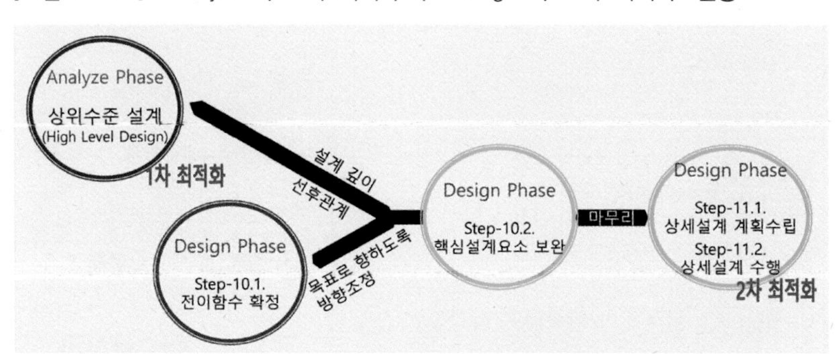

[그림 O–12]와 같이 'Step–10.1. 전이 함수 확정'에서 과제 전체를 아우르는 관계식을 정립하고, 그 과정에 추가된 '설계 요소'들을 'Step–10.2. 핵심 설계 요소 보완'에서 재정립하며, 그 결과를 토대로 'Step–11.1'과 'Step–11.2'의 '상세 설계(Detail Design)'를 진행한다. 이 과정은 마치 'Step–9. 상위 수준 설계'에서의 '1차 최적화'와 매우 유사하다. 따라서 편의상 '2차 최적화'로 명명한다. Analyze Phase에서의 '상위 수준 설계'와 Design Phase에서의 '상세 설계'는 일의 '선후 관계'나 '설계 깊이'의 차이가 있을 뿐 과제에 따라 구분이 분명치 않을 수 있다. 좀 극단적으로 표현하면 '상위 수준 설계'에서 구체적인 접근이 이루어지면 '상세 설계'의 역할은 매우 작아지거나 건너뛰는 사례도 발생한다.

[그림 O-13] 'DMAIC'와 'DMADV' 로드맵의 비교 - Improve vs. Design

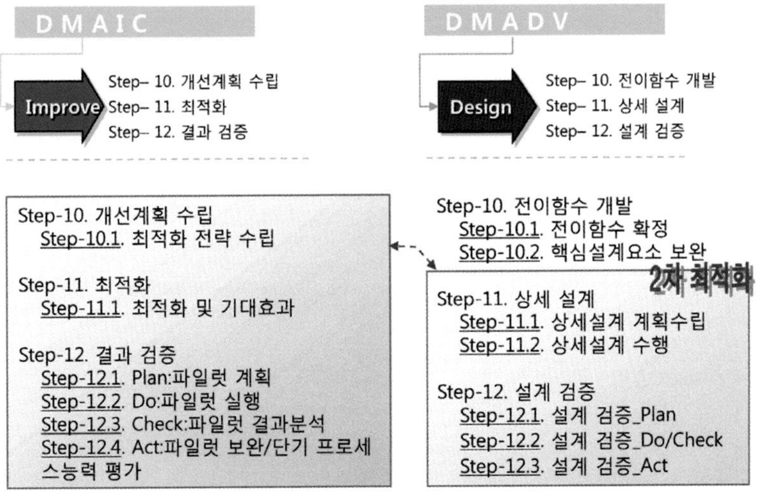

DMAIC

Improve
Step- 10. 개선계획 수립
Step- 11. 최적화
Step- 12. 결과 검증

Step-10. 개선계획 수립
Step-10.1. 최적화 전략 수립

Step-11. 최적화
Step-11.1. 최적화 및 기대효과

Step-12. 결과 검증
Step-12.1. Plan:파일럿 계획
Step-12.2. Do:파일럿 실행
Step-12.3. Check:파일럿 결과분석
Step-12.4. Act:파일럿 보완/단기 프로세스능력 평가

DMADV

Design
Step- 10. 전이함수 개발
Step- 11. 상세 설계
Step- 12. 설계 검증

Step-10. 전이함수 개발
Step-10.1. 전이함수 확정
Step-10.2. 핵심설계요소 보완

2차 최적화

Step-11. 상세 설계
Step-11.1. 상세설계 계획수립
Step-11.2. 상세설계 수행

Step-12. 설계 검증
Step-12.1. 설계 검증_Plan
Step-12.2. 설계 검증_Do/Check
Step-12.3. 설계 검증_Act

'DMAIC'의 'Improve'와 'DMADV'의 'Design'은 '최적화 구현'이란 측면에선 매우 흡사하며, 단지 'DMADV' 경우 'Step-10. 전이 함수 개발'의 존재가 차이라면 차이다. 이것은 과제 전체의 윤곽을 '함수'화함으로써 직전까지 이루어낸 실적과 직후부터 전개될 마무리 과정 간 흐름을 통제한다. '전이 함수'는 실험 계획, 시뮬레이션, 선형 계획법, 정수 계획법, 할당 모형 등 의사결정 도구나 통계 도구들이 사용된다. 적용 예들은 'Step-10'에서 자세히 논할 것이다.

3.4. 로드맵 'DMAIC'와의 비교-Verify Phase

'DMAIC'의 'Control'과 'DMADV'의 'Verify'는 동일한 구조를 갖는다.

[그림 O-14] 'DMAIC'와 'DMADV' 로드맵의 비교 - Control vs. Verify

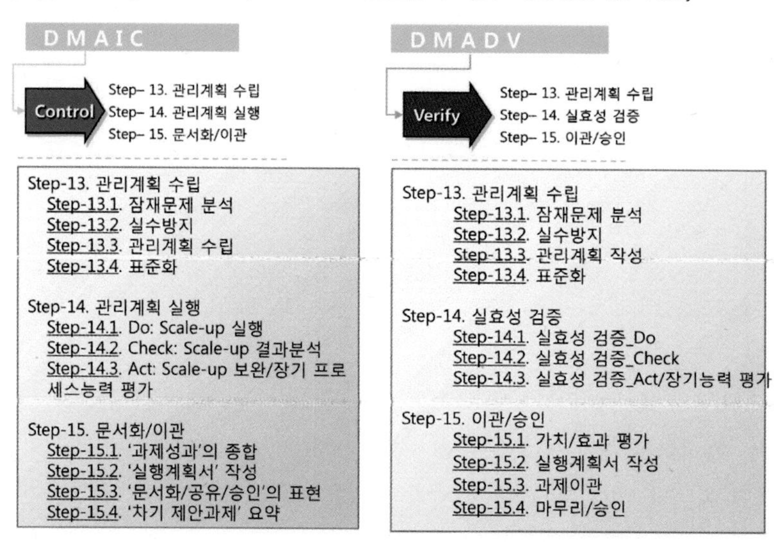

두 로드맵은 동일하되, 'Step-14' 경우 'DMAIC'는 '관리 계획 실행'인 데 반해, 'DMADV'는 '실효성 검증'으로 표현돼 있으며, 이것은 설계된 제품을 현업에 적용했을 때 정말 '쓸 만한지' 검증하는 개념이 강한 데 따른 표기다. 'Step-15'의 용어도 유사한데, '제품 설계 방법론'은 설계된 결과를 'P/O(Process Owner)'에게 넘겨주는 과정이 훨씬 더 중요하리란 판단에서 'Step-15. 이관/승인'처럼 '이관'이 강조돼 있다. 물론 '이관'의 절차도 다소 까다롭고 고려할 사항이 훨씬 많으리란 것쯤은 충분히 짐작할 수 있다.

지금까지 '제품 설계 방법론'의 실체인 '로드맵(DMADV)'의 구조를 '프로세스 개선 방법론 로드맵'과 비교했으며, 그 이유는 'DMAIC 로드맵'이 가장 일반적이고 주변에서 쉽게 접할 수 있는 방법론이므로 둘 간의 차이점만 알면 '제품 설계 방법론 로드맵' 또한 쉽게 이해하리란 기대가 있었기 때문이다. 결론만 간단히 요약하면 'DMADV' 역시 'DMAIC'와 거시적으로는 같은 골격으로 이루어졌으며, 단지 '개선 대상을 보면서 최적화할 것인지' 아니면 '만들어 놓고 최적화할 것인지－그래서 콘셉트 설계가 추가돼 있다'의 차이점만 있을 뿐 결국 **'DMADV 로드맵'이 'DMAIC 로드맵'의 아류 중 하나**임을 알 수 있었다. 사실 'DMAIC 로드맵'의 아류에는 'DMADV 로드맵' 외에 '빠른 해결 방법론(DMWC 로드맵)', '즉 실천(Quick Fix Solution)', '원가 절감 방법론, 영업 활동에 접목할 '영업 수주 방법론' 등 다양한 유형이 포함된다.

'제품 설계 방법론 로드맵' 구조를 논하면서 정작 기준이 되는 'DMAIC 로드맵 구조'에 대해서는 설명이 없었는데, 이것은 『Be the Solve_프로세스 개선 방법론』편의 본문 중 '개요'에 상세히 기술해 놓았다. 관심 있는 독자는 참고하기 바란다. 이제 본론인 'Define Phase'로 들어가 보자.

II

Define

왜 이 과제를 선정했고, 얼마나 효과가 있을 것이며, 성공적인 완수를 위해 어떤 계획과 관리를 실행해 나갈지 기술한다. 아마도 이 과정이 볼품없게 표현돼 있다면 사업부장에 의해 재검토하라는 지시가 떨어지거나, 또는 엄청난 질문 공세에 시달릴 수 있다. Define Phase의 '세부 로드맵' 학습을 통해 제품 설계 전에 파악해야 할 주요 사항들에 대해 자세히 알아보자.

Define Phase 개요

모든 로드맵의 첫 단에 포함돼 있는 'Define'은 '정의(定義)'로 해석하며, 사전적 의미로는 "어떤 말이나 사물의 뜻을 명확히 밝혀 규정함"이다. 과제 수행 전 과제가 탄생한 배경, 추진에 대한 당위성, 추진에 필요한 자원이나 일정 등을 명확히 밝히고 규정하는 과정이다. 만일 과제 탄생 배경이 충분한 근거를 갖추지 못하는 경우 또는 문제에 대한 공감대 형성이 미흡한 경우나 예상 목표가 회사에 이익을 주지 못하는 등의 결과를 보이면 과제 추진은 시작도 못 해보고 당연히 사장된다.

'제품 설계 방법론'에서의 로드맵 DMADV는 각 Phase별 3개씩 총 15개의 'Step'들로 구성되고, 그 'Step'들은 또 수 개로 나뉘는데 이를 **'세부 로드맵'**으로 정의한 바 있다. 본문에서는 'DMADV' 또는 '15-Step'보다 '세부 로드맵'에 충실해서 내용이 전개된다. 따라서 '세부 로드맵' 이전의 'DMADV'나 '15-Step'은 이해를 돕기 위해 명목상 유지되는 것으로 간주한다.

교육 중 필자는 '세부 로드맵'을 강을 건너기 위한 '징검다리'에 종종 비유한다. '연구 과제 수행'은 '콘셉트 설계'와 '문제 회피'가 활동의 대부분을 차지한다. 따라서 연구 대상이 결정되면 고민할 필요 없이 Define Phase의 첫 '세부 로드맵' 위에 발을 올려놓는다. 그 이후부터는 이미 마련된 정해진 징검다리를 계속 밟고 가면 될 일이다. 이때, 과제 리더와 팀원들은 목표인 강 건너편으로의 안전한 이동을 위해 주어진 돌다리 위에서 얼마나 깊이 있는 고민을 할 것인가가 중요하다.

이제 Define Phase에서의 '세부 로드맵'은 무엇이며, 어떻게 구성돼 있는지 알아보자. 설계가 '제품'을 대상으로 하므로 '프로세스 설계 방법론'과는 본문의 내용에 상당한 차이가 있다.

Step-0. 과제 개요

이 단계는 본격적인 Define Phase를 시작하기에 앞서 과제의 전체적인 개요를 조망하는 과정으로 활용한다. 통상 DMADV를 정상적으로 끝내게 되면 전체 PPT 장표가 80~100여 장을 훌쩍 넘는 경우가 부지기수다. 따라서 제3자에게 자료 내용을 전달하기 위해 일일이 보여줄 수 없는 것이 현실이다. 특히 임원들을 대상으로 발표할 때, 과제 시작 전 또는 완료 후 전체 개요를 한 장으로 요약해 보여주면 이해를 높이는 데 크게 기여할 수 있다. 본 내용은 초창기 미국 컨설팅社들이 국내에 진입하면서 'Project Team Charter'라는 제목으로 과제 수행 전 개요를 파악할 목적으로 작성해줄 것을 요구한 것이 그 시초이다.

필자의 경험으로 과제 수행 초기엔 과제에 대해 상황 파악도 잘 안 된 상태여서 영문으로 무지막지하게 작성해줄 것을 요구하는 바람에 불만도 많았고, 또 이해하기 어려운 단어와 정확히 무얼 요구하는지 모르는 문맥 등을 일일이 해석하느라 연수원에서 날밤 보내는 일도 비일비재했었다. 예를 들면 'NPV(Net Present Value)', 'IRR(Internal Rate of Return)', 'Market Share', 'Cost' 등이 포함되는데 도대체 모든 과제가 이 많은 항목들을 다 메울 수 있는 것인지 의심이 들기도 하였다. 그것도 모자라 향후 3개년 자료까지 적도록 하였으니... 초기 교육생들 입장에서 작성할 양식 서너 장을 건네주면 당연히 채워 넣는 일 외엔 다른 여유를 부릴 생각은 꿈도 꿔보지 않은지라 날밤 새운다는 얘기 나올 만도 했다.

다음 [그림 D-1]은 과제 수행을 위해 당시에 입력하도록 제공받았던 'Project Team Charter' 중 일부만을 떼어 옮겨 놓은 것이다. 한눈에 보기에도 작성이 만만치 않다는 생각이 든다.

[그림 D-1] 프로젝트 팀 차터(Project Team Charter)

▪ SIX SIGMA TEAM CHARTER

Project Name			*New growth*
Project Leader		*DBB*	
Telephone Number		*Telephone Number*	
Champion		*SBU / Location*	
Project Start Date		*Targeted Commercial Introduction Date*	
Development Stage		*Charter Revision Date*	

Element	Description	Team Charter					
1. New Process:	Describe the new Processt.						
2. Process Description:	Describe the functional requirements for the process.						
3. Project Description	Describe the purpose, scope and key objectives of the Six Sigma project (which critical parameters of the design are you addressing?).						
4. Market Segment:	What is the targeted market segment?						
5. Benefit to External Customers:	Who are the targeted customers and what benefits will they see relative to competitive options?						
6. Competitive Issues:	What are the key competitive issues?						
7. Killer Variables:	What are the potential show stoppers that could kill this project?						
8. Key project sign-off requirements	What key deliverables are required for the completion of this six sigma project.						
9. Business Returns:	What are the business returns	NPV				M$	
	anticipated and when?	IRR				%	
			1999	2000	2001	2002	units
		Mkt Share	30%				%
		Volume	10K / year				M units
		Cost	$490				$/unit

그림과 같이 단어도 어렵거니와 매번 과제진행 초기에 메우는 작업을 한다고 생각해보라. 가뜩이나 처음 입문하는 리더들에겐 범접하기 어려운 방법론으로 여겨질 만하다. 그러나 제시된 모든 항목들을 채우기보다 핵심 내용을 중심으로 간단히 요약하는 방법에 대해 알아보자. 다음 [그림 D-2]는 그 예이다.

[그림 D－2] ‘Step－0. 프로젝트 팀 차터’ 작성 예

Step-0. 과제 개요
Step-0. 프로젝트 팀 차터

D M A D V

과제 명	최적화 방법론을 통한 토이박스 개발
일정기술	o 20xx . 01 .15 ~ 20xx .12 . 20
고 객	o 내부 고객 : 사장 및 임원 o 외부 고객 : 어린이, 성인 일부 o 고객 요구 : 선물용으로 가능하고, 고장 없는 제품 o 고객 효과 : (내부)매출향상, (외부) 가족/친구와 함께 하는 즐거움 및 소비패턴 충족
팀원기술	o 챔 피 언 : 김 오락 상무 o 리 더 : 이 설계 o 팀 원 : 박 찬오, 김 유나, 박 서리 이 승업, 최 시라
효과기술	o 유형 효과 : 연 매출 2,000만원 (영업이익 500만원 추가) o 무형 효과 : 브랜드 가치 향상 (예상 성과; 신 재무 과장 검증)

PS-Lab
Problem Solving Laboratory

구성은 ‘과제명’, ‘일정 기술’, ‘고객’, ‘팀원 기술’, ‘효과 기술’ 등 핵심 항목들로 이루어지며, 특히 ‘팀원 기술’과 ‘효과 기술’은 보고받는 임원 입장에서 매우 중요하게 생각하는 항목들이므로 본 장표에서 강조할 대목이다.

Step-1. 과제 선정 배경

국내에 보편화된 15-Step의 발원지인 삼성그룹 경우 Define Phase의 첫 번째 하부 활동을 'Step-1. 프로젝트 선정'으로 분류한다. 과제 수행을 위해 가장 먼저 맞닥트려야 하는 부분이 과제를 '선정'하는 일이다. 사실 '과제 선정'은 선정 자체도 어렵거니와 표현하는 방법에 있어서도 항상 숙제로 남아 있는 영역이다. 많은 기업에서 '과제 선정' 과정이 매끄럽지 않아 정형화된 로드맵과 각종 툴들의 지원 속에 필요할 때마다 뚝뚝 떨어져주기를 내심 기대하는 경우가 많았던 것도 사실이다. 그러나 과제 선정을 주제로 여기서 일일이 열거하는 것은 범위를 많이 벗어나므로 '과제 선정 일반론'을 제시한 뒤 항목별로 설명하는 선에서 정리할 것이다. 자세한 내용이 필요한 독자는 필자가 정립한 『Be the Solver_과제 선정법』편을 참고하기 바란다.

앞으로 본문은 'Step-1.1'을 '과제 선정'이 아닌 선정된 과제를 기록하는 '과제 선정 배경 기술'로 정할 것이다. 실제 여러 컨설팅 회사와 업체들에서 'Step-1'을 '과제 선정'이 아닌 '과제 선정 배경'으로 설정하고 있다. 참고로 '과제 선정 배경'은 삼성그룹 경우 'Step-2. 과제 정의'에서 첫 번째 기술하는 과정으로 포함돼 있으며, 특히 이 영역은 '추진 배경' 또는 'Business Case' 등 여러 용어로도 불린다. 원활한 의사소통을 위해 쓰이는 용어들에 있어 이왕이면 표준화된 하나의 방식으로 통일할 것을 권장한다.

Step-1.1. 과제 선정 배경 기술

1.1.1. 과제 선정 일반론

'과제 수행'을 위해서는 그 앞단에 반드시 '과제 선정' 활동이, 또 '과제 수행'을 통해 성과가 창출되므로 후단엔 '성과 평가' 활동이 이어진다. 따라서 성과 극대화를 위한 의미 있는 '과제의 선정'은 기업의 중대 관심사이다. 그러나 '문제 해결/문제 회피'를 위해 제공되는 방법론들이 체계적인 로드맵과 필요 도구들을 잘 제시하고 있다는 점에서 '과제 선정' 역시 마치 어떤 특정 기법을 통해 쉽사리 얻어질 것이라는 기대 심리가 팽배한 것도 사실이다. 또 이런 요구를 반영하듯 여러 컨설팅사에서 다양한 '과제 선정 방법론'을 독자적인 모델로 소개한다. 과연 기업 특성에 맞는 최적의 과제 선정 방법론이 존재할까? 기업의 많은 과제 선정을 수행해온 필자로서는 '있다'라고 일단 단언하고 싶다. 그러나 전제 조건이 붙는다. 반드시 몇몇의 특정 방법론으로 대변할 수는 없다는 것이다. 다음 두 회사의 과제 선정 사례로부터 바람직한 방법에 대해 한번 생각해보자.[14)]

A사는 경영 혁신 활동을 2년 정도 수행해왔으며, 그동안 각 부서별로 중요하다고 생각되는 문제들을 과제화했으나(Bottom-up), 3년 차에 들면서 이제는 경영 전략과 연계된 '과제 선정(Top-down)'을 하기로 결정하였다. 물론 경영 혁신 활동을 시작했던 초창기에도 이를 몰랐던 것은 아니었으나 시간적 제약과 임직원의 인식 부족으로 일단 쉬운 방법을 선택했었다. 이에 여러 컨설팅 업체에 문의한 결과 '외부 환경 분석 → 내부 능력 분석 → 산업 동향 분석 → 전략 과제 도출'이라고 하는 큰 흐름의 과제 선정 방법론을 채택하였다. 물론 이 작업을 수행하기 위해 전사의 임원들과 각 기능부서장들이 일정 기

14) 이하는 『Be the Solver』 시리즈의 '프로세스 개선 방법론'과 '프로세스 설계 방법론'에 공통으로 포함돼 있다.

간 동안 인터뷰 대상이 된다거나 막대한 분량의 회사 운영 지표들을 검토하는 과정이 정신없이 이뤄졌다. 약 한 달여 기간의 수행 결과가 사장과 임직원들이 모두 모인 강당에서 발표되었으며, 보름 뒤 최종적으로 요약된 과제들이 트리 구조로 정리돼 다시 발표되었고 이를 바탕으로 3년 차 과제 수행이 시작되었다.

다음은 5년 차에 들어가는 B사의 예이다. 사장의 강력한 리더십으로 경영 혁신을 시작한 이래 지속적으로 수준 향상을 꾀하려 노력했던 이 회사는 그동안의 과제 선정 방법에 회의를 느끼고 있었다. 실로 좋다고 하는 방법론을 모두 끌어다 운영해보았으나 최종 선정된 과제들이 대부분 염두에 두고 있던 내용들의 다듬어진 결과임을 느끼던 차였다. 그러나 기존의 방법들이 과제 선정을 위해 다소 부족했다고는 얘기하지 않았다. 너무 큰 노력과 많은 임직원들이 과정에 투입되었고 시간도 만만치 않게 소요되었던 터라 공식적으로 비판하는 문제에 있어서는 누구도 선뜻 나서지 못하는 상황이었다. 또 방법이 잘못되었다기보다 그에 참여하는 임직원들의 적극성이 떨어지거나 성공 가능한 수준에 요령껏 대응했단 것도 암암리에 인지하고 있었다. 이런 상황을 너무나도 잘 알고 있던 B사의 혁신팀 부서장은 다음과 같은 과제 선정 방법을 공식화하였다. 즉, 기존에 운영돼온 프로세스 수준 향상 과제는 팀장 주관하에 운영토록 하고, 사업부장 과제만큼은 기존 사업 계획의 목표를 초과할 수 있는 창조적이고 혁신적인 유형으로 도출하라고 지시한 것이다. 약 2주간의 혼란한 분위기가 이어졌다. “뭘 하라는 거지? 기존 사업 계획 목표도 죽죽 늘려 잡는 상황에서 그건 기본으로 하고 혁신적인 과제를 추가로 창조하라니!” 의견이 분분하였으나 급기야 사업부장에 따라 의미 있는 변화가 일어나기 시작했다. 기존의 임원, 기능별 부서장, 관련 담당자를 대상으로 개별 인터뷰를 통해 상황 파악을 하던 패턴에서, 사업부장이 부서장, 과장 및 말단 사원까지 모두 회의실에 모이게 한 뒤, 취지를 설명하고 사업 계획 추가 목표를 달성하기 위한 내부 토론회를 개최한 것이다. 처음엔 말을 아끼던 직원들이 사업부장의 추가 목표 달성을 위한 과제를 생각한 대로 제시하자 너무 과도하다고 이의 제기를 하고 나서기 시작했다. 거기서 결정되면 과도한 과제를 직접 수행할 당사자가 바로 회의에 참석한 본인들이었기 때문이다. 시간이 갈수록 분위기가 험악(?)해지기도 했다. 그러나 어느 순간 정말 혁신적인 추가 목표 달성을 위한 과제가 도출돼야 한다는 피할 수 없는 현실을 절실히 인식하게 된 부서장과 직원들이 머리를 맞대고 고민하기 시작했다. 결국 5시간의 마라톤 회의를 거치면서 "그거 한번 해볼 만하다!" 하는 공감대가 형성된 사업부 과제가 탄생했고, 이후 몇 번의 수정 작업을 거쳐 급기야 간접 부문임에도 10개월 뒤 20여 억 원의 순수 재무성과를 창출하는 BP사례가 되는 영광을 안았다.

위의 A사와 B사의 예에서처럼 규격화된 방법론을 통해 과제를 선정하려는 접근과, 그와는 대조적으로 임직원이 모두 모여 머리를 맞대고 혁신성 있는 과제를 뽑기 위해 몰두하는 방식 중 어느 것이 더 현실적이고 실질적인 성과를 낼지 우열을 가릴 수 있지 않을까? 일단 B사의 차별화된 운영에 대해 경영 혁신을 주관하던 혁신팀 부서장이 상황을 정확히 인지하고 있었다는 점, 두 번째로 그를 바탕으로 다소 무리가 있지만 과제 선정을 위한 가이드라인을 명확하게 제시했다는 점에 큰 의미가 있다. 즉, 그 가이드라인이 모호하지 않았다. 이미 마무리된 사업 계획을 제외한, 말 그대로 '혁신적인' 과제의 선정을 주문했던 것이다. 물론 회사 전체 사업부장들이 그에 동조해서 모두 혁신적인 과제를 도출했다고는 볼 수 없다. 그러나 기존과 분명히 차별화된 난이도 높으면서 성과에 기여할 수 있는 혁신 과제들이 늘어났으며, 기존 사업 계획의 목표를 추가 달성하는 등 경영 혁신의 변곡점이 됐다는 점은 부인할 수 없다.

또 과제 난이도가 높아진 것과 비례해 리더들의 접근 방식도 한층 업그레이드되는 계기가 되었다. 기존의 '프로세스 개선 방법론' 각 Phase별로 한 달씩 정해지던 방식에서 철저한 시간 계획과 활동의 세분화를 적시하고 문제 발생 시 진지하게 모여 토론하는 분위기 등 진정한 경영 혁신 활동이 무엇인지를 보여주는 듯했다. 결론적으로 질 높은 과제를 선정하는 규격화된 방법을 찾고 그것을 기업 성향에 맞게 개발해서 활용하는 것도 중요하지만 그보다는 B사와 같은 사례를 벤치마킹해서 확실한 Top－down의 면모와 성과를 기대하는 전략도 고려해봄직하다. 다음 [그림 D－3]은 경영 혁신 활동에서 일반적으로 얘기하는 과제 도출 방법, 수행 및 관리 사이클의 개요도이다.

[그림 D-3] 일반론적인 '과제 도출-과제 수행-과제 관리 사이클' 개요도

과제도출 일반론

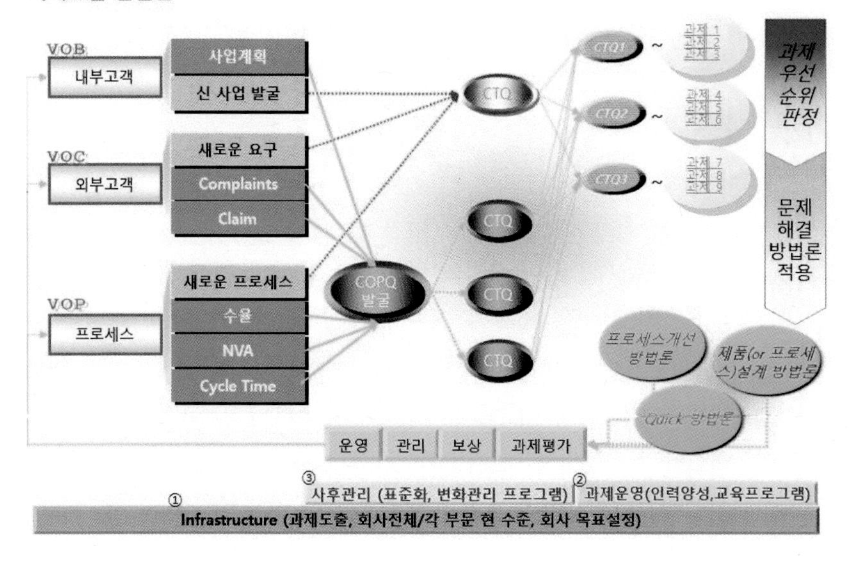

[그림 D-3]을 보자. 경영 혁신의 핵심 전략을 '고객 만족'에 둘 수 있다. 이때 과제 선정의 출발점은 '고객'이다. 고객은 그림 왼편에 나열된 '내부 고객, 외부 고객, 프로세스'로 구분된다. 통상 고객 유형은 '내부 고객, 외부 고객, 이해 관계자'로 분류하나 '이해 관계자' 대신 과제 선정에 직접 관계되는 '프로세스'를 넣었다. '고객'이 만들어내는 것은 오직 하나다. 즉, '소리(VOC, Voice of Customer)'다. 따라서 '내부 고객 → VOB(Voice of Business)', '외부 고객 → VOC', '프로세스 → VOP(Voice of Process)'에 각각 대응한다.

또 각 고객의 소리에서 분홍색 글틀인 "신사업 발굴, 새로운 요구, 새로운 프로세스"는 모두 기존에 없던 것을 찾아내거나 만들어내는 활동이므로 고객의 핵심 요구 사항을 특성화시킨 'CTQ'를 끄집어내야 한다. 반면에 파란색 글틀인 "사업 계획, Complaints, Claim, 수율, NVA(Non Value-added), Cycle Time"

등은 현재 운영되는 체계이다. 이들은 비효율적인 문제를 찾아 개선하는 것이 주요하므로 비효율적인 활동을 금액 단위로 환산한 'COPQ(Cost of Poor Quality)'를 구한 뒤 금액을 줄이기 위한 'CTQ'를 도출한다. 이어 'CTQ'들을 다시 세분화한 뒤(CTQ Flow down), 'CTQ'의 특성에 서술어를 붙여 '과제'를 탄생시킨다. 물론 적합한지에 대한 평가와, 긴급성 및 재무성과가 큰 과제별로 우선순위를 매겨 최종 확정 단계에 이른다. 수행 방법론 선택은 과제의 탄생 배경이 '사업 계획', 'Complaints' 등 현 운영 체계에서 나온 것이면 '프로세스 개선 방법론'을, '신사업 발굴'이나 '새로운 요구' 등 새롭게 창출하는 체계로부터 유래했으면 '제품(또는 프로세스) 설계 방법론', 그 외에 단기간에 처리가 가능하면 '빠른 해결 방법론'을 적용한다.

과제를 선정하는 다양한 방법론과 세부적으로 '고객의 소리'를 듣는 방법인 '인터뷰'나 '설문' 또는 현재 운영되고 있는 각종 지표를 조사하는 등의 접근법들이 추가적으로 필요하겠지만 이들에 대해서 논하는 것은 분량과 본 책자의 목적을 고려할 때 적합하지 않을 것으로 판단되어 이쯤에서 마무리한다. 다음에는 컨설팅 경험을 바탕으로 정립한 표현법에 대해 알아보도록 하자.

1.1.2. '과제 선정 배경 기술' 전개 방법

'과제 선정 배경'을 기술하는 방법은 그동안의 멘토링 경험을 고려할 때 다음과 같이 크게 3가지 유형으로 접근할 수 있다.

① 원가절감을 목적으로 기존 제품을 변경하는 경우(원가절감형 과제)

원가절감을 목적으로 하고 활동도 제품의 보조 기능을 축소하는 방향이므로 수행 배경이 명확하다. 이 경우 '과제 선정 배경'은 간단한 양식 한 장으로 기술한다. 예를 들어 'Step－3. 과제 승인'에서 쓰이는 양식만으로 Define Phase 전체를 대신한다. 작성법에 대해서는 'Step－3. 과제 승인'을 참고하기 바란다. <사용 도구> → '과제 기술서' 양식

② 기존 제품에 새로운 기능을 부가하는 경우(제품 개발형 과제)

대부분의 제품 개발 과제가 이 유형에 속한다. 과제 선정 배경은 그 내용적 측면에서 크게 3가지로 분류된다. 즉, '3C 분석'이 그것인데 이는 '고객(Customer), 경쟁사(Competitor), 자사(Corporation/Company)'를 뜻한다. 만일 본인이 멘토 자격으로 지도를 하거나 또는 리더로서 직접 표현하려면 우선 과제의 선정 배경을 위의 3가지 관점에서 고려해본다. 경험적으로 프로세스 개선 과제는 위의 3개 중 한 개만으로 배경 설명이 되며, 제품 설계 과제 경우 3개 모두를 기술하는 것이 바람직하다. 뭔가 하나를 만들어낸다는 것은 내부의 필요성에 의해서도 추진될 수 있지만, '고객'이나 '경쟁사'의 동향도 파악해야 투입될 비용과 실패의 위험을 최소화시킬 수 있기 때문이다. '3C'를 부연하면, '고객(Customer)'은 "고객의 선호도가 어떻게 변해왔고 앞으로 어떻게 변해갈 것인가?", "M/S가 최근 수년간 또는 앞으로 어떻게 변해갈 것인가?", "시장 수요가 또 얼마에서 향후 얼마로 변해갈 것인가"에 따라 우리가 대응해야 할 필요성이 생기며, 이런 환경 변화가 '과제 선정 배경'이 될 수 있다. '경쟁사(Competitor)' 관점은 "경쟁사가 최근 무엇을 하고 있는가?", 또 "어느 전략을 구사하고 있는가?", "어떤 방침을 세웠는가?" 등등의 경쟁사 동향 정보를 수집한 결과, 우리도 해야 한다면 이 역시 하나의 선정 배경으로 볼 수 있다. 또 '자사(Corporation)' 관점에서 "대표이사가 어떤 내용을 하라"고 했다든가, "어느 팀에서 문제점을 발견해 추진할 수밖에 없는 상황이 되었다", "자체 분석 결과 점유율이 높아 개선이 불가피하게 되었다" 등이 과제가 선정된 배경이 될 수 있다. 과제 선정 배경을 위와 같이 구분해봄으로써 향후

추진 과정을 경쟁사에 맞출 것인지, 고객에 맞출 것인지 아니면 회사의 프로세스 최적화에 맞출 것인지 등 방향성을 짐작할 수 있고, 또 막연한 배경 기술보다 과제의 유형을 명확히 가늠할 수 있다는 취지에서 '3C 분석'은 매우 필요한 전개 방법이라 할 수 있다. 사용 빈도가 높아 [그림 D-5]~[그림 D-7]에 사례를 포함시켰다. <사용 도구> → 3C 분석

③ 현재를 뛰어넘거나 소비재 품목(End User 대상)의 경우(신제품형 과제)

신개념의 제품 개발은 통상 긴 시간과 많은 자원 투입이 필요하므로 초기에 과제 수행 당위성을 명확히 하기 위한 조사는 필수적이다. 이때 '고객', '경쟁사', '자사' 관점의 전개가 가능하면 '3C 분석'을 통해 배경을 기술한다. 또 소비재 품목 경우 최종 소비자 성향 파악을 위해 조사원이나 패널 투입으로 깊이 있는 시장조사 등이 이루어지지만 이 역시 '고객', '경쟁사', '자사' 관점의 전개가 가능하면 '3C 분석'을 수행한다(아마 장표가 상당히 늘어날 것이다). 실제 생활 용품이나 식품 등의 연구 과제 경우 '고객'이나 '경쟁사'의 환경 분석 용량이 매우 큰 게 특징인데 이것은 강한 경쟁 구도 속에서 시장의 미세한 변화를 감지하기 위한 노력의 일환이다. 그러나 어느 개발 과제를 해야 하는지 윤곽조차 없는 경우라면(조금 과장된 표현이지만) 원론적인 환경 분석부터 들어간다. 이에 대한 과정은 [그림 D-4]에 나타내었다.

[그림 D-4]에서 가운데 노랑 마름모는 분석의 순서이고 그 좌우에 붙은 항목들은 도구를 나타낸다. '외부 환경 분석 → 기회/위협', '내부 능력 분석 → 강점/약점', '산업 분석 → 기회/위협, 강점/약점'을 얻게 되며, 이들 산출물들은 'SWOT 분석'의 '입력'이 되어 최종 핵심 과제(수행하고자 하는 개발 과제)가 유도된다. 결국 이 과정은 그대로 '과제 선정 배경 기술'이 된다. 멘토링 중에는 소위 "맨땅에 헤딩하는 과제"로 표현하는데 뭘 해야 할지 모르는 새로운 유형의 과제라면 소개된 절차는 매우 유용하다. 그러나 분량 역시 상

[그림 D-4] '과제 선정 배경 기술' 방법 예(정보가 없을 경우)

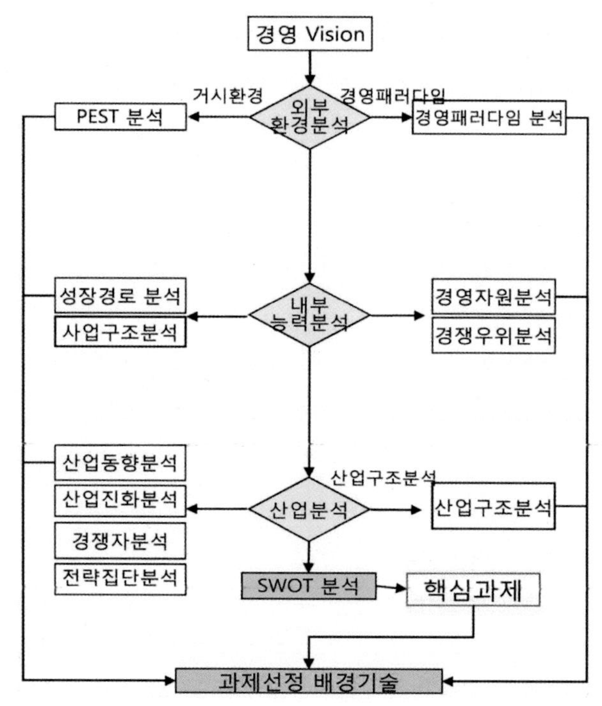

당하므로 호기심으로 어설프게 진행하는 것은 금물이다. 대부분은 '3C 분석'으로 충분하다. <사용 도구> → 3C 분석, [그림 D-4]의 방법

'과제 선정 배경 기술' 방법에 대해서는 이 정도로 마무리하고 사용 빈도가 매우 높은 '②'의 경우에 대해 보완 설명과 표현 예를 살펴보자. 말보다는 '百聞이 不如一見'이므로 '토이 박스 개발'이라고 하는 간단한 과제를 통해 '과제 선정 배경'을 좀 더 밀도 있게 파악해보자.

과제를 수행해봤거나 내공을 많이 쌓은 리더라도 다양한 형태로 작성된 배경을 동일한 잣대로 처리해내기는 쉽지 않다. 따라서 접근 방법을 약간 표준화한다는 개념에서 'D Phase 5대 작성 원칙'을 마련하였다. 이것은 멘토링할 때 파악

해야 할 기본 사항이며, 과제를 수행 중인 리더라면 꼭 염두에 둬야 할 내용이기도 하다. 이 과정은 다음에 이어질 '문제 기술'에도 적용된다.

① 리더가 표현할 '과제 선정 배경'의 핵심 '단어'나 '구어'를 찾아낸다.

멘토링할 과제를 검토하거나 리더가 과제를 직접 수행할 때, 중점적으로 생각하고 있는 핵심 '단어'나 '구' 등을 끄집어낸다. 필요하면 질문을 던져도 좋다. '토이 박스 개발' 경우 '고객 관점'에서 '토이 박스가 포함된 완구의 시장 동향', '경쟁사 관점'에서 '유사 모델을 생산하는 회사들의 최근 움직임', '자사 관점'에서 '매출 동향' 등이 그 예이다.

② 핵심 '단어'나 '구'에 대해 시각화시킬 수 있는 도구를 생각한다.

자료는 반드시 시각화해야 한다. 만일 '그래프'나 '사진'으로 표현이 안 되면, '표'를 활용하는 것도 고려해볼 만하다. 또 시각화 도구가 두 개 이상이면 왼쪽에서 오른쪽으로 '큰 규모 → 작은 규모'로의 흐름 전개가 이루어지도록 한다. 예를 들면, '회사 매출 전체의 연도별 변화 → 해당 과제가 목표로 하는 제품의 매출'을 보이거나, '전체 국내 시장의 흐름 → 자사 제품의 흐름'을 보이는 식이다. [그림 D-5], [그림 D-6], [그림 D-7]은 '고객', '경쟁사', '자사' 관점에서 각각의 핵심 '단어'나 '구'를 참고하여 시각화시킨 예를 보여준다.

③ 시각화된 도구에 대해 '6하원칙'에 근거한 설명을 기술한다.

그래프를 설명하면서, '원인'이나 '해결책'이 거론되지 않게 하는 방법은 시각화된 도구의 내용을 '6하원칙' 그대로 표현하는 것이다. 전달도 잘될 뿐 아니라 장표도 훨씬 단순화할 수 있다. 예를 들면, "20××년 1월 현재, ○○완구의 국내 수요는 '0x년 2,500억에서 '0y년 3,600억 원으로 연평균 yy%의 지속 성장하는 추세" 등으로 표현하는 식이다.

④ '6하원칙'의 내용을 바탕으로 설명하고 싶은 '시사점'을 이끌어낸다.

'프로세스 개선 과제' 경우 기존 체계가 존재하는 상황에서 문제시되는 부분을 개선한다고 할 때 과제의 '선정 배경'은 '3C' 중 하나에 대부분 속한다. 그러나 '제품 설계 과제' 경우는 이전에도 언급한 바와 같이 '3C 관점' 모두가 포함되는 경우가 대부분이고, 이때 주어진 환경 속에서 우리가(또는 내가) 무엇을 해야 하는지 방향(시사점)을 설정할 필요가 있으며, 이들 시사점을 바탕으로 '과제 CTQ'를 도출한다([그림 D-3]에서 CTQ Flow Down 참조). '시사점'은 [그림 D-5], [그림 D-6], [그림 D-7]에서, '과제 CTQ'는 [그림 D-8]에 정리돼 있다.

⑤ 장표 구성을 '여백', '통일', '균형', '강조' 관점에서 표현한다.

장표를 예쁘게 또는 있어 보이게 하자는 게 아니라 내용을 정확하고 쉽게 전달하는 것이 목적이므로 '여백', '통일', '균형', '강조'를 토대로 기술한다. 자료는 본인이 보려고 작성한다기보다 제3자나 미래를 위한 보관이 주된 목적이다. 따라서 자료로서 가치가 있으려면 기본적 사양을 갖추는 게 필수적이며, 이는 임원에게 프레젠테이션을 하거나 팀원들과 의견 교환을 위해서라도 간과해서는 안 될 주요 사항 중 하나다. 기업에서 멘토링을 하다 보면 이 부분을 소홀히 해서 보는 사람도 이해가 어렵고, 정작 본인도 정리가 안 돼 'Paper Work'로 인식하는 바람에 과제 품질을 저하시키는 요인이 된다. 로드맵이 많이 진전된 상황에서 편집을 시도하면 작업량이 크게 증가하므로 아예 초기부터 잡아주는 것도 중요하다. 우선 '여백'을 본다. **'<u>여백</u>'**은 장표 상하좌우의 여백이 일정하게 유지되고 있는지를 보는 것이다. 매 장표에 여백의 불균형은 성의가 없어 보이기 일쑤다. 두 번째 **'<u>통일</u>'**은 글자체나 각 장표마다 반복되는 제목, 장표 우측 상단의 로고 등 공통으로 가져갈 것들에 대한 통일화이다. 세 번째 **'<u>균형</u>'**은 장표 내용들의 무게중심을 나타낸다. 내용들이 위나 아래 또는 좌우 등 한쪽으로 쏠림이 있으면 심리적으로 불안정하게 느껴진다. 끝으로 **'강조'**는 매 장표가 뭔가 의미를 전달할 목적으로 작성되는 것이므로, 본인이 정확히 설명하려는 것이 무엇인지 강조한다. 프레젠테이션을 할 때 통상 사람들은 장표 전체를 파악하기보다 그래프나 색으로 강조된 부분을 주시한다. 또 발표자가 각 장표의 핵심 사항을 표현해 놓지 않으면 말수가 많아져 발표 시간이 길어지는 원인이 된다.

앞서 기술한 지도법 'D Phase 5대 작성 원칙'을 우리의 예인 '최적화 방법론을 통한 토이 박스 개발'에 적용하면 [그림 D-5]~[그림 D-8]과 같다.

[그림 D-5] 'Step-1.1. 과제 선정 배경 기술(고객 관점)' 예

Step-1. 과제 선정배경
Step-1.1. 과제선정 배경기술(고객 관점)

▶ '0x년 12월 말 현재, 국내 완구의 생산규모는 '0y년에 비해 43.8백만 불 줄었으나 수입이 27.8백만 불 늘면서, 내수(소매기준)는 21.8백만 불 증가함. 시장개방을 통한 수입의 증가는 앞으로도 지속될 전망임.

▶ 품목별 시장점유율은 8~13%대로 유사한 수준이고 특히, 작동완구, 게임/퍼즐, 인형, 유아/미취학아동용 등은 시장선점을 위한 치열한 경쟁관계가 지속되고 있음.

→ ***당사 '토이박스'가 속한 '작동완구'의 무한 생존경쟁이 수년간 지속되고 있음.***

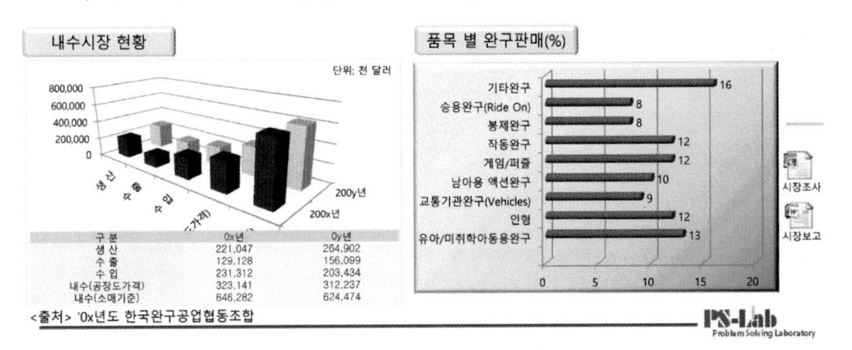

구 분	0x년	0y년
생 산	221,047	264,902
수 출	129,128	156,099
수 입	231,312	203,434
내수(공장도가격)	323,141	312,237
내수(소매기준)	646,282	624,474

<출처> '0x년도 한국완구공업협동조합

PS-Lab
Problem Solving Laboratory

우선 제목을 보면 'Step-1.1. 과제 선정 배경 기술(고객 관점)'로 돼 있고, 완구에 대한 '내수 시장 현황' 및 '품목별 완구 판매'가 그림과 함께 '6하원칙'으

로 기술돼 있다. 기술한 글 아래쪽의 화살표와 빨간색 문장은 '시사점'으로 리더가 말하고 싶은 내용(또는 함축된 의미)을 간추린다. '시사점'을 모으면 과제의 나아갈 방향이 설정되는데 이것은 'Step-1.2. 과제 CTQ 도출'에서 설명된다. 참고로 [그림 D-5]의 내용과 관련된 시장조사나 보고 자료 등이 있으면 장표 오른쪽의 정해진 공간에 '개체 삽입'으로 모든 자료를 보관한다(ppt, Word 아이콘 참고). 이 기능은 앞으로도 과제 수행 중 발생되는 모든 정보를 처리하는 유용한 방법으로 사용될 것이다. 다음 [그림 D-6]은 '경쟁사 관점'의 배경을 나타낸다.

[그림 D-6] 'Step-1.1. 과제 선정 배경 기술(경쟁사 관점)' 예

Step-1. 과제 선정배경
Step-1.1. 과제선정 배경기술(경쟁사 관점)

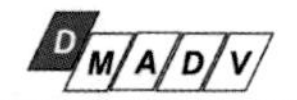

▶ '0x년 12월 말 현재, 경쟁 관계인 K社 경우 기존의 대상 연령층을 확대할 전략의 일환으로 카메라와 융합한 토이박스를 출시.

▶ 반면, M社 경우는 인형이 나오는 기존구조에서 탈피, 과학적 사고놀이를 통해 사고력과 추리력을 배양할 수 있도록 돌출물의 다양화 전략을 꾀함.

➡ ***연령층 확대전략, 기능의 다양화 전략을 통해 기존 전통적 작동완구의 한계를 넘어서려는 움직임이 대세임.***

<출처> http://silkylake.tistory.com/category/p%20h%20o%20t%20o/SLR?page=468, http://shopping.daum.net/product/ PS-Lab Problem Solving Laboratory

[그림 D－6]은 최근 경쟁사인 'K社', 'M社'의 신제품 외관과 특징 및 '6하원칙'의 설명을 포함한다. '시사점'으로 경쟁사의 연령층 확대 전략과 기능의 다양화를 언급하고 있고 이에 새로운 시도가 필요함을 역설하고 있다. 관련 자료는 모두 '개체 삽입'돼 있다. 다음 [그림 D－7]은 '자사 관점'의 조사 내용이다.

[그림 D－7] 'Step－1.1. 과제 선정 배경 기술(자사 관점)' 예

Step-1. 과제 선정배경
Step-1.1. 과제선정 배경기술(자사 관점)

▶ '0X년 12월 말 현재, 당사의 직전 3년간 토이박스 주 제품은 돌출되는 인형의 종류와 외관 디자인 변화에 집중한 반면, 구조는 전통적인 형식에서 벗어나지 못하고 있음.

▶ 이에 따른 매출은 3년 전 24.2억→ 직전연도 말 9.4억 원으로 약 2.5배 급감한 실적을 보임

➡ ***다양한 연령층을 수용하고, 새로운 기능을 포함한 토이박스의 개발을 통해 매출향상의 기회마련이 시급한 실정임.***

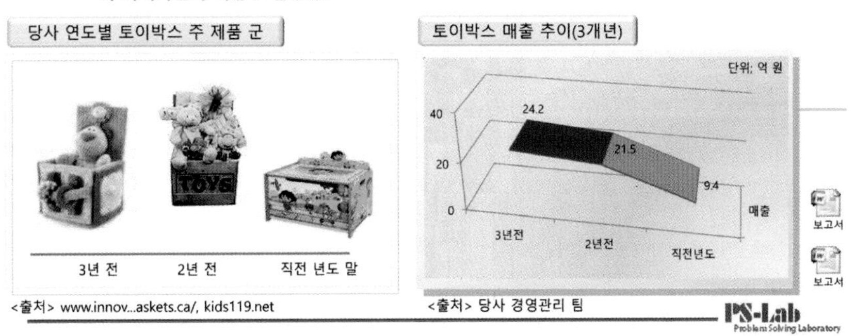

<출처> www.innov...askets.ca/, kids119.net

<출처> 당사 경영관리 팀

PS-Lab
Problems Solving Laboratory

[그림 D－7]에서 자사의 3년간 제품 유형과 '매출 추이'를 그림과 함께 기술하고 있다. '시사점'에 다양한 연령층을 아우를 새로운 기능의 토이 박스 개발 필요성을 역설하고 있다. '3C 분석'의 종합은 다음 '과제 CTQ 도출'로 연결된다.

Step－1.2. 과제 CTQ 도출

'과제 CTQ'는 과제 전체를 대변할 '특성'이며, Measure Phase 중 QFD로부터의 'CTQ'들과는 구별된다.[15] [그림 D－8]은 'Step－1.1. 과제 선정 배경 기술'의 '3C 분석' 결과를 종합하고 그로부터 '과제 CTQ'를 도출한 예이다.

[그림 D－8] 'Step－1.2. 과제 선정 배경 기술(과제 CTQ 도출)' 예

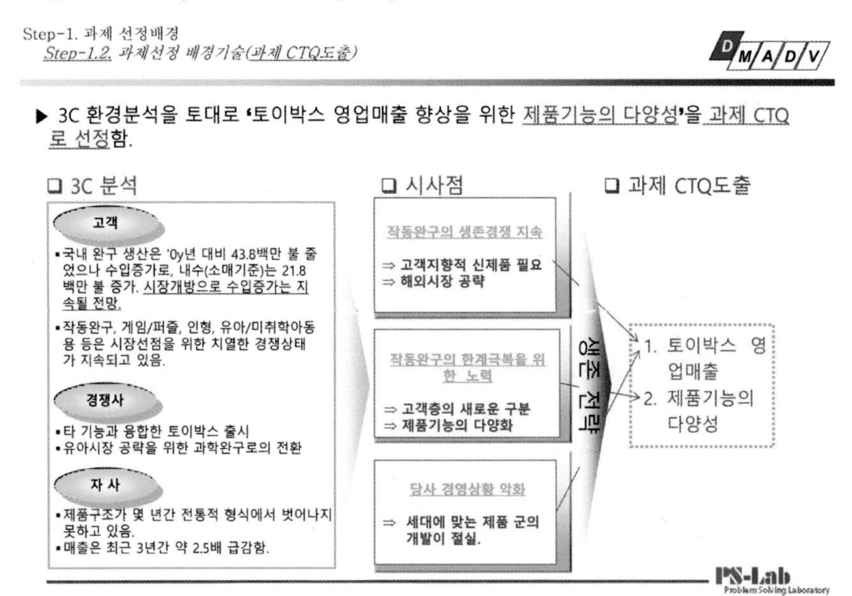

[그림 D－8]은 앞서 수행된 환경 분석 결과를 토대로 리더가 나아갈 과제의 방향을 설정한다. 현재로서는 '영업 매출 향상'이 급선무지만 그를 이루기 위해 제품 개발이 선행돼야 하므로 환경 분석으로부터 유도된 '제품 기능의 다양성'이

15) 과제 규모가 작으면 일치될 수 있다(QFD로부터의 'CTQ 도출'은 Measure에서 설명됨).

본 개발 과제의 'CTQ'이다(라고 가정한다). 방향 설정을 위한 '과제 CTQ'는 회사의 전략과 일치되는지 최종 확인해야 하며 이를 위해 그 연계성을 따져보는 다음 '세부 로드맵'으로 연결된다.

Step-1.3. 전략과의 연계

과제는 Top-down 모습일 때 그 효과가 배가되며 따라서 회사의 전략적 방향과 일치돼야 한다. 'Step-1.1. 과제 선정 배경 기술'에서 3C 관점의 환경 분석과 'Step-1.2. 과제 CTQ 도출'이 정리됐으면 이를 바탕으로 수행 과제가 회사의 전략 어디에 매달려 있는지를 시각적으로 표현한다. 물론 과제 윤곽이 명료하지 않거나 또는 회사 전략의 어디에 연결시켜야 할지 난감할 수도 있다. 아무리 'Top-down'이라고 해도 모든 과제 하나하나의 연결 고리를 찾기는 어렵기 때문이다. 그러나 중요 과제는 전략과 연계돼야 하며, 사업부 워크숍을 통해 정리하는 것도 한 방법이다. 운영이 잘 이루어지는 기업 경우 매년 말 CTQ-Tree를 사업부 단위까지 전개해서 방향과 목표 수준을 설정하고, 각 사업부에서는 이를 바탕으로 연계 과제를 선정하기도 한다. 어떤 경로를 거치든 'Step-1.1. 과제 선정 배경 기술'과 'Step-1.2. 과제 CTQ 도출'이 이루어진 다음에는 그를 바탕으로 'Step-1.3. 전략과의 연계'를 기술한다. 다음 [그림 D-9]는 작성 예이다.

[그림 D-9] 'Step-1.3. 전략과의 연계' 작성 예

Step-1. 과제 선정배경
Step-1.3. 전략과의 연계

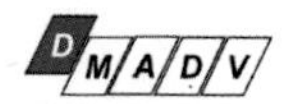

- ▶ 올해 당사의 매출 20% 향상(순 이익 150억 달성)을 위해,
- ▶ 당 사업부의 세부 전략과제 중 '토이박스 영업매출 향상을 위한 제품기능의 다양화'를 제품 설계 과제로 선정.

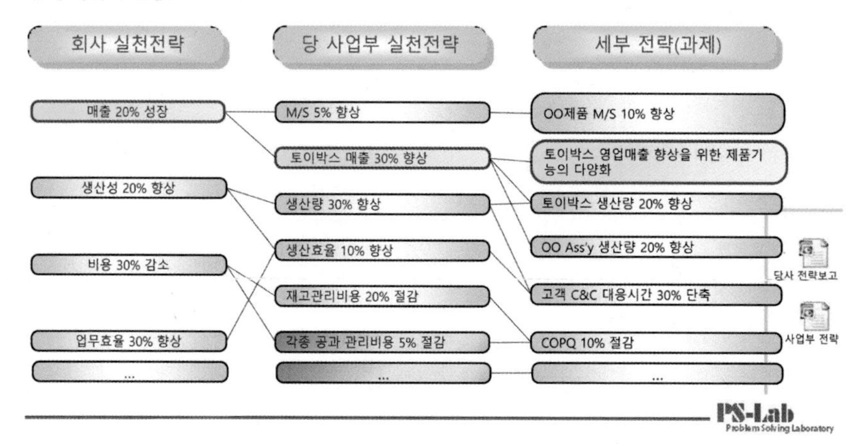

물론 세부적인 회사 및 사업부 전략 기술에 대해서는 장표 오른쪽에 '개체 삽입'으로 대체하였다(고 가정한다). 여기까지가 우리를 제외한 바깥세상의 환경 변화로 무었을 해야 하는지 알아보는 단계였다면, 이어 그런 환경을 좇아가지 못한 우리 내부의 문제에 대해 기술할 필요가 있는데, 이것은 'Step-2. 과제 정의'의 초두에서 전개된다.

Step－2. 과제 정의

'Step－2'는 '프로세스 개선'과 '프로세스 설계'에서 전개되는 일반적인 기술 방법과 제품 설계에서 꼭 필요한 내용의 기술 방법으로 구분한다. 왜냐하면 개발의 난이도가 높지 않음에도 제시된 사전 분석 모두를 수행하는 것은 어느 모로 보나 '숨겨진 공장(Hidden Factory)'이기 때문이다. 반대로 개발의 난이도가 높음에도 사전 분석을 너무 단순하게 처리하는 것도 이치에 맞지 않는다. '프로세스 개선 방법론'과 '프로세스 설계 방법론'은 대부분 '과제 정의'를 간단히 기술하는 반면, '제품 설계 방법론'은 사양 등 고려 사항이 많아 '제품 개발에 실질적으로 필요한 기술 방법'을 따른다. 이해를 돕기 위해 우선 '일반적인 기술 방법'에 대해 간단히 알아보고 이어 제품 개발의 '과제 정의'에 대해 알아보자.

'일반적인 기술 방법'은 크게 두 개의 활동으로 구분한다. 하나는 과제를 왜 해야 하는지에 대한 당위성을 설명하는 과정(과제 정의)과, 다른 하나는 향후 과제를 어떻게 꾸려 나갈 것인지를 언급하는 과정(과제 관리)이다. 통상 이 둘을 합쳐 '과제 정의'라고 총칭한다. '세부 로드맵'상 전자는 '문제(기회) 기술',[16] '목표 기술', '효과 기술'을, 후자는 '범위 기술', '팀원 기술', '일정 기술'을 포함한다. 이 시점에 리더가 확실하게 알아두어야 할 사항은 이들이 서로 독립된 '세부 로드맵'이 돼서는 안 된다는 점이다. 즉, '세부 로드맵'들이 하나의 이야기식으로 연결된다는 것을 아는 사람은 그리 많지 않은 것 같다.

좀 더 부연하면, 'Step－1. 과제 선정 배경'처럼 **세상 밖에서는** 경쟁 업소가 증가하고 있고, 또 매출도 감소하는 상황에서 환경적 변화에 대응 못 하는, 또는 좇아가지 못하는 **우리의 문제**는 무엇인가를 생각해야 한다. 따라서 우리의

16) '제품 설계 과제'는 새롭게 창조하는 개념이므로 기존 문제가 없거나 모호한 경우가 있다. 이때는 제품을 완성함으로써 얻게 되는 수혜, 즉 '기회'에 대해 기술한다.

문제를 논하는 단계인 '문제(기회) 기술'이 오게 되고, 그 문제를 극복하면 목표하는 바가 달성될 것이므로 다음으로 '목표 기술'이 이어진다. 다시 목표를 달성하면 '향상시킨 정도×단가' 개념의 수익이 생기므로('재무성과'와 운영의 효율이 높아지는 '비재무성과'가 생겨남) '효과 기술'이 온다. 여기까지 오면 과제를 왜 해야 하는지가 표면에 드러난다. 회사의 경우 이 부분에서 사업부장을 설득하지 못하면 과제는 당위성을 잃고 사장되고 말 것이다. 만일 사업부장에 의해 여기까지 수용되면, 다음은 과제를 어느 프로세스에서 집중적으로 수행할 것인가를 보여주는 '범위 기술'이, 또 이 범위 내에서 활동하는 전문가와 함께 추진해야 성공 가능성이 높을 것이므로 좋은 팀원을 구성하기 위한 노력이 필요한데 이는 '팀원 기술'에서, 끝으로 이들과 함께 언제 무엇을 수행해 나갈 것인가를 계획하는 '일정 기술'이 이어진다. 이렇게 보면 과제 첫 장부터 여기까지 마치 물이 흘러가는 듯한 매끄러운 연결이 돼야 함은 두말할 나위도 없다. 모름지기 진행 중이거나 완료된 과제의 면모를 보면 이와 같은 흐름이 관찰되지 않고 맥이 끊긴 채로 Define Phase를 완료하는 경우를 흔히 본다. Define Phase에서 과제의 당위성과 앞으로의 전개 모습이 관찰되지 않으면 과제 자체로서 존재가치가 퇴색하거나 또는 아예 사라질 수도 있다는 점을 명심해야 한다.

그러나 앞서 언급한 내용들은 어디까지나 '일반론적인 기술 방법'이다. 만일 리더가 난이도 높은 제품을 개발한다고 할 때 그냥 하면 되는 식으로 생각할 순 없다. 따라서 어려운 제품 개발 과제이면 꼭 필요한 것들이 무엇인지 사전에 철저하게 파악하고 준비하는 절차가 필요하다. '세부 로드맵'으로 간단히 요약하면 '사전 진단 → 목표 기술 → 효과 기술 → 범위 기술 → 팀원 기술 → 일정 기술'로 전개되는데 다음 [그림 D-10]은 '세부 로드맵'과 관련된 도구를 정리한 개요도이다.

[그림 D-10] 'Step-2. 과제 정의' '세부 로드맵' 개요도

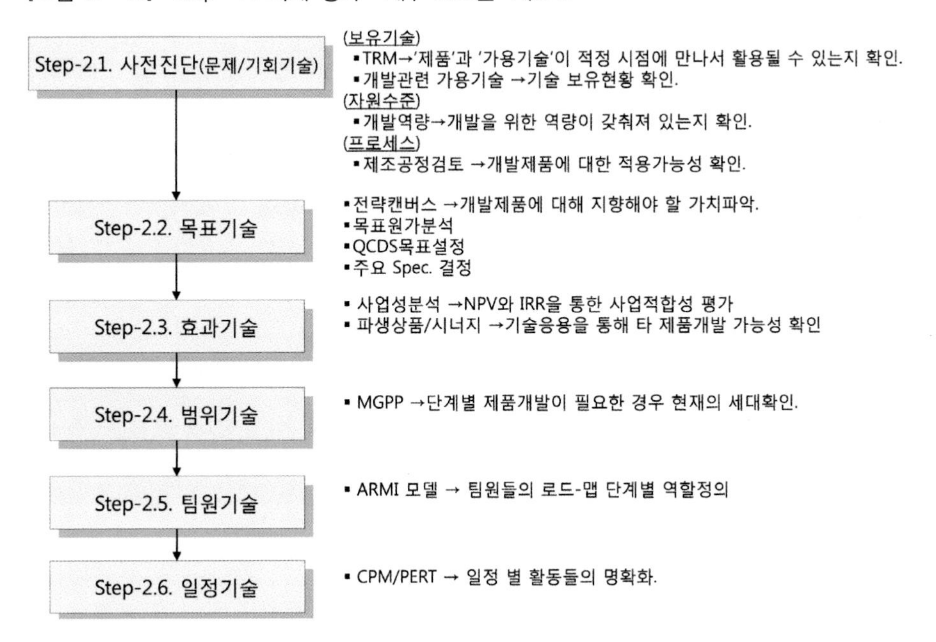

처음의 '사전 진단'만 빼면 이전에 설명한 '일반적 기술 방법'과 별반 차이가 없어 보인다. 그러나 [그림 D-10]의 오른쪽 기술된 내용과 같이 큰 차이가 존재한다. '세부 로드맵'을 따라 해당 내용에 대해 자세히 알아보자.

Step-2.1. 사전 진단(문제/기회 기술)

국내 컨설팅 회사나 기업들의 '제품 설계 방법론' 교재를 보면 이 단계는 대부분 '문제 기술' 또는 '기회 기술'이 차지한다. 그러나 리더가 새로운 개발 과제를 부여받았다고 가정할 때 공통으로 우려되는 사항은 '과연 이 과제를 수행할 때 우

리가 필요한 기술을 보유하고 있는지', '역량이 되는지', '현재의 제조 공정에서 개발 제품을 수용할 수 있는지' 등이 될 것이며, 이들의 결핍은 곧 개발 과제 수행 중, 장애 요소로 작용한다. 따라서 과제 수행 전(前) 사전 조사를 통해 현재의 상황을 진단하고 문제가 드러날 시 미연에 극복하는 활동이 필요한데 이 과정을 '사전 진단'이라고 한다. 그 외에 기존 제품에 대한 문제 정의가 중요하면 '문제 기술'로, 제품을 개발해서 얻는 수혜를 강조하고 싶으면 '기회 기술'을 수행한다. 개발 과제의 모든 상황을 포용하기 위해 세부 로드맵을 'Step-2.1 사전 진단(문제/기회 기술)'으로 정하였다. [그림 D-10]에 나타낸 바와 같이 '개발관련 가용 기술', 'TRM', '개발 역량', '제조 공정 검토' 등이 있고, 이 외에도 과제 수행 전에 점검할 사항들이 있으면 모두 포함시킨다. 각각의 내용과 작성 사례를 살펴하자.

2.1.1. 보유 기술 - TRM(Technology Road Map)

TRM(Technology Road Map)은 모토로라에서 창안한 '미래 기술 예측 기법'이다. 제품과 관련된 시장과 기술들의 현황을 모두 조사하고 목록화한 뒤 그들 간의 연계성을 파악함으로써 미래 제품 및 그와 관계된 기술을 가늠해보는 기법이다. 주로 연구 개발 초기 투자에 대한 위험을 최소화하고 객관적 결과를 토대로 적합한 의사 결정을 유도하는 데 활용된다. 작성 방법 등이 별도 마련돼 있으나 여기서는 단순한 수준에서 그 용법과 용도를 언급할 것이다. 다음 [그림 D-11]은 사용 빈도가 높은 TRM 양식 중 하나이다.

[그림 D-11] 일반적인 'TRM' 양식 예

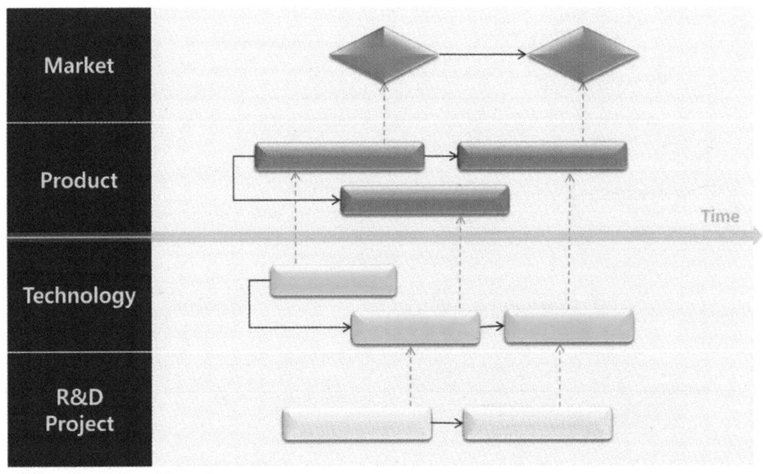

<출처> technopreneurship.wordpress.com

가운데 시간 축을 따라 '기술'과 '제품'의 시간대별 구분이 생기며, 그들 간에 서로 연계성이 존재한다. 또 쓰인 '기술'이나 '제품' 등은 각각의 'R&D Project' 및 판매가 이루어진(또는 이루어질) 'Market'과 연결된다. 통상 TRM을 제품과 연계시킬 시 'PRM(Product Road Map)'이란 명칭을 부여해서 'TRM/PRM'이라고 통합해 쓰이기도 한다. TRM은 제품이나 기업이 처한 상황 또는 얻고자 하는 정보에 따라 다양한 모습으로 작성되는데 다음 [그림 D-12]가 그 예 중 하나다.[17]

---

17) 다양한 TRM 사례는 구글 검색에 'Technology Road Map'을 입력한 뒤 '이미지' 섹터를 참조하기 바란다.

[그림 D－12] '정보 전달 방식'에 대한 TRM 작성 예

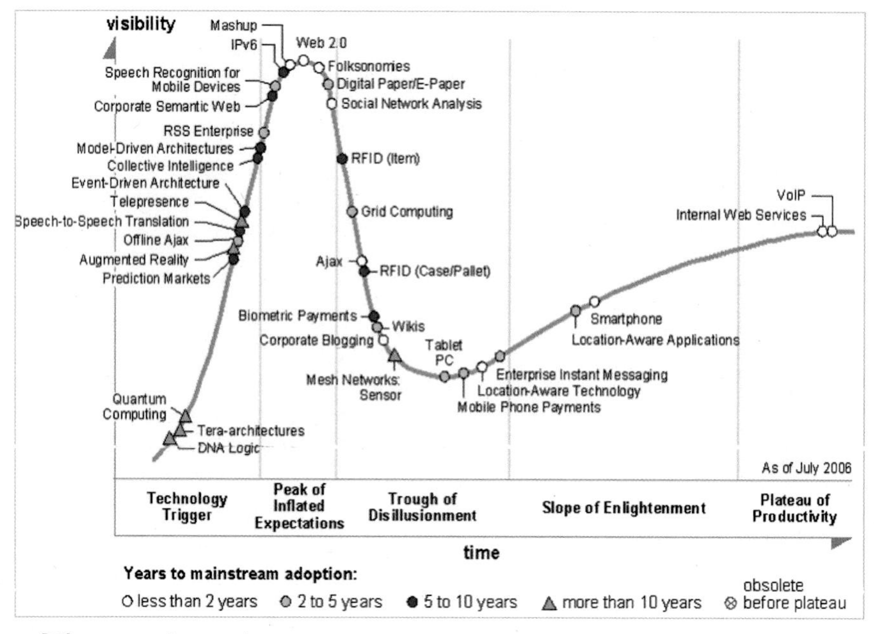

<출처> neuron.csie.ntust.edu.tw

그림에서 'X－축'은 '시간'을, 'Y－축'은 정보 전달 방식을 통한 '시각화 수준(Visibility)'을 나타낸다. 선분 상의 원형, 삼각형 등은 기술이 지속된 기간을 나타낸다(그림 아래쪽 범례 참조). 이와 같이 '일반적 TRM 양식'을 중심으로 상황에 맞는 다양한 TRM 전개가 가능하다.

이제 우리의 예인 '토이 박스 개발'에 대한 TRM을 작성해보자. 단순화를 위해 '일반적인 TRM 양식'을 활용할 것이다. 다음 [그림 D－13]은 작성 예이다.

[그림 D-13] 'Step-2.1. 사전 진단(문제/기회 기술)' 작성 예_TRM

Step-2. 과제 정의
Step-2.1. 사전 진단(문제/ 기회 기술)

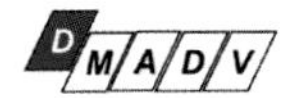

보유기술- TRM(Technology Road Map)

▶ 당사의 주력제품인 토이박스의 Market/Product/Technology에 대한 TRM 작성.

▶ 시장포화에 따른 신제품 개발이 필요하며, 이미 경쟁사가 진입한 '과학완구나 타 기능과의 융합' 제품보다는 다음 세대인 '메카트로닉스 형' 제품에 주력해야 함.

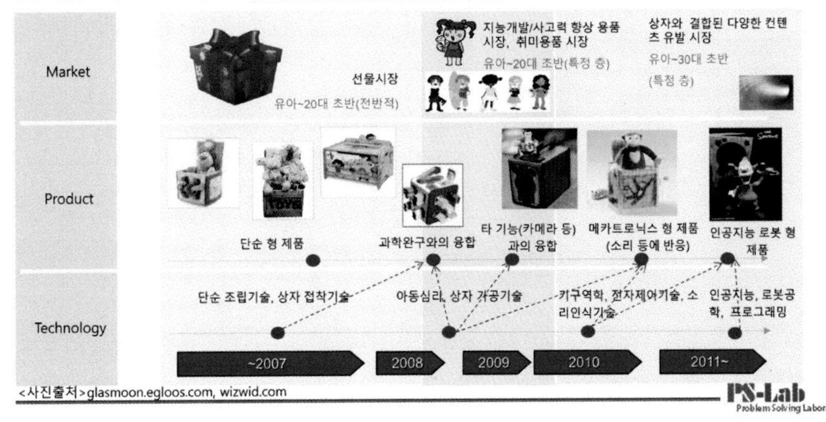

[그림 D-13]을 보면 2007년 전후까지는 주로 선물 시장을 겨냥한 제품이 주를 이루었고, 따라서 기술도 '단순 조립'이나 상자가 견고하게 유지될 수 있도록 '접착 기술' 등이 필요했던 반면, 2008~2009년을 중심으로 '과학 완구'와의 결합, 타 기능과의 융합 상품 등이 새롭게 탄생하면서 기존 단순 기술에서 벗어나 '아동 심리학'이나 상자의 '미세 가공 기술' 등이 요구됨을 알 수 있다. 또 향후에는 소리나 빛에 반응하거나 특정한 외부 환경에 노출되면 스스로 판단해서 문을 열고 나오는 로봇과의 접목이 예상되며, 이때는 기계와 전자학이 합쳐진 '메카트로닉스 공학'이나 '인공 지능', '로봇 공학' 등의 기술이 필요할 것으로 예상된다(고 가정한다)-혹 독자 중에 "야, 이거 토이 박스가 뭐 이렇게 복잡한 기술과 결합해야 하는 게 맞는 거야?"라든가, "이 TRM 전개의 출처가 도대체 어딥

니까?" 등의 반응을 보인다면 나도 당혹스러울 수밖에 없다. 이건 설명을 위해 만들어낸 어디까지나 가상의 구성이며 따라서 리더들의 너그러운 이해를 구하는 바이다.^^- TRM 작성을 통해 토이 박스 개발 유형은 '인공 지능 로봇형'의 경우 확보해야 할 첨단 기술의 높은 장벽으로 난항이 예상됨에 따라 그 이전인 '메카트로닉스형' 제품 개발을 추진하는 것으로 결정했다(고 가정한다). 메카트로닉스 공학 기술 수준이 확보되면 차세대 제품인 '인공 지능 로봇형'으로의 진입이 가능할 것이다.

다음 [표 D-1]은 '보유 기술'의 두 번째 항목인 '개발 관련 가용 기술'에 대해 조사해서 정리한 예이다.

[표 D-1] 보유 기술_개발 관련 가용 기술 조사 예

예상 기능	소요 기술			보유 여부	확보 계획		기술 성숙도
	설계 기술	부품 기술	공정 기술		자체	외주	
전자회로로 작동	구동S/W기술	Chip	조립기술	×	○		하→상
센싱 제어	센싱 S/W, 제어설계기술	센서	센싱점검	×		○	하→중
정보인식/변환	정보인식, 합성 S/W기술	Memory	-	×		○	하→중
기구작동	기구 설계기술	스프링, 플라스틱	신뢰성	△	○		중→상
상자 접착력 강화	접착제 합성기술	화학 성분	조합기술	○	○		중→상
…	…	…	…	…	…	…	…

[표 D-1]에 따르면 내체로 '전자 제어 분야'의 기술이 취약하며, 과제 수행 전에 신규 인력을 영입하거나 협력 업체를 조사하는 과정이 수반돼야 할 것이다. 다음 [그림 D-14]는 '개발 관련 가용 기술'의 작성 예이다.

[그림 D－14] ‘Step－2.1. 사전 진단(문제/기회 기술)’ 작성 예_개발관련 가용 기술

Step-2. 과제 정의
Step-2.1. 사전진단(문제/기회기술)

보유기술- 개발관련 가용기술

▶ '0X년 1월 3일~10일 동안 향후 개발제품에 대한 가용기술을 조사함.

▶ 차세대 토이박스 개발을 위해서는 전자회로설계나 회로설계기술 또는 각종 신호를 인식하고 처리하는 Soft Ware 설계기술이 필요할 것으로 파악됨.

➡ ***필요기술 확보차원에서 핵심인 구동기술은 자체적으로 확보하고 나머지들에 대해서는 Outsourcing하는 것을 검토 함.***

예 상 기 능	소요기술			보유 여부	확보계획		기술 성숙도
	설계기술	부품기술	공정기술		자체	외주	
전자회로로 작동	구동S/W기술	Chip	조립기술	×	○		하→상
센싱 제어	센싱 S/W, 제어설계 기술	센서	센싱 점검기술	×		○	하→중
소리인식/변환	소리인식, 합성 S/W 기술	Memory	-	×		○	하→중
기구작동	기구설계기술	스프링, 플라스틱	신뢰성	△	○		중→상
상자 접착력 강화	접착제 합성기술	화학성분	조합기술	○	○		중→상
...	...	...	...	...	...	...	...

가용기술 보고서

<출처> '0X년 1월 3일~10일 연구 A팀 보고서

PS-Lab Problem Solving Laboratory

‘메카트로닉스형’ 토이 박스의 핵심인 구동 기술은 자체 확보로 결정하였다(고 가정한다). 상세 내역은 장표에 ‘개체 삽입’해 놓았다(고 가정한다). 다음은 개발에 필요한 자원들의 역량을 진단하고 어떤 부분을 배양할지에 대해 알아보자.

2.1.2. 자원 수준 － 개발 역량

다음 [그림 D－15]는 ‘자원 수준_개발 역량’에 대한 파워포인트 작성 예이다.

[그림 D－15] 'Step－2.1. 사전 진단(문제/기회 기술)' 작성 예_개발 역량

Step-2. 과제 정의
Step-2.1. 사전진단(문제/기회기술)

자원수준- 개발역량

▶ 제안사업의 필요역량과 핵심 Value Chain과의 비교조사를 통해 취약한 역량 파악.

▶ 신제품 개발의 출발지인 '상품기획'과 그의 정보를 통해 이루어지는 '기구설계'에서 고객접촉과 선호도 파악이 취약한 것으로 나타남. 고객요구를 체계적으로 취합할 수 있는 조직과 인력보강이 필요함.

▶ 특히, 중요도가 '5'이면서 '전사역량'이 '3.0'이하인 3개 항목에 대한 체계적 향상노력이 강구돼야 함.

[제안 사업의 필요 역량]		중요도 \ Value Chain	상품기획	기구설계	판매	전사 역량
전통적 역량	지적 자산 역량	4	○	○	◐	2.0
	프로세스 지식 역량	5	◐	◐	◐	3.0
	브랜드	3	○	○	◐	2.0
정보	시장정보 및 지식	4	◐	●	◐	4.0
	내부 S/W 및 시스템	5	○	○	◐	2.0
	파생 정보	2	○	◐	●	3.5
	기술 노하우	3	○	○	○	1.5
고객 관계	고객 접근성	3	●	○	●	4.5
	고객과의 상호작용	5	◐	○	●	3.5
	고객에 대한 이해 및 통찰력	5	◐	○	●	3.5
	대 고객 신뢰	3	◐	○	◐	2.5
고객 정보	제3자 관계	1	○	○	◐	2.0
	기 확보된 고객 기반	3	◐	○	●	3.5
	사용자와의 커뮤니티 NW	4	○	○	○	1.5
	시장 선도 기술, 정보 등의 선점 접근성	5	○	◐	◐	2.5
전략적 지위	가치사슬 지위	3	○	◐	◐	2.5
	시장 지위	3	○	○	◐	2.0
	정보/서비스 제공 관문	2	○	●	●	4.5

▪ 사업의 Value Chain 나열

▪ 제안 사업의 필요 역량 중요성
- 중요성이 큼 : 5
- 중요성이 큰 편임 : 4
- 중요성이 보통 수준 :3
- 중요성이 작은 편임 :2
- 중요성이 작음 :1

▪ 자사역량 평가

○	◐	●
0.5	1	2

PS-Lab
Problem Solving Laboratory

[그림 D－15] 경우 '상품 기획'과 '기구 설계'에서 고객과의 접촉이나 요구를 듣는 측면이 취약한데([그림 D－15] 내 원형 점선) 이것은 그동안 단순한 토이박스 생산에 머물러 있어 고객과의 깊이 있는 소통이 불필요한 데 기인한다. 그러나 신제품 개발 경우 고객의 요구를 파악하는 것이 매우 중요하므로 이에 대한 준비가 필요함을, 그리고 '중요도'가 '5'이면서 '전사 역량'이 '3' 이하인 '프로세스 지식 역량', '내부 S/W 및 시스템', '시장 선도 기술, 정보 등의 선점 접근성' 등에 대해서도 추가적인 역량 강화가 필요함을 시사한다. [그림 D－15]의 기본 자료를 바탕으로 '시각화 작업'이나 선진사와의 'Gap Analysis'를 추가 실시해 취약한 역량을 좀 더 객관적으로 파악할 수도 있으나 여기서는 생략한다.

[그림 D－10]에서 지금까지 진행된 'TRM', '개발관련 가용 기술', '개발 역량'

외에 '프로세스_제조 공정 검토'가 있으나, 이것은 앞으로 개발할 제품이 현 공정에서 무리 없이 생산될 수 있는지를 검토하는 과정으로 내용이 명확하고 향후 확인할 수 있는 과정이 또 주어지므로 여기서는 이쯤에서 'Step-2.1. 사전 진단(문제/기회 기술)'을 정리하겠다. 그러나 제조 공정과의 관련성이 높은 개발 과제라면 당연히 사전 검토가 있어야 한다. 다음은 'Step-2.2. 목표 기술'에 대해 알아보자.

Step-2.2. 목표 기술

'프로세스 개선 방법론'에서의 '목표'란 앞서 진행된 '문제 기술'의 연장선상에 있다. 즉, 앞에 드리워진 '문제'가 제거되거나 극복된 순간 추구할 '목표'가 달성될 수 있으며, 따라서 '문제 기술' 다음에 '목표 기술'이 나오는 이유이다. 또, 존재하는 프로세스나 제품에 대한 문제를 기술하므로 그 수 또한 한 개 내지는 두 개 정도로 적고 서로 공유하기에도 편리한 특징이 있다. 그러나 '제품 설계'의 경우 새로운 제품으로 새로운 시장에 진입하는 과정이므로 '목표' 역시 한두 개로 결정하는 것은 어딘지 모르게 불완전해 보인다. 이에 대해 [그림 D-10]에서는 '전략 캔버스', '목표 원가 설정', 'QCDS 목표 설정', '주요 Spec. 결정' 등이 제시돼 있다. 우선 '전략 캔버스'는 목표 기술의 가장 상위 개념으로 고객이 추구하는 가치(경쟁 요소와 그 수준)를 얼마나 실현할 수 있는지를 거시적 관점에서 파악하기 위해, '목표 원가 설정'은 주로 '전략 캔버스'에 포함된 항목들 중 하나로 고객이 지불할 의사가 있는 가격으로부터의 적정 목표 원가인지를, 'QCDS 목표 설정'은 두 가지인데 하나는 연구 개발 영역 관점에서의 '연구 품질(Q)', 상업성을 고려한 원가 산정(C), 시장에 내놓는 타이밍과 개발 시간 단축을 염두에 둔 성과 출시(D), 연구 개발 수행자에서 종합적인 문제 해결자로서의 연구원 역할(S)을 파악하거나, 다른 하나는 '가치 사슬(Value Chain)' 관점에서 제품의 품질(Q), 원가(C), 물류/납기 수준(D), 대고객 서비스(S) 등을 파악하는 일이다. 끝으로 '주요 Spec. 결정'은 개발할 제품의 순수 품질 특성적 목표를 기술한다. 보통 '목표 원가 설정'과 '주요 Spec. 결정'은 'QCDS 목표 설정'에 포함되나 대부분의 과제가 'QCDS' 전체보다 꼭 필요한 '원가'와 'Spec.'만을 기술하므로 빈도 높은 둘을 별도로 뺐다. 본 책에서는 이 두 개만 설명하고 'D(Delivery)', 'S(Service)' 설명은 독자에 숙제로 남긴다.

사실 멘토링을 했던 대부분의 연구 개발 과제들이 앞서 설명한 내용들 모두를 포함한 예는 극히 드물다. 연구 개발 환경이 1년 이상 소요되는 중장기성이 아닌 단기성 과제들이 대부분이고, 또 여건상 리더를 포함해 한두 명이 수행 가능한 과제가 주를 이루기 때문이다. 이런 태생적 한계를 벗어난다면 앞서 기술한 내용들은 하지 말래도 알아서 하려 들뿐더러 추가적인 사항은 물론 그 심도도 꽤나 깊어질 것으로 생각된다. 이제 제시한 항목들의 용법과 적용 예에 대해 간단히 알아보자.

2.2.1. 전략 캔버스(Strategy Canvas)

'전략 캔버스(Strategy Canvas)'를 알기 위해서는 인시아드(INSEAD)[18]의 김위찬 석좌 교수와 르네 마보안(Renee Mauborgne) 교수가 지은 '블루오션 전략(교보문고)'을 이해해야 한다. 2005년에 발간된 '블루오션 전략'은 기존 마이클 포터(Michael Pcrter)[19]가 제시한 경쟁 선략(Competitive Strategy, 1980)의 경쟁 법칙과는 다르게 역설적으로 경쟁 체제를 벗어나 새로운 공간 창출의 '가치 혁신'을 지

18) 프랑스 파리 근교 퐁텐블로에 있는 경영대학원. '유럽경영대학원'으로도 불리며 미국의 대표적인 경영대학원을 모델로 1959년에 설립되었다.

19) 하버드대학교 교수.

향하는 내용으로 이루어져 있다. 여기서 '가치 혁신'이란 '회사의 비용 구조'와 '구매자에게 제공하는 가치' 둘 모두에 Win-Win할 수 있는 곳에서 창출되는데, 이때 '가치 혁신 전략 수립'의 핵심 도구가 바로 '전략 캔버스(Strategy Canvas)'이다

'전략 캔버스'는 현재의 제품이나 서비스가 제공하지 못하는 가치를 찾아내어 경쟁 요소의 상대적 수준을 나타내는 '가치 곡선(Value Curve)'을 통해 새로운 전략이 택해야 할 방향을 제시해준다. 또 경쟁자들이 지금 어디에 투자를 하며, 업계가 제품과 서비스, 유통에서 경쟁하는 요소가 무엇인지를 이해할 수 있도록 도와준다. '전략 캔버스'의 새로운 '가치 곡선'을 창출하기 위해서는 'ERRC (Eliminate－Raise－Reduce－Create)'의 4가지 액션 프레임 워크에 따라 진행되는데 가치가 없는 요소는 '감소' 또는 '제거'를 통해 분류하고, 경쟁적이고 가치적인 요소는 '창조'와 '증가'를 통해 블루오션 방향을 제시해주는 게 골자다. 이러한 '전략 캔버스'를 통해 기업은 차별적이고 잠재적 고객의 요구 안에서 창조적인 대안과 산업을 찾아내 블루오션에 진입할 수 있는 초석을 마련할 수 있다.[20] 설명이 좀 복잡해 보이는데 간단히 요약하면 다음과 같다.

- **블루오션(Blue Ocean)** 전략 캔버스(Strategy Canvas) ← 가치 곡선(Value Curve) ← 4 Action Framework(ERRC Table)

'전략 캔버스'의 작성은 2002.6월 HBR(하버드 비즈니스 리뷰)에서 김위찬 석좌 교수와 르네 마보안 교수가 원제 'Charting your company's future'로 발표한 방법론이 있으며, 요약하면 '시각적 자각(Visual Awakening) → 시각적 탐색

20) 본문의 내용은 'Define Phase에서 전략캔버스를 이용한 블루오션 6시그마에 관한 연구(홍석수, 윤성필_성균관대학교 일반대학원 산업공학과)'의 일부를 옮겨 놓은 것이다.

(Visual Exploration) → 시각적 전략 품평회(Visual Strategy Fair) → 시각적 커뮤니케이션(Visual Communication)'의 과정을 거쳐 완성한다. 그러나 이 과정에 대한 세세한 설명은 로드맵을 지향하는 본 책의 목적에 부합하지 않으므로 이 정도로 마무리하고 관심 있는 리더들은 본문에 포함시킨 용어와 출처를 통해 개별적으로 학습하기 바란다. 여기서는 간단한 사례 소개와 '토이 박스 개발'을 통한 작성 예 수준에서 정리하고 넘어갈 것이다.

다음 [그림 D-16]은 '전략 캔버스'의 작성 예이다. 이해를 돕도록 복잡도가 높은 제품보다 비교적 대상이 단순한 '와인'의 '전략 캔버스'를 옮겨 놓았다. 여러 사업 분야나 작성법과 관련된 다양한 형태의 '전략 캔버스' 사례에 대해서는 '구글'이나 '네이버' 등에서 '전략 캔버스' 단어 검색 후 '이미지' 섹터를 참조하기 바란다.

[그림 D-16] '전략 캔버스 작성' 예_와인

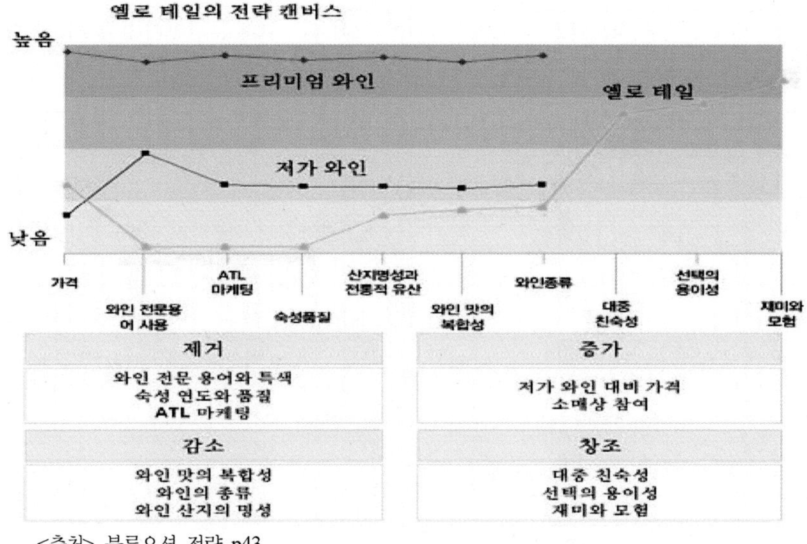

<출처> 블루오션 전략 p43

[그림 D－16]에서 ‘옐로 테일’社가 ‘프리미엄 와인’과 ‘저가 와인’ 시장에서 살아남기 위해서는 ‘ERRC’를 토대로 작성된 ‘전략 캔버스’로부터 ‘나아갈 방향’과 ‘해야 할 일’을 확인할 수 있다. 수치나 복잡한 전략 분석이 아닌 단순하고 명확한 시각 자료를 통해 앞으로 수행될 개발 제품에 대한 **‘목표 설정’**에 큰 도움을 줄 수 있다는 데 그 효용 가치가 있다. 다음 [그림 D－17]은 본문 설명을 위해 예로 든 ‘토이 박스 개발’에 대한 파워포인트 작성 예이다. 와인의 예와 비교하며 학습하기 바란다.

[그림 D－17] ‘Step－2.2. 목표 기술’ 작성 예_전략 캔버스

Step-2. 과제 정의
Step-2.2. 목표기술(전략캔버스)

▶ 전략캔버스 작성방법에 따라 토이박스 시장에 대한 ‘경쟁요소’를 도출한 뒤, 업계평균과 경쟁사와의 ‘전략캔버스’ 작성.

▶ 향후 ‘토이박스’의 블루오션을 창출하기 위해서는 재미, 학습을 곁들인 타 부문과의 응용범위 확대와 콘텐트의 다양화에 있음을 확인.

토이박스의 ‘개발방향’과 ‘목표설정’에 활용

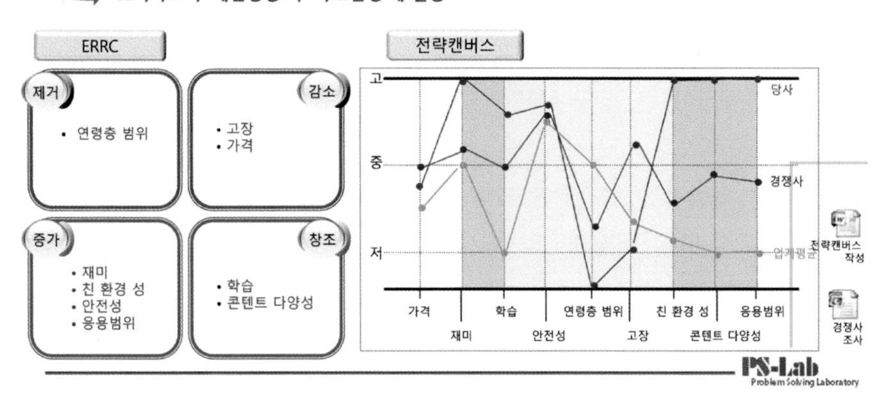

‘전략 캔버스’로부터 ‘재미와 학습을 곁들인 응용 범위 확대와 콘텐트의 다양화’가 토이 박스 시장의 블루오션 창출에 기여할 수 있음을 확인하였다. 조사 과

정과 작성 내용 등은 오른쪽에 '개체 삽입'으로 포함시켰다(고 가정한다). 다음은 '목표 기술' 중 두 번째인 '목표 원가 설정'에 대해 알아보자.

2.2.2. 목표 원가 설정

앞으로 개발될 제품의 '목표 원가'를 설정하는 작업은 가뜩이나 윤곽도 나오지 않은 상태에서 어떻게 가능한가에 대한 의문이 제기될 수 있다. 그러나 역으로 이런 작업이 선행되지 않았을 때를 고려하면 여러 문제들에 봉착할 수 있다. 성능과 품질에 있어 고객 요구를 충분히 반영했음에도 기존 제품에 비해 터무니없는 가격이 책정된다면 구매하고 싶어도 살 수 없는 그림의 떡이 될 수 있고, 더 우려되는 것은 시장성이 없다는 판단에 따라 열심히 개발하는 중에 과제가 취소되는 사태가 벌어지거나 크게 지연될 수도 있다. 연구원이나 회사 모두 달갑지 않은 상황이다. 출시할 제품은 반드시 현실을 고려한 적정 가격대가 제시되거나 또는 고객 세분화를 통해 특정 고객을 위한 것임을 사전에 명시해야 한다. 요즘 같이 시장 변동성이 큰 상황에서는 저가에서 고가까지 다양한 고객층을 대상으로 제품 포트폴리오를 구성하는 경우도 있지만 웬만한 마케팅과 자금력을 갖고 있지 않는 한 현실적인 어려움이 있다.

그럼 '목표 원가'는 어떻게 정해야 할까? 답은 "어렵다. 그렇지만 해야 한다" 이다. 또 한 가지 '세부 로드맵'에서 '목표 원가(Target Cost)'와 함께 확인돼야 할 것이 '목표 가격(Target Price)'과 '목표 수량(Target Volume)'이다.[21] 이들이 함께 정리돼야 '손익'에 대한 시뮬레이션 작업이 가능하다. '손익 시뮬레이션'에 대해서는 'Step－2.3. 효과 기술'에서 언급될 것이다.

---

21) 사전에 포함돼 있지 않은 용어들이지만 일반적 의미로 사용됨에 따라 그대로 옮김.

[그림 D-18] 목표 설정 항목

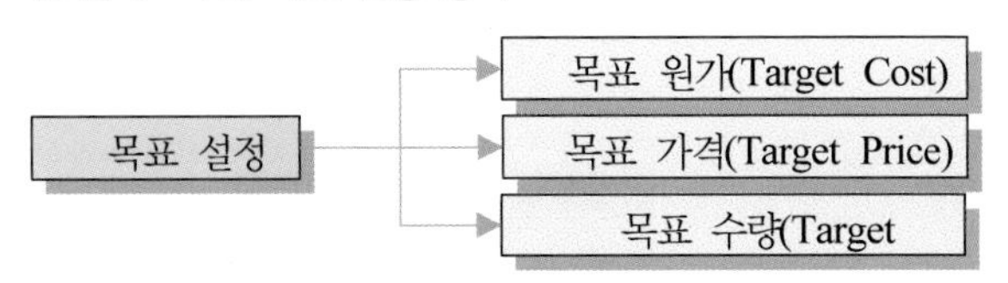

'목표 원가' 설정을 위해 일반적으로 다음의 5가지의 접근법을 얘기한다.

- **시장조사** 고객이 개발 제품에 대해 지불할 의사가 있는 시장 가격을 찾아 세금, 물류비, 판관/영업비 등 예상가들을 빼 나가며 목표 원가를 설정. 이 방법은 과거 예상 재료비, 노무비, 경비, 판관/영업비 등을 합쳐 나가며 '판매가'를 설정하던 작업보다 먼저 진행한다.
- **세계 최고 수준 조사** 세계 최고 수준의 경쟁사 제품에 대한 향후 예상 원가를 평가해서 설정.
- **업계 최선의 설계 제품 조사** 종 업계의 제품들 중 기능별 설계 수준이 높은 부분만 골라 조합한 후 목표 원가를 설정.
- **학습 곡선(Learning Curve) 조사** "생산량이 2배로 증가될 때마다 단위 당 평균 제조 원가는 일정 비율(학습률)만큼 감소한다"라는 학습 경험의 기본 전제에 입각해서 설정.
- **내부 의사 결정** 시장 선점과 M/S향상 및 영업 이익을 극대화하기 위해 불가피하다고 판단되는 수준의 목표 원가일 경우 그대로 반영해서 설정.

'**시장조사**'는 별다른 명칭이 없어 필자가 임의로 도입한 용어이다. 그러나 회계 분야에서 쓰이는 정식 명칭으로 '원가 기획' 정도가 적합하지 않을까 생각된다. 유사한 근거라도 마련해두는 것이 용어 사용에 안전하다. '원가 기획'은 네이버 경제 용어 사전[22]에 다음과 같이 적혀 있다.

22) '원가 기획'의 사전적 정의는 없고, 대신 '원가 기획 제도'로 돼 있으나 동의어로 쓰이고 있어 참고하였다.

- **원가 기획 제도** 사전적 원가관리제도. 기존의 원가관리제도는 재료 구입에서 생산·판매에 이르기까지 기업내부 활동관리, 특히 공장 단위별 제조활동 관리를 위한 원가의 사후적 기록과 보고에 관심을 두었으나 '원가기획제도'에서는 제품의 기획, 설계, 생산, 판매는 물론 애프터서비스에 이르는 모든 비즈니스 프로세스를 사전에 철저히 분석하여 생산 이전 단계에서부터 사전적 원가절감을 실시한다. 1970년대 초반 일본의 자동차, 가전 등 조립형 산업을 중심으로 시작되었던 이 제도는 이제 일본 관리회계의 핵심을 이루고 있다.

좀 더 부연하면[23] 제품의 원가는 생산 이전 단계인 상품 기획, 설계 단계에서 80~90%가 결정되기 때문에 원가 혁신의 노력도 상품 기획, 설계 단계에 집중돼야 한다. 상품 기획, 설계 단계에 활용할 수 있는 대표적인 원가 혁신 기법이 '원가 기획(또는 목표 원가, Target Costing)'이다. '원가 기획'은 80년대 말 이후 일본 자동차 업계가 엔고의 영향으로 불황기를 맞이했을 때 크게 진가를 발휘한 사전적 원가 혁신 기법으로서 그 개념은 우선 ① 시장 분석을 통해 고객이 요구하는 제품의 기능을 조사한다. ② 고객의 니즈 분석을 통해 제품 콘셉트가 정해지면, ③ 목표 판매 가격을 결정하고, ④ 달성해야 할 목표 이익을 차감해 목표 원가를 결정한다. ⑤ 목표 원가가 결정되면 부품의 공용화, 제조 공정의 변경, 기능의 단순화 등 원가 혁신 방안을 상품 기획, 설계 단계에 반영해 나간다. 이러한 원가 혁신 노력은 생산 이전 단계에서 이루어지기 때문에 많은 시행착오를 줄일 수 있고 원가 혁신의 효과도 그만큼 크다.

'**업계 최선의 설계 제품 조사**'는 유사 기능들을 갖는 업계 제품 내 부품(또는 Ass'y)들을 조사하여 가장 낮은 원가를 찾아낸 뒤 그들의 총합을 '목표 원가'로 설정하는 방법이다. 다음 [표 D-2]는 GE의 'Watthour Meter'라는 제품의 '목표 원가' 설정 예이다.

---

23) '중소기업 나눔지식(www.digitalsme.com)'의 '원가 기획' 설명 자료 참조.

[표 D-2] 목표 원가 설정 예_업계 최선의 설계 제품 조사

(단위 $)

예상기능	자사	경쟁사-1	경쟁사-2	경쟁사-3	목표원가
Sense Voltage	3.15	2.80	3.40	3.55	2.80
Sense Current	1.95	2.20	2.40	2.15	1.95
Integrate Power	3.60	3.80	3.15	1.00	1.00
Count/Indicate	4.55	6.10	5.20	6.40	4.55
Protect Device	2.35	4.00	2.05	2.05	2.05
Inform User	0.90	0.80	1.10	1.15	0.80
Unit Cost	16.50	19.70	17.30	16.30	13.15

[표 D-2]에서 가장 낮은 기능별 원가를 선택한 결과 '목표 원가'가 '13.15달러'로 경쟁사 대비 약 '3.0~6.0달러' 이상 낮은 것으로 파악되었다.

'**학습 곡선(Learning Curve) 조사**'는 '단위당 작업 소요 시간 vs. 누적 생산량'과 같이 주로 '시간'과 '누적 생산량'과의 경험적 그래프를 통해 예상되는 수량까지의 소요 시간 등을 산출하는 데 이용된다. 그러나 '시간'을 '원가'로 바꾼다면 개발 후 '최대 생산 용량(Capacity)'에 준한 원가를 예측하는 데도 매우 유용하게 활용할 수 있다. '학습 곡선'에서 '단위당 원가'는 생산량이 2배가 될 때마다 '학습률(Learning Rate)'[24]의 비율로 줄어드는데 이것은 다음 [그림 D-19]에 잘 나타나 있다('80% 학습률' 적용).

24) '학습률'은 일반적으로 '70~90%'를 적용하고, 항공기 제작이나 조선업 경우 80%를 적용하는 것으로 알려져 있다.

[그림 D-19] 학습 곡선(Learning Curve) 예(80% 학습률)

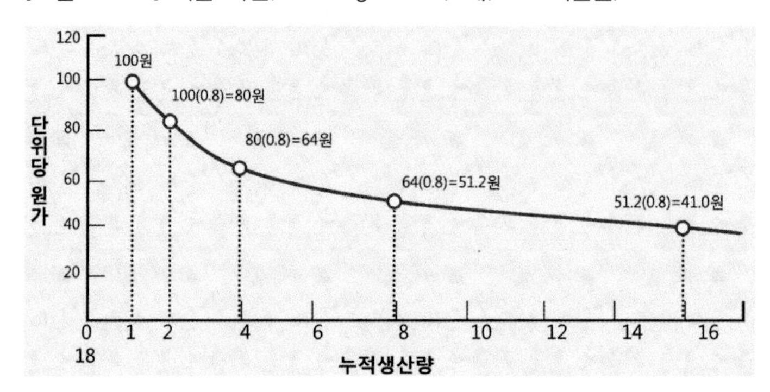

[그림 D-19]에서 '누적 생산량'별 '원가'는 '80% 학습률' 적용 시 최초 '100원'에서 '80원', '64원' 등으로 감소하는 것을 관찰할 수 있다. 경험적 곡선을 함수로 일반화하면 다음과 같다.

$$Y_N = Y_1 \cdot N^{\frac{\log_{10}(\text{학습률})}{\log_{10}2}} \tag{D.1}$$

[그림 D-19]에서 '누적 생산량'이 '18'인 경우의 '예상 원가'는 약 40원이다.

$$\begin{aligned} Y_{18} &= 100 \cdot 18^{\frac{\log_{10}(0.8)}{\log_{10}2}} \\ &\cong 39.44\text{원} \end{aligned} \tag{D.2}$$

다음 [그림 D-20]은 GE사 '항공기 엔진'의 '학습 곡선'이다(90% 학습률).

[그림 D-20] GE사 항공기 엔진의 '학습 곡선' 예(90% 학습률)

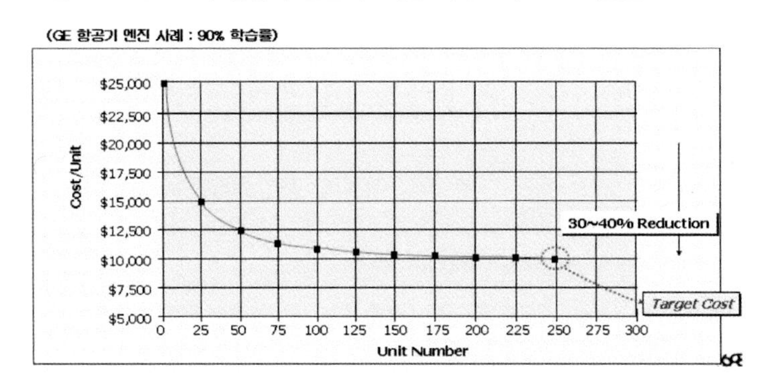

'목표 원가'는 설정만이 아니라 설계가 진행되면서 수많은 예상치 못한 장애와 마주치게 되며, 이때에도 최초의 '목표 원가'가 바뀌지 않는 한 생산 시점까지 거의 실시간으로 관리돼야 한다. 다음 [그림 D-21]은 과제 수행에 따른 '목표 원가 관리'를 그래프로 표현한 것이다.

[그림 D-21] 과제 수행 중 '목표 원가 관리' 개요

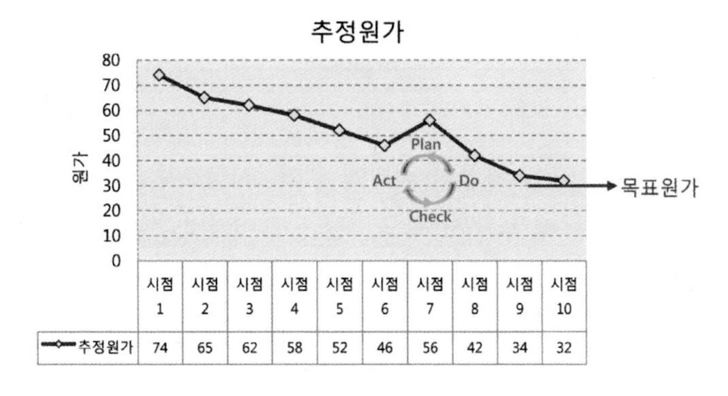

	시점 1	시점 2	시점 3	시점 4	시점 5	시점 6	시점 7	시점 8	시점 9	시점 10
추정원가	74	65	62	58	52	46	56	42	34	32

'X-축'은 '과제 수행 시간'을, 'Y-축'은 '추정 원가'를 나타내며, '시점 7'

과 같이 '추정 원가'가 예상을 벗어나면 그 즉시 '데밍 사이클(Deming Cycle)'인 'Plan－Do－Check－Act'를 가동해 최초의 '목표 원가'를 향할 수 있도록 조치한다. 다음 [그림 D－22]는 '토이 박스 개발' 과제의 '목표 원가 설정' 예이다.

[그림 D－22] 'Step－2.2. 목표 기술' 작성 예_학습 곡선(학습률 90%)

Step-2. 과제 정의
Step-2.2. 목표기술(목표원가 설정)

▶ 기존과 차별화된 제품개발을 기획하고 있어 유사기능을 통한 타사 제품과의 원가분석에 제한적임. 또, 시장에 최고 제품도 없는 실정. 따라서 자사 경험치인 '학습곡선'을 통해 목표원가 설정. '학습률'은 완구특성 상 가격변동 폭이 상대적으로 적어 90%로 가정함.

▶ '학습곡선'과 시장조사로부터 신제품 원가는 과학완구보다 약간 높은 **4만 5천원 수준**에 책정.

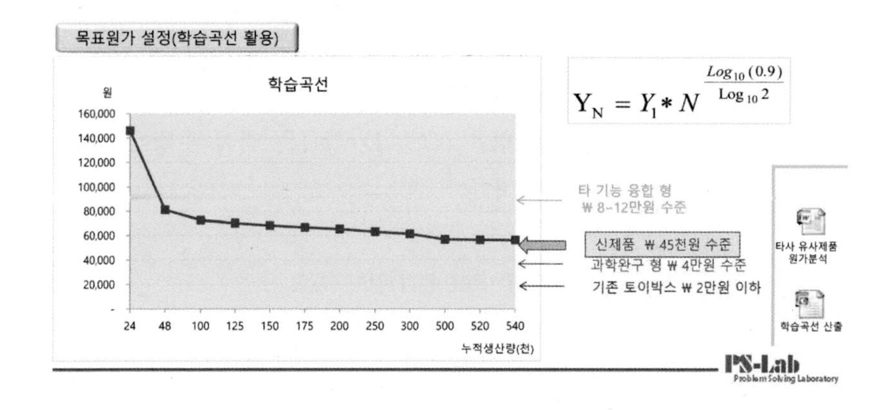

PS-Lab
Problem Solving Laboratory

[그림 D－22]에서 기획된 제품이 시장에 없어 '시장조사', '세계 최고 수준 조사', '업계 최선의 설계 제품 조사' 등의 접근이 어려워, '학습 곡선'으로 '목표 원가'를 설정하였다(고 가정한다). 이때 기획 제품과는 성격이 다르지만 '과학 완구'나 '타 기능과의 융합형 완구' 등의 시장조사를 토대로 '목표 원가' 설정에 참고하였다. 다음은 '주요 Spec. 결정'에 대해 알아보자.

2.2.3. 주요 Spec. 결정

말 그대로 설계 제품의 '품질 특성'에 대한 한계 값을 설정한다. 이때 'Spec.'의 결정은 제품의 윤곽이 잡혀 있음을 시사한다. 물론 제품의 형태가 결정돼 있지 않은 상태에서도 '품질 특성'과 'Spec.'을 결정할 수 있지만 기존 제품이나 경쟁사에 의해 이미 시장에 출시된 제품에 일부 기능을 추가하는 과제가 대부분이다. 따라서 '기능 요구 사항(CFR, Critical Function Requirement)'이나 '부품 특성'을 나열한 뒤 관련 규격들을 자사(또는 경쟁사)의 것들과 비교함으로써 특성에 대한 목표 규격을 설정한다. 다음 [표 D-3]은 주요 Spec.을 결정한 예이다.

[표 D-3] 주요 Spec. 결정 예

항목	DS-402	EOS 300D	GX-IL	목표 Spec
외관				?
센서	CMOS	CMOS	CMOS	CMOS
화소 수	200만	650만	631	800만
초점거리	0.5~∞	렌즈 교환식	렌즈 교환식	0.5~∞
렌즈밝기	F2.8	렌즈 교환식	렌즈 교환식	F2.8
디지털 줌	4배	X	X	8배
…	…	…	…	…
기록 해상도	–	3,072x2,048	3,008x2,008	3,072x2,048
셔터속도	Auto	1/4,000~30초	1/4,000~30초	Auto
…	…	…	…	…

〈출처〉 www.ebuzz.co.kr

설계 과제에서 [표 D-3]과 같은 사양 비교표는 한 번쯤 작성해보았을 것이다. 신제품은 시장에 나와 있는 제품보다 기능이 향상되도록 설계하기 마련이다.

따라서 회사의 전략과 내부 역량 등을 고려해 'Spec.'을 결정한다. 또 챙길 항목도 많은 만큼 지금까지 설정된 목표들과 종합하여 정리하는 것도 한 방법이다. 참고로 우리의 예인 '토이 박스 개발'과 같이 시장에 없는(적어도 없다고 판단되는) 제품의 경우 품질 특성에 대한 'Spec.'들은 Measure Phase의 'QFD(Quality Function Deployment)'에서 상세히 설정한다. '목표 기술'이 정리되었으면 다음 '세부 로드맵'인 '효과 기술'로 넘어가자.

Step-2.3. 효과 기술

'프로세스 개선' 과제보다 '제품 설계' 과제의 경우가 '효과'를 기술하는 데 제약이 많다. '프로세스 개선'은 현재 운영 중인 '프로세스'나 판매 중인 '제품'이 대부분 존재하는 데 반해 '제품 설계'는 '미래의 가치'를 따져야 하는 부담 때문이다. '미래의 가치'란 영리를 목적으로 하는 기업은 당연히 '재무적 효과'가 주를 이루지만 연구 과제인 만큼 '비재무적 효과'의 파급 측면도 고려치 않을 수 없다. 재무적 관점은 제품을 개발해 시장에 출시하는 일반적 연구 과제를 모델로 할 때, 개발 기간 동안 투입된 비용 대비 이익이 실현되는 시점이 언제부터며, 또 어느 정도를 기대할 수 있는지가 핵심이다. 신제품의 예상 수익을 결정하는 데 '가격'과 '손익'은 매우 중요하다. 따라서 제품별, 포장 단위별로 작성돼야 하고 추정 자료가 나온 후 생산이나 경영 관리 등과 충분히 검토할 시간적 여유가 필요하므로 적어도 출시 12~15개월 전에 '가격', '원가'와 함께 '손익계산서'가 나와야 한다. 신제품에 대한 '추정 손익계산서'는 통상 향후 3~5년간을 예상해서 작성한다. 비재무적 관점은 연구 과정에 생성된 특허나 지식 및 기술 측면의 축적을 고려한 결과다. 이와 같이 향후 발생될 효과를 작성하고 설명해야 하는 어려움 때문에 대상과 규모를 정하는 일이 쉽지만은 않다. 이에 대해 '과학 기술

정책 연구원[25]'의 한 보고 자료를 인용하면 다음 [그림 D-23]과 같이 성과 부분을 정리할 수 있다.

[그림 D-23] '연구 개발(R&D) 과제' 평가 개요도

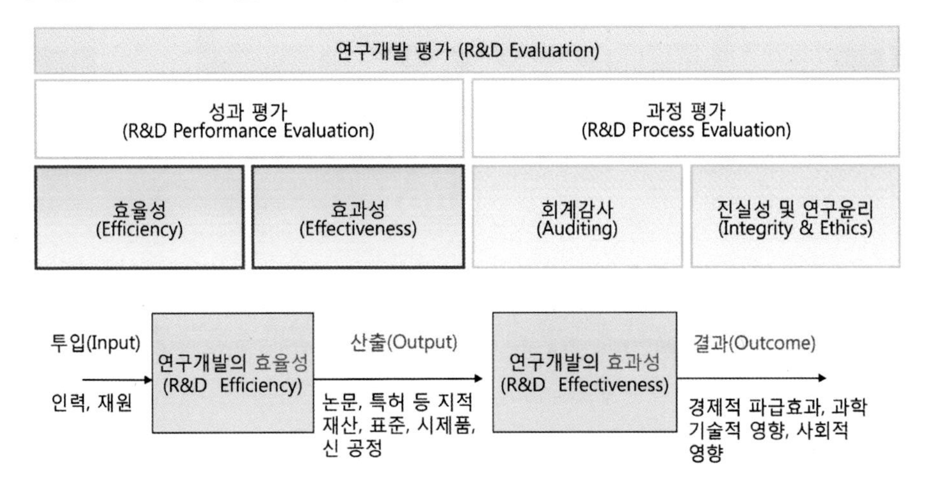

[그림 D-23]을 보면 연구 개발 과제의 평가 대상은 크게 '성과 평가'와 '과정 평가'로 나뉘고 '성과 평가'는 다시 '효율성'과 '효과성'으로 구분한다. '과정 평가'는 연구 개발 중 투입된 비용의 씀씀이와 규정 준수 여부의 확인인 '회계 감사'와, 황우석 박사 사례를 통해 부각된 '진실성 및 연구 윤리'로 나뉜다. 각각의 용어 정의는 다음과 같다.

25) 'SCI와 연구개발 성과평가' 2006. 8., 황석원, 과학기술정책연구원.

- **효율성** 투입(Input) 대비 산출(Output), 즉 Output/Input.
- **효과성** 산출(Output) 대비 결과(Outcome), 즉 Outcome/Output.
- **회계 감사** 연구비 지출 및 연구 결과 활용과 관련된 회계 감사.
- **진실성 및 연구 윤리**
  진실성 검증: 위·변조, 표절, 부당한 공저자 배분 등의 부당 행위 검증.
  연구 윤리: 생명 윤리 등 윤리 관련 규정 준수 확인.
- **기타**
  투입(Input) 인력, 재원.
  산출(Output) 연구 개발 활동의 직접적 성과를 의미(논문, 특허 등 지적재산, 표준, 시제품, 신 공정 등).
  결과(Outcome) 연구 개발의 파급 효과 측면에서의 성과를 의미(경제적 파급 효과, 과학 기술적 영향, 사회적 영향 등을 포함하는 개념).

관심 있는 영역은 '효율성'과 '효과성'인데, '효율성'이란 '입력(Input; 인력이나 재원) 대비 산출(Output)'을, '효과성'이란 '산출(Output) 대비 결과(Outcome)'로 정의한다. 용어 정의를 보면 '산출(Output)'이 논문, 특허 등과 같이 연구 개발을 통해 바로 나타나는 내용과 관련되므로 '비재무적 효과'에, '결과(Outcome)'는 '산출(Output)'을 통해 나타나는 '경제적 파급 효과' 등을 담고 있으므로 '재무적 효과'에 각각 대응시킬 수 있다. 다음 [표 D-4]는 '산출(Output)'과 '결과(Outcome)'의 항목들을 정리한 표이다.

'과학 기술 정책 연구원'의 자료인 만큼 다소 포괄적 범위를 담고 있으나 기업을 포함하고 있고 연구 개발과 관련돼 있으므로 개념을 정립하는 데는 매우 효과적이다. '산출(Output)'은 연구 과제의 범위가 '개발 완료 시점'까지인 경우에, '산출(Output)+결과(Outcome)'는 개발 후 생산을 거쳐 '시장에 출시되는 시점'까지인 경우에 성과 평가 지표로 나눠 사용하는 것이 적절하다. 전체를 확인하는 시점은 'Step-15. 이관/승인' 내 첫 '세부 로드맵'인 'Step-15.1. 가치/효

[표 D-4] R&D 성과평가 관련지표-'산출(Output)'과 '결과(Outcome)'로 구분

효율성의 '산출(Output)'		효과성의 '결과(Outcome)'	
연구개발의 직접적 성과	□ 논문 □ 특허 □ 시제품(Prototype) □ 제품 □ 프로세스 □ 서비스 □ 표준 □ 지식과 기술(Skill)	경제적 성과	□ 사적 수익(기업) □ 사회적 수익(공공) □ 기술 경쟁력 □ 산업 경쟁력 □ 산업 내외부의 기술파급효과 □ 부가가치 유발 □ 고용유발
		과학기술적 영향	□ 기술수준 제고 □ 새로운 지식창출 기여 □ 지식의 교환 □ 네트워크 형성 □ 과학기술적 평판 □ 과학기술 공동체 발전
		사회적 영향	□ 삶의 질(환경/보건/안전) □ 국가안보(평화/에너지/안보) □ 기술위험(대형사고/오염/생명윤리/범죄 이용)

과 평가'이다. 연구 개발 과제를 통해 얻어야 할 것이 무엇인지 그 개념과 용어의 정의가 섰으면 이제 본론인 '효과 기술'에 대해 알아보자.

2.3.1. 효과성의 '결과(Outcome)'/경제적 성과 — 추정 손익계산서

[표 D-4]를 보면 필요한 항목은 '효과성의 결과(Outcome)' 내 '경제적 성과/사적 수익(기업)'이다. 과제 수행 전인 현재로선 '추정 손익계산서'가 될 것이며, 통상 '재무적 효과'를 파악할 수 있다. 나머지 항목들은 '2.3.2'에서 간단히 요약하고 넘어갈 것이다. 연구 개발 과제의 효과를 추정하기 위해 다양한 분석적 접근이 필요한데 투자의 적절성을 파악하기 위한 '비용 편익 분석(Cost-benefit Analysis)'이나 수익 시점을 알아내기 위한 '손익 분기점 분석' 등이 그것이다. 또 '추정 손익계산서'를 작성하면 이들을 모두 아우를 수 있다.

2003년도쯤 필자는 자동차용 센서를 개발 중인 벤처 기업의 기술직 이사로 재직한 적이 있었다. 역할은 1차적으로 개발된 센서의 최적화를 구현하는 일이었는데 그 외에도 인력이 별로 없는 벤처 기업의 특성상 경영과 관련한 여러 일(잡다한 일도 포함해서)을 할 수밖에 없는 처지였다. 그때 아웃소싱한 경영 컨설팅 회사와 함께 개발 중인 센서의 '추정 손익계산서'를 작성하는 일에 관여하게 되었다. 물론 많은 시장 정보와 추정 자료가 요구되었으며 그들로부터 실현 가능하고 신뢰할 수 있는(적어도 작성이 완료된 후엔 누구나 그렇게 생각한다.) 향후 3년간의 '추정 손익계산서'를 완성하였다. 기본 자료들에는 추정에 추정이 덧붙여지는 일도 있었지만 작성된 결과물의 효과는 매우 컸다. 앞이 전혀 보이지 않는 깜깜한 드넓은 바닷가에서 마치 저 멀리 등대를 보는 것과 같은 길잡이 역할을 톡톡히 해줬기 때문이었다. 또 투자자와 같은 외부 여러 인사들을 만날 때도 기술의 내용과 함께 경제적 내지는 타 응용 분야로의 파급 효과까지 숫자로 전달하는 데 매우 유용하게 활용되었다. 다음 [그림 D-24]는 당시 작성된 '추정 손익계산서'이다(숫자는 변경).

일단 내용을 보면 향후 3개년간 '매출', '영업 이익'뿐만 아니라 '경상 이익' 내지는 '당기 순이익'이 일목요연하게 정리돼 있다. 장부상으로는 '2003년도'에 손익 분기를 넘어 흑자로 돌아설 것임을 예견한다.

당연히 이걸 본 리더라면 두 가지 반응을 보일 것이다. 긍정적인 리더이면 "헉 이걸 어떻게 해야 하지? #%#!!!…"라든가, 아니면 만사에 부정적인 리더면 "정신 나갔군!" 하고 남의 일로 치부해버릴 것이다. 아니 남의 일이라도 소매 걷어붙이고 말릴는지도 모른다. 사실 필자 생각도 그렇다. 적어도 필자가 접한 대부분의 연구 과제가 추정 없이 진행됐기 때문이다. 그렇다고 모든 과제들이 '추정 손익계산서'가 없었다고 보기도 어렵다. 기업에서 시장 상황이나 투자 대비 효과를 보기 위해 아무렇게나 돈 들어가는 일을 하지는 않을 것이기 때문이다. 있는데 우리가 못 봤거나 아니면 이미 결정된 사항이므로(경영 관리나, 연구 기

[그림 D－24] '추정 손익계산서' 예

추 정 손 익 계 산 서				
회사명: 주식회사 0000				(단위:천원)
과 목	2002년	2003년(E)	2004년(E)	2005년(E)
	금 액	금 액	금 액	금 액
Ⅰ. 매 출 액	**200,000**	**5,600,000**	**11,000,000**	**22,000,000**
Ⅱ. 매 출 원 가	**164,321**	**4,497,608**	**7,182,153**	**14,070,894**
Ⅲ. 매 출 총 이 익	**35,679**	**1,102,392**	**3,817,847**	**7,929,106**
Ⅳ. 판매비와 관리비	**245,735**	**629,437**	**1,032,120**	**1,321,804**
직 원 급 여	184,300	371,000	532,000	693,000
상 여 금		92,751	177,360	231,000
복 리 후 생 비	25,635	83,926	128,360	166,404
접 대 비	3,600	12,000	24,000	28,800
통 신 비	3,600	12,000	21,600	25,920
세 금 과 공 과	3,600	3,600	4,800	5,760
해 외 출 장 비			60,000	72,000
도 서 인 쇄 비	4,200	27,000	40,800	48,960
사 무 용 품 비	1,200	3,600	6,000	7,200
지 급 수 수 료	1,800	2,400	9,800	11,760
잡 비	3,600	6,000	6,000	7,200
임 대 료	4,800	5,760	12,000	14,400
감 가 상 각 비	9,400	9,400	9,400	9,400
Ⅴ. 영 업 이 익	-210,056	472,955	2,785,727	6,607,302
Ⅵ. 영 업 외 수 익	-	-	-	**40,000**
이 자 수 익				40,000
잡 이 익				
Ⅶ. 영 업 외 비 용	**7,000**	**7,000**	**7,000**	**7,000**
지 급 이 자	7,000	7,000	7,000	7,000
잡 손 실				
Ⅷ. 경 상 이 익	**-217,056**	**465,955**	**2,778,727**	**6,640,302**
Ⅸ. 특 별 이 익				
Ⅹ. 특 별 손 실				
ⅩⅠ. 법인세 차감전 순이익	**-217,056**	**465,955**	**2,778,727**	**6,640,302**
ⅩⅡ. 법 인 세 등		**149,106**	**889,193**	**2,124,897**
ⅩⅢ. 당 기 순 이 익	**-217,056**	**316,849**	**1,889,534**	**4,515,405**

획에서 다 처리했을 것이므로) 연구원은 본업인 과제 수행에만 충실했을 수도 있다. 그러나 연구원은 말 그대로 '탐구하는 사람'이다. 본인 과제의 향후 '기대효과'가 어느 정도로 예상되는지 정말 궁금하지 않을까? 궁금하지 않다? 좋다. 그러면 연구원이 연구 개발하는 능력에 덧붙여 본인 제품에 대한 '추정 손익계산서'를 작성할 줄 알면 어떨까? 아니면 찾아보는 노력을 하거나, 또는 찾았을 때 적어도 까만 건 종이요, 하안 건 글씨요로 보지만 않는다면… 제3자가 작성한 '추정 손익계산서'라도 검토하고 토의하면서 방향성은 물론 개개 연구원의 시장을 바라보는 시야가 넓어지고 개인의 역량도 한층 높아질 수 있는 기회로 삼으면 좋지 않을까? 좋은 말도 자꾸 하면 해가 되니 이쯤 하겠다(^^). 다음은 '추정 손익계산서'가 어떻게 만들어지는지 개요도로 알아보자. 물론 이 작업을 일일이 하지는 않을 것이므로 여기서는 "그렇구나!" 정도로 알고 넘어갈 것이다. 다음 [그림 D-25]는 '추정 손익계산서'를 작성하는 개요도이다.

[그림 D-25] '추정 손익계산서' 작성 개요도

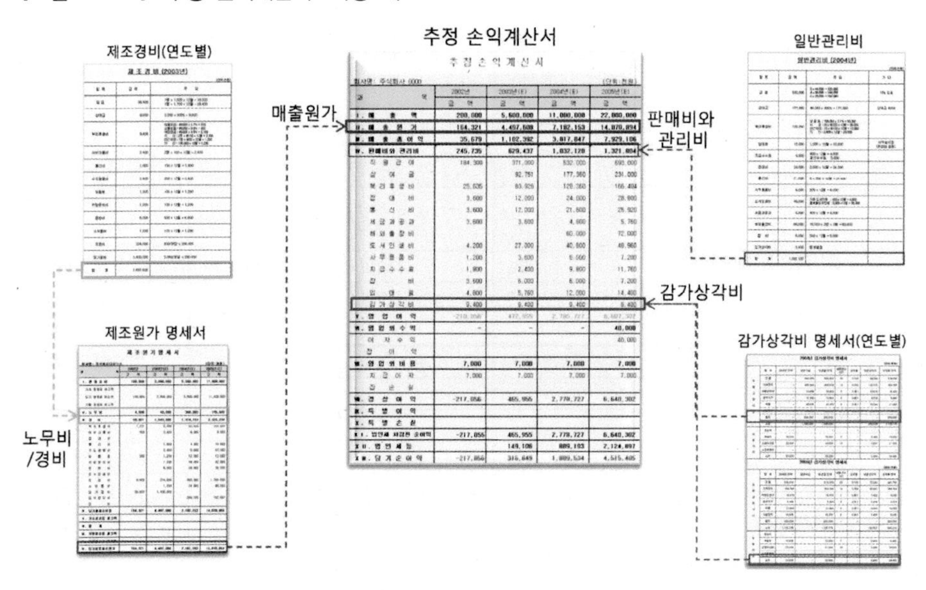

추 정 손 익 계 산 서

회사명: 주식회사 0000 (단위: 천원)

과 목	2002년	2003년(E)	2004년(E)	2005년(E)
	금 액	금 액	금 액	금 액
I. 매 출 액	200,000	5,600,000	11,000,000	22,000,000
II. 매 출 원 가	164,321	4,497,608	7,182,153	14,070,894
III. 매 출 총 이 익	35,679	1,102,392	3,817,847	7,929,106
IV. 판매비와 관리비	245,735	629,437	1,032,120	1,321,804
직 원 급 여	184,300	371,000	532,000	690,600
상 여 금		92,751	177,360	231,000
복 리 후 생 비	25,626	83,926	128,360	166,404
임 대 비	3,600	12,000	24,000	28,800
통 신 비	3,600	12,000	21,600	25,920
세 금 과 공 과	3,600	3,600	4,800	5,760
해 외 출 장 비			60,000	72,000
도 서 인 쇄 비	4,200	27,000	40,800	48,960
사 무 용 품 비	1,200	3,600	6,000	7,200
지 급 수 수 료	1,900	2,400	9,800	11,760
잡 비	3,600	6,000	6,000	7,200
임 대 료	4,800	5,760	12,000	14,400
감 가 상 각 비	9,400	9,400	9,400	9,400
V. 영 업 이 익	-210,056	472,955	2,785,727	6,607,302
VI. 영 업 외 수 익	-	-	-	40,000
이 자 수 익				40,000
잡 이 익				
VII. 영 업 외 비 용	7,000	7,000	7,000	7,000
지 급 이 자	7,000	7,000	7,000	7,000
잡 손 실				
VIII. 경 상 이 익	-217,056	465,956	2,778,727	6,640,302
IX. 특 별 이 익				
X. 특 별 손 실				
XI. 법인세 차감전 순이익	-217,056	465,955	2,778,727	6,640,302
XII. 법 인 세 등		149,106	889,193	2,124,897
XIII. 당 기 순 이 익	-217,056	316,649	1,889,534	4,515,405

'제조 원가 명세서'는 '매출 원가'로, '일반 관리비'는 '판매비와 관리비'로, '감가상각비 명세서'는 '감가상각비'로 각각 들어간다. 물론 이들을 위한 기본 자료로 '연도별 매출 계획', '연도별 인원 현황' 등이 요구된다.

개발 제품에 대한 향후 3~5년간의 '추정 손익계산서'에 대해 알아보았다. 초두에서 언급한 바와 같이 'VE(Value Engineering)성 과제'나 기존 제품의 기능을 향상시키는 과제의 '효과 기술'은 현재 평가 체계를 그대로 따르고, 여기서는 '신제품 개발'에 초점을 맞춰 진행한다고 했으므로 재무 평가를 좀 더 진전시켜 보았다. 따라서 모든 제품 설계 과제에 [그림 D-24]의 경우를 적용한다고 확대 해석 하는 일은 없어야 한다. 다음은 '효과 기술'에서 재무적인 부분을 제외한 그러나 중요한 항목들의 표현법 등에 대해 알아보자.

2.3.2. 성과 평가[효율성의 '산출(Output)'+효과성의 '결과(Outcome)']

주로 '비재무적 효과'로 불리는 항목들이 해당되나 소제목을 '효율성의 산출(Output)+효과성의 결과(Outcome)'로 한 것은 본 책이 '토이 박스 개발' 예처럼 '개발'에서 '판매'까지의 전 프로세스 범위를 고려했기 때문이다. [표 D-4]의 내용 설명에서 언급했듯이 과제 범위가 '제품'까지만 개발하는 경우이면 '효율성의 산출(Output)' 내 지표들로만 과제 효과를 평가해야 할 것이다. 본문은 '토이 박스 개발' 예로써 비재무적 효과뿐만 아니라 '재무 효과'의 표현인 '추정 손익계산서'도 함께 표현하고 있다. 다음 [표 D-5]를 보자.

[표 D-5] 성과 평가[효율성 '산출(Output)'+효과성 '결과(Outcome)'] 예

성과 평가	성과 구분	성과 지표		예상 효과	비고
효율성의 산출(Output)	연구개발의 직접적 성과	특허		3개 이상	향후 3 개년
		논문		-	
효과성의 결과(Outcome)	경제적 성과	사적 수익(기업)	매출액	7/12/40억	
		기술 경쟁력	세계 경쟁력순위	9/5/2위	
		산업 경쟁력	시장 점유율	5/15/35%	
		산업 내외부의 기술파급효과	국산화율	70/90/100%	
		부가가치 유발	외국인 투자유치	0/100/300만 달러	
		고용유발	고용효과	2/5/15명	
	과학기술적 영향	기술수준 제고	선진국 대비 기술수준	8/50/90%	

[표 D-5]는 [표 D-4]의 항목 중 '토이 박스 개발' 과제에 해당하는 것만 그대로 옮겨 놓은 것이며(가정), '성과 지표' 내 파란색 지표들은 한 단계 더 세분한 것이다. '예상 효과'는 향후 3개년간 예상되는 효과들이며, 특히 '향후 3개년 매출액'과 '고용 효과' 등은 사전에 작성된 '추정 손익계산서'를 활용하였다(고 가정한다). 과제의 규모나 성격에 따라 [표 D-4]의 지표들을 중심으로 훨씬 더 많고 다양한 지표들이 추가될 수 있으나 여기서는 이 정도로 정리하고 끝으로 파워포인트 작성 예를 [그림 D-26]에 실었다.

[그림 D-26]은 [그림 D-23]과 [표 D-4]를 적용해 예상되는 효과를 요약한 예이다. '추정 손익계산서'와 '기술 경쟁력/산업 경쟁력' 등의 내용은 별도 자료로 '개체 삽입'하였다(고 가정한다).

[그림 D－26] 'Step－2.3. 효과 기술' 작성 예

Step－2. 과제 정의
Step－2.3. 효과기술

▶ '성과평가'는 '효율성'과 '효과성'으로 구분할 수 있으며, 주어진 성과지표 별 향후 3개년 간의 예상 효과를 기술.

▶ 단, '매출액'과 '고용 효과'와 같은 재무적 효과들은 개체삽입된 '추정 손익계산서'를 활용.

성과평가

성과평가	성과구분	성과지표		예상효과	비고
효율성의 산출 (Output)	연구개발의 직접적 성과	특허		3개 이상	향후 3 개년
		논문		-	
효과성의 결과 (Outcome)	경제적 성과	사적 수익(기업)	매출액	7/12/40억	
		기술 경쟁력	세계 경쟁력순위	9/5/2위	
		산업 경쟁력	시장 점유율	5/15/35%	
		산업내외부의 기술파급효과	국산화율	70/90/100%	
		부가가치 유발	외국인 투자유치	0/100/300만 불	
		고용유발	고용효과	2/5/15명	
	과학기술적 영향	기술수준 제고	선진국 대비 기술수준	8/50/90%	

추정 손익계산서

기술/산업 경쟁력 조사 보고서

PS-Lab Problem Solving Laboratory

여기까지 "과제 수행에 따라 재무성과는 얼마이고(효과 기술), 지표는 얼마나 향상되며(목표 기술), 이를 위해 극복할 문제들은 무엇이 있고(사전 진단), 이런 배경을 통해 과제가 탄생하였다(과제 선정 배경 기술)"라고 하는 과제 수행 당위성을 학습하였다. 다음은 앞으로 과제를 어떻게 운영할 것인지에 대한 '과제 관리'를 설명한다. 물론 'Step－2. 과제 정의' 안에서 일어나는 일들이다.

Step－2.4. 범위 기술

'범위 기술'은 "정확하게 어디에서 어느 규모로 과제가 수행되는가?"에 대한

해답을 제시한다. '프로세스 개선 방법론'의 '범위 기술'과 유사하므로 내용은 『Be the Solver_프로세스 개선 방법론』편의 본문을 그대로 옮겨놓았음을 알린다. '범위 기술'을 가장 쉽게 한마디로 표현하면 "바닷물을 끓여서는 안 된다"이다. 초창기 '문제 해결/문제 회피' 교육 프로그램과 동시에 과제도 수행하면서 시간이 갈수록 중도 탈락하거나 포기하는 리더들이 속출하곤 했는데 여러 원인이 있었지만 바로 이 '범위' 설정에 문제가 있었던 경우가 많았다. 이런 현상은 이후로도 상당 기간 이어졌는데, 최초 과제 선정 시점에서 자원을 고려치 않고 너무 의욕만 앞세우거나, 또 진행 과정에서 사업부장의 요구로 개선 폭이 넓어져 스스로 감당도 못할 수준에 이른 경우 등이다. 반대로 너무 좁은 범위를 가져가는 바람에 전체 로드맵 요구 산출물을 채우려고 무성한 문서 작업에 시달리는 예도 종종 발생하였다.

그렇다면 범위를 가장 잘 설정하는 방법은 무엇일까? 우선 '과제 정의'를 토대로 사업부장이 과제를 승인하면 성공적 추진과 성과 창출이 가장 중요한 핵심 이슈로 떠오른다. 따라서 이들을 달성할 핵심 영역이 어디인지를 가능한 명확하게 정의하는 것이 필수이다. 필자는 경험상 '많이 쓰고 있는 **'프로세스 범위'** 외에 추가로 **'공간적 범위'**, **'시간적 범위'**, **'유형적 범위'**, **'기술적 범위'**로 구분하여 멘토링하고 있다. 이에 대해서는 다음에 기술 방법과 예를 각각 요약해 놓았다.

· **프로세스 범위** 프로세스 관점에서의 '시작'과 '끝'을 정하는 것이 목적이다. 멘토링하다 보면 '상세 프로세스 맵'을 그리는 경우를 보게 되는데, 기술한 바와 같이 '시작'과 '끝'을 정하는 단계이므로 거시적인 맵을 이용하는 것이 바람직하다. 가장 많이 사용되는 도구에 'SIPOC(Supply – Input – Process – Output – Customer)'이 있다. 드물지만 상황에 따라 거꾸로 'COPIS'로 사용되기도 한다. 발음은 '싸이폭', '씨폭' 또는 단어대로 '에스 아이 피 오 씨' 등으로 불린다. [그림 D – 27]은 적용 예이다.

[그림 D-27] '범위 기술' 중 'Process 범위' 예(SIPOC 사용)

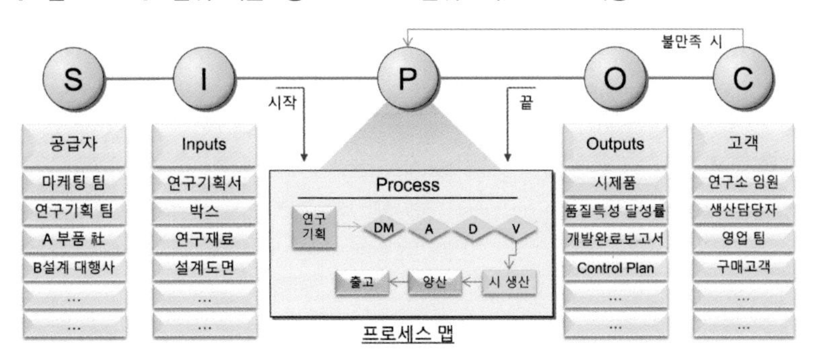

'S'는 'I', 즉 'Input'을 제공하는 주체이다. 연구 개발이 시작되기 위해서는 시장 흐름을 파악하고 있을 '마케팅팀', 타당성을 평가할 '연구 기획팀', 각종 부자재를 공급할 '협력사' 등을 'Supply'로 설정하였다. 'I'는 '5M(Man, Machine, Material, Method, Measurement)-1I(Information)-1E(Environment)'을 기반으로 프로세스에 들어갈 내용물을 기술하며 보통 '프로세스 변수'로 요약된다. 연구가 시작될 수 있는 '연구 기획서' 외에 각종 요소들이 포함된다. 'P'는 이 과정의 핵심이다. 프로세스의 '시작'은 '연구 기획'으로, '끝'은 '출고'까지로 한정하고 있다. 그러나 전체를 과제로 수행하기 어려우므로 1단계로 '시 생산'까지, 2단계로 '양산' 이후를 최적화할 수 있도록 나누어 진행할 것이다(라고 가정한다). 'O'는 프로세스 산출물로 여기서는 '시 제품'과 그를 평가할 '품질 특성 달성률', '개발 완료 보고서', 공정 이관을 위한 'Control Plan' 등을 포함시켰다. 'C'는 프로세스의 수혜자인데, '시 제품'을 평가할 '연구소 임원', 생산할 '생산담당자', 시장에 내놓을 '영업팀', 제품을 구매할 '고객' 등으로 설정하였다. 다음은 '프로세스 범위' 이외에 다른 범위 유형들의 내용과 작성 예이다.

(계속)

- **공간적 범위** 필자가 경험적으로 범위를 명확히 하기 위해 추가한 것들 중 하나다. '공간적 범위'란 '프로세스 범위'에서 정의한 '프로세스'가 들어 있는 공간을 의미한다. 즉, 특정 사업장에만 국한된 과제인지, 타 지역 사업장까지 연계된 과제인지 또는 전사를 대상으로 하는지 등을 사전에 명시하여 과제 규모와 최적화의 확장성 등을 가늠해보는 것이 목적이다. 만일 연구소 내에서만 수행되면 '연구소 △△팀'으로, '시생산'까지면 '연구소 △△팀~○○ Pilot Line'을, 본사 마케팅팀과의 연계가 있으면 '본사 마케팅팀' 등 여러 부서가 관련되면 각 부서명, 팀명을 기술한다.
- **시간적 범위** 멘토링 때 '시간적 범위'를 적으라면 '과제 수행 기간', 즉 '일정'을 적는 경우가 있는데, '일정'은 Define Phase 맨 끝에서 기술하며, 여기서는 과제에 필요한 '데이터의 시간적 범위'를 일컫는다. 주로 금융권 과제의 경우가 포함되는데, 예를 들면 생명보험사 등에서 법적으로 2년간 의무 보관이 필요한 서류를 대상으로 하는 과제이면 2년을 넘어선 자료에 대해선 관심대상에서 제외한다. 이럴 경우 '시간적 범위'는 '보관 기간 2년 내 ○○서류' 등으로 기술한다. 또는 특정 기간 내 생산된 제품에 대해 과제가 수행되면 이 부분도 '시간적 범위'에서 기술한다. 대부분의 과제 경우 해당 사항이 없는데 이때는 '범위 기술'에서 제외한다.
- **유형적 범위** '공간적 범위'와 함께 대부분의 과제에서 유용한 항목이다. 제품 개발 과제를 수행하면 통상 제품 모두를 대상으로 하기보다 그중에서 특정 모델이나 유형에 한정되는 경우가 대부분이다. 예를 들면 과제명이 '~토이 박스 개발'이면 '유형적 범위'는 모든 유형의 '토이 박스'가 아닌 '~선물용 토이 박스', 또는 '~학습용 토이 박스'처럼 과제에서 다루고자 하는 대상을 명확하게 정의하는 것이다. 본 과정은 Define Phase라는 것을 잊어서는 안 된다. 정확히 무엇을 대상으로 과제를 수행하는지 제3자에게 명확하게 전달하고 평가를 받아야 이후 진행 과정에서 발생할 이견 차이를 최소화할 수 있다. 경험적으로 '유형적 범위'는 어떤 식으로든 관계하고 있기 때문에 반드시 기술하도록 권유한다.
- **기술적 범위** 기존 기술이 아닌 새로운 원리나 방법(공법) 등을 적용해서 목적을 이루려는 경우가 있는데, 예를 들면 새로운 개념의 '토이 박스'를 개발한다고 할 때 적용할 신기술이나 기존과 차별화된 방법론 등이 해당한다. 이때 적용 기술에 세대별 차이가 있으면 기존 것은 '1세대', 이번 과제는 '2세대'로 정하고, 지금은 아니지만 향후 활용될 차세대 기술이 있으면 '3세대'로 표기한다. 이 경우 MGPP(Multi-Generational Product Planning)를 쓴다. [표 D-6]은 적용 예이다.

[표 D－6] 범위 기술_기술적 범위 예(MGPP 응용)

구분	1세대	2세대	3세대
목표(Objective)	M/S 10%	M/S 25% 영업이익 10억	국내 M/S 1위 수출 $100만 달성
포지셔닝(Positioning)	친근하고 다정한 이미지	독특하고 큰 재미를 주는 이미지 ?	다양한 계층에 선호되는 재미+유익한 이미지
방법(How to)	카탈로그/인터넷 판매와 같은 조용한 마케팅	일반상설점/백화점 등 적극적 마케팅	직영점 운영의 차별화/고급화
성공요소(Winning Point)	▷ 인형 종류 다양화 ▷ 외관 디자인	▷ 디지털기술 접목 ▷ 선도적 Idea	▷ IT/NT/BT접목 ▷ 선도적 Idea
목표시장(Target Market)	▷ 국내 ▷ 10～20대	▷ 국내/해외 ▷ 10～30대	▷ 국내/해외 ▷ 전 연령층
출시일(Release Date)	2003년도	2010 말	2012 말

'MGPP'의 가장 좋은 예는 '60년대 미국의 아폴로 우주 계획이다. '61.5.25일 당시 제35대 대통령 존 F. 케네디는 '국가의 급무와 현상에 관한 특별 교서'를 의회에 제출함으로써 '60년대가 끝나기 전 인간을 달에 착륙시켰다가 무사히 귀환시키는 목표'를 발표한다. 그러나 당시의 기술로 한 번에 그 같은 목표에 도전할 수 없었으므로 1차로 비행 물체를 지구 궤도에 안착시키는 '머큐리 계획'을, 2차로 우주 공간에서 도킹(Docking)과 같은 복수의 탈 것을 시험하는 '제미니 계획', 끝으로 케네디 대통령이 발표한 달 착륙 후 귀환시키는 '아폴로 계획'이 단계적으로 진행되는데 이것이 'MGPP'의 사례다. 그러나 다양한 분야에서 활용되는 만큼 그 응용 범위도 넓어 과제별 '기술적 범위'를 설정하는 데 알맞게 활용할 것을 권장한다. 예를 들어 [표 D－6]과 같이 시장을 선도할 3세대로 가기 위한 절차 중 현 과제가 속해 있는 세대를(이것은 아폴로 계획과 유사한 과정이다) 정의할 수도 있으나, 1세대를 시장을 정밀하게 조사할 목적의 마케팅 활동으로, 2세대는 시장에 맞는 제품을 개발하는 과정을, 3세대는 플랫폼(Platform) 설계를 통해 표준화와 공용화 및 다양한 고급 제품을 값싸게 생산할 수 있는 체계

수립 등으로 활용하는 등이다. 지금까지 언급된 '범위 기술'이 양적으로 많아 보이지만 막상 장표 한 장에 정리되므로 작성에 대한 부담은 없다. 과제의 초점을 어디다 둘 것인지 명확히 하자는 취지이므로 기타 추가로 언급할 부분이 있으면 함께 기술한다. 다음 [그림 D-28]은 '토이 박스 개발' 과제의 작성 예이다.

[그림 D-28] 'Step-2.4. 범위 기술' 작성 예

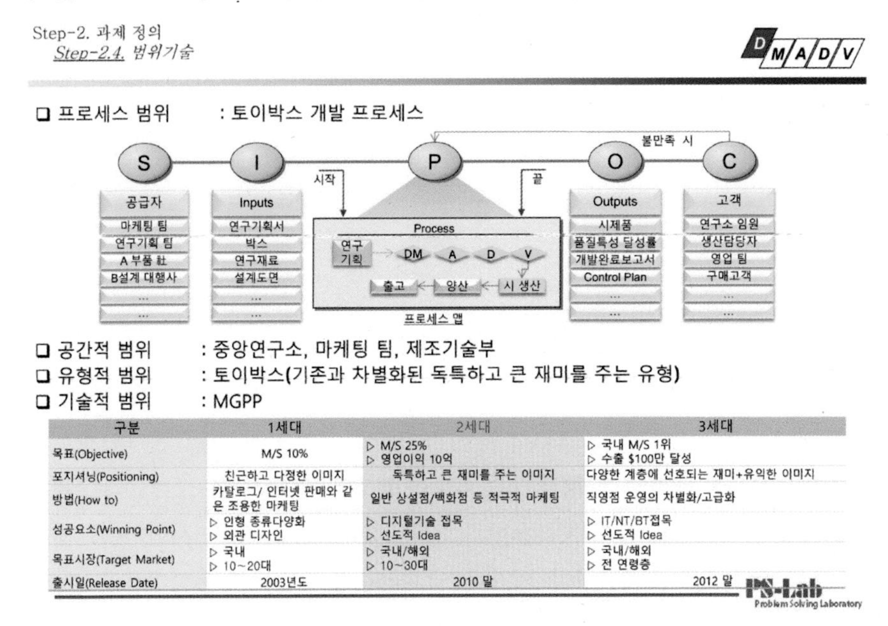

구분	1세대	2세대	3세대
목표(Objective)	M/S 10%	▷ M/S 25% ▷ 영업이익 10억	▷ 국내 M/S 1위 ▷ 수출 $100만 달성
포지셔닝(Positioning)	친근하고 다정한 이미지	독특하고 큰 재미를 주는 이미지	다양한 계층에 선호되는 재미+유익한 이미지
방법(How to)	카탈로그/ 인터넷 판매와 같은 조용한 마케팅	일반 상설점/백화점 등 적극적 마케팅	직영점 운영의 차별화/고급화
성공요소(Winning Point)	▷ 인형 종류다양화 ▷ 외관 디자인	▷ 디지털기술 접목 ▷ 선도적 Idea	▷ IT/NT/BT접목 ▷ 선도적 Idea
목표시장(Target Market)	▷ 국내 ▷ 10~20대	▷ 국내/해외 ▷ 10~30대	▷ 국내/해외 ▷ 전 연령층
출시일(Release Date)	2003년도	2010 말	2012 말

[그림 D-28]은 앞서 설명된 내용들을 장표에 요약한 것이다. '공간적 범위'는 '프로세스 범위'의 'P'에 기술한 영역이 들어가 있는 공간이므로 주 역할을 할 '중앙 연구소' 외에 '마케팅팀'과 향후 생산을 위한 '제조 기술부'가 포함됐고, '유형적 범위'는 기존 '토이 박스'와 종류는 동일하지만 차별성을 갖는 새로운 제품군임을 표현하였다. '기술적 범위'는 토이 박스의 발전 모습을 세대로 구분해 현재 '2세대'가 추진되고 있음을 나타낸다.

'범위 기술'이 잘 정의됐으면 이 범위에 속하는 전문가와 함께 과제를 수행해야 성공 가능성이 높으므로 '팀원'을 구성한다. 따라서 '팀원 기술'이 이어진다.

Step-2.5. 팀원 기술

과제를 수행함에 있어 '사람'만큼 중요한 요소가 있을까? 회사에 크고 중대한 이슈가 있고 반드시 해결할 대상이면 해당 분야에 경력이 전혀 없거나 이제 막 입사한 사원을 리더로 정하는 일은 거의 없을 것이다. 또 팀원을 구성해야 하는데, 한 기업의 예를 들면 타 부서의 프로세스 개선과 연계될 경우 그쪽 부서장의 과제 수행 여부를 승인받아 팀원 영입을 정당화하거나, 인센티브 비율을 상향 조정하며 도움이 될 만한 인력을 섭외(?)하는 해프닝도 있었다. 또는 반대로 팀원에 들어 추가될 업무 부담을 염려한 나머지 프로세스도 잘 모르는 부하 직원을 추천하고 본인은 빠지거나, 자체 프로세스 개선 경우 인증 목적으로 이 사람 저 사람 유령 팀원을 잔뜩 투입시키는 경우 등 다양한 모습의 팀원 구성 방법이 동원되었다. 또 과제 수행 경험이 있는 직원에게 여기저기서 팀원에 영입토록 요청하는 바람에 일이 몇 사람에게 편중되는 부작용도 있었다.

그러나 국내 기업에서 과제의 수행 경력만 십수 년이 넘어선 지금, 리더와 팀원들의 구성에도 많은 변화가 생겼다. 체계화된 교육 프로그램을 이수한 예비 리더들이 많아지면서 의사소통 수준이 상향평준화를 이루고 있으며, 최근에는 '프로세스 이해도'에 덧붙여 특히 '열정'을 가진 직원을 요구하는 경향이 생겼다. 오랜 기간 경영 혁신 활동으로 프로세스 관리 수준이 향상되었고, 따라서 과제의 난이도도 그만큼 증가했기 때문에 열정을 갖고 함께 고민하고 연구하는 인력이 필요한 것으로 해석된다. 팀원은 과제 성공의 열쇠를 쥔 핵심 자원이며 또 인센티브를 공유할 대상이기도 하다. 정말 도움이 되고 열정으로 과제를 완수하는 데 기여할 인력이 영입되도록 노력해야 한다. Define Phase에서 '팀원 기술'은 한 장에 요약하는 것이 가장 수월하며, 다음과 같은 요소들의 사용을 권장한다.

· **조직도** 한 조직의 위계가 아닌 '과제 수행 인력의 구성도'이다. '사업부장'부터 '팀원'들의 이름과 역할이 포함된다. 다음 [그림 D－29]는 작성 예이다.

[그림 D－29] '조직도' 작성 예

사업부장 : 김오락 상무

멘토 : 박지상 과장

PO : 신지아 부장

Leader : 이설계

부문	연구개발		마케팅	생산기술
팀원	박찬오	박서리/김유나	이승업	최시라
역할	•친화도 분석 •KANO 분석 •경쟁사 조사 •회의 운영/관리	•개념설계 •신뢰성 설계 •최적화 설계	•소비자 선호도 조사 •VOC 수집 설계 •VOC자료 코딩	•공정 변경점 관리 •관리계획 수립 •작업성 분석

'멘토'는 사내 멘토링 제도가 정착된 경우 자체적으로 양성된 인력을 배정하지만 그렇지 않고 초기 단계거나 양성이 안 된 경우는 외부에서 투입된 컨설턴트를 대신한다. 'PO'는 'Process Owner'로 과제의 개선 내용을 프로세스에 함께 적용하고 지속적으로 관리할 주체이다. 따라서 과제 초기부터 완료 단계까지 지원과 관심을 가져야 하는 대상이다. 과제 '프로세스 범위'가 팀 내에 한정된 경우 '팀장'이 바로 'PO'가 된다. '리더'는 프로세스를 정확하게 이해하고 또 팀원 이외의 직원들과도 쉽게 교류할 수 있는 사람이 필요하다. 실제 과제를 수행하다 보면 성과를 내는 일보다 사람과의 관계를 헤쳐 나가는 일이 더 어렵다는 얘기를 듣곤 한다. 필자가 연구소에 재직했을 때 제조 프로세스의 불량 개선 과제를

추진하면 현장의 여러 데이터나 실험 등이 요구되고, 그때마다 프로세스 담당자들의 손길이 반드시 필요했다. 이들의 도움 여하에 따라 수행 품질이 달라지기 때문에 결재를 거쳐 협조를 요구하지만 개인적인 친분이 없거나 효과를 공유하지 못할 경우 차질이 생기기 일쑤였다. 요구를 들어주는 입장에서는 업무에 부하가 추가로 걸리기 때문이다. 타 부서 담당자들과의 관계를 무리 없이 조율할 수 있는 능력의 소유자가 프로세스의 전문성 못지않게 중요하므로 '리더'는 이 부분에도 관심과 노력을 집중할 필요가 있다.

· **ARMI 모델** GE에서 사용하고 있는 팀원의 단계별 역할을 보여주는 도표이다. '조직도'상으로는 각 팀원이 DMADV 전 단계에서 활동하고 있는 것처럼 보이나 실제로는 어느 특정 단계에서 기여를 많이 하는 경우가 대부분이다. 또 '기여율'을 파악해 평가의 차별성을 두려는 의도도 있다. 영어 단어는 'A – Approve', 'R – Resource', 'M – Member', 'I – Interested Party'를 나타내며, 작성한 예는 다음 [표 D – 7]과 같다.

[표 D – 7] 'ARMI 모델' 작성 예

핵심 담당자	Phase				
	D	M	A	D	V
김오락	A		A	A	A
이설계	과제 리더				
신지아	I			I	I
박찬오	M	M	R		
박서리/김유나		R	M	M	
이승업	M	M	R		
최시라	M		R	R	M

사업부장인 '김오락 상무'는 'Measure Phase'를 제외하고 나머지 각 Phase의 완료를 '승인'하는 주체이고, '신지아'는 'PO'로서 'I'는 'Interested Party'를 나타낸다. 과제 수행 초기인 'Define Phase'에서 문제나 목표 설정 등 방향성 제시

와, Verify Phase에서 실제 프로세스 적용을 위한 '관리 계획' 아이디어 제공 및 관리 주체로서의 참여가 있음을 알 수 있다. 각 팀원들은 매 Phase에서 100% 역할이 아닌 핵심 역할을 할 위치가 따로 구별돼 있다. 즉, 부가가치 있는 활동을 해서 그 결과가 파워포인트에 기록되면 팀원의 역할을 한 경우로 보고 'M(Member)'으로 표기한다.

경우에 따라서는 전문 지식을 통해 과제 성공에 기여할 수도 있는데, 이것은 'R', 즉 'Resource'로서 간혹 팀원은 아니면서 외부 전문가나 사내 타 부서의 전문성을 지닌 인력의 도움이 간헐적으로 필요할 때 쓰인다. '박찬오' 경우 'Member' 역할 외에 Analyze Phase에서 'Resource' 역할이 있음을 알 수 있다. 'ARMI 모델'을 통해 팀원들의 '과제 기여 정도'가 파악될 수 있으므로 성과에 대한 인센티브를 공유하는 용도로도 매우 유용하다.

· **운영 규칙(Ground Rule)** 과제가 중요하고 회사 또는 부서에서 반드시 성공해야 하는 시급성을 요하는 경우라면 리더나 각 팀원들에게 할당된 역할만을 요구하는 것은 이치에 맞지 않다. 따라서 규칙적으로 모여서 진행 상황을 점검하고 향후 해야 할 일들에 대해 공유하는 시간이 필요한데 이것이 '운영 규칙'을 정하는 일이다. 주기성은 유지하되 너무 자주 또는 너무 길게 잡지 말고 진도를 공유하기 위한 적정 수준을 정하도록 한다. 다음 [표 D-8]은 작성 예이다.

[표 D-8] '운영 규칙' 작성 예

구분	내용
사업부장	◇ 과제 보고 시 조언, 협의. 보고일은 매달 끝 주, 금, 10:00AM
팀원	◇ 총괄 과제 Leading은 이설계 담당 ◇ 매주 1회 정기회의(화요일 10:00AM) ◇ 모든 의사결정은 팀원의 협의를 거쳐서 Leader가 최종적으로 결정 ◇ 1회/월 미팅 실시[매월 3째 주 화상 회의 실시(필요시 팀 회의)] ◇ 사업부장 보고 결과 팀원 전원에게 F/B ◇ 설계 Process 테스트 후 팀 회의를 통해 미비점 및 보완사항 점검
혁신 추진팀	◇ 과제등록 일정, 방법, 지도, 교육 일정 변경 협의
지도위원/멘토	◇ 상호의견 존중 및 팀원 간 공식 활동 강화(월 2회 지도, 교육 1회)

예에서의 '운영 규칙'은 대상별로 과제 진도와 향후 전개를 논의하기 위한 회의 일정, 팀원들이 함께 공유하는 방법 등으로 구성되어 있다. 목표를 달성하기 위해서는 한 방향으로 나아가기 위한 이 같은 규칙이 반드시 필요하다. 그렇지 않으면 일이 한두 사람에게만 몰려 수행 품질을 저해하는 요인이 된다.

[그림 D-30]은 '토이 박스 개발' 과제의 예이다. '조직도', 'ARMI 모델' 및 '운영 규칙'을 한 장표에 표기해 놓았다. 장표의 표현도 중요한 역량이다. 불필요하게 장수를 늘리기보다 한 주제는 한 장표에 표현하려는 자세가 중요하다. 경험적으로 리더가 한 주제를 2~4장에 정리해 오더라도 모두 한 장표에 편집하도록 유도하곤 했는데 만족도가 상당히 높다.

[그림 D-30] 'Step-2.5. 팀원 기술' 작성 예

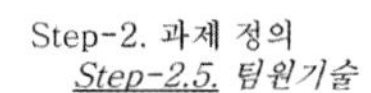

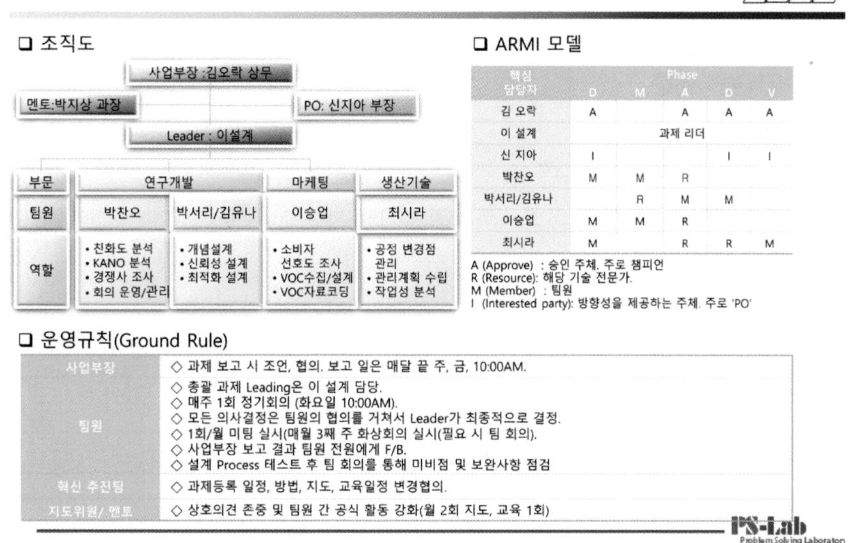

핵심 담당자	Phase D	M	A	D	V
김 오락	A		A	A	A
이 설계	과제 리더				
신 지아	I			I	I
박찬오	M	M	R		
박서리/김유나		R	M	M	
이승업	M	M	R		
최시라	M		R	R	M

A (Approve) : 승인 주체. 주로 챔피언
R (Resource): 해당 기술 전문가.
M (Member) : 팀원
I (Interested party): 방향성을 제공하는 주체. 주로 'PO'

□ 운영규칙(Ground Rule)

사업부장	◇ 과제 보고 시 조언, 협의. 보고 일은 매달 끝 주, 금, 10:00AM.
팀원	◇ 총괄 과제 Leading은 이 설계 담당. ◇ 매주 1회 정기회의 (화요일 10:00AM). ◇ 모든 의사결정은 팀원의 협의를 거쳐서 Leader가 최종적으로 결정. ◇ 1회/월 미팅 실시(매월 3째 주 화상회의 실시(필요 시 팀 회의). ◇ 사업부장 보고 결과 팀원 전원에게 F/B. ◇ 설계 Process 테스트 후 팀 회의를 통해 미비점 및 보완사항 점검
혁신 추진팀	◇ 과제등록 일정, 방법, 지도, 교육일정 변경협의.
지도위원/ 멘토	◇ 상호의견 존중 및 팀원 간 공식 활동 강화(월 2회 지도, 교육 1회)

Step-2.6. 일정 기술

이제 남은 것은 '무엇을' '언제까지' 할 것인가 하는 '일정 계획'이 필요하다. 과거 '제품 설계 방법론' 교육이 한 달에 한 주씩 진행이되 과제도 DM-A-D-V로 나눠 수행되었다. 그러나 실제는 '콘셉트 설계'가 어려워 Analyze Phase가 길게 소요되는 경우도 있고, 제품 콘셉트는 잡혀 있음에도 '상세 설계'가 오래 소요되는 과제도 있다. 이때 한 달씩 기계적으로 일정을 배분하다 보면 예정대로 추진하기 어렵거니와, 대부분의 과제가 'Design'과 'Verify'가 합쳐져 한 달 만에 결론짓고 어정쩡하게 종료하는 경우도 허다했다. 또 계획된 완료일 직전까지 여유 있게 대응하다 막바지에 서두르며 부실을 자초하기도 한다. 이런 현상은 '일정 관리'를 잘못해서 치러지는 악순환이다. 따라서 '일정 계획을 수립하는 일'과 '계획대로 관리하고 운영하는 기술'도 과제 수행 못지않게 중요하다.

일정을 계획하고 수립하는 일은 과제 성향에 따라 처음부터 잘 배분해야 한다. '제품 설계'를 목적으로 하는 경우 평균 10개월을 전체 수행 기간으로 잡을 때, '제품 콘셉트'가 '**잡혀 있는 유형**'과 '**잡혀 있지 못한 유형**'으로 크게 분류할 수 있다. 이때 <u>전자는 Analyze Phase</u>를 2달 정도로 최소화하고, 대신 Design Phase를 약 4~5개월로, <u>후자는 Analyze Phase</u>를 3~5개월로 길게 정한다. 또 <u>Verify Phase</u>는 별로 할 일이 없을 것 같아도(그럴 리는 없겠지만) 약 2달 이상은 확보한다. 이것은 실제 프로세스에 적용해 장기 경향을 판단하는 기간이므로 최소 그 정도의 시간이 소요돼야 '장기 성향의 데이터'가 확보될 수 있기 때문이다. 결국 Verify Phase 2개월, Analyze+Design Phase 6~7개월이 되며, 나머지 약 1~2개월 정도가 Define과 Measure를 수행할 수 있는 최소한의 기간이 될 수 있다. DM Phase는 처음 입문하는 리더들이 적응하는 데 다소 어려움이 예상되나 평균적으로 1개월이면 충분한 기간이라 판단된다. 그러나 깊이 있는 시장조사가 수반되면 DM 역시 길어지거나 과제 수행 기간이 연장돼야 한다.

일정을 수립할 때 주로 간트 차트(Gantt Chart)를 사용하지만, 제품 설계 과제 경우 수행 중 예상치 못한 다양한 위험 요소로부터 일정 지연이 예상되므로 'PERT'나 'CPM' 같은 도구들이 사용될 수 있다. 'CPM(Critical Path Method)'은 경험적 자료가 충분한 상태에서 '과제 완료 시간'과 '비용' 간의 절충에 초점을 두므로 '제품 설계 방법론' 경우 'PERT'의 사용이 도움 된다.

'PERT(Program Evaluation and Review Technique)'는 1958년 미 해군 군수국 특수 프로젝트부에서 폴라리스(Polaris) 잠수함용 미사일의 개발 진척 상황을 측정·관리하기 위해 록히드 마틴(Lockheed Martin)사, 부즈 알렌 앤드 해밀턴(Booz Allen & Hamilton Inc.)사가 개발하였다. 'CPM'이 '58년도 듀폰사에서 오랜 기간 축적된 자료를 통해 건설 프로젝트에 쓰도록 개발된 것과는 차이가 있다. '토이 박스 개발' 과제의 'PERT' 절차와 예를 설명하면 다음과 같다.[26]

① '활동(Activity)'을 구분한다.

해야 할 일들을 나열하는 과정이다. 물론 해보지 않은 일들이므로 팀원들의 고민이 필요하다. 다행스러운 점은 '세부 로드맵'이 있어 이들을 활용한다. [그림 D－31]은 편의상 큰 흐름만을 나열했으나 실전에서는 '세부 로드맵'을 사용한다.

② 각 '활동(Activity)'의 순서를 결정한다.

'세부 로드맵'을 사용하면 순서는 해결되지만 '로드맵'이라고 해서 꼭 앞이 끝나야 뒤가 이어지는 관계만 있는 것은 아니다. 즉, 선행 관계 외에 병행 관계의 '활동'도 존재한다. 관계의 결정은 팀원들과 깊이 있게 논의한다. [표 D－9]에 예를 실었다.

③ 각 '활동(Activity)'을 완료하는 데 소요되는 '시간'을 결정한다.

물론 추정 시간이다. 따라서 팀원들의 경험치나 과거 자료 등 모든 출처를 동

---

26) 설명된 예는 'Excel 활용 의사결정' 박광태, 김민철_박영사를 참조하여 전개함.

원해 산정한다. [표 D-9]에 예를 실었다.

[그림 D-31] 'PERT' 작성을 위한 '활동(Activity)' 결정 예

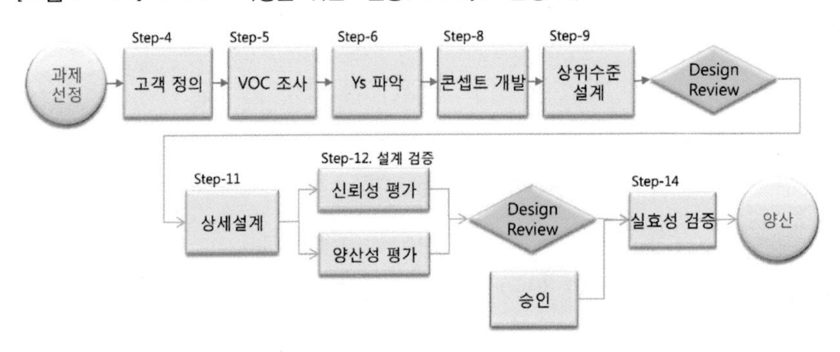

[표 D-9] 각 '활동(Activity)의 순서'와 '추정 소요 시간' 작성 예

활동(Activity)		선행 활동	추정 소요 시간(일)
A	고객 정의	-	10
B	VOC 조사	A	4
C	Ys 파악	B	5
D	콘셉트 개발	C	15
E	상위 수준 설계	D	11
F	Design Review	D, E	3
G	상세 설계	D, E	9
H	신뢰성 평가	G	7
I	양산성 평가	G	4
J	Design Review	H, I	4
K	승인	H, I	2
L	실효성 검증	I	18

'콘셉트 설계' 후 활동 'F'인 'Design Review'를 위해 직전의 '상위 수준 설계'에서도 '콘셉트 설계'가 보완적으로 일어남을 가정하였다. 따라서 'F'인

'Design Review'의 선행 활동에 'D'와 'E'가 포함되었다(고 가정한다).

④ '흐름도'를 작성한다.

앞서 작성된 '①~③의 결과물'을 이용한다. 작성법은 [표 D-9]와 '흐름도'를 함께 보면 이해할 수 있으니 설명은 생략한다. 작성 예인 다음 [그림 D-32]를 참조하기 바란다('흐름도' 숫자는 [표 D-9]의 '추정 소요 시간').

[그림 D-32] '흐름도' 작성 예

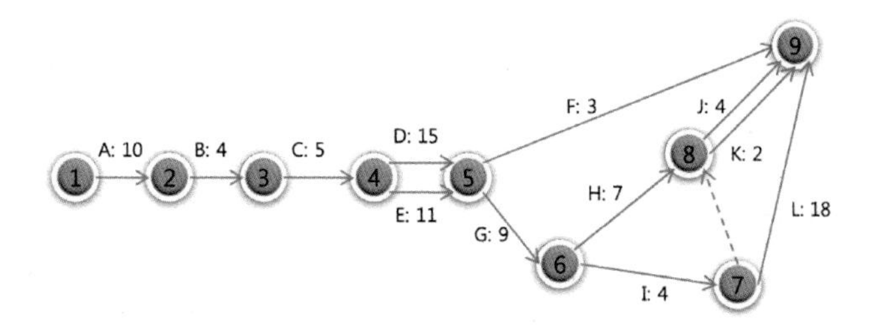

⑤ '모형'을 만든다.

'모형'은 '제약 조건'을 나열하는 것이다. 제약 조건의 예를 들면 [그림 D-32]의 마디 '2'에서 측정될 소요 시간은 활동 'A'의 소요 시간 '10'과 마디 '1'의 소요 시간(활동과 활동 사이에 존재하는 소요 시간)을 합한 값보다 작을 수는 없다. 식으로 표현하면 (D.3)이며, 모든 경로의 제약 조건 작성이 식 (D.4)이다.

$$t_2 \geq t_1 + 10 \quad \text{다시 쓰면,} \qquad \text{(D.3)}$$
$$t_2 - t_1 \geq 10$$

$$< 최소화 > \qquad (D.4)$$
$$Z = X_9$$

$$< 제약조건 >$$
$$\begin{aligned} &t_2 - t_1 \geq 10, \quad && t_7 - t_6 \geq 4 \\ &t_3 - t_2 \geq 4, && t_8 - t_6 \geq 7 \\ &t_4 - t_3 \geq 5, && t_9 - t_5 \geq 3 \\ &t_5 - t_4 \geq 15, && t_9 - t_8 \geq 4 \\ &t_5 - t_4 \geq 11, && t_9 - t_8 \geq 2 \\ &t_6 - t_5 \geq 9, && t_9 - t_7 \geq 18 \end{aligned}$$

$$x_i \geq 0$$

⑥ 주 경로를 찾는다.

'주 경로'를 확인한다. 다음 [그림 D-33]은 엑셀에 입력한 예이다.

[그림 D-33] '주 경로'의 엑셀 입력 예

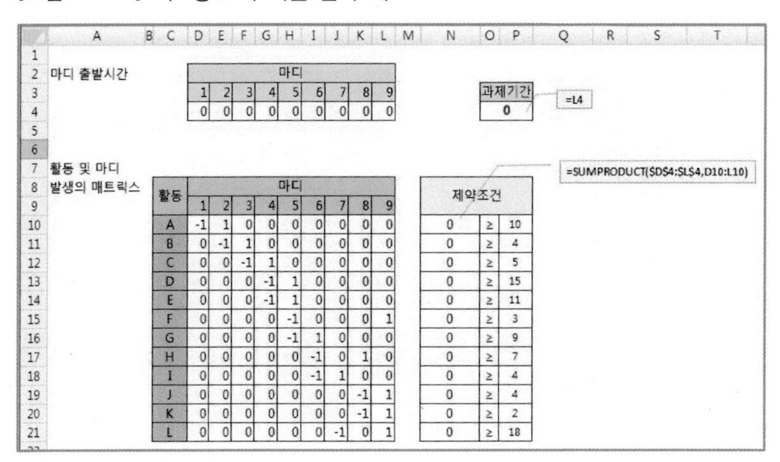
마디 출발시간

마디								
1	2	3	4	5	6	7	8	9
0	0	0	0	0	0	0	0	0

과제기간
0

=L4

활동 및 마디 발생의 매트릭스

활동	마디 1	2	3	4	5	6	7	8	9	제약조건		
A	-1	1	0	0	0	0	0	0	0	0	≥	10
B	0	-1	1	0	0	0	0	0	0	0	≥	4
C	0	0	-1	1	0	0	0	0	0	0	≥	5
D	0	0	0	-1	1	0	0	0	0	0	≥	15
E	0	0	0	-1	1	0	0	0	0	0	≥	11
F	0	0	0	0	-1	0	0	0	1	0	≥	3
G	0	0	0	0	-1	1	0	0	0	0	≥	9
H	0	0	0	0	0	-1	0	1	0	0	≥	7
I	0	0	0	0	0	-1	1	0	0	0	≥	4
J	0	0	0	0	0	0	0	-1	1	0	≥	4
K	0	0	0	0	0	0	0	-1	1	0	≥	2
L	0	0	0	0	0	0	-1	0	1	0	≥	18

=SUMPRODUCT($D$4:$L$4,D10:L10)

행에는 '마디'를, 종에는 '활동'을 입력하고, 매트릭스 내에 '활동 A'가 '마디 1'을 나가므로 '–1'을, '마디 2'로 들어가므로 '+1'을 입력하고 나머지는 '0'으로 설정한다. 다른 '활동'들도 동일하게 입력한다. 특히, 'O4' 셀에는 '=L4', 'N10:N21' 셀에는 '=SUMPRODUCT($D$4:$L$4,D10:L10)'을 입력한다. 다음 [그림 D-34]는 엑셀 기능 중 '해 찾기'의 입력 예이다.

[그림 D-34] 엑셀의 '해 찾기' 입력 예

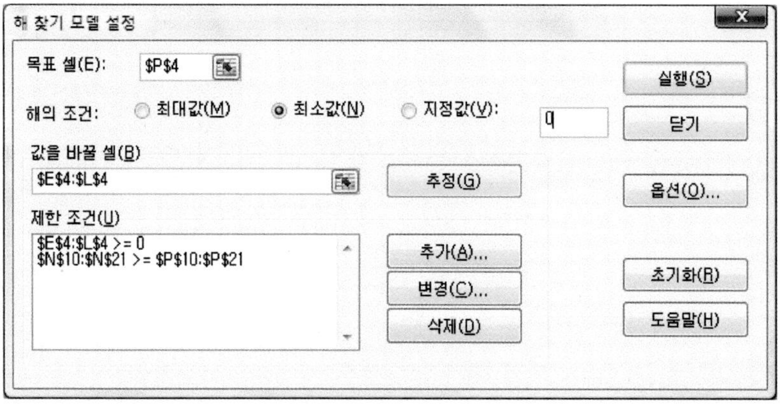

해 찾기 모델 설정
목표 셀(E): $P$4
해의 조건: 최대값(M) 최소값(N) 지정값(V): 0
값을 바꿀 셀(B)
$E$4:$L$4
제한 조건(U)
$E$4:$L$4 >= 0
$N$10:$N$21 >= $P$10:$P$21
실행(S) 닫기 추정(G) 옵션(O)... 추가(A)... 변경(C)... 삭제(D) 초기화(R) 도움말(H)

엑셀의 '목표 셀(E):'과 '값을 바꿀 셀(B)' 및 '제한 조건(U)' 등에 [그림 D-34]와 같이 입력한다. '해의 조건:'은 과제 수행 기간의 최소화 경로를 찾는 문제이므로 '최솟값(N)'이 선택된다. 입력이 완료되면 '실행' 단추를 누른다. 결과는 다음 [그림 D-35]와 같다.

[그림 D-35] 엑셀 '해 찾기' 결과 예

마디 출발시간

마디								
1	2	3	4	5	6	7	8	9
0	10	14	19	34	43	47	50	65

과제기간
65

활동 및 마디
발생의 매트릭스

활동	마디									제약조건		
	1	2	3	4	5	6	7	8	9			
A	-1	1	0	0	0	0	0	0	0	10	≥	10
B	0	-1	1	0	0	0	0	0	0	4	≥	4
C	0	0	-1	1	0	0	0	0	0	5	≥	5
D	0	0	0	-1	1	0	0	0	0	15	≥	15
E	0	0	0	-1	1	0	0	0	0	15	≥	11
F	0	0	0	0	-1	0	0	0	1	31	≥	3
G	0	0	0	0	-1	1	0	0	0	9	≥	9
H	0	0	0	0	0	-1	0	1	0	7	≥	7
I	0	0	0	0	0	-1	1	0	0	4	≥	4
J	0	0	0	0	0	0	0	-1	1	15	≥	4
K	0	0	0	0	0	0	0	-1	1	15	≥	2
L	0	0	0	0	0	0	-1	0	1	18	≥	18

우선 '총 과제 소요일'은 [그림 D-35]의 오른쪽 위 '과제 기간'에 나타난 바와 같이 '65일'로 예상된다. 한 달에 22일 일한다고 가정할 때 약 3달에 가까운 기간이다. 또, 아래 '제약 조건'에서 부등호를 사이에 두고 값이 일치하는 '활동(Activity)'들은 'A, B, C, D, G, H, I, J, L'로 이들이 '주 경로(CP, Critical Path)'들이다. 즉, 과제 시작에서 종료까지 발생할 수 있는 여러 경로들 중 여유가 '0'인 활동들로만 연결된 경우를 말하며, 이러한 '주 경로'는 네트워크 다이어그램 상에서 가장 긴 경로를 의미한다. '주 경로' 상의 활동들은 여유가 없는 활동들이다. 따라서 해당 활동들이 조금만 지연되어도 과제 전체 기간은 지연될 수밖에 없다. 리더는 과제가 진행돼 나갈 때 '주 경로' 상에 있는 '활동'들을 주의 깊게 살펴봐야 하며, 우선적으로 자원을 집중시켜야 한다. '주 경로'는 1개 이상이 존재할 수 있다. 또 '주 경로'는 변할 수 있으며, 불변의 것이 아니므로 처음 계획을 수립했을 때 설정되었던 '주 경로'는 일정 단축과 같은 추가적인 조치가

취해지거나 변경사항이 발생할 경우 다른 경로로 변경한다. 따라서 리더는 최초 계획에 예상치 못한 변경 요소가 발생하면 과제 전체 일정이 어떻게 변할 것이며, 또 '주 경로'가 어떻게 바뀔 것인지를 파악해야 한다.27) [그림 D-36]은 '일정 기술'에 대한 파워포인트 작성 예이다.

[그림 D-36] 'Step-2.6. 일정 기술' 작성 예(PERT)

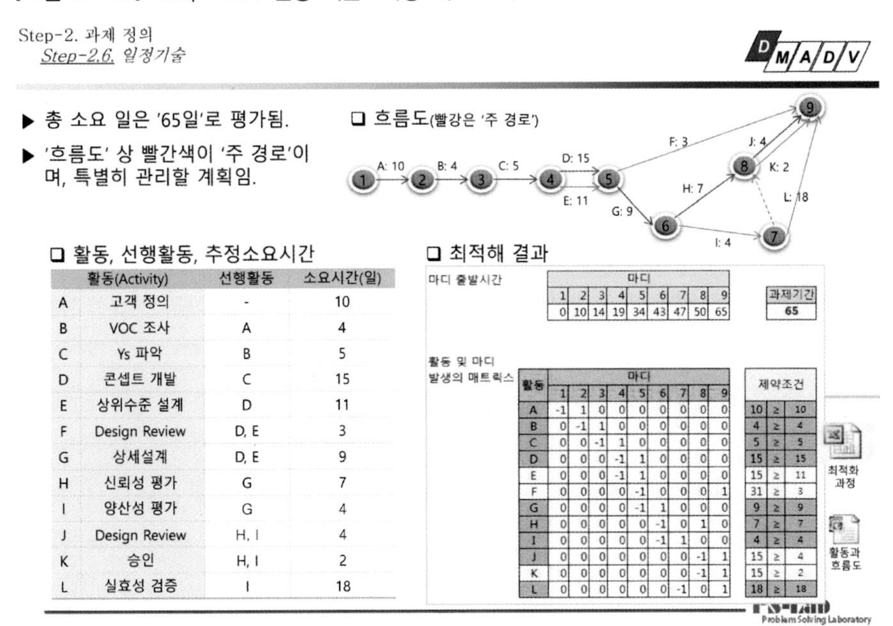

일반적으로 'PERT'는 용법이 까다로워 사용을 꺼리는 경향이 짙다. 그러나 연구 활동엔 매우 유용하므로 일부러 많은 지면을 할애하였다. 여기까지가 Define Phase의 '과제 정의'이다. 과제는 장표의 맨 첫 장을 들어 올렸을 때,

27) 프로젝트 매니지먼트 전문가(PMP)_허정재 기고 중에서.

Verify Phase의 맨 끝 장이 끌려오도록 구성돼야 한다. 그만큼 각 장표의 결과물이 다음 장의 '입력'으로 작용해야 하며, 또 소설과 같은 이야기식 전개가 돼야 하고, 그 흐름은 마치 물이 높은 데서 낮은 데로 흘러가는 듯한 느낌을 줘야 한다. 모든 분야의 '도'는 한 곳으로 통한다. '문제 회피'의 도는 바로 '흐름'을 관장하는 것이며, 그것이 필자가 강조하는 '로드맵'의 중요성이다.

Step－3. 과제 승인

Step－3.1. 과제 기술서

'과제 승인'은 지금까지 기술된 Define Phase 내용을 중심으로 사업부장의 승인을 받는 과정이다. 사업부장에게 보고를 위해 앞서 진행된 'Step－1. 과제 선정 배경'과 'Step－2. 과제 정의'의 모든 내용들이 일목요연하게 문서로 작성돼 있어야 한다. 물론 '세부 로드맵'에 맞춰 하나씩 관련 내용을 정리했다면 별도의 작성 노력은 불필요하다.

2000년대 전후로 국내 대부분 기업에 'PMS(Project Management System)'가 도입되면서 모든 승인 절차와 과제 등록 및 진행 상태를 IT 시스템을 통해 관리하게 되었고 '승인' 절차도 매우 단순화되었다. 또 사후 관리까지 영역이 확대되면서 모든 과제의 저장, 관리, 사후 모니터링까지 하나의 시스템에서 통제되고 있다. 그러나 본문에 'PMS'를 소개할 이유는 없으므로 IT 시스템이 없는 상황에서 'Step－1. 과제 선정 배경'과 'Step－2. 과제 정의'를 한 개 장표에 요약하고, 이를 사업부장에게 보고한다는 가정하에 [그림 D－37]을 작성하였다('토이박스 개발' 과제의 '과제 기술서' 작성 예).

'과제 기술서'는 사업부장이 전체 과제 윤곽을 쉽게 파악할 수 있도록 Define 내용을 한 장에 압축하게 한 양식이다. 많은 내용이 한 장에 포함되고 정확한 전달도 필요하므로 **'과제 기술서'를 작성하는 일은 리더의 매우 중요한 제품 개발 역량들 중 하나**임을 명심하자.

[그림 D-37] ‘Step-3.1. 과제 기술서’ 작성 예

Step-3. 과제 승인
Step-3.1. 과제 기술서

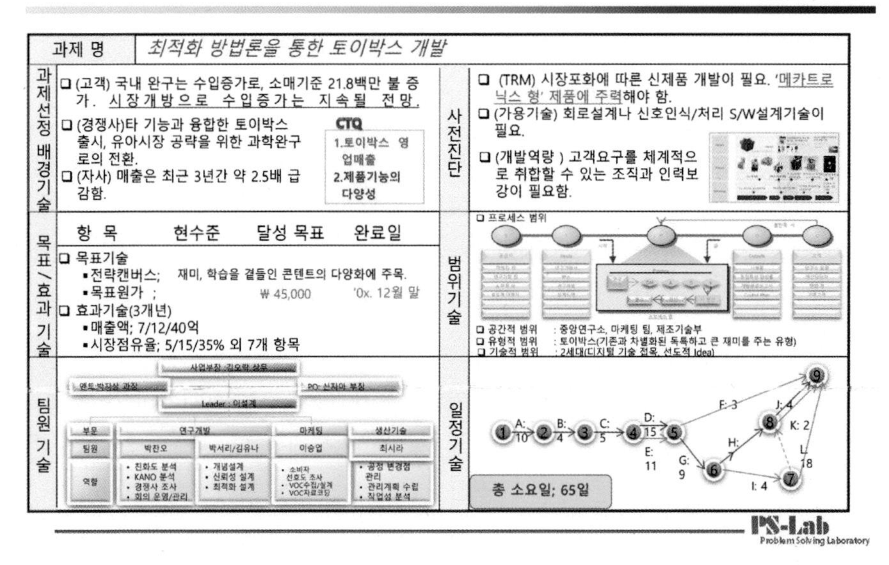

앞서 작성된 내용이 그대로 적용돼 있음을 확인하기 바란다. 과제의 승인이 완료되면 다음은 Measure, 즉 현 수준을 ‘측정’하는 Phase로 들어간다.

Ⅲ

Measure

'프로세스 개선 방법론'의 Measure Phase와 흐름은 동일하나 단지 규모에 큰 차이가 있다. 즉, '프로세스 개선 방법론'에서는 통상 'Y'가 한 개인 데 반해 '제품 설계 방법론'은 제품을 설계해야 하므로 그만큼 관리해야 할 'Y'도 몇 배 더 많다. 또 훨씬 더 다양하고 많은 고객의 소리를 처리해야 하는 특징 때문에 사용되는 도구들도 차이가 있으며, 주로 QFD가 중심에 서서 핵심적인 역할을 수행한다.

Measure Phase 개요

'Measure'는 '측정'이란 뜻이다. 물론 대상은 'Y'들이다. 본문은[28] '프로세스 개선 방법론'의 'Measure'와 비교하는 것이 가장 좋은데 그 이유는 내용이 같고 단지 '규모'만 다르기 때문이다.

'프로세스 개선 방법론'을 되새겨보자. 로드맵에서의 'Measure'는 선정된 과제가 '프로세스'를 대상으로 하든 '제품'을 대상으로 하든 현재 수준을 하나의 수치(주로 '시그마 수준')로 대변하는 과정이다. 이를 위해 선정된 과제의 핵심 고객이 누구인지를 정의하고(고객 선정), 그들로부터 소리를 들으며(VOC 수집), 이 소리들 중 중요한 요구 사항을 특성화시킨 뒤(CTQ 선정), 다시 특성들을 과제 지표인 'Y'로 전환한다('Y'의 선정). 그러나 'Y'를 선정했다고 '측정'이 바로 이루어지는 것은 아니다. 'Y'라는 것은 숫자 하나하나로 이루어진 집합체인데 숫자들이 도대체 어떻게 탄생하였는지에 대한 설명이 필요하다. 즉, 동일한 현상에 대해 누구든지 동일한 숫자를 일관성 있게 만들어내야 한다. 따라서 숫자화 과정을 일목요연하게 정의해줄 필요가 있다(운영적 정의, Operational Definition). 그러나 아직 현재 수준을 '측정'하기에는 이르다. 프로세스에서 일정 기간 동안 '운영적 정의'에서 하라는 대로 'Y'를 숫자화해서 모아 놓은들 어느 값들이 수용(양품)되고, 어느 값들이 수용 불가(불량품)인지 알 수 없다. 따라서 이를 결정짓는 '기준'이 필요하다(성과 표준, Performance Standard). '성과 표준'은 좀 포괄적이다. 통상 '규격(Specification)'이라고 하는 것이 '고객'이 요구하는 한계 수준을 의미한다고 보면, 그 외 방법, 예를 들면 합리적 근거를 들어 자체 기준을 만든다거나, 벤치마킹을 통해 설정하는 모든 것들이 '성과 표준'에 속한다. '운영적 정의'와 '성과 표준'이 정해지면 데이터 윤곽이 나오므로 그에 따라 데이터를

---

28) Measure Phase는 전개 과정과 내용이 '프로세스 설계 방법론'과 차이가 없어 예제를 제외한 본문 대부분이 동일하게 구성된다. 초두 '본문의 구성'에서 언급한 바 있다.

어떻게 수집할 것인지에 대한 계획 마련이 가능하다(데이터 수집 계획). 여기까지가 '프로세스 개선 방법론'의 '세부 로드맵' 중 'Measure Phase Step-4. Y의 선정'이다. '세부 로드맵'만 요약하면 다음과 같다,

① 고객 선정 → ② VOC 수집 → ③ CTQ 선정 → ④ 'Y'의 선정 → ⑤ 운영적 정의 → ⑥ 성과 표준 → ⑦ 데이터 수집 계획 (M.1)

앞서 '제품 설계 방법론'의 'Measure Phase'는 '프로세스 개선 방법론'의 그것과 비교해 규모만 차이가 있음을 피력한 바 있다. 여기서 '규모'란 무엇일까? '프로세스 개선 방법론'으로 전개되는 과제가 어떤 성격을 갖고 있는지를 되새기면 쉽게 이해할 수 있다. '제품 설계 방법론 개요'에서 설명한 바와 같이 '프로세스 개선' 과제는 기존 운영되고 있는 프로세스의 효율을 높이되 별개의 투자 없이(물론 약간 있을 수도 있다) 개선되는 모습을 연상할 수 있다. 여기서 "기존에 운영되고 있는"이란 짧게는 수년에서 길게는 수십 년의 기간이 해당되며, 따라서 이 프로세스에 종사하는 담당자들은 프로세스 구석구석을 너무나도 잘 안다. 또 산출물을 거래하는 고객들의 요구도 약간의 변동은 있을 것이나 거의 일정한 내용에 국한된다. 예를 들면 '가격을 낮춰달라든가', '오류를 줄여달라든가', '시간을 단축시켜 달라든가' 하는 식이다. 이것은 결국 '고객'을 새롭게 정의하기 위해 별도의 노력을 기울인다든가 또는 그들의 핵심 요구 사항들을 알아내기 위해 많은 노력을 기울일 필요가 없음을 암시한다.

이에 반해 '기존에 없거나 많이 다른', 즉 '제품을 새롭게 만든다'는 개념으로 넘어가면 얘기가 좀 달라진다. 임의 용도를 갖는 제품을 만든다고 했을 때, 도대체 어떻게 만들어야 그것을 갖다 쓸 고객이 만족해할지가 당장 고민스럽다. 또 산출물을 특정 공간에 거주하는 '고객'만을 대상으로 설계했는데 느닷없이 "나도 고객인데요." 하고 새롭게 등장할 경우 매우 난처할뿐더러(사안에 따라서는 회사

말아먹을 수도 있다), 제품을 그에 맞춰 변경하려면 추가적인 비용과 자원이 대거 투입되는 불상사가 벌어질 수도 있다. 이런 충분히 예상되는 문제점들을 사전에 회피하기 위해 새롭게 만들어질 제품을 누가 사용할 것인지에 대해 깊이 있는 분석이 요구된다. '세부 로드맵'을 요약한 (M.1)의 '① 고객 선정'이 단순히 그동안 알아왔던 '고객'만을 지칭하는 것이 아니라는 것이다. '고객'이 변하면 그들로부터 만들어질 '소리'도 변하며, 그에 따른 'CTQ'도 변한다. 따라서 '① 고객 선정 → ② VOC 수집 → ③ CTQ 선정'까지의 전반적인 변화가 불가피하며, 주로 정해진 고객을 대상으로 전개되는 프로세스 개선 과제와 달리 '고객'을 정하는 데 있어 '규모의 차이가 있다'라고 설명할 충분한 근거가 생긴다.

또 한 가지를 보자. '현재 생산되고 있는 제품'에 '문제가 100%'라는 것은 존재할 수 없다. 발생되는 문제들은 즉시 해결해야 하므로 대부분의 경우 최소 95% 이상은 정상적으로 운영하되 일부에서만 미해결 과제들이 남아 있게 되고, 따라서 이들을 과제화해서 개선하면, 그 미해결 과제를 설명할 '지표'는 한두 개면 충분하다. 그러나 '새롭게 설계할 제품'은 봐야 할 것이 많을 수밖에 없다. 제품이 정상적으로 정해진 수명만큼 작동하려면 구성된 아이템들의 기능이 제대로 동작하는지 연관된 특성들을 정하고 관리해야 하기 때문이다. 따라서 '프로세스 개선 방법론'과 비교되는 또 하나의 '규모의 차이점'은 'CTQ 수'이다. 'CTQ'는 곧바로 'Y'로 전환되므로 결국 'Y의 수' 또한 '프로세스 개선 방법론'에 비해 몇 배로 증가한다.

'고객의 소리'와 'CTQ 수' 등의 증가는 제품 개발 프로세스의 복잡도를 증가시킨다. 따라서 전개 구조에 맞는 도구와 예상 문제를 회피시킬 로드맵의 철저한 활용만이 목표를 달성할 수 있는 유일한 대처법임을 명심하자.

Step - 4. 고객 정의

'고객!' 기업에서 활동하는 사람이면 누구든지 항상 접하는 단어다. 아마 너무 자주 듣고 흔해서 누군가가 "고객이 뭡니까?" 하고 물어오면 틀림없이 최소 5분 정도씩은 설명할 수 있다. 예를 들어 "고객은 내부 고객, 외부 고객, 이해 당사자로 분류되고, 이들 중 내부 고객은…" 하는 식의 정의를 나열하는 일이다. 또 본인 과제의 '고객'이 누구인지를 얘기해보라면 선뜻 'ㅇㅇ담당자', 'ㅇㅇ상무님' 등 정의하는 데 막힘이 없다. 이와 같이 '고객의 정의'와 본인 과제의 '고객'이 누구인지를 명확히 알고 있으므로 적어도 '고객 선정'이라고 하는 활동에 별로 큰 부담을 못 느낀다. 참고로 다음 [표 M-1]에 '고객'의 일반적 정의를 실었다.

[표 M-1] '고객'의 정의

고객	정의
내부고객	최종 고객에게 제품 또는 서비스를 제공하기 위해 내가 한 일을 받아서 다음 작업을 수행하는 회사 내부의 구성원
외부고객	제품이나 프로세스 또는 서비스를 구매/사용하는 회사 외부의 고객
이해 관계자	제품, 프로세스에 대해 관련 있는 내부 부서, 심의 기관, 소비자 단체, 주주 등

일반적으로 기업이 생존을 위해 고려할 항목들에 '기업 전략, 경영 철학, 통계적 측정치'를 꼽는다(마이클 해리). 이 중 '기업 전략'은 '전략'이라고 하는 전쟁 용어가 말해주듯 '회사(아군)가 시장(전쟁터)에서 경쟁사(적군)보다 우위를 보이기 위해(승리하기 위해) 해야 할 선택(점해야 할 고지)' 정도가 될 것이며, 이것은 곧 '고객 만족'을 필요로 한다. 즉, 기업이 시장에서 살아남기 위한 여러 선택 사항들(물론 시장 점유율 증대, 가성비 높은 제품 확대, 신시장 개척 등도 살

아남기 위한 중요 선택 사항이 될 수 있다) 중 '고객 만족'이 가장 중요하므로 이를 근간으로 모든 기업 활동이 이루어질 필요가 있다. 결국 '고객을 만족'시키기 위해 주체인 '고객'이 누구인지 사전 정의돼야 그들의 '요구'를 알 수 있으므로 필연적으로 '고객 정의' 활동이 수반된다. 로드맵에는 '고객 정의'가 두 번 나온다. 한 번은 과제의 선정 중에, 다른 한 번은 선정된 과제를 수행하는 단계에서다. 현 상태가 후자의 경우라는 것쯤은 굳이 강조할 필요는 없을 것 같다.

지금까지의 과정을 '세부 로드맵'화하면 필요한 고객을 찾기 위한 'Step-4.1. 고객 조사'와 조사된 고객을 알아보기 쉽게 분류하는 'Step-4.2. 고객 세분화' 및 그들 중 실제적으로 과제와 밀접한 관련이 있는 고객을 찾는 'Step-4.3. 고객 선정'으로 구성된다. 제품 설계 과제가 새로움을 추구하는 부담 때문에 이 같은 세 가지 구분이 존재하지만 고객이 명확해서 바로 선정할 수 있는 경우도 비일비재하다. 예를 들어 '현 제품의 약간의 기능 향상' 같은 설계 보완성 과제 경우가 그렇다. 이때는 세 번째 '세부 로드맵'인 'Step-4.3. 고객 선정'으로 바로 들어간다. 자세한 내용은 해당 '세부 로드맵' 설명에서 다루어진다.

Step-4.1. 고객 조사

현재 진행되고 있는 제품 설계 과제의 목표가 기능 향상성 설계든 아니면 기존에 없던 새로운 제품을 설계하는 것이든 일단 '고객 만족'을 지향해야 함은 앞서 설명한 바 있다. 이때 누가 어느 기능에 만족스러워하는지와 새롭게 설계될 제품에 누가 조언을 해줄 수 있는지를 찾는 일은 현 업무에서 만만치 않다. 제품 개발은 '만족'을 필요로 하는 '고객'을 찾아 그들의 얘기를 그대로 반영해주는 과정이므로(물론 기능 향상이 내부 의견을 통해서도 발생하지만 고객의 요구 사항이 반영된다는 것은 거의 진리로 통한다) '고객'이 누가 되는가에 따라 이후 과제의 향방이 크게 좌우된다. '고객'을 누구로 정하는가에 따라 성과가 크게 바뀔 수 있음을 공감시키기 위해 신문 기사 내용을 첨부하였다. 다음은 한국경제신문('04.3.4.)의 <가치 혁신 시대를 열자 - 고객을 다시 정의하라>에 나온 벽산의 사례다.

"…(중략) 1960년대부터 초가지붕을 대체하는 슬레이트를 생산한 이래 40년 가까이 벽산은 건축자재에만 의존해 생존해왔다. 그 전략은 '전문화'의 하나로 잘못된 것이 없어 보였다. 노태우 정부 시절 '주택 2백만 호 건설' 사업이 진행될 때엔 벽산 영업담당자들이 밀려드는 주문을 감당하지 못해 피신을 가야 할 정도로 호시절도 경험했으나 국제통화기금(IMF) 관리체제가 시작되면서 환율 상승으로 원재료 값이 폭등한 데다 경기 침체까지 겹쳐 공장은 거의 멈춰 섰고, 300여 억 원의 적자를 내며 워크아웃에 들어갔다. …(중략)… 1998년 벽산의 새 사령탑이 된 김재우 사장은 세 가지 지시를 내렸다. 첫째, 판매 목표를 줄일 것. 당시 상황에서 판매대금을 받지 못할 가능성이 높았기 때문이다. 두 번째 지시는 경쟁업체와 시장점유율 싸움을 중단하라는 것. 경쟁에 기반을 둔 무리한 확장이 성공을 보장하지 못한다고 믿었기 때문이었다. 세 번째는 4천여 개에 달했던 거래처를 4백 개로 줄이는 것이었다. 비수익사업을 과감하게 정리하고 아웃소싱도 확대했다. …(중략)… **이어 이익을 확대하기 위해 고객을 다른 시각에서 생각하기로 하였다**. 즉, '최종 소비자는 어떤 사람들인가' 또는 '진정한 고객이 누구인가' 하는 질문은 기업이면 반드시 물을 것 같지만 이런 절차를 무시하는 경우가 너무나 많다. 벽산의 경우도 예전에는 직접 건물에 입주하는 소비자에게는 별 관심을 갖지 않았다. 화재가 나면 가장 큰 피해를 보는 건축주에도 별 관심이 없었다. 설계를 하면서 창의성을 발휘하려고 하는 설계사무소의 입장도 고려하지 않았다. 직접 자신들에게 '돈'을 지급하는 시공사만 고객으로 생각했다는 얘기다. 물론 단기적으로는 이런 시각이 문제가 있는 것은 아니다. 그러나 최종 소비자나 진정한 고객을 배려하지 않은 결과는 머지않아 나타나게 돼 있다. 시공사는 시공만 하면 그만이지만 소비자나 건축주들은 다음에 구매할 때 다른 자재를 찾게 되는 것이다. 혁신 이전의 벽산의 사례처럼 기업들은 흔히 직접적인 구매자의 입맛에 맞게 제품, 서비스를 만드는 경향이 있다. 하지만 제품, 서비스를 직접 구매하는 사람은 실제로 이를 사용하는 사람이나 구매에 중대한 영향을 미치는 사람과 다를 때가 많다. 여기에 새로운 시장을 창출하는 길이 있다. 이 같은 개념의 접근은 [그림 M－1]의 전략캔버스에서 잘 나타나듯이 97년 이전과 비교할 때 벽산은 유통망을 줄이며 내실화시켰고 제품 종류를 단순화시켰다. 반면, △ 서비스 시스템 자재를 결합한 패키지 상품, △ 내화 음향분야의 전문성, △ 시장 접근성을 대폭 확대해 '주거공간시장'이라는 무경쟁 시장을 개척하였다. 이처럼 고객에 대한 통념을 무너뜨린 결과 벽산은 도약을 거듭하고 있다. 3백여 억 원의 적자를 봤던 기업에 1백억 원대의 순익을 내는 기업으로 변신했다. …(중략)

[그림 M－1] 벽산의 전략캔버스('09년 이전 vs. '04)

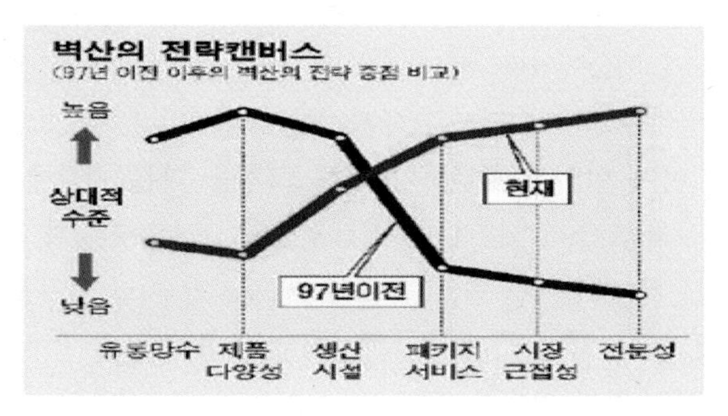

이와 동일하지만 미국의 온라인 재무 정보 제공 업체인 '블룸버그'의 사례도 소개되었는데 다음과 같다.

"…(중략) 블룸버그가 사업을 시작하던 1980년대 초에는 로이터, 텔레레이트가 이미 시장을 장악하고 있었다. 이들 업체는 재무정보 단말기의 직접적인 구매자인 전산 담당자의 구미에 맞게 제품을 설계했다. 전산담당자가 관리하기 편하도록 표준화된 단말기 등을 만드는 데 중점을 뒀던 것이다. 시스템이 전산 쪽에 맞춰 설계되다 보니 실제로 이를 사용하는 펀드매니저와 애널리스트들은 불편한 점이 많았다. 블룸버그는 여기에서 사용자들을 위한 다양한 기능들을 내장한 새로운 재무정보 단말기를 선보였다. 모니터를 두 개로 늘려 프로그램 창을 자주 여닫지 않고도 필요한 정보를 …(중략)… 또 버튼 하나로 온라인상에서 수익률 계산 등이 실행되게 만들었다. …(중략)… 반응은 폭발적이었다. 증권거래인과 분석가들은 블룸버그의 단말기를 구입하도록 전산담당자에게 압력을 가했다. 블룸버그는 이에 힘입어 서비스를 시작한 지 10년이 채 안 돼 온라인 재무정보산업을 석권할 수 있었다.

두 예에서의 공통점은 '고객'을 직접 대면이 아닌 한 단계 또는 그 이상을 넘어선 사람으로 바라봤다는 것이고 그것이 기존과의 큰 차이점이다. 이제 제품 설계 과제를 수행하기 위한 '고객 조사'로 돌아와 보자.

현재 설계하고자 하는 '제품'은 분명히 그 기능에 만족해할 '고객'이 존재한다. 따라서 **기능에 만족해할 직접적인 대상을 '고객 조사'의 1차 선상에 올려놓는다**. 예를 들면 연필을 만드는 업체는 '중간 도매상'들이, 핸드폰을 만드는 업체는 '외국 바이어'가 1차 고려 대상이 될 수 있다. 다음의 [그림 M−2]는 설계될 제품의 직접적인 대상을 '고객'으로 정의한 개요도이다.

[그림 M-2] '고객 조사' 시 1차 고려 대상

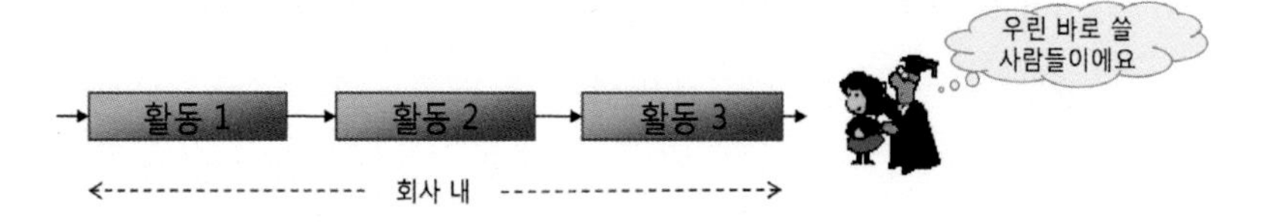

'고객 조사'의 **두 번째 고려 대상은 설계될 제품을 한 단계 이상 건너뛰어 사용할 고객들이다**. '벽산'과 '블룸버그' 예에서와 같이 '물건을 직접 사주는 고객(1차 조사 대상으로 고려한 바 있음)'뿐만 아니라 설계될 제품을 다양한 경로로 접하게 될 고객들을 의미한다. 예를 들면 연필 경우는 '학생'들이, 핸드폰은 '일반인'이 속할 수 있다. [그림 M-3]은 '고객 조사'의 2차 고려 대상을 나타낸 개요도이다.

[그림 M-3] '고객 조사' 시 2차 고려 대상

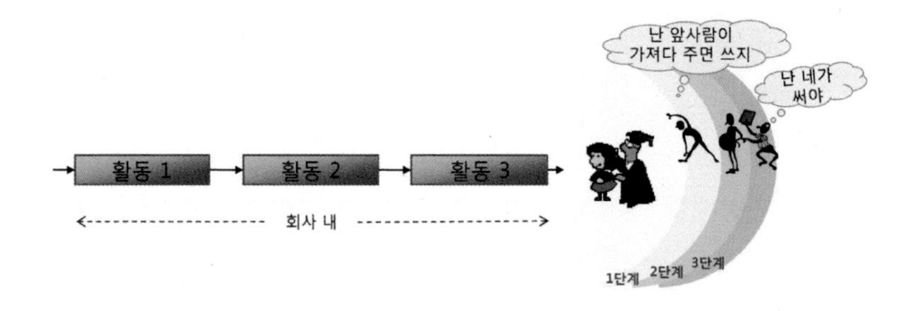

'고객 조사'의 **세 번째 고려 대상으로 꼭 제품을 쓰진 않더라도 '제품을 잘 만들도록 조언을 해줄 수 있는 사람'**도 존재하는데, 예를 들면 연필의 경우 다년간 학생들을 대하며 직접 판매를 해온 '문방구 주인'이나 스케치를 전문으로 하는 '화가'들이, 핸드폰 경우 수리만 전문으로 해온 '서비스 센터 직원'이나 '매장 관

리인' 등을 떠올릴 수 있다. 다음 [그림 M-4]는 설계될 제품의 3차 고려 대상을 나타낸 개념도이다.

[그림 M-4] '고객 조사' 시 3차 고려 대상

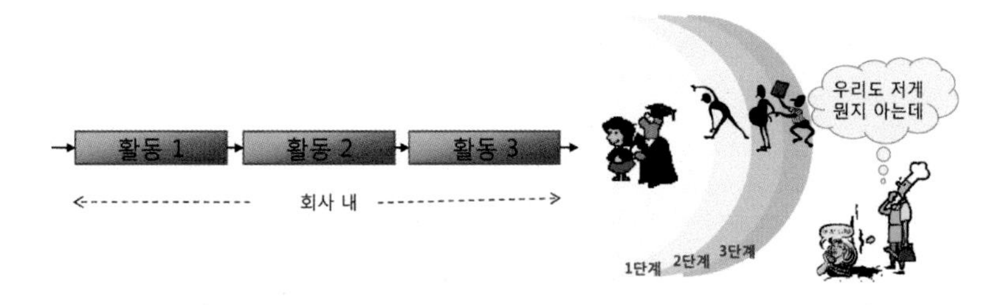

지금까지 설명된 '고객 조사'의 1, 2, 3단계 접근법을 「**고객 조사를 위한 3단계 접근법**」29)이라 하고, 이를 사례와 함께 요약하면 [표 M-2]와 같다.

[표 M-2] '고객 조사를 위한 3단계 접근법' 예

고객조사 / 개발제품	1차 고려 대상	2차 고려 대상	3차 고려 대상
	직접 구매자	한 단계 이상 건너뛴 고객	조언을 구할 수 있는 대상
연필	중간 도매상	학생	문방구 주인/화가
핸드폰	외국 바이어	일반인	서비스센터 직원/매장 관리인

과제가 선정됐으면 이 같은 규모의 '고객 조사'는 팀원들 모두가 참여하는 것이 바람직하다. 리더 혼자 또는 가까운 몇 명만으로 조사될 경우 앞으로 고객들의 요구 조건에 따라 설계 품질이 좌지우지된다는 점을 감안할 때 매우 위험스러운 발상이 아닐 수 없다.

29) 「고객 조사를 위한 3단계 접근법」이란 명칭은 저자가 부여하였다.

설계 과제의 약 80% 이상은 '3단계 접근법'이면 충분하다. 그러나 '고객'의 규모가 크거나 모호성이 존재할 때 세분화를 통해 고객을 정의한다. 이 경우 [그림 M－5]와 같이 Measure Phase '목차'란에 'Step－4.1. 고객 조사(Step－4.2에 포함)'라고 표현해서 '세부 로드맵' 통합이 있음을 알린다. 본문은 활용도가 높은 '3단계 접근법'을 설명할 것이며, 'Step－4.2. 고객 세분화'는 미리 정리된 '가망 고객(또는 잠재 고객)'을 대상으로 전개된다.

[그림 M－5] '세부 로드맵'의 '통합' 시 장표 표현법

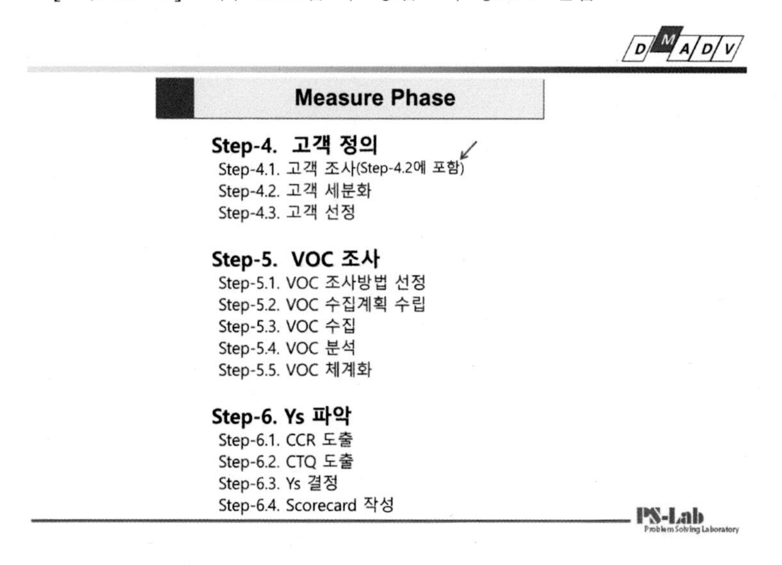

다음 [그림 M－6]은 우리의 예인 '토이 박스 개발' 과제에 대한 'Step－4.1. 고객 조사' 작성 예를 보여준다.

[그림 M-6] 'Step-4.1. 고객 조사' 작성 예('고객 조사를 위한 3단계 접근법' 활용)

Step-4. 고객 정의
Step-4.1. 고객 조사

▶ 당사 매출을 향상시키기 위해 새롭게 진입하는 '토이박스 개발'과제를 위해 총 20일 간 3회의 회합을 거쳐 원시데이터 입수를 위한「고객 조사」를 실시.

▶ 방법은 사안의 단순성을 고려「고객 조사를 위한 3차적 접근법」을 사용하였고, 팀원들의 토의를 거쳐 다음과 같이 1차, 2차, 3차 대상자로 '가망고객(잠재고객)'을 압축함.

【고객 조사를 위한 3단계 접근법】

고객조사 / 과제 명	1차 고려대상	2차 고려대상	3차 고려대상
	직접 구매자	한 단계 이상 건너 뛴 고객	조언을 구할 수 있는 대상
최적화 방법론을 통한 토이박스 개발	▪ 중간 도배상 ▪ 백화점/ 대형 마트	▪ 학생 ▪ 일반인	▪ 고객불만 접수 담당자 ▪ 선물매장 판매원

- *일시; 20xx. 02.1~02.20 (총 3차에 걸쳐 진행)*
- *참석자; 김시장(마케팅 팀장), 이설계, 박찬오, 김유나*

PS-Lab
Problem Solving Laboratory

[그림 M-6]에서 '1차 고려 대상'으로 '토이 박스'를 직접 구매할 '중간 도매상'과 '백화점/대형 마트'를, '2차 고려 대상'은 최종 구매자인 '학생' 또는 '일반인'을, 끝으로 '3차 고려 대상'은 제품의 문제점이나 기능 향상 또는 최종 구매자의 취향을 파악하고 있을 '고객 불만 접수 담당자'나 '선물 매장 판매원'을 선정했다. 추가로 장표 하단에 회의 참석자 '명단'과 '일시'를 실었다. 자료의 신뢰성과 이력 관리를 위해 중요하므로 늘 기록하는 습관을 들인다. 조사된 고객들을 대상으로 다음 '세부 로드맵'인 'Step-4.2. 고객 세분화'로 들어가 보자.

Step-4.2. 고객 세분화

'고객 세분화'는 두 가지 용도로 활용될 수 있음을 앞서 설명한 바 있다. 하나는 'Step-4.1. 고객 조사'에서 조사 대상이 너무 광범위하고 그래서 어떻게 접근할지 모호한 상황이면(물론 개발 과제가 명확한 경우는 제외) [표 M-3]의 분류 기준을 통해 '고객 조사'와 '고객 세분화'를 묶어 진행하는 것이고([그림 M-5]의 '목차' 참조), 다른 하나는 '고객 세분화'만을 수행하는 것이다. '고객 세분화'는 다시 '고객 세분화 기준'과 '고객 세분화 도구'의 활용으로 나뉜다.

4.2.1. '고객 세분화 기준' 활용

'고객 세분화(Customer Segmentation)'는 마케팅 분야에서 쓰이는 용어다. 정의는 "전체 고객 또는 잠재 고객들의 집단을 유사한 특성을 가진 세분화된 집단으로 분류하는 과정"이다. 물론 세분화 목적은 타깃 마케팅, 즉 서로 구별되는 세그먼트별로 차별화된 서비스나 상품을 제공해서 수익을 극대화하는 것에 있다. 따라서 고객을 어떻게 구분하는지에 대한 '고객 세분화 기준'이 현재 우리에게 필요하다. 그러나 '고객 세분화 기준'은 제품이나 서비스별로 다양하게 존재할 수밖에 없다. 왜냐하면 '토이 박스 구매 고객'과 '특정 홈페이지를 방문하는 고객'과는 세분화 기준이 동일할 수 없기 때문이다. 따라서 '고객 세분화 기준'을 포함하면서 일반성을 띤 '시장 세분화(Market Segmentation) 기준'을 적용한다. 이에 대해 (경제 용어 사전)에서 '시장 세분화'를 검색하면 "…(중략) 시장 세분화에는 여러 가지 기준을 적용할 수 있다. 대표적인 것을 살펴보면 ① 지리적 세분화(국가, 지방, 도, 도시, 군, 주거지, 기후, 입지 조건 등), ② 인구 통계학적 세분화(연령, 성별, 직업, 소득, 교육, 종교, 인종 등), ③ 사회 심리학적 세분화(라이프스타일, 개성, 태도 등), ④ 행동 분석적 세분화(추구하는 편익, 사용량, 상표 충성도) 등이다"라고 한 데서 그 출처를 찾을 수 있다. 또 '제품 설계 방법론'의 활용 분야가 다양한 점을 감안할 때 용어 사전의 정의보다 더 상위의 분류 기준이 필요한데 이것은 크게 '소비재 시장'과 '산업재 시장'으로 구분하는 것이다. 후자에는 '기업 규모', '구매량', '기업 유형' 등이 속한다. 지금까지의 세분화 기준을 정리하면 다음 [표 M－3][30]과 같다.

[표 M－3] 고객 세분화 기준

1차 세분화 기준	2차 세분화 기준	3차 세분화 기준
소비재 시장	지리적 세분화	국가, 지방, 도, 도시, 군, 주거지, 기후, 입지 조건 등
	인구 통계학적 세분화	연령, 성별, 직업, 소득, 교육, 종교, 인종 등
	사회 심리학적 세분화	라이프스타일, 개성, 태도 등
	행동 분석적 세분화	추구하는 편익, 사용량, 상표 충성도 등
산업재 시장	기업 규모로의 세분화	소기업, 중기업, 대기업
	구매량으로의 세분화	소량구매, 대량구매
	기업유형으로의 세분화	소매상, 도매상, 표준 산업 분류 내 세분화
	입지에 따른 세분화	판매 지역(고객의 입지에 따라 커뮤니케이션에 영향을 받을 것임)

표에서 '3차 세분화 기준'은 설계 분야가 다양한 만큼 상황에 따라 가감해서 사용한다. 제품을 설계함에 있어 요구 사항을 말해줄 고객 찾기에 [표 M－3]에 정리된 1, 2 및 3차 세분화 기준을 적용하는 것이 현실적으론 그리 만만치 않다. 그러나 현재 'Step－4.1. 고객 조사'에서 미리 정한 [그림 M－6]을 가지고 세분화에 들어갈 것이므로 이 기준을 적용하기가 매우 수월하다. 주변에서 '고객 세분화'에 딱 맞는 특별한 도구를 찾는 경우를 자주 접한다. '도구 만능주의'는 바

30) 사전적 정의가 아닌 자료 조사를 통해 필자가 적절한 분류 체계를 마련하였다.

로 적이다. 훌륭한 결과는 팀원들의 진지한 참여와 그로부터 얻어진 아이디어에 의해 좌우된다는 점 명심하자.

자, 이제 'Step-4.1. 고객 조사'에서 정리된 내용을 가져와 '세분화'를 수행해 보자. '세분화'의 목적이 고객을 구분해서 타깃 마케팅을 하는 데 있으므로 세분화된 고객들로부터 요구 사항을 들으면 제품 설계에 뭔가 의미 있는 내용이 반영될 거란 기대감을 가질 수 있다. 다음 [표 M-4]는 [그림 M-6]의 '토이 박스 고객'에 대해 [표 M-3]의 '고객 세분화 기준'을 적용한 예이다.

[표 M-4] 고객 세분화 예(토이 박스 고객)

고객조사 과제명	가망고객 (잠재고객)	고객 세분화 기준	고객 세분화 결과
최적화 방법론을 통한 토이 박스 개발	중간 도매상	산업재 시장/구매량으로의 세분화	백 개/천 개/만 개 단위 구매 도매상
	백화점/대형마트	소비재시장/지리적 세분화/주거지	강남권, 강북권, 경기권
	학생	소비재시장/인구통계학적 세분화/연령	초등학생/중학생/고등학생/대학생
	일반인	소비재 시장/사회심리학적 세분화/라이프스타일	장난감 인형 수집가/ 선물애호가
	그 외 '고객 불만 접수 담당자' 필수, '선물 매장 판매원' 표집		

우선 열 제목인 '가망 고객(잠재 고객)'은 [그림 M-6]의 고객이 왔고, '고객 세분화 기준'은 [표 M-3]의 1, 2, 3차 항목들이다. '고객 세분화 결과'는 팀원들과 협의를 거쳐 확정된 내용이며, 곧 이어질 'Step-4.3. 고객 선정'에서 제품 설계 요구 사항을 듣게 될 '핵심 고객'이 이들로부터 나온다. '핵심 고객' 선정 시 제품 개발에 도움이 된다는 판단 절차가 필요한데 이것을 '고객 민감도 분석'[31]이라 하고, 이에는 '정성적 평가'와 '정량적 평가'가 있다. [그림 M-7]은 '토이 박스 개발' 과제에 대한 'Step-4.2. 고객 세분화'를 정리한 예이다.

[그림 M－7] 'Step－4.2. 고객 세분화' 작성 예('고객 세분화 기준' 활용)

Step-4. 고객 정의
Step-4.2. 고객 세분화

▶ 'Step-4.1'의 '가망고객(잠재고객)'에 대해 '고객 세분화 기준'을 참고로 세분화 실시.

▶ 일반적 분류인 '고객 세분화 기준'의 적용이 어려운 경우 상황에 맞게 분류기준을 협의하여 결정함 (예, '일반인' 경우 3차 분류기준에 '장난감 인형 수집가/ 선물 애호가' 적용 등).

【고객 세분화】

고객조사 / 과제 명	가망고객 (잠재고객)	고객세분화 기준	고객세분화 결과
최적화 방법론을 통한 토이박스 개발	중간 도매상	산업재 시장/구매 량으로의 세분화	백 개/천개/만개 단위 구매 도매상
	백화점/대형마트	소비재시장/지리적 세분화/주거지	강남권, 강북권, 경기권
	학생	소비재시장/인구통계학적 세분화/연령	초등학생/중학생/고등학생/대학생
	일반인	소비재 시장/사회심리학적 세분화/라이프스타일	장난감 인형 수집가/선물애호가
	그 외 '고객 불만 접수담당자' 필수, '선물매장 판매원' 표본추출		

- *일시; 20xx. 02.24~03.10 (총 2차에 걸쳐 진행)*
- *참석자; 김시장(마케팅 팀장), 이설계, 박찬오, 김유나*

PS-Lab
Problem Solving Laboratory

'Step－4.3. 고객 선정'으로 넘어가 '고객 민감도 분석'을 수행하기 전에 초두에 언급했던 고객을 세분화하는 도구(Tools)들에 대해 간단히 알아보자.

4.2.2. '고객 세분화 도구(Tools)'의 활용

'고객'을 조사하고, 세분화하는 방법은 필자의 경험을 통해 정립된 「고객 조사를 위한 3단계 접근법」과 「고객 세분화 기준」을 사용하는 것이 가장 단순하고 수월하다. 그러나 종래에 알려져 있는 도구들을 활용하면 용법이나 사례들을 주

31) 저자가 부여한 명칭이다. 이것은 'Step－4.3. 고객 선정'에서 다루어질 것이다.

변에서 구하기도 쉬울뿐더러, 또 적용성이 높다는 장점이 있다. 다음 [표 M－5]는 일반적으로 알려진 '고객 세분화' 도구들이다.

[표 M－5] '고객 세분화' 도구들(Tools)

정성적 접근법	정량적 접근법
● 브레인스토밍(Brainstorming) ● 전문가 인터뷰 ● Binary Tree에 의한 분류 ● Multiple Tree에 의한 분류	● 군집 분석(Cluster Analysis) ● 의사결정나무분석(Decision Tree Analysis) ● 뉴럴 네트워크(Neural Network) ● 사례기반 추론(Case-based Reasoning)

멘토링 중 리더들에게 고객 세분화를 위해 '정량적 접근'의 필요성을 제시하면 얼굴 상태가 별로 좋아 보이지 않는다. 단어도 썩 내키지 않지만 과정도 이것저것 부산 떨 일이 많을뿐더러 일단 '통계'란 적군이 도사리고 있기 때문이다. 필자도 아주 특별한 상황이 아니면 큰(?) 꿈을 안고 입성한 리더들에게 과제 초기부터 그 꿈을 쪼개버리는 간 큰 행위는 극도로 자제한다. 꼭 필요한 경우가 아니라면 당연히 '정성적 접근법'을 권장하고, 또 과제의 95% 이상은 이 접근법으로도 충분히 소화해낼 수 있다.

'**정성적 접근법**'은 「4.2.1. 고객 세분화 기준 활용」에서 보였던 예와 그 과정 및 결과가 똑같다. 기본적으로 팀원들이 모여 '브레인스토밍'을 하는 공통점이 있기 때문이다. 다만 일부 도구에 시각화가 더해지는 차이는 있다. '전문가 인터뷰' 경우 고객의 '세분화 기준'을 잘 알고 있고 고객의 행동 양식을 파악하고 있는 전문가가 있으면 당연히 만나봐야 할 것이다. 이때 '인터뷰 방법' 등이 필요하나 설명은 생략한다. 'Binary Tree'는 'Binary'란 단어가 의미하듯 이분법적 전개를 나타낸다. 다음 [그림 M－8]은 작성 예이다.

[그림 M-8] 'Binary Tree' 작성 예

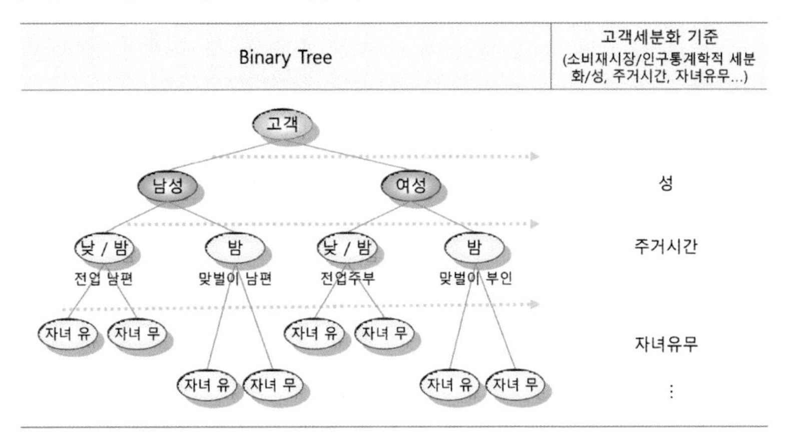

당장 판매를 목적으로 하든 지금과 같이 요구 사항만을 목적으로 하든 [그림 M-8]과 같이 'Binary Tree'를 전개하기 위해서는 우선 '고객 세분화 기준'[32]이 필요하다. 이것은 '[표 M-3] 고객 세분화 기준'을 참고한다. 주로 '3차 세분화 기준'이 세분화 대상별로 가감이 되는데 여기서는 '주거 시간'과 '자녀 유무'를 추가하였다. 본 예에서는 특정 제품의 매출 향상을 위해 고객 세분화를 통한 타깃 마케팅을 벌인다고 가정하고 고객을 '성별'에 따른 '남, 여'로, 집에 있는 '주거 시간'은 하루 종일이면 '낮/밤'으로 그렇지 않으면 '밤'으로 분류하였다. 또 각각의 경우를 '자녀 유무'로 최종 구분하였다. [그림 M-8]에서 바로 알 수 있듯이 계속 두 가지로만 전개하고 있는데 이것이 'Binary Tree'다. 만일 '남성이면서 낮/밤에 계속 집에 있고, 자녀가 있는 경우' 또는 '남성이면서 자녀가 없는 경우' 중 전자가 매출 향상에 기여도가 클 것으로 판단되면 이들을 대상으로 본

32) 실험계획(DOE, Design of Experiment)에서 사용되는 '인자(Factor)', '수준(Level)'과 동일한 의미로도 사용된다. 이 경우 '성', '주거 시간', '자녀 유무' 들은 '인자(Factor)'에, '남성·여성', '낮·밤', '자녀 유·무' 들은 '수준(Level)'에 각각 대응한다.

격적인 영업 활동이 전개될 것이다. 고객 세분화된 총 8가지 중 어느 고객층이 매출에 유리할지는 당연히 평가가 필요한데 이에 대해서는 'Step－4.3. 고객 선정'에서 알아볼 것이다. 여기서는 세분화까지만 다룬다.

모든 유형을 단 두 가지로만 구분하는 데는 분명 한계가 있다. 예를 들어 '주거 시간'이 꼭 '낮'과 '밤' 두 가지로만 구분하지 않고, 아침, 점심, 저녁 등 2개 이상으로 구분하는 예가 그것이다. 이를 만족시키기 위한 방편으로 지금의 'Binary Tree' 대신 여러 갈래의 전개가 가능한 'Multiple Tree'가 있다. 이에 대한 예를 다음 [그림 M－9]에 나타내었다.

[그림 M－9] 'Multiple Tree' 작성 예

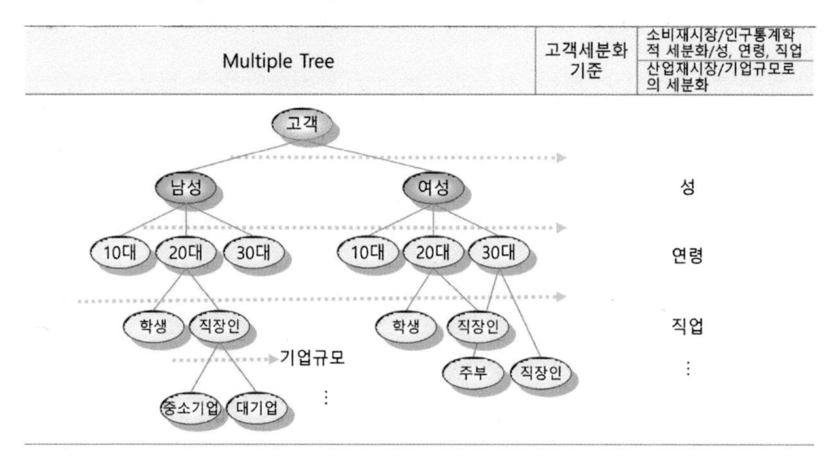

예에서 '고객 세분화 기준'에는 '남성'의 경우 분류 기준 '기업 규모'가 추가됨에 따라 '[표 M－3] 고객 세분화 기준'을 참고해서 '소비재시장/인구통계학적 세분화'와 '산업재시장/기업규모로의 세분화'로 정했다. '남성' 경우 '연령'에서 '20대'만 '직업'이 분류돼 있는데 이것은 '10대'는 학생으로, '30대'는 '직업을

갖고 있음'을 전제로 했기 때문이다. 이와 같이 'Multiple Tree'는 항목들이 반드시 두 개일 필요가 없으며, 또 세분화 기준도 다양하게 적용할 수 있는 특징이 있다. 물론 '여성이면서 20대이며 직업을 갖고 있는 경우'와 같이 어느 세분화가 가장 유리한지는 평가 과정이 수반돼야 하며 이에 대해서는 'Step－4.3 고객 선정'에서 설명될 것이다. 다음 [그림 M－10]은 우리의 예인 '토이 박스 개발' 과제의 'Step－4.2. 고객 세분화' 작성 예를 보여준다.

[그림 M－10] 'Step－4.2. 고객 세분화' 작성 예(Multiple Tree 활용)

Step-4. 고객 정의
Step-4.2. 고객 세분화

▶ '가망고객(잠재고객)'에 대해 '고객 세분화 기준'을 참고로 세분화 실시.

▶ 소비재시장/행동분석적 세분화 및 인구통계학적 세분화를 Multiple Tree를 통해 아래와 같이 세분화 수행 ('고객불만 접수담당자', '선물매장 판매원'은 기본적으로 포함시킴)

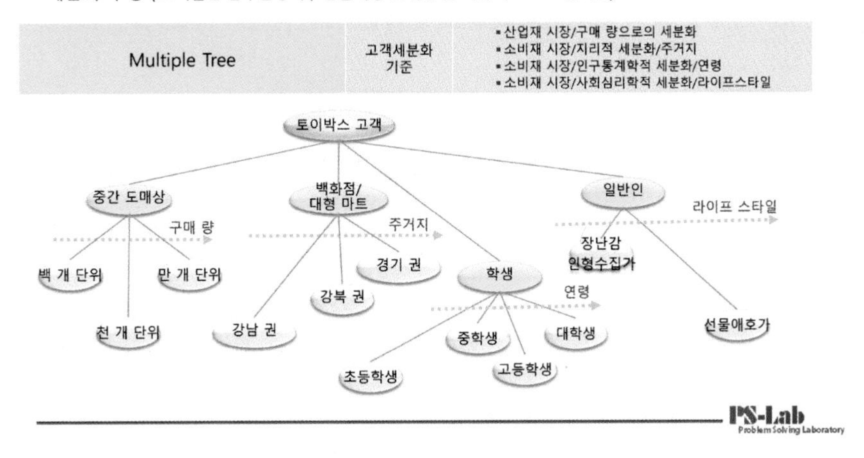

PS-Lab
Problem Solving Laboratory

[그림 M－10]은 [그림 M－6]의 'Step－4.1. 고객 조사 작성 예'와 바로 연결될 장표로 조사된 '가망 고객(잠재 고객)'에 대해 'Multiple Tree'를 활용하여 '산업재 시장/구매량으로 세분화'와 '소비재시장/지리적 세분화/주거지' 등으로 세

분화하였다. 이들은 모두 'Step−4.3. 고객 선정'으로 넘어가 요구 사항을 듣기 위한 '고객 민감도 분석'에 활용될 것이다.

'**정량적 접근법**'인 '군집 분석(Cluster Analysis)'은 "(네이버 용어 사전)비슷한 특성을 가진 집단을 확인하기 위해 시도하는 통계 분석 기법"이다. 실무에서는 제품 선호도가 같은 고객을 그룹핑하거나 특성이 유사한 제품들을 묶는 작업 등에 자주 쓰인다. '고객 세분화'를 위한 정량적 기법 중에서 접근성이 가장 높다. '고객 세분화'와 '고객 선정'이 동시에 이루어질 수 있으며, 사례는 'Step−4.3. 고객 선정'에서 미니탭으로 간단히 다루어질 것이다. '의사 결정 나무 분석(Decision Tree Analysis)'은 "개인이 가능한 여러 대안을 발견하여 나열한 뒤, 선택했을 때와 그렇지 않았을 때를 연속적으로 그려가면서 최종적인 결과를 생각하는 방법"을 말한다. 분류되는 대안들에 발생 가능성이나 선택했을 때의 금전적인 규모 등을 덧붙여 가면 최종 단계에 이르렀을 때 다양한 정량적 해석을 통해 유리한 경로를 선정할 수 있다. 이미지는 앞서 설명한 'Multiple Tree'와 유사하지만 수치 해석이 가능하다는 특징이 있다. '뉴럴 네트워크(Neural Network)'는 "(네이버 백과사전)뉴로라고도 불리는 것으로, 인간 뇌의 기능을 적극적으로 모방하려는 생각에 기초를 두고 있다. 즉, 무언가를 보고, 그것이 무엇인가를 인식하여, 필요에 따라 행동을 취한다는, 인간에게는 아주 간단하고 당연한 사고방식을 컴퓨터에 학습시키려는 것이다. 한마디로, 제어 대상과 관련된 복수의 요인(파라미터)을 설정하고, 이들의 결합과 결합의 무게를 생각하는 방법이다. 계산을 하는 과정에 학습 기능을 부가함으로써 최적의 제어가 가능하다"로 정의하고 있다. 정의에서 '고객 세분화'와 연계되는 부분은 "복수의 요인(파라미터)을 설정하고, 이들의 결합과 결합의 무게를 생각하는"이다. 말만 봐서는 앞서 진행된 여타 트리(Tree) 전개와 유사하나, 단점은 쓰이는 용어들이 생소하고, 어려운 이론적 해석이 요구된다는 점이다. '사례 기반 추론(Case-based Reasoning)'은 어떤 새로운 문제의 해결책을 찾아야 할 때 과거의 사례들이 해결한 방식을 빌려 답을 얻는 기법이다. 주로 사례들이 데이터베이스화돼 있어 프로그램으로 접근하는 체계가 요구된다. 비슷한 문제를 찾기 위해 해당 문제의 설명과 그 해결책이 잘 구성돼 있어야 새로운 해결책을 쉽게 만들어낼 수 있다. CBR에 대한 국제적 관심이 늘어남에 따라 1995년에 International Conference on Case-Based Reasoning(ICCBR)이 설립되었다.

이상으로 '정량적 접근법'에 대해 그 종류와 내용을 간단히 알아보았다. '정량적 접근법'에서는 '군집 분석' 등이 가장 좋은 대안이다. 그 외 도구들을 과제에서 필요로 할 가능성은 1% 내외라고 본다. 아마 고객 세분화를 위해 '뉴럴 네트워크'를 해보자고 하면 유행가의 '미쳤어~ 미쳤어~'가 리더 입에서 연발 터져 나올 것이다. 그러나 앞으로 난이도가 높은 과제를 수행해야 한다거나 방법론의 학습 수준이 현재를 뛰어넘는 시기가 도래하면 이 같은 도구들이 필요한 시기가 올는지도 모를 일이다. 그때는 쓰지 말라고 해도 사용해야만 할 것이다. "책에 있는데 과제할 때 써야 하나요?와 미치겠네!" 같은 이상한 고민은 하지 않길 바란다(^^). 이제 'Step-4. 고객 정의'의 끝을 장식할 'Step-4.3. 고객 선정'으로 넘어가보자.

Step-4.3. 고객 선정

본문으로 들어가기 전에 전열을 가다듬는 차원에서 무슨 일을 왜 하고 있는지 정리해볼 필요가 있다. 중요한 '세부 로드맵'에서 벗어나 지뢰밭을 걷고 있으면 안 되기 때문이다. 현재 새로운 제품을 설계하고 있다. 따라서 설계의 '목적'이 분명하고, 누군가(고객이 될 것이다) 완성된 제품에 관심을 갖도록 해야 한다. 그렇게 된다면 제품 가치는 충분히 높다고 볼 수 있고 설계 활동은 빛을 보게 될 것이다(구체적으로 팀원들에게 인센티브와 특진이 주어진다는 것을 의미한다!).

이런 연계성을 고려해볼 때, 고객의 환심을 살 만한 '산출물'을 만들어내려면 결국 고객에게 원하는 게 무엇인지 물어봐야 한다. 따라서 현재 하고 있는 일은 '고객'이 그저 막연한 '고객'이 아닌 우리 상품이나 서비스에 오로지 관심을 가져줄 만한 바로 그 '고객'이 돼야만 한다. '고객'을 '모두다'로 설정하는 것은 그냥 막말로 '바보 마케팅'이 될 수 있다. 모든 사람을 만족시키려면 상품이나 서비스가 대상에 따라 시시각각 변하는 변신 로봇이 돼야 한다. 자, 지금까지 '고객 조사 → 고객 세분화' 과정을 거쳤다. 이제 설계에 소중한 조언을 해줄 '고객'을 '선정'하는 작업을 수행해보도록 하자. 최종 '고객'을 선정하기 위해서는 'Step－4.2. 고객 세분화'에서 '평가'의 필요성을 언급한 바 있으며 이것을 '고객 민감도 분석'이라고 명명했었다. '고객 민감도 분석'을 아주 단순한 경우와 데이터로 접근하는 두 경우로 나누어 진행할 것이다. 편리를 위해 **단순한 경우는 '정성적 평가'**로, **데이터로 접근하는 경우는 '정량적 평가'**로 구분하였다. 전자의 효용성은 제품 설계지만 '고객 선정'이 단순하게 이루어지는 경우가 비일비재하다는 데 있다. 그 외의 경우에 대해서는 상황별로 적합한 도구들이 활용돼야 한다.

4.3.1. '고객 민감도 분석'이 '정성적 평가'로 이루어질 경우

처음 수행되는 과제들이 대부분 이에 속한다. 교육적 효과를 누리기 위해 난이도가 다소 낮은 과제들을 선정해오기 일쑤인데 이 때문에 '고객' 또한 명료한 경우가 대부분이다. 제품 개발 성숙도가 높아지면 중요하고 난이도도 높은 과제의 빈도가 자연스럽게 높아진다. 그때는 단순한 접근보다 「4.3.2. 고객 민감도 분석이 정량적 평가로 이루어질 경우」에서 답을 찾아야 한다. 다음 [그림 M－11]은 '고객 선정'이 단순하게 처리된 경우의 예를 보여준다.

[그림 M-11] 'Step-4.3. 고객 선정' 작성 예(고객이 명확한 경우 정성적 평가)

Step-4. 고객 정의
Step-4.3. 고객 선정

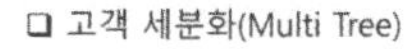

목표고객(Target Customer)을 찾기 위해 '고객조사', '고객세분화' 및 '고객 민감도 분석'을 수행. 이로부터 '과제관련성'과 '접촉빈도'가 높은 고객을 아래와 같이 최종 선정.

❑ 고객 조사(3차적 접근법)

고객조사 / 과제 명	1차 고려대상	2차 고려대상	3차 고려대상
	직접 구매자	한 단계 이상 건너 뛴 고객	조언을 구할 수 있는 대상
최적화 방법론을 통한 토이 박스 개발	▪ 중간 도매상 ▪ 백화점/대형 마트	▪ 학생 ▪ 일반인	▪ 고객불만 접수 담당자 ▪ 선물매장 판매원

❑ 고객 세분화(Multi Tree)

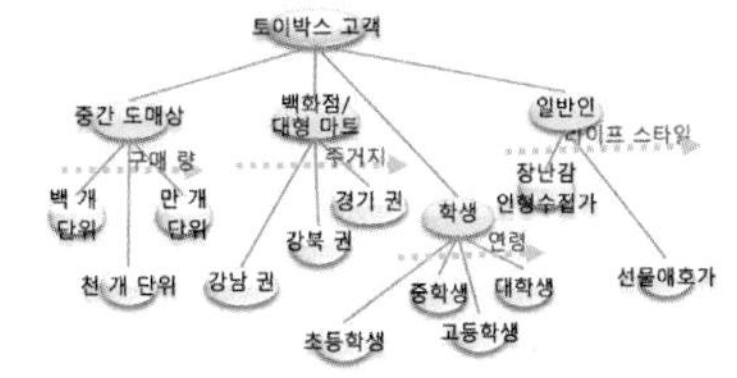

❑ 고객 선정(민감도 분석)

내/외부	No	고객	속성
내부	1	고객 불만 접수 담당자	고객이 들어오면서 처음 대면. 안내, 업소규정 등을 설명
외부	2	중간도매상	구매 양에 따른 분류. 2-1;백 개, 2-2;천 개, 2-3;만개단위
	3	백화점/대형 마트	거주지역에 따른 분류. 3-1;강남권, 3-2;강북권, 3-3;경기권
	4	학생	연령에 따른 분류. 4-1;초등학생, 4-2;중학생, 4-3;고등학생, 4-4; 대학생
	5	일반인	기타 군. 5-1;장난감 인형수집가, 5-2;선물애호가

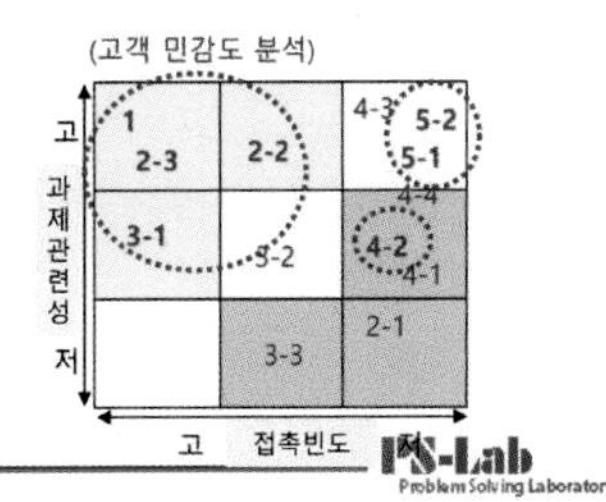

좀 복잡해 보이지만 한 장으로 처리해보았다. 장표 제목이 'Step-4.3. 고객 선정'이지만 그림 왼쪽 상단의 '고객 조사'는 'Step-4.1. 고객 조사'를, 오른쪽 상단의 '고객 세분화'는 'Step-4.2. 고객 세분화'에 대응하며, 그림 하단부는 '고객 민감도 분석'과 그 결과인 'Step-4.3. 고객 선정'에 대응한다. 즉, 하나의 장표에 'Step-4. 고객 정의'의 '세부 로드맵' 3개가 모두 들어 있는 형국이다.

내용을 보자. 과제는 '토이 박스 개발'로 신제품 매출 향상을 위한 주 고객층 확보가 핵심이다. [그림 M-11]에서 '고객 조사'는 '3단계 접근법'을 통해 확보된 총 여섯 군의 고객을, 바로 오른쪽 '고객 세분화'는 'Multi Tree'로 세분화를 시각화한 뒤, 아래 '고객 선정'에서 '민감도 분석'을 통해 총 일곱 대상을 선정하였다(고 가정한다). '내부 고객'인 '불만 접수 담당자'는 고객의 소리를 자주 접했을 것이므로 필히 포함을, 또 '중간 도매상'은 '천 개 단위 이상'의 대상을, '백화점/대형 마트'는 소득 수준이 높아 선물 등에 지출이 많을 것으로 예상되는 '강남권'을, '학생'은 용돈이 적은 '초등학생'과 입시에 바쁜 '고등학생'들을 제외한 '중학생'을 선정하였다. 그 외 '장난감 인형 수집가'와 '선물 애호가'는 전문적 조언을 기대해 필히 포함시켰다. 참고로 [그림 M-11]의 '고객 민감도 분석'에서 'X-축'은 '접촉 빈도', 'Y-축'은 '과제 관련성'으로 정했으나 축의 속성은 적절하게 판단한다. [그림 M-11]은 Measure Phase의 첫 장이므로 'Step-4.1. 고객 조사'와 'Step-4.2. 고객 세분화'가 'Step-4.3. 고객 선정'에 모두 포함됐음을 알려야 하며 이것은 목차에서 다음 [그림 M-12]와 같이 처리한다.

[그림 M-12] '세부 로드맵'의 통합 시 장표 표현법

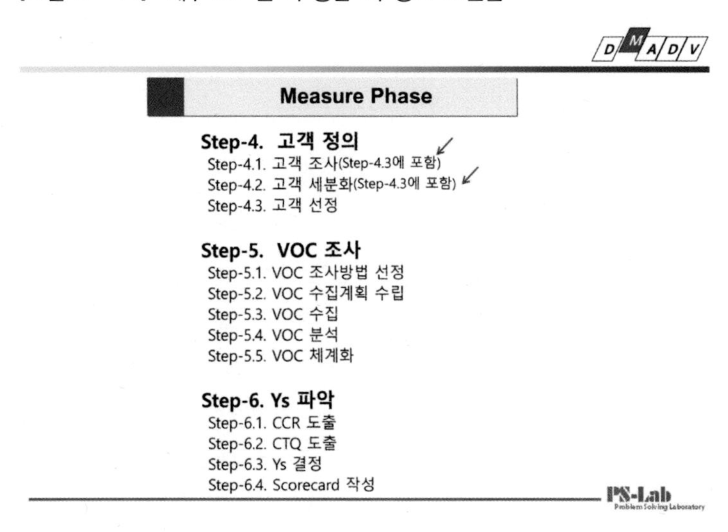

[그림 M-12]에서 'Step-4.1. 고객 조사(Step-4.3에 포함)'와 'Step-4.2. 고객 세분화(Step-4.3에 포함)'로 표기돼 있음을 확인할 수 있다(빨간 화살표).

다음은 '정량적 평가'에 대해 알아보자.

4.3.2. '고객 민감도 분석'이 '정량적 평가'로 이루어질 경우

'대응 분석(Correspondence Analysis)'과 '군집 분석(Cluster Analysis)'에 대해 간단히 알아볼 것이다. 통계학에서 '다변량 분석(Multivariate Analysis)'으로 불리며, 미니탭의 '통계 분석(S) > 다변량 분석(M)'에 위치한다. 설명을 위해 개발 대상이 '반제품(半製品)'인 경우－주로 OEM이나 중간 제품을 생산하는 업체로 고객 군 규모가 작고 한정돼 있다－와, '소비재(消費財)'인 경우－불특정 다수의 고객 군으로 현재 예를 들고 있는 '토이 박스 개발' 과제가 해당된다－로 구분하여 설명할 것이다. 간단한 소개 수준이므로 혹 응용에 어려움이 있으면 활용을 위해 조금 연구하고 노력해주기 바란다.

반제품 경우, '반제품'의 사전적 정의는 "모든 제조 과정을 거치지는 않았으나 그대로 저장과 판매가 가능한 중간 제품"으로 자동차나 전자 부품 업체에서의 제품 개발 상황을 떠올릴 수 있다. 현재 개발 제품에 대해 18개의 완제품 제조사가 조사됐으며, 향후 개발될 제품 판매에 유리한 업체를 선정한 뒤 구체적인 요구 사항을 수집한다고 가정하자. 다음 [표 M－6]은 조사된 제조사와 조사 항목들에 대한 '이원 분할 표'이다.

[표 M－6] 제조사/조사 항목에 대한 '이원 분할 표'

항목 / 제조사	A	B	C	D	E	F	G	H	I	J	K	L	M	N	O	P	Q	R
당사선호도	1	3	1	3	1	3	1	1	4	5	2	4	4	2	6	2	6	10
시장지배력	1	1	7	5	6	7	4	4	2	5	2	9	3	1	2	6	1	6
신용도(채권)	1	4	3	6	3	4	4	5	4	6	7	3	7	6	5	14	2	3
개발협력도	7	3	7	3	7	6	1	5	3	3	6	6	11	4	7	3	8	4
적기출시	6	1	3	2	7	6	2	5	5	6	5	1	3	12	5	10	4	4

[표 M-6]에서 'A~R'은 조사된 '완제품 제조사'를, 첫 열 '항목'은 그들을 구분 짓는 '이미지'를, 표 내 숫자는 조사 업체의 내부 인력(마케팅, 영업, 개발, 구매, 제조) 총 20명에게 중복 선택도록 설문한 결과이다. 물론 '항목'들의 선정과 그들의 '운영적 정의'에 대해서는 별도로 마련돼 있다고 가정한다. 다음 [그림 M-13]은 미니탭 워크시트 입력을 보여준다.

[그림 M-13] '대응 분석'을 위한 미니탭 데이터 입력 예

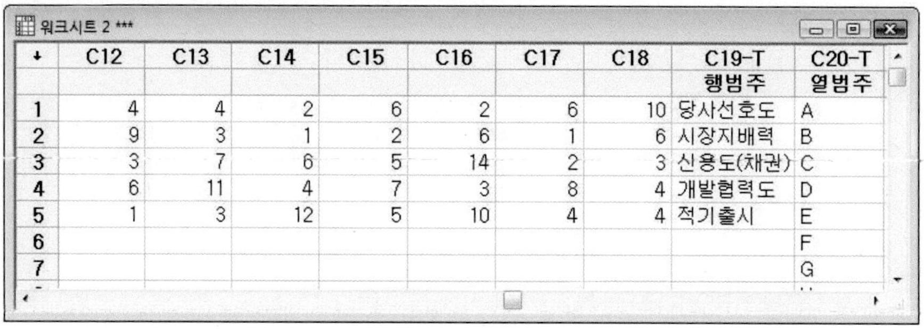

워크시트 2 ***

↓	C12	C13	C14	C15	C16	C17	C18	C19-T 행범주	C20-T 열범주
1	4	4	2	6	2	6	10	당사선호도	A
2	9	3	1	2	6	1	6	시장지배력	B
3	3	7	6	5	14	2	3	신용도(채권)	C
4	6	11	4	7	3	8	4	개발협력도	D
5	1	3	12	5	10	4	4	적기출시	E
6									F
7									G

워크시트의 입력은 [표 M-6]의 배열 그대로 유지하되('C1~C11'은 그림에 나타나 있지 않다), 맨 오른쪽에 각 '행'과 '열'의 항목들을 따로 모아 구분해 놓는다. 이것은 미니탭 '대화 상자'에서 요구하는 입력 방식에 맞추기 위함이다. 다음 [그림 M-14]는 미니탭 내 '대응 분석' 위치와 '대화 상자' 입력 방법이다.

[그림 M-14] '대응 분석'을 위한 미니탭 위치 및 입력 예

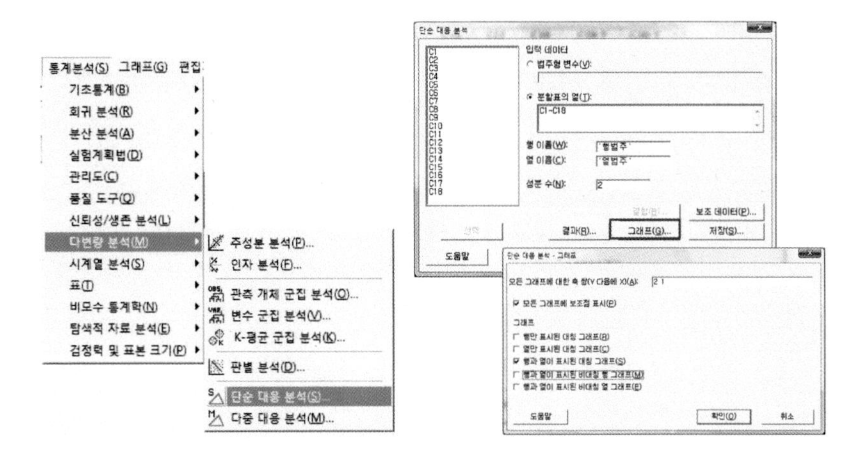

다음 [그림 M-15]는 미니탭의 수행 결과이다('세션 창' 해석은 생략).

[그림 M-15] '대응 분석' 미니탭 결과

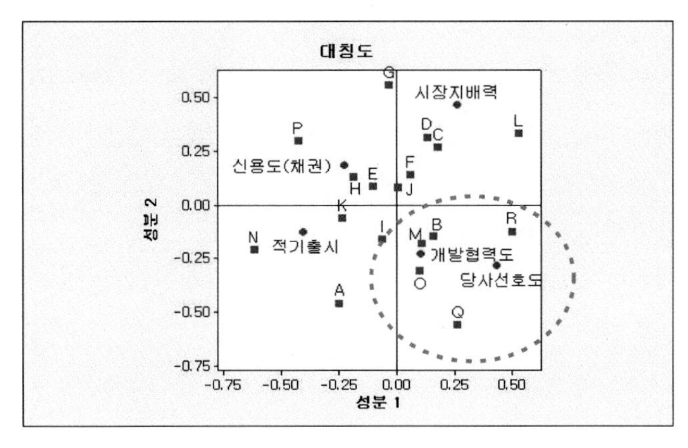

[그림 M-15]에서 향후 개발될 제품에 대한 '적기 출시', '시장 지배력' 및

금전 거래를 위한 '신용도(채권)'도 중요하지만 당면한 개발 수행을 위해서는 요구 사항 수집에 꼭 필요한 '당사 선호도'와, 개발 기간 동안의 '개발 협력도'가 매우 중요하며, 따라서 'B, M, O, Q, R'사들이 강력한 후보로 추천되었다. 이후 'Step-5.1. VOC 조사 방법 선정'을 거쳐 'Step-5.3. VOC 수집'에서 필요한 정보를 그들로부터 얻어낼 것이다. 다음은 개발 제품이 '소비재'인 경우의 '고객 선정'에 대해 알아보자. 앞서 설명한 대로 '군집 분석'을 수행한다.

소비재 경우, '소비재'는 "개인의 욕망을 직접적으로 충족시키기 위하여 소비되는 재화. 식료품, 의류, 가구, 주택 따위가 이에 해당한다"이다. 따라서 소비재 구매 고객은 불특정 다수를 지칭하며, 그들 중 누가 우리의 고객인지를 파악하는 일은 단순치 않다. 본문은 '군집 분석'을 통해 그 과정을 간단히 설명하고, 분야별 깊이 있는 접근에 대해선 '마케팅 조사 방법론' 등을 참조하기 바란다. '군집 분석'은 "(네이버 용어 사전) 비슷한 특성을 가진 집단을 확인하기 위해 시도하는 통계 분석 기법"이다. 기본적으로 다음과 같은 절차에 의해 이루어진다.

1) '변수'를 정한다.

'변수'는 군집 대상들을 설명하는 특징(나이, 성별, 회사 규모 등)보다는 개별적으로 반응하는 행동 패턴(소요 시간, 사용 금액, 선호도 등)을 사용.

2) '분석 방법'을 결정한다.

어려운 부분이다. 그러나 이론적 접근이 아닌 실용적인 면을 고려하면 다음의 설명만으로도 충분하다. 우선 방법들을 도식화하면 [그림 M-16][33]과 같다.

---

33) [그림 M-16]의 '비계층적 군집화'와 'Ward 연결법'은 한국통계학회 '통계학 용어 대조표'에 포함돼 있지 않아 일반적으로 사용되는 용어로 표기하였다.

[그림 M－16] 군집화 방법

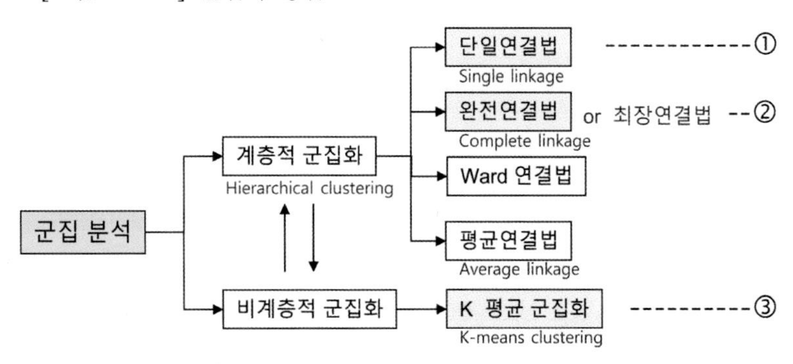

'계층적 군집화'와 '비계층적 군집화' 사이의 양방향 화살표는 군집화 상황에 따라 결정되는 순서로 예를 들어 '최종 소비자(End User)'들의 구매 성향 등을 파악하는 대량 데이터 처리의 경우 아래에서 위로의 순서를 밟기도 한다. 그러나 통상 위에서 아래로 구체적으로는 '① → ② → ③'의 순서를 따른다. '①'은 군집 대상 중에서 타 대상들과 다른 양상을 보이는 경우(이상점; Outlier)를 걸러내 제외시키는 과정으로, '②'는 군집 수를 결정하는 과정으로, 끝으로 '③'은 최종 군집을 확정하는 과정으로 전개한다. '③'의 'K 평균 군집화'는 묶어낼 군집 수를 사전에 알고 있으면 '②'를 건너뛸 수도 있다. 즉, '②'는 '③'의 'K 평균 군집화'를 적용하기 위한 절차로 이해한다.

3) '유사성(Similarity) 측정 방법'을 결정한다.

'유사성'이란 군집하는 대상들의 비슷한 상태를 표현하는 척도이며, 계산식이 수반된다. 설문을 통해 얻은 값이나 측정값들을 이용하며 대상들을 쌍으로 묶어 하나의 값을 얻는다. 어느 값들끼리 유사한지를 결정해주는 방법이 '2) 분석 방법'이다. 계산 수식은 생략한다. 미니탭에서는 'Euclid', 'Manhattan', 'Pearson', 'Euclid 제곱', 'Pearson 제곱'이 제시돼 있으나 특별한 사유가 없는 한 'Euclid'

를 선택한다(무지하게 어려운 용어들이다. 그러나 기죽을 필요 없다. 계산식들의 명칭일 뿐이다).

뭔지 모르는 어려운 용어들이 갑자기 쏟아져 나오므로 책을 덮어버린다면 너무 슬픈 일이다. 이들은 미니탭에서 순서대로 선택하는 문제이므로 한번 해보면 그만이다. 욕심을 더 부린다면 여기서 이론적으로 조금 더 파고들기 바란다.

자, 이제 활용으로 들어가 보자. 우선 왜 '군집 분석'이 필요한지에 대한 상황 설정이 필요하다. 현재 기존과 차별화된 '토이 박스'를 개발하고 있으며 [그림 M-10]에서 'Step-4.2. 고객 세분화'를 마친 상태에 있다. 이때, '학생'이 '초등학생', '중학생', '고등학생', '대학생'으로 세분화된 상태다. 이들 중 설문 응답이 가능한 '고등학생'과 '대학생'들에 대해 과거 연구 자료를 토대로 13가지 변수를 측정하였다(고 가정한다).[34] '측정 방법'과 '변수'는 다음과 같다.

[7 리커트 척도(Likert Scale)]

적극 동의 안 함(1) --------------- 보통(4) ------------ 적극 동의(7) (M.2)

[표 M-7] 변수 선정 예

변수	변수 내용
X1	충동구매를 자주 한다.
X2	최근 유행에 관심이 많다.
X3	다른 사람이 나를 어떻게 보는가에 대해서는 별로 신경 쓰지 않는다.
X4	내 생활을 즐기려고 노력하는 편이다.
X5	각종 모임에 자주 참석한다.
X6	거의 매일 운동을 즐긴다.
X7	가급적이면 1회용 제품은 사용하지 않는다.

34) 변수들은 임종원, 박형진, 강명수 저, '마케팅 조사방법론-법문사', pp.522-524를 참고함.

X8	전통적 가치관은 반드시 지켜야 한다.
X9	새로 나온 제품은 남보다 먼저 구입하는 편이다.
X10	쇼핑을 즐긴다.
X11	물건을 구입할 때는 상표를 따진다.
X12	멋있는 것보다는 실용적인 것을 좋아한다.
X13	쇼핑을 할 때는 꼼꼼히 여러 가지를 비교하는 편이다.

'변수'들에 대한 설문 응답을 다음 [그림 M-17]처럼 미니탭에 입력하였다.

[그림 M-17] '군집 분석'을 위한 설문 응답 예

워크시트 7 ***

↓	C1	C2	C3	C4	C5	C6	C7	C8	C9	C10	C11	C12	C13
	X1	X2	X3	X4	X5	X6	X7	X8	X9	X10	X11	X12	X13
1	6	3	2	3	7	5	4	5	1	3	6	6	1
2	1	3	2	3	2	3	5	5	5	2	5	3	5
3	1	5	5	6	7	2	6	7	1	5	3	2	6
4	7	7	7	6	5	4	6	3	5	5	7	4	3
5	4	3	1	3	6	6	6	4	2	5	5	1	4
6	4	5	1	7	1	7	3	1	5	6	1	6	2
7	3	6	7	4	7	3	7	4	3	2	3	6	2
8	2	7	2	4	6	7	3	1	2	5	4	6	3
9	3	2	7	3	1	5	3	6	4	6	7	1	7
10	1	1	6	3	2	6	6	7	6	5	4	5	7
11	7	7	5	4	7	4	3	5	6	3	6	5	1
12	5	7	6	5	1	3	5	5	3	4	4	5	1
13	4	5	3	4	2	1	6	2	3	1	6	7	2
14	5	3	3	4	2	4	4	1	2	5	4	3	3
15	5	2	1	2	7	5	3	4	5	7	5	6	1
16	4	1	1	4	5	7	7	2	2	6	6	4	3
17	3	1	7	5	2	7	6	7	6	6	6	4	7
18	4	1	7	5	1	2	4	6	3	6	1	3	2
19	7	3	7	3	2	3	4	6	6	5	3	5	7
20	5	4	4	5	5	3	2	7	1	4	2	1	5

이 과정은 13개 변수들을 유사한 군들로 묶어 고객의 라이프스타일별 행태를 파악한 뒤, 개발 예정인 '토이 박스' 고객 군을 확보하는 데 초점이 맞춰져 있다. 통상 '인자 분석(Factor Analysis)'을 통한 변수 축소를 이루고, 이어 '군집 분석'으로 들어가는 방법이 선호돼나 여기서는 단순히 '군집 분석'의 '완전연결법'으로 처리하고 넘어갈 것이다. 좀 더 관심 있는 독자는 시중 서점에서 쉽게 접할 수 있는 '마케팅 조사 방법론' 등을 참고하기 바란다. 다음 [그림 M-18]은 미

니탭 위치와 '대화 상자' 입력 예이다.

[그림 M-18] '군집 분석'을 위한 미니탭 위치 및 입력 예

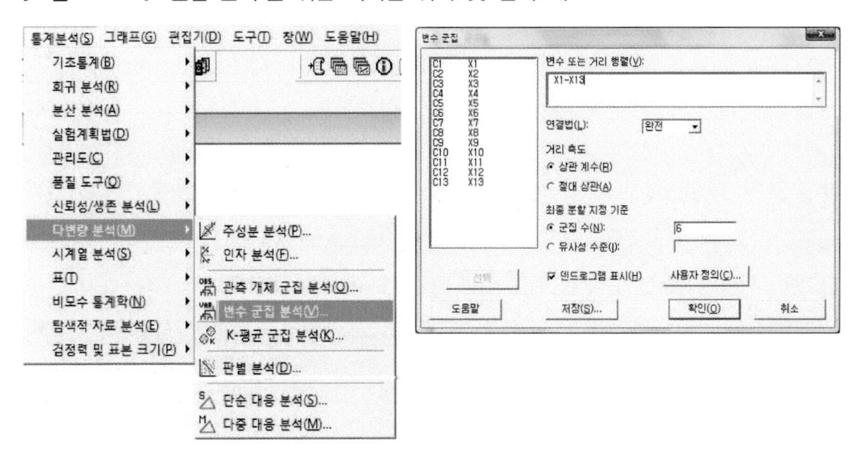

'대화 상자' 내 '군집 수'는 '덴드로그램'을 보고 판단한 뒤 입력하였다. 결과는 다음 [그림 M-19]와 같다.

[그림 M-19] '군집 분석' 미니탭 결과(덴드로그램)

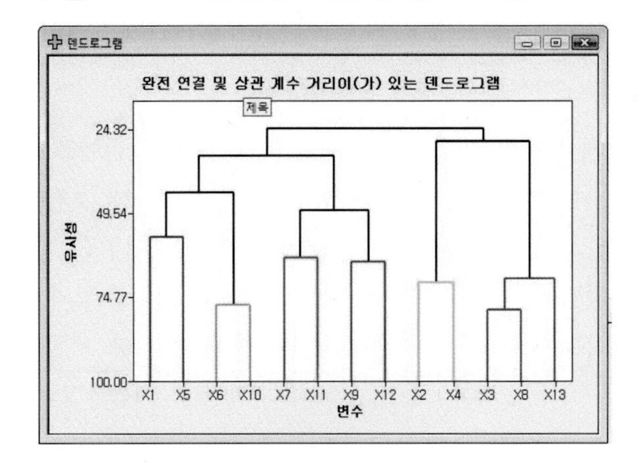

'덴드로그램'으로부터 고객 군을 군집1~(X1, X5), 군집2~(X6, X10), 군집3~(X7, X11), 군집4~(X9, X12), 군집5~(X2, X4), 군집6~(X3, X8, X13)으로 분류했으며, 군집의 특성과 과제와의 관련성은 다음 [표 M-8]과 같다.

[표 M-8] 고객 선정 예

군집	특성	과제 관련성	고객 선정
군집 1	충동 구매형	선물용으로서의 토이 박스와는 관련성 적음.	
군집 2	쇼핑 선호형	제품 차별성만 있으면 구매 고객화 가능함.	◎
군집 3	고가 브랜드형	일반인 대상의 '토이 박스'와는 관련성 적음.	
군집 4	실용 추구형	실용성과는 거리가 있어 관련성 적음.	
군집 5	유행 추구형	차세대 토이 박스로 홍보 시 구매 고객 가능함.	◎
군집 6	실속 추구형	가격에 이점이 있으면 구매 고객 가능함.	◎

다음 [그림 M-20]은 '고객 선정'에 대한 파워포인트 작성 예이다.

[그림 M-20] 'Step-4.3. 고객 선정' 작성 예

Step-4. 고객 정의
Step-4.3. 고객 선정

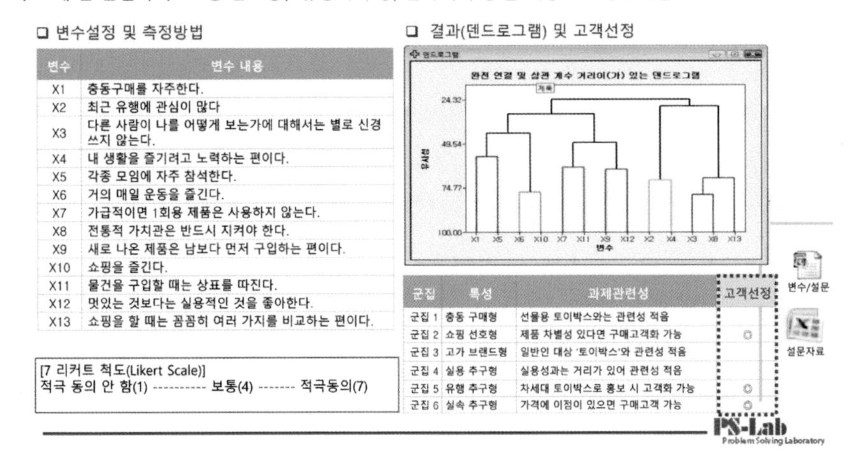

[그림 M-20]은 변수 설정과 측정 방법 및 분석 결과를 나타내고 있다. 앞으로 개발될 '토이 박스'는 선정된 '쇼핑 선호형', '유행 추구형', '실속 추구형' 고객의 입맛에 맞도록 구성될 것이며, 이들의 의견 청취에 집중할 것이다. 다음은 이들의 요구를 듣기 위한 'Step-5. VOC 조사'로 들어가 보자.

Step－5. VOC 조사

글자 그대로 'VOC'를 '조사'하는 활동이다. 'Step－4. 고객 정의'에서의 최종 산출물이 프로세스 설계를 위한 '고객'을 찾은 거라면, 여기서는 그 고객들에게 "내가 이러이러한 제품을 만들 예정인데 조언 좀 해주시겠습니까?"라든가, 아니면 "기존 우리 제품에 있어 불편했던 점이나 고쳤으면 하고 생각한 것이 있으면 말씀해주시겠습니까?" 등의 물음을 던져 그들의 소리를 듣는다. 소리란 곧 '고객의 소리'이며, 이를 줄여서 'VOC(Voice of Customer)'라고 한다. 'Step－4. 고객 정의'에서 매출이나 제품 기능 향상을 위해 정말 중요하고 핵심적인 '목표 고객'을 찾아냈으면 그들의 입맛에 맞는 제품을 만들면 그만이다. 논리는 단순하다. 따라서 그 '입맛'은 내 입으로 맛보는 것이 아니라 고객의 입으로 맛보는 것이어야 하므로 당연히 고객의 의향을 묻는 절차가 요구된다. 이 같은 의향을 묻는 절차는 총 4개의 '세부 로드맵'으로 구성돼 있다.

우선 선정된 대상이나 처해진 상황에 따라 가장 적합한 접근법을 찾는 것이 중요한데 어느 방식이 현재 수행 중인 과제의 성격에 맞는가는 '세부 로드맵'인 'Step－5.1. VOC 조사 방법 선정'에서 다루어진다. 방법이 결정되면 고객들에게 직접 가서 소리를 듣지만 아무리 '목표 고객'을 명확하게 선정해 놓았어도 그 수가 최소 수백 명 아니 그 이상이 될 수 있으며, 그들 모두를 대상으로 소리를 듣는다는 것은 비용도 그렇지만 현실적으로 너무 많은 제약이 따른다. 따라서 '모두'보다 '목표 고객'을 대표할 수 있는 '일부'만을 잘 선별해 활용한다. 이를 '표집[또는 표본 추출(Sampling)]'이라고 하며, 적정 수를 '표본 크기(Sample Size)'라고 한다. 그 외 '설문지 설계' 등 '표집'과 '표본 크기'를 중심으로 한 전반적인 수집 계획이 사전에 설정돼야 하며 이들은 'Step－5.2. VOC 수집 계획 수립'에서 설명한다. 'VOC 수집'에 대한 전반적인 계획이 마무리되면 바로 실시하는 것은 아무래도 위험이 따르게 마련이다. 대상들에게 계획대로 정말 잘 먹혀들 것인지, '고객'들이 예상대로 그들의 '소리'를 잘 담아줄 것인지, 조사 과정에 엇박자가 생겨 다시 하게 되는 일은 없을 것인지 등 전체적으로 검토하는 작업이 필요하며, 이것을 '사전 검사(Pretest)'라고 한다. '사전 검사'에서 'VOC 수집'의 타당성이 검증되면 계획대로 수집이 이루어지며, 이후 수집된 자료들은 예상할 수 있는 문제점들(기록상의 오류, 프로세스 설계와 무관한 내용 등)을 걸러내는 신뢰성 검증 절차를 거쳐 최종 자료를 획득한다. 이것은 'Step－5.3. VOC 수집'에서 간단히 언급된다.

이제 앞으로 진행될 프로세스 설계의 가장 기본적인 자료가 확보되었다. 따라서 이어질 활동들은 의미 있는 산출물이 나올 수 있도록 이들을 필요한 정보로 닦고 다듬는데 이 과정을 통틀어 'VOC 분석'이라 칭하고 'Step－5.4. VOC 분석'에서 수행한다. 끝으로 분석의 결과물은 다음 수순을 위해 최종 정리가 필요한데 'Step－5.5. VOC 체계화'에서 이루어지며 이들 모두는 'QFD(Quality Function Deployment)'라는 하나의 장소에 모아 놓는다. 이제부터 'Step－4.3. 고객 선정'에서의 '목표 고객'을 대상으로 'Step－5.1. VOC 조사 방법 선정'으로 들어가 보자.

Step－5.1. VOC 조사 방법 선정

'제품 설계 방법론'은 연구 목적의 산물로 탄생한 것이 아니라 기업에서 이익을 추구할 목적으로 탄생한 방법론이다. 따라서 학습 대상도 학자들이 아닌 일반 기업인들이다. 한마디로 실용적이어야 한다. 'VOC 조사 방법'은 주로 '마케팅 조사 방법론'의 영역이다. 그러나 '마케팅 조사 방법론'을 기업인들에게 사용하도록 권장하면 어디까지가 배워야 할 끝인지도 알 수 없을뿐더러 또 시간을 할애해 배운들 아마 여기저기서 '씩씩'거리는 열 내는 소리가 교육장을 가득 메울 것이다. '제품 설계 방법론'은 '실용성'과 '간결성'이 강점이다. 정리가 잘돼 있어 효용성이 뛰어나다. 본문의 'VOC 조사 방법' 역시 잘 정리된 모습으로 소개돼야한다. [그림 M-21]은 주변에서 쉽게 접할 수 있는 'VOC 조사 방법'을 옮겨 놓은 것이다.

[그림 M-21] VOC 조사 방법(일반적 분류)

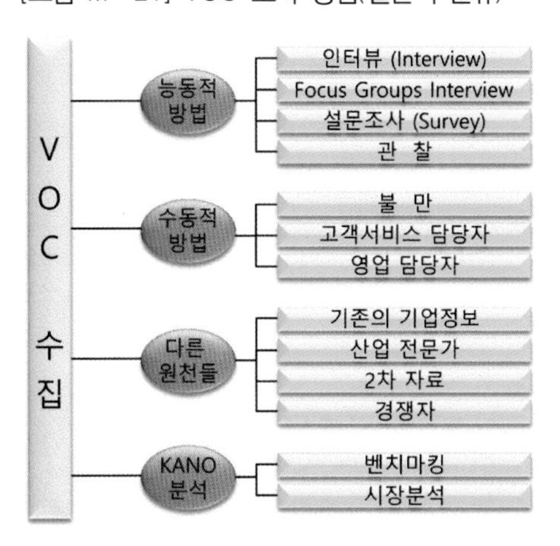

그러나 [그림 M-21]에서 설명한 방법들은 '마케팅 조사 방법론'이 그 원류이며, 따라서 마케팅 분야에서 흔히 얘기하는 '원조'가 무엇인지 알고 넘어갈 필요가 있다. 다음 [그림 M-22]는 시중에서 흔히 접할 수 있는 '마케팅 조사 방법론'[35]을 옮겨 놓은 것이다.

---

35) 기본 틀은 '채서일 저, 마케팅 조사론(학현사)'을 출처로 하였다. 사실 서점의 '마케팅 조사방법론'을 전부 훑어봐도 동일한 분류 체계를 보기란 쉽지 않다. [그림 M-22]는 그 중에서 가장 정리가 잘 된 것이며, 너무 세분화된 것은 배제했다. 또. '마케팅 조사 방법'을 'VOC 조사 방법'으로 편집하였다.

[그림 M-22] VOC 조사 방법(시중 서적의 마케팅 조사 방법론)

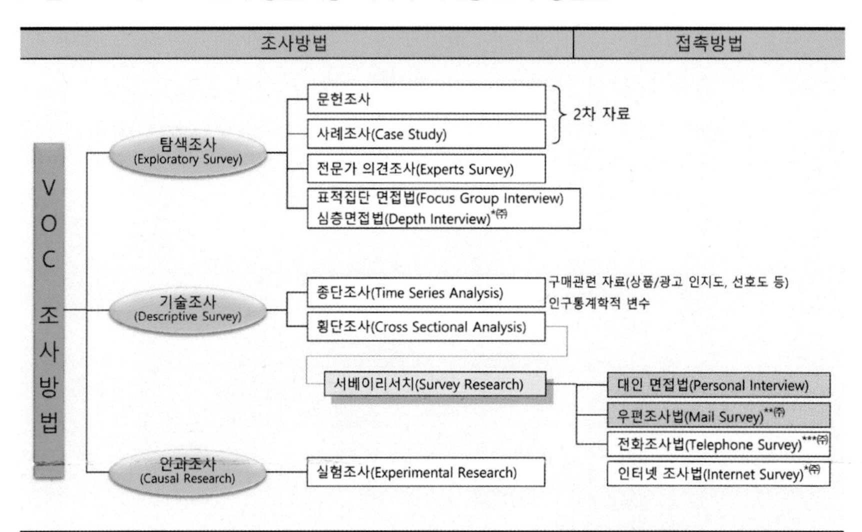

*㈜; 저자가 추가함. **㈜; (네이버 용어사전/매스컴 용어사전)을 따름.
***㈜; '원 용어는 '전화 면접법'이나 (메스컴 용어사전)에 전화조사법(Telephone Survey)만 있어 이를 따름.

[그림 M-21]과 비교하면 1차 분류의 '능동적 방법', '수동적 방법' 등과 [그림 M-22]의 '탐색 조사', '기술 조사', '인과 조사' 등이 우선 달라 보인다. 그리고 [그림 M-21]의 '다른 원천들'에서 표현된 방법들과 [그림 M-22]의 '탐색 조사'에 있는 '문헌 조사'나 '사례 조사'처럼 후자의 경우가 용어의 표현에 있어 구체적이고 선명한 느낌이 든다. 또 [그림 M-22]의 표 필드명과 같이 '조사 방법'과 '접촉 방법'을 구분해서 정적인 방법론과 동적인 수집 활동을 따로 구분하고 있다. 아무래도 조사를 하려면 소리를 듣기 위한 다양한 접촉 방법이 존재할 것이고 이에 상황에 맞는 적절한 방법을 선택할 필요가 생긴다.

[그림 M-22]의 하단 '*(주)'에는 용어의 변경 이력을 기록해 놓았다. 초두에 강조했듯이 용어 정의는 가급적 공인된 출처를 따르겠다는 의지의 표명이다. 출처는 괄호로 표시해놓았다. 현재는 'VOC 조사 방법'을 선택하는 것이 주목적이

다. 그러나 어느 것이 본인에게 적합한 수집 방법인지 혼란스러워하는 경우가 많다. 그 혼란은 용어 선택에서도 자주 나타나는데 무슨 조사를 하든 항상 '설문'이란 단어로 통일하는 것이 그것이다. 이것은 '마케팅 조사 방법론'에 대한 이해가 부족하다기보다 기본적인 '용어 정의'에서의 혼선으로 봐야 한다. 말을 고쳐 쓰면 '마케팅 조사 방법론'을 깊이 있게 이해하지 못해도 단지 '용어 정의'만으로 소기의 목적을 달성할 수 있다는 뜻이다. 이제 [그림 M-22]의 개별 방법들에 대해 알아보자. 쓰임의 빈도가 높은 것을 위주로, 또 툴 북이 아니므로 각 방법들의 특징이나 차이점만을 중점적으로 설명할 것이다. 활용과 관련된 상세한 용법 설명은 주변에서 쉽게 얻을 수 있으므로 본문에서는 생략한다.

[그림 M-22] 내 '**탐색 조사(Exploratory Survey)**'는 (네이버 용어 사전)에서 "질문에 있어서 약간의 지식이 있을 때 본 조사에 앞서 수행하는 소규모의 조사"로 정의한다. 그중 '표적 집단 면접법(Focus Group Interview)'은 줄여서 'FGI'로 잘 알려져 있다. (네이버 백과사전)의 정의는 "소수의 응답자와 집중적인 대화를 통하여 정보를 찾아내는 소비자 면접 조사"이다. 이 방법은 제품 설계 과제를 하는 데 매우 유용하게 활용될 수 있다. 왜냐하면 설계 과정을 잘 아는 집단은 내부에 있으며, 사정을 잘 알고 있는 사람들의 수는 몇 개 부서를 합쳐봐야 대여섯 명 정도로 소수화되어 있기 때문에 '표적 집단 면접법'의 기본 요건에 잘 들어맞는다. FGI는 먹을거리를 만드는 회사의 연구소에서도 아주 요긴하게 쓰인다. 예를 들어 인스턴트커피를 만들 때 커피에 일가견이 있는 집단을 패널로 소집해 제품에 대해 다양한 요구 사항을 집중적으로 수집할 수 있기 때문이다. 이때 가장 중요한 것은 '모더레이터(Moderator; 사회자를 일컬음)' 역할이다. 모더레이터에 알맞은 사람을 선택하는 방법으로 다음과 같은 재미있는 설명[36]이 있어 옮겨놓았다. "...(중략) 내가 생각해보기에 인터뷰를 잘 진행할 수 있는 사

36) <출처: 익살의 스토리텔링 전시회. (http://story.isloco.com)>.

람을 가장 쉽게 판별하는 방법은 연애를 잘 하는 사람, 혹은 남자인데 여자 말을 잘 들어주는 사람, 여자인데 남자 말을 잘 들어주는 사람. 이런 사람이 하면 좋을 것 같다. 다른 사람들과의 대화 속에 자기가 이해하지 못할 부분이 있어도 고개를 끄덕이면서 넘어가 주고, 더 깊은 이야기를 끄집어낼 수 있는 사람이 가장 적절하다. 듣기만 잘 하는 것은 누구나 노력하고 마음만 먹으면 할 수 있다. 그러나 잘 듣는 것보다도 이야기를 잘 이끌어내기 위해서는 적당한 맞장구와 함께 적절한 질문이 필요하다. 일상생활에서 말이 없는 사람을 말을 하게 하는 역할을 자주 하고 있다면 더욱 금상첨화. (중략)…"

[그림 M-22]의 '표적 집단 면접법'과 함께 있는 '심층 면접법(Depth Interview)'은 (네이버 백과사전)에서 "1명의 응답자와 일대일 면접을 통해 소비자의 심리를 파악하는 조사법"으로 정의하며, 따라서 주로 개인의 끼나 사적인 의견, 정보 등을 집중적으로 수집하는 데 유용하다. 고객층이 얇고 서로 이질적인 성향이면(이 경우 '표적 집단 면접법'은 어려울 수 있을 것이다) 개개별로 '심층 면접법'을 통해 '요구 사항'을 수집하는 것도 활용 가치가 있다. 물론 정보를 이끌어내는 역할자(주로 과제 리더가 될 것이다)가 매우 중요하다. 특히 '표적 집단 면접법'과 '심층 면접법'이 '탐색 조사'로 분류되고 있는 이유는 요구 사항 수집의 형태가 숫자가 아닌 글이나 말로 이루어지는 정성적 방법론이며, 따라서 본 조사에 앞서 사전 탐색적 용도로 적합하기 때문이다.

다음은 '**기술 조사(Descriptive Survey)**'에 대해 알아보자. (네이버 용어 사전)에서 "표본 조사의 기본 목적이 모집단의 모수를 추정하기 위한 조사"로 정의한다. 조금 부연하면 의사 결정에 영향을 미치는 변수들 간 상호 관계를 파악하고 상황 변화에 따른 응답자의 반응 변화를 분석하고 예측하는 데 사용되는 조사 방법이다. 대표적인 '서베이 리서치(Survey Research)'의 '서베이(Survey)'는 마케팅에서 '여론 조사'로 불리지만 (영어 사전)에는 '표본 조사'로 번역한다. '서베이 리서치'의 (국어사전) 정의는 "조사 대상과 직접 접촉하여 조사하는 일"이다. 무엇을 조사하는가는 물론 상황에 따라 천차만별이나 마케팅 분야에서의 의미는 주로 대량의 집단을 조사 대상으로 삼을 때이다. 그 하위엔 '접촉 방법'[37]으로써 '대인 면접법(Personal Interview)', '우편 조사법(Mail Survey)', '전화 조사법(Telephone Survey)', '인터넷 조사법(Internet Survey)' 등이 포함된다. 물론 이 외에도 다양한 방법론들이 있으므로 목적에 맞게 찾아 활용한다. '대인 면접법'은 용어상 앞서 배웠던 '표적 집단 면접법'이나 '심층 면접법'과 유사하나 훈련된 면접원들에 의해 가정, 직장, 거리, 쇼핑몰 같은 특정 장소에서 수행되는 것이 특징이다. 한마디로 대량의 집단을 대상으로 하는 차이점이 있다. 따라서 상호작용으로 이루어지기 때문에 설명을 필요로 하는 복잡한 문제에 적합한 조사 방법이다. 그 외의 방법들에 대해 별도의 설명은 생략한다. [표 M-9]는 '서베이 리서치'의 '접촉 방법'들 간 장단점을 비교한 것이다.

[표 M-9] '접촉 방법' 장·단점 비교

접촉 방법	장점	단점
대인 면접법	심층면접이 가능(사적인 견해 등)하다.	면접원에 따라 편차가 존재할 수 있다. 시간과 비용이 많이 든다.
우편 조사법	조사하는 비용이 적게 든다.	회수에 시간이 걸린다. 회수율이 낮다.
전화 조사법	수집시간이 짧다. 비용이 적게 든다.	설문내용이 간결하도록 사전에 많은 노력이 필요하다.
인터넷 조사법	수집시간 조절이 가능하다. 비용이 적게 든다. 표본 수 조정이 가능하다.	설문에 동조하는 사람들이 주로 응답할 수 있어 편의 가능성이 있다.

[그림 M-23]은 토이 박스 개발의 'Step-5.1. VOC 조사 방법 선정' 예이다.

37) '접촉 방법'은 '채서일 저, 마케팅 조사론(학현사)'에는 포함돼 있지 않으며, 내용 구분이 명확해 타 정보를 참고하여 삽입하였다.

[그림 M-23] 'Step-5.1. VOC 조사 방법 선정' 작성 예

Step-5. VOC 조사
Step-5.1. VOC 조사방법 선정

▶ 최종 확정된 '고객'들에 대한 'VOC 조사방법' 선정.

▶ 고객 유형별 '대인 면접법', '관찰', '우편 조사법', 'FGI' 등이 활용될 예정임.

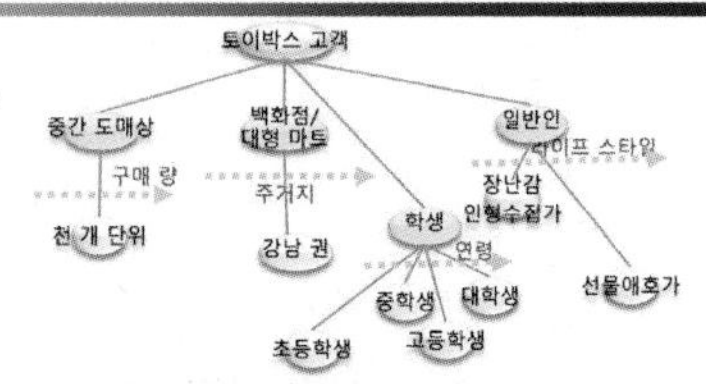

❑ VOC 조사방법 선정

고개유형	고객 세분화	VOC 조사방법	비 고(선정 근거)
학생	대학생	대인 면접법	개발의도에 대한 설명과 설문지에 의한 응답이 용이. (쇼핑 선호형', '유행 추구형, 실속 추구형 대상)
	고등학생	대인 면접법	
	중학생	관찰	개발의도 및 설문지 응답에 어려움이 예상됨에 따라 관찰 조사 수행.
	초등학생	관찰	
백화점/마트	강남 권	대인 면접법	백화점과 대형마트 수가 한정돼 있어 대인면접 가능. 강남권에서의 호응이 강북 및 경기권까지 파급 가능하다는 판단에 따라 강남권을 고객으로 우선선정.
중간 도매상	천 개 단위(구매량)	우편 조사법	구매량 백 개 단위와 만 개 단위는 너무 적거나 많아 고객 선정에서 제외. 도매상이 많아 우편조사 후 회수되는 내용을 중심으로 VOC 수집.
일반인	장난감 수집가	전문가 의견조사	전문가 의견으로 제품 개발에 반영.
	선물 애호가	FGI	몇몇을 패널로 구성하여 집중적인 의견 청취가 용이하다고 판단.

설문자료

PS-Lab
Problem Solving Laboratory

[그림 M-23]에서 '대학생'과 '고등학생' 및 '백화점/대형마트'는 제품 개발 목적에 대한 설명 및 설문지 응답이 용이할 것으로 판단되어 '대인 면접법'을, '중학생' 및 '초등학생'은 개발 목적의 이해보다는 관찰이 용이하다는 판단에 따라 특정 매장에서의 구매 성향 '관찰'을 조사 방법으로 선정하였다. 그 외 '중간 도매상'은 수가 많아 '우편 조사법'으로 대응한 뒤 회수되는 내용의 활용 방안을, '장난감 수집가'는 전문성을 인정해 개발에 대한 전문적 조언을, '선물 애호가'는 개발에 관심이 많은 패널을 구성해 심층 분석하는 'FGI'를 실시하는 것으로 하였다. 특히 '백화점/대형마트'와 '중간 도매상'은 'Step-4.2. 고객 세분화'에서 '강남권, 강북권, 경기권'과 '(구매량) 백 개 단위, 천 개 단위, 만 개 단위'로 세분화했으나 'Step-4.3. 고객 선정'에서 '강남권'과 '(구매량) 천 개 단위'로 선정

하였다(고 가정한다). 이는 전자의 경우 '강남권'에서 고객들의 호응이 있다면 타 지역으로의 전파가 용이할 것이라는 판단과, 후자의 경우 '(구매량)백 개 단위'와 '만 개 단위'는 그 수가 너무 적거나 많다는 데 따른 의사결정이었다(고 가정한다). 여기까지의 과정, 팀원들과의 수차례 워크숍 및 팀 활동 내용들은 파워포인트 장표 오른쪽 아래에 '개체 삽입'해 놓았다. 이와 같은 배려는 장표의 수를 줄일뿐더러 자료의 객관성을 높이고, 또 이력 관리를 효율적으로 할 수 있어 과제의 품질을 높이는 데 일조한다. 다음은 'Step－5.2. VOC 수집 계획 수립'에 대해 알아보자.

Step－5.2. VOC 수집 계획 수립

앞서 정해진 '고객'과 그들에 대응되는 'VOC 조사 방법'들을 기반으로 'VOC 수집 계획'을 마련한다. 무슨 일이든 '계획'은 늘 필요하다. 누구나 공감하지만 얼마나 꼼꼼히 미리 준비하는가가 성패를 좌우한다. 또 계획 수립에 위험 요소까지 고려하면 갑작스러운 환경 변화에 대응하는 능력도 생긴다. 해야 할 활동들을 모두 나열하고 일의 진척도에 따라 수행 여부를 하나씩 점검함으로써 수행 품질을 관리한다.

'VOC 수집 계획'은 '인터뷰'나 '설문'이 포함되므로 일반적인 계획 수립의 의미보다 '설계'란 용어를 사용한다. 다음 [표 M－10]은 'VOC 수집 계획 수립' 시 필요한 '설계 항목'과 '고려 사항'들을 요약한 것이다.

[표 M－10] 'VOC 수집 계획' 수립 시 '설계 항목'과 '고려 사항'

설계 항목	고려 사항
대상 모집단/표본 크기/표집 방법	조사 목적에 적합한 대상 모집단을 선정해야 하며, 조사 결과의 신뢰성 및 대표성을 보장할 수 있고, 조사비용까지 고려한 적절한 '표본 크기'와, 효율적/효과적인 표집 방법을 정의
조사 시점/기간	조사의 목적과 성격을 고려했을 때 현재의 조사 시점이 조사 결과의 신뢰성 및 Quality 측면에서 적합한 것인가와 조사 기간은 어느 정도로 설정할 것인지를 결정
조사 지역	조사의 목적과 성격을 고려했을 때 어느 정도의 지역 Coverage를 포함해야 하는가를 결정(효율적인 조사 지역을 선정하기 위해 과거자료 또는 지역별 인구 통계 자료 등을 Review하는 것이 좋음)
조사 방법	조사의 목적 및 성격, 조사 기간, 조사 지역 등을 고려하여 어느 조사 방법을 사용할 것인지 결정(정성 조사/정량 조사).
면접원 수/조사비용	조사의 목적 및 성격, 조사 기간, 조사 지역, 조사 방법 등을 고려하여 필요한 수와 소요 비용을 결정

현재 수행 중인 과제의 규모가 크더라도 'VOC 수집 계획'은 [표 M－10]의 수준이면 충분하다. 대부분의 '설계 항목'들은 '고려 사항'을 숙지해 준비할 수 있지만 첫 번째 항목 중 적절한 '표본 크기'를 정하는 문제는 다소 어려움을 호소한다. 누구에게나 달갑지 않은 '통계'가 들어간다는 선입감 때문이다. '통계'가 개입돼 정량적으로 꼭 계산돼 나와야 한다는 부담에서다. 그러나 다음 [표 M－11]과 같은 기본 항목들만 확인해도 충분히 대처할 수 있다. 참고하기 바란다.

[표 M－11] '표본 크기' 설정 시 점검 항목

No	표본크기 점검항목	내용
1	연구목적 및 방법	연구의 목적과 주제, 연구수행 절차와 방법 등을 고려함.
2	모집단의 크기	일반적으로 모집단의 크기가 크면 상대적으로 표본크기도 증가함.
3	모집단의 성격	동질성 대 이질성을 보는 것으로 이질성이 높은 모집단 경우가 그 속성이 잘 반영되도록 하기 위해 표본크기를 증가시킴.
4	측정의 신뢰수준	신뢰수준의 설정에 따라 표본크기가 변동되므로 적합한 신뢰수준이 고려돼야 함. 보통 95%임.

5	측정의 정확성	연구에서 설정한 최대허용오차에 따라 표본크기를 결정함. 최대허용오차가 작을수록 측정의 정확성을 높이기 위해 표본크기를 증가시킴.
6	통계적 검정력	통계적 검정력을 높이기 위해서 표본의 크기를 증가시킴.
7	조사주제와 관련된 분석변수의 수	조사주제와 관련된 분석변수의 수가 많은 경우 상대적으로 표본크기를 늘려야 함. 이는 기존 이론이나 관련된 현상을 검토하면서 변수의 많고 적음을 비교할 수도 있음.
8	시간과 비용 등 현실적인 제약	조사비용과 표본크기가 직접적인 비례관계는 아니더라도 대개 표본크기가 증가할수록 자료수집 및 처리에 드는 비용이 증가함. 따라서 시간과 비용을 고려해서 결정함.

이 표를 보여주면 리더들은 이구동성으로 "몇 명을 정하라는 겁니까?" 하고 바로 되묻는다. 사실 몇 명을 정하는지 결정하기엔 너무 모호하다. 그러나 일단 '표본 크기'를 설정할 때 망막하게 시작하는 것보다 한층 나아졌다는 것은 인정해야 한다. 이 표를 사용하기에 가장 쉬운 방법은 우선 '최소치'와 '적정치'를 활용하는 것이다. 왜 최소치는 있는데 고려할 최대치는 없냐고 질문할지 모르나 의미 있는 결과를 내기 위해 가장 최소한의 '표본 크기'는 확보돼야 한다. 사실 표본은 다다익선이므로(물론 비표집오차[38]가 증가하겠지만) 최대치를 정하는 것은 의미가 없다. 그러나 '적정치'라는 것은 존재할 수 있다. 일반적으로 최소치는 약 '30개', 적정치는 '100개' 정도를 얘기한다. '연속 자료'의 경우 '표본 크기'가 최소 5개 정도면 표본의 '표준 오차'가 일정해진다. 그러나 이것은 정말 최소한의 양이고 통상적으로 적은 '표본 크기'를 다룰 때 고려되는 't-분포'의 경우, '표준 편차'가 '$\sigma = \sqrt{df/(df-2)}$'으로 식 내의 자유도가 '30'에 가까울수록 '1'에 근접한다. 이때 '30개'라는 이론적 근거를 갖는다. 적정치 '100'은 최소치를 근거로 안정성을 고려한 결과이다. 따라서 '30~100' 정도의 가이드라인을 두고 [표 M-11]에서 본인의 과제 성격에 맞는 적정 '표본 크기'를 설정한다.

물론 본문의 예는 '연속 자료'의 경우로 '이산 자료'일 경우는 훨씬 많은 '표

38) 일반적인 통계서적 등에는 '비표집오차(Nonsampling Error)'를 '비표본오차'로 해석하고 있다. '비표집오차'는 한국통계학회 '통계학 용어 대조표'를 따라 표현하였다.

본 크기'가 요구된다. 좀 더 여유가 있으면 '표본 크기 점검 항목'들 중 '4, 5, 6'에 해당되는 것들이 정량적으로 산정할 수 있는 조건을 제시하므로 수치적인 접근도 시도해볼 만하다. 그러나 이론적 설명이 뒷받침돼야 하며 로드맵을 설명하려는 본 책의 범위를 약간 넘어서므로 이 정도에서 정리한다. [표 M-10]에서 설명한 '설계 항목'과 '고려 사항'을 참고해서 '토이 박스 개발' 과제의 'Step-5.2. VOC 수집 계획 수립'에 대해 알아보자. 내용 이해에 도움이 될 것이다. 정독하기 바란다.

1) 대상 모집단/표본 크기/표집 방법

[그림 M-23]의 'Step-5.1. VOC 조사 방법 선정'에서 '관찰'과 '표적 집단 면접법(FGI)', '전문가 의견 조사'의 대상자들은 표집 필요성과 거리가 있으므로 제외하고, '대인 면접법'에 해당하는 '고등학생', '대학생'에 대해 설정한다. 또, '백화점/마트(강남권)'는 '대인 면접법'이지만 그 수가 몇 개로 한정돼 있으므로 '전수 조사'를, '중간 도매상'들에 대한 '우편 조사법'은 전체에 우편을 발송한 뒤 회수 건을 대상으로 함에 따라 역시 '표본 크기' 설정에서 제외한다(고 가정한다).

- 대상 모집단: 선정된 고등학생, 대학생 두 개 층의 모집단은 다음 [표 M-12]와 같다.

[표 M-12] 전국/서울의 고등학교, 대학교 분포

No	표본크기 점검항목	내용
1	대학생/대학교	◦ 전국 대학생(326만 2,135명)/대학교(342개소) ◦ 서울 대학생(30만 명)/대학교(77개소)
2	고등학생/고등학교	◦ 전국 고등학생(83만 2,657명)/고등학교(2,095개소) ◦ 서울 고등학생(36만 1,943명)/고등학교(200여 개소)

통계자료는 인터넷 기사 인용(연도는 2000년대 전후)

· 표본 크기: [표 M－12]를 참고할 때, '대인 면접법'으로 전체 대학생과 고등학생을 만나는 것은 불가능함. 따라서 '표본'이 필요하며 본 상황의 경우 '[표 M－11] 표본 크기 설정 시 점검 항목' 중 '4, 5, 6'을 감안한 적정 표본 크기를 산정해볼 수 있으나 조사 유형과 자원 제약 등을 고려해 통상 전문가들의 경험에 의한 지침을 따르기로 함. 다음 [표 M－13]은 그 예를 보여줌.

[표 M－13] '표본 크기' 설정 시 참고(경험적 적정치)

조사 유형	최소 크기	전형적 범위
문제파악 연구(예: 시장 잠재력)	500	1,000～2,500
문제해결 연구(예: 가격결정)	200	300～500
제품 테스트	200	300～500
시장 시험 연구	200	300～500
TV, 라디오 광고, 인쇄 광고	150	200～300
시험 시장 감사	10개 점포	10～20개 점포
목표 집단	2개 집단	4～12개 집단

〈출처〉 N.K. Malhotra, Marketing Research

표로부터 '조사 유형' 내 '시장 시험 연구'를 참고하여 대학생과 고등학생 각 400명(전형적 범위 300～500의 중간 값)을 설정함.

· 표집 방법: 과제 수행에서 주로 다루는 표집 방법엔 '단순 임의 표집(Simple Random Sampling)', '층화 임의 표집(Stratified Random Sampling)', '군집 표집(Cluster Sampling)', '계통 표집(Systematic Sampling)'이 있음. 참고로 '단순 임의 표집'은 대상 집단에 번호표를 나누어준 뒤 난수표를 이용해 임의(Random) 추출하는 방법이고, '층화 임의 표집'은 말 그대로 유형별로 묶은 뒤 그 내에서 '단순 임의 표집'을, '군집 표집'은 자연히 이루어진 군락을 임의로 선정한 뒤 그 내 전수를 조사하는 방법이며, 끝으로 '계통 표집'은 시간 순서나 입장 순서별 일정한 간격으로 추출하는 방법을 말

함. 우리의 예로 돌아와서 우선 고등학교와 대학교에 대해 지역별 '층화'가 필요하나 전국을 대상으로 하는 것은 시간과 비용이 중소 제조업체로서 감당하기 어려워 일단 서울로 한정하기로 함. 따라서 서울을 강동, 강서, 강남, 강북으로 지역별 층화한 뒤 그 내 고등학생 및 대학생의 수에 비례해서 '층화 임의 표집'을 수행하기로 결정함.

2) 조사 시점/조사 기간

'조사 시점'은 두 부류 모두 학생이란 점을 감안할 때 방학 기간만 피하면 되고, '조사 기간'은 목표 '표본 크기'가 달성될 때까지 계속하며, 약 20일 정도를 예상하고 있음.

3) 조사 지역

미리 선정된 지역(강동, 강서, 강남, 강북) 및 고등학교/대학교를 중심으로 진행(고등학교와 대학교도 할당된 인원수 기준 미리 정해짐).

4) 조사 방법

조사 목적이 제품 설계 시 고객들의 '요구 사항'을 반영하는 데 있으므로 주로 '인터뷰'와 '서술식 설문지'를 통해 자료가 수집됨. 특히 '서술식 설문지'는 고객 요구를 직접 듣는 것뿐만 아니라 고객이 핵심적으로 생각하는 요소가 무엇인지를 찾아 설계에 반영할 목적으로 'Dutka(1993)'의 '벌칙－보상 분석(Penalty-Reward Analysis)'[39] 용도로 구성됨. 이 분석법은 수집된 고객 요구들을 '매력적 품질', '일원적 품질', '당연적 품질'로 구분해 제품 설계 때 유용한 정보를 제공해줌.

---

39) 일본의 KANO가 제안한 '고객만족모델(KANO's Diagram)'의 '매력적 품질(Delighters)', '일원적 품질(Satisfiers)', '당연적 품질(Dissatisfiers)'과 유사하다. 'KANO모델', 'Dutka 모델'은 고객 요구 사항들을 수집해서 이 세 가지 부류로 나누는 방법에 차이가 있다. KANO모델에는 이 외에 '무관심 품질(Indifferent Quality)', '역 품질(Reverse Quality)'이 있다.

다음 [그림 M-24]는 '벌칙-보상 분석'을 위한 설문지 설계 예임.

[그림 M-24] 설문지 설계 예(벌칙-보상 분석용)

토이박스 개발을 위한 고객요구사항 조사

안녕하세요?
저희는 OO社에서 나온 직원입니다. 최근 당사가 추진하고 있는 신제품 개발을 위해 다양한 고객을 대상으로 의견을 수집하고 있습니다. 이 설문조사는 기존의 토이박스에 대해 고객들께서 느끼셨던 만족 및 불만족 내용을 파악하는 것이며, 그 외 기술된 내용들은 제품개발에 반영할 예정입니다.
바쁘시더라도 잠시 시간을 내시어 설문에 응해주시면 대단히 감사하겠습니다.

20xx. xx. xx.

제품 기능에 대한 평가

문 1. 다음은 토이박스의 기능들에 대한 평가 항목입니다. 귀하께서 평소 토이박스를 구매하거나 구매된 제품을 대할 때 가지셨던 생각을 염두에 두시고 다음의 각 항목에 대해 귀하께서 동의하시는 정도를 말씀해 주십시오.

설문내용	전혀 그렇지 않다	그렇지 않은 편이다	보통이다	그런 편이다	정말 그렇다
◎ 미적특성이 뛰어나다					
1. 외부 디자인에 호감이 간다	1	2	3	4	5
2. 모서리 마무리가 깔끔하다.	1	2	3	4	5
3. 내/외부 이미지가 조화롭다	1	2	3	4	5
(그렇지 않은 사유:)					
◎ 성능이 우수하다					
4. 인형돌출에 만족한다	1	2	3	4	5
(그렇지 않은 사유:)					
◎ 특징에 만족한다					
5. 지능놀이 부가기능이 이색적이다	1	2	3	4	5

문 10. 귀하께서 앞서 응답해 주신 토이박스의 모든 측면을 고려해 볼 때 전체적으로 얼마나 만족하십니까?

1	2	3	4	5
매우 불만족	불 만족	보통	만족	매우 만족

설문 문항에 David Garvin에 의한 '품질의 8가지 분류 기준'을 중심으로 기존 토이 박스에 대한 고객의 '품질 만족도'를 포함시킴. 또 맨 아래의 문항은 앞서 진행된 모든 설문의 '전체 만족도'를 5점 척도로 평가하도록 요구하고 있으며, 이것은 '벌칙-보상 분석'을 위한 기본 골격에 해당됨. 각 문항의 끝머리에 '그렇지 않게 평가했을 때 그 사유를 적게 함으로써 설계 시 요구사항으로 활용토록 구성함. 분석 방법에 대해서는 'Step-5.4. VOC 분석'에서 언급할 것임. 그 외 '설문지 작성'과 관련한 사항들은 시중의 서적 등을 참고하기 바람.

5) 면접원 수/조사비용

[표 M-12]에서 서울 내 고등학교 약 200여 개와 대학교 77개소가 분포하고 있음을 고려, 층화(강동, 강서, 강남, 강북)를 하면 지역별 100명씩 할당됨. 또, 한 학교당 30여 명을 설문 응답자로 고려하면 각 지역당 3~4개소의 학교가 선정돼야 함. 상황을 고려할 때 각 지역별 4명씩 총 16명의 면접원 수와 이들이 담당한 학교에서 30여 명을 조사하는 데 소요되는 약 5일을 고려할 때, 총 조사비용은 1,920,000원(=4명×4개 지역×5일×24,000원/일)으로 책정함. 그 외 초등학생/중학생 '관찰' 및 우편 조사, FGI 등 총 1,250만 원이 소요될 것으로 예상됨(상세 명세서는 마련돼 있다고 가정).

지금까지 검토된 내용을 파워포인트로 장표화하면 다음 [그림 M-25]와 같다. 표 첫 열이 '세부 로드맵'을 나타내므로 앞서 설명된 본문 내용과 비교하며 참고하기 바란다.

[그림 M－25] ‘Step－5.2. VOC 수집 계획 수립’ 작성 예

Step-5. VOC 조사
Step-5.2. VOC 수집계획 수립

▶ VOC 수집을 위해 세분화된 고객 별로 계획 마련.
▶ '조사내용'에 대한 상세 사항들은 첨부(개체삽입)에 수록.

	대상 (고객)	학생: 고등학생/대학생	학생: 초등학생/중학생	백화점/마트	중간 도매상	일반인: 장난감 수집가 / 선물 애호가
Step-4.3	조사 목적	토이박스 신제품 개발을 위한 설계 시 고객의 요구사항을 수집하기 위함.				
Step-5.1	접촉방법	대인 면접법 (Personal Interview)	관찰	대인 면접법 (Personal Interview)	우편 조사법 (Mail Survey)	전문가 의견/FGI
Step-5.2	대상 모집단/표본크기/표본추출방법 (조사지역포함)	• 서울 대(30만), 고(36만) • 대(400)/고(400) • 4개 지역으로 층화해서 조사	• 서울 초(71만), 중(38만), • 초(40명)/중(40명) • 4개 지역으로 층화해서 조사	• 강남지역 백화점 12개, 대형마트 18개 • 전수 • 백화점/대형마트별 매장 담당자 1인 총 30명	• 총 25개 업체 • 전수 • 회수되는 메일을 조사	• 장난감 수집가 3명으로부터 의견조사 • 선물 애호가 5명 패널 구성후 FGI 실시
	조사시점/기간	2월 중	2월 중 7일간	2월 중 7일	2월 중 6일	2월 중 4일
	조사방법	인터뷰/설문지	기록	인터뷰/설문지	회수설문자료	인터뷰
	면접원수	4명	4명	3명	2명	2명
조사내용		1. 기존 제품 만족/불만족 조사 (KANO분석에 반영) 2. 신제품에 대한 요구사항	1.장난감 인형 구매성향 2.지출하는 금액 등	1.고객이 선호하는 토이박스 유형 2.최근 고개 트랜드	1.지역별 토이박스 판매 양. 2.물류비용 등	1.토이박스 개발 아이디어. 2.선물용 고려사항.

Microsoft Word 문서 (계획과정)

Microsoft Word 문서 (설문지)

PS-Lab Problem Solving Laboratory

[그림 M－25] 맨 왼쪽 첫 열은 ‘세부 로드맵’으로써, ‘Step－4.3. 고객 선정’과 ‘Step－5.1. VOC 조사 방법 선정’ 및 ‘Step－5.2. VOC 수집 계획 수립’과 연계돼 있음을 알 수 있다. 두 번째 열은 ‘[표 M－10]’의 ‘설계 항목’을 그대로 옮겨 놓았으며 다른 열들은 세분화한 고객별로 ‘설계 항목’에 맞춰 채워졌다. 또, 계획을 수립하기까지의 이력과 조사 내용에 대한 모든 내역은 오른쪽에 ‘개체 삽입’해 놓았으며, ‘Step－5.2’의 ‘조사 방법’에서 쓰일 ‘설문지’ 역시 첨부해 놓았다(고 가정한다). 이제 수립된 계획을 이용해 실제 자료를 수집해보도록 하자.

Step-5.3. VOC 수집

제목이 말해주듯 앞서 수립된 'VOC 수집 계획' 그대로 진행한다. 그러나 본격적인 실시에 앞서 예상치 못한 문제에 직면할 가능성이 있다. 예를 들면, 인터뷰 항목들을 사전에 충분히 숙고하지 않고 준비했다든가, 설계된 '설문 문항'이 사후 분석에 별 영향이 없거나 또는 나중에 중요한 것이 빠졌음을 알게 된다든가 등이다. 그 외 모든 준비가 철저히 이루어졌음에도 실제 고객과 접촉할 면접원(또는 조사원)의 경험 부족, 대응 미숙, 수줍음 등으로 VOC 수집 결과가 원하는 수준에 미치지 못할 가능성도 있다. 실제 설문을 수행할 때 너무 쉽고 단순하게 그리고 빨리 처리하려는 경향이 매우 강한 것도 한몫한다. 따라서 인터뷰하기 전 무엇을 어떻게 얻어낼지에 대한 사전 준비가 철저히 이루어져야한다.

나중에 알게 되지만 수집된 내용이 그대로 이후 전개될 제품 설계의 기본 정보로 작용하며 참신하고 새로운 몇몇 '요구 사항'들이 설계의 완성도를 결정짓게 된다. 왜냐하면 수집된 '요구 사항'들 중 일부는 연구원들이 생각지 못한 '매력적 품질' 속성을 띨 수 있기 때문이다. 다음은 'VOC 수집'에 앞서 위험 관리 차원에서 점검할 내용들이다.

1) 사전 검사[40](Pretest)

(영어 사전)의 정의는 "(신제품 판매에 앞선) 예비 테스트(검사)"이다. 보통 설문의 '본 조사'에 앞서 적은 표본을 대상으로 예비 점검을 하는 활동이다. 질문 문항에 대한 문제점, 조사 소요 시간 추정, 문항 수의 적절성 등을 확인하고 필요하다면 보완한다. '사전 검사'는 자료 수집 중의 변동 요소들을 예상한 뒤 최소화하는 과정으로 활용한다.

---

40) 한국통계학회 '통계학 용어 대조표'에 포함된 단어를 사용하였다.

2) 준비물 확인

적절한 양의 설문지를 인쇄하거나, 조사 대상자 목록, 접촉 시간, 날씨 상황 등 수집에 필요한 도구를 준비하고 상황을 점검한다.

3) 면접원(조사원) 교육

설문 수집은 보통 리더가 직접 수행하는 경우가 많다. 팀 활동이 활성화가 안 되는데도 문제가 있지만 이를 지원할 사업부장의 관심 부족도 한몫한다. 과제는 정말 중요한 문제에 대해 사업부장이 직접 제안·승인해줘야 관심이 지속적으로 유지될뿐더러 팀원들의 활동도 수월하다. 그러나 현실은 그렇지 않은 경우가 많다. 본문에서 논할 주제는 아니므로 이 부분에 대해서는 다른 기회로 넘긴다.

리더가 직접 수행하는 경우를 제외하면 면접원에 대한 오리엔테이션을 통해 설문지 작성자가 조사 목적이나 내용, 용어 설명 등을 전달하고, 조사에 임할 때의 자세나, 조사의 중요성을 강조함으로써 뚜렷한 참여 의식을 심어주는 것이 대단히 중요하다. 또, 사전 예행연습 등도 필요하다. 시간제 면접원 등을 투입할 경우 참여 의식 부족으로 수집에 소극적으로 대응해 자료의 품질을 떨어트릴 수 있는 개연성도 염두에 둬야 한다. 그 외 실제로 면접원들이 조사를 잘 수행하고 있는지 '실사 수행'이나, 예상치 못한 상황이 발생했을 때 신속하게 처리할 수 있는 사전 고려 또는 지원책 마련, 수집된 자료에 대한 검증(무성의하게 작성됐거나, 공란이 많거나 등을 선별해냄)까지 수행하고, 최종 다음 '세부 로드맵'에 들어갈 자료를 정리한다. 'VOC 수집'은 실제 활동을 하는 단계이므로 과정은 보여줄 수 없고, 대신 활동의 결과인 데이터를 파워포인트에 표현한다. 다음 [그림 M-26]은 그 예이다.

[그림 M-26] 'Step-5.3. VOC 수집' 작성 예

Step-5. VOC 조사
Step-5.3. VOC 수집

▶ 수집된 자료는 '고등학생'과 '대학생', '백화점/마트'에 대한 설문 및 인터뷰 결과와,
▶ 일반인의 '장난감 수집가', '선물 애호가'의 의견 내용을 담고 있다.

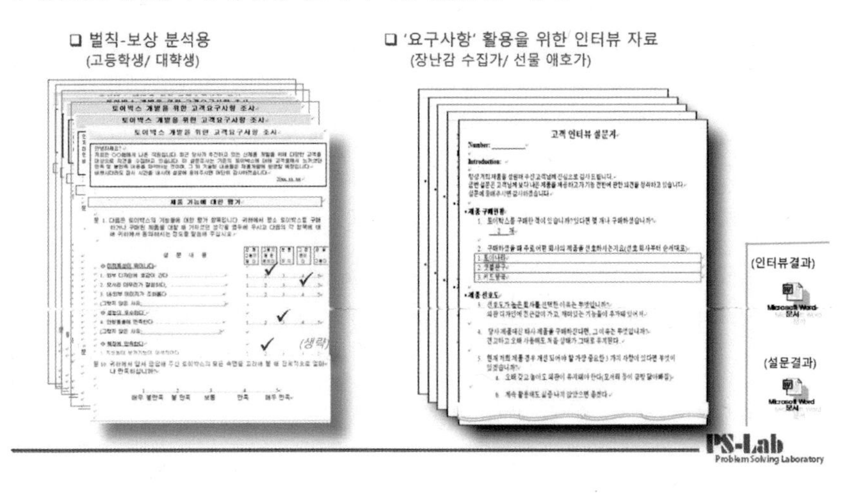

[그림 M-26]의 왼쪽 자료는 더트카(Dutka)의 '벌칙-보상 분석'을 위한 5점 척도 설문 결과를, 오른쪽은 세분화한 고객별 인터뷰 결과를 나타낸다. 잘못 작성됐거나 자료로서 가치가 없다고 판단된 경우는 최종 자료에서 선별/제거되었으며, '인터뷰 결과'와 '설문 결과' 전체에 대한 자료들은 모두 스캔이나 워드로 정리되어 장표 우측 하단에 '개체 삽입'해 놓았다(고 가정한다). 이제 본 결과를 이용해 'Step-5.4. VOC 분석'으로 들어가 설계에 반영할 수 있도록 가치를 좀 더 높여보자.

Step-5.4. VOC 분석

'VOC 분석'은 두 유형으로 전개된다. 하나는 수집된 설문 자료를 바탕으로 더트카(Dutka)의 '벌칙-보상 분석'을 수행하는 것과, 다른 하나는 'Step-5.5. VOC 체계화'의 입력으로 활용하기 위한 '요구 품질'과 '품질 특성'을 도출해내는 일이다. 이들은 다시 'Step-6. Ys 파악'에서 'QFD(Quality Function Deployment)'와 연결된다. '벌칙-보상 분석'은 과제별로 필요에 의해 진행할 수 있으나, '요구 품질과 품질 특성의 도출'은 'CTQ(Critical to Quality)'가 명확하지 않으면 반드시 수행해야 한다. 또 이 과정은 앞으로 이어질 제품 설계 과정의 첫 출발점이 된다는 점에서 상세한 설명은 물론 그 표현에도 신경을 쓸 것이다. 찬찬히 읽으면서 본인들 과제의 어디에 적용할 것인지 고민해보기 바란다. 각각에 대해서 알아보도록 하자.

5.4.1. 벌칙-보상 분석(Penalty-Reward Analysis)

'벌칙-보상 분석'은 설문지로부터 수집된 자료를 통계적으로 분석하기 위해 백분율(Percentage)과 비율(Proportion)을 이용한 방법이다. 사실 '통계'라고 했지만 확률 통계를 지칭하는 건 아니고 단지 데이터를 모아서(통) 계산(계)한다는 의미다. 일반적으로 많이 알려진 'KANO 모델'이 있는데 이것은 전사적 품질 관리 컨설턴트였던 KANO가 제품의 속성과 고객의 요구를 연결시켜 제시한 아주 유용한 모델이다. 고객이 어느 요구를 할 때는 크게 다섯 가지로 구분할 수 있으며, '당연적 품질(Dissatisfiers)', '일원적 품질(Satisfiers)', '매력적 품질(Delighters)', '무관심 품질(Indifferent Quality)', '역 품질(Reverse Quality)'이 그것이다. 그에 반해 Dutka의 '벌칙-보상 분석(Penalty-Reward Analysis)'은 고객의 요구 사항을 크게 '기본 요소(Basic Factor)', '성과 요소(Performance Factor)', '환희 요소(Excitement Factor)' 세 가지로 분류한다. 처음 접하는 리더라면 약간 복잡하게 느껴질 수 있으나 수집 자료를 이용해 설명하면 쉽게 이해하고 또 활용할 수 있으니 끝가지 참고 읽어주기 바란다. '벌칙-보상 분석'을 좀 더 부연하면[41] "우선 '기본 요소'는 요구 사항이 충족되거나 또는 요구 사항보다 초과된 것을 제공하여도 만족도는 증가하지 않지만 요구 사항이 충족되지 않으면 고객은 불만족하게 되는 요소를 말한다. 따라서 요구 사항을 만족시키지 못하는 경우에는 벌칙(Penalty)을 받게 되고, 요구가 만족되거나 초과되어도 보상(Reward)은 없다. '성과 요소'는 요구 사항을 만족시키지 못하면 벌칙을 받게 되고 요구 사항을 만족시키거나 초과하면 보상을 받게 되는 요소를 말한다. '환희 요소'는 요구 사항이 만족되지 못해도 벌칙은 없고 요구 사항보다 초과된 것을 제공하면 보상을 받게 되는 요소를 말한다." 그런데 사실 이렇게 설명하면 가뜩이나 바쁜 리더들에게 도움이 별로 안 될 것 같아 'KANO Diagram'을 이용해 보충 설명해보도록 하자. 다음 [그림 M-27]은 세 가지 요구들의 개념을 시각적으로 보여준다.

그림에서 'X-축'은 "우리가 해줄수록"으로 해석하면 이해하기 쉽다. 'Y-축'은 "고객이 만족하는 정도"를 나타낸다. 각 요소들에 대해서는 교육 중 필자가 자주 쓰는 예가 있다. 처음 출시 때만 해도 TFT-LCD 40인치가 거의 400만 원대에 달했는데 요즘 전자 상가를 둘러보면 50만 원 이하로 내려앉았다. 가격이 얼마나 빨리 떨어지는지 제조사에서도 무한정의 원가절감 노력이 있지 않으면 살아남기 어렵다는 생각이 든다. 2000년도쯤 필자가 PDP개발팀에 있을 때 40인치 하나를 만들면 당시 소나타 한 대 값이었다. 한 1,500만 원가량 됐던 걸로 기억한다. 지금으로 치면 수십 대(?)는 살 돈인데 거기다 최근엔 PDP TV에서 LCD

---

41) 부연은 품질경영학회지, 27권 2호, 최재하, 김순이. 'QFD방법을 이용한 의료서비스 개선전략에 관한 연구'에서 인용함.

[그림 M-27] KANO Diagram

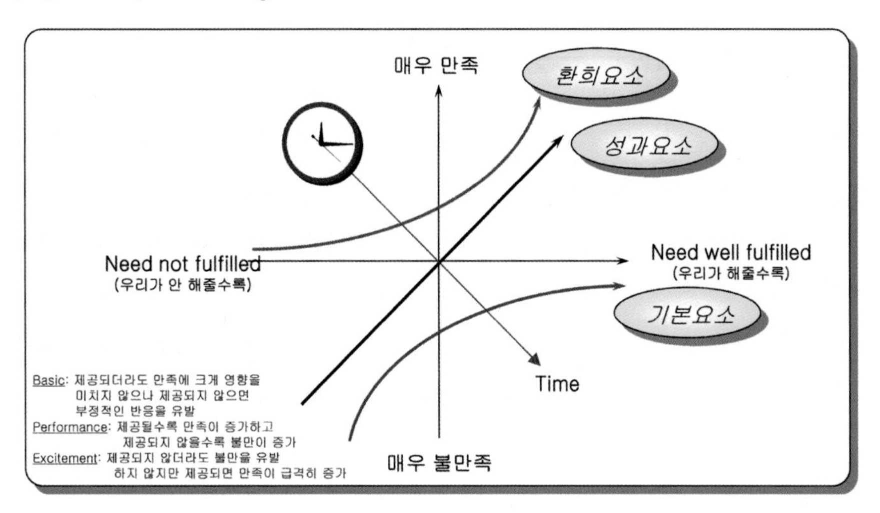

TV로, 또 LED, OLED TV로 옮겨진 상태다. 브라운관이 100년 넘게 자리를 지킨 걸 생각하면 가격뿐만 아니라 제품도 그 변화 주기가 짧아지고 있음을 느낀다. 다시 [그림 M-27]의 설명으로 돌아가 전자 상가에 가서 LED TV 50인치 1대를 샀다고 하자. 그런데 집에 와서 상자를 풀어보니 어라 리모컨이 빠져 있는 것을 발견하고 구매 대리점에 이 사실을 알렸다. 그랬더니 대리점 직원이 "아, 그 제품은 리모컨이 원래 없는 겁니다"라고 했을 때 여러분은 어떤 감정이 들까? 대형 평판 TV를 본다는 기대감과 요즘같이 외관 디자인이 멋진 제품을 갖게 되는 즐거움은 한순간에 사라져버리고 제품에 대한 불만족도가 나락으로 떨어질 게 뻔하다. "아니, 요즘 같은 세상에 리모컨 없는 TV가 어디 있으며, 채널을 돌리려 왔다 갔다 해야 한다니…." 그런데 만일 리모컨이 들어 있었다면 여러분은 또 어떨까? 뭐 그걸로 감동에 복받치는 일은 없을 것이다. 너무 당연하기 때문이다. 그림의 '기본 요소'에서 'X-축'의 우리가 해주면 해줄수록 '만족도'는 더 이상 올라가지 않고 'X-축'에 수렴하지만, 안 해주면 'Y-축' 아래로

급격히 떨어짐을 알 수 있다.

TV의 다른 예를 들어보자. 집에서는 외부의 빛이 차단되어 대낮에도 TV 보는 일이 그다지 어렵지 않지만 이동형 TV를 들고 야외에서 중계방송을 본다고 할 때 강한 햇빛으로 잘 안 보이는 현상을 상상할 수 있다. 현재의 기술로는 확실히 강한 햇빛 아래서도 볼 수 있도록 제품을 개발할 수는 있다. 즉, 강한 햇빛에서 볼 수 있도록 해주면 해줄수록 고객의 만족도는 오를 것이다. 그러나 가격이 무지하게 비싸질 테니 적정선에서 타협을 볼 수밖에 없을 것인데 이 같은 요소를 '성과 요소'라고 한다. 또 다른 예를 들어보자. 한 전자 회사에서 희한한 TV를 개발했다. 즉, 볼펜만 한 크기의 전자 막대 한 개를 공간 한쪽에 세우고, 또 다른 한 개를 반대편 어딘가에 세워 놓고 박수를 '탁' 치면 그 사이 공간에 3차원 입체로 TV 영상을 볼 수 있다고 하자. 뭐 축구장 한쪽 골대와 다른 쪽 골대에 각각 세워놔도 그 큰 공간에서 선명한 입체 영상이 보인다. 이 놀라운 제품 기능에다 가격이 단돈 '10원'이라면(과장이 너무 심해서 이 순간 교육생들은 웃음으로 답례한다), 아마 전자 대리점 직원은 사람들로부터 밟혀 죽을지도 모른다. 너도나도 당장 사겠다는 아우성으로... 이런 현상은 [그림 M−27]에서 '환희 요소'로 설명된다. 즉, 개발 전에는 그런 게 있었다는 것을 사람들은 모르므로 만족도에 영향이 없다. 그러나 우리가 해준 순간 급격한 만족도의 향상을 가져오게 된다. **'환희 요소'가 제품에 반영되면 차별성을 갖게 되므로 제품 설계 과제에서는 최우선적으로 눈여겨봐야 하는 대상**이다.

특히 [그림 M−27]의 왼쪽 상단에서 오른쪽 아래로 그어진 화살표는 'Time'으로 표시돼 있는데 이것은 아무리 최근의 '환희 요소'로 고객들의 극찬을 받는 품질 요소라 해도 시간이 지나면 '기본 요소'가 된다는 것을 보여준다. 70년대 TV 채널을 돌리려면 보고 있는 사람 중 가장 막내가 채널 돌리러 왔다 갔다 하던 시대에서 리모컨으로 척척 돌려대는 시대로의 진입은 가히 혁명적이란 생각이 들었을 것이다. 그러나 요즘은 리모컨 가지고 "와, 희한하네! 하는 친구는 오히려 그 사람이 '희한하게' 보일 뿐이다.

설명이 다소 길었다. 이제 앞서 수집했던 설문 내용을 토대로 '벌칙-보상 분석'을 통해 세 가지 요소로 분류해보고 프로세스 설계에 어떻게 활용해야 하는지 논해보기로 하자. 우선 설문을 통해 얻어진 데이터는 '편집(Editing)-코딩(Coding)-분석(Analysis)'으로 진행되는데 '편집'은 "분석 등에 활용할 수 있도록 설문지를 검토하고 선별하여 정리하는 작업"을, '코딩'은 "자료를 분석할 수 있도록 수치로 나타내기 위한 규칙을 정하고 이에 따라 자료를 입력하는 작업"을, 끝으로 '분석'은 "적합한 분석 방법을 선택해서 원하는 결과를 얻어내는 작업"을 의미한다. 현재는 '편집'과 '코딩'이 끝난 것으로 보고, 다음 [그림 M-28]이 설문 결과를 엑셀로 정리한 '코딩' 결과라고 가정한다.

[그림 M-28] 설문 결과와 '코딩'의 예

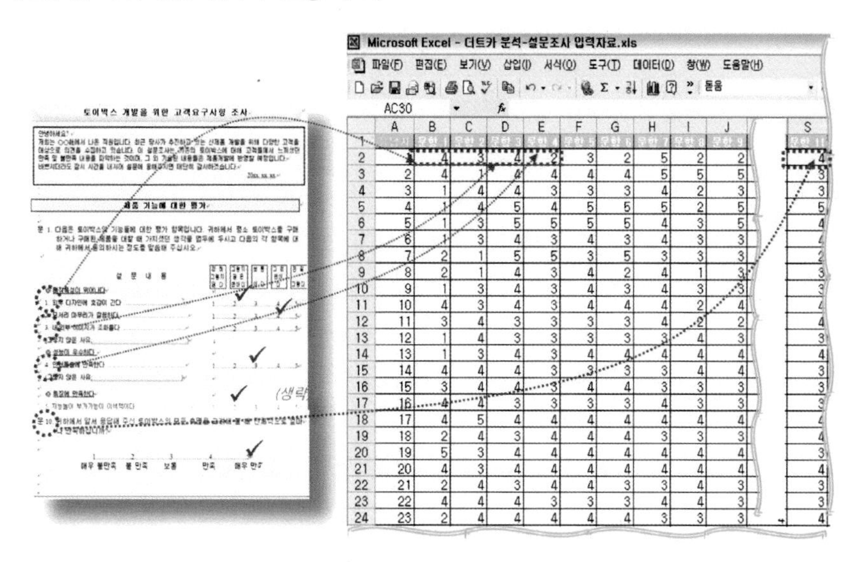

	A	B	C	D	E	F	G	H	I	J	S
2	1	4	3	4	2	3	2	5	2	2	4
3	2	4	1	4	4	4	4	5	5	5	3
4	3	1	4	4	3	3	3	4	2	3	3
5	4	1	4	5	4	5	5	5	2	5	5
6	5	1	3	5	5	5	5	4	3	5	4
7	6	1	3	4	3	4	3	4	3	3	4
8	7	2	1	5	5	3	5	3	3	3	2
9	8	2	1	4	3	4	2	4	1	3	3
10	9	1	3	4	3	4	3	4	3	3	3
11	10	4	3	4	3	4	4	4	2	4	4
12	11	3	4	3	3	3	3	4	2	2	4
13	12	1	4	3	3	3	3	3	4	3	3
14	13	1	3	4	3	4	4	4	4	4	4
15	14	4	4	4	3	3	3	3	4	4	3
16	15	3	4	4	3	4	4	3	3	3	3
17	16	4	4	3	3	3	3	4	3	3	3
18	17	4	5	4	4	4	4	4	4	4	4
19	18	2	4	3	4	4	4	3	3	3	4
20	19	5	3	4	4	4	4	4	4	4	3
21	20	4	3	4	4	4	4	4	4	4	4
22	21	2	4	3	4	4	3	3	4	3	3
23	22	4	4	4	3	3	3	4	4	3	3
24	23	2	4	4	4	4	4	3	3	3	4

[그림 M-28]에서 한 응답자의 설문 응답 결과가 오른쪽 엑셀에 하나씩 정리돼 있다. 또 왼쪽 설문지의 맨 아래 '전체 만족도' 응답 값이 엑셀의 맨 오른쪽 열에 입력돼 있다. 평가에 앞서 어떤 과정을 거쳐 '기본 요소', '성과 요소', '환희 요소'로 분류되는지 요약하면 다음 [표 M-14]가 중요한 안내 역할을 한다.

[표 M-14] '품질 요소' 분류표

	부족한 요구 사항비율	적당한 요구 사항비율	초과한 요구 사항비율
기본 요소		①	①
성과 요소			
환희 요소	②	②	

임의 설문 문항에 대해 주어진 평가를 해서 그 값이 [표 M-14]의 '①영역('적당한 요구 사항 비율'과 '초과한 요구 사항 비율'이 유사한 값인 영역)'에 들어가면 '기본 요소'로, 다시 임의 설문 문항에 대해 평가한 값이 '②영역('부족한 요구 사항 비율'과 '적당한 요구 사항 비율'이 유사한 값인 영역)'에 들어가면 '환희 요소'로 해석한다. 그렇지 않고 비율들이 모두 제각각으로 차이 나면 '성과 요소'로 분류한다. 이제 비율을 구하는 방법만 알면 설문에서 주어진 항목들을 세 가지 요소로 분류하는 것이 가능해진다. [그림 M-29]는 '코딩' 결과 중 첫 번째 항목에 대해 평가한 예를 보여준다.

그림에서 엑셀 'B열'이 설문의 첫 문항([그림 M-24]에서 '외부 디자인에 호감이 간다'의 문항이었음)으로 이 열의 점수가 '1' 또는 '2'의 개수가 '125개', 이 '125개' 중 '전체 만족도(엑셀 'S열')'가 '4' 또는 '5'가 되는 것이 '39명'이면, 이 비율이 '31%'임을 설명한다. 이와 같이 응답자들의 첫 문항에 대한 '1점'

[그림 M－29] ‘벌칙－보상 분석’ 평가 예

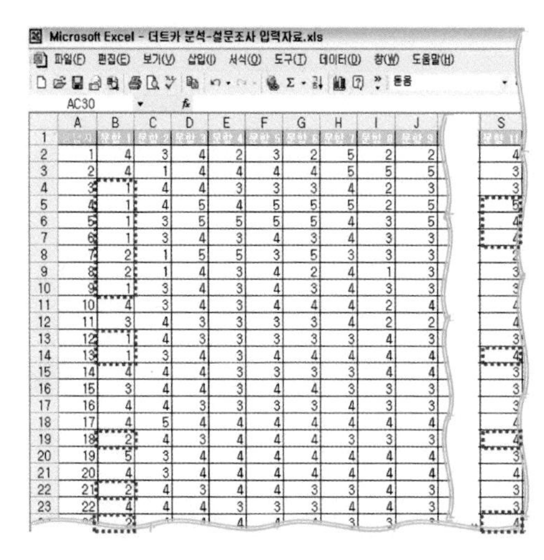
Microsoft Excel - 더트카 분석-설문조사 입력자료.xls

파일(F) 편집(E) 보기(V) 삽입(I) 서식(O) 도구(T) 데이터(D) 창(W) 도움말(H)

AC30

	A	B	C	D	E	F	G	H	I	J	S
1	[illegible]	문항 1	문항 2	문항 3	문항 4	문항 5	문항 6	문항 7	문항 8	문항 9	문항 11
2	1	4	3	4	2	3	2	5	2	2	4
3	2	4	1	4	4	4	4	5	5	5	3
4	3	1	4	4	3	3	3	4	2	3	3
5	4	1	4	5	4	5	5	5	2	5	5
6	5	1	3	5	5	5	5	4	3	5	4
7	6	1	3	4	3	4	3	4	3	3	4
8	7	2	1	5	5	3	5	3	3	3	2
9	8	2	1	4	3	4	2	4	1	3	3
10	9	1	3	4	3	4	3	4	3	3	3
11	10	4	3	4	3	4	4	4	2	4	4
12	11	3	4	3	3	3	3	4	2	2	4
13	12	1	4	3	3	3	3	3	4	3	3
14	13	1	3	4	3	4	4	4	4	4	4
15	14	4	4	4	3	3	3	3	4	4	3
16	15	3	4	4	3	4	4	3	3	3	3
17	16	4	4	3	3	3	3	4	3	3	3
18	17	4	5	4	4	4	4	4	4	4	4
19	18	2	4	3	4	4	4	3	3	3	4
20	19	5	3	4	4	4	4	4	4	4	3
21	20	4	3	4	4	4	4	4	4	4	4
22	21	2	4	3	4	4	3	3	4	3	3
23	22	4	4	4	3	3	3	4	4	3	3

•‘항목 1’의 ‘1’점 또는 ‘2’점이 125명, 이 중에서 전체만족도 ‘4’또는 ‘5’가 ‘39명’’이면,

39/125=0.31. **31% -> 부족한 요구사항비율**

•‘항목 1’의 ‘3’점이 102명, 이 중에서 전체 만족도 ‘4’또는 ‘5’가 ‘56명’이면,

56/102=0.55, **55% -> 적당한 요구사항 비율**

•‘항목 1’의 ‘4’ 또는 ‘5’가 ‘173명’, 이 중에서 전체만족도 ‘4’또는 ‘5’가 ‘12명’이면,

12/173=0.07, **7% -> 초과한 요구사항 비율**.

설문 ‘**항목 1**’은 ‘품질요소 분류표’에서 ‘부족한 요구사항비율’과 ‘적당한 요구사항비율’ 및 ‘초과한 요구사항 비율’이 각각 ‘31%’, ‘55%’와 ‘7%’로 차이 남에 따라 ‘**성과품질요소**’로 분류됨

과 ‘2점’을 갖고 평가한 비율은 ‘부족한 요구 사항 비율’로 분류하고 [표 M－14]의 해당란에 기입한다. 다시 ‘3점’의 개수 102개 중, ‘전체 만족도’가 ‘4’ 또는 ‘5’인 개수가 ‘56명’이면 그 비율 ‘55%’는 ‘적당한 요구 사항 비율’로 보고 [표 M－14]의 해당란에 동일하게 기입한다. 끝으로 첫 열의 ‘4’ 또는 ‘5’인 개수 173개 중 ‘전체 만족도’가 ‘4’ 또는 ‘5’인 개수가 ‘12명’이면, 그 비율 ‘7%’는 ‘초과한 요구 사항 비율’로 보고 동일하게 [표 M－14]의 해당란에 기입한다. 다음 [표 M－15]는 첫 번째 문항의 분석 결과를 [표 M－14]에 정리한 예이다.

[표 M－15] ‘품질요소 분류표’에 첫 번째 설문문항의 분석결과를 배치

	부족한 요구 사항비율 **31%**	적당한 요구 사항비율 **55%**	초과한 요구 사항비율 **7%**
기본 요소		①	①
성과 요소			
환희 요소	②	②	

[표 M-15]에서 비율들(31%, 55%, 7%)을 서로 비교하면 모두 차이 나는 것을 확인할 수 있으며, 결론적으로 설문 첫 문항인 '외부 디자인에 호감이 간다', 즉 기존 토이 박스 디자인에 대한 고객 관점에서의 느낌은 '성과 요소'에 속하므로 향후 제품 설계 시 고객이 충분히 만족할 수준인지를 확인할 사항이다. 왜냐하면 이것이 일정 수준에 미치지 못하면 그에 비례해서 고객의 손길은 닿지 않을 것이고, 또 수준 이상이 달성되면 판매로 직결될 것이기 때문이다. 이와 같이 모든 문항들에 대해 '벌칙-보상 분석'을 수행해 '품질 요소'를 분류한다. 데이터가 '코딩'이 된 상태에선 엑셀 등을 이용해 단시간에 분류해내는 것이 가능하다. [표 M-16]은 설문 문항들에 대한 '품질 요소'를 분류한 결과이다.

[표 M-16] 설문 문항들의 '벌칙-보상 분석'을 통한 '품질 요소' 분류 결과

No	설문항목	부족한 요구사항비율	적당한 요구사항비율	초과한 요구사항비율	품질요소
1	외부 디자인에 호감이 간다	31.0	55.0	7.0	성과요소
2	모서리 마무리가 깔끔하다	42.1	21.3	19.9	기본요소
3	내/외부 이미지가 조화롭다	32.1	8.6	68.1	성과요소
4	인형 돌출에 만족한다	62.1	18.6	14.9	기본요소
5	지능놀이 부가기능이 이색적이다	42.1	38.7	12.1	환희요소
6	카메라 부가기능이 독특하다	21.2	24.5	58.1	환희요소

[표 M-16]을 통해 설문 문항들의 '품질 요소'들이 분류되었으며, 특히 5번째 설문 문항인 "지능놀이 부가 기능이 이색적이다"는 '환희 요소'로써 만일 세심한 검토를 통해 향후 제품 설계에 이 부분이 반영된다면 기존 '토이 박스'와 차별성을 가질 수 있는 기회가 생길 수 있다. '기본 요소'에 해당하는 항목은 설계에 누락됐는지 늘 먼저 확인하고 만일 그렇다면 반드시 추가하는 방향으로, '성과 요소'는 적정 수준 또는 현재보다 약간 높은 수준을 유지할 수 있는 방향으로,

'환희 요소'는 차별성을 갖게 할 수 있는 방향으로의 고민이 필요하다. 그러나 무엇보다 이와 같은 분석을 수행하기 위해서 가장 염두에 둬야 할 사항은 어느 설문 문항을 설문지에 반영해야 하는지 사전에 철저한 검토가 있어야 한다는 점이다. 그래야 쓰임새도 유용할 것이기 때문이다. 또 한 가지, '비율'을 통해 평가가 이루어지는 만큼 너무 적은 수의 응답자인 경우는 굳이 '벌칙-보상 분석'을 수행할 필요는 없다. 다음 [그림 M-30]은 설문 결과로부터 '벌칙-보상 분석'을 수행한 후 파워포인트로 정리한 예이다.

[그림 M-30] 'Step-5.4. VOC 분석' 예('벌칙-보상 분석' 예)

Step-5. VOC 조사
Step-5.4. VOC 분석(벌칙-보상분석)

▶ 설문내용을 토대로 한 '벌칙-보상분석' 수행결과를 아래와 같이 정리하고, KANO Diagram에 시각화 함.

❑ '벌칙-보상 분석' 결과

No	설문항목	부족한 요구사항비율	적당한 요구사항비율	초과한 요구사항비율	품질요소
1	외부 디자인에 호감이 간다	31.0	55.0	7.0	성과요소
2	모서리 마무리가 깔끔하다	42.1	21.3	19.9	기본요소
3	내/외부 이미지가 조화롭다	32.1	8.6	68.1	성과요소
4	인형 돌출에 만족한다	62.1	18.6	14.9	기본요소
5	지능놀이 부가기능이 이색적이다	42.1	38.7	12.1	환희요소
6	카메라 부가기능이 독특하다	21.2	24.5	58.1	환희요소

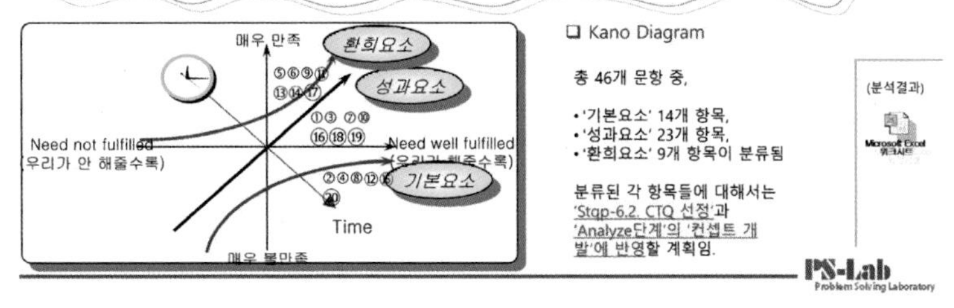

PS-Lab
Problem Solving Laboratory

그림에서 '벌칙-보상 분석'을 표로 나타내었고 그 전체 내용은 오른쪽에 엑셀 파일로 '개체 삽입'해 놓았다. 따라서 사업부장이 요구하거나 팀원들과 추가적인 토의가 필요할 때 바로 더블클릭해서 들어간다. 장표 아래에는 'KANO Diagram'에 분석한 설문 문항들을 각 요소별로 배치해 놓았다. 앞으로 설계될 제품에 어느 고객 요구 사항들이 반영되고 관리돼야 하는가를 쉽게 알아보게 한 것이다. 특히, 오른쪽 아래 설명란에 이 결과가 쓰일 '세부 로드맵'들을 언급하고 있다('Step－6.2. CTQ 선정'과 Analyze Phase의 '콘셉트 개발'). 해당 '세부 로드맵'에서의 활용은 그때 가서 다시 설명이 있을 것이다. 다음은 인터뷰를 통해 얻은 자료를 활용하여 'QFD'로 들어가기 위한 '요구 품질'과 '품질 특성'을 도출해보자.

5.4.2. '요구 품질'과 '품질 특성' 도출

이전까지 'Step－5.3. VOC 수집'에서 얻은 5점 척도 설문 문항들로 '벌칙－보상 분석'을 수행했다. 다음은 함께 수집된 '인터뷰 자료'를 이용해 'VOC 분석' 작업에 들어가 보자. 사실 '분석'이란 단어가 붙었지만 수치를 이용하진 않는다. 그러나 고객이 제공해준 각종 요구 사항들은 그 자체의 의미뿐만 아니라 이면에 숨겨진 다양한 생각도 제품 개발에 훌륭한 정보로 작용한다. 따라서 고객의 내면에 숨겨진 제품에 대한 의견들을 요구 사항들로부터 잘 헤아려 쓸모 있는 정보로 전환시킬 필요가 있다. 수치가 개입할 여지는 없지만 과정 자체가 '분석 과정'으로 불릴 만한 이유가 여기에 있다. 전체가 '정성적 분석'이지만 '분석'이라는 단어에 걸맞게 심도 있는 해석의 과정이 필요하며, 따라서 팀원들의 역량과 적극적인 참여가 성패를 결정한다.

간혹 리더가 혼자 수행하는 경우도 있는데 학습 효과는 있을지언정 과제 품질을 높이는 일과는 거리가 매우 먼 잘못된 행위다. 단순한 과제라도 이미 '제품 설계 방법론'으로 시작한 이상 절대로 혼자 진행하는 일은 없어야 한다. 인터뷰 내용을 그대로 정리한 고객의 소리를 '원시 데이터'라 부르며, '원시 데이터'를 만들어준 고객의 인구 통계학적 특성들을 '속성'이라고 한다. [표 M－17]은 수집된 인터뷰 자료를 정리한 예이다.

[표 M－17] 인터뷰로 수집된 '속성'과 '원시 데이터' 예

속 성		원시 데이터
대학생		토이 박스 모서리 부분이 빨리 닳지 않았으면…
		표면이 약한 충격에도 손상이 감.
		인형 돌출 몇 번에 스프링이 금방 기능 상실함.
		외부 색감이 너무 투박함.
		몇 번 사용하면 싫증이 남.
		…
고등학생		선물용으로는 좀 더 많은 웃음을 줬으면 함.
		가격이 조금 저렴했으면
		주변에서 쉽게 구매할 수가 없어 불편함.
		변화무쌍하게 프로그램화해서 오랫동안 즐겁게
		스스로 움직이는 토이 박스면 좋을 것 같음.
		…
백화점/마트		최근 디지털로 작동되는 것을 좋아함.
		외부 다양한 자극에 반응하는 유형에 관심
		좀 더 고급스러운 이미지가 필요함.
		다양한 모습을 갖는 토이 박스
		…
중간 도매상		소도시 판매가 부진함.
		운송 시 깨지거나 상자 무너지는 현상 발생
		…
일반인	장난감 수집가	첨단성 장난감이 주 트렌드임.
		잦은 고장, 특히 건전지가 금방 소모됨.
		…
	선물 애호가	포장이 용이했으면
		상대에게 큰 재미를 줄 수 있는 기능과 작동
		한눈에 들어올 수 있는 외관 디자인
		…

첫 열인 '속성'에는 인구 통계학적 특성이 오지만 본 예의 경우 대상이 세분화돼 있으므로 고객 분류를 그대로 옮겨 놓았다. '원시 데이터'는 인터뷰나 설문

지로 수집된 'VOC'들이다. 내용들이 얼마나 진실성을 갖고 있으며 제품 설계에 얼마나 영향을 줄 것인가는 전적으로 사전 준비와 면접원(또는 조사원)의 노력에 달려 있다.

이제부터 '원시 데이터'의 분석적 측면을 고려해보자. 우선 '대학생'으로부터 수집된 "표면이 약한 충격에도 손상이 감"이 어떤 환경에서 느꼈던 생각을 표현한 것일까? 면접원이 수집 당시 한번 되물었다면 그리고 그 내용을 기록해 놓았다면 조사 내용을 검토해볼 수 있다. 그러나 사전 기획된 일이 아니라면 알 수 없다. 단지 추측만 가능할 뿐인데, 예상컨대 어린 조카들 앞에서 인형 돌출 모습을 재미있게 보여주다 어린 조카의 실수로 몇 바퀴 패대기쳐졌을 수도 있고, 아니면 애인과 카페 등에서 놀이하다 테이블 밑으로 낙하했을 수도 있다. 아님 그냥 들고 이동 중에 벽 모서리에 부딪혀 표면이 긁혀 나갔는지도 모를 일이다. 물론 비슷한 추측을 다른 'VOC'들에도 할 수 있다. 이와 같이 고객이 말한 내용 그 자체뿐 아니라 어떤 상황에서 나온 생각인지까지 연상하는 과정을 <u>'Scene 전개'</u>라고 한다. 'Scene 전개'의 필요성은 말이 나온 이면의 배경 또는 상황을 연상함으로써 좀 더 다양하고 많은 'VOC'를 끄집어내기 위함이다. 고객이 말한 표면상의 내용만을 가지고 이후를 전개하기보다 다양한 환경에 속한 고객들의 아이디어를 이용해 새로운 정보를 잡아내려는 노력의 일환이다.

신제품은 만들어진 것이 아니라 만들어가는 것이며 확정된 제품의 상태에 따라 미래가 결정된다. 한마디로 '신중하자!'라는 의미다. 따라서 '원시 데이터' 내용을 중심으로 'Scene 전개'가 진행되며 주로 팀 미팅을 통해 이루어진다. 어떤 상황에서 얘기가 나왔는지를 알아내는 데 주안점이 있으므로 '6하원칙'으로 구분해 연상 작업을 진행한다. 다음 [표 M－18]은 'Scene 전개'를 수행한 예이다.

[표 M－18] 'Scene 전개' 작성 예

속 성		원시 데이터	Scene 전개
대학생		토이 박스 모서리 부분이 빨리 닳지 않았으면…	자주 사용할 때
		표면이 약한 충격에도 손상이 감.	타 재질과 접촉 시
		인형 돌출 몇 번에 스프링이 금방 기능상실함.	자주 사용할 때
		외부 색감이 너무 투박함.	집 책상에 놓여 있을 때
			매장에서
		몇 번 사용하면 싫증이 남.	여럿 모임 장소에서
		…	…
고등학생		선물용으로는 좀 더 많은 웃음을 줬으면 함.	선물할 때
		가격이 조금 저렴했으면	여럿에게 선물할 때
		주변에서 쉽게 구매할 수가 없어 불편함.	빨리 구매해야 할 때
		변화무쌍하게 프로그램화해서 오랫동안 즐겁게	친구들과 심심풀이 시
		스스로 움직이는 토이 박스면 좋을 것 같음.	매번 손으로 작동 시
		…	…
백화점/마트		최근 디지털로 작동되는 것을 좋아함.	트렌드 선호하는 사람
		외부 다양한 자극에 반응하는 유형에 관심	다양한 기능 관심자
		좀 더 고급스러운 이미지가 필요함.	장식용으로도 고려 시
		다양한 모습을 갖는 토이 박스	어린이 구매 고려 시
		…	…
중간 도매상		소도시 판매가 부진함.	소도시 경제권도 고려
		운송 시 깨지거나 상자 무너지는 현상 발생	운송 중
		…	…
일반인	장난감 수집가	첨단성 장난감이 주 트렌드임.	구매 트렌드 고려 시
		잦은 고장, 특히 건전지가 금방 소모됨.	사용 중
			전지 교체 중
		…	…
	선물 애호가	포장이 용이했으면	포장 시
		상대에게 큰 재미를 줄 수 있는 기능과 작동	즐거움을 주고 싶을 때
		한눈에 들어올 수 있는 외관 디자인	진열 시
			구매 시
		…	…

[표 M－18]을 보면 '6하원칙'에 따라 '원시 데이터'들이 어떤 상황에서 나왔을까를 상상한 결과물이며, 여기부터 연구실에서 진행된다. 즉, '원시 데이터'까지는 외부에서 얻어 온 자료지만 'Scene 전개'부터는 내부에서 일어난다는 뜻이다. 하나의 예를 들어보자. '원시 데이터' 중 "몇 번 사용하면 싫증이 남"에 대

한 'Scene 전개'는 '여럿 모임 장소에서'이다. 이것은 친구들이 모였을 때 분위기 전환이나 약간의 재미가 지속되는 용도로 '토이 박스'의 사용 상황을 연상한 것이다. 이런 상황이면 "싫증이 난다"라고 하는 '원시 데이터' 외에 일정 시간 지속적으로 재미를 부여할 수 있는 요구 사항들을 추가 도출할 수 있다. 예를 들면 '모양이 변한다'라든가 '돌출된 인형이 제2의 동작을 보인다' 등이 그것이다. 사실 'Scene 전개'가 내포하는 여러 상황들을 간단한 용어로 압축해 놓는 일은 표 등으로 정리하기엔 유리하지만 타 연구원들과 공유하는 입장에선 제약이 될 수 있다. 따라서 토의 시 협의된 내용들을 포함해 관련 이력들을 함께 '개체 삽입'하는 습관이 필요하다. 'Scene 전개'가 얼마나 많은 노력과 상상력을 동원해야 하는지 이 글을 읽고 있는 리더들이 꼭 알아주었으면 한다.

실무에서 과제를 수행할 때 리더 혼자, 그것도 한 시간이 채 걸리지 않는 기간 동안 'Scene 전개'가 끝나버리는 경우가 적잖다. 빠른 진행으로 학습 효과는 있을지언정 왜 'Scene 전개'를 해야 하는지, 또 과정 중 시행착오를 통해 배우게 될 많은 의미 있는 경험은 모두 놓치고 만다. 아무리 좋은 방법론이라도 이쯤 되면 겉돌기 마련이다. 다음 '세부 로드맵'으로 빨리 넘어만 가려는 리더들의 속내엔 모든 과정이 "Paper-work"일 뿐이다. 정말 그렇다면 시간낭비다.

충분한 'Scene 전개'를 통해 최종 얻게 될 산출물은 개발 중인 '토이 박스'에 어떤 기능을 추가해야 할지 여러 내용들이 일목요연하게 정리된 목록표이다. 즉, 고객이 어떤 요구를 하고 있는지 그 실체가 드러나는 셈이다. 이 실체를 '요구 품질'이라고 한다. 다음 [표 M-19]는 [표 M-18]의 뒤를 잇는 '요구 품질'[42]을 나타낸다.

---

42) 편의상 '원시 데이터' 한 개에 '요구 품질' 하나씩 표현하였으나 실제 설계 과정에서는 하나에 여러 '요구 품질'이 도출된다.

[표 M-19] '요구 품질' 작성 예

원시 데이터	Scene전개	요구 품질
토이 박스 모서리 부분이 빨리 닳지 않았으면…	자주 사용할 때	모서리를 유지한다.
표면이 약한 충격에도 손상이 감.	타 재질과 접촉 시	표면을 유지한다.
인형 돌출 몇 번에 스프링이 금방 기능상실함.	자주 사용할 때	스프링을 동작시킨다.
외부 색감이 너무 투박함.	집 책상에 놓여있을 때	외관을 조정한다.
	매장에서	외관을 바꾼다.
몇 번 사용하면 싫증이 남.	여럿 모임 장소에서	모양을 변환한다. 재미를 준다. 재미가 유지된다.
…	…	…
선물용으로는 좀 더 많은 웃음을 줬으면 함.	선물할 때	관심을 이끈다.
가격이 조금 저렴했으면	여럿에 선물할 때	구매가 용이하다.
주변에서 쉽게 구매할 수가 없어 불편함.	빨리 구매해야 할 때	제품을 얻는다.
변화무쌍하게 프로그램화해서 오랫동안 즐겁게	친구들과 심심풀이 시	동작을 변환한다.
스스로 움직이는 토이 박스면 좋을 것 같음.	매번 손으로 작동 시	움직임을 결정한다.
…	…	…
최근 디지털로 작동되는 것을 좋아함.	트렌드 선호하는 사람	회로를 구성한다.
외부 다양한 자극에 반응하는 유형에 관심	다양한 기능 관심자	자극을 모은다. 자극을 변환한다.
좀 더 고급스러운 이미지가 필요함.	장식용으로도 고려 시	고급스러움을 준다.
다양한 모습을 갖는 토이 박스	어린이 구매 고려 시	모양을 변환한다.
…	…	…
소도시 판매가 부진함.	소도시 경제권도 고려	유통채널을 늘린다.
운송 시 깨지거나 상자 무너지는 현상 발생	운송 중	외형을 유지한다. 제품을 보호한다.
…	…	…
첨단성 장난감이 주 트렌드임.	구매 트렌드 고려 시	첨단성을 보유한다.
잦은 고장, 특히 건전지가 금방 소모됨.	사용 중	고장을 줄인다.
	전지 교체 중	에너지를 낮춘다.
…	…	…
포장이 용이했으면	포장 시	포장을 쉽게 한다.
상대에게 큰 재미를 줄 수 있는 기능과 작동	즐거움을 주고 싶을 때	감성을 조정한다.
한눈에 들어 올 수 있는 외관 디자인	진열 시	호기심을 유도한다.
	구매 시	외관을 꾸민다.
…	…	…

설명에 앞서 '요구 품질'을 표현하는 방법에 대해 알아둘 필요가 있다. 그냥

편한 대로 쓰면 좋으련만 약간의 규칙이 있으니 일단은 그 규칙을 따르는 게 좋다. 고객이 요구하는 내용이 무엇인지 확인도 편할뿐더러 팀원들과 의견 교환하기도 수월하다. '요구 품질'을 표현하는 언어를 간단히 정리하면 다음과 같다.

1) '명사+서술어' 형태로 간결하게

'스프링의 동작'과 같이 서술어형(~다)으로 끝맺지 않거나, '자극을 모으거나 변환한다'와 같이 두 가지가 중복된 경우 등은 지양한다.

2) '품질 특성'이 들어가지 않도록

'탄성력을 크게 한다'와 같이 '요구 품질'에 특성인 '탄성력'이 들어가는 것은 삼간다. 앞으로 '요구 품질'로부터 그를 만족시킬 '품질 특성'을 도출할 텐데 만일 '요구 품질'에 특성이 들어가 버리면 고민할 것도 없이 바로 '탄성력'이라고 결정해버리기 때문이다. 그러나 '스프링을 동작시킨다'와 같이 특성이 포함돼 있지 않으면 '탄성력' 외에 '탄성 유지 시간'이나, '재료 종류' 등 다양한 특성들을 유추해낼 수 있다. 한마디로 사고의 폭을 넓히려는 의도가 숨겨져 있다.

3) 긍정적인 표현으로

'요구 품질'을 부정적으로 표현하면 '품질 특성' 도출 시 사고의 제약을 준다. 즉, 부정적으로 되지 않기 위한 방법만을 강구하게 된다. '모서리가 깨지지 않는다'에서 '깨지지 않게' 하려는 '모서리 강도' 등이 바로 연상되지만, '모서리가 유지된다' 경우 우선 간결하고 의미 전달도 쉬우며, '유지시키기' 위한 '모서리 전 처리 방법', '모서리 형태', '재료 종류' 등 여러 '품질 특성'의 도출이 가능하다.

일반적으로 'QFD(Quality Function Deployment)' 용법을 보면 8~9가지의 표현 규칙을 제시하고 있으나 가만 들여다보면 앞서 적은 3가지가 모두를 포괄하므로 본문만 잘 기억하기 바란다.

설명으로 돌아와서 [표 M-19]의 '원시 데이터' 중 "몇 번 사용하면 싫증이 남"의 '요구 품질'을 보자. 우선 'Scene 전개'가 '여럿 모임 장소에서'로 친구들이나 연인들이 한자리에 모여 있는 상황을 연상해볼 수 있다. 이때 서먹서먹한 분위기를 깨거나 모두의 관심을 한데 모으기 위한 수단으로 토이 박스를 이용하고 있으며, 이들이 필요한 것(요구하는 품질)은 재미를 주되 1회성이 아닌 일정 시간 지속될 수 있는 기능을 원한다(라고 가정한다). 이런 목적의 토이 박스는 한 가지 모습이 아닌 여러 모습들을, 또 재미를 주기 위한 다양한 기능의 실현이 관건이다. 따라서 앞으로 전개될 '콘셉트 설계'에서의 단서를 '요구 품질'에서 제공하지 못하면 기존 제품 이상의 새로움은 탄생하지 못한다. 왜냐하면 향후 제품 설계 활동은 "어떻게 하면 재미있게, 또 그 재미를 장시간 유지시키게 할까"를 심도 있게 고민하게 될 텐데 이 시도 자체가 막혀버리기 때문이다. 이와 같이 '요구 품질'은 'Scene 전개'의 극(劇)적인 상황을 재현하는 형태로(그런 상황에 처한 고객이 요구하는 품질이 될 것이므로) 표출될 것이다. 다음은 '요구 품질'을 활용한 '품질 특성' 도출에 대해 알아보자.

'요구 품질'은 단어가 말해주듯 고객이 '요구'하는 '품질'이다. 그러나 의미만 전달할 뿐 실제로 관리할 수 있는 대상은 아니다. 고객이 요구는 하지만 어느 상태가 적정 수준이고 적정 수준이 아닌지 알 수 없으면 고객이 만족하는지 그렇지 않은지에 대한 현실적 판단을 할 수 없다. 또 만족시키기 위한 개선 노력을 열심히 강구했음에도 어느 수준까지 도달했는지 알 수 없으므로 결국 측정이 가능한 '특성'이 필요하다. 특히 '요구 품질'과 같이 '품질' 측면을 강조하고 있으므로 '특성'과 결합해 '품질 특성'이라고 한다. '요구 품질-품질 특성'과 같이 용어상 서로 연결돼 있다. '품질 특성'은 '요구 품질'의 산물로 다음 [표 M-20]에 예를 실었으니 참고하기 바란다.

[표 M-20] '품질 특성' 작성 예

Scene 전개	요구 품질	품질 특성
자주 사용할 때	모서리를 유지한다.	모서리 마모도, 모서리 형태
타 재질과 접촉 시	표면을 유지한다.	표면 강도, 표면 거칠기, 부착물 접착도
자주 사용할 때	스프링을 동작시킨다.	탄성력, 재질 종류, 스프링 수명
집 책상에 놓여 있을 때	외관을 조정한다.	디자인 만족도, 진열 유용성
매장에서	외관을 바꾼다.	디자인 만족도, 고객 선호도
여럿 모임장소에서	모양을 변환한다.	보유 아이템 수
	재미를 준다.	재미 수준
	재미가 유지된다.	사용 지속 시간
…		…
선물할 때	관심을 이끈다.	기능의 다양성,
여럿에 선물할 때	구매가 용이하다.	제품 가격, 구매 용이성
빨리 구매해야 할 때	제품을 얻는다.	배달 시간, 제품 접근성
친구들과 심심풀이 시	동작을 변환한다.	재미 수준, 보유 아이템 수
매번 손으로 작동 시	움직임을 결정한다.	자동화 수준
…	…	…
트렌드 선호하는 사람	회로를 구성한다.	회로 제어 수준
다양한 기능 관심자	자극을 모은다.	외부 자극에 반응 수준
	자극을 변환한다.	회로 제어 수준
장식용으로도 고려 시	고급스러움을 준다.	외관 디자인(고급스러움)
어린이 구매 고려 시	모양을 변환한다.	보유 아이템 수, 어린이 선호도
…	…	…
소도시 경제권도 고려	유통채널을 늘린다.	유통 지역 수
운송 중	외형을 유지한다.	내구성
	제품을 보호한다.	결점률, 불량률, 수명
…	…	…
구매 트렌드 고려 시	첨단성을 보유한다.	첨단화 수준, 자동화 수준
사용 중	고장을 줄인다.	고장률, 수명, 내충격성, 내마모성
전지교체 중	에너지를 낮춘다.	에너지 소모율, 건전지 사용 시간
…	…	…
포장 시	포장을 쉽게 한다.	제품 부피, 모양 상태, 제품 무게
즐거움을 주고 싶을 때	감성을 조정한다.	재미 수준, 보유 아이템 수
진열 시	호기심을 유도한다.	고객 선호도, 외관 디자인
구매 시	외관을 꾸민다.	외관 디자인
…	…	…

멘토링 중에 가장 많이 접하는 오류가 '품질 특성'의 표현에서 나타나는데 '무게', '길이', '비율', '거리', '시간' 등의 '연속 자료'들은 그대로가 특성으로 표현

되는 반면 그렇지 않은 것들에 대해서는 상당히 난감해한다. 예를 들어 '요구 품질' 중 '재미를 준다' 경우 '품질 특성' 도출에 있어 다소 애매한 느낌이 드는데, 이럴 땐 우선 'O, X'의 관점에서 '~여부'나 '~유무' 등을 적용해본다. 그다음은 '~방법', '~상태' 또는 '~수준' 등으로 표현해보고, 최종적으로 '~성'을 붙여본다. 특히 '~성'의 유형은 '~신뢰성', '~안전성', '~유연성' 등의 '성질'로 끝나는 의미 대신 '~신뢰도', '~안정도', '~유연도'와 같이 특성적 표현으로 처리하는 것이 올바르다. 그러나 달리 방법이 없어 '~성'으로 붙였다면 어떻게 측정할지에 대해 아직 불명확한 경우에 해당돼 '품질 특성' 대신 '품질 요소'로 불린다. '품질 요소'는 향후 과제에 미치는 영향이 클 것으로 판단되는 시점에 '운영적 정의(Operational Definition)'[43]를 거쳐 측정 가능한 양으로 전환한다.

'품질 특성' 역시 '요구 품질'이 있다고 해서 어디선가 저절로 뚝 떨어지는 것은 절대 아니다. 팀원들이 모두 모여 명확한 목표 의식을 갖고 측정 가능한 특성에 대해 무궁무진한 아이디어를 발생시켜야만 가능한 일이다. 지금까지도 그랬고 앞으로도 그러겠지만 제품 설계 과정은 매 단계에 어떻게 하라고는 하되 답이 무엇이라고는 말해주지 않는다. 설사 누군가가 "이것이 답이다"라고 해도 다음 단계로 넘어가면 답이 되지 않을 수도 있다. 왜냐하면 없는 것을 계속 만들어가는 과정, 즉 아무도 가보지 않은 길을 가고 있기 때문에 무엇이 옳은지 그른지 아무도 모른다. 단지 업무적 경험과 각자의 능력을 토대로 가장 좋은 하나를 선택해가는 과정일 뿐이다. 따라서 매 단계가 의사 결정의 과정이며 많은 단계를 거치지 않은 상태에서 혹시 있을지도 모르는 잠재 위험을 이러한 의사 결정을 통해 확실히 적출해낼 수 있도록 최선을 다해야 한다. 그랬을 때 비로소 시간과 비용을 최소화시키는 말 그대로의 제품 설계 프로젝트가 성립된다.

지금까지의 과정을 파워포인트로 정리해보자. 여러 장보다 가급적 한두 장으로 표현하되 지금까지 그랬던 것처럼 '개체 삽입'을 활용할 것이다. 자료는 모든 것

---

43) 'Step - 6.3. Ys 결정'에서 설명될 것이다.

을 포함하면서 내용 전달이 빠르고 정확하게 이루어져야 한다. 나만 보기 위한 것은 자료로서의 생명력을 잃는다. 그렇지 않으면 혼자만을 위한 메모로 충분할 것이기 때문이다. 다음 [그림 M－31]은 'Step－5.4. VOC 분석'을 표현한 것이다.

[그림 M－31] 'Step－5.4. VOC 분석' 예('요구 품질/품질 특성' 도출 예)

Step-5. VOC 조사
Step-5.4. VOC 분석(요구품질/품질특성)

▶ 다음은 '원시데이터'로부터 '요구 품질'과 '품질 특성'을 도출한 결과이다.

속 성	원시 데이터	Scene 전개	요구품질	품질특성
대학생	토이박스 모서리 부분이 빨리 닳지 않았으면…	자주 사용할 때	모서리를 유지한다	모서리 마모도, 모서리 형태
	표면이 약한 충격에도 손상이 감	타 재질과 접촉 시	표면을 유지한다	표면강도, 표면 거칠기, 부착물접착도
	인형 돌출 몇 번에 스프링이 금방 기능 상실함	자주 사용할 때	스프링을 동작시킨다	탄성력, 재질종류, 스프링 수명
	외부 색감이 너무 투박함	집 책상에 놓여있을 때 매장에서	외관을 조정한다 외관을 바꾼다	디자인만족도, 진열유용성 디자인 만족도, 고객 선호도
	몇 번 사용하면 싫증이 남	여럿 모임장소에서	모양을 변환한다 재미를 준다 재미가 유지된다	보유 아이템 수 재미 수준 사용지속시간
	…	…	…	…
고등학생	선물용으로는 좀 더 많은 웃음을 줬으면 함	선물할 때	관심을 이끈다	기능의 다양성,
	가격이 조금 저렴했으면	여럿에 선물할 때	구매가 용이하다	제품가격, 구매 용이성
	주변에서 쉽게 구매할 수가 없어 불편함	빨리 구매해야 할 때	제품을 얻는다	배달시간, 제품 접근성
	변화무쌍하게 프로그램화해서 오랫동안 즐겁게	친구들과 심심풀이 시	동작을 변환한다	재미수준, 보유 아이템 수
	스스로 움직이는 토이박스면 좋을 것 같음	매번 손으로 작동 시	움직임을 결정한다	자동화 수준
	…	…	…	…
백화점/마트	최근 디지털로 작동되는 것을 좋아함	트랜드 선호하는 사람	회로를 구성한다	회로제어수준
	외부 다양한 자극에 반응하는 유형에 관심	다양한 기능 관심자	자극을 모은다. 자극을 변환한다	외부자극에 반응수준
	…	…	…	

(요구품질)
(품질특성)
Microsoft Excel 워크시트

PS-Lab
Problem Solving Laboratory

[그림 M－31]은 '원시 데이터'와 'Scene 전개'부터 '요구 품질' 및 '품질 특성'까지 나타내고 있으며, 전체 내용이 맨 오른쪽에 엑셀 파일로 '개체 삽입'된 것을 확인할 수 있다. 특별히 부연하거나 전달하고 싶은 내용이 있으면 파워포인트의 '설명선' 기능을 이용한다. 다음은 'Step－6. Ys 파악'에서 활용토록 본 결과물을 좀 다듬어야 하는데 이 작업은 'Step－5.5. VOC 체계화'에서 이루어진다. 이제 'Step－5. VOC 조사'의 최종 '세부 로드맵'으로 들어가 보자.

Step－5.5. VOC 체계화

'VOC 체계화'는 앞서 도출된 '요구 품질'과 '품질 특성'을 더욱 갈고 다듬어서 'Step－6. Ys 파악'의 가장 핵심적 도구인 'QFD'의 입력 자료로 만들어내는 과정이다. 크게 두 가지로 구분할 수 있는데 하나는 '친화도(Affinity Diagram)'를 만드는 일과, 다른 하나는 '수형도(Tree Diagram)'[44]를 만드는 일이다. '친화도'는 'Affinity'의 영문 정의인 "맞는 성질, 밀접한 관계"를 의미하듯 친한 것끼리 모아 정리한 그림이다. 또, '친화도' 결과를 이용해 '수형도'를 만들게 되는데 우리가 잘 알고 있는 'Tree 구조'에 해당된다. '수형도'는 'QFD'에 그대로 입력된다. '친화도'와 '수형도' 작성은 '요구 품질'과 '품질 특성' 각각에 대해 수행한다. 이제 그들의 내용과 표현법에 대해 알아보자.

5.5.1. 친화도(Affinity Diagram) 작성

2000년 1월 중순 당시 삼성SDI의 핵심 인력으로 뽑힌 필자는 다른 연구 인력 20여 명과 함께 해운대의 전망 좋은 연수원에 집합해있었다. 목적은 '제품 설계 방법론' 1주 차 교육을 미국 SBTI社에서 온 강사로부터 받는 것이었는데 계획된 제목은 'Concept Engineering－Voice of Customer'로 20시간이 배정돼 있었다. 내용은 '시장 분할'부터 '고객 정의'와 '인터뷰 방법' 등 하나하나 이론과 실습으로 진행되었고, 특히 인터뷰는 연수원에 보험 설계 교육을 받으러 온 주부들을 대상으로 진행했던 터라 다양한 'VOC'를 수집하는 것까진 시간 가는 줄 몰랐다. 다음은 이들 자료를 가공하고 정리해서 제품 개발과 연결시키는 시점에 이

44) 'Tree Diagram'은 통상 '계통도'로 불리고 있으나, (네이버 백과사전)에서 '나무 수(樹)'를 써서 '수형도(樹形圖)'로 정의하고 있어 표기를 그대로 따랐다.

르렀는데 그때 접했던 도구가 'KJ 방법(KJ Method)'이었다. 사실 당시에 처음 듣는 명칭이었다. 그 이후로도 평상시 듣도 보도 못한 다양한 도구들을 속속 접했는데 모른다고 일을 못하는 건 아니지만 제품 설계용 도구들이 많기도 많으려니와 자료를 압축하고 표현해서 정보화하는 데 매우 유용하다는 생각이 들기 시작했다. 정말 우물 안 개구리란 말이 딱 들어맞는 시기가 아니었나 싶다.

서론이 좀 길었다. 'KJ 방법'은 (위키피디아 사전)에서 '친화도(Affinity Diagram)'로 소개돼 있으며 정의는 "친화도는 비즈니스 기법이며, Seven Management and Planning Tools[45]의 하나이다. 또 아이디어와 자료를 정리하는 데 사용하는 도구이다. 보통 프로젝트 관리에 사용하는 데 많은 양의 아이디어를 검토하고 분석하기 위해 그룹으로 묶어내는 데 효과적이다. 기원은 1960년대 일본 문화 인류학자[46]인 Jiro Kawakita에 의해 창안되었으며, KJ Method로도 불린다"이다. 'Jiro Kawakita'의 첫 자를 따 'KJ'라 명명했는데 우리나라도 인지도 높은 도구들을 자신의 이름 첫 자로 떨칠 시기가 하루빨리 오길 기대한다. 필자도 노력하고 있지만 이 글을 읽고 있는 리더들도 탐구 정신을 더욱 발휘해서 이름 첫 자 대열에 참여하기 바란다. 각설하고 지금부터는 사전 정의대로 'Affinity Diagram', 즉 우리말인 '친화도'로 일관되게 호칭하겠다. 본문에서 '친화도' 용법을 자세히 논하진 않을 것이다. 관심 있는 독자는 『Be the Solver_정성적 자료 분석(QDA)』편을 참고하기 바란다. '로드맵', 즉 흐름 관점의 전개가 본 책이 지향함을 초기에 강조한 바 있다. 따라서 필요한 만큼의 용법에 대해서만 언급하고 넘어갈 것이다.

'친화도'가 아이디어나 자료를 묶어내는 방법 및 결과물을 말하므로 우선 대상과 수행자가 필요하다. '대상'은 'Step-5.4. VOC 분석'에서 정리된 '요구 품질'

---

45) 'Seven Management and Planning Tools'는 일본에서 1979년 발표한 7가지의 새로운 질적 조사법에 관한 책이, 1983년 영어로 번역된 동명의 책에 속한 기법을 말한다. 첫 번째 툴이 'Affinity Diagram'이며, 이 밖의 6가지 툴로는 Interrelationship Diagraph, Tree Diagram, Prioritization Matrix, Matrix Diagram, Process Decision Program Chart(PDPC), Activity Network Diagram이 있다.

46) '문화 인류학자'는 저자가 내용 이해를 위해 추가하였다.

과 '품질 특성'이다. 이들은 인터뷰를 통해 수집되었으며 'Scene 전개'를 거쳐 팀원들의 아이디어가 반영된 결과이다. 멘토링을 하다 보면 리더들이 홀로 '요구 품질'과 '품질 특성'들을 유사한 것끼리 모아 단순히 그룹화하는 모습을 자주 목격한다. '친화도' 과정은 그들을 '포스트잇'에 모두 적은 뒤 아이디어를 계속 추가하거나 파생시키는 작업, 또 팀원들과 뺄 것인지 넣을 것인지에 대한 의사 결정 과정을 계속 반복한다. 이때 '요구 품질'과 '품질 특성'들의 내용은 계속 수정되거나 추가 또는 삭제 등 다양한 모습으로 발전한다. '제품 설계 방법론'은 새로운 것을 만들어내는 접근법이다. 발생할지 모르는 위험 요소를 최소화시키며 완성도를 높이기 위한 팀원들의 모든 역량과 노력을 동원함으로써 '무'에서 '유'를 창조해간다. 다음 [그림 M-32]는 '친화도'의 완성된 예를 보여준다.

[그림 M-32] '친화도(Affinity Diagram)' 작성 예

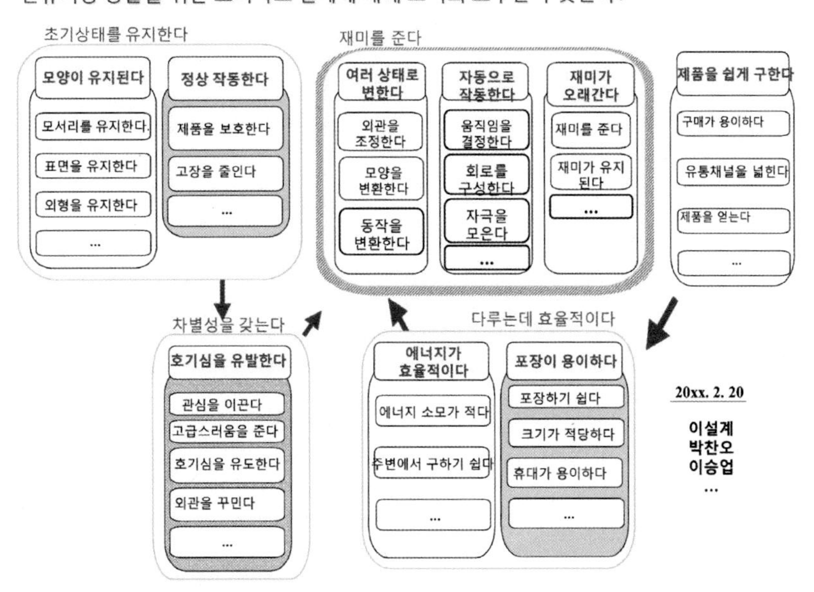

[그림 M－32]를 본 리더가 '헉' 하고 놀랄 수도 있다. 정리가 잘돼 있고 뭔가 완성된 듯한 느낌에서라기보다 이걸 해야 하나 하는 부담감이 앞설 수 있기 때문이다. 그러나 만일 그런 느낌을 갖고 있다면 이제 마음을 고쳐먹기 바란다. 왜냐하면 과제의 난이도와 성격에 따라 '세부 로드맵'이나 도구들이 필요한 것이지 필요 없는데 개발 과제란 이유만으로 사용할 이유는 없기 때문이다. 먼저도 언급했지만 'CTQ'가 명확하면 'QFD' 없이 갈 수 있으며, 또 'QFD'를 하더라도 고객의 소리가 어느 정도 결정돼 있는 경우 '친화도' 과정을 최소화할 수도 있다. 물론 사안이 단순하지 않으면 설명된 전 과정을 철저한 팀 활동 속에 수행해야만 한다. 이것은 '방법론'의 시각이 아닌 '과제 수행'의 시각에서 판단하고 결정해야 할 일이다. [그림 M－32]는 '토이 박스 개발' 과제의 '요구 품질'을 토대로 작성한 예이다. 또, 결과를 만들어내기까지 팀원들이 8시간가량의 '친화도' 과정을 수행한 것으로 가정한다. 그림이 좀 산만하므로 한 부위만 떼어 의미하는 바를 설명해보겠다. 다음 [그림 M－33]은 그 예이다.

[그림 M－33] '친화도' 내 그룹핑 예

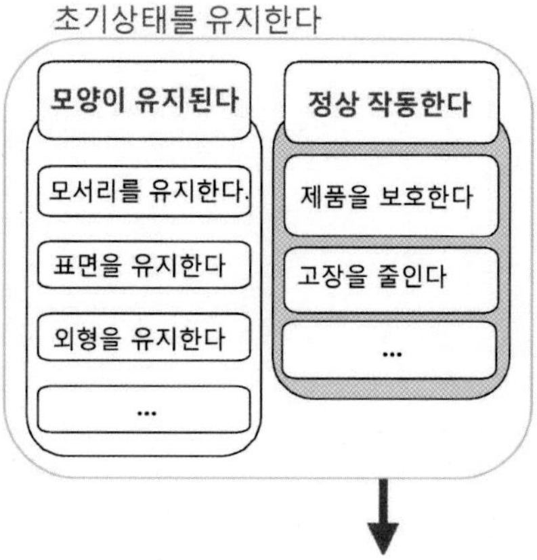

[그림 M-33]에서 가장 안쪽에 있는 항목들을 'Black Level'이라고 한다. 검은 글씨로 표기하기 때문이다. 'Black Level'들은 팀 활동을 통해 얻어진 최초의 산출물로서 대부분은 '요구 품질'이 그대로 오기도 하지만 '친화도' 과정 중에 새로운 것이 추가되거나 최초의 것이 변경돼서 올 수도 있다. 그들 모두를 유사한 것끼리 모아 놓은 결과이다. 다음 'Black Level'을 묶고 있는 수준, 예를 들어 "모양이 유지된다"를 'Red Level'이라고 한다. 빨간 글씨로 표기하기 때문이다. 'Red Level'은 'Black Level'들을 친밀성이 높은 것끼리 모아 놓은 뒤 그들을 가장 잘 설명할 수 있게 적절한 명칭을 부여한 것이다. 'Red Level'들은 다시 유사성이 높은 것끼리 모아 놓을 수 있으며, 이전과 동일하게 묶음의 명칭을 두는데 이것을 'Blue Level'이라고 한다. 파란색 글씨로 표기하기 때문이다. 또

[그림 M-34] 'Step-5.5. VOC 체계화' 예(친화도)

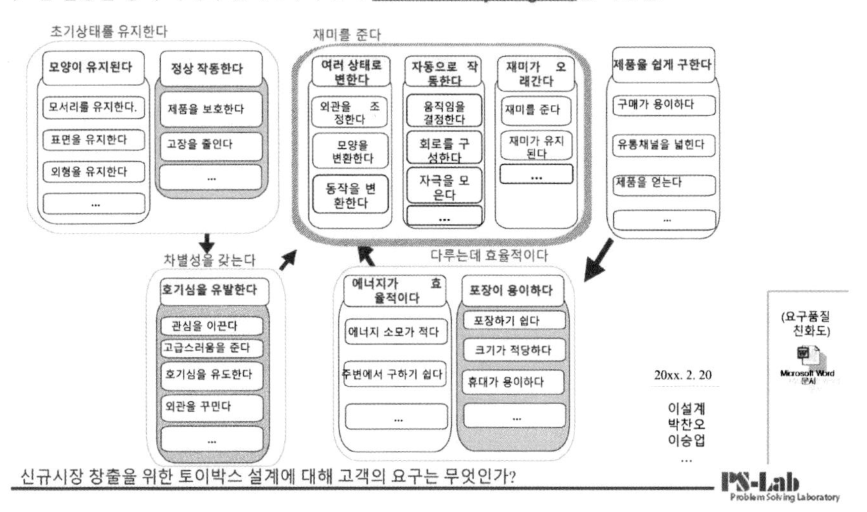

'Blue Level'들 사이의 화살표는 인과 관계이며 화살표를 통해 그룹들을 좀 더 분석적으로 바라볼 수 있다. 참고로 [그림 M-32]의 각 'Level'들끼리 맞춰 펼치면 '수형도'가 되며 과정과 용도는 '5.5.2. 수형도(Tree Diagram)'에서 설명할 것이다. [그림 M-34]는 'Step-5.5. VOC 체계화(친화도)'의 작성 예이다.

5.5.2. '수형도(Tree Diagram)' 작성

'수형도(樹型圖; Tree Diagram)'는 말 그대로 나뭇가지처럼 뻗은 그림이다. 보통 '계통도(系統圖)'로 알려져 있지만 (네이버 백과사전)에서 "…(중략) 어떤 사건이 일어나는 모든 경우를 나무에서 가지가 나누어지는 것과 같은 모양의 계통

[그림 M-35] '친화도-수형도-QFD' 간 관계도

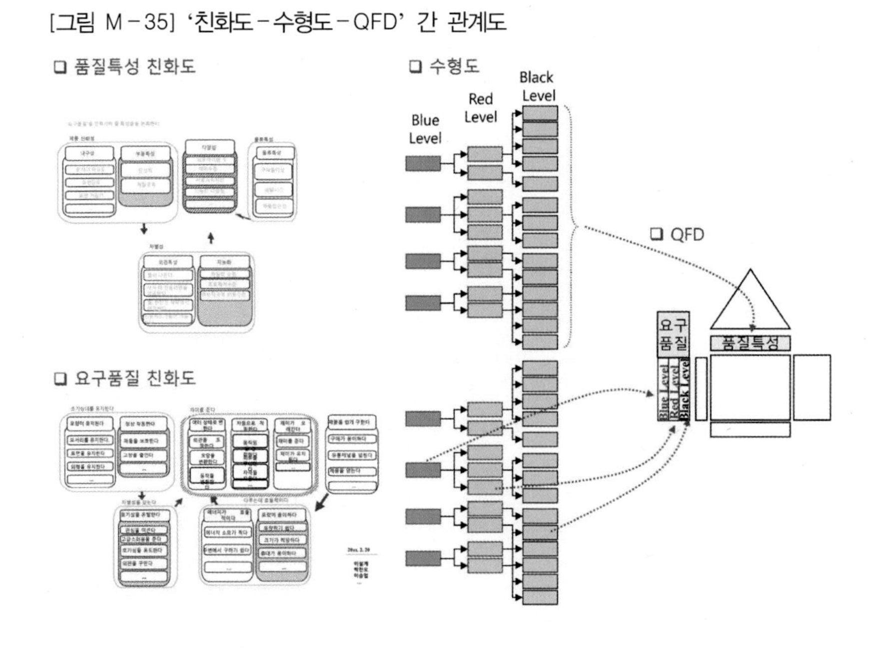

그림으로 그린다. (중략)…"를 '수형도'로 정의하고 있어 그대로 따랐다. '수형도'는 [그림 M-32]의 '친화도'를 'QFD'에 입력하기 좋은 형태로 만들어 놓은 것이며 '요구 품질'과 '품질 특성'의 '친화도', '수형도' 및 'QFD'와의 연계성은 [그림 M-35]의 관계도로 설명된다.

그림에서 '품질 특성 친화도'와 '요구 품질 친화도' 각각이 '수형도'로 표현될 때 'Blue Level', 'Red Level', 'Black Level'로 줄을 맞춰 작성되며, '요구 품질 수형도'는 'QFD'의 왼쪽으로, '품질 특성 수형도'는 위쪽으로 각각 입력된다. 'QFD'는 'Step-6. Ys 파악'에서 본격적으로 설명될 것이다. '친화도'만 제대로 만들어졌으면 '수형도'는 그를 단순히 펼쳐낸 형상이다. 다음의 [그림 M-36]은 '요구 품질 친화도'와 '품질 특성 친화도'에 대한 파워포인트 작성 예이다.

[그림 M-36] 'Step-5.5. VOC 체계화' 예(수형도)

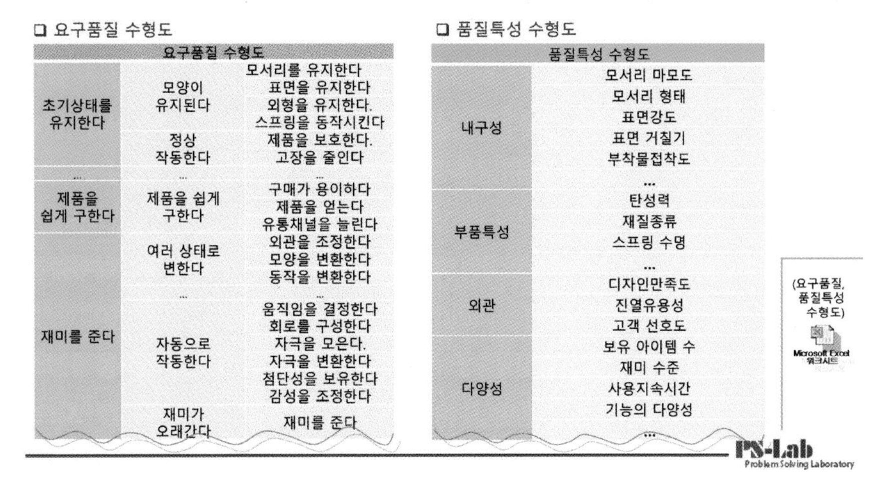

[그림 M-34]의 '친화도'에 이어 '수형도'를 '요구 품질'과 '품질 특성'의 경우로 각각 나눠 한 장에 요약하였다. 보통은 'Tree 구조'로 나타내지만 장표의 공간 활용과 나중에 엑셀로 된 'QFD'를 사용하기 위해 일단 표로 정리하였다. 또, 내용 설명이 포함돼야 하나 흐름을 강조하기 위해 가급적 압축해서 표현했다. 물론 의문점이나 발표 시 질문 등에 대응하기 위해서는 완전한 자료가 필요하며, 앞서 계속 강조한 바와 같이 '개체 삽입' 기능을 활용했다(고 가정한다).

이제 'Step-5. VOC 조사'가 마무리되었고, 최종 산출물은 [그림 M-36]임이 확인되었다. '제품 설계 방법론'의 실체는 '로드맵'임을 강조한 바 있다. '로드맵'은 따라가는 길이므로 현재의 산출물을 갖고 다음 돌다리를 밟아야 한다. 다음은 'Step-6. Ys 파악'으로 들어가 보자.

Step-6. Ys 파악

'Measure'가 '측정'이라는 뜻을 내포하듯 앞으로 설계될 제품이 잘 만들어졌는지 또는 그렇지 않은지, 부족하다면 어느 부분이 얼마만큼 부족한지 등을 알 수 있도록 수준을 계량화하는 활동이 필요하다. 그러나 단순히 '측정'하고 싶은 의지만 있다고 측정이 저절로 이루어지는 것은 아니다. 최우선적으로 '측정 대상'이 필요한데 이것을 'Y'라고 한다.

'Y'를 측정하기에 앞서 몇 가지 전제될 것이 있다. 먼저 'Step-5.5. VOC 체계화'에서 도출된 '요구 품질'들 중 상대적인 중요도를 평가한다. 통상 고객들의 요구 사항은 어느 것은 더 중요하고 시급히 반영해줘야 하는 반면 어느 것은 상대적으로 시간적 여유를 갖고 적용할 수 있다. 따라서 도출된 '요구 품질'들 모두가 동일한 중요도로 처리되기보다 상대적 중요도가 높은 항목에 집중할 필요가 있는데 이것을 구분하는 작업은 'Step-6.1. CCR 도출'에서 진행된다. 'CCR'이란 'Critical Customer Requirement'의 첫 자를 딴 것으로 우리말로 '핵심 고객 요구 사항'[47]이라고 부른다.

상대적 중요도가 평가된 '요구 품질'들 각각을 어느 '품질 특성'이 가장 잘 설명해주는지 조사해서 고객 요구 전체를 대변할 특성들을 선별하는데, 이 작업은 'Step-6.2. CTQ 선정'에서 이루어진다. 왜 솎아내는 것일까? 제품 설계를 위해 고려된 모든 특성들을 다 만족시키는 것이 이상적이나 현실적이진 못하기 때문이다. 비용도 많이 들뿐더러 시간, 자원 등도 만만치 않게 소요된다. 또 전부 다를 만족시킬 필요도 없다. 많은 고객 요구들은 현재 운영 중인 개발 프로세스나 생산 과정에서 쉽게 대응해줄 수 있다. 제품 설계에 중요한 'CTQ'들이 선별됐으면 다음은 이들을 'Y'로 전환시킨다. 'CTQ'는 고객 요구 사항을 통해 탄생했으므로 전적으로 고객에 매달린 특성이다. 따라서 기존에 적용해보지 않은 아주 새

47) 'CCR'을 '고객의 핵심 요구 사항'으로 해석하기도 한다.

로운 측정 방법이 필요할는지 모른다. 또 새롭다고 해서 무작정 측정 방법만을 도입하려다 보면 기존의 측정 방법을 조금만 변형해서 쓸 수 있음에도 불필요한 비용과 노력을 들일 수 있어 여러 가지 정황을 고려한 지표를 만들어내야 하는데 이것은 'Step－6.3. Ys 결정'에서 진행한다. 그런데 왜 단수인 'Y'가 아니고 복수인 'Ys'라고 표현할까? '프로세스 개선 방법론'이 기존에 판매 중인 제품에 뭔가 문제가 있는 것을 과제화한다면 이때 한두 개의 '지표'면 증상을 충분히 대변할 수 있다. 그러나 제품의 설계는 봐야 할 것이 상대적으로 많은 차이점이 있다. 예를 들어, 제품의 한 부분을 변경하면 다른 부분들의 기능이 상실된다든가 아니면 기존 프로세스에서 생산이 가능한지도 고민해봐야 한다. 많은 변수들을 과학적으로 고려하지 않으면 나중에 완료 후 안 만들만 못한 결과를 초래할 수도 있다.

제품 설계가 잘됐는지 부족한지를 측정할 지표가 결정되면 실제로 느낄 수 있는 수치로 표현해야 하는데 이것은 'Step－6.4. Scorecard 작성'에서 진행한다. '프로세스 개선 방법론'에서는 '현 수준 평가'로 불리나 '제품 설계 방법론'에서는 설계가 진행됨에 따라 지속적으로 완성도를 점검해가는 용도여야 하므로 '점수표'라고 하는 약간의 진보된 관리 방법을 적용한다.

'제품 설계 방법론'은 운영하고 있는 프로세스나 제품의 최적화를 꾀하는 '프로세스 개선 방법론'과 내용 면에서 큰 차이점이 있다. 제품을 만들어내야 하며, 만들어진 제품이 최적화의 상태로 계속 생산되는 것까지를 포함한다. 이런 관점에서 본문은 '프로세스 개선 방법론'의 내용까지 범위에 둬야 하나 분량도 많아질뿐더러 논의의 핵심인 '제품 설계 방법론'의 '세부 로드맵'이 희석될 수 있는 문제점이 생긴다. 초두에 언급했듯이 제품 설계 과정은 '프로세스 개선 방법론'을 잘 알고 있음을 전제하며, 따라서 '프로세스 개선 방법론'과 중복되는 많은 양은 제외하고 '제품 설계 방법론 로드맵'에 충실할 것이다. 예를 들면 'Step－6.4. Scorecard 작성'처럼 현 수준을 평가하기 위해서는 기본적으로 데이터 수집부터 ‘연속 자료’, ‘이산 자료’별 ‘시그마 수준’ 전환법을 소개하고, 또 ‘이산 자료’는 ‘불량 특성’과 ‘결점 특성’별로 나누어 각각을 소개하는 등 다양한 ‘시그마 수준’ 산정 과정을 거쳐야 한다. 그러나 이들에 대해서는 『Be the Solver_프로세스 개선 방법론』편이나 『Be the Solver_통계적 품질 관리(SQC)－관리도/프로세스 능력 중심』편 등을 참고하기 바란다. 본문은 ‘프로세스 개선 방법론’과 중복되는 내용은 가급적 최소화할 것이다. 또, ‘제품 설계 방법론’에 임하는 리더들도 필요한 사전 지식을 충분히 갖출 수 있도록 노력해주기 바란다. 어차피 ‘제품 설계’는 로드맵 앞쪽에 마케팅 영역이, 뒤쪽에 프로세스 운영이 자리하므로 제품 설계를 위해서는 마케팅부터 프로세스 운영까지 전체를 소화할 수 있는 시야의 필요성을 다시 한번 강조하는 바이다. 이제 ‘세부 로드맵’으로 들어가 보자.

Step－6.1. CCR 도출

‘CCR(Critical Customer Requirement)’은 ‘핵심 고객 요구 사항’ 또는 ‘고객의 핵심 요구 사항’ 등으로 번역한다. 한마디로 “고객이 정확하게 얘기한 게 뭐냐?”이다. 리더들에게 ‘VOC’와 ‘CCR’을 구분토록 숙제를 내주면 정말 다양한 결과가 나온다. 정의는 분명 하나일 텐데 답은 여러 가지가 나온다는 얘기다. 결론적으로 정확히 알고 있지 못하다는 뜻이다. 이해도 가는 것이 주변에 ‘VOC’, ‘CCR’이란 단어는 수없이 사용되지만 정작 그들의 정확한 정의와 용법을 설명하고 해석해 놓은 자료는 전무하다시피 한다. 반대로 너무 잘 안다고 생각한 나머지 정의나 용법 설명을 등한시할 수도 있다. 원인이야 어찌 됐든 결과는 리더들이 가장 기본적인 것에 충실할 필요가 있으며, 사내 전파를 위해서라도 정확하게 알 필요가 있다. ‘CCR’에 대해 알아보자.

이해를 돕도록 조금 극단적인 예를 들어보자. 어느 손님이 상점에 들어와 완구 하나를 들고 계산대에서 '어휴' 하고 한숨을 쉬며 나갔다고 하자. 매상에 민감한 주인 입장에서는 손님이 무엇 때문에 한숨을 크게 쉬고 나갔는지 궁금할 수밖에 없다. "혹 제품을 꼭 구입하고 싶은데 원하는 게 없어 하는 수 없이 유사한 것을 구매한 것일까?" 아니면 "원하는 완구가 없는 것에 대한 불만?", "우리 상점과는 관계없고 개인적인 일로 그랬던 건 아닐까?" 아마 주인이 생각하기에도 그 이유는 끝도 없이 많을 수 있다. 답답한 주인이 급기야 달려 나가 저만치 가고 있는 손님을 붙잡고 정중하게 물어본다. "손님, 아까 계산할 때 무엇 때문에 한숨을 쉬셨는지요. 혹 저희 상점에 불만이라도 있으시면 말씀 좀 부탁드리겠습니다"라고. 이때 손님이 잘됐다는 반응을 보이며 "난 A브랜드 제품을 사고 싶은데 이 매장에는 언제 와도 그 제품을 갖다 놓지 않는군요"라고 답했다고 하자. 결국 주인이 생각한 수많은 가능성 중에 고객이 얘기하고 싶었던 것은 바로 '제품의 종류가 다양했으면 좋겠다'로 압축될 수 있다. 예에서 손님이 '어휴'라고 한 발언을 '고객의 소리', 즉 'VOC'나 '원시 데이터'로 본다면, 고객의 '핵심 요구 사항'인 'CCR'은 다름 아닌 '제품의 종류가 다양했으면 좋겠다'가 된다.

또 우리가 자주 접하는 상황인데 짧게는 수년에서 길게는 수십 년간 거래를 해오던 고객에게 요구 사항을 수집하면 "단가를 더 낮춰야 한다"나 "C 불량률 좀 줄여달라"는 식으로 이미 'CCR'의 경지에서 구체적으로 요구를 하게 된다. 그러나 구체적이라 하더라도 고객이 최초로 얘기한 자료를 'VOC' 또는 '원시 데이터'로 본다면 'CCR'은 그보다 훨씬 더 구체적이어야 하므로 앞서 상점 주인과 같이 한 번 더 물어보는 개념으로 접근해야 한다. 다시 말해 "어느 수준이면 적정한 단가입니까?"라든가, "C 불량률을 최소 어느 수준까지를 말씀하시는 겁니까?" 등이다. 물론 '단가'야 그냥 주면 가장 좋아할 것이고, '불량률'이야 '0'이면 최상이겠지만 협상을 하려면 서로 간 적정 수준이 존재해야 한다. 이 경우 추가 물음에 대한 고객의 답변을 정리해서 '단가는 톤당 최소 100,000만 원 이하'나 'C 불량률은 3% 이내' 등 한 단계 더 구체화된 표현을 얻는다. 어느 경우든 고객이 핵심적으로 얘기한 것 또는 바라는 것이 무엇인가가 'CCR'이라고 보면 틀림없다. 이제 주제인 제품 설계 관점으로 돌아와 보자.

앞서 설문이나 인터뷰를 통해 목표 고객들로부터 다양한 '원시 데이터'를 수집하였고, 그들을 잘 정제해서 '요구 품질'로 정리하였다. 또 필요하면 'KANO 분석'을 통해 유형별로 구분한 뒤 전략적 활용 방안까지 고민해보았다. 이제 'CCR', 즉 설계하려는 제품에 대해 고객이 가장 핵심적이고 중점적으로 바라는 것이 무엇인지 결정할 시점에 와 있다. 정리한 '요구 품질'이 '원시 데이터'를 통해 얻고자 하는 모든 것을 망라한 것이라면 그들 모두가 똑같이 중요하다고 보기는 어렵다. 따라서 상대적 중요도 평가를 통해 그들 간 우선순위를 매기게 되는데 이때 상위 값을 얻는 '요구 품질'일수록 '고객의 핵심 요구 사항'인 'CCR'이 된다. 이것은 마치 매상에 관심이 많은 상점 주인이 손님의 '휴' 소리를 접했을 때 상상할 수 있는 많은 유형들 중에서 "제품의 종류가 다양해야 한다"처럼 가장 핵심적인 내용을 찾아낸 것과 일맥상통한다.

다음 [그림 M-37]은 'CCR'이 어떻게 얻어지는지를 보이기 위한 개요도이다. 필요한 독자는 설명과 함께 정독하기 바란다.

[그림 M-37] '요구 품질' 중요도 평가 개요도

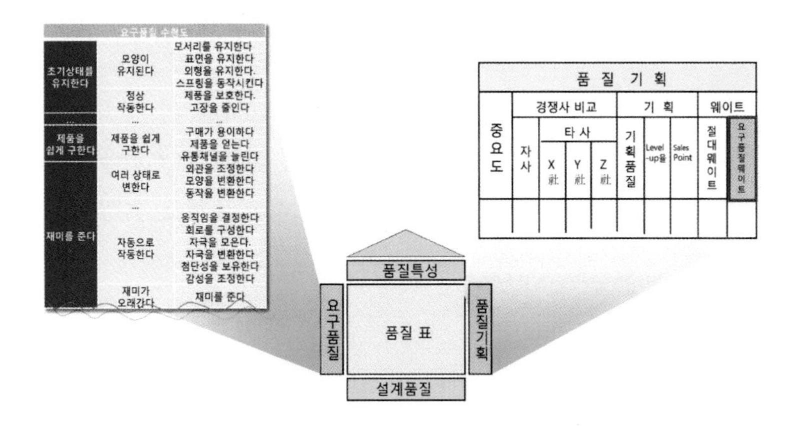

[그림 M-37]에서 가운데가 'QFD'이고 왼쪽에 '요구 품질'이 입력된다. 오른쪽은 '품질 기획'이며, 이것을 확대한 것이 바로 위의 표이다. '품질 기획'은 '요구 품질'을 평가하는 난으로 여기서 결정된 수치들에 의해 '요구 품질'의 순위가 매겨진다. 이때 순위가 높은 '요구 품질'이 'CCR'이다. 다음 [표 M-21]은 '품질 기획'을 나타낸다.

[표 M-21] '품질 기획' 설정 항목

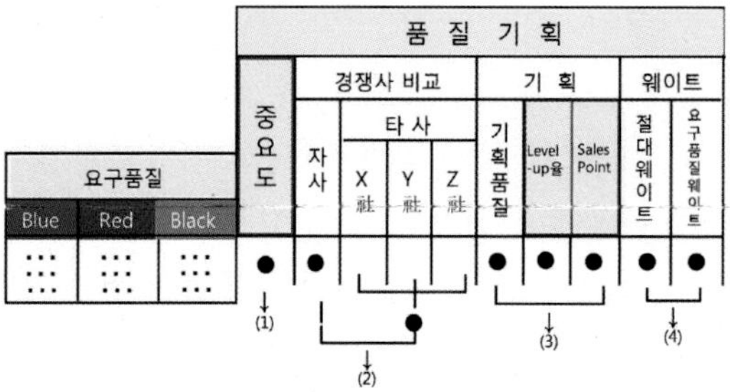

			품질 기획									
			중요도	경쟁사 비교				기획			웨이트	
요구품질				자사	타사			기획품질	Level-up율	Sales Point	절대웨이트	요구품질웨이트
Blue	Red	Black			X社	Y社	Z社					
⋮	⋮	⋮	●	●		●		●	●	●	●	●
			(1)	(2)				(3)			(4)	

표에서 번호로 표시된 각 란에 대한 용도와 평가 방법은 다음과 같다.

1) 중요도

'요구 품질'들 간 상대적 중요도를 평가한다. 방법은 '고객 평가 법'과 '전문가 평가 법'으로 나뉜다. 전자는 고객들에게 설문을 해서 각 '요구 품질'별로 '중요도'와 '만족도'를 얻은 다음, 그 결과를 이용해 'CS Portfolio(Customer Satisfaction Portfolio)'와 '비모수 검정'을 통해 'CCR'을 얻는 방법이다.[48] '원시 데이터'를 얻기 위해 수행한 설문을 '1차'로 보면, '요구 품질'을 이용해 고객에게 어느 것이 중요한지 재차 묻는 설문은 '2차'에 해당한다. 그러나 고객에

48) 방법은 생략할 것이다. 관심 있는 리더는 관련 문헌을 참고하기 바란다.

게 물어야 하는 부담이 따르므로 꼭 필요치 않으면 후자인 '전문가 평가법'을 활용하는 것도 한 방법이다.

'전문가 평가법'은 기업에서 자주 선호하는 방법으로 전문가와 '이해 당사자'들이 모여 'AHP(Analytic Hierarchy Process)'나 'PCA(Paired Comparison Analysis)', 또는 'Multi-voting' 등의 정성적 평가 도구를 이용해 중요도를 매기는 방법이다. 내부에서 진행되므로 설문의 부담에서 자유로운 특징이 있다. 'QFD'와 연계해서 가장 많이 사용되는 것이 'AHP'다. 예로써, [그림 M－36]의 '요구 품질'은 제일 첫 열(Blue Level) 경우 '초기 상태를 유지한다', '제품을 쉽게 구한다'를 포함 총 5개의 '1차 레벨'로 구성돼 있으며,[49] 이들에 대해 제일 먼저 AHP를 수행한 예가 다음 [표 M－22]이다.

[표 M－22] 'Blue Level' AHP 평가 예

I \ J	초기상태를 유지한다.	제품을 쉽게 구한다.	재미를 준다.	차별성을 갖는다.	다루는 데 효율적이다.	중요도
초기상태를 유지한다.	1	5	1/9	1/9	3	0.71
제품을 쉽게 구한다.	1/5	1	1/9	1/7	1/5	0.23
재미를 준다.	9	9	1	3	7	4.43
차별성을 갖는다.	9	7	1/3	1	7	2.71
다루는 데 효율적이다.	1/3	5	1/7	1/7	1	0.51

[표 M－22]의 대각선은 동일한 것끼리의 평가이며 모두 '1'이다. 다른 칸은 'I' 항목이 'J' 항목보다 중요하면 '1～9' 사이 값을 주고(보통 홀수), 반대면 역수 값을 준다. 예를 들면 'I'의 '초기 상태를 유지한다'는 'J'의 '제품을 쉽게 구한다'에 비해 매우 중요해서 '5'로 한 반면, 그 반대인 'I'의 '제품을 쉽게 구한다'와 'J'의 '초기 상태를 유지한다'는 그 역수인 '1/5'이 되는 식이다. 맨 끝 열의 '중요도'는 보통 '기하 평균'이라고 하며 각 줄의 값들을 모두 곱한 뒤 '1/개

49) 이후부터 편의상 [그림 M－36] 내 생략 내용('…' 표시)은 제외하고 설명할 것이다.

수’ 제곱한다. 즉, 첫 줄의 중요도는 ‘$(1\times5\times1/9\times1/9\times3)^{1/5}=0.71$’이다. 결과적으로 ‘Blue Level’에서는 ‘재미를 준다(4.43) > 차별성을 갖는다(2.71) > 초기 상태를 유지한다(0.71) > 다루는 데 효율적이다(0.51) > 제품을 쉽게 구한다(0.23)’ 순으로 고객이 중요하게 생각함을 알 수 있다. ‘토이 박스’라는 제품 특성 때문에 ‘재미’나 ‘차별성’에 관심이 많다고 해석할 수 있다. 다음은 ‘Red Level’에 대한 평가다. ‘Blue Level’의 ‘초기 상태를 유지한다’ 경우 2개의 ‘Red Level’이 있으며, 이 둘에 대해서 AHP를 수행한다. 물론 이 같은 과정은 각 ‘Blue Level’ 내의 ‘Red Level’들에 대해 독립적으로 수행한다. 또, ‘Black Level’들에 대해서도 각 ‘Red Level’ 내끼리 ‘AHP’를 수행한다. 다음 [표 M－23]은 그 결과이다.

[표 M－23] ‘요구 품질’에 대한 ‘AHP 중요도 평가’ 결과 예

요구품질 수형도						
Blue Level 중요도		Red Level 중요도		Black Level 중요도		중요도
초기상태를 유지한다	0.71	모양이 유지된다	0.58	모서리를 유지한다	0.54	0.22
				표면을 유지한다	0.39	0.16
				외형을 유지한다.	3.34	1.38
				스프링을 동작시킨다	1.43	0.59
		정상 작동한다	1.73	제품을 보호한다.	0.38	0.47
				고장을 줄인다	2.65	3.25
제품을 쉽게 구한다	0.23	제품을 쉽게 구한다	1	구매가 용이하다	1.44	0.33
				제품을 얻는다	1.44	0.33
				유통채널을 늘린다	0.48	0.11
재미를 준다	4.43	여러상태로 변한다	0.84	외관을 조정한다	0.31	1.15
				모양을 변환한다	2.47	9.19
				동작을 변환한다	1.33	4.95
		자동으로 작동한다	0.41	움직임을 결정한다	0.61	1.11
				회로를 구성한다	0.28	0.51
				자극을 모은다.	1.09	1.98
				자극을 변환한다	0.61	1.11
				첨단성을 보유한다	4.46	8.10
				감성을 조정한다	1.98	3.60
		재미가 오래간다	2.92	재미를 준다	0.45	5.82
				재미가 유지된다	2.24	28.98
차별성을 갖는다	2.71	호기심을 유발한다	1	관심을 이끈다	1.24	3.36
				고급스러움을 준다	0.60	1.63
				호기심을 유도한다	3.34	9.05
				외관을 꾸민다	0.40	1.08
다루는데 효율적이다	0.51	에너지가 효율적이다	2.65	에너지 소모가 적다	1.00	1.35
		포장이 용이하다	0.38	포장하기 쉽다	0.37	0.07
				크기가 적당하다	1.10	0.21
				휴대가 용이하다	2.47	0.48

[표 M－23]에서 최종 중요도는 각 Level의 ‘중요도’를 곱해서 얻는다. 예를 들면 맨 첫 항목인 ‘모서리를 유지한다’의 중요도는 ‘0.71×0.58×0.54=0.22’이다. 결과를 보면 ‘재미가 유지된다’가 다른 ‘요구 품질’에 비해 상당히 높다. 이것은 재미를 부여하는 ‘토이 박스’ 본래 기능에 추가로 지속성까지 유지되길 바라는 고객 요구가 강하게 반영된 결과로 해석된다.

2) 경쟁사 비교(벤치마킹)

[표 M－21]에서 ‘자사’와 ‘타사’로 구분돼 있는데 각 ‘요구 품질’에 대해 자사가 잘 들어줄 것인지 타사가 잘 들어줄 것인지 고객에게 설문하는 것이다. 보통 ‘5점 척도’로 얻어지지만 이 역시 내부 팀원들과 함께 평가할 수 있다. 단, 원칙은 고객에게 물어보는 것이므로 상황을 판단해 적합한 방법으로 진행한다.

3) 기획

[표 M－21]을 보면 ‘기획’ 내부에 다시 ‘기획 품질’, ‘Level－up률’, ‘Sales Point’로 나뉘어 있다. ‘기획 품질’은 바로 앞 경쟁사와의 만족도 비교에서 열위에 있거나, ‘요구 품질’들 중 경쟁사보다 강조해 제품에 반영하려면 ‘5’에 근접한 값을 적는다. [그림 M－38]은 간단한 입력 예이다.

[그림 M－38]에서 ‘기획 품질’은 ‘경쟁사 비교’의 조사 결과 타사보다 당사가 열위면 높은 점수를, 우위면 기존과 동등하거나 약간 낮추는 전략이 필요하다. 예를 들면 ‘외형을 유지한다’에 대해 자사는 ‘1점’인 반면, 타사는 ‘2～5점’을 얻어 향후 경쟁 우위를 확보하기 위해 ‘기획 품질’을 경쟁사 수준인 ‘4점’으로 정하는 식이다. 왜 ‘5점’이 아니고 ‘4점’이냐고 할 수 있을지 모르나 무작정 높이기보다 설계 제품의 특성과 목표, 자원 등 주변 여건을 고려해서 판단한 결과이다. 즉, 말 그대로 ‘기획하는 작업’이다. ‘Level－up률’은 향후 설계에 얼마나 높여 반영할 것인가이므로 ‘기획 품질÷자사’를 넣는다. ‘1.0’보다 크면 타사 대비

[그림 M-38] '기획' 평가 예

요구 품질		품질 기획									
		중요도	경쟁사 비교				기 획			웨이트	
			자사	타 사			기획품질	Level-up율	Sales Point	절대웨이트	요구웨이트
Red Level	Black Level			X사	Y사	Z사					
모양이 유지된다	모서리를 유지한다.	0.22	3	4	4	5	5	1.67	◎	0.55	0.29
	표면을 유지한다.	0.16	4	3	1	4	4	1.00		0.16	0.09
	외형을 유지한다.	1.38	1	2	4	5	4	4.00		5.52	2.94
	스프링을 동작시킨다.	0.59	2	3	1	2	3	1.50	○	1.06	0.57
정상 작동한다	제품을 보호한다.	0.47	3	2	2	4	5	1.67		0.78	0.42
	고장을 줄인다.	3.25	5	1	4	3	4	0.80	◎	3.90	2.08
에너지가 효율적이다	에너지 소모가 적다	1.00	1	1	3	2	4	4.00	◎	6.00	3.20
포장이 용이하다	휴대가 용이하다	2.47	3	3	3	3	4	1.33	○	3.95	2.11
									계	187.7	100

기존보다 해당 '요구 품질'이 더 영향력을 발휘하도록 설계에 반영한다는 의미다. 'Sales Point'는 고객에게 '판매'를 목적으로 할 때, 얼마나 이 부분을 강조할 것인가 하는 것인데 강조 여하에 따라 '1, 1.2, 1.5'를 부여한다. [그림 M-38]에서 '○'는 '1.2점'을 '◎'는 '1.5점'을, 빈 공간은 '1점'을 나타낸다.

4) 웨이트(Weight)

'절대 웨이트(Absolute Weight)'와 '요구 웨이트'가 있다. '절대 웨이트'는 '중요도×Level-up율×Sales Point'로 얻어지며 궁극적으로 '요구 품질'들의 전체적인 중요도를 대변한다. 이 수치는 굴곡이 심하므로 전체의 합으로 각 값을 나누어준 것이 '요구 웨이트'이다. 결국 '요구 웨이트'란 '요구 품질'에 대해 서로 간의 상대적 중요도, 타사 비교, 판매 관점 모두가 반영된 값으로 고객이 핵심적으로 느끼는 항목, 즉 'CCR'을 얻게 한다. '요구 웨이트'를 모두 합하면 '100'이 돼야 한다. '요구 웨이트'의 용도는 QFD 매트릭스(품질 표) 평가 시 각 셀 점수에 이 값들이 곱해져 품질 특성별 우선순위를 매기는 것이다. 다음 [그림 M-

39]는 'Step－6.1. CCR 도출'의 파워포인트 작성 예이다.

[그림 M－39] 'Step－6.1. CCR 도출' 작성 예(절대 웨이트)

Step-6. Ys 파악

Step-6.1. CCR 도출(절대 웨이트)

▶'요구품질'에 대한 'CCR'을 얻기 위해 '중요도', '경쟁사 비교', '기획'을 평가하고, 이로부터 '절대 웨이트'를 얻음.

❑ QFD 요구품질 / ❑ QFD 품질기획

	Maximize(+), minimize(-), or target(T)			품질기획									
	요구품질				경쟁사 비교				기획			Weight	
				중요도	자사	X사	Y사	Z사	기획품질	Level-up rate	Sales point	절대 weight	요구 weight
1	초기상태를 유지한다	모양이 유지된다	모서리를 유지한다	0.22	3	4	4	5	5	1.7	1.5	0.55	0.29
2			표면을 유지한다	0.16	4	3	1	4	4	1.0	1.0	0.16	0.09
3			외형을 유지한다.	1.38	1	2	4	5	4	4.0	1.0	5.52	2.94
4			스프링을 동작시킨다	0.59	2	3	1	2	3	1.5	1.2	1.06	0.57
5		정상작동한다	제품을 보호한다.	0.47	3	2	4	5	5	1.7	1.0	0.78	0.42
6			고장을 줄인다	3.25	5	5	1	2	4	0.8	1.5	3.90	2.08
7	...	...	...	...	...	...	...	...	...	...	...	...	...
8	제품을 쉽게 구한다	제품을 쉽게 구한다	구매가 용이하다	0.33	2	2	2	1	3	1.5	1.2	0.59	0.3
9			제품을 얻는다	0.33	3	1	5	2	5	1.7	1.0	0.55	0.3
10			유통채널을 늘린다	0.11	1	3	2	2	4	4.0	1.2	0.53	0.3
23	재미를 준다	재미가 오래간다	재미를 준다	5.82	3	1	2	3	4	1.3	1.5	11.64	6.2
24			재미가 유지된다	29.0	3	2	2	4	5	1.7	1.5	72.45	38.6
25	차별성을 갖는	호기심을	관심을 이끈다	3.36	3	2	5	1	5	1.7	1.5	8.40	4.5
26			고급스러움을 준다	0.60	2	5	4	3	5	2.5	1.2	1.80	1.0
27			호기심을 유도한다	3.34	1	1	3	1	4	4.0	1.5	20.04	10.7
28			외관을 꾸민다	0.40	2	1	3	2	4	2.0	1.2	0.96	0.5
29	다루는데 효율	에너지가	에너지 소모가 적다	1.00	1	1	3	2	4	4.0	1.5	6.00	3.2
30		포장이 용	포장하기 쉽다	0.37	4	2	1	5	5	1.3	1.0	0.46	0.2
			크기가 적당하다	1.10	5	3	1	2	4	0.8	1.2	1.06	0.6
			휴대가 용이하다	2.47	3	3	3	3	4	1.3	1.2	3.95	2.1
												187.7	100.0

(품질기획)

Microsoft Excel 워크시트

☞ CCR: (중복 의미 제외) '재미가 유지된다', '호기심을 유도한다', '에너지 소모가 적다'

PS-Lab Problem Solving Laboratory

[그림 M－39]에서 '요구 품질'과 '품질 기획' 사이에 '품질 표'가 생략돼 있다. 우선 '요구 품질'들에 대해 고객이 핵심적으로 생각하는 품질은 '재미가 유지된다. > 호기심을 유도한다. > 에너지 소모가 적다' 등의 순으로 나타났다. '재미가 유지된다'는 기존 토이 박스 본래 기능이 1회성 재미에 그쳤지만 개발 제품은 그 재미가 일정 기간 유지되도록 만들어져야 함을 의미한다. 그러려면 토이 박스 내에 다양한 프로그램이나 콘텐츠를 부여해야 한다. 또 '호기심을 유도한다'는 매장에서 고객이 선뜻 손이 가도록 하기 위한 방안 모색을, '에너지 소모가 적다'는 최근 장난감 트렌드가 전자 회로화하면서 나타나는 고객의 강력한

요구를 반영한 것이다. 이 결과들은 'Step－6.2. CTQ 선정'에서 다시 한번 활용할 기회가 있을 것이다.

현재 설계하고자 하는 제품의 고객이 정확히 무엇을 요구하고 있는지 윤곽이 나오고 있으므로 향후 전개되는 방향도 어느 정도 예상할 수 있다. 그러나 현업에서 실제 과제를 수행하면 이 단계에서 윤곽이 나타나지 않을 수 있는데 가급적 희미한 불빛이라도 관찰될 수 있도록 팀 활동을 강화하도록 한다. 부족하다면 '친화도' 과정이 미진할 수도 있다. 최악의 경우 고객 설문이나 인터뷰에서 충분한 정보가 수집이 안 된 것일 수도 있다. 어느 경우든 부족하다고 판단되면 로드맵이 더 진행되기 전에 철저한 보강이 이루어져야 한다. 이것을 '위험 관리(Risk Management)' 또는 '위험 평가(Risk Assessment)'라고 한다. 이제 지금까지의 결과를 바탕으로 'CTQ'를 찾아보도록 하자.

Step－6.2. CTQ 선정

진행에 앞서 직전 '세부 로드맵'의 'CCR' 경우와 마찬가지로 'CTQ'의 정의와 의미에 대해 다시 되새겨보자. 'CTQ'는 품질을 다루는 사람에게 매우 익숙한 단어로 당연히 너무나 잘 알고 있으리라 생각되지만 의외로 예상을 뒤엎는 경우가 많다. 'CTQ'는 사전에서[50] "제품이나 프로세스의 핵심적인 측정 가능한 특성으로, 이것은 고객을 만족시킬 수 있도록 성과 표준이나 규격과 일치돼야 한다. (중략)…"이다. 간단한 예를 들어보자. 과장된 설정이지만 일반 고객이 시장에 공급된 '토이 박스'를 향해 "어휴, 저 문제덩어리"라고 했다 치자. 매장 주인이 달려가 왜 그런 말을 했는지 물었을 때 "몇 번 사용하니 인형이 안 나오더라

50) 백과사전이나 용어사전에서 찾지 못하는 용어 정의는 'www.isixsigma.com' 내 'Dictionary'를 활용하였다.

고요, 내 친구 것도 그렇고...”라고 했다면 ‘Step－6.1’에서 설명했던 바와 같이 고객이 얘기했던 말은 ‘VOC’에, 매장 주인이 물었을 때의 대답은 ‘CCR’에 대응한다. 즉, ‘문제덩어리’란 표현 속에는 수많은 가능성이 있지만 매장 주인이 물어봄으로써 구체적인 하나의 원인으로 압축됐기 때문이다. 또 매장 주인(또는 제조사)이 사례를 조사해보니 문제의 심각성이 발견되어 개선 과제로 추진할 때 수행 전엔 얼마나 향상시켜야 하는지, 수행 후엔 정말 향상되었는지를 확인할 필요가 있는데 이런 이유로 ‘CCR’의 특성적 표현이 요구된다. 예를 들어 “몇 번 사용하고 인형이 안 나오는 문제”에 대해 ‘스프링의 탄성 유지’가 지적됐다면 ‘스프링 탄성 유지 시간’이 바로 ‘CTQ’이다. 설명한 과정을 검토해보면 **‘CTQ’란 ‘고객에 매달린 특성’**이다. 다음 [그림 M－40]은 ‘VOC － CCR － CTQ’의 관계를 나타낸다.

[그림 M－40] VOC－CCR－CTQ 관계

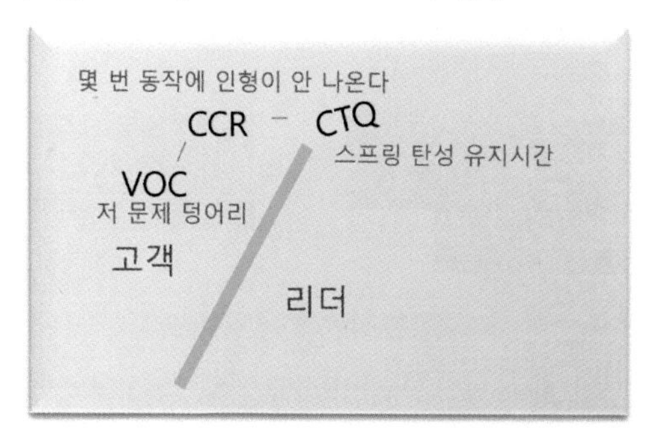

그림에서 고객의 “저 문제덩어리～”라는 얘기를 ‘VOC 또는 원시 데이터’[51] 라고 하면, 이것은 고객이 핵심적으로 ‘여러 번 사용해도 인형이 잘 튀어나와야...’ 하는 요구 사항을 의미하며, 이를 특성화시키면 ‘스프링 탄성 유지 시간’

51) 약간 과장된 표현이라고 한 바 있다.

이 됨을 나타낸다. 이 관계도로부터 'CTQ'는 '고객에 매달린 특성'임을 그림으로부터 확인할 수 있고 특히 '고객'과 '리더' 사이의 의사소통을 위한 매개체 역할을 하고 있음도 알 수 있다. 즉, 리더가 고객에게 "스프링 탄성 유지 시간이 길었으면 하는 거지요?" 하고 물었을 때 고객은 "아, 그렇다니까요" 하고 바로 서로 간의 의사소통이 이루어진다. 'CTQ' 설명은 'Step-6.3. Ys 결정'과 다시 연결되는데 그때를 위해 [그림 M-40]의 오른쪽에 약간의 공간을 남겨두었다.

다시 'QFD'로 돌아오자. 참고로 QFD(Quality Function Deployment)는 1972년 일본에서 '신제품 개발과 품질 보증'의 연구 부제로 '품질 전개 시스템'이 발표되었고, 이때 품질 전개의 기본 틀인 17-Step이 제안되었다. 이후 미스비시 중공업(현 고베 조선소)에서 '품질 표'가 발표되었으며, 미즈노 시게루 박사에 의해 협의의 '품질 기능 전개'와 앞서 기술한 연구들을 종합하여 '품질 기능 전개(QFD)'가 확립되었다. 이것을 바탕으로 신제품 개발에 있어 품질 보증을 원류 단계부터 행하는 활동이 일본 내 기업에 적용되기 시작했으며, 1978년 아카오 요지, 미즈노 시게루가 함께 쓴 '품질 기능 전개'가 출판되면서 미국을 비롯한 전 세계로 확산되었다. 한마디로 제품을 만들어 놓고 품질을 논하는 것이 아니라 아예 설계 초기부터 품질을 확보한다는 개념이 함축돼 있다. 'QFD'는 분야에 관계없이 고객의 요구를 정리하고 그로부터 'CTQ'를 뽑아내는 용도로 매우 중요한 역할을 한다. 모습이 마치 집처럼 생겼다고 해서 '품질의 집(House of Quality)'으로도 불린다.

이제 'QFD'의 핵심 역할인 'CTQ'를 뽑는 과정을 학습하자. 다음 [그림 M-41]은 'QFD' 상단에 '품질 특성'을 입력한 후 '요구 품질'과의 매트릭스(품질표)평가를 수행한 결과이다.

[그림 M-41] '품질 표' 평가 예

Customer Needs				Functional Product Requirements																									품질기획									
Maximize(+), minimize(-), or target(T)				+	+	+	+	+	+	+	+	+	+	+	-	+	+	+	+	+	+	+	+	+	+	+	-	+		경쟁사 비교				기획			Weight	
			Importance Rating	모서리 마모도	모서리 형태	표면강도	표면 거칠기	부착물접착도	…	탄성력	재질종류	스프링 수명	…	디자인만족도	진열유용성	고객 선호도	보유 아이템 수	재미 수준	사용지속시간	기능의 다양성	…	자동화 수준	회로제어수준	외부자극에 반응수준	…	구매 용이성	배달시간	제품 접근성	중요도	자사	X사	Y사	Z사	기획품질	Level-up rate	Sales point	절대 weight	요구 weight
초기상태를 유지한다	모양이 유지된다	모서리를 유지한다	0.22	9																									0.22	3	4	4	5	5	1.7	1.5	0.56	0.6
		표면을 유지한다	0.16		9									3			9												0.16	4	3	1	4	4	1.0	1.0	0.16	0.2
		외형을 유지한다.	1.38											1	9							3			9				1.38	1	2	4	5	4	4.0	1.0	5.50	5.5
		스프링을 동작시킨다	0.59							9						9	3			9		1	9						0.59	2	3	1	2	3	1.5	1.2	1.06	1.1
	정상작동한다	제품을 보호한다.	0.47				1	9																9	3				0.47	3	2	4	5	5	1.7	1.0	0.78	0.8
		고장을 줄인다	3.25						9	3									9	3									3.25	5	5	1	2	4	0.8	1.5	3.91	3.9
…	…	…	…	…	…	…	…	…	…	…	…	…	…	…	…	…	…	…	…	…	…	…	…	…	…	…	…	…	…	…	…	…	…	…	…	…	…	…
제품을 쉽게구한다	제품을 쉽게 구한다	구매가 용이하다	0.33							9	9									9	9								0.33	1	1			3	3	1.5	1.49	0.8
		제품을 얻는다	0.33							3	9									3	9								0.33	1	5			3	3	1.2	1.19	0.6
		유통채널을 늘린다	0.11																										0.11	5	1			5	1	1.5	0.17	0.1
재미를 준다	여러상태로 변한다	외관을 조정한다	1.15													9													1.15	1	5			3	3	1	3.46	1.8
		모양을 변환한다	9.19	3						3	3		3	9			3	9		3	3		3	9					9.19	5	5			5	1	1.5	13.8	7.3
		[illegible]을 변화한다	4.95				3						9				9						9						4.95	1	5			3	3	1	14.8	7.9
	…	…	…	…	…	…	…	…	…	…	…	…	…	…	…	…	…	…	…	…	…	…	…	…	…	…	…	…	…	…	…	…	…	…	…	…	…	…
	자동으로 작동한다	움직임을 결정한다	1.11							9	9									9	9								1.11	1	1			3	3	1.5	4.99	2.7
		회로를 구성한다	0.51							3	9									3	9								0.51	1	5			3	3	1.2	1.83	1.0
		자극을 모은다.	1.98								9				3	3		3			9			3			9		1.98	5	1			5	1	1.5	2.97	1.6
		자극을 변화하다	1.11									9						9				9		1	9				1.11	1	5			3	3	1	3.32	1.8
		첨단성을 보유한다	8.10	3						3	3		3	9				9		3	3		3			9	3		8.10	5	5			5	1	1.5	12.2	6.5
		감성을 조정한다	3.60				3						9										9						3.60	1	5			3	3	1	10.8	5.7
	재미가 오래간다	재미를 준다	5.82				1						9								9								5.82	1	5			3	3	1	17.5	9.3
		재미가 유지된다	28.98							9	9						9							9					28.98	1	1			3	3	1.5	130	69.5
차별성을 갖는다	호기심을 유발한다	관심을 이끈다	3.36							3	9					3		3	9							9			3.36	1	5			3	3	1.2	12.1	6.4
		고급스러움을 준다	1.63								9							9											1.63	5	1			5	1	1.5	2.44	1.3
		호기심을 유도한다	9.05									9						9				9			9				9.05	1	5			3	3	1	27.2	14.5
		외관을 꾸민다	1.08	3						3	3		3	9		9							3	9					1.08	5	5			5	1	1.5	1.63	0.9
다루는데 효율적이다	에너지가 효율적이다	에너지 소모가 적다	1.35				3				3						3	3		3			9						1.35	1	5			3	3	1	4.05	2.2
	포장이 용이하다	포장하기 쉽다	0.07				1				1									9						9			0.07	1	5			3	3	1	0.22	0.1
		크기가 적당하다	0.21				3						9							9									0.21	1	5			3	3	1	0.64	0.3
		휴대가 용이하다	0.48				1						9										9						0.48	1	5			3	3	1	1.44	0.8
		Relative Importance		###	1.4	0.8	###	7.0	35.2	###	###	0.0	###	###	49.5	28.1	###	###	35.2	52.3	34.5	17.6	####	73.1	[illegible]	0.0	0.0	0.0									187.7	100

각 '요구 품질'별 '품질 특성'과 만나는 셀에 관계 정도를 점수로 표기하며, 기본적으로 관계의 정도에 따라 '빈 공간, 1, 3, 9점'을 입력한다. '3점'에서 '9점'으로 뛴 것은 변별력을 확실히 주기 위한 수단이다. 만일 특정 셀에 '3점'을 입력했으면, 그 셀의 실제 점수는 'Step-6.1. CCR 도출'에서 구한 '요구 웨이트'가 가중된 값으로 곱해지며, 각 '품질 특성'의 열 점수를 모두 합한 것이 가장 아래 '상대적 중요도(Relative Importance)'에 나타나 우열을 가른다. 또, '품질 표' 내 점수 분포의 패턴 분석을 통해 'QFD'가 제대로 수행됐는지 검토도 할 수 있다. 이들에 대해서는 주변에서 툴 북이나 'QFD' 용법을 설명하는 책자를 별도 참고하기 바란다. 다음 [그림 M-42]는 'QFD' 수행 결과로부터 'CTQ 후보'들을 '파레토 그림(Pareto Diagram)'으로 선별해낸 결과이다.

[그림 M－42] ‘CTQ 후보’ 도출 예

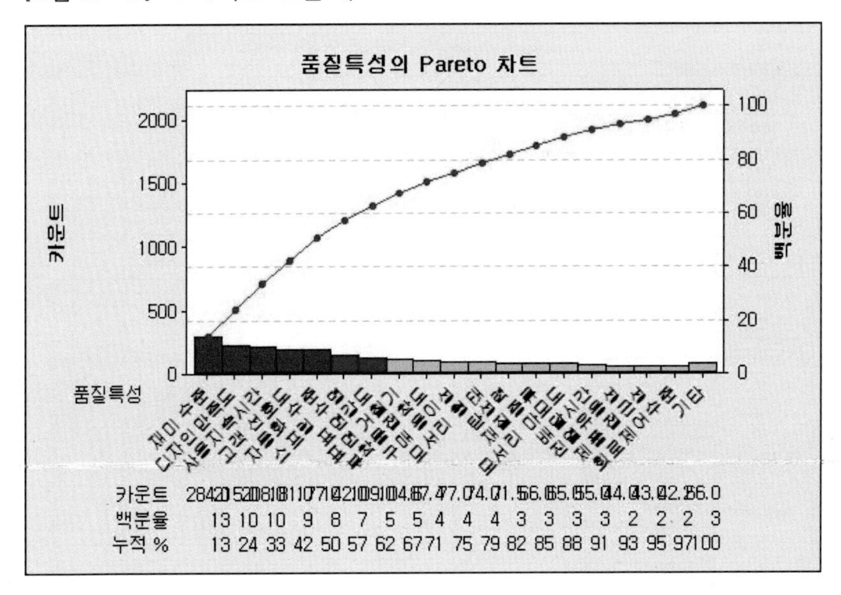

보통 ‘파레토 8:2 원칙’에 의해 선별하는 것이 선호되나 큰 차이가 없으면 첫 특성부터 팀원들과 검토하면서 결정하는 것도 좋은 방법이다. 여기서 ‘재미 수준’, ‘사용자 지속 시간’은 사용상 요구 특성을, ‘디자인 만족도’, ‘고객 선호도’는 구매 시, ‘자동화 수준’은 완구의 최근 트렌드 반영을, ‘스프링 수명’과 ‘표면 강도’는 제품 자체의 특성과 연결돼 있다. 특히 [그림 M－42]의 파란색 막대는 높은 점수 군과 값의 차이는 있지만 제품의 ‘핵심 부품’에 대한 특성들로 팀원들의 협의를 거쳐 포함시키기로 결정하였다(고 가정한다). 선정된 ‘CTQ 후보’들과 그 ‘선정 배경’을 다음 [표 M－24]에 정리해 놓았다.

[표 M-24] 'CTQ 후보' 도출 예

CTQ 후보	선 정 배 경
재미 수준	토이 박스의 구매이유며, 차별화 필요성 대두로 선정
사용자 지속 시간	기존에 고려하지 않았던 특성으로 1회성이 아닌 재미의 지속성 여부가 관건임에 따라 선정
디자인 만족도	미적 상품 가치가 점점 중요해짐에 따라 그 필요성으로 선정
고객 선호도	약간 포괄적이지만, 실제 고객이 선호하는 포인트가 어디인지 좀 더 깊이 있는 연구를 하기 위해 포함시킴.
자동화 수준	외부 자극에 스스로 반응해서 재미를 보여주는 정도를 의미하며, 좀 더 구체화 과정이 요구됨. 디지털 완구의 최근 트렌드를 반영하는 특성이라 선정
스프링 수명	기존 토이 박스를 제어하는 가장 핵심 부품이므로 우선 포함시킴.
표면 강도	토이 박스의 전체적인 내구성을 반영하는 특성으로 고려해서 선정

[표 M-24]는 '토이 박스'의 제품 특성뿐만 아니라 미적 상품 가치에 대한 특성과 향후 반영될 기능들에 대한 특성까지를 포함하고 있다. 즉, 현재와 미래

[그림 M-43] 'Step-6.2. CTQ 선정' 작성 예('품질 표' 평가)

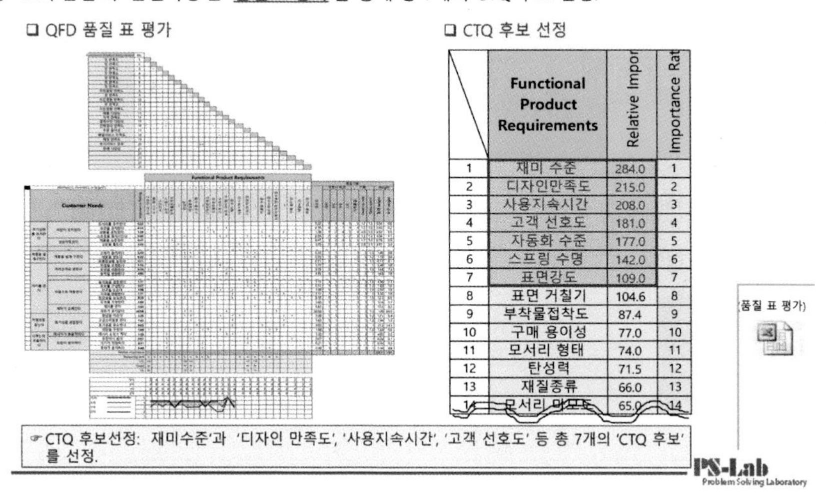

의 가치를 대변하고 있으며, 이들은 **고객의 요구를 종합해서 엔지니어 언어로 변환시킨 결과물**이다. [그림 M-43]은 '품질 표' 평가에 대한 파워포인트 장표 작성 예이다.

[그림 M-43]의 'QFD' 내부는 글이 작아 보이지 않으나 앞서 부분적으로 설명해온 내용의 전체 그림이므로 참조만 하기 바란다. 중심에서 왼쪽은 '요구 품질', 오른쪽은 '품질 기획', 위쪽은 '상관관계', 그리고 아래쪽은 '설계 품질'을 각각 나타낸다. [그림 M-43]의 QFD 오른쪽은 선정된 'CTQ 후보'들의 내역을 표시하고 있다. 빨간 사각형으로 강조한 영역은 고객의 요구 품질을 전반적으로 반영해주는 핵심 품질 특성, 즉 'CTQ' 후보들이다. 다음 [그림 M-44]는 '품질 특성' 간 '상관관계'와 '설계 품질'을 파워포인트 장표로 나타낸 예이다.

[그림 M-44] 'Step-6.2. CTQ 선정' 작성 예('상관관계', '설계품질'의 타사 비교)

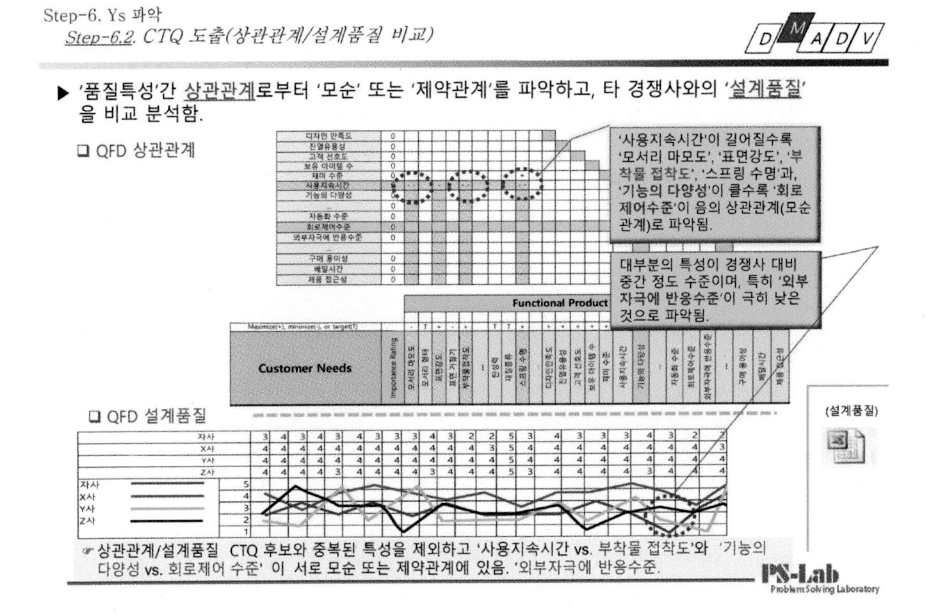

[그림 M-43]의 전체 'QFD' 중 상단(지붕 모양)과 하단 부분이 [그림 M-44]의 'QFD 상관관계'와 'QFD 설계 품질'에 각각 대응한다. 'QFD 상관관계' 분석으로부터 '사용 지속 시간'이 길어질수록 '모서리 마모도', '표면 강도', '스프링 수명', '부착물 접착도'가 나빠질 것으로 예상되며, 따라서 이들은 강한 모순 관계(또는 제약 관계)에 있다고 판단하였다. [그림 M-43]의 'CTQ 후보'에 공통으로 들어 있는 특성들을 제외한 '부착물 접착도'가 새롭게 뽑힌 후보다. '모순 관계(또는 제약 관계)'란 인체의 예를 든다면 혈당을 좋게 하려고 특정 약만 계속 먹으면 간이나 위 등의 다른 특성이 악화되는 관계를 말한다. 하나의 몸체에 모두 들어 있으므로 정해진 특성만을 향상시키기 위해 노력하면 문제가 생길 수 있는지를 사전에 파악하는 과정이다. 'QFD 설계 품질'은 경쟁사보다 기술적 실현이 어려운 '외부 자극에 반응 수준'이 추가로 선정되었다([그림 M-44] 아래에 빨간색 그래프가 당사며, 점선 원으로 표시된 부분이 타사에 비해 매우 낮은 것으로 나타나 있음). 당사가 기존 제품에 사용해본 적이 없는 기술이므로 당연히 취약할 것이며, 만일 새로운 제품에 이 기술을 접목하게 되면 바로 활용할 수 있도록 준비가 돼 있어야 한다.

멘토링을 하다 보면 점수가 높은 'CTQ 후보'들을 기계적으로 뽑거나 한두 명이 그것도 단시간에 결정하는 경우를 자주 목격한다. '제품 설계 방법론'은 매 단계에 의사 결정의 연속이며 현재의 과정이 다음 단계의 입력이 되므로 신중하고 깊이 있는 연구와 고민이 수반돼야 한다. 물론 팀원들 모두가 참석하는 것은 기본 중의 기본이다. 꼭 명심하기 바란다.

여기까지가 'QFD'를 통한 'CTQ 후보' 선정 과정이다. 그러나 주의할 점이 있다. 선정된 'CTQ 후보'들이 최종적으로 '확정'된 게 아니라는 것이다. 멘토링에서 대부분의 리더들이 'QFD' 결과로부터 나온 우선순위화된 특성들을 파레토 원칙으로 선정한 후 바로 마무리하는데 매우 위험한 발상이다. 이전에도 언급했듯이 제품을 새롭게 설계하는 과정이므로 매 의사 결정 시 주의 깊은 접근이 필요하다. 현재 얻은 'CTQ 후보'가 불안하다는 것은 아니다. 팀원들과 매우 심사숙고하며 얻어낸 결과이기 때문이다. 그러나 더더욱 고민해서 결정해보자는 의미로 받아들이면 지금부터 설명할 최종 'CTQ' 확정 과정이 꼭 필요하다는 것을 깨닫게 된다. 최종적으로 본 과제의 'CTQ'가 무엇인지 확정짓기 위해 지금까지의 결과를 모두 모아보도록 하자. 즉, [그림 M-30]의 'KANO 분석' 결과, [그림 M-39]의 'CCR 도출' 결과, [그림 M-43]의 'CTQ 후보 선정', [그림 M-44]의 '상관관계와 설계 품질 결과'들을 모아 놓고 종합적으로 판단하여 앞으로 전개될 제품 설계에서 가장 중요하게 여길 핵심 특성이 무엇인지 팀원들과 협의를 거쳐 확정한다. 물론 여기서 이미 선정된 'CTQ 후보'가 배제되고 순위는 낮지만 전략적으로 매우 중요하다고 판단되는 특성이 새롭게 유입될 수도 있다. 현재도 그렇지만 앞으로도 순간순간 결정된 것은 아무것도 없다. 모든 가능성은 항상 열어두고 진행한다. 그리고 단계마다 최선을 다해 의사 결정을 하되 이전 판단이 잘못되었음을 알게 되면 바로 되돌아가 다시 시작한다.

물론 반복이 많을수록 개발 기간이 길어질 것이므로 최소화하도록 노력해야 하지만 '세부 로드맵'을 밟아오기 때문에 과거로 돌아가 다시 현재로 오는 일은 매우 빠르게 진행된다. 로드맵 사용의 장점이다. 모든 내용이 인과성을 갖고 관리돼 왔기 때문이다. 돌다리를 밟으며 강을 건너오면서 원하는 목적지에 도달할 수 없다는 것을 깨닫고 뒤를 돌아봤을 때 밟고 왔던 돌다리가 없다는 것을 상상해보라? '로드맵'이 존재하는 상황에선 상상할 수 없는 일이다. 또 그런 일은 일어나지도 않는다. '세부 로드맵'을 하나씩 밟으며 왔기 때문이다. 이런 일련의 과정을 리더들이 이해했을 때 비로소 왜 매 단계에 팀원들 간의 많은 노력이 강조되는지 깨닫게 될 것이다.

이제 앞에서 언급한 결과들을 한 장에 모두 모아 놓고 가장 적합한 'CTQ'를 찾아보자. 본문은 단순한 예를 가정하고 전개되지만 기업 연구소에서 일어나는 과제 수행은 복잡도가 훨씬 높은 제품을 대상으로 할 수 있다. 따라서 이 글을 읽고 있는 리더들은 본인들의 과제에 응용할 수 있도록 노력해주기 바란다. 다음 [그림 M-45]는 내용들을 종합한 후 'CTQ' 및 그 '선정 배경'을 기술한 예이다.

[그림 M-45] 'Step-6.2. CTQ 선정' 작성 예(CTQ 확정)

Step-6. Ys 파악
Step-6.2. CTQ 도출(CTQ 확정)

▶ 'KANO 결과', 'CCR결과', 'CTQ선정 결과', '상관관계/설계품질'로부터 최종 CTQ 확정.

구분			CTQ
■ KANO 결과	■ 품질특성	■ 선정 배경	
	기능의 다양성	차별화 요소로서의 역할 기대	
	사용지속시간	중복	
	재미수준	중복	
■ CCR 결과			
	고객 선호도	중복	기능의 다양성
	재미수준	중복	
	에너지 소모율	컨셉트설계 이후에 판단	사용지속시간
■ CTQ 후보 선정결과			고객 선호도
	재미수준	'사용지속시간'에 통합	
	디자인 만족도	'고객 선호도'에 통합	
	사용지속시간	재미+시간을 포괄함에 따라 선정	자동화 수준
	고객 선호도	외관 전체에 대한 미적 가치 추구	
	자동화 수준	자기제어 시스템 구현	부착물 접착도
	스프링 수명	'내구성'으로 통합	
	표면 강도	'내구성'으로 통합	
■ 상관관계/설계품질 비교결과			
	부착물 접착도	접착성분에 대한 고려	
	기능의 다양성	중복	
	회로 제어수준	'자동화 수준'에 통합	
	외부자극에 반응수준	'자동화 수준'에 통합	

PS-Lab
Problem Solving Laboratory

[그림 M-45]에서 첫 번째 'KANO 결과'는 [그림 M-30]의 '환희 요소'를 대상으로 관련된 '품질 특성'을 검색해서 반영했으며, 만일 없으면 새롭게 정의해서 추가하는 방법을 택했다. 두 번째 'CCR 결과'는 [그림 M-39]의 순위가 높은 '요구 품질'과 '9점'으로 만나는 '품질 특성'들을 찾아 기술한 것이다. 'CCR'이지만 그를 설명하는 '특성'이 실제 'QFD 품질 표' 평가에서 타 특성보다 점수가 낮아 배제될 수도 있다. 예를 들면 [그림 M-39]에서 'CCR'인 '에너

지 소모가 적다'가 '요구 웨이트' '3.2'로 꽤 높은 편이지만 이것과 '9점'을 이루는 '에너지 소모율' 경우 'CTQ 선정'에서 배제돼 있다(고 가정한다). 이것은 '상대적 중요도(Relative Importance)'가 낮기 때문인데, 이때 'CCR'을 설명하는 '에너지 소모율'을 선택해 재검토해 본다는 의미를 담는다. 나머지는 앞서 설명한 내용을 토대로 하고 있다. 최종 확정된 'CTQ'는 '선정 배경'에 왜 선정됐고 또 어떤 것이 왜 배제됐는지를 기록해 놓았다. '즉 실천'성이나 '중복'된 특성들은 배제했고, 특히 '스프링 수명'과 '표면 강도'는 아직 제품이 어느 재질과 부품으로 설계될지 모르므로 일단 '내구성'으로 통합한 뒤 이후를 보는 것으로 결정했다(고 가정한다). '사용 지속 시간'은 토이 박스가 1회로 작동하지 않고 좀 더 긴 재미를 줘야 한다는 데서 '재미 수준'을 '사용 지속 시간'에 통합하였다. '회로 제어 수준'이나 '외부 자극에 반응 수준'들은 자기 제어 시스템이라는 범주로 구분하여 이를 포괄할 '자동화 수준'으로 대체하였다. 전 과정은 팀원들과 심도 있는 협의를 거친 것으로 가정한다. 이어 'Step－6.3. Ys 결정'으로 들어가 보자.

Step－6.3. Ys 결정

'Y'란 과제 수행 관점에서 "제품이나 프로세스의 성과가 과제의 CTQ를 얼마나 잘 만족시키는가를 나타내는 측정 가능한 구체적 지표"이다. 그러나 수학에서의 'Y'는 '종속 변수'이며, 따라서 국어사전은 "독립 변수의 변화에 따라 값이 결정되는 다른 변수, 예를 들어 함수 $y=f(x)$에 있어서 x가 변하는 데에 따라 바뀌는 y를 이른다"로 정의한다. 둘 다 맞지만 'Step－6.3'에서의 논의는 '수학적 정의'보다 '과제 수행 관점의 정의'를 우선시한다. 왜냐하면 바로 직전 '세부 로드맵'의 산출물이 'CTQ'이었으며, '과제 수행 관점의 정의'에 따르면 'Y'란 바로 'CTQ'들을 잘 대변하는 측정 가능한 지표이기 때문이다. 그렇다면 'CTQ'

와 ‘Y’의 관계를 어떻게 설명해야 둘이 관계가 있으면서 한편으론 독립적으로 이해될 수 있을까? 약간 모순된 것처럼 보이지만 두 특성의 차이점이 무엇인지 명확하게 알고 난 후 유사성을 확인하는 게 좋을 것 같다. 차이점을 알기 위해 [그림 M−40]을 상기하자. 당시에 향후 덧붙일 설명을 위해 그림 한쪽에 빈 공간을 남겨둔다고 한 바 있다. 그 공간을 채운 모습이 다음 [그림 M−46]이다.

[그림 M−46] CTQ−Y 관계

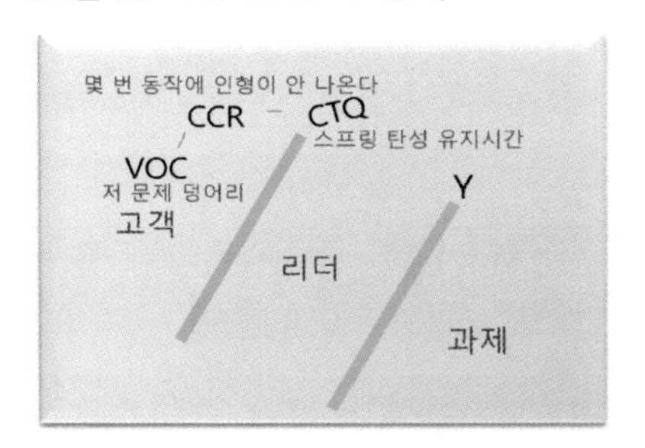

[그림 M−46]에서 단어 ‘Y’와 ‘과제’가 추가되었다. 우선 그림 내에서 ‘Y’의 의미를 되새겨보자. ‘고객의 소리(VOC)’를 구체적으로 설명하면 ‘핵심 요구 사항(CCR)’이 되고 이를 ‘특성’으로 표기한 결과가 ‘CTQ’이다. 즉, “스프링 탄성 유지 시간을 얘기하는 겁니까?”라고 리더가 물었을 때 “그렇다니까요” 하고 손님이 대답했으면 서로 간 의사소통이 원활이 이루어진 셈이다. 따라서 손님이 “저 문제덩어리~”라 했던 말보다 ‘스프링 탄성 유지 시간’의 표현이 ‘고객’과 ‘리더’ 간 원활한 의사소통 매개체 역할을 한다.

‘Y’도 동일한 방식으로 그 존재를 추론할 수 있다. 예를 들어 ‘과제’가 “난 너무 좋은 성과를 올렸습니다”라고 했을 때(물론 과제가 말할 수는 없다. 리더들의 너그러운 이해를 구한다.~) 리더가 이 말을 믿어줄 수 없다고 한다면, 또 리더가 “무지하게 노력한 결과 기대 이상의 성과를 올렸습니다. 대단합니다”라는 주장에 대해 '과제'가 시큰둥한 반응을 보인다면, 또는 제3자인 사업부장이 한마디로 "뭐가 잘된 거죠?"라고 했을 때 "그게 저 제품이 견고하고, 담당자도 좋다고 하고…"처럼 어정쩡하게 대꾸한다면 서로 간 의사소통에 문제가 생긴 것이다. 이 시점에 '리더'와 '과제' 간 의사소통을 위한 매개체가 필요한데 이것이 바로 'Y'다. 과제 시작 전 'Y'와 과제 종료 후 'Y'가 얼마나 차이 나는지를 '리더'와 '과제'가 서로 공유한다면 다른 사람들에게 성과를 납득시키는 일은 그다지 어렵지 않다. 따라서 'Y'는 과제에 매달린 특성으로 봐야 한다. 정리하면 'CTQ'와 'Y'에 대해 다음과 같이 차이점을 요약할 수 있다.

[표 M-25] CTQ와 Y의 비교(차이점)

CTQ	'고객'에 매달린 특성, '고객'과 '리더'와의 관계
Y	'과제'에 매달린 특성, '리더'와 '과제'와의 관계

그럼 둘 간의 관련성은 어떨까? '과제'란 '고객 만족'을 위해 선정되는 것이라 하였다. 다음 [그림 M-47]은 [그림 M-46]에 둥근 화살표를 추가한 결과이다.

[그림 M-47] CTQ-Y 관계

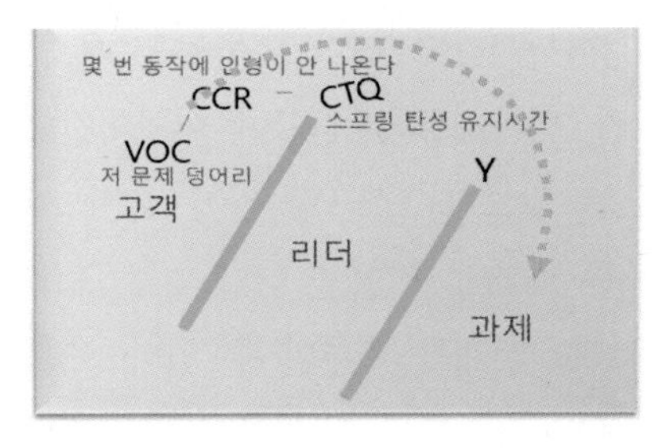

[그림 M-47]에서 둥근 화살표는 고객 만족을 위한 과제 선정 경로이며,

'CTQ'와 'Y'가 서로 연계돼 있음을 암시한다. 즉, 'Y'는 'CTQ'를 대변해야 하며, 대변하는 방법에 '직접/제약/하위/대용특성화'가 있다. 'CTQ'가 프로세스에서 바로 측정 가능하면 'Y'로 직접 올 수 있다. 다음 [그림 M−48]을 보자.

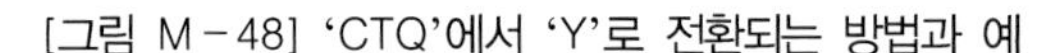
[그림 M−48] 'CTQ'에서 'Y'로 전환되는 방법과 예

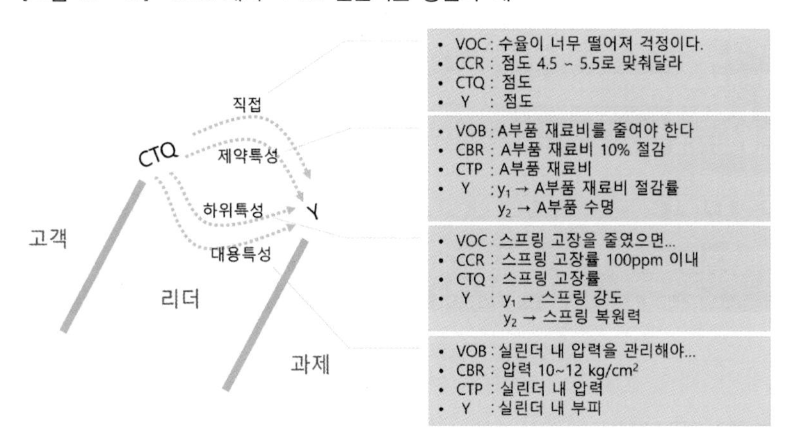

[그림 M−48]에서 'CTQ'로부터 'Y'로 전환되는 4가지 방법과 각각의 가능한 예를 나열하였다. 본문에서의 설명은 생략하므로 관심 있는 독자는 그림을 참조하기 바란다. 'VOB/CBR/CTP → Y'와 'VOC/CCR/CTQ → Y'의 구분은 '내부의 소리(VOB)'와 '외부의 소리(VOC)'의 차이일 뿐 결과 해석은 동일하다.

이제 기본 개요는 설명했으므로 'Y'를 결정하기 위한 본론으로 들어가 보자. 크게 두 가지 접근이 필요한데 바로 '운영적 정의(Operational Definition)'와 '성과 표준(Performance Standard)'이다. 두 가지 다 실제 과제를 수행하는 리더들조차 정확하게 모르는 경우가 많다. 양은 많지만 이 기회에 확실하게 본인 것으로 만들어주기 바란다.

6.3.1. 운영적 정의(Operational Definition)

'운영적 정의'는 흔한 용어임에도 사전에는 없고, 단지 '위키피디아'에 'Operational Definition'은 있다. 흔한 용어임에도 이렇게 정의 찾기가 힘든 이유는 '조작적 정의'가 제 이름이기 때문이다. 서점에서 '마케팅 조사 방법론'을 찾아 색인을 보면 쉽게 접할 수 있다. 2000년 초만 해도 경영학 쪽에 몸담다 컨설턴트가 된 이들은 '조작적 정의'란 용어를 사용했었다. 그러나 기업 임직원들에게 '조작'이란 단어가 석연치 않았는지 언제부턴가 '운영적 정의'로 바뀌었다.

90년대 말 미국으로부터 혁신 프로그램이 유입되면서 국내 통역사, 컨설턴트, 심지어 회사 사무국 담당자가 번역에 참여했고 'Operational Definition'은 영어사전의 '운영적' 또는 '운용적' 등으로 쓰였다. 2002년 삼성에서 그룹 교재가 나오면서 용어 체계가 잡히기 시작했으나 당시 교재에도 '운영적 정의'는 없었고 2003년부터 그룹 검정 시험이 시작되면서 문항에 출현하기 시작했다. 아마 이것이 '운영적'으로 정착하는 데 단초를 제공한 것이 아닌가 싶다. 최근에도 일부 컨설팅 업체는 '운용적'이란 표현을 쓰기도 하는데 영어 사전에 'Operational'이 '운영상의'로 돼 있고, 'Operation'은 '운용'이라 돼 있는 만큼 이왕 번역의 문제라면 사전 해석을 따라 '운영적 정의'로 쓰는 것이 바람직하다.

'조작적 정의'는 (네이버 국어사전)에 "사회 조사를 위해 사물 또는 현상을 객관적이고 경험적으로 기술하기 위한 정의. 대개는 수량화할 수 있는 내용으로 만들어진다"이다. 마케팅에선 소비자의 연령별 구매력 등 추상적 개념을 객관화시킬 목적으로 발전하였다. 'www.isixsigma.com'의 'Dictionary'에 쓰인 정의는 다음과 같다. 번역 왜곡을 줄이기 위해 원문을 함께 실었다.

- **운영적 정의(Operational Definition)** 1) An exact description of how to derive a value for a characteristic you are measuring. It includes a precise definition of the characteristic and how, specifically, data collectors are to measure the characteristic. (번역) 측정하려는 특성 값을 어떻게 만들어낼 것인가에 대한 정확한 설명. 특성이 무엇인지 명확히 정의하고, 특히 수집자로 하여금 어떻게 측정해야 하는가까지를 포함한다.
- 2) Used to remove ambiguity and ensure all data collectors have the same understanding. Reduces chances of disparate results between collectors after Measurement System Analysis. (번역) 수집자가 측정이 모호하다는 느낌을 갖지 않도록 하고, 똑같이 이해하는 데 사용된다. 측정 시스템분석(MSA) 후 수집자들 사이에 다른 결과가 나올 가능성을 줄이는 데도 기여한다.

'운영적 정의'의 유래와 의미에 대해 알아보았다. '제품 설계 방법론'은 '운영적 정의'가 특히 중요하다. 왜냐하면 제품 설계에 새로운 특성이 탄생할 가능성이 매우 높기 때문이다. 그럼 어떻게 하는 것이 '운영적 정의'를 잘 하는 것일까? 교육 중 필자는 "만일 신입 사원이 부서에 들어왔다고 상상하세요. 그리고 그 사원이 당신이 적어 놓은 'Y'의 측정 방법을 읽어보고 별다른 어려움 없이 수치화한다면 당신은 '운영적 정의'를 참 잘한 것입니다"라고 말한다. 신입 사원은 업무 파악이 안 된 상태인데 리더의 '운영적 정의'를 보고 수치 자료를 모을 수 있다면 명확하고 객관적인 측정 방법을 명시한 경우로 볼 수 있다. 멘토링을 하다 보면 천태만상의 '운영적 정의'를 본다. 멘토가 철저하게 봐주고 조정도 해줘야 하는데 검토 없이 한 부서의 첫 과제 수행자가 잘 모르는 상황에서 만들어 놓은 내용을 다음 리더가 또다시 벤치마킹(?)해 그대로 옮겨놓곤 한다. 어떤 경우는 5, 6연차된 회사에서도 현상이 나아지지 않는다. 무슨 내용인지 모르고 작성되는 문서는 곧 'Paper Work'의 지름길이다. 잘 모르는 상태에서 잘못된 내용을 따라 하다 보니 **'뭔지 모른다? → 이상하다 또는 해야 하나? → 지겹다! →**

Paper Work다'의 악순환이 계속된다. [표 M-26]은 '토이 박스 개발'의 '운영적 정의' 예이다.

[표 M-26] '운영적 정의' 작성 예

운영적 정의 (Operational Definition)			
CTQ	Ys	단위	측정 방법
기능의 다양성	재미의 표현 수	개	-정의: 토이 박스 하나가 보유하고 있는 표현의 수. 각 표현은 고객에게 재미를 유발할 수 있는 역할을 수행해야 한다. -수치화 방법 : (설명) ① 5명으로 구성된 4개 그룹의 패널을 운영해 7점 만점 중 5,5점 이상을 받은 표현을 개수 산정에 포함시킴. ② 그룹 : 대학생 군, 중학생 군, 백화점/ 마트 군, 일반인 군
사용 지속시간	놀이 유지 시간	분	-정의: 고객이 토이 박스 1개로 보내는 시간의 지속 정도. -수치화 방법 : (설명) 학생들이 모이는 장소에 비치한 후 관찰을 통해 측정(10개 이상)
고객 선호도	고객 선호도	점	-정의: 토이 박스의 미적 상품 가치를 평가 -수치화 방법 : (산식) 1) 매장에서 고객이 구매여부를 판단하기 위해 방문 고객 당 손으로 들어 본 횟수. 2) 1)에서 호기심을 갖고 토이 박스를 관찰한 소요 시간. 3) 고객선호도= N*t (N:들어 본 회수, t: 관찰 소요 시간)
자동화 수준	자극 반응도	%	-정의: 외부에서 실행을 위한 자극이 주어졌을 때 설계 기능이 제 역할을 수행하는 수준. -수치화 방법 : (설명) 표준에 정한 '자극 수'를 주었을 때 발생되는 결점의 수를 'DPO'로 산정
부착물 접착도	부착물 접착력	g	-정의: 토이 박스의 미적 상품 가치를 높이기 위해 외부에 붙이는 부착물 접착 정도. -수치화 방법 : (계측기 명) 'KS T 1028 접착테이프 및 시트의 시험 방법'에 준하여 평가함.

표에서 첫 열의 'CTQ'들은 '[그림 M-45] Step-6.2. CTQ 선정'에서 결정된 것들이 왔고, 다음 'Ys'열 경우 '재미의 표현 수', '자극 반응도'는 대용 특성

화해서, '놀이 유지 시간', '고객 선호도', '부착물 접착 강도'는 직접 'Y'로 전환된 예이다. '단위' 열은 'Y'의 특성을 살려 적용하였다. 넷째 열 '측정 방법'이 '운영적 정의'의 가장 핵심 내용이 될 것이다. 각각의 'CTQ → Y' 전환 배경에 대해 부연하면 다음과 같다(고 가정한다).

1) 기능의 다양성 → 재미의 표현 수: '기능의 다양성'은 기존 토이 박스가 단순히 인형 돌출을 통한 1회성 재미에 한정된 반면 좀 더 다양한 모습을 보유해 고객에게 신선한 재미를 줄 필요성을 고려한 특성이었다(고객 조사로부터 유도된 바 있음). 따라서 얼마나 다양한 재미의 모습을 담아낼 수 있을 것인지에 초점을 맞춰 '재미의 표현 수'로 대용 특성화하였다. '수치화 방법'은 '계측기 명', '산식', '설명' 중 점수 부여 방법을 명확히 기술해야하므로 '설명'이 적용된다.

2) 사용 지속 시간 → 놀이 유지 시간: 고객이 토이 박스로 놀이할 때, 얼마나 오랫동안 지속되는가를 측정하는 양이다. 재미있고 관찰할 모습이 다양하면 '놀이 유지 시간'은 늘어날 것이지만 그렇다고 단순히 '재미의 표현 수'에 비례해서 길어지지는 않을 것이다. 따라서 '재미 표현의 수'를 보조하는 특성으로도 의미가 있어 포함시켰다(고 가정한다). '수치화 방법'은 시간의 '시점'과 '시점'을 명확히 규정해야하므로 '설명'이 적용된다.

3) 고객 선호도 → 고객 선호도: 이 특성은 매장 등에서 고객의 눈길과 호기심을 얼마나 빨리 이끌어낼 수 있는가를 측정하는 양이다. 일단 눈에 띄어야 판매량 증대의 기회도 늘어날 것이기 때문이다. 관찰을 통해 매장 방문 고객당 '들어 본 횟수'와 '관찰하는 데 소요되는 시간'의 곱으로 수치화한다. 계산식이 필요하므로 '수치화 방법'은 '산식'이 적용된다.

4) 자동화 수준 → 자극 반응도: 이 특성은 인형이 돌출하는 천편일률적 단순작동이 아닌 독특하고 다양한 외부 자극에 스스로 반응하는 경우를 고려하였다. 아직 콘셉트 설계가 이루어지지 않아 정확한 측정 대상의 윤곽이 잡힌 건 아니

지만 외부 자극에 임의 동작이 정확히 반응하는 정도를 설정하였다. 반응하는 기능의 수를 미리 규정해야하므로 '수치화 방법'은 '설명'이 적용된다.

5) 부착물 접착도 → 부착물 접착력: 이 특성은 기존 토이 박스 외부에 미적 상품 가치를 고려한 부착물을 붙였으며, 이것이 자주 떨어진다는 고객의 VOC를 반영한 경우이다. 이 같은 평가는 국가 표준인 'KS A 1028 접착테이프 및 시트의 시험 방법'을 그대로 적용할 것이다. 접착력 측정기를 통해 부착 상태를 측정하므로 '수치화 방법'은 '계측기 명'이 적용된다.

이와 같이 단순히 'CTQ'를 'Y'로 전환한 결과만을 기술할 것이 아니라 팀원들과 무슨 협의를 했고, 과정과 결과는 어떻게 나온 것인지 근거를 남기는 일이 매우 중요하다. '운영적 정의'에 대한 이력은 모두 파워포인트 장표에 '개체 삽입'으로 관리하도록 한다. 역시 정해진 것은 없다. 'Step－6.2. CTQ 선정'에서 매우 중요한 것으로 결정됐지만 이번 과정에서 중복되거나 불필요한 것으로 판정될 수도 있다. 물론 변경이 너무 잦지 않도록 더욱 세심한 의사 결정 과정이 있어야 한다. 그러나 경계할 일도 있다. CTQ로 정해져 있던 것이 밑도 끝도 없이 갑자기 사라지거나, 없던 Y가 하늘에서 뚝 떨어지는 표현은 절대 삼가야 한다. 앞에서부터 있어 왔던 것이 왜 사라졌는지, 그리고 왜 이것이 대체돼서 다른 것이 왔는지 그 이력과 배경 관리는 철저해야 하며, 관련 내용들을 따로 관리하지 말고 항상 내용 파악이 용이토록 발생 위치에 함께 포함시키도록 한다('개체 삽입' 등으로 처리). '제품 설계 방법론'을 진행함에 있어 매우 중요한 사항임을 수차례 강조한 바 있다. 다음 [그림 M－49]는 '토이 박스 개발' 과제의 'Step－6.3. Ys 결정' 내 '운영적 정의'를 파워포인트로 작성한 예이다.

[그림 M-49] 'Step-6.3. Ys 결정' 작성 예(운영적 정의)

Step-6. Ys 파악
Step-6.3. Ys 결정(운영적 정의)

▶ 'Y'에 대한 결정과, 각각에 대한 '운영적 정의'를 다음과 같이 설정함.

운영적 정의 (Operational Definition)			
CTQ	Ys	단위	측정방법
기능의 다양성	재미의 표현 수	개	-정의; 토이박스 하나가 보유하고 있는 표현의 수. 각 표현은 고객에게 재미를 유발할 수 있는 역할을 수행해야 한다. -측정방법; ① 5명으로 구성된 4개 그룹의 패널을 운영해 7점 만점 중 5,5점 이상을 받은 표현을 개수 산정에 포함시킴. ② 그룹; 대학생 군, 중학생 군, 백화점/마트 군, 일반인 군
사용 지속시간	놀이 유지시간	분	-정의; 고객이 토이박스 1개로 보내는 시간의 지속 정도. -측정방법; 학생들이 모이는 장소에 비치한 후 관찰을 통해 측정(10개 이상)
고객 선호도	고객 선호도	점	-정의; 토이박스의 미적 상품가치를 평가 -측정방법; 1) 매장에서 고객이 구매여부를 판단하기 위해 방문 고객 당 손으로 들어 본 횟수. 2) 1)에서 호기심을 갖고 토이박스를 관찰한 소요시간. 3) 고객선호도= P*t (P;방문 고객 수 당 들어 본 회수의 비율, t; 관찰 소요시간)
자동화 수준	자극 반응도	%	-정의; 외부에서 실행을 위한 자극이 주어졌을 때 설계기능이 제 역할을 수행하는 수준. -측정방법; 표준에 정한 '자극 수'를 주었을 때 발생되는 결점의 수를 'DPO'로 산정
부착물 접착도	부착물 접착력	Kgf	-정의; 토이박스의 미적 상품가치를 높이기 위해 외부에 붙이는 부착물 접착 정도 -측정방법; 'KS T 1028 점착 테이프 및 시트의 시험방법'에 준하여 평가함.

(상세설명)

PS-Lab
Problem Solving Laboratory

[그림 M-49]에서 각 'Y'별 상세한 정의 등을 별도로 작성하여 '개체 삽입'을 통해 처리하였다(고 가정한다). 다음은 '성과 표준(Performance Standard)'에 대해 알아보자.

6.3.2. 성과 표준(Performance Standard)

'성과 표준'은 다소 낯선 표현이다. 그러나 과제를 수행하다 보면 '운영적 정의'보다 출현 빈도가 훨씬 높은 편이다. 그럼에도 쓰임은 '운영적 정의'보다 미숙하거나 아예 누락되는 경우, 또는 완전히 잘못 사용되는 사례가 주변에서 빈번히 발생한다. 용어도 각양각색인데, 예를 들어 영문이 'Performance Standard'로 단어가 두 개인 만큼 '2^2=4'의 조합대로 불리는데 '성능 표준', '성능 기준', '성과 표준', '성과 기준'이 그것이다. 최근까지도 자료 출처에 따라 편한 대로 불리긴 하지만 대체로 '성과 표준' 쪽이 우세하니 이 글을 접하는 리더들은 가닥이 잡힌 쪽에 줄 서주기 바란다(모름지기 줄을 잘 서야 성공함). '성과 표준'의 사전적 정의를 공인된 출처로부터 찾기가 매우 어렵지만 그나마 의미 있는 설명을 옮겨 놓으면 다음과 같다.

- **Performance Standard** (네이버 지식 검색에서 질의에 대한 답변) A measuring rod for evaluating performance (usually referring to a minimum acceptable amount or quality) 성과 평가를 위한 측정 잣대(보통 최소한으로 받아들여지는 양이나 질을 나타냄).
- **Performance Standard** (출처; Institute for Telecommunication Science) A statement of general criteria that define a desired result without specifying the techniques for achieving that result. Synonym performance-based standard. 결과를 이루게 할 기술들의 열거가 아닌 요구된 성과를 정의하는 일반적인 기준의 설명. (동의어) 성과 기반 표준.
- **성과 표준** (IT 용어 사전 등) 산출 표준, 실제 성과와 비교되는 기준 혹은 표준.

정의들에 공통으로 포함된 단어는 '기준'이다. '기준'을 제품 개발과 연계해 풀어쓰면 '규격(Specification)'에 대응한다. '규격'의 국어사전적 정의는 "제품이나 재료의 품질, 모양, 크기, 성능 따위의 일정한 표준"이다. '규격'은 전적으로 '고객'이 정해주는 한계 값이다. 즉, 고객에게 필요한 상품이나 결과물을 가져다줄 때 내키는 대로 모양, 크기 또는 수준을 고쳐서 전달할 수는 없다. 고객이란 우리의 산출물을 일정 금액을 지불하고 사다 쓰는 대상이며, 따라서 사용자의 필요나 요구에 맞게 산출물이 생산돼야 한다. 그렇지 않으면 제품 개발이나 생산의 의미가 전혀 없다.

한편 '성과 표준'은 '규격'과 비교해 의미가 훨씬 포괄적이다. 제조나 연구 개발 부문뿐만 아니라 간접, 서비스 부문까지 총 망라해서 활용할 수 있다. 또 '규격'과 마찬가지로 '기준의 설정'이 필요하지만 주체가 반드시 '고객'이 될 필요는 없다. 합리적이고 객관적이며 공감할 수 있는 근거가 충분히 마련될 수 있으면 리더뿐만 아니라 과제와 관련한 누구라도 결정할 수 있다.[52]

그럼 왜 과제를 수행하면서 '성과 표준'을 꼭 설정해줘야 할까? 필요한 이유를 구구절절 나열하기에 앞서 거꾸로 '성과 표준'을 사용하지 않으면 어떤 결과가 초래될지 역발상해보면 어떨까? 역발상을 통해 '성과 표준'의 의미와 중요성을 더욱 공고히 할 수 있다. 이해를 돕기 위해 다음 [그림 M－50]은 '코팅 두께(㎛)' 데이터를 미니탭의 '기술 통계량' 기능을 이용해 나타낸 결과이다(라고 가정한다).[53]

[그림 M－50] '코팅 두께(㎛)'에 대한 '기술 통계량'

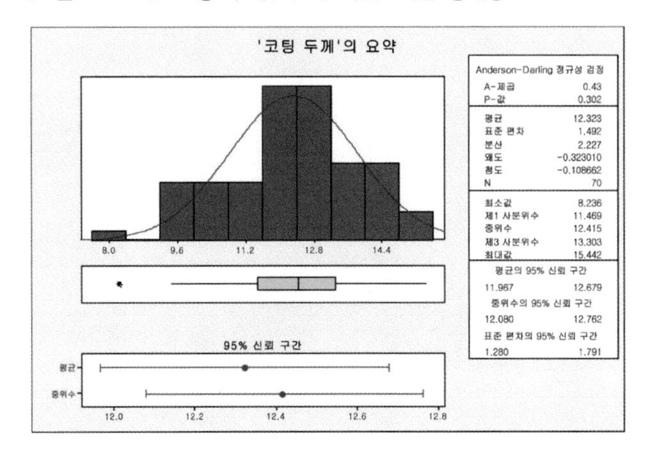

52) '성과 표준'을 설정할 수 있는 '주체'에 대한 내용은 필자의 의견임.
53) 이후 '성과 표준'의 설명이 끝나는 위치까지는 『Be the Solver_프로세스 개선 방법론』편의 본문을 참조하여 기술하였다.

Measure Phase에서 해야 할 주요 활동은 앞서 결정된 'Ys'의 '현 수준'을 '측정'하는 일이다. '현 수준'은 '수율'이 정해져야 한다. 다시 '수율'은 [그림 M-50]의 히스토그램 중 어느 영역이 'Bad(불량품)' 영역이고, 어느 영역이 'Good(양품)' 영역인지 구분돼야 하며 이를 명확하게 나누어줄 '기준'이 반드시 있어야 한다. 설정된 '기준'을 넘어서는 양은 원치 않는 결과물이므로 과제 수행은 곧 이 양을 줄여 나가는 과정이다. 쌓아 놓은 데이터(히스토그램)에 '기준'을 들이댔을 때 넘어서는 양이 'Bad'임을 알 수 있고, 이 양을 줄이는 방법은 '산포'를 줄이거나 '평균'을 왼쪽으로 이동시켜야 한다. 물론 '산포'나 '평균'의 조정은 과제 수행 결과로 나타난다. 다음 [그림 M-51]은 쌓아 놓은 데이터에 '기준'을 들이댔을 때('성과 표준'을 설정한 경우) 'Good'과 'Bad' 영역으로 구분된 결과를 보여준다. 제품 설계 영역 이외 분야에서는 'Good'이나 'Bad'란 용어가 '~달성률', '~미확보율' 등으로 각각의 사정에 맞게 표현된다.

[그림 M-51] '성과 표준'을 설정했을 때 'Bad 영역(파란색 영역)'

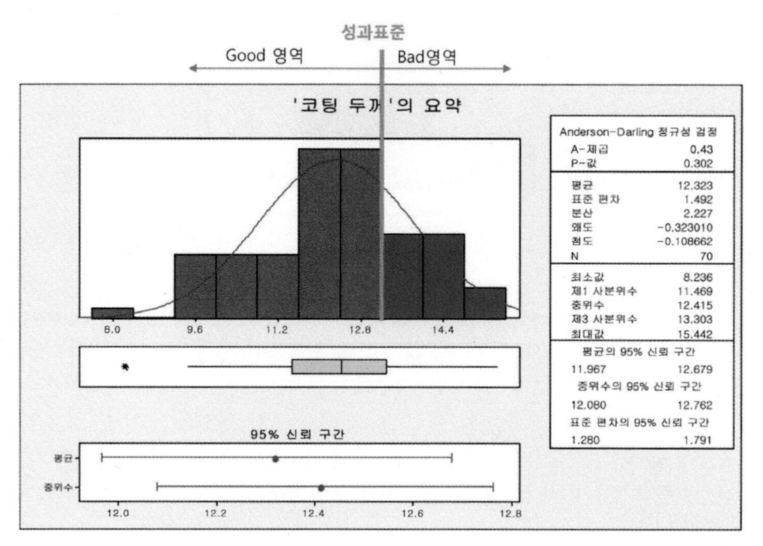

지금부터 'Y'의 유형에 따라 '성과 표준'을 더 정확하게 표현하는 방법에 대해 알아보자. 'Y'의 '측정 방법'이 '운영적 정의'에서 결정되면 크게 '연속 자료'와 '이산 자료'로 구분된다. '연속 자료'는 소수점으로 표현되는 숫자이며, '이산 자료'는 소수점으로 표현될 수 없는 숫자이다. 그러나 '사람 수'를 세는 예에서 '7명, 3명, 6명…'처럼 사람은 나눌 수 없으므로 그 자체가 '이산 자료'로 볼 수 있으나, 만일 '7.0, 3.0, 6.0…'처럼 소수점을 찍는 순간 '연속 자료'가 된다. 또 '연속 자료'에 임의 '기준'을 정하고 그를 넘어선 개수를 세어도 '이산 자료'가 된다. 이와 같이 모든 수는 '연속 자료'와 '이산 자료'가 공존하며, 환경에 맞게 선택해서 사용한다. 참고로 [표 M−27]은 '데이터 유형'을 분류한 체계이다.

[표 M−27] '데이터 유형' 분류 체계

데이터 분류 체계	데이터 유형		속 성				예	비 고
			절대 영점	등 간격 (+,-)	크기 (<,>)	분류 (=,≠)		
연속자료(Continuous Data) 계량형(Heterograde) 양적 자료 Quantitative Data) 변수(Variable)	비척도 (Ratio Scale)		○	○	○	○	거리, 시간, 몸무게, 각도	+,−,x,÷ 가능
	구간척도 (Interval Scale)		X	○	○	○	습도, 온도	급 간의 차이가 같도록
이산자료(Discrete Data) 계수형(Homograde) 질적 자료 (Qualitative Data) 속성(Attribute)	이산자료 (Discrete Data)	결점 (Defect)	X	X	X	○	결점을 셀 때	포아송 분포 가정
	이진수자료 (Binary Data	불량 (Defective)					불량품/양품으로 분류할 때	이항분포 가정
범주형 자료 (Categorical Data)	순서척도 (Ordinal Scale)		X	X	○	○	수/우/미/양/가 1위/2위/3위…	순서 (크기)에 의해 구분
	명목척도 (Nominal Scale)		X	X	X	○	ADSL/SDSL/VDSK	순서 구분 없음

[표 M-27]에서 쓰인 단어는 한국통계학회의 '통계학 용어 대조표'를 최대한 활용하여 표기했으나, 첫 열의 'Data 분류 체계'는 출처마다 차이가 커서 동일하게 정의된 모든 용어들을 모아놓았다. 분류 체계 중 '변수(Variable)'와 '속성(Attribute)'은 뒤에 'Data'가 붙지 않았는데, '통계학 용어 대조표'에 'Attribute Data'란 용어는 없고 단지 'Attribute'만 기술돼 있어 그대로 표기하였다. 또, 특이 사항으로 '계량형/계수형(Heterograde/Homograde)'의 영문은 '통계학 용어 대조표'에는 있으나, 영어 사전에는 없고, 단지 'Webster'에 'Heterograde Quantities/Homograde Quantities'로는 표기돼 있다. 따라서 혼선을 피하기 위해 '통계학 용어 대조표'를 따랐다. 데이터 유형이 '연속 자료'와 '이산 자료' 모두 활용이 가능할 경우 '연속 자료'를 활용하는 것이 바람직하다. 나중에 알게 되겠지만 'Y'가 '연속 자료'일 경우가 그렇지 않은 경우보다 분석 도구가 다양하다는 장점이 있고, '표본 크기'도 적은 양만으로 신뢰성 있는 결과를 유도해낼 수 있다. '성과 표준'은 'Y'가 '연속 자료'인지 아니면 '이산 자료'인지에 따라 다음 [표 M-28]과 같이 결정된다.

[표 M-28] '데이터 유형'별 '성과 표준' 설정 예

데이터 유형	특성	성과 표준	비 고
연속 자료	망대 특성	LSL	LSL(Lower Specification Limit) USL(Upper Specification Limit)
	망목 특성	LSL, USL	
	망소 특성	USL	
이산 자료	불량(Defective) 특성	Item 정의, 불량의 정의	아이템(Item)은 부품, 제품, 건 등 측적 대상을 나타냄, '단위(Unit)'와 동의어
	결점(Defect) 특성	Item 정의, 기회의 정의, 결점의 정의	

<u>'연속 자료' 경우의 '성과 표준'</u>은 'Y'가 '연속 자료'일 경우의 '기준'이다. 과제를 수행해서 얻고자 하는 결과는 크게 세 가지, 즉 '특정 목적하는 값에 데이터를 가져가기를 희망하는 특성-망목 특성'과 '작기를 희망하는 특성-망소 특성' 및

‘커지기를 희망하는 특성－망대 특성’이 있다. 만일 ‘운영적 정의’된 지표 ‘Y’가 ‘특정 목적하는 값에 가져가기를 희망하는 특성－망목 특성’이면, 확보된 데이터가 어느 값 이하로 내려가도 안 되고, 또 어느 값 이상 올라가도 안 되게 관리하고 싶을 것이므로, 이때는 하한과 상한 기준이 필요한데 이것이 규격 관점에서 ‘규격 하한(LSL, Lower Specification Limit)’과 ‘규격 상한(USL, Upper Specification Limit)’이다. 예를 들면 연구 개발 단계에서 흔히 접하는 ‘24±0.1㎜’는 ‘LSL 23.9㎜’와 ‘USL 24.1㎜’의 상·하한 규격을 나타내며 목표하는 값은 중심인 ‘24㎜’이다. 또, ‘작기를 희망하는 특성－망소 특성’이면 데이터가 무작정 작아지기만을 기대할 것이므로 이때는 어느 상한 값을 넘지 않도록 관리한다. 따라서 ‘USL(Upper Specification Limit)’이 필요하다. 예를 들면 ‘베어링 마모도’ 등은 작을수록 좋은 특성이므로 어느 이상이 넘어가지 않도록 관리하는 것이 중요하다. ‘커지기를 희망’하는 ‘망대 특성’도 동일하게 무작정 커져야 하는 지표이므로 어느 하한 값 이하로 내려가지 않도록 관리하고 싶을 것이다. 따라서 ‘LSL(Lower Specification Limit)’이 필요하다. 예를 들면, ‘강도(Strength)’ 경우 크면 클수록 좋은 특성이므로 ‘연속 자료－망대 특성’이며, 따라서 하한 규격인 ‘LSL’을 설정해야 한다. 다음은 [그림 M－49]의 ‘Y’들 중 ‘부착물 접착력’에 대한 ‘성과 표준’을 설정한 예이다.

1) LSL: 150kgf

2) 규격 설정 근거: 토이 박스 표면(피착체)에 미적 상품 가치를 높이기 위해 붙어 있는 부착물(열 전사 사진 등)들은 상당 기간 초기 상태로 유지돼야 하며, 따라서 고정된 상태에서의 접착력이 주요 관심 사항임. ‘규격’은 고객의 요구 사항이며, ‘90° Peel Test’를 기준함.

‘부착물 접착력’은 클수록 좋은 ‘망대 특성’이므로 ‘LSL’이 필요하다. 주의할 점은 규격을 설정한 후 반드시 근거를 기록해 놓아야 한다. 설정된 규격에 따라

현 수준이 큰 폭으로 요동치는 것도 이유지만 합리적이고 객관적이어야 측정 수단으로써 가치와 의미가 있기 때문이다.

'이산 자료' 경우의 '성과 표준'은 [표 M-28]에 나타낸 바와 같이 '불량'과 '결점'으로 구분한다. 교육이나 멘토링을 하다 보면 리더들이 가장 혼돈해서 사용하는 단어가 '불량'과 '결점'이다. 어느 경우는 '불량'이라 하고, 또 어느 경우는 '결점'이라고 하는데 사실 두 특성은 확연히 구별된다. '성과 표준'을 논하기에 앞서 우선 두 특성의 정확한 이해가 필요하므로 상세히 짚고 넘어가자.

'불량(Defective) 특성'[54)]은 전체 건수 중에서 바람직하지 못한 경우가 몇 건인지를 헤아리는 것으로 통상 '~율(률)'로 표현되면 모두 '이산 자료-불량 특성'이다. 비율을 산정하는 식이 분자에는 '바람직하지 못한 건수'가, 분모에는 '평가를 대상으로 하는 전체 건수'가 들어간다. 이때 '불량 특성'의 '성과 표준'은 어떻게 설정될까? 바람직하지 않은 건수를 헤아려야 하므로 우선 '한 건', 즉 '아이템(Item, 또는 Unit)'이 무엇인지를 정의해주어야 한다. '아이템'이 정해지면 다음은 '아이템'이 잘못되는 경우가 무엇인지를 정해준다. 이를 '불량의 정의'라고 한다. 다시 말해 '이산 자료-불량 특성'의 '성과 표준'은 다음과 같다.

1) 아이템(Item, 또는 Unit)의 정의
2) 불량의 정의(Definition of Defective)

예를 들면 [그림 M-49]에서 '자극 반응도'의 '운영적 정의'는 "외부에서 실행을 위한 자극이 주어졌을 때 설계 기능이 제 역할을 수행하는 수준"이었다. 측

---

54) 일부 자료에서는 '불량 데이터', '불량률 데이터' 등으로도 불림. 한국통계학회 '통계학 용어 대조표'에서 '불량'은 'Defective'로만 정의하고 있음. 본문은 '연속 자료'의 망대 특성, 망목 특성, 망소 특성과의 통일성을 고려하여 '불량' 뒤에 '특성'을 편의상 붙임. 또 불량·양품을 따지므로 데이터 유형은 '이진수 자료'이나 기업 교재에서 쓰이는 용어를 우선 적용함.

정을 위해 10개를 만들어 그들 중 7개가 기준을 만족했을 때 '산출 식'은 '(충족 건수/조사된 전체 건수)×100'이다. 이때 '자극 반응도'에 대한 '성과 표준'을 기술하면 다음과 같다(고 가정한다)(참고로, '운영적 정의'는 '결점 특성'이나 '불량 특성'으로 전환해 예를 들고 있다).

1) 아이템(Item, 또는 Unit): 토이 박스 1개
2) 불량의 정의(Definition of Defective):
   ① 인형 외부 돌출 높이가 10±1㎝ 이내에 들지 않는 경우.
   ② 인형이 기울어지거나 설계 형태를 유지하지 못한 경우.

분자에 'Good'의 건수가 올라가면 '자극 반응도'는 '충족률' 개념이, '1'에서 빼면 '미충족률' 개념의 관계이므로 관리에 편한 특성을 정한다. 한 가지 짚고 넘어갈 일이 있다. '연속 자료'의 'LSL/USL'과 '이산 자료'의 '불량의 정의' 둘 다 '규격'이므로 공통점이 있어야 하지 않을까? 다음 [그림 M−52]를 보자.

[그림 M−52] '연속 자료−USL'과 '이산 자료−불량의 정의' 간 관계

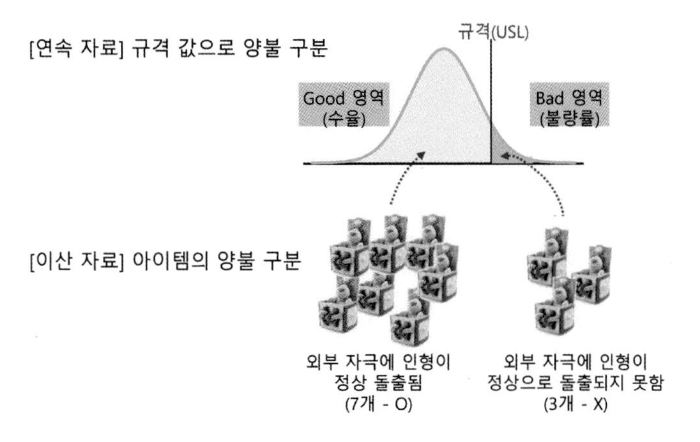

그림에서 '연속 자료'를 쌓아 놓은 뒤(히스토그램 또는 정규 분포), 작을수록 좋은 '망소 특성'이면 규격 'USL'을 설정할 수 있고, 따라서 '규격'을 넘어가는 '오른쪽 양' 또는 '면적'은 불량이다. '이산 자료' 경우는 '아이템' 하나가 '토이박스 한 개'이고, 각각을 관찰한 뒤 '불량의 정의'에 부합하면 그림처럼 오른쪽 영역(Bad 영역)에 던져 넣고, 그렇지 않으면 왼쪽 영역(Good 영역)에 넣을 것이므로 결국 '불량의 정의'가 'USL'의 역할을 대신한다. 다음에 '아이템(또는 Unit)'과 '불량'의 사전적 정의를 옮겨 놓았으니 참고하기 바란다.

- **아이템(Item, or Unit)** A unit is any item that is produced or processed which is liable for measurement or evaluation against predetermined criteria or standards. 미리 정해 놓은 기준이나 규격 대비해서 측정 또는 평가될 수 있도록 생산되거나 처리된 임의 품목.
- **불량(Defective)** 아래 국어사전 정의가 미흡한 것 같아 출처 하나를 추가하였다. 번역의 왜곡을 최소화하기 위해 원문도 옮겨 놓았다.
  (국어사전) 물건 따위의 품질이나 상태가 나쁨.
  (www.isixsigma.com/Dictionary) The word defective describes an entire unit that fails to meet acceptance criteria, regardless of the number of defects within the unit. A unit may be defective because of one or more defects.한 아이템[또는 단위(Unit)] 내 결점(Defect) 수와는 관계없이 허용 기준을 만족시키지 못하는 아이템(단위). 즉, 결점이 한 개가 발생하든 또는 그 이상 발생하든 아이템(단위)은 불량이 될 수 있다.

종합하면 '불량'은 '아이템(또는 단위)'에 동일한 결점이 여러 개 발생하든, 서로 다른 결점이 다양하게 존재하든 '아이템(단위)' 자체를 '쓴다', '못 쓴다'의 판단만 하므로 발생된 불량의 '개수'에만 관심이 있고, 실제 어느 원인에 의해 불량으로 분류되었는지에 대한 정보는 묻혀버린다(물론 현업에서 불량 발생 사유를 기록해놓겠지만 여기선 다음에 설명할 ‘결점’과의 비교를 위해 이 같은 표현을 사용하였다). 따라서 ‘이산 자료’는 불량을 발생시킨 근본 원인(결점 원인)을 관리할 필요성이 있는데 이어 설명할 ‘결점 특성’이 해당 역할을 한다.

‘결점(Defect) 특성’[55]은 ‘불량’보다는 좀 더 근원적이다. 왜냐하면 ‘불량’은 ‘아이템(단위)’ 자체를 못 쓰는 것으로 판단하므로 원인에 대한 정보는 없는 대신 ‘결점’은 하나의 ‘아이템(단위)’에 여럿 발생할 수 있으며 그 하나하나를 헤아리기 때문이다. 따라서 관찰된 단위 수보다 더 많은 ‘결점 수’가 나올 수 있다. 즉, ‘불량의 비율’은 100%가 넘는 수는 나올 수 없지만 ‘결점의 비율’은 그 이상이 나올 수 있다. 이것이 ‘불량’과의 차이를 보이는 대목이다. 과제 수행에서는 ‘결점’이란 용어를 더 많이 사용하는데 이것은 ‘결점’을 하나하나 셈하므로 유형별로 관찰할뿐더러, 각 유형을 유발시킨 서로 다른 근원(Root Cause)을 발견할 가능성도 높기 때문이다. 그렇다면 ‘이산 자료－결점 특성’의 ‘성과 표준’은 어떻게 표현할까? 다음과 같은 항목이 정의돼야 한다.

1) 아이템(Item 또는 Unit)
2) 기회의 정의(Definition of Opportunity)
3) 결점의 정의(Definition of Defect)

‘불량 특성’과는 달리 ‘기회의 정의’가 추가되었다. ‘결점’과 ‘기회’의 사전적 정의는 ‘www.isixsigma.com/Dictionary’에 실린 내용을 다음에 옮겨 놓았다.

---

55) 역시 일부 기업교재에서 ‘결점 데이터’, ‘결점 수 데이터’ 등으로 명명하기도 함. ‘망대 특성’, ‘망목 특성’, ‘망소 특성’의 명칭과의 통일성을 고려해 편의상 ‘결점’ 뒤에 ‘특성’을 붙임.

- **결점(Defect)** Any type of undesired result is a defect. A failure to meet one of the acceptance criteria of your customers. A defective unit may have one or more defects. 원치 않는 결과로 나타난 모든 유형을 '결점'이라고 한다. 고객의 허용 기준을 만족시키지 못한 경우로 '불량 아이템(단위)'이란 결점을 하나 또는 그 이상 포함한다.
- **기회(Opportunity)** Any area within a product, process, service, or other system where a defect could be produces or where you fail to achieve the ideal product in the eyes of the customer. In a product, the areas where defects could be produced are the parts or connection of parts within the product. In a process, the areas are the value added process steps. If the process step is not value added, such as an inspection step, then it is not considered an opportunity. 결점이 생길 수 있거나 또는 고객 눈높이를 못 맞춘 제품, 프로세스, 서비스 또는 시스템 내 임의 영역. 제품에서 결점이 생겨날 수 있는 '영역'이란 그를 구성하는 '부품들' 또는 '부품들 간의 연결부'이다. 프로세스에서의 '영역'이란 '가치를 부여하는 프로세스 단계'를 일컫는다. 예를 들어 '검사' 같은 프로세스 단계는 제품에 가치를 부여하지 않으므로 '기회'로 셈하지 않는다.

'기회'의 정의는 미국 컨설팅 회사인 'Qualtec社'에서 만든 학습 교재에 그나마 잘 정리돼 있지만 그것만으로는 한계가 있다. '기회'를 구분하기 위해서는 정의된 내용과 같이 '제품'과 '프로세스'를 따로 나누어 생각한다. '제품' 경우는 부품 하나하나가 잘못되면 '결점'이 되므로 '부품'도 하나의 '기회'로 간주한다. 또, 'IC 칩'과 같이 다리가 여럿 달린 부품은 다리 하나하나가 잘못되면 '결점'이 발생하므로 그 역시 각각을 '기회'로 간주한다. 또 부품과 부품 '연결 부위', 예를 들어 '토이 박스'의 '몸체'와 '뚜껑'과의 연결부가 잘 안 맞으면 '결점'이 발생한 것이므로 이것도 하나의 '기회'로 간주한다. 이와 같이 '제품'에서의 '기회'란 잘못될 가능성(기회)을 갖고 있는 것들을 나타내며, 잘못될 가능성(기회)이 실제 잘못되면 '결점'이 된다. 참고로 "프로세스를 다루는 부문에서 '기회'란 프로세스 맵을 그렸을 때 각 '활동(Activity, 보통 사각형으로 표기)'들이 고객에게 부가가치를 더하는 '활동'이면 하나의 '기회'로 간주하지만 그렇지 않으면 '기회'로 보지 않는다"이다. 가치가 없는 '활동'들은 '이동, 저장, 대기, 재작업' 등 고객 요구에 가치를 부여하지 않는 유형들이 속한다. '결점'을 계량화하는 방법은 두 가지가 있으며 요약하면 다음과 같다.

1) DPU(Defect per Unit): '아이템(단위)'당 평균 몇 개의 '결점'이 발생했는지를 비율로 나타낸다. 만일 '아이템(단위)'이 '10개' 있을 때 총 발생한 '결점'이 '5개'면 'DPU'는 '0.5(=5÷10)'이다. 그런데 '결점'이 전체 '20개' 발생했으면 'DPU'는 '2(=20÷10)'가 돼 백분율로는 '200%'다. 이와 같이 'DPU'는 백분율로 '100%'이상이 나올 수 있어 '불량률'과 구별된다. 통상 과제 수행 때 유용한 측도인데 그 이유는 제품이나 프로세스의 현 수준을 합리적인 수치로 만들 수 있고, 과제 수행 '전'과 '후'의 향상 정도를 쉽게 파악할 수 있기 때문이다. 이런 이유로 'Project Metric'으로 불린다. '시그마 수준'을 산출할 때는 '정규 분포'나 '이항 분포'에 대응해서 '포아송 분포'를 사용한다.

2) DPO(Defect per Opportunity): '기회'당 평균 몇 개의 '결점'이 발생했는지를 비율로 나타낸다. '이산 자료 – 결점 특성'을 활용하기 위해서는 항상 한 '아이템(단위)'에 몇 개의 '기회'가 존재하는지 결정해야 한다. 또 '기회'가 어느 경우에 잘못된 것으로 분류해야 하는지 '결점의 정의'도 필요하다. 만일 '아이템'이 '10개'이고, '아이템'당 '3개'의 '기회'가 정의돼 있는 상황에서 '결점'이 '8개' 발생했다면, 'DPO'는 약 '0.27(=8÷30)'이다. 'DPU'와는 달리 전체 '기회' 중에서 '결점'으로 판정된 수만 셈하므로 그 비율이 '100%'를 넘어갈 수 없다. 따라서 '시그마 수준'을 산출할 때 '이산 자료 – 불량 특성'과 동일한 방법으로 접근할 수 있다. 만일 '이산 자료 – 불량 특성'에서 '10개'의 '아이템'들 중 '2개'

가 불량으로 분류된 경우, 전체를 '1'로 보면 '0.2'가, 전체를 '100'으로 보면 '20%', 또 전체를 '100만'으로 보면 '200,000PPM'으로 환산되지만, '이산 자료-결점 특성'에서는 '기회=10개' 중 '2개'가 '결점'으로 분류된 경우, 전체를 '1'로 보면 '0.2', 전체를 '100'으로 보면 '20'으로 동일하나, 전체가 '100만'이면 '200,000DPMO'로 적는다. 즉, 'DPO'에 '100만'을 곱한 경우가 'DPMO'이다. 'M'은 '100만'의 영어 단어인 'Million'의 첫 알파벳이다. 이같이 'DPO'는 '이산 자료-불량 특성'과 연결된다. 보통 '6 시그마 수준'이 '100만 개' 중 '3.4개'인데, 이것은 '3.4PPM'이 아니고 '3.4DPMO'이며 둘은 다르다는 것을 인지해야 한다.

이제 '운영적 정의'를 나타낸 [그림 M-49]의 'Ys' 중 '재미의 표현 수'에 대한 '성과 표준'을 설정해보자. 다음은 그 예이다.

1) 아이템(Item, 또는 Unit): 토이 박스 1개.

2) 기회의 정의(Definition of Opportunity): '콘셉트 설계' 완료 후 재미를 위해 부여된 표현. 예로 만일 5개가 부여됐으면 기회는 5개가 됨.

3) 결점의 정의(Definition of Defect): '운영적 정의'에 따라 측정 시 '5.5점' 미만을 받은 표현.

이제 우리의 예인 '토이 박스 개발' 과제로 돌아가 [그림 M-49]에서의 '운영적 정의'에 대한 '성과 표준'을 작성하면 다음 [그림 M-53]과 같다.

[그림 M－53] ‘Step－6.3. Ys 결정’ 작성 예(성과 표준)

Step-6. Ys 파악
Step-6.3. Ys 결정(성과표준)

▶ 'Y'에 대한 데이터 유형/ 특성 결정과, 각각에 대한 '성과 표준'을 다음과 같이 설정함.

운영적 정의			성과 표준 (Performance Standard)		
CTQ	Ys	단위	데이터 유형	특성	규격 및 설정근거
기능의 다양성	재미의 표현 수	개	이산 자료	결점 특성	1) 아이템(Item, Unit) : 토이박스 1개 2) 기회의 정의; 컨셉 설계 완료 후 재미를 위해 부여된 표현. 예로 만일 5개가 부여돼 있다면 기회는 5개가 됨. 3) 결점의 정의 : '운영적 정의'에 따라 측정 시 '5.5점' 미만을 받은 표현. <규격 설정근거> '재미의 표현 수'는 고객만족을 통해 판매량 증대코자 제품에 부여되는 '항목 수'로 '재미'에 부합되지 못하면 수정/ 제거 필요.
사용 지속시간	놀이 유지시간	분	연속 자료	망대 특성	1) LSL; 3분 <규격 설정근거> 기존 토이박스 1개로 놀이하는데 소요된 평균시간(중앙값)이 180초(3분)며. 이보다 적은 소요시간은 불량으로 간주.
고객 선호도	고객 선호도	점	연속 자료	망대 특성	1) LSL; 1.0점 <규격 설정근거> 기존 하루 방문 고객 중 10%가 '토이박스' 구매여부를 판단하기 위해 손으로 들어 본 후, 하나를 관찰하는데 최소 10초 소요. 따라서 규격 LSL =0.1 x 10초 = 1
자동화 수준	자극 반응도	%	이산 자료	결점 특성	1) 아이템(Item, Unit) : 토이박스 1개 2) 기회의 정의 : 외부 자극에 대해 정상 동작해야 하는 항목 수 3) 결점의 정의 : 제품 동작 매뉴얼에 규정된 동작조건을 벗어난 경우
부착물 접착도	부착물 접착력	Kgf	연속 자료	망대 특성	1) LL| : 150kgf <규격설정 근거> 고객요구사항(90° Peel Test 10회)

PS-Lab
Problem Solving Laboratory

[그림 M－53]의 ‘성과 표준’은 대부분 본문에서 설명한 것이다. ‘성과 표준’은 ‘규격’에 해당하므로 ‘연속 자료’와 ‘이산 자료’별로 정확히 설정해야 한다. 또, ‘제품 설계 방법론’은 매 단계에 의사 결정을 하는 과정이므로 변경의 가능성도 배제할 수 없다. 중요한 것은 팀원들이 모두 모여 의사 결정에 깊이 있게 관여했느냐이다. 다음은 Measure Phase의 종착역인 ‘Scorecard 작성’에 대해 알아보자.

Step－6.4. Scorecard 작성

‘Scorecard’의 사전적 정의는 ‘채점 카드’ 또는 ‘채점표’이다. (네이버 백과사전)엔 “경기 내용을 기록하는 카드를 말한다”이다. ‘프로세스 개선 방법론’에서는 ‘Step-5. 현 수준 평가’ 내 ‘Step-5.2. 현 프로세스 능력 평가’에 대응한다. 그런데 왜 ‘프로세스 개선 방법론’처럼 ‘현 프로세스 능력 평가’라고 하지 않을까? 사실 그대로 가져와도 상관은 없다. 또, 어느 기업에선 ‘프로세스 능력 평가’ 또는 ‘현 수준 평가’ 등이 사용되기도 한다. 틀린 것은 아니다. 다만 목적은 같아도 일의 추진에 있어 ‘현 프로세스 능력 평가’의 표현이 제품 설계 과정을 대변하기엔 다소 약한 게 사실이다.

‘현 프로세스 능력 평가’는 말 그대로 현존하는 프로세스 또는 제품(제품도 프로세스를 거쳐 나오므로 결국은 ‘프로세스 능력 평가’에 부합된다)의 현황을 수치화하는 데 의미가 있다면 ‘설계 과정’은 마치 스포츠 경기에 비유될 수 있다. 예를 들면 ‘탁구 경기’에서 매 세트가 끝날 때마다 승자와 패자가 갈리고, 승자든 패자든 진행 내용을 분석해 다음 세트 때 더 나은 모습을 보이고자 노력한다. 그리고 이어진 경기를 통해 계획된 전략이 잘 먹혔으면 채점표 점수에 긍정적인 변화가 올 것이고, 그렇지 않으면 기대하는 바에 못 미치는 결과가 올 수도 있다. 경기 과정은 반드시 채점표에 향상의 정도로 나타나야만 한다. 그래야 실전을 위해 투입된 오랜 기간의 노력과 인내가 보상받는다. 또, 채점표에 높은 점수를 얻어 보상의 기회를 갖는다면 그것은 한 사람만의 전유물이 될 수 없다. 그동안 함께한 코치도 있고 파트너가 되어준 동료들도 있다. 좋은 결과는 결코 혼자만의 것이 될 수 없다. 제품 설계 과정도 동일하다. 설계 과정은 많은 노력과 인내가 요구되는 반면 리더 혼자만의 힘으로는 분명 한계가 있다.

혼자 수행한 과제가 있으면 과제 범위가 작거나 충분히 혼자 할 수 있는 영역의 과제이기 때문에 가능한 일일 것이다. 따라서 여러 사람이 새로운 제품을 설계해 나간다는 것을 전제로 할 때, 탁구 경기의 매 세트가 끝나고 그 과정을 분석하여 다음 세트의 새로운 전략으로 임하게 되듯, 매 단계에 ‘Scorecard’를 통해 진행해왔던 과정을 점검하고 새롭게 전개될 다음 ‘세부 로드맵’을 위해 최상의 전략을 구상하는 작업이 필요하다. 이와 같이 진행 수준을 가늠해주고 새로운 전략을 구상하도록 안내하는 역할이 'Scorecard'에 의해 이루어진다. 다음 [표 M-29]는 일반적으로 사용되는 'Scorecard' 예이다.

[표 M-29] Scorecard 작성 표

Ys	중요도	단위	T.F.	성과 표준		Performance σ				목표	비고
			Y/N	LSL	USL	M	A	D	V		

☐ T.F.: Transfer Function(전이 함수).
☐ '성과 표준'이 '이산 자료'인 경우 'LSL/USL' 대신 '불량(또는 결점)의 정의' 사용.

[표 M-29]에서 둘째 열의 '중요도'는 'QFD'에서 'CTQ'가 선정될 당시의 '상대적 중요도(Relative Importance)'이며, 당시 값 그대로와도 되지만 숫자가 큰 경우는 전체 합으로 나눈 백분율을 사용한다. 네 번째 열 'T.F.'는 '전이 함수(Transfer Function)'의 약자로 '제품 설계 방법론'에서는 'Y'와 'X'를 연결하는 함수로 쓰인다. 이에 대한 설명은 Design Phase 'Step-10. 전이 함수 개발'에서 상세하게 다룰 것이다. 'Performance σ'[56] 열은 그 하위에 'M, A, D, V'로 나뉘어 있는데 이것은 단계를 거칠 때마다 계속 갱신됨을 암시한다. 표로부터 한눈에 수준 변화의 정도를 파악할 수 있으므로 보통 얘기하는 '눈으로 보는 관

56) 용어 'Performance σ'는 미국 컨설팅 회사인 SSQ 교재에서 'Product' 관점으로 쓰였다. 그 외 'Process', 'Part', 'Software' 등이 함께 고려될 경우 각각 'Process σ', 'Part σ', 'Software σ'로 명명하며, 'Scorecard'는 엑셀에서 Sheet끼리 서로 물려 전체 설계 능력을 평가하도록 구성돼 있다.

리'가 가능하다. 만일 'Y'들 중 일부가 하위 특성으로 묶여 표현되면 엑셀 시트 등을 이용하는 방법을 강구할 수 있다. 다음 [표 M-30]은 '토이 박스 개발' 과제의 'Scorecard' 작성 예이다. '점수표'처럼 수행 과정이 모니터링 된다.

[표 M-30] '토이 박스 개발' 과제의 'Scorecard' 작성 표(예)

Ys	중요도	단위	T.F. Y/N	성과 표준		Performance σ				목표	비고
				LSL	USL	M	A	D	V		
재미의 표현 수	10	개	N	• 단위; 토이 박스 1개 • 기회; 부여된 표현 • 결점; 5.5점미만		1개				5 이상	현 제품
놀이 유지 시간	7	분	N	3	–	0.29				20	$\bar{x}$=4.6
고객 선호도	6	점	N	1.0	–	–0.27					0.15×15
자극 반응도	6	%	N	제품 동작매뉴얼 기준		0					–
부착물 접착력	3	Kgf	N	150	–	2.29					$\bar{x}$=164.4

□ T.F.: Transfer Function(전이 함수).
□ '성과 표준'이 '이산 자료'인 경우 'LSL/USL' 대신 '불량(또는 결점)의 정의' 사용.

표에서 '성과 표준' 열까지는 이전 '세부 로드맵' 결과이며, 'Performance σ'는 현 제품(토이 박스)을 가정하여 입력하였다. 'Performance σ'의 단위는 '시그마 수준'으로 통일하되, 전환이 어려운 경우(예, '재미의 표현 수') 일반 단위를 사용하였다. 혹자는 'Performance σ'에 대해 "'제품 설계 방법론'은 없는 제품을 새롭게 만드는 것이므로 데이터가 없거나 아니면 구하기 매우 어려울 텐데 어떻게 수준을 측정한다는 겁니까?" 하고 질문할는지 모른다. 2000년도 초에 경영혁신 운영 중 자주 나왔던 질문 유형들 중 하나다. 물론 데이터가 없는 것이 당연하다. 이 경우 아무리 생각해도 없다면 '없음'이 '현 수준'이다. 그러나 '놀이 유지 시간'과 '고객 선호도'는 몇몇 사용 환경을 관찰해 측정할 수도 있고, '부착물 접착력'은 기존 토이 박스의 것으로 테스트를 해보거나 기록된 자료를 활용할 수도 있다.

[표 M－30]에서 현실적으로 가장 어려운 'Y'가 '자극 반응도'이다. 아직 만들지 않았으므로 측정이 곤란하다는 게 그 이유이다. 이와 같이 기존에 없던 지표이면 단순히 '없음'으로 표기한다. 그러나 모든 '지표'들의 '현 수준('목표'도 포함)' 측정에 '벤치마킹'이 가능하면 이를 최대한 활용한다. '벤치마킹'은 현재의 상황과 동일한 또는 다른 업종이라도 빗대어볼 수 있으면 모두 유효하다. 그래도 어려우면 전문가를 찾아 의견을 묻거나 관련 '문헌'에서 '현 수준'에 대한 정보를 얻는다. 유사 자료는 국경을 넘어 세계 수십억 인구 중에 누군가 비슷한 생각을 갖고 추진했던 사례가 존재할 수 있음을 전제한다. 필요하면 포기하지 않고 끊임없는 노력을 기울일 필요가 있다. 깊이 고민해서 얻은 것은 버릴 것도 없다. 어떤 식으로든 제품 설계의 완성도를 높이는 데 기여할 것이기 때문이다.

[표 M－30]의 'Scorecard'를 완성하기 위해 관련 도구들에 대해 알아보자. 대표적인 도구에 '측정 시스템 분석(MSA, Measurement System Analysis)'과 '프로세스 능력 평가(Process Capability Analysis)'가 있다.

6.4.1. 측정 시스템 분석(MSA, Measurement System Analysis)

'측정 시스템 분석'은 주로 제조나 연구 개발에서 매우 중요한 요소로 작용한다. 왜 중요한지에 대한 개요를 먼저 알아본 뒤 '제품 설계 방법론'에서 '측정 시스템 분석'을 어떻게 바라봐야 하고 또 활용해야 하는가에 대해 논해보자. 다음 [그림 M－54]는 '측정 시스템 분석'을 설명할 때 다루는 일반적인 '변동 관계도'이다('프로세스 개선 방법론 로드맵' 본문 옮김).

[그림 M-54] '측정 시스템 분석(MSA)'을 위한 '변동 관계도'

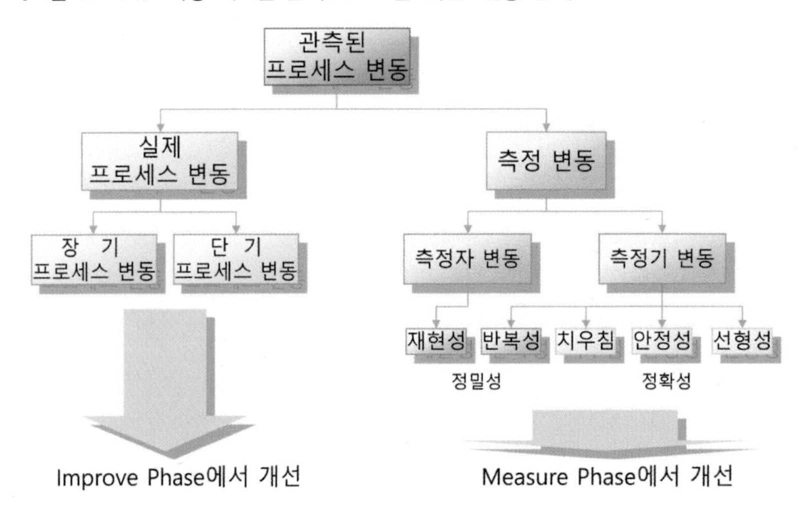

[그림 M-54]를 설명하기에 앞서 동일한 프로세스에서 동일한 시점에 임의 크기의 데이터를 얻었다고 가정하자. 이렇게 확보된 데이터를 가만히 뜯어보면 유사성은 있지만 값들이 모두 동일하지 않다는 것을 확인하게 되는데 이것이 곧 '변동'이다. '프로세스'는 최종적인 산출물이 일목요연하고 동일한 구조로 만들어질 수 있도록 세팅된 흐름이다. 따라서 이론적으로 모든 제품이 세팅된 대로 똑같이 만들어져야 하지만 늘 경험하고 있듯이 프로세스에서 추출한 데이터가 똑같지 않다는 데 문제의 핵심이 있다. [그림 M-54]의 맨 상단에 있는 '관측된 프로세스 변동'은 실제 프로세스로부터 추출한 (관측된)데이터가 똑같지 않다는 것(변동)을 표현한 것이다. 다시 이렇게 서로 틀린 값이 나오게 된 배경을 추적하면 두 가지로 분류할 수 있는데 하나는 '실제 프로세스 변동'이고, 다른 하나는 '측정 변동'이다.

'**실제 프로세스 변동**'을 설명하기 위해 교육 중에 주로 극단적인 상황을 가정하곤 하는데 그 예가 바로 '벼락 맞은 프로세스'다. 가령 정상적으로 운영 중인 제조 라인에 벼락이 떨어져 평상시와 다른 튀는 데이터들이 얻어진 경우(변동의 발생)가 '장기 프로세스 변동'으로 대변된다. 즉, 긴 기간에 걸쳐 벼락과 같은 치명적인 영향부터 설비 교체로 인한 크고 작은 영향까지 데이터 평균의 변화를 유발시키는 모든 경우가 이 부류에 속하며, 데이터의 값들에 왔다 갔다 변화를 주는 요인들을 모두 싸잡아 '이상 원인(Assignable Cause)'[57]이라고 한다. 그에 반해 '단기 프로세스 변동'에 영향을 주는 모든 요인을 총칭해서 '우연 원인(Chance Cause 또는 Random Cause)'[58]이라고 한다. '단기 프로세스 변동'은 짧은 기간에 수집된 데이터들임에도 그들 간에 작은 값들의 차이가 존재하는 상태이며 차이를 유발하는 원인들은 제어가 어려운 미세한 노이즈들의 집합체이다. 따라서 '우연 원인'을 줄이는 데는 매우 높은 지식과 자원 투입이 요구되므로 보통 '기술적인 문제'로 인식된다. '이상 원인'의 극단적 예인 '벼락'을 줄이기 위해서는 평소에 대비하는 자세, 즉 관리 체계가 중요하므로 주로 '관리적인 문제'로 분류한다. 다음 [표 M-31]은 '장/단기 프로세스 변동'의 특징을 모아 놓은 비교표이다. 암기 사항이 아니라 앞서 설명한 내용을 이해한다면 서로 연관시켜 유추할 수 있는 것들이다.

[표 M-31] '장/단기 프로세스 변동'의 특징 비교

장기프로세스 변동	이상 원인	비정상	변동 폭 큼	특정 요소	관리적 문제	제거 가능	항상 존재하지 않음	예측 불가능	불안정
단기프로세스 변동	우연 원인	정상	변동 폭 작음	복합적	기술적 문제	제거 어려움	항상 존재	예측 가능	안정

57) 한국통계학회 '통계학 용어 대조표'에 포함돼 있는 용어이다.
58) 한국통계학회 '통계학 용어 대조표'에 포함돼 있는 용어이다.

'프로세스 개선 방법론 로드맵' 관점에서 '장기 프로세스 변동'의 감소 노력은 Improve Phase에서 이뤄지며, 이 때문에 [그림 M-54]의 '장기 프로세스 변동' 아래에 'Improve Phase에서 개선'으로 표기해놓았다. 이어 [그림 M-54]의 '측정 변동'에 대해 알아보자.

'**측정 변동**'은 변동을 유발하는 요인에 대해 "완전히 해결되지 않는 한 하나의 'X'로 간주돼야 한다"란 말이 있다. 그만큼 설계 과정(물론 생산도 포함)에서 절대적으로 중요하다는 뜻이다. 이를 알아보기 위해 관련 용어들의 정의가 필요한데 바로 '측정 시스템(Measurement System)'과 '측정 시스템 분석(Measurement System Analysis)'에 대한 것이다.

- **측정 시스템(Measurement Systems)** (기업 교재) 계측 또는 측정기기를 사용해서 데이터를 획득하는 것이며, 계측기, 측정자, 소프트웨어, 측정 방법 또는 측정 절차 등을 모두 포함한다. (필자) 간혹 '계측기'만을 '측정 시스템'으로 알고 있는 리더들이 있는데 잘못된 경우이다.
- **측정 시스템 분석(MSA, Measurement System Analysis)** (www.isixsigma.com) 측정 시스템 분석(MSA)은 측정 과정에서의 변동이 전체 프로세스 변동에 어느 정도 영향을 미치는지를 확인하는 실험적이고 수학적인 방법이다. MSA에는 5가지 평가 항목이 있는데 각각 치우침(또는 '편의'), 선형성, 안정성, 반복성과 재현성이 해당한다. 측정 시스템을 수용할 수 있는지에 대한 일반적 기준은 AIAG(2002)의 권고에 따르며,
  - 측정 변동이 10% 이하면 수용을,
  - 측정 변동이 10~30%면 평가의 중요도, 측정기의 비용, 수리비용 등을 고려해서 수용 여부를,
  - 측정 변동이 30% 이상이면 사용 불가가 되며, 이때 측정 시스템을 보정해야 한다. 또, 'Number of Distinct Categories'는 5 이상이 돼야 한다. 추가로 '측정 변동(%)'과 'Number of Distinct Categories'는 시간에 따른 그래프 추이 분석을 통해서도 수용 여부를 판단할 수 있다.

임의 제조 프로세스에서 특정 강종의 '두께'를 정확히 '30㎛'로 생산한다고 가정해보자. 만일 생산 라인에서 설계 값과 한 치의 오차도 없이 잘 만들어내면 이상적인 관리 수준이라 할 수 있다. 그런데 이 진실한 '30㎛'의 강종을 측정자가 '10㎛', '55㎛' 등으로 읽어내고 있으면 어떤 상황에 처하게 될까? [그림 M−54] 내 '관측된 프로세스 변동', 즉 손에 쥔 데이터가 왔다 갔다 할 테니 '시그마 수준'은 매우 안 좋은 결과로 나타날 것이다. '제조 프로세스'는 완벽한데도 말이다. 결국 '측정 변동'을 단순히 계측기의 보정 정도로만 이해하기보다 프로세스의 전체 능력을 평가하는 데 지대한 영향을 미치므로 Measure Phase에서 수행되는 중요한 '<u>개선</u>' 대상으로 받아들여야 한다. 이것이 "측정 변동을 하나의 'X'로 봐야 한다"고 보는 논리다. [그림 M−54]의 '측정 변동' 아래에 'Measure Phase에서 <u>개선</u>'으로 표기해놓았다.

'측정 시스템 분석'의 정의를 보면 5가지 평가 항목인 '치우침(또는 '편의')', '선형성', '안정성', '반복성'과 '재현성'이 있다. [그림 M−54]를 중심으로 간단히 정리하고 넘어가 보자. 그림을 보면 '재현성'과 '반복성'은 '정밀성'으로 분류하고 있다. 데이터들이 얼마나 '밀(密)한지'를 보는 특성이다. 잘 알고 있는 바와 같이 '재현성'은 상황은 다 동일한데 사람들 간의 차이를 대변하는 특성이고, '반복성'은 각 담당자들이 두 번 이상 측정했을 때의 값 차이를 대변하는 특성이다. 그런데 그림에서 '반복성'을 가만히 보면 위치는 '측정자 변동'인 '정밀성'에 있으면서 묶인 선은 '정확성'들이 있는 '측정기 변동' 쪽에 연결돼 있다. 이것은 담당자가 동일한 상황에서 두 번 이상 반복 측정을 했을 때 값들에 차이가 발생했다면 계측기 입장에서는 자기가 한 입 갖고 두 마디를 한 격이다. 따라서 '반복성'이 안 좋다고 하는 것은 '계측기 상태'에 문제가 있다고 판단할 수 있으므로 '측정기 변동'에 연결된다.

그 외에 '정확성'에 들어 있는 '치우침', '안정성', '선형성'들은 측정값(보통 표본이 여럿일 경우 '산술 평균'을 사용)과 참값의 차이를 평가하는 특성이며,

기업에서는 '검/교정'을 주기적으로 수행하므로 '측정 시스템 분석'에서는 보통 제외하고 '재현성(Reproducibility)'과 '반복성(Repeatability)'만 평가하는데, 이때 영어 단어의 첫 자만 따서 'R&R'이라고 부른다. 가끔 'R&R=MSA'로 잘못 알고 있는 리더들이 있는데 'R&R'은 'MSA'의 부분이다. 다음 [그림 M-55]는 '정밀성'과 '정확성'을 설명할 때 사용하는 일반적인 그림이다.

[그림 M-55] '정밀성'과 '정확성'을 설명하는 그림

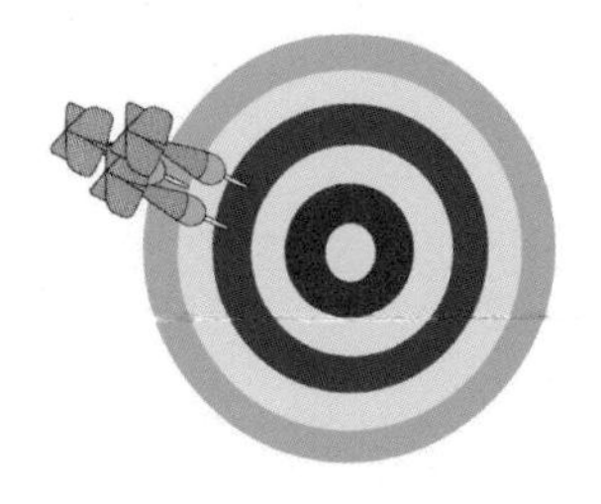

정확하지 않으나, 정밀함

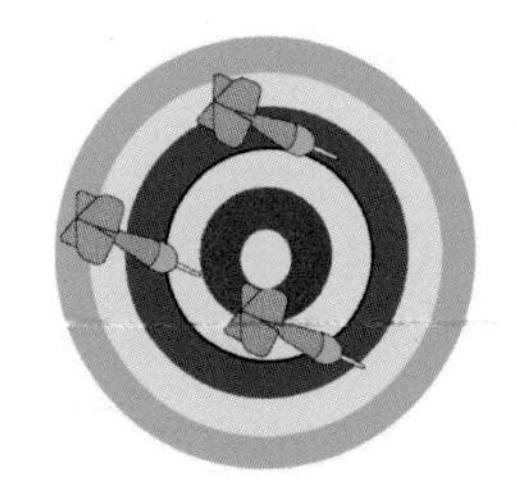

정확하나, 정밀하지는 않음

[그림 M-55]에서 왼쪽은 화살과 중심과의 거리를 각각 구해 평균 내면 좌상에 위치할 것이므로 중앙에서 많이 벗어난 형태로 관찰된다. 이런 현상을 '중심치 이탈(Off-Target)'이라고 하며, 대신 모두 모여 있는 '밀(密)'한 모양새를 보이므로 '정확하지는 않으나 정밀하다'라고 해석한다. 반대로 오른쪽은 화살 각각의 중심과의 거리를 평균 내면 그 값은 과녁 중심과 일치할 것이다. 대신 서로 흩어져 있으므로 '밀(密)'하지는 않은데 따라서 표현은 '정확하나 정밀하지는 않다'고 해석한다. '정확성'은 '값들의 평균'과 '참값(여기서는 과녁 중심)과의 차이(편의, Bias)'에만 관심이 있다.

다음은 '측정 시스템 분석' 방법들에 대해 알아보자. [그림 M-56]은 '측정 시스템 분석' 시 '데이터 유형별' 분석 방법을 나타낸 것이다. 참고로 '데이터 유

형'과 관련된 용어는 '[표 M－27] 데이터 유형 분류 체계'에 따라 표기하였다.

[그림 M－56] '데이터 유형'별 '측정 시스템 분석' 방법

R&R
연속 자료
교차(Crossed)
내포(Nested)
이산 자료
이진수 자료(Binary Data)
순서 척도(Ordinal Scale)
관리형 MSA(Administrative MSA)

일반적으로 '제품 설계 방법론'의 전개는 '프로세스 개선 방법론'을 어느 정도 알고 있는 리더를 대상으로 한다. 따라서 '프로세스 개선 방법론'에서 주로 다루는 '연속 자료'의 '교차'와 '내포' 및 '이산 자료'의 '이진수 자료(양불 판정)'와 '순서 척도(5점 척도 등)' 등에 대한 자세한 내용은 생략하고 기본적인 용법만 설명할 것이다. 좀 더 관심 있는 리더는 관련 교재나 『Be the Solver_프로세스 개선 방법론』편을 참고하기 바란다.

우선 '연속 자료－교차(Crossed)'는 프로세스를 대변하는 '연속 자료' 표본을 '측정자 수×표본 수≥15' 수준이 되도록 추출해서 '반복성'과 '재현성'을 평가한다. 이때, 측정 결과는 '측정 시스템 분석'의 정의에 들어 있는 'AIAG(2002)의 권고'에 따라 수용 여부를 결정한다. 미니탭 용어로 '%기여(%Contribution)', '%연구 변동(%Study Variation)', '구별되는 범주의 수(Number of Distinct Categories)' 등이 평가 대상에 포함된다. '교차'란 측정 횟수에 관계없이 표본의 물성이 변하지 않으므로 측정자들이 서로 '교차'해서 평가할 수 있음을 의미한다. 반대로 '연속 자료－내포(Nested)'[59]는 표본의 물성이 측정할 때 파괴되거나 변

59) 한국통계학회 '통계학 용어 대조표'에는 'Nested'를 '내포' 또는 '지분' 둘 다로 해석한다.

형되어 다음 측정자가 사용할 수 없을 때 적용하는 방법이다. 분석법은 '교차' 때와 동일하나 표본이 한 번 쓰면 재사용이 안 되므로 표본을 '배치(Batch)' 개념으로 얻어야 하고, 또 측정하는 방법에 약간의 차이가 있다. 다음 [그림 M-57]은 '교차'와 '내포'의 표본 구성을 비교하기 위해 알기 쉽게 표현해 놓은 예이다.

[그림 M-57] '교차 분석'과 '내포 분석'의 표본 구성 예

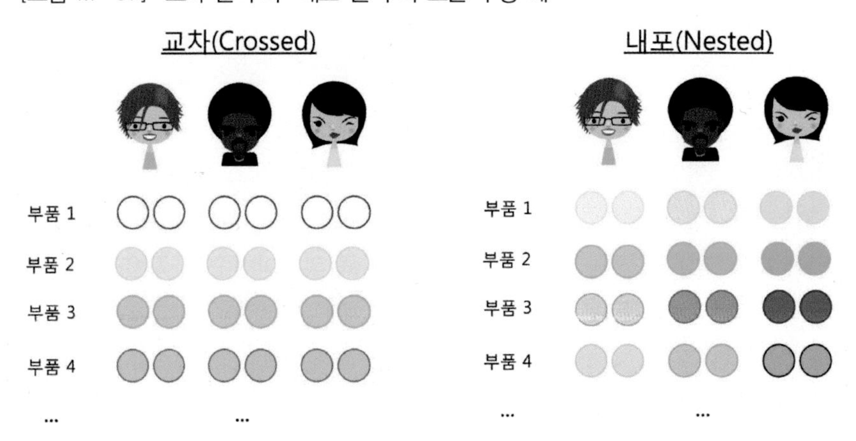

[그림 M-57]에서 왼쪽은 '**교차(Crossed) 분석**'의 표본 구성 예로 '부품 1' 경우 각 측정자별 동일한 '부품(Part)'을 2회 반복 측정하고 있다. 다시 말해 부품이 변하지 않으므로 측정자별로 돌려가며 반복 측정이 가능하다. '부품 2' 역시 '부품 1'과 동일한 방법으로 반복 측정이 이루어짐을 알 수 있다. 이런 과정은 '부품(Part)' 수만큼 계속된다.

여기서 추가로 짚어야 할 중요 사항이 있다. 비록 '교차(Crossed) 분석'이 '부품(Part)'의 물성이 변하지 않는 비파괴에 한정하고 있지만 실제는 파괴되더라도 한 번에 측정자 모두가 반복 측정이 가능한 양만큼 생산할 수 있으면 이 역시

'교차(Crossed) 분석'으로 처리한다. 즉, [그림 M-57]의 '교차(Crossed)'에서 '부품 1'을 위해 한 개 배치(Batch)에 6개의 '부품(Part)'을 만들어 측정자에게 2개씩 배분할 수 있으면 '교차(Crossed) 분석'이 가능하다. 이 경우 각 측정자별 배분된 '부품(Part)'들은 서로 동일하진 않지만 동일 배치에서 나왔으므로 동일 '부품(Part)'으로 간주한다. 각 측정자가 한 개 '부품(Part)'을 측정하면 파괴되므로 다른 사람에 의한 동일 '부품(Part)'의 측정은 불가능하다.

[그림 M-57]의 오른쪽은 '**내포(Nested) 분석**'의 표본 구성 예로 한 배치에 최소 2개씩만 만들 수 있는 경우이다. 각 측정자는 물론 동일 측정자에게도 '부품 1' 및 '부품 2'를 측정하는 동안 '부품(Part)'들이 서로 다르다는 것을 알 수 있다(색들이 다름). 연구 개발 과정에서 흔히 있는 상황들이다.

이 외에 특수한 상황들로 ① 1개씩만 만들 수 있는 경우, ② 측정 시스템 분석을 위한 '부품(Part)'을 아예 만들 수 없는 경우, 또는 ③ '감성 품질(맛, 느낌, 감촉 등)'과 관련된 특성들이 존재한다. '①'의 경우는 각 '부품(Part)'마다 두 명이 동시에 측정해서 반복의 효과를 얻는 방법을, '②'의 경우는 측정할 특성의 규격 안에 골고루 분포된 유사 '부품(Part)'을 준비해 측정하는 방법을, '③'의 경우는 '대용 특성'으로 바꾸거나 신뢰할 수 있는 측정 방법을 개발한 후 '측정 시스템 분석'을 수행하는 방법 등이 있다.

과거 사장님까지 배석한 공식 행사에서 잘못 수행된 MSA 예들이 자주 발표되곤 했었다. '②'의 경우 모 연구소에서 '측정 시스템 분석'을 위한 시료 제작이 불가함에 따라 시중에 나와 있는 유사 '부품(Part)'을 구매해 측정한 사례가 있었다. 값들의 차이가 크게 나는 시료를 구해오는 바람에 대충 재도 그들의 차이를 구분할 정도여서 '구별되는 범주의 수'가 '몇만'이 나오는 기이한 결과를 얻었다. 연구 과제에서 측정하고자 하는 특성 규격을 훨씬 넘어선 '부품(Part)'들을 활용한 어이없는 사례였다.

본문에서 상황별로 일일이 자세한 설명을 하는 것은 피하겠지만 꼭 한마디 던지고 싶은 말은 결코 'MSA'를 간과하거나 그냥 넘어가서는 절대 안 된다는 것이다. 왜냐하면 [그림 M-54]의 '변동 관계도'에서 설명했듯이 이 과정은 단순히 계측기의 보정이 아니라 제품의 성능(정확히 '시그마 수준')을 높이는 과정이기 때문이다. 모 업체 연구소에서 바이오 시료 측정용 고가의 설비를 들여와 '바이오 특성'을 자동 계측하는데 '측정 시스템 분석'을 수행한 적이 있었다. 그런데 분석한 결과를 보면 매번 주어진 조건에 미치지 못해 '현 수준 측정'이 계속 미루어졌고 급기야 연구원들이 그냥 넘어가자는 아우성(?)이 일기 시작했다. 시기가 12월 중순이라 더 이상 끄는 것도 예정된 일정상 어려운 처지였기 때문이다. 약간의 설득과 실랑이가 오고 갔지만 혹 형광등과 같은 자외선 효과가 시료에 영향을 미치지 않을까라는 의견을 제시했고 연구팀은 측정 전 시료를 랩에 싸서 암실 냉동 보관 후 측정 때만 꺼내 '바이오 특성'을 평가한 결과 그동안의 기준 미달이 완전히 해소되는 결과를 얻었다. 그해 12월 30일 끝자락에 회의실에 모였지만 모두 신기함과 즐거움에 불만을 갖는 팀원이 없을 지경이었다.

또, 화학제품을 생산하는 모 업체의 대전 연구소에서 측정 시스템이 사용 불가로 나와 그것을 개발하는 데만 2개월을 온전히 소비한 적도 있었다. 주어진 조건에 미달이면 여하 막론하고 다음 단계로 절대 넘어가서는 안 된다. 그 외에 식품 연구소에서 '감성 품질'에 대한 평가(난이도가 높은 측정 시스템임)나 유리기판 에칭 측정 등 통계적 개선 사례가 있으며 다양한 환경만큼이나 다양한 측정 방법들이 존재한다는 점을 명심하고 정확히 대응하는 자세가 필요하다.

'<u>이산 자료-이진수 자료</u>'는 '양불 판정', 즉 'Yes/No', 'OK/NG', 'Pass/Fail', '수용/불수용' 등의 평가에 활용되고, '<u>이산 자료-순서 척도</u>'는 '5점'이나 '7점 척도'와 같은 평가 체계로 이루어진 경우이다. 이에 대해서는 『Be the Solver_프로세스 개선 방법론』편을 참조하기 바란다. 또는 「통계 분석(S) > 품질 도구(Q) > 계수형 동일성 분석(U)...」으로 들어가 '대화 상자'에서 '도움말' 버튼을 누르면 '예제'가 나와 있다.

[그림 M－56]의 '관리형 MSA(Administrative MSA)'는 연구 과제에서 데이터 처리가 불필요거나 어려운 경우에 사용되는 방법으로 본문에서의 설명은 생략한다. 관심 있는 연구원은 『Be the Solver_프로세스 개선 방법론』편을 참조하기 바란다. 다음 [그림 M－58]은 우리의 예인 '토이 박스 개발' 과제의 'Y'들 중 '부착물 접착력'에 대한 '측정 시스템 분석' 결과 예이다.

[그림 M－58] 'Step－6.4. Scorecard 작성(연속형 MSA_Plan)' 예

Step-6. Ys 파악
Step-6.4. Scorecard 작성(연속형 MSA_Plan)

목 적
- 기존 토이박스 표면에 붙이는 부착물의 접착력 측정에 대한 반복성, 재현성 평가.

측정상황
- 프로세스에서 제작된 토이박스를 표본 추출하여 QC 내 두 명의 담당자가 접착력 시험기(AT-015)를 이용해 주기적으로 평가 중.

평가방법/Data

Y		부착물 접착력	
Part	Part정보	프로세스를 대변할 수 있도록 하되 파괴분석이므로 배치 당 2개씩 총 20개 표본을 제작하여 측정.	
	규격정보	접착력 LSL 150kgf	
측정 담당자	대상	QC 현 측정 담당자	
	담당자	① 홍길동 대리	② 이정밀 주임
설계		2회 반복	

	홍길동	이정밀
부품1	(Batch#1) 140.3, 139.1	(Batch#6) 150.7, 146.2
부품2	(Batch#2) 180.8, 172.4	(Batch#7) 193.3, 139.1
부품3	(Batch#3) 151.2, 149.6	(Batch#8) 153.7, 161.9
부품4	(Batch#4) 178.6, 190.5	(Batch#9) 166.4 167.1
부품5	(Batch#5) 168.2, 162.6	(Batch#10) 182.2, 193.6

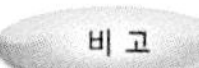

- 접착력 측정설비 최종 교정일 20XX년 XX월 XX일
- 주야간 근무교대 각각 진행(본 자료는 오전근무자 경우임)

PS-Lab
Problem Solving Laboratory

[그림 M－58]에서 '부착물 접착력'은 특성상 한 번 측정하면 다음 사람이 또 측정할 수 없는 '파괴 분석'이므로 표본 준비에도 차이가 있는데 [그림 M－57]의 오른쪽 '내포 분석'에 해당한다. 즉, 한 배치(Batch)에 2개씩 총 20개의 '부품'이 평가 대상이며, 측정자인 '홍길동'과 '이정밀'에 배분된 결과를 [그림 M－

58]에 포함시켰다. 다음 [그림 M-59]는 미니탭 워크시트에 입력한 예이다.

[그림 M-59] '파괴 분석'용 '데이터 수집'과 '미니탭 입력' 예

	홍길동	이정밀
부품1	(Batch#1) 140.3, 139.1	(Batch#6) 150.7, 146.2
부품2	(Batch#2) 180.8, 172.4	(Batch#7) 193.3, 139.1
부품3	(Batch#3) 151.2, 149.6	(Batch#8) 153.7, 161.9
부품4	(Batch#4) 178.6, 190.5	(Batch#9) 166.4 167.1
부품5	(Batch#5) 168.2, 162.6	(Batch#10) 182.2, 193.6

워크시트 1 ***

↓	C1 부품	C2-T 측정자	C3 측정값
1	1	홍길동	140.3
2	1	홍길동	139.1
3	2	홍길동	180.8
4	2	홍길동	172.4
5	3	홍길동	151.2
6	3	홍길동	149.6
7	4	홍길동	178.6
8	4	홍길동	190.5
9	5	홍길동	168.2
10	5	홍길동	162.6
11	1	이정밀	150.7
12	1	이정밀	146.2
13	2	이정밀	193.3
14	2	이정밀	139.1
15	3	이정밀	153.7
16	3	이정밀	161.9
17	4	이정밀	166.4
18	4	이정밀	167.1
19	5	이정밀	182.2
20	5	이정밀	193.6

미니탭 경로는 「통계 분석(S) > 품질 도구(Q) > Gage 분석(G) > Gage R&R(내포)분석(A)...」으로 들어가 수행한다. [그림 M-60]은 미니탭 수행 후 그 결과를 정리한 예이다.

미니탭 결과에서 '분산 분석'은 '측정자'에 대해 유의하지 않으므로 '재현성에 문제없음'이, '부품(측정자)'으로부터 '부품과 측정자 간 상호작용'이 유의하게 나타났다. 오른쪽 그래프는 측정 변동이 대부분 '반복성'에 기인함을 알 수 있으며 특히 'R 관리도'에서 '이정밀'의 2번째 측정값이 '관리 상한'을 넘어섰음도 관찰된다. '$\overline{x}$ 관리도'에는 50% 이상의 타점이 '관리 한계'를 벗어나지 못해 '구별

[그림 M－60] ‘Step－6.4. Scorecard 작성(연속형 MSA_Do/Check)’ 예

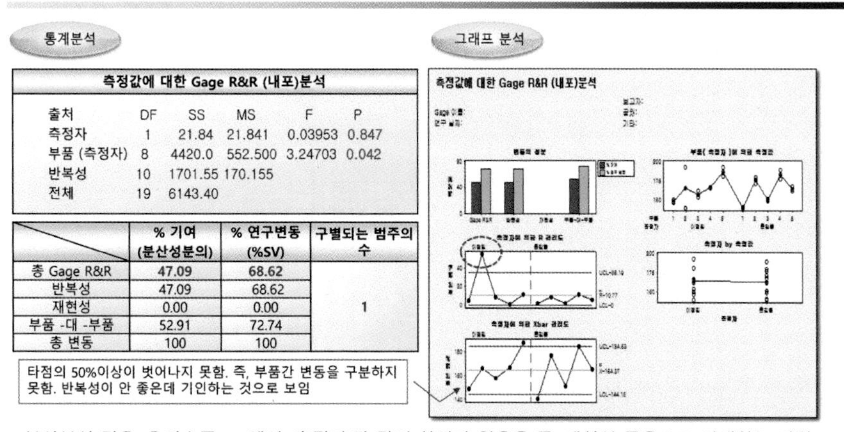

측정값에 대한 Gage R&R (내포)분석

출처	DF	SS	MS	F	P
측정자	1	21.84	21.841	0.03953	0.847
부품 (측정자)	8	4420.0	552.500	3.24703	0.042
반복성	10	1701.55	170.155		
전체	19	6143.40			

	% 기여 (분산성분의)	% 연구변동 (%SV)	구별되는 범주의 수
총 Gage R&R	47.09	68.62	1
반복성	47.09	68.62	
재현성	0.00	0.00	
부품 -대 -부품	52.91	72.74	
총 변동	100	100	

력’이 떨어짐도 예측되나 이들은 대부분 ‘반복성’ 문제에 기인하는 것으로 판단된다. [그림 M－61]은 개선 목적으로 지금까지의 자료를 이용해 ‘Gage 런 차트’를 수행한 결과이다.

‘부품－2’에서 ‘이정밀’의 측정 숙련도를 높여(비이상적 튐 현상) ‘반복성’ 감소를 유도한다. 예는 측정기 받침대의 미세 진동 때문으로 이를 보완 후 ‘재평가’하여 ‘계측 시스템 수용’ 수준을 얻었다(고 가정하였다).

지금까지 연구소 과제에서 표본 부족 상황이 잦은 ‘파괴 분석’의 ‘측정 시스템 분석’ 예를 들었으나 그 외에 ‘비파괴’인 ‘교차 분석’과 ‘이산형 MSA’들은 관련 문헌 등을 참조하기 바란다. 다음은 Measure Phase의 종착역인 ‘프로세스 능력 평가’로 들어가 보자.

[그림 M－61] ‘Step－6.4. Scorecard 작성(연속형 MSA_Act)’ 예

Step-6. Ys 파악
Step-6.4. Scorecard 작성(연속형 MSA_Act)

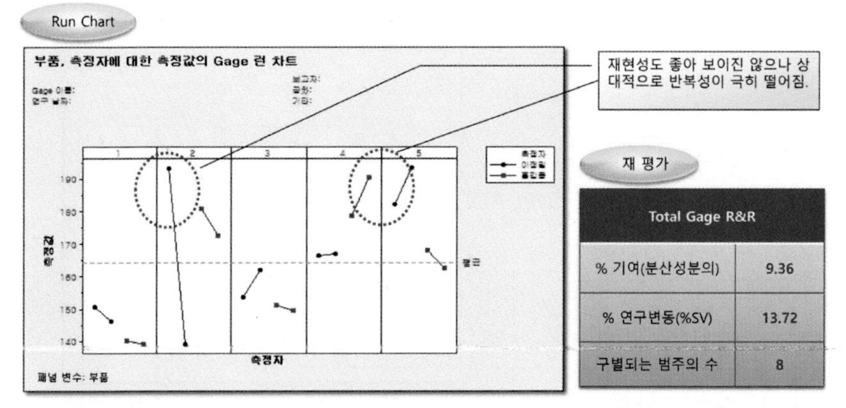

2번 Part에 대한 ‘이정밀’의 반복성은 Peel Test의 숙련부족 결과 나타난 문제로 파악됨. 그 외 반복성들은 측정기를 올려 놓은 받침대의 흔들림에 기인한 것으로 결론짓고, 이들을 보정 후 재 평가한 결과 ‘R&R 수용’ 결과를 얻음.

PS-Lab
Problem Solving Laboratory

6.4.2. 프로세스 능력 평가(Process Capability Analysis)

‘프로세스 능력’ 평가는 리더라면 교육이나 과제 수행 중에 한 번쯤 학습 받았거나 경험해보았을 것이다. 그러나 교재는 활용 빈도가 높은 용법 위주로 설명돼 있어 실제 과제 수행 중에 부딪히는 다양한 유형에 대응하기엔 역부족이다. 물론 이들 모두를 교재에 싣고 교육하겠다고 덤비는 것도 많은 제약이 따른다. 따라서 전체를 설명할 기회는 없다손 치더라도 그들이 무엇인지는 알아둘 필요가 있다. 초기 입문자들이 손을 못 대는 상황이 생겨도 누군가에게 물을 수 있는

수준이면 충분하다. 다음 [그림 M-62]는 '프로세스 능력'을 평가하는 방법들을 정리해 놓은 개요도이다('*'는 사용 빈도가 높은 도구임).

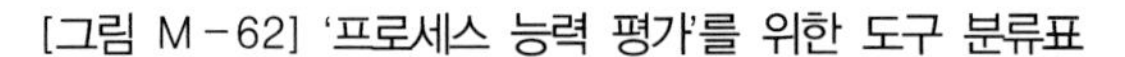
[그림 M-62] '프로세스 능력 평가'를 위한 도구 분류표

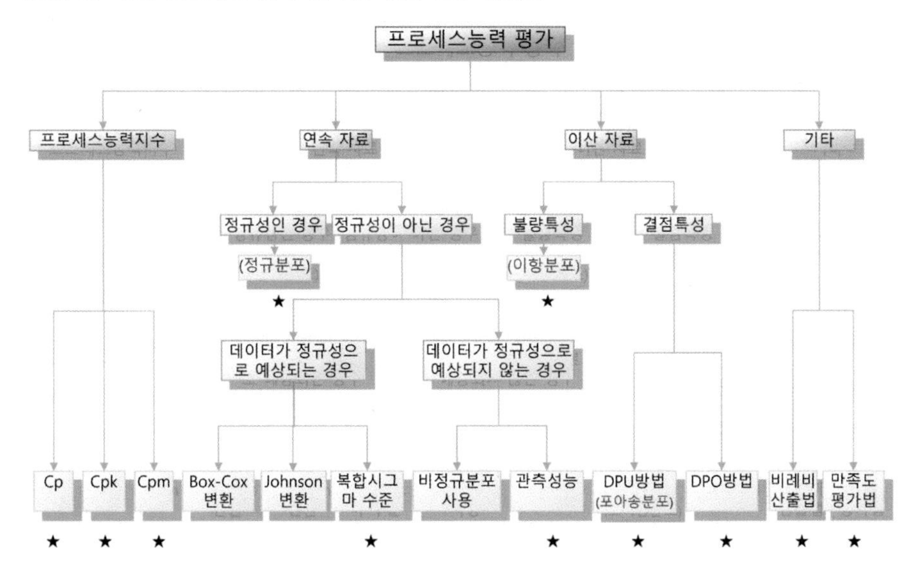

'제품 설계 방법론'에 입문하는 리더들은 '프로세스 개선 방법론'에 어느 정도 익숙함을 전제했다. 따라서 [그림 M-62]에 있는 '프로세스 능력 평가' 방법들도 한두 번씩 섭렵한 것으로 간주할 것이다. 상세한 내용이 필요한 리더는 사내 교재나 『Be the Solver_프로세스 개선 방법론』편을 참고하기 바란다. 연구 개발 과제 경우 프로세스 개선 과제에서 다루는 '정규성'뿐만 아니라 '수명'이나 '강도(Strength)'와 같은 신뢰성 특성들도 자주 출몰하므로 '비정규분포'인 '와이블(Weibull)', '로그 정규(Log-normal)'와 같은 분포들의 '시그마 수준' 산정법도 알아둘 필요가 있다. '미니탭 14'부터 기본적으로 이 기능이 제공되고 있어 큰

불편은 없으리라 본다.

본문은 데이터 수가 적은 개발 과제를 고려한 '시그마 수준' 산정법과 예를 설명한다(물론 데이터 수가 많아도 적용 가능하다). 다음 [그림 M-63]은 교육할 때 필자가 만들어 사용하는 자칭 '시그마 수준 산정 로드맵'이다.

[그림 M-63] '시그마 수준' 산정 로드맵

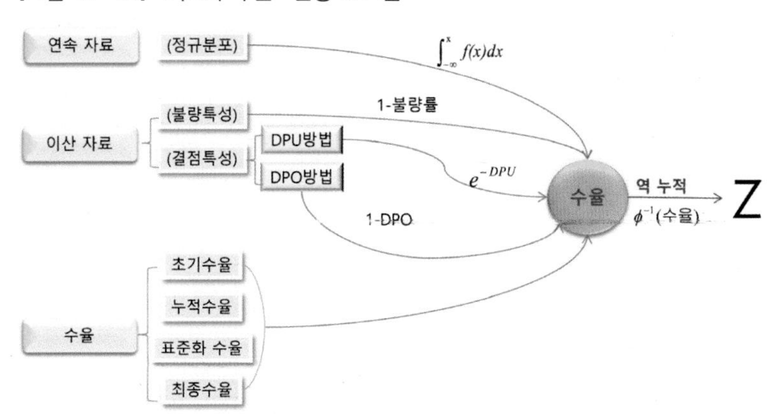

[그림 M-63]은 [그림 M-62]의 유형들 중 연구 개발 때 가장 사용 빈도가 높은 것들만 골라 하나의 틀로 마련한 개요도이다. 원리는 '규격'을 '표준화'시키면 바로 '시그마 수준'이 된다는 수학적 배경을 갖고 있으나 본문은 이론적 배경보다 각각의 계산 예를 설명하는 수준에서 정리하고 있다.

1) **연속 자료(정규 분포)** → '현 수준'을 측정하기 위한 '연속 자료'가 다수인 경우 미니탭의 「통계 분석(S) > 품질 도구(Q) > 공정 능력 분석(A) > 정규 분포(N)」에서 한 번에 '시그마 수준'을 얻는다. 다음 [그림 M-64]는 '부착물 접착력'에 대한 미니탭 결과이다.

[그림 M－64] 연속 자료(정규 분포) 예

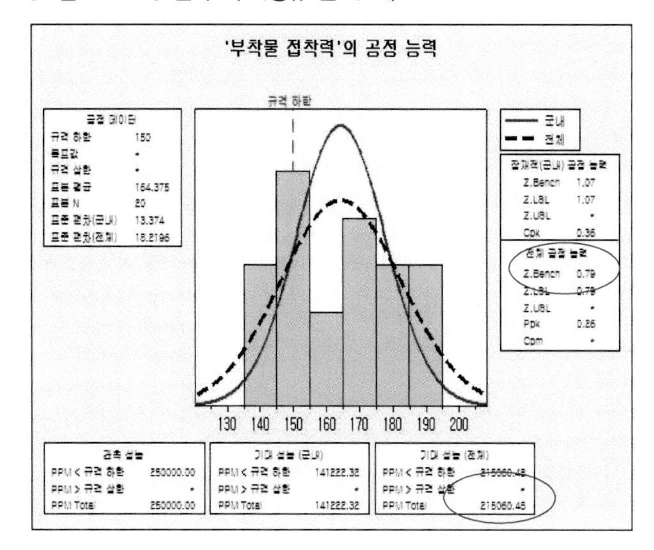

결과에서 '현 수준'은 '0.79 시그마 수준'을 나타내는데 그림 아래 쪽 '기대 성능(전체)'을 보면 규격을 벗어난 양이 '215,060.48ppm'이고 이때 '수율'은 '100–21.51≅78.49%'이다. 따라서 미니탭 「계산(C) > 확률 분포(D) > 정규 분포(N)...」에 들어가 '역 누적' 및 '상수'에 '0.7849'로 결과를 얻으면 '$\phi^{-1}(0.7849) \cong 0.79$'가 되며, 이것은 [그림 M－64]의 결과와 일치한다.[60)]

2) **이산 자료(불량 특성)** → 개발 중인 제품의 임의 특성 중 '쓴다, 못 쓴다', 즉 '양품'과 '불량'을 논하는 경우이면 '(불량 개수÷전체 개수)×100'을 통해 '불량률'을 얻고 이것을 다시 '100'에서 빼주면 [그림 M－63]의 '수율'을 얻으므로 「계산(C) > 확률 분포(D) > 정규 분포(N)...」에 들어가 '역 누적' 및 '상수'에

60) 미니탭 '공정능력'에서는 '불편화 상수'라고 하는 보정 값을 디폴트로 적용시키고 있어 이를 제거하지 않는 한 약간의 편차가 발생한다.

'수율(사실은 '확률')'을 넣어 '시그마 수준'을 산정한다. 과정과 예는 '1) 연속 자료(정규 분포)' 경우와 동일하므로 생략한다.

3) **이산 자료(결점 특성)** → '기회(Opportunity)'가 주어지면 'DPO 방법'을, 주어지지 않으면 'DPU 방법'을 택한다. 우선 후자인 'DPU 방법'은 '포아송 분포가

$$f(r)=\frac{\lambda^{r}e^{-\lambda}}{r!}\quad r=0,1,2,3... \tag{M.3}$$
$$where,\lambda=\text{단위당 평균 발생건수}$$

이므로, 'r'이 '0'인 경우가 '수율'이 되어 '$\text{수율}=f(0)=e^{-DPU}$'의 관계식으로부터 얻는다. '수율'로부터 미니탭의 「계산(C) > 확률 분포(D) > 정규 분포(N)...」에서 '시그마 수준'을 얻는다. [그림 M-65]는 산정 과정의 한 예이다.

[그림 M-65] '프로세스 능력' 평가: '이산 자료-결점 특성(DPU 방법)' 예

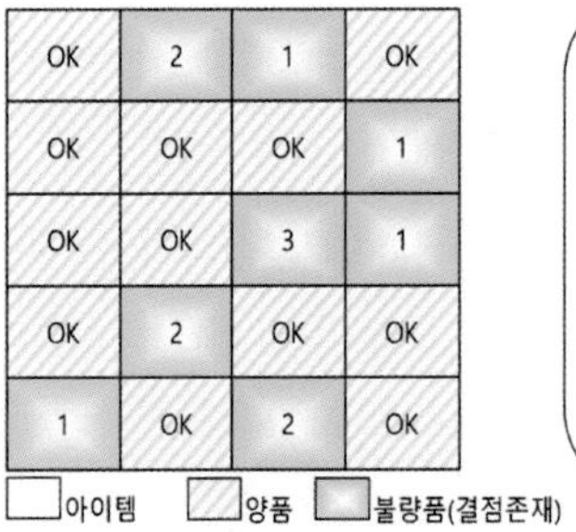

OK	2	1	OK
OK	OK	OK	1
OK	OK	3	1
OK	2	OK	OK
1	OK	2	OK

아이템 양품 불량품(결점존재)

$$DPU=\frac{13}{20}=0.65$$
$$\text{수율}=e^{-DPU}=e^{-0.65}\cong 0.522$$
$$Z_{bench}=\phi^{-1}(0.522)=0.055$$

'DPO 방법'은 'DPU 방법'이 '결점 수'가 증가하면 왜곡되는 현상을 보완하며, 아이템당 '기회(Opportunity)'를 정의한 뒤 전체 기회당 몇 개의 결점이 발생했는지(DPO)를 평가하여 「계산(C) > 확률 분포(D) > 정규 분포(N)...」로 들

어가 '시그마 수준'을 얻는다. [그림 M-66]은 산정 과정이다(아이템당 기회 수=5).

[그림 M-66] '프로세스 능력' 평가: '이산 자료-결점 특성(DPO 방법)' 예

OK	2	1	OK
OK	OK	OK	1
OK	OK	3	OK
OK	2	OK	OK
OK	OK	4	OK

□아이템 □양품 □불량품(결점존재)

$$DPU = \frac{13}{20} = 0.65$$

$$DPO = \frac{13}{5*20} = \frac{13}{100} \cong 0.13$$

$$DPMO = \frac{13}{5*20} * 1000000 \cong 130,000$$

$$수율 = 1 - DPO = 0.87$$

$$Z_{bench} = \phi^{-1}(0.87) \cong \boxed{1.13}$$

4) **수율** → 자체가 '수율'이므로 그대로 '역 누적'을 통해 '시그마 수준'을 산정할 수 있다. '수율'의 종류와 평가법은 연구 개발 과제에서도 쓰이므로 좀 더 알아보자. 다음 [그림 M-67]은 '프로세스 능력' 평가를 위한 예이다.

[그림 M-67] '프로세스 능력' 평가용 프로세스 맵

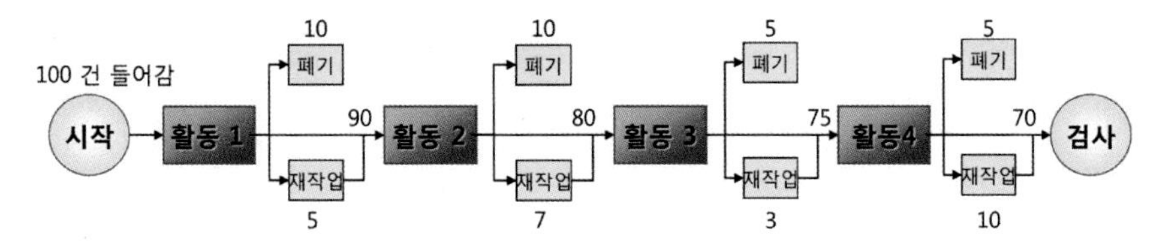

수율에는 '초기 수율(Y_{FT}; First Time Yield, or First Pass Yield)', '누적 수율(Y_{RT}; Rolled Throughput Yield)', '최종 수율(Y_{F}; Final Yield, or Traditional Yield)', '표준화 수율(Y_{NOR}; Normalized Yield)'이 있으며, 프로세스 운영은 '누적 수율'을 주요 평가 척도로 사용한다. <u>'초기 수율(Y_{FT})'</u>은 '활동'에 들어간 '아이템 수' 대비 '나온 아이템 수'의 비율이며, '폐기(Scrape)'나 '재작업

(Rework)'은 포함시키지 않는다. 식 (M.4)는 [그림 M−67]의 각 '활동'별 '초기 수율' 산정 예이다.

$$\text{활동 }1: \ Y_{FT} = \frac{100-(10+5)}{100} = 0.85,\ 85\% \quad . \tag{M.4}$$
$$\text{활동 }2: \ Y_{FT} = \frac{90-(10+7)}{90} = 0.811,\ 81.1\%$$
$$\text{활동 }3: \ Y_{FT} = \frac{80-(5+3)}{80} = 0.90,\ 90\%$$
$$\text{활동 }4: \ Y_{FT} = \frac{75-(5+10)}{75} = 0.80,\ 80\%$$

'초기 수율'은 각 '활동'을 한 번에 깔끔히 나온 아이템들만 포함한다. 만일 프로세스 예에서 재작업한 아이템이 모두 정상의 아이템이면(즉, 재작업이 없을 정도로 프로세스 관리가 잘 되고 있으면), 각 '활동'의 '초기 수율'은 '88.9%', '93.8%', '93.3%'로 향상될 것이다−각 '활동' 산식 (M.4)에서 '재작업'한 아이템 수를 제외시킴−. 경영 혁신에서는 '재작업'을 '숨겨진 공장(Hidden Factory)'이라고 해서 1차 개선 대상으로 삼는다. 따라서 '초기 수율'은 프로세스 내 재작업의 양을 측정하는 도구로 활용된다. 설명한 바와 같이 재작업이 들어가면 그렇지 않은 경우보다 수율이 현저하게 떨어지는 것이 관찰되기 때문이다. '누적 수율(Y_{RT})'은 각 '활동'별 '초기 수율'을 모두 곱해서 얻는다. 즉,

$$Y_{FT} = 0.85 \times 0.811 \times 0.90 \times 0.80 = 0.496 \tag{M.5}$$

이다. '누적 수율'은 '생존 확률'로 설명되는데 '활동 1'도 무사히 통과하고, '활동 2'도 통과하고, '활동 3'도 통과하고, '활동 4'도 통과하는 'And'로 물리는 사건들의 최종 확률은 각각의 발생 확률을 모두 곱해 얻는다. 따라서 초기에 투입한 아이템이 최종 단계까지 모두 정상적으로 살아남으면 완성품으로 간주되며,

이로써 '누적 수율'은 실제 프로세스의 관리 수준을 대변한다. 즉, 각 '활동'별로 수율이 99%라 하더라도 '활동' 수가 많아질수록 '누적 수율(Y_{RT})'은 '$0.99^{\text{활동 수}}$'가 될 텐데, 이는 1보다 작은 수를 계속 곱하면 그 결과는 점점 더 작아진다. 결국 '활동' 수가 많은 프로세스일수록 전체적인 균형이 잘 맞춰지도록 각 '활동'의 '초기 수율'을 계속 높여 나가야 한다('직행률'과 동의어). 이에 '누적 수율'은 프로세스 관리의 중요한 측정 수단이다. '누적 수율'의 '시그마 수준'은 미니탭 「계산(C) > 확률 분포(D) > 정규 분포(N)…」에서 [그림 M－68]과 같이 구한다.

[그림 M－68] '누적 수율(YRT)'의 '시그마 수준' 산정

역 누적분포함수

정규 분포(평균 = 0, 표준 편차 = 1)

P(X <= x)	x
0.496	-0.0100267

각 '활동'의 데이터가 장기적인 성향이면 '1.5Shift'를 고려해 '단기 시그마 수준'으로 표현한다. '최종 수율(Y_F; Fianl Yield, or Traditional Yield)'은 최초 '활동'으로 투입된 '아이템 수' 대비 최종 '활동'으로 나온 '아이템 수'가 얼마나 되는지의 백분율이다. 프로세스 중간에 재작업을 했는지에 상관 않고 단순히 들어간 대비 나온 개수에만 관심을 갖는 경우로 '전통적인 수율(Traditional Yield)'로 명명하기도 한다. '표준화 수율(Y_{NOR}; Normalized Yield)'은 수학에서 '기하 평균(Geometric Mean)'과 동일하다. 양수가 'n개' 있을 때 이들을 모두 곱한 후 'n 제곱근'한다. 즉, 수율 '0.9', '0.8', '0.95'가 있으면 '표준화 수율'은 '$(0.9\times0.8\times0.95)^{1/3}$'이다. 일반적으로 알고 있는 '산술 평균(Arithmetic Mean)'보다 항상 작은 결과가 나온다. '표준화 수율'은 서로 다른 프로세스들의 '수율'이나 서로 다른 특성들의 '수율'

을 평균하는 용도로 사용된다. 단순히 연결된 프로세스를 구성하고 있는 '활동'들의 '초기 수율' 평균에는 적용하지 않는다. 따라서 앞서 제시한 [그림 M-67]의 프로세스 예에서 '표준화 수율'을 적용하는 것은 적정치 않다. '프로세스 능력'을 평가하는 방법에 대해서는 이 정도에서 정리하겠다.

본문에서 분류한 방법 외에 'Product σ', 'Software σ', 'Performance σ'로 구분해서 접근하는 시도도 있지만 지금까지의 내용을 재정립한 수준에 불과하다. '프로세스 능력 평가'의 '종류'와 간단한 '산출 방법'에 대해 알아보았으므로 우리의 예인 '토이 박스 개발' 과제의 '프로세스 능력'과 'Scorecard' 작성에 대해 알아보자. 'Y'들 중 '부착물 접착력'에 대해서만 알아보고 다른 지표들에 대해서는 'Scorecard'로서만 표기할 것이다. 다음 [그림 M-69]는 'Step-6.4. Scorecard

[그림 M-69] 'Step-6.4. Scorecard 작성' 예(연속 자료-정규성인 경우)

Step-6. Ys 파악
Step-6.4. Scorecard 작성(프로세스능력 평가)

▶ '부착물'의 규격이 'LSL=150'이며, 정규분포를 보임에 따라 프로세스능력을 평가.

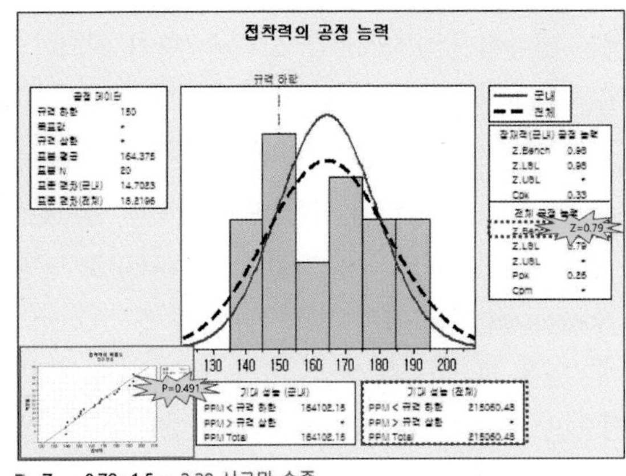

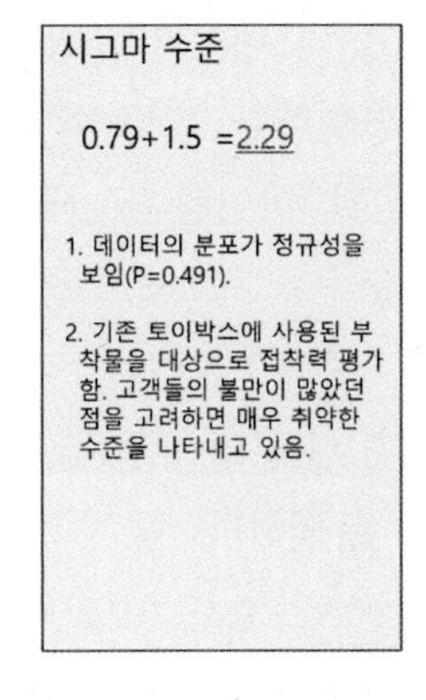

- Z_{st} = 0.79+1.5 = 2.29 시그마 수준
- 현재의 접착력 수준이 설정한 규격을 모두 벗어나는 등 6시그마 수준을 이루기 위한 혁신적인 설계의 필요성이 대두됨.

PS-Lab
Problem Solving Laboratory

작성'의 예이다.

그림에서 'Y'인 '부착물 접착력'은 기존 '토이 박스'용에 대한 평가 데이터로 '정규 분포'를 보이며('공정 능력' 그래프의 왼쪽 아래에 '정규성 검정' 그래프를 첨부), 단기적으로 약 '2.29 시그마 수준'을 나타내고 있다. '하한 규격'인 '150kgf'를 많이 벗어나고 있고, 고객의 주요 불만 사항으로 파악되고 있어 혁신적인 프로세스 설계가 있어야 함을 암시한다. 다음 [표 M-32]는 'Step-6.4. Scorecard 작성' 초기에 설명된 [표 M-30]을 다시 가져와 '목표'를 추가한 것이다. Measure Phase가 마무리되는 최종 모습은 [표 M-32]와 같은 'Scorecard'가 될 것이다.

[표 M-32] 'Step-6.4. Scorecard 작성' 예

Ys	중요도	단위	T.F. Y/N	성과 표준		Performance σ				목표	비고
				LSL	USL	M	A	D	V		
재미의 표현 수	10	개	N	• 단위; 토이 박스 1개 • 기회; 부여된 표현 • 결점; 5.5점 미만		1개				5 이상	현 제품
놀이 유지 시간	7	분	N	3	-	0.29				20	$\bar{x}$=4.6
고객 선호도	6	점	N	1.0	-	-0.27				6.0	0.15×15
자극 반응도	6	-	N	제품 동작매뉴얼 기준		0				6.0	-
부착물 접착력	3	Kgf	N	150	-	2.29				6.0	$\bar{x}$=164.4

☐ T.F.: Transfer Function(전이 함수)
☐ '성과 표준'이 '이산 자료'인 경우 'LSL/USL' 대신 '불량(또는 결점)의 정의' 사용.

앞으로 Analyze Phase, Design Phase, Verify Phase 등으로 설계가 진행되면서 'Scorecard' 작성을 통해 향상 정도를 측정하게 될 것이며 부족한 부분이 있으면 설계의 완성도를 높이는 방향으로 지속적인 개선이 이루어질 것이다. 이제 수준 평가가 완료되었으므로 Analyze Phase로 들어가 높은 수준의 '프로세스 능력' 값을 얻을 수 있도록 '콘셉트 설계'를 수행해보도록 하자.

Ⅳ

Analyze

Analyze Phase는 '데이터 분석'이란 의미가 강하게 느껴지나 그보다는 '콘셉트 설계'를 위한 '분석'이 그 대상이다. '프로세스 개선 방법론'은 제품(또는 프로세스)이 존재하므로 'Y'에 영향을 주는 'X'들을 찾아 최적화를 꾀하지만, '제품 설계 방법론'에서는 그 실체가 없으므로 우선 제품부터 만드는 작업이 선행된다. 물론 그 이후부터는 '프로세스 개선 방법론'의 최적화와 유사한 과정으로 전개된다. 초반이 '프로세스 개선 방법론'과 차이가 많으므로 가급적 정독할 것을 권한다.

Analyze Phase 개요

'Analyze'는 일반적으로 '데이터를 분석한다'의 의미를 갖는다. 그러나 '제품 설계 방법론'에서의 그것은 '데이터 분석'과는 거리가 멀다. 아마도 'DMAIC'와 'DMADV' 전개에 있어 'Analyze' 활동에 가장 두드러진 차이가 있다 해도 과언이 아니다. 그런데 왜 차이 나는데도 불구하고 두 로드맵에서의 명칭이 'Analyze'로 동일할까? 헷갈리게 말이다. 이 부분에 대해서는 책의 '개요'에서 방법론들의 탄생 배경을 설명할 때 언급한 바 있다. 우선 '프로세스 개선 방법론'의 Measure Phase에서 도출한 '잠재 원인 변수'들이 단지 'Y'와 관련이 있을 것이란 개연성만 갖고 있으므로 정말 그런지 'Y'와 빗대어 맞춰보는 작업이 필요한데 이것이 'Analyze Phase'의 주 활동이다. '관련이 있을 것'이란 곧 '가설'을 지칭하고, 맞춰보는 작업은 확인, 즉 '검정'이라 했으므로 이 둘을 합쳐 'Analyze Phase=가설 검정하는 과정'으로 요약된다.

그러나 '제품 설계 방법론'의 'Analyze Phase'는 상황이 전혀 다름을 인식해야 한다. '프로세스 개선 방법론'은 기존의 제품(또는 프로세스)이 존재하는 것을 전제하므로 그 속에서 잘못된 'X(원인 변수)'들을 찾아(Measure) 표준 설계에서 벗어난 양만큼(Analyze) 제자리로 돌리는(Improve) 일인 데 반해, 'DMADV'는 제품을 설계하는 로드맵이므로 최적화의 실체가 없다는 데 근본적인 차이가 있다. 아직 만들지 않았기 때문이다. 대상이 없으니 '잠재 원인 변수'가 나올 리 만무하거니와 '가설 검정' 또한 있을 턱이 없다. 따라서 정상 진행을 위해 최적화 대상인 '제품'을 먼저 만들어야 하며, 이것이 '콘셉트 설계(Conceptual Design)'[61]다.

'콘셉트 설계'는 말 그대로 '개념' 또는 '구상' 단계의 설계이다. 머릿속(?)에서 이루어지는 만큼 실체가 견고하지 않으리라는 것쯤은 충분히 예상할 수 있다. 그

61) 단어 'Concept'을 '콘셉트'로 읽기는 부자연스럽게 느껴지나 국어사전의 표기를 따랐다.

러나 마구잡이로 실행할 순 없다. 왜냐하면 무엇을 어떻게 만들어야 할지 제시되지 않은 상태에서 연구원 각자가 제각기 콘셉트 설계를 하고, 또 서로 간 설계 목표에 차이가 있으면 Measure Phase에서의 결과와 앞으로 전개될 '세부 로드맵'들과의 연계에 혼선이 빚어질 수 있다. 따라서 우선 Measure Phase의 최종 산출물이 Analyze Phase의 입력으로 들어와야 하는데, 이때 'Y'들이 사용된다.

만일 'Y'가 '놀이 유지 시간'이며 고객 요구 수준(목표)이 '20분'이라고 가정하자. 토이 박스를 이용해 최소 20분은 즐겁게 지내야 한다는 뜻이다. '놀이 유지 시간'은 고객이 측정하는 양이므로 '최소 20분'을 즐겁게 하려면 제품 내부의 부품들이 정해진 임의 작동을 지속해야 한다. 이때 고객이 느끼는 20분간의 재미와 제품 내부의 작동 간에 연결고리가 필요하다. 조금 풀어쓰면 고객의 요구인 '즐거움 20분 지속'은 제품 내 임의 작동과 연결돼야 하며 Analyze Phase의 '콘셉트 설계'는 바로 "고객의 요구에 부응한 제품 내부 설계 활동"으로 규정지을 수 있다. "고객의 요구=Y"이고, "제품 내부 설계=콘셉트 설계"이며 필자는 "제품 내부"를 '블랙박스'로 명명하곤 한다.

'블랙박스'는 내부를 알 수 없다는 뜻이 아니라 내부를 구성하는 방법과 내용물의 결정에 따라(즉, 설계의 혁신성에 따라) 상자 밖의 '놀이 유지 시간'이 얼마나 고객 요구 수준에 부합하느냐가 결정된다는 뜻이다. 가성비 좋고 신선한 아이디어로 무장돼 있을수록 설계가 잘 된 것이고 이것은 연구원 각자의 역량과 회사의 지원 상황에 영향 받는다. 이런 이유로 다양한 'Y'의 '성과 표준'을 충분히 만족시킬 블랙박스 안의 역할(기능) 설정이 필요하며, 이 작업은 'Step－7. 아이디어 도출'에서 진행된다. 팀원들이 고객 요구인 'Y의 목표'를 맞추도록 아이디어를 발굴한 뒤 최적의 기능(또는 역할)들을 결정하면 이어 '구조화'를 추진하는데 이 과정은 'Step－8. 콘셉트 개발'에서 진행된다. '구조화'란 '기능(역할)'들이 결정되면 그들을 '실체화'시키는 작업이다. 이를테면, 토이 박스 경우 인형을 튀어나오도록 외부에서 자극을 줄 때, 상자 내에서는 인형을 위로 밀어 올리는 그 무엇인가의 '역할(기능)'이 있어야 하고, 그를 실현시키는(또는 구조화하는) 방법은 '스프링'을 배치시키거나 '모터'를 써서 자동으로 움직이게 만들 수도 있다. '밀어 올리는'이라고 하는 하나의 필요한 '역할(기능)'이 '스프링 또는 모터'에 의해 '구조화'가 이루어진 것이다.

이렇게 구조화를 통해 뭔가가 만들어지면 그 자체만으로 돌아가는 것이 아니라 그들을 구성하는 다양한 요소들이 서로 조화를 이뤄야 하는데, 예를 들면 '인형을 올리는' 기능을 '스프링'이 하도록 결정했으면, '재료 종류'나 '복원력 수준', '수명' 등의 이해가 필요하다. '프로세스 개선 방법론' 경우 제품(또는 프로세스)이 존재해 '잠재 원인 변수의 발굴'이 가능했듯이 '제품 설계 방법론'에서도 이 단계쯤 되면 실체가 어렴풋이 나오므로 '원인 변수의 발굴'이 가능하다. 그러나 현재 '설계'를 하고 있으므로 '잠재 원인 변수의 발굴'이 아닌 '설계 요소(Design Element) 발굴'로 명명한다. 또 결정된 사항들을 유지 관리하기 위한 지침이나 표준 또는 운영 기록지 등 '산출물'들도 요구되는데, 이와 같이 처음 구조화된 실체에 대해 이루어지는 '설계 요소의 발굴'이나 '산출물 정의 및 실현' 등의 과정은 '<u>Step-9. 상위 수준 설계</u>'에서 수행된다.

Analyze Phase를 한마디로 요약하면, '프로세스 개선 방법론'에서는 '데이터 분석'이, '제품 설계 방법론'에서는 '콘셉트 설계를 위한 기능 분석'이 해당한다. '콘셉트 설계'는 "실체를 만드는 활동"이며, 이후 완성도를 더욱 높이기 위해 필요한 설계 요소 발굴('프로세스 개선 방법론'의 'Step-6. 잠재 원인 변수의 발굴'과 동일)과 그에 필요한 산출물들을 만드는 활동과 연결된다. 이제부터 '세부 로드맵'으로 들어가 보자.

Step-7. 아이디어 도출

활동 목적은 Measure Phase에서 결정된 'Y'들의 '목표' 실현을 위해 앞으로 만들어질 제품에 어느 구성 요소들이 필요한지 확정짓는 데 있다. 4개의 '세부 로드맵'으로 구성되며, 'Step-7.1. 기능 분석'부터 시작된다. 여기선 Measure Phase의 'Y'가 입력으로 들어와 향후 구조화에 필요한 잠재 '기능'들을 도출한다. 다음 'Step-7.2. 핵심 기능 선정'은 이전 '세부 로드맵'의 후보 '기능'들 중에서 설계될 제품에 가장 중요한 기능이 어느 것인지 골라낸다. 이렇게 선별해서 최종 확정된 기능들을 '핵심 기능(CTF, Critical to Function)'이라고 하며, '핵심 기능'들을 이용하여 '기능 블록도(Functional Flow Block Diagram)'[62]를 작성한다. 블록도는 각 '핵심 기능'간 연계성을 그림으로 관찰하기 위함이며, 이때 제품 윤곽이 드러나기 시작한다. 'Step-7.3. 기능 대안 도출'에서는 확정된 '핵심 기능'들을 구조화, 즉 실현시키기 위해 어느 '부품(또는 새롭게 고안된 구조)'들이 필요한지를 결정한다. 토이박스 예에서 인형을 '밀어 올리는' 것이 '핵심 기능'이면 이를 실현시키기 위해 '스프링'이나 '모터' 등(또는 이들을 포함한 구조 등)이 '기능 대안'이 될 수 있다. 기계 공학에서는 '핵심 기능'이 어떻게 동작되는지가 중요하므로 '기능 대안'을 '동작 원리'로도 부른다. 물론 이 과정에 많은 문헌 조사나 벤치마킹, 의견 교류 등이 요구된다. '기능 대안'들이 도출되면 그들 중 현실성이 떨어지거나, 법·회사정책 등에 반하는 것들은 털어내고 실현 가능한 '것들만 선별해내는 데 이 과정은 'Step-7.4. 기능 대안 확정'에서 다룬다. 확정된 '기능 대안'들은 'Step-8. 콘셉트 개발'로 넘긴다. 이제부터 '세부 로드맵'으로 들어가 보자.

62) 영문 WIKIPEDIA에 상세히 설명돼 있다. 'Functional Flow Diagrams', 'Functional Block Diagrams', 'Functional Flows'로도 쓰인다.

Step-7.1. 기능 분석(Functional Analysis)

'기능(Function)'은 국어사전에서 "하는 구실이나 작용"으로 정의하는데 (네이버 용어사전)에 더 좋은 정의가 있어 실어 놓았다.

> · **기능(Function)** (네이버 용어사전)상호의존 관계에 있는 여러 부분에 의해 성립된 전체(기계·유기체·사회체제)에 있어, 그 속의 각 구성요소가 맡은 역할 또는 각 구성요소의 협동관계에 의한 전체적 활동을 말한다. '기능'에 대립되는 것이 '구조'인데, '기능'은 '구조'에 의미를 부여하고 '구조'는 '기능'을 가능하게 한다.

정의에서 '구조'란 바로 뭔가가 작동하고 있는 '실체', 즉 '존재하고 있음'의 의미다. 교육이나 멘토링 때 '기능'의 의미를 이해하는 데 많은 어려움이 있다고들 호소한다. 다소 추상적인 느낌 때문에 실질적인 과제 수행에 어떻게 연계시킬지 애를 먹는다는 것이다. 설명에 앞서 '정의'에 있는 문장들을 다음과 같이 나누어보았다.

> · ① 상호의존 관계에 있는 여러 부분에 의해 성립된 전체(기계·유기체·사회체제).
> · ② 그 속의 각 구성요소가 맡은 역할.
> · ③ 또는 각 구성 요소의 협동 관계에 의한 전체적 활동을 말한다.
> · ④ '기능'에 대립되는 것이 '구조'인데, '구조'는 '기능'을 가능하게 한다.

네 개로 나눈 예에서 '①'은 '구조'이고, '②, ③'이 '기능'이다. 앞에 '시계'가 하나 있다고 가정하자. 이것은 '①'에서 '상호의존 관계에 있는 여러 부분에 의해 성립된 전체'가 될 것이다. '①'의 설명 중 괄호 내 3가지 유형들에서 '기계'에 해당될 것이다. 제조라면 다양한 양산 설비가 될 수도 있고, 간접이나 서비스는 IT인프라(예; ERP) 등이 될 수도 있다. '시계' 자체가 하는 '역할(또는 기능)'은 무엇일까? 현재 몇 시인지를 알려주는 것인데 이것은 '③'에 해당한다. '③'도 '기능'이라고 했고, '각 구성 요소의 협동 관계에 의한 전체적 활동'이 '시계'에 있어서는 '시간을 알려주는 일'이기 때문이다. 그런데 '시계'는 '②'와 같이 '각 구성 요소가 맡은 역할'이 있다. 예를 들어 '시침'은 '시간' 위치를, '분침'은 '분'의 위치를 알려주는 역할(기능)을 수행한다. 또 안으로 들어가 보면 무수히 많은 톱니바퀴들이 존재할 텐데 이들도 각각의 역할(기능)을 수행한다. 큰 톱니바퀴는 시침을 움직이는 데에, 작은 톱니바퀴는 분침을 움직이는 데에 활용되는 식이다. 따라서 '시침', '분침', '톱니바퀴' 그 외에 무수히 많은 부품들은 제각각 역할(기능)을 담당할 것인데 이들의 전체를 '④'에서 '구조'라 명명하고 있다. 정리하면 다음 [표 A-1]과 같다.

[표 A-1] '시계'에 대한 '기능' 정의

No	정의	대응 관계
①	상호의존 관계에 있는 여러 부분에 의해 성립된 전체(기계·유기체·사회체제)	시계(분류 중 '기계'에 해당)
③	또는 각 구성 요소의 협동 관계에 의한 전체적 활동을 말한다.	시간을 알려주는 역할(기능)
②	그 속의 각 구성 요소가 맡은 역할	- 시침: '시간' 위치 지정 역할(기능) - 분침: '분'위치 지정 역할(기능) - 큰 톱니바퀴: 시침 회전 역할(기능) etc
④	'구조'는 '기능'을 가능하게 한다.	'시계'라고 하는 구조가 존재함으로 해서 - 시침, 분침, 큰 톱니바퀴, 작은 톱니바퀴 등의 기능(역할)이 존재

멘토링 중에 나름 고민해서 쉽게 한다고 '시계'의 예를 든 것인데 기껏 돌아오는 질문은 항상 똑같다. "시계 예는 알겠는데요" 하고 조건이 붙는 경우다. 이해를 못했다는 뜻이다. 씩 웃고 넘어가야 할 상황이다. 이렇게 보면 '세부 로드맵'에서 해야 할 일이 무엇인지 명확해진다. 바로 '②'를 찾아내는 일이다. 예를

들면 'Y'가 '놀이 유지 시간'이고, 고객 요구 수준이 '20분'이면, 토이 박스로 그를 달성시키기 위해 필요한 '기능(또는 역할)'들은 '시각적 즐거움을 주는 기능', '모양의 변화를 주는 기능', '스스로 작동하는 기능' 등 '놀이 유지 시간'을 최대화하기 위해 생각할 수 있는 모든 기능들을 끄집어낼 수 있다.

'기능'을 끄집어내는 방법은 통상 두 가지인데 하나는 팀원들과 '브레인스토밍'을 하는 것이고, 다른 하나는 'FAST(Function Analysis System Technique)'를 활용하는 것이다. 전자는 접근성이 뛰어난 반면, 후자는 정통한 방법이고 다소 어렵다. 'FAST'는 '기능'들의 앞뒤 관계를 따지므로 '분석'적 요소가 강해 '기능 분석(Functional Analysis)'이라 불린다. '브레인스토밍'도 도출된 '기능'들에 대해 유사성이 깊은 것끼리 묶어내야 하므로 이 역시 분석적 요소를 포함한다. 방법들 각각에 대해 간략히 알아보고, 파워포인트로도 표현해볼 것이다.

7.1.1. '브레인스토밍'을 이용한 '기능' 도출

'브레인스토밍'은 1941년 미국의 한 광고회사 부사장인 알렉스 F. 오즈번이 제창하여 그의 저서 『독창력을 신장하라』('53)로 세상에 알려진 아이디어 도출용 도구이다. 주변에서 너무 쉽게 접할 만큼 활용도가 높아 '브레인스토밍' 자체를 여기서 논할 필요는 없을 것 같다. 다만, '기능 도출'을 위해 팀원들이 모였을 때 약간의 진행 기술이 필요한데, 가령 모인 팀원들은 당장 '기능'이 무엇인지 모르고 임하는 게 일반적이다. 그렇다고 바쁜 사람들 데려다 놓고[63] '기능' 강의 후 시작하는 것도 제약이 따른다. '브레인스토밍'은 가급적 '40분' 내 끝내는 것

63) 혹자는 중요한 과제에 시간을 내는 것이 당연지사일 텐데 "바쁜 사람들"이란 표현이 너무 과제 수행 자체를 폄하하는 것이 아닌가 하는 불만을 제기할지 모른다. 요건 현실을 잘 몰라서 하는 내용이고 실제는 팀원들이 너무 바쁘다. 사업부장의 강압 통치(?)가 아니라면 모였을 때 굵고 짧게 끝내는 방법을 강구하는 게 현실적이다. 그러려면 진행자가 사전 준비를 철저히 해야 한다.

이 좋다. 한마디로 굵고 짧게 해서 목적을 달성하는 것이 최상의 전략이다.

우선 'Y'를 적는다. 물론 시작 전 간단한 취지를 설명하고, 'Y'들에 대한 '목표'도 적는다. 이제 '기능'들을 도출하도록 유도하는데 "무엇이 행해져야(What must be done) 'Y'의 목표가 달성될까요?" 하고 질문한다. 그리고 간단한 예를 들어 아이디어를 도출해내는 촉매제로 활용한다. 굵고 짧게 끝내기 위해서는 이때부터 운영자의 숙련된 기술이 필요한데 농담이나 잡담이 끼어들지 않도록 예를 들거나, 도출을 유도할 때 관심들이 집중될 수 있게 진지해야 한다. 누군가가 "오늘 주가 왕창 떨어졌네!" 등의 씨앗을 퍼트린 순가 이미 굵고 짧게는 물 건너갔다고 봐야 한다.

어떤 유형들이 나올 수 있는지 '토이 박스 개발' 과제 중 'Y'인 '놀이 유지 시간'에 대해 '기능'을 도출해보자. 이 지표는 토이 박스가 단순히 인형 돌출의 기능만 가지고는 고객의 관심을 끌 수 없음을 전제한다. [표 M-31]에 의하면 기존 제품 경우 '평균 4.6분' 정도 유지되는 것으로 파악됐으며, 3분 이내는 고객이 전혀 관심 갖지 않는 수준임을 명시하고 있다. 20분 이상 유지되도록 설계하는 것이 현재 '목표 수준'이다. [표 A-2]는 '놀이 유지 시간'에 대해 팀원들이 브레인스토밍으로 1차 도출한 '기능'들의 예이다(고 가정한다).

[표 A-2] '브레인스토밍'을 통한 '놀이 유지 시간'의 기능 도출 예

Y	기능(Function)
놀이 유지 시간 (목표: 20분 이상)	외형이 여러 구조로 변한다.
	외관이 여러 형태로 변한다.
	튀어나오는 인형이 다양하다.
	인형이 여러 방향에서 나올 수 있다.
	부피가 변한다.
	스스로 이동한다.
	외부 여러 자극에 반응한다.
	…

토이 박스 하나로 혼자 혹은 여러 명이 20분 이상 즐겁게 보내려면 한두 개의

'기능'만으론 벅차다. 이 점을 팀원에게 부각하면 다양한 '기능'들의 도출에 큰 무리가 없을 것이다. 때론 엉뚱한 내용이나 혹은 '기능'이라기보다 토이 박스가 이랬으면 좋겠다는 제안성 아이디어도 나올 수 있다. 이런 점에서 [표 A-2]의 내용들은 후자의 성격이 강하다고 볼 수 있다. 그러나 큰 건물이 한 번에 만들어지지 않듯 제품도 한두 개 아이디어나 구체화 노력으로 완성될 수는 없다. 모호한 아이디어나 제안들을 다듬어 온전한 제품으로 만들어가는 데 로드맵의 묘미가 있다. 따라서 [표 A-2]를 보고 "이게 뭐 기능이지?"라고 의아해할 필요는 없다. 앞으로 있을 '아이디어 도출'에서 윤곽이 잡힐 것이기 때문이다.

그런데 이 시점에 도출된 '기능'들의 '표현'에도 관심을 가져야 한다. 팀원들이 '기능'의 표현법에 대해 잘 모를 것이므로, 우선 자유롭게 표현하도록 유도하고 나중에 주어진 표현법에 맞춰 보정하는 것도 한 방법이다. 팀원에게 표현법까지 요구하는 것은 사고하는 데 많은 제약을 줄 수 있다. 다음 [표 A-3]은 '기능'

[표 A-3] '기능'을 표시할 때 쓰이는 '서술어' 예

'기능'표현에 쓰이는 서술어			
발생하다, 생기다	공급하다, 보내다	형성하다, 구성하다	누르다, 압착하다
내다	전하다, 전달하다	접속하다, 잇다, 연결하다	죄어 붙이다, 죄다
얻다, 안다	작동시키다, 동작시키다	바꾸다	견디다
변환하다, 바꾸다	회전시키다, 돌리다	모으다	막다, 방지하다, 지하다
이동시키다	직선운동 시키다, 오르내리게 하다, 전진/후진시키다	받다, 수신하다	제거하다, 없애다
증가시키다, 늘리다, 크게 하다	통하다, 통과시키다	저장하다	차단하다, 차폐하다, 쉴드하다
감소시키다, 줄이다, 적게 하다	이끌다, 안내하다, 가이드하다	나누다, 분리하다	절연하다
높이다	흘리다	고정하다, 고착하다, 정착시킨다	정하다, 결정하다
낮추다	주다	지지하다, 받친다	조정하다, 조절하다, 가감하다
증폭하다	누르다	버티다	제한하다, 한정하다, 제약하다
보호하다, 지키다	유지하다	보강하다	표시한다

을 표현하는 데 유용한 서술어들이며 가능하면 표 내용을 표준으로 삼기 바란다.

'기능'의 표현법을 참조해서 [표 A-2]를 보완하면 다음 [표 A-4]와 같다.

[표 A-4] '기능'의 서술어 표현법을 따른 예

Y	팀원 발굴 시	'기능 표현' 적용 시
놀이 유지 시간 (목표: 20분 이상)	외형이 여러 구조로 변한다.	→ 외형을 바꾼다.
	외관이 여러 형태로 변한다.	→ 외관을 바꾼다.
	튀어나오는 인형이 다양하다.	→ 인형을 바꾼다.
	인형이 여러 방향에서 나올 수 있다.	→ 인형 돌출 방향을 바꾼다.
	부피가 변한다.	→ 부피를 가감한다.
	스스로 이동한다.	→ 스스로를 이동시킨다.
	외부 여러 자극에 반응한다.	→ 다양한 외부 자극을 안다.
	…	…

보통 '기능'을 표현하는 방법은 '명사+서술어' 형태로, 특히 '명사' 부분에는 '특성'이 오는 게 일반적이다. '기능'의 표현법 자체가 제한적인 만큼 활용할 때는 약간 유연성을 가져도 좋다. 그러나 기본 바탕은 '무엇이 행해져야 하는가?' 라고 하는 'Y'의 목표 달성을 염두에 둔 접근이 가장 중요하다. '기능'을 도출한 후 이 질문을 던지며 재검토해 보는 것도 좋은 방법 중의 하나이다. [그림 A-1]은 파워포인트 작성 예이다.

[그림 A-1]에서 각 'Y'별로 브레인스토밍을 통해 기능들을 도출한 뒤, [표 A-3]에 따라 정리하였다. 이 방법으로 도출된 '기능'들은 상위 기능과 하위 기능들이 서로 섞여 나오게 마련이며 그대로 '핵심 기능 선정'으로 넘길 수 있으나, 다음에 설명할 「7.1.2. FAST를 이용한 기능 도출」에서 재정립할 수도 있다.

[그림 A－1] ‘Step－7.1. 기능 분석’ 작성 예(브레인스토밍 적용)

Step-7. 아이디어 도출
Step-7.1. 기능 분석(Functional Analysis)

▶ ‘브레인스토밍’을 통한 ‘Y’별 기능 도출.

Ys	기 능 (Function)	Ys	기 능 (Function)
재미의 표현 수	- 인형모양을 변환한다 - 인형 표정을 바꾼다 - 게임을 형성한다 - …	자극 반응도	- 반응시간을 줄인다. - 정해진 조건을 작동시킨다. - 에너지를 적게 한다. - …
놀이 유지시간	- 외형을 바꾼다 - 외관을 바꾼다 - 인형을 바꾼다 - 인형 돌출 방향을 바꾼다 - 부피를 가감한다 - 스스로를 이동시킨다 - 다양한 외부자극을 안다 - …	부착물 접착력	- 친환경 성분을 정한다 - 접착 상태를 유지한다 - 상자 표면을 보호한다 - 미적 가치를 높인다 - …
고객 선호도	- 재미를 발생한다 - 재미를 작동시킨다(고객이 들었을 때) - …	<일 사> 20xx. 3.8~ 3.11 <장 소> 연구동 4층 회의실 <참석자> 이설계, 박찬오, 김유나, 박서리		

(기능도출)

■ 5개 ‘Y’들에 대해 총 135개의 관련 기능들을 도출.
■ 중복된 내용 62개를 제거하고, 2차 팀 회의를 거쳐 총 73개를 확정함 (개체삽입 엑셀파일 참조)

PS-Lab
Problem Solving Laboratory

‘기능’은 ‘Y’와 ‘설계 제품’을 연결하는 매개체 역할을 한다. 따라서 설계될 제품의 완성도를 높이기 위해서는 ‘Y’와 연결될 중요한 ‘기능’들이 나와 주어야만 실질적인 효과를 낼 수 있다. 한마디로 그냥 도출하지 말고 집중적인 관심하에 과정이 이루어져야 한다. 물론 ‘제품 설계 방법론’의 각 단계가 완전성을 추구하지만 항상 잘못될 가능성을 배제할 수 없기 때문에 언젠가 이 자리로 다시 돌아와 가감할 수 있는 여지는 열어둔다. 그러나 그 빈도가 높거나 또는 그것을 믿고 가볍게 넘어가서는 제품 설계 과정의 참뜻과는 멀어질 수밖에 없다. 다음은 두 번째 방법인 ‘FAST’에 대해 알아보자.

7.1.2. 'FAST'를 이용한 '기능' 도출

'FAST(Function Analysis System Technique)'는 1965년 Sperry Rand Corporation의 UNIVAC사업부에 있던 Mr. Charles W. Bytheway에 의해 제5회 SAVE[64] 전국 대회에서 소개되었다. 제품이 있으면 그를 구성하는 부품들은 각기 기능(역할)을 담당하도록 설계됐을 것이나, 제품의 실제 '주 기능'만을 가만히 따져보면 그 외의 것들은 제거하거나 저렴한 재료로 대체하더라도 '주 기능'에 별로 영향을 미치지 않음을 발견하고 궁극적으로 엄청난 원가절감의 기회를 얻을 수 있다는 게 핵심이다. 이것이 바로 '가치 공학(VE, Value Engineering)'이며, 이를 실현할 기능 분석의 한 기법으로 1965년에 소개된 것이 'FAST'다. 다음 [그림 A-2]는 'FAST' 수행을 위한 기본 양식이다.

[그림 A-2] 'FAST 기본 양식' 예

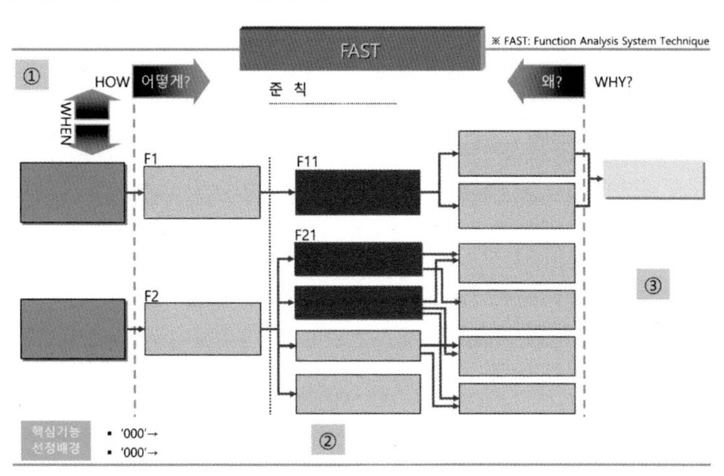

64) SAVE(1954년도에 설립된 미국가치전문가협회의 영어명. VE(Value Engineering)는 제품의 불필요한 기능을 찾아내 제거함으로써 원가를 줄이는 방법으로 GE사에서 1947년에 Lawrence D. Miles에 의해 개발되었으며, 이후 SAVE에 의해서 원가절감 전국대회가 개최되었다. FAST는 이 대회 기간인 1965년에 소개되었다.

[그림 A-2]의 'FAST 기본 양식'에 다양한 부가 용법이 추가되기도 하지만 본문에서는 단순형만을 소개한다. 다음은 [그림 A-2]의 각 영역별 작성 방법을 요약한 것이다.

- **영역-①** '입력' 영역으로, Measure Phase에서 결정된 'Y'를 가져오되 [표 A-3]의 기능적 표현으로 기술한다. 예를 들면 '재미의 표현 수 → 재미의 표현 수를 늘린다', '고객 선호도 → 고객 선호도를 높인다'와 같이 입력한다. 현재 'Y'가 5개이며 오른쪽으로 전개됨에 따라 부피가 늘어날 것이므로 통상 한 장에 정리되기보다는 몇 장에 걸쳐 완성된다.
- **영역-②** 'How', 즉 '어떻게?'로 자문하면서 그 답을 사각형에 써 나간다. 성격이 다른 기능들이 여럿 있을 경우 위에서 아래로 배열시켜 정리한다. 그리고 각각에 계속 '어떻게?'라고 자문하면서 전개해 나간다. 더 이상 '어떻게'로 설명이 안 되면 종료된 것으로 판단한다. 일반적으로 외부에서 '공급'이 필요한 시점이 종료 시점이다. [그림 A-3]은 전개 예이다.

  [그림 A-3] 'FAST 전개' 예

  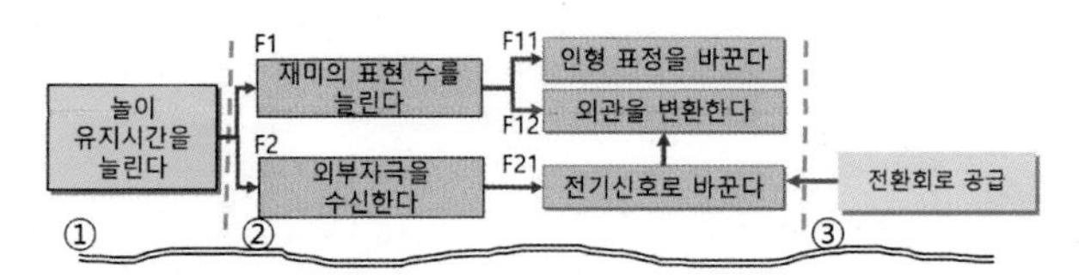

  그림에서 '놀이 유지 시간을 늘린다'는 고객들이 '토이 박스'를 가지고 얼마나 즐거운 시간을 가질 수 있는가에 초점이 맞춰져 있다. 이를 위해 '재미있는 표현의 수'를 늘리거나 외부 자극에 반응하는 기능의 포함을 고려한 예이다. 참고로 자극의 신호를 전기 신호로 전환한 뒤 재미의 표현을 작동시키는 구조를 연상하여 '전기 신호로 바꾼다. → 외관을 바꾼다'의 경로가 추가되었다. 기능들에는 기능의 영문 첫 자인 'F'와 순서에 따른 번호를 부여해서 구별한다.
- **영역-③** [그림 A-3] 내 'F21'의 '전기 신호로 바꾼다' 경우 하부 기능의 전개가 가능하지만 여기서는 이 동작을 실현시킬 '전환 회로'를 '제공'하는 것으로 처리하였다. 이같이 '영역-③'은 외부에서 해주는 경우로 '부품/재료를 공급해주는 것', '기존 것을 변경/수정해주는 것', '방법/공법을 바꿔주는 것' 중 하나에 해당한다. 즉, '영역-②'에서 방금 언급한 3가지 유형에 근접하면 기능 전개를 멈추고 '해주는 것'의 영역인 '③'으로 마무리한다.

[그림 A-4] 'Step-7.1. 기능 분석' 작성 예(FAST 적용)

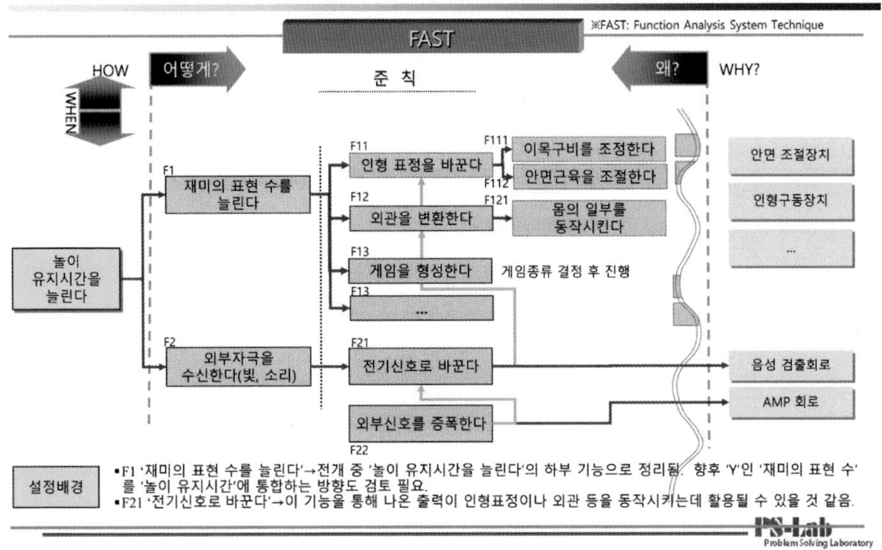

[그림 A-4]는 '토이 박스 개발' 과제의 'Step-7.1. 기능 분석' 작성 예이다. 그림은 "놀이 유지 시간을 늘린다"에 대해 '어떻게'라고 자문하며 하위 기능으로 전개하고 있다. 토이 박스로 고객들이 오랫동안 흥미를 느끼려면 다양한 '표현의 수'를 갖도록 만들 수도 있고, 또 개개인의 소리나 특징에 반응해서 지속적인 관심을 유도하도록 설계할 수도 있다. 하위 기능 'F22'인 '외부 신호를 증폭한다' 경우 '어떻게?'로 다음 기능을 전개하면 회로를 구성하는 세부 기능들로 나눠질 것이나 여기서는 일단 'AMP 회로'를 공급하는 것으로 처리하였다. 실제 과제라면 팀원들과 하위 기능으로의 전개가 있어야 할 대목이다. 또 연두색 화살표를 통해 'F21'인 '전기 신호로 바꾼다'로 연결되고 다시 여기서 'F11'과 'F12'

로 이어지는데 이것은 기능 간의 입출력 관계를 구성한 경우로 'Step-7.2. 핵심 기능 선정'에서 있을 '기능 블록도 작성'에 참고 자료로 활용할 수 있다. 즉, "증폭된 외부 신호가 전기 신호로 바뀐 뒤, 인형의 표정이나 외관을 변환시킨다"의 연속된 동작을 구성할 수 있다. 만일 나머지 다른 'Y'들까지 함께 고려한다면 전체 시스템적 관점의 기능 간 '흐름(Flow)'의 파악도 가능하다.

지금까지 Measure Phase의 'Y'들로부터 입력을 받아 '목표'를 달성시킬 제품의 '기능(역할)'들이 어떻게 만들어지는지 그 '용어'와 '도출하는 과정'을 학습하였다. 앞서 언급한 바와 같이 FAST를 이용한 방법은 「7.1.1 '브레인스토밍'을 이용한 '기능' 도출」과 연계시킬 수 있다. '브레인스토밍' 결과를 'FAST' 작성에 활용하면 '어떻게(How)'로 전개하는 데 따른 팀원들의 부담을 줄이고 기능의 누락을 방지하면서 기능들 간 연계성까지 파악할 수 있는 장점 때문에 최근에 선호되는 방법이다. 또 본 활동은 실제 제품의 윤곽이 나오는 첫 관문이다. 깊이 있는 연구를 통하지 않고는 이후를 보장할 수 없음을 명심해야 한다. 다음은 이들로부터 '핵심 기능'을 뽑은 뒤 '기능 블록도'를 작성하는 과정에 대해 알아보자.

Step-7.2. 핵심 기능 선정

'Analyze Phase 개요'에서 '기능'이란 'Y'와 완성될 '제품'을 연결하는 블랙박스 내의 'Something' 정도로 설명한 바 있다. 즉, '제품'은 존재하는 실체이므로 그 안에 무엇인가 '역할'이 있어야 하는데 그것이 '기능'이다. 본 단계는 'Step-7.1. 기능 분석'에서 도출된 각 'Y'별 '기능'들 중 과제의 목표와 가장 부합하는 것들을 선별하는 과정이다. 선별된 '기능'들을 특별히 '핵심 기능(CTF, Critical to Function)'이라 부른다.

왜 '핵심 기능'을 따로 골라내는 것일까? 그것은 아무리 새로운 제품이라도 그

안의 모든 역할들이 새롭게 만들어지거나 재구성될 필요는 없다는 데서 출발한다. 다시 말해 현재 설계하고 있는 제품의 최소한 50% 이상은 기존의 것들로 대체되거나 또는 그대로 활용이 가능하다. 예를 들면, '인형을 오르내리게 한다'와 같은 기능은 기존 것을 대체하거나 유지하는 수준에서 또는 '즉 실천'성으로 처리해도 무방하다. 그러나 '외부 자극을 수신한다'는 현재의 토이 박스가 갖고 있지 않은 새로운 '기능'으로 만일 이것이 '핵심 기능'으로 선정되면 팀원들은 이를 실현시킬 방안을 강구해야 한다. 따라서 '핵심 기능'으로 선정돼야 기존으로부터의 차별화가 일어날 수 있다. 본 '세부 로드맵'은 우선 '7.2.1'에서 '핵심 기능' 선정을, 다음 '7.2.2'에서 앞서 선정된 '핵심 기능'에 대한 '핵심 기능 요구사항(CFR, Critical Function Requirements)' 설정을, 끝으로 '7.2.3'에서 '핵심 기능'을 활용한 최초의 제품 윤곽인 '기능 블록도(Functional Block Diagram)' 작성에 대해 순서대로 하나하나 설명을 이어갈 것이다. 제품의 이미지가 어떻게 완성돼 가는지 한 단계 한 단계 보여주고 있다. 중요한 과정이니만큼 리더들은 가급적 정독해주기 바란다.

7.2.1. '핵심 기능(CTF)' 선정

'핵심 기능'을 선정하는 방법은 'Multi-voting' 또는 '매트릭스 평가' 등이 있다. 공통점은 팀 회의를 거친다는 것이며 차이점은 전자는 간단한 협의를, 후자는 '점수'를 부여한다. 'Multi-voting'은 '[그림 A-4] Step-7.1. 기능 분석 작성 예'에서 팀원과 직접 선정할 수 있다. 선정된 '핵심 기능'은 테두리나 내부 색을 달리해서 구별하고 해당 장표에 왜 선정됐는지 '선정 배경'을 기록한다. 양이 많을 경우 '개체 삽입' 기능을 활용한다. 자세한 용법을 원하는 독자는 『Be the Solve_정성적 분석』편을 참고하기 바란다.

반면에 '매트릭스 평가'는 'Y'들과 '기능'들과의 연계성을 하나하나 숫자로 표현해가는 방법으로 도출된 '기능'의 수가 많으면 소요되는 시간도 급격히 증가하는 단점이 있다. 그러나 팀원과의 협의가 있는 만큼 한층 긍정적인 결론을 유도할 수 있다. 매트릭스 평가를 위한 주요 기법은 'FDM(Function Deployment Matrix)'[65]을 사용한다. '프로세스 개선 방법론' 내 Measure Phase에서의 'X－Y Matrix'와 외형과 용법이 동일하나 '기능'들의 우선순위를 매기는 데 쓰이므로 특별히 'Function'이란 단어를 포함한다. [그림 A－5]는 '토이 박스 개발' 과제에 'FDM'을 사용한 예이다.

[그림 A－5]의 FDM 평가에서 우선 맨 상단의 'Y'들은 [그림 M－49]의 '운영적 정의'에서 결정된 'Y'들이 온다. 바로 아래의 'Output Ranking'은 QFD의 '상대적 중요도(Relative Importance)'로 [표 M－31]의 '중요도' 값들이다. 왼쪽 첫 열은 'Step－7.1. 기능 분석'의 결과들이다. 중간중간의 '…'은 '기능'들을 생략했다는 표시다. 'Y *vs.* Function' 간 평가는 '빈 공간('0'점을 의미)', '1', '3', '9'로 표기해서 관련성이 낮은 것과 높은 것의 변별력을 높인다. 그림의 맨 아랫줄의 '496', '429', '312', '338' 등은 각 열의 값들을 합한 것으로 'Output Ranking'의 우선순위와 동일한지 확인해본다. 'Output Ranking'은 QFD의 산물이므로, QFD 평가에서 중요하게 고려했던 것이 FDM 평가에서도 중요한 순서로 나왔는지 검증의 의미로 활용한다. [그림 A－5]의 결과에서는 'Output Ranking'과 'FDM 열의 합'이 동일한 우선순위로 나타났음을 확인할 수 있다. 맨 오른쪽 열은 각 '기능'들의 영향력을 나타낸다. '인형 모양을 변환한다'는 '10×9+7×9+6×9+6×9+3×0'을 계산해서 '261'을 얻었다. 이들을 우선순위화하면 'Y'들에 영향력을 행사하는 '핵심 기능'들을 선별해낼 수 있다. 이제 해석에 대

---

65) 'FDM'은 '프로세스 개선 방법론'의 'Step－6. 잠재 원인 변수의 발굴'에서 흔히 접하는 'X-Y Matrix'나 'C&E Matrix(Cause & Effect Matrix)'와 동일한 도구이다. 수집 정보가 다양하고 많아지면 'QFD'와도 연결된다.

[그림 A－5] '핵심 기능' 선정 예(FDM 활용)

기능우선순위화

Date: 20xx.xx.xx　Project: 최적화 방법론을 통한 토이박스 개발

	1	2	3	4	5	
Y	재미의 표현 수	놀이 유지시간	고객 선호도	자극 반응도	부착물 접착력	
Output Ranking	10	7	6	6	3	
기능(Function)	Association Table					Rank
인형모양을 변환한다	9	9	9	9		261
인형표정을 바꾼다	9	9	9	9		261
게임을 형성한다	9	9	3	9		225
…	…	…	…	…	…	…
외형을 바꾼다	9	9	9	9	3	270
외관을 바꾼다	9	9	9	9	3	270
인형을 바꾼다	9	9	9	9		261
인형 도출방향을 바꾼다	9	9	9	9	3	…
부피를 가감한다	9	9	3	9	9	252
스스로를 이동시킨다	9	9	9	9		261
다양한 외부자극을 안다	9	9		9		207
…	…	…	…	…	…	…
재미를 발생한다	3	9	9			
재미를 작동시킨다	3	3	9	9		159
…	…	…	…	…	…	…
반응시간을 줄인다				9		54
정해진 조건을 작동시킨다	3	9		9		147
에너지를 적게한다	9	9		9		207
…	…	…	…	…	…	…
친환경 성분을 정한다			9		9	81
접착상태를 유지한다		3			9	48
상자표면을 보호한다					9	27
미적가치를 높인다	3	3	9		9	132
…	…	…	…	…	…	…
	496	429	312	338	125	5173

해 알아보자.

'Y'들이 서로 독립이라고 판단할 경우(성격이 완전히 다른 경우) FDM을 따로 따로 평가하는 게 원칙이다. 그러나 'Y'들이 한 제품 안에 서로 얽혀 있으면 '기능'들도 중첩돼 존재할 가능성이 높으므로 모든 기능들을 함께 대조해야 한다. [그림 A－5]를 보면 굵은 타원 점선 5개를 볼 수 있는데, 각 'Y'별로 '9점'이 많이 몰려 있는 것을 관찰할 수 있다. 이것은 'Y'별로 도출된 '기능'들을 섞지 않고 그대로 갖다 놓았기 때문에 대응 관계에 있는 셀에서 나타난 당연한 결과

이다. 그러나 그 외의 셀들에 나타난 점수들은 '기능'들이 타 'Y'들과 얽혀 나타난 결과로 해석할 수 있다. 만일 '기능'들과 개개 'Y'에서 뚜렷하게 점수들의 몰림 현상이 관찰되면 'Y'들은 서로 독립이라고 판단할 수 있다. 그러나 동일 제품 내에 존재하는 'Y'들에게서 그와 같은 현상이 나타날 가능성은 매우 낮다.

첫 번째 '기능'부터 중간쯤의 '기능'까지는 4개 'Y'들에 '9'점이 집중 몰려 있는데 이것은 기존에 없던 새로운 '기능'들로, 제품에 차별성을 주면서 동시에 제품 콘셉트를 지배할 '핵심 기능'들이 될 것임을 암시한다.

'핵심 기능'들은 'Rank' 열의 점수를 통해 구분한다. 물론 기본적으로 높은 점수를 얻은 '기능'들이 대상이다. 그러나 '반드시' 그렇지는 않다. 계속 강조해왔지만 '제품 설계 방법론'은 매 단계가 의사 결정의 연속이라고 하였다. 순간순간 깊이 있는 협의를 거쳐 결정되는 것이지, 점수에 절대적으로 순종하진 않는다. <u>'점수'는 의사 결정을 위한 하나의 좋은 이정표 역할을 할뿐 결코 절대적이지 않다.</u> '기능'들 중 '친환경 성분을 정한다.~미적 가치를 높인다' 경우 'Rank'는 '27~132점'으로 낮은 순위를 보인다. 이들은 대부분 과제 'Y'인 '부착물 접착력'과 관계하고 있음도 알 수 있다. 그러나 이 기능들은 신제품의 차별적 성향이라기보다 기존 제품의 문제점 보완을 위해 필요한 기본 기능들로 낮은 우선순위에도 불구하고 어차피 고려될 수밖에 없는 것들이다. 따라서 전체 또는 일부를 '핵심 기능'으로 가져가도 무방하다(고 가정한다). 그러나 타 'Y'들과의 연계성이 매우 낮으므로 최적화 과정에서 접착력을 향상시킬 '실험 계획' 등이 독립적으로 수행될 가능성이 높다. 설명된 내용들이 바로 팀원들의 관심 어린 참여와 깊이 있는 협의가 필요한 대목들이다. 점수는 낮지만 기존의 '부착물 접착력' 수준을 획기적으로 높일 주요한 '기능'으로 판단하고 '핵심 기능'으로 선정하였다(고 가정한다). '핵심 기능'들을 정리하면 다음 [표 A-5]와 같다.

[표 A−5] '핵심 기능' 선정 예

핵심 기능(CTF)	
인형 모양을 변환한다.	스스로를 이동시킨다.
인형 표정을 바꾼다.	다양한 외부 자극을 안다.
게임을 형성한다.	에너지를 적게 한다.
외형을 바꾼다.	친환경 성분을 정한다.
외관을 바꾼다.	접착 상태를 유지한다.
인형을 바꾼다.	상자 표면을 보호한다.
부피를 가감한다.	미적 가치를 높인다.

'친환경 성분을 정한다.~미적 가치를 높인다'는 '부착물 접착력'과 관계하는 기능들로 묶어 독립적으로 처리한다. [표 A−5]에 기술된 '핵심 기능'들은 사실 제품 개발을 위해 필요한 모든 것은 아니다. 단순히 '세부 로드맵' 학습을 위해 만든 단순한 결과물인 만큼 책을 읽고 있는 리더들이 이 점 양해해주기 바란다.

우선 정리된 '핵심 기능'들을 팀원들이 모여 재검토해보자(팀원들이 모여 매 과정을 검토하고 보완 및 확정하는 과정은 제품 설계의 매우 중요한 활동임을 강조한 바 있다). '핵심 기능' 중 '인형 모양을 변환한다', '인형 표정을 바꾼다'는 함께 선정된 '인형을 바꾼다'로 통합해도 큰 무리가 없음을 확인하였다. 따라서 이 둘을 제외하고 '인형을 바꾼다'만 쓰기로 결정하였다(고 가정한다). 또 토이박스의 '외형을 바꾼다'와 '외관을 바꾼다' 역시 '외관을 바꾼다'로 통합하였다(고 가정한다). 팀원들과의 이와 같은 과정은 사실 정답이 없다. 만일 [그림 A−5]의 'FDM을 통한 우선순위' 과정에 이미 조정을 확실하게 거쳤다면 별도로 수행할 하등의 이유가 없다. 그러나 '제품 설계 방법론' 자체가 순간순간의 의사결정을 통해 제품의 구체화를 이루는 만큼 앞에서 놓친 부분은 뒤 어디선가, 심지어 다시 앞으로 가서 보완하는 것이 항상 허용된다. 물론 그 작업은 무척 빠르게 일어날 것이다. 다음 [표 A−6]은 팀원들과 재조정된 '핵심 기능' 예이다.

[표 A-6] 재조정된 '핵심 기능' 예

핵심 기능(CTF)	
인형을 바꾼다.	에너지를 적게 한다.
게임을 형성한다.	친환경 성분을 정한다.
외관을 바꾼다.	접착 상태를 유지한다.
부피를 가감한다.	상자 표면을 보호한다.
스스로를 이동시킨다.	미적 가치를 높인다.
다양한 외부자극을 안다.	

[그림 A-6]은 'Step-7.2. 핵심 기능 선정'의 파워포인트 작성 예이다.

[그림 A-6] 'Step-7.2. 핵심 기능 선정' 작성 예(FDM 활용)

Step-7. 아이디어 도출

Step-7.2. 핵심기능 선정

▶ FDM (Function Deployment Matrix)을 통한 총 11개의 핵심 기능(CTF) 선정.

기능우선순위화

Date: 20xx.xx.xx Project: 최적화 방법론을 통한 토이박스 개발

기능(Function)	Y: 1	2	3	4	5	Rank
Output Ranking	10	7	6	6	3	
Association Table						
인형모양을 변환한다	9	9	9	9		261
인형표정을 바꾼다	9	9	9	9		261
게임을 형성한다	9	9	3	9		225
…	…	…	…	…	…	…
외형을 바꾼다	9	9	9	9	3	270
외관을 바꾼다	9	9	9	9	3	270
인형을 바꾼다	9	9	9	9		261
인형 도출방향을 바꾼다	9	9	9	9	3	…
부피를 가감한다	9	9	3	9	9	252
스스로를 이동시킨다	9	9	9	9		261
다양한 외부자극을 안다	9	9		9		207
…	…	…	…	…	…	…
재미를 발생한다	3	9	9			
재미를 작동시킨다	3	3	9	9		159
…	…	…	…	…	…	…
반응시간을 줄인다				9		54
정해진 조건을 작동시킨다	3	9		9		147
에너지를 적게한다	9	9		9		207
…	…	…	…	…	…	…
친환경 성분을 정한다			9		9	81
접착상태를 유지한다		3			9	48
상자표면을 보호한다					9	27
미적가치를 높인다	3	3	9		9	132
…	…	…	…	…	…	…
	496	429	312	338	125	5173

핵심기능(CTF)	선정배경
인형을 바꾼다.	인형얼굴의 표정, 외형 등을 변화시켜 즐거움 유도.
게임을 형성한다.	사고기능을 부여해서 놀이유지시간 증대에 기여.
외관을 바꾼다.	토이박스 자체의 변형을 통해 즐거움 유도.
부피를 가감한다.	휴대기능 강화를 통해 장소에 구애 받지 않는 놀이 감으로 유도.
스스로를 이동시킨다.	정적에서 동적 이미지로의 전환을 통해 관심증대
다양한 외부자극을 안다.	외부자극에 동작하는 기능부여로 고객의 관심증대.
에너지를 적게 한다.	토이박스 동작을 효율적으로 운영토록 개발.
친환경 성분을 정한다.	외부 부착물과 관련된 항목들로 토이박스 개발 후 완성토록 함.
접착상태를 유지한다.	
상자표면을 보호한다.	
미적 가치를 높인다.	

PS-Lab
Problem Solving Laboratory

[그림 A-6]에서 FDM을 이용한 평가와 '핵심 기능' 및 그 '선정 배경'을 요약하였다. '선정 배경'은 향후 제3자가 팀 회의 기간 동안 왜 '핵심 기능'으로 선정했는지 그 이력을 확인할 수 있도록 표현하고 공간이 부족하면 워드를 이용해 상세히 기록한 뒤 '개체 삽입'한다.

7.2.2. '핵심 기능 요구 사항(CFR)' 설정

'핵심 기능'이 정리됐으면 다음 '핵심 기능 요구 사항(CFR, Critical Function Requirements)'을 설정한다. 이것은 '기능', 즉 '역할'을 어느 수준까지 허용할지를 결정한다. 물론 가급적 숫자로 표현할 것을 권장한다. 경우에 따라 '핵심 기능'이 'Y'와 직접적인 연관성이 있어 그 요구 수준 자체가 'Y'의 '목표'와 동일할 수도 있고, 또는 전혀 다른 수준이 올 수도 있다.

예를 들면 '인형을 바꾼다' 경우, 얼굴 표정이나 외형을 변화시키는 것 자체가 목적이 아니라 'Y'인 '놀이 유지 시간'을 늘리거나, 매장에서 '고객 선호도'를 높이는 게 목적이다. 따라서 인형의 변환 하나하나는 고객이 즐겁도록 구성돼야 하므로 '재미의 표현 수'의 '운영적 정의'인 '7점 만점 중 5.5점 이상'을 만족하는 설계만 수용해야 한다. 이때 '7점 만점 중 5.5점 이상'이란 조건이 '핵심 기능 요구 사항(CFR)'이다. 또 '게임을 형성한다' 경우 동료들이 모여 토이 박스로 할 수 있는 게임은 가능한 그 결과를 빨리 알 수 있어야 한다. 너무 오래 걸리거나 난이도가 높아버리면 생산에 비용도 많이 들뿐더러 참여하는 사람도 복잡한 처리에 별 흥미를 느끼지 못할 가능성이 있다. 따라서 '결과 확인 1초 이내' 또는 '게임 난이도 상중하에서 하'로 설정한다(고 가정한다). 그 외에 '핵심 기능 요구 사항'들로 '규격'이나 '목표', '제약 조건' 등의 설정도 가능하며, 이 같은 과정을 거치면서 모호했던 제품의 실체가 드러나기 시작한다.

지금까지의 Analyze Phase 전개는 'Y 실현을 위한 기능(Function) 발굴 → 핵심 기능(CTF) 선정 → 핵심 기능 요구 사항(CFR) 설정'이었다. 다음 [그림 A-7]은 '토이 박스 개발' 과제의 '핵심 기능 요구 사항(CFR)'을 작성한 예이다.

[그림 A-7] 'Step-7.2. 핵심 기능 선정' 작성 예('핵심 기능 요구 사항_CFR' 설정)

Step-7. 아이디어 도출
Step-7.2. 핵심기능 선정(핵심기능 요구사항)

▶ 선정된 '핵심기능(CTF)'에 대한 '핵심기능 요구사항(CFRs) 설정.

핵심기능(CTF)	핵심기능 요구사항(CFR; Critical Function Requirements)
인형을 바꾼다.	목표 : 7점 만점 중 5.5점 이상 (5명으로 구성된 4개 패널의 평가)
게임을 형성한다.	목표 : 결과 확인 1초 이내, 게임 난이도 하
외관을 바꾼다.	목표 : 'Y'인 '고객 선호도' 16이상(매장 방문자 40% X 40초 관찰) (현재는 매장 방문자 15% X 15초 관찰=2.25 수준임)
부피를 가감한다.	목표 : 부피 40% 축소토록 조절 가능
스스로를 이동시킨다.	목표 : 반경 30cm 이내 이동 가능
다양한 외부자극을 안다.	목표 : 외부자극 2개 이상 인식(이 기능을 통해 인형이나 외관등이 작동)
에너지를 적게 한다.	목표 : 반영구적 (기존 토이박스가 에너지 소비가 없었음을 고려)
친환경 성분을 정한다.	목표 : 유아 장난감 국제 안전규격만족(유해성분 함량, 위해 구조설계 등)
접착상태를 유지한다.	목표 : 접착력 250kgf 이상

■ 핵심기능 요구사항' 설정 과정에 '상자표면을 보호한다'는 '접착상태를 유지한다'에, '미적 가치를 높인다'는 '외관을 바꾼다'에 통합함('목표' 및 '의미'가 동일한 것으로 결론지음)

PS-Lab
Problem Solving Laboratory

그림에서 각 '핵심 기능 요구 사항'에 '목표'와 '규격' 등이 정의돼 있음에 주목하라. 추가로 팀원들과 '핵심 기능 요구 사항(CFR)'을 설정하는 과정에 '상자 표면을 보호한다. ⇔ 접착 상태를 유지한다'와 '미적 가치를 높인다. ⇔ 외관을 바꾼다'들이 '목표'와 그 '의미'가 각각 동일한 것으로 결론짓고 하나로 통합하게 되었다(고 가정한다). 따라서 총 11개의 '핵심 기능'이 '9개'로 축소되었다. 혹자는 "왜 '핵심 기능'을 선정할 당시에 처리하지 지금 처리하는가?"라고 의문을 제기할 수 있으나, 단순한 사례지만 이 같은 보완의 과정은 지속적으로 일어난다는 점 명심하자. 누구든 미래의 장밋빛만을 예견해 완벽한 준비를 할 수는 없다. 단지 현재 상태에서 '문제 회피'를 위해 최선을 다할 뿐이다. 미래에 대한 현재의 판단이 과거에 해 놓은 판단에 우선한다는 논리는 어느 정도 수긍이 간다. 로드맵이 진전되면서 설계에 새로운 가치를 부여할 때마다 이전 로드맵 산출물의 보완 필요성은 항상 열어둔다.

'핵심 기능 요구 사항(CFR)'을 설정할 때 수치로 표현이 잘 안 되면 출처인 'Y'와 연관시켜 본다. 'Y'는 이미 '현 수준'과 '목표'가 수치화돼 있으므로 '핵심 기능'이 'Y'와 연관돼 있으면 수치화를 위한 아이디어 작업에 도움 된다. 또 '5－Why'[66]로 질문을 해서 도대체 이 기능이 왜 필요한지를 근본적으로 파악하는 방법도 유익하다. 그 외에 수치가 아니더라도 '게임을 형성한다' 예처럼 '게임 난이도 하(下)' 등의 설정도 'CFR'로 가능하다. 무엇보다 기능의 구조화(또는 실체화)를 위한 수준의 결정에 초점을 맞추도록 노력한다. 경우에 따라 '즉 실천'도 생길 수 있다. 이런 유형이 발생하면 바로 '즉 실천 양식'을 활용하여 파워포인트 문서에 포함시킨다. 이제 제품의 구조를 처음으로 개관할 수 있는 '기능 블록도 작성'에 '핵심 기능'을 활용해보자.

7.2.3. '기능 블록도(Functional Flow Block Diagram)' 작성

'기능 블록도(FFBD, Functional Flow Block Diagram)'는 1921년 Frank Gilbreth의 『Process Charts—First Steps in Finding the One Best Way』에서

66) '왜'라는 질문을 해서 바로 다음의 원인이나 사상을 파악하는 과정을 연속적으로 5번 실시하는 도구.

처음 소개되었다. 'Functional Flow Diagrams', 'Functional Block Diagrams', 'Functional Flows'로도 쓰이는데, 그 용법과 유래가 'WIKIPEDIA'에 자세히 나와 있으니 필요한 독자는 해당 사이트를 참고하기 바란다.

'기능 블록도'가 제품 설계에서 필요한 이유는 'CFRs'은 말 그대로 '문장+수치'이고 최종적으로 원하는 '제품 이미지'는 한참 뒤의 결과물이므로 'CFRs'과 '제품 이미지'를 연결시킬 매개체 존재가 절실하다. 'CFRs'로부터 바로 제품 윤곽이 '팍!' 하고 튀어나오면 좋겠지만 급작스럽게 구성됐을 때의 위험도 무시 못 한다. 따라서 '기능 블록도'를 통해 '기능'들 간 연계성을 파악하고, 각 '기능'을 뒷받침할 재료 제공, 에너지 흐름, 신호 유무 등을 규정함으로써 이후 전개될 제품 이미지화의 토대를 마련한다. '기능 블록도' 고유의 정의와 용법은 관련 자료를 참고하기 바란다. 다음 [그림 A－8]은 '기능 블록도'의 기본 구조이다.[67]

[그림 A－8] '기능 블록도'의 기본 구조

'기능'은 직사각형 내에 기록하며, 이때 직사각형을 '기능 블록(Functional Block)'이라고 한다. '입력'과 '출력'은 '기능 블록'에 대해 각각 들어가거나 나오는 방향의 화살표로 표시하되, '재료'는 '굵은 실선'으로, '에너지'는 '가는 실선', '신호'는 '점선'으로 구분한다. 다음 [그림 A－9]는 '소재를 고정한다'라는

67) 이하 김종원, 『공학 설계-창의적 신제품 개발 방법론』, '문운당' 내 그림, 내용을 옮김.

기능에 대한 '기능 블록도'의 한 예이다.

[그림 A-9] '소재를 고정한다'의 '기능 블록도' 작성 예

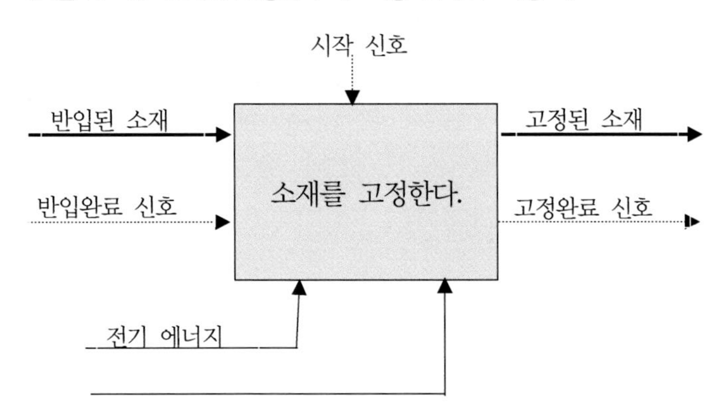

'토이 박스 개발'로 돌아와 [그림 A-7]의 '핵심 기능(CTF)'과 '핵심 기능 요구 사항(CFR)'을 이용해 '기능 블록도'를 작성해보자. 그 전에 편의상 '전체 기능 블록도'를 먼저 작성하면 다음 [그림 A-10]과 같다.

[그림 A-10] '토이 박스 개발'의 '전체 기능 블록도' 작성 예

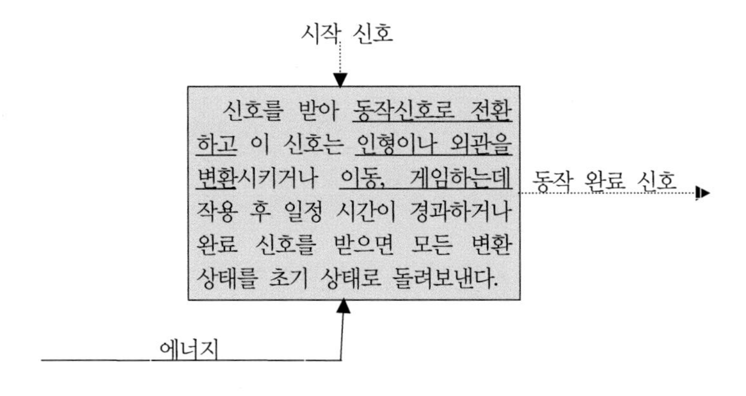

'전체 기능 블록도'는 신호가 들어오고부터 최종 동작이 마무리될 때까지의 상태를 시간순으로 기술한 것이다. '핵심 기능'과는 다음의 대응 관계가 있다.

[표 A-7] '전체 기능 블록도' 표현과 '핵심 기능'과의 관계

핵심 기능(CTF)	전체 기능 블록도	핵심 기능(CTF)	전체 기능 블록도
인형을 바꾼다.	인형이나 외관을 변환	에너지를 적게 한다.	–
게임을 형성한다.	이동, 게임하는데	친환경 성분을 정한다.	–
외관을 바꾼다.	인형이나 외관을 변환	접착 상태를 유지한다.	–
부피를 가감한다.	–		
스스로를 이동시킨다.	이동, 게임하는데		
다양한 외부자극을 안다.	동작 신호로 전환		

[그림 A-10]의 '전체 기능 블록도'는 '핵심 기능'들을 연결시켜 표현했음을 알 수 있다. 이런 관계는 '전체 기능 블록도'의 밑줄 친 내용과 '핵심 기능'을 대응시킨 [표 A-7]에 잘 나타나 있다. 또 대응 관계가 없는 '부피를 가감한다'는 별도의 자극하에 독립적으로 반응하는 기능이거나, '에너지를 적게 한다', '친환경 성분을 정한다' 및 '접착 상태를 유지한다'와 같이 동작과 관계없는 기능들도 존재한다.

[그림 A-10]의 '전체 기능 블록도'에서 맨 끝의 문장인 '초기 상태로 돌려보낸다'는 개발 전 '토이 박스'에 존재했던 기능으로 구조화 과정(부품으로 동작을 실현시키는 과정) 중에 부품이나 구조가 바뀌더라도 유지되는 기능이다. 정리하면 '전체 기능 블록도'란 "시작 신호(외부 자극)가 주어졌을 때 일련의 동작 과정을 기능들로 연결시켜 표현하며, 가급적 '핵심 기능'을 이용하되 필요하다면 기존 유지돼 온 기능들도 포함한 결과물" 정도로 풀어볼 수 있다. 이제 남은 작업은 '전체 기능 블록도'를 이용해 '세부 기능 블록도'를 완성하는 일이다. 이 작업을 통해 제품이 어떻게 작동하는지에 대한 윤곽이 잡힌다. 다음 [그림 A-11]

은 '세부 기능 블록도'의 작성 예에다.

[그림 A-11] '토이 박스 개발' 과제의 '세부 기능 블록도' 작성 예

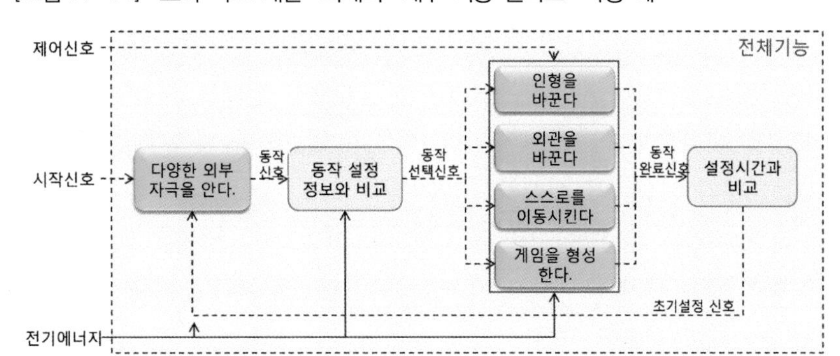

[그림 A-11]의 '세부 기능 블록도'에서 연두색은 '핵심 기능'들이고, 그 외의 '동작 설정 정보와 비교', '설정 시간과 비교' 등은 블록도 작성을 위해 필요한 '보조 기능'들이다. '시작 신호'가 들어오면 어느 동작을 수행할지 결정하기 위해 내장된 정보와 입력 신호를 비교하여 '인형 변환'이나 '외관 변환' 또는 '이동', '게임' 등을 시작시키고, 동작이 완료되면 '초기 설정 신호'를 발생시켜 처음 상태로 돌려보낸다. 이런 조작을 위해 '전기 에너지'가 필요할 것으로 기대되고, 또 인형의 동작이나 이동 등 움직임을 위해 '제어 신호'의 필요성도 고려하였다(고 가정한다).

한 가지 중요하게 고려할 사항은 각 '핵심 기능'들에 대해 구체적 설계 사양이 나올 필요는 없다는 점이다. 왜냐하면 가령 '인형을 어떻게 바꾼다'든지 '이동하는 구조를 어떤 식으로 설계한다' 등의 모습은 다음 '세부 로드맵'인 '기능 대안 도출'에서 이루어지기 때문이다. 이어 '기능 대안 도출'에 대해 알아보자.

Step－7.3. 기능 대안 도출

제품 설계 과정에서 가장 중요한 활동을 꼽으라면 '기능 대안 도출'이라고 말하고 싶다. 제품이든 프로세스든 바로 그 실제의 모습이 만들어지는 출발점이기 때문이다. 처음의 매끄럽지 않은 불완전한 상태에서 단계를 거듭할수록 세련돼 가는 모습을 바라보게 되고, 완성된 후 이때를 회고하면 만족감과 보람을 느낀다. 그만큼 시간과 노력을 아낌없이 투자해야 하는 것이 본 '세부 로드맵'이다. 반대로 가장 어려운 과정이라고도 볼 수 있다. 만일 동일한 제품 설계를 두 팀이 하고 있으면 아마 각 팀의 개개인 역량, 노력 정도, 팀 활동, 조사 범위 등에 따라 만들어질 제품 수준이 크게 벌어질 수도 있다. 제품 설계 결과는 바로 '기능 대안 도출'에서 결정된다는 점을 명심하고 과제에 임하자. 또 리더들도 이 활동에 모든 역량과 총력을 기울여야 한다. 바로 **진정한 연구 활동이다**.

'기능 대안'의 사전적 정의를 찾기란 매우 어렵다. 영문으로 'Functional Alternative'가 대세다. 그러나 용어 자체는 참 잘 만들어졌다는 생각이 든다. '기능(Function)'들을 찾았으니 그를 실현시킬 '대안(Alternative)들'이 요구되기 때문이다. 그런데 왜 '대안'이 아닌 '대안들'이라고 해야 할까? 그것은 '만들어가는 과정'에 있기 때문이다. '기능'을 실현시킬 명확한 방법이 단 하나 존재한다면 최상이겠지만 만들어가는 과정 중엔 단 한 개의 대안은 향후에 매우 불안한 상황을 연출할 수 있다. 나중에 실제로 제품을 양산했더니 여기저기서 문제가 생긴다면 '설계'의 의미가 퇴색하기 때문이다. 따라서 '세부 로드맵'에서 확정된 '핵심 기능'들 각각에 대해 실현시킬 '대안들'이 필요하고, 그들 중 가장 좋을 것으로 생각되는 '최적의 대안'을 선정한다. 과정을 '세부 로드맵' 측면에서 정리하면 'Step－7.3. 기능 대안 도출'에 이어, 도출된 여러 것들을 평가하고 그들 중 가장 적합한 대안을 선정하는 'Step－7.4. 기능 대안 확정'으로 연결된다.

하나의 '기능'에 대해 '대안'이 여럿 존재한다고 했으므로 단 하나의 출처, 예를 들면 '전문가의 조언'으로 여럿의 '대안'들을 한 번에 얻어내는 것은 실효성이 떨어질 수 있다. '전문가'란 특정 분야에 많은 지식과 경험을 축적한 사람이므로 거기서 나올 수 있는 '대안'은 긍정적일 순 있어도 제품 현실을 100% 반영하리라 확신하긴 어렵다. 따라서 하나의 '기능'을 실현시킬 '대안'들은 여러 출처에서 다양한 고려를 통해 얻는 것이 바람직하다. '출처'가 다르므로 실현시킬 '대안'들의 성향도 차이 날 수 있기 때문에 제품에 적합하면서 새롭게 변모시킬 기회까지 얻는다.

그렇다면 어느 '출처'들을 활용하는 것이 바람직할까? 상세하게 설명하지 않아도 이미 잘 알려져 있고, 업무 중 활용 빈도도 높은 것들이 있다. 바로 '벤치마킹', '브레인스토밍', '전문가 조언', '문헌', '기술 자료', '특허', '보고서', '프로세스 맵' 등등 수없이 많은 경로가 그것이다. 심지어는 걸어가다 "아, 그렇게 하면 되겠군!" 하고 순식간에 스쳐 지나가는 아이디어를 얻어냈다면 그 또한 하나의 '출처'이다. 최근에는 'TRIZ(러시아어 Teoriya Resheniya Izobretatelskikh Zadatch의 첫 자를 딴 약어)'를 '제품 설계 방법론'에 접목하는 빈도도 꽤 높아졌다. 그러나 TRIZ는 PC 기반에서 돌아가는 프로그램을 구매해야 하며 운영에도 고급 기술이 필요하므로 활용에 제약이 많은 단점이 있다. 따라서 아직까지 리더들이 과제 수행에 마음껏 활용하기에는 역부족인 게 현실이다. [그림 A-12]는 '대안'들을 얻어내기 위한 '출처'들을 정리한 개요도이다.

'외부 조사에 의한 방법' 중 'Tear-down 분석'은 경쟁사의 '제품'을 가져다 부품 수준까지 분해해서 기술 분석을 수행하는 방법이다. [그림 A-12]에 기술된 도구들의 유래와 용법을 하나하나 논하진 않을 것이다. 주변에서 쉽게 접할 수 있으므로 필요한 리더들은 사내 교재나 인터넷 검색 등을 참조하기 바란다.

본문은 제품 개발 '과정'을 설명하는 데 초점을 두고 있다. 따라서 [그림 A-7]의 '핵심 기능' 한 개를 예로 들어 '기능 대안 도출' 과정을 알아보자. '핵심 기능'인 '인형을 바꾼다' 경우, 인형이 기존의 토이 박스로부터 단순히 도출되는

[그림 A-12] '기능 대안' 도출을 위한 출처들 예

역할에서 표정이나 움직임 등 변화를 가짐으로써 매장에서의 고객 호기심 자극, 놀이하는 사람들의 즐거움을 지속시키는 역할로의 변신을 고려한 예이다. 또, '핵심 기능 요구 사항(CFR)'은 5명으로 구성된 4개 패널로부터 7점 만점 중 5.5점 이상을 받도록 했었다. 따라서 이 수준을 달성하기 위한 모든 아이디어나 자료 조사 또는 타 업소 벤치마킹 등을 수행해야 한다. 우선 사전 조사와 아이디어를 통해 다음과 같이 그 출처와 기본 조사 과정 및 '기능 대안'들을 총정리해 보았다(고 가정한다).

1) 출처(도구): 벤치마킹
2) 내용: 시중에서 판매되고 있는 다양한 인형들을 관찰함으로써 재미를 유발시킬 수 있는 아이디어를 얻음. 5일간 3개 팀으로 나누어 조사.
3) 아이디어: 체육 활동을 하는 유형들 중 '철봉 하는 인형'이 패널들로부터 높은 점수를 얻음. 철봉에 매달린 채 돌출됨으로써 기존 인형의 고정 이미지로부터 벗어날 수 있고(나오면서 기본적으로 흔들림) 무엇보다 약간의 동작을 가미하면 또 다른 핵심 기능인 '게임용'으로의 활용도 가능.

예를 들어 외부 반응 크기에 따라 인형이 철봉을 회전하도록 처리하고 놀이 참여자는 철봉 회전 여부에 따라 점수를 얻는 방법 등.

4) 기능 대안: 철봉 하는 인형. 동작 원리는 다음 [그림 A-13] 참조.

[그림 A-13] '핵심 기능: 인형을 바꾼다'에 대한 '기능 대안' 예

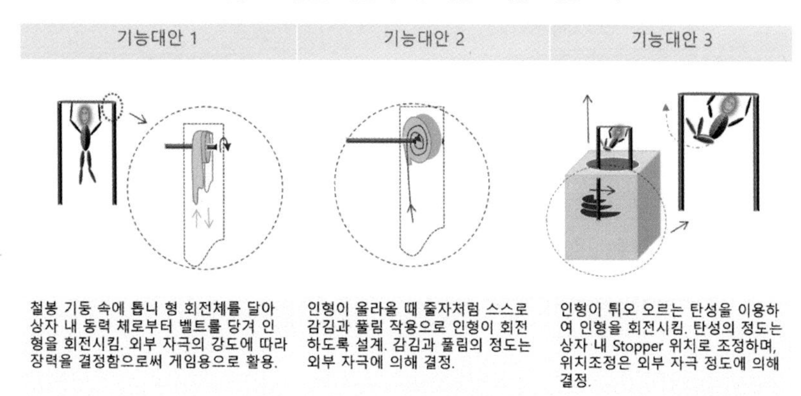

그림에서 '핵심 기능'인 '인형을 바꾼다'에 대해 '핵심 기능 요구 사항'을 만족시키기 위한 수많은 대안들이 존재한다. 예를 들어 인형 얼굴 표정을 재미있게 묘사해서 변형을 주는 경우, 동작에 변화를 주는 경우 또는 이들을 복합적으로 고려하거나 다른 기발한 아디이어를 도입하는 등 고객의 호기심 자극과 재미를 느끼게 할 모든 아이디어가 가능하다. [그림 A-13]은 그들 중 '동작에 변화를 주려는 시도'인데 일단 방향이 설정되면 그를 실현시킬 '대안'들을 고민한다. 공학에서는 이 과정을 '동작 원리 탐색'[68]으로 명명한다.

'기능 대안 1'은 '외부 자극에 따라 벨트 당김을 조절하도록 해 인형 회전력을 결정하는 아이디어'이며, '기능 대안 2'는 '마치 줄자를 쓰는 것처럼 회전체 탄성

68) 『공학 설계 창의적 신제품 개발 방법론』, 김종원 저, 문운당.

에 의해 줄이 감기거나 풀림 원리로 인형 회전력을 결정하는 아이디어'를, 끝으로 '기능 대안 3'은 '상자 내 인형을 튀어 오르게 할 스프링 탄성력을 외부 자극 정도에 따라 위치 조정 멈춤이(Stopper)로 회전력을 결정하는 아이디어'로 결정하였다(고 가정한다). '핵심 기능(CTF) → 핵심 기능 요구 사항(CFR) → 기능 대안'으로 이어지는 '세부 로드맵'의 과정을 잘 이해하자. 다음 [그림 A-14]는 파워포인트로 정리한 예이다.

[그림 A-14] 'Step-7.3. 기능 대안 도출' 작성 예

Step-7. 아이디어 도출
Step-7.3. 기능대안 도출

F31 핵심기능; 인형을 바꾼다. | 핵심기능 요구사항 : 7점 만점 중 5.5점 이상(5명/패널 4)

▶ '벤치마킹', '창의적 기법/ 브레인스토밍', '전문가 조언' 등을 통해 총 3개의 기능 대안 도출.

▶ 도출과정에 대한 상세내용은 '개체 삽입'된 첨부파일에 포함시킴.

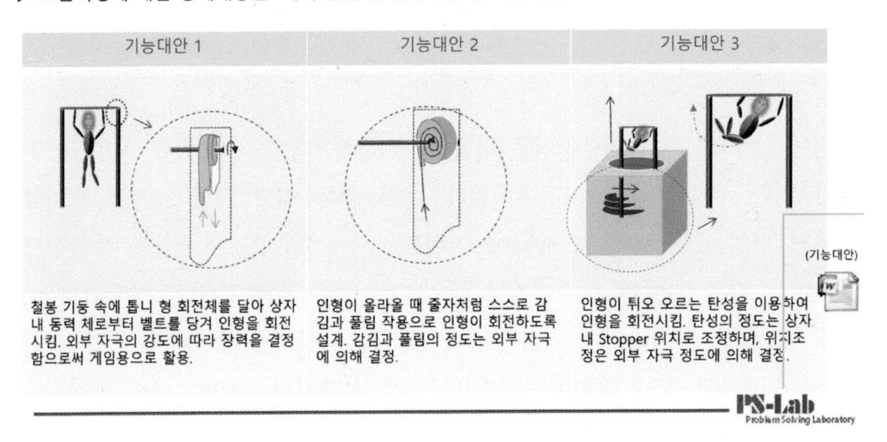

[그림 A-14]를 보면 맨 상단의 제목 줄에 표시된 'F31'은 'FAST([그림 A-4] 참조)'에서의 순번을, 이어 '핵심 기능(CTF)'과 그에 대한 '핵심 기능 요구 사항(CFR)'을 각각 나타냈다. 이런 결과를 얻기까지의 과정은 장표 오른쪽에 파일을

'개체 삽입'해 놓음으로써 이력과 상세 정보를 관리하고 있다(고 가정한다). '벤치마킹'의 예를 들면 언제, 어디를 대상으로, 누구와, 무엇을, 어떻게 얻어냈는지가 '6하원칙'대로 상세하게 기록돼 있어야 한다. 다른 '출처'의 경우도 마찬가지로 그 이력을 남겨놔야 연구 과정뿐 아니라 자료의 객관성 확보에 큰 도움을 줄 수 있다.

다른 '핵심 기능'들에 대한 '기능 대안 도출'의 예는 생략하나 참고로 '친환경 성분을 정한다'와 '접착 상태를 유지한다' 경우, 본 단계 진행 중 "친환경 성분을 쓰면서 접착 상태를 유지시키기 위해 적합한 재료를 선택하는 문제"로 팀 회의에서 결정함에 따라 '기능 대안'을 통합하였다(고 가정한다). 이런 변경은 '제품 설계 방법론' 과정 중에 늘 있는 현상이라 설명한 바 있다.

멘토링 하다 보면 어느 '기능'이 어느 '기능 대안'과 연결돼 있는지 자료로부터 파악하기 어려운 상황도 많을뿐더러 심한 경우 흐름과 관계없이, 또 느닷없이 최종 해법이('기능 대안'이 아닌) 등장하기도 한다. 답을 알고 왔거나 '제품 설계 방법론'의 흐름을 이해하지 못한 데서 오는 일종의 혼란으로밖에 볼 수 없다. 상황에 따라 리더들은 과제 수행에 환멸을 느끼기도 한다. 그냥 하면 될 걸 흐름에 맞추는 'Paper Work'에 업무 시간도 아닌 저녁이나 주말 시간을 바치고 있다고 생각하기 일쑤다. 그러나 필자는 두 가지로 나누어 설명하곤 한다. 처음 '세부 로드맵'을 접하는 '학습 수행 상태'면 과제 성격에 관계없이 모든 '세부 로드맵'을 다 밟아볼 것을 권한다. 반대로 '과제 수행 상태'면 문제를 해결하거나 회피해야 하므로 꼭 필요한 활동의 '세부 로드맵'만 활용하도록 제안한다. 물론 두 가지 다를 해야 하면 초기 입문자에게는 훨씬 더 많은 노력과 시간이 필요할 것이다. 다음은 정리 활동인 'Step-7.4. 기능 대안 확정'에 대해 알아보자.

Step－7.4. 기능 대안 확정

앞서 도출된 '기능 대안'들을 '선별'하는 과정이다. 물론 '선별'은 다양한 방법으로 접근할 수 있지만 가장 일반적이면서 쉽게 활용할 수 있는 방법이 최선이다. '평가'와 '선정'에서 혹자는 특정 도구들을 적용하기만 하면 가장 적합한 것들이 자연스럽게 골라지기를 기대하는 경우가 있는데, 도구는 내용들을 종합하고 표현하는 데 큰 도움을 주는 것이지 결정까지 해주지는 못한다. 의사 결정은 팀원의 역할이 필수적이다. 도구 만능 주의라는 말이 있다. 간단히 표현하면 될 것을 온갖 도구들로 화려하게 치장하려는 접근은 삼간다. 일반적인 접근은 다음 [그림 A－15]와 같다.

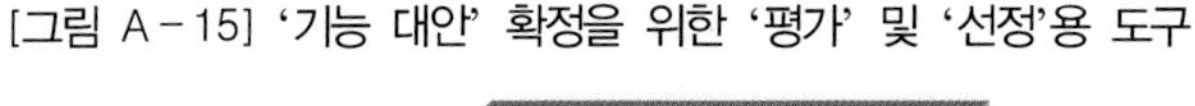
[그림 A－15] '기능 대안' 확정을 위한 '평가' 및 '선정'용 도구

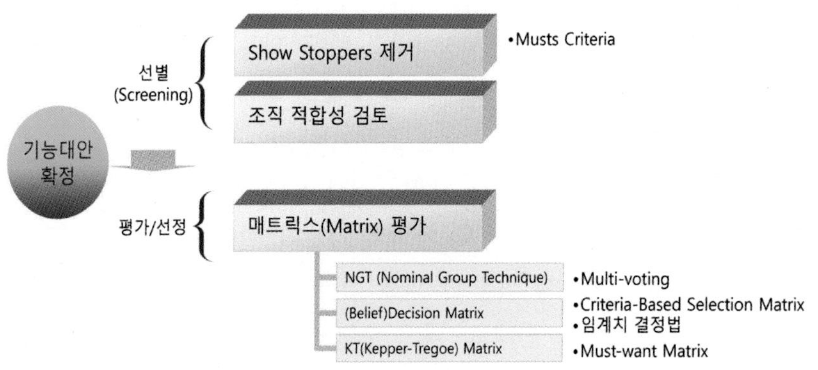

[그림 A－15]의 과정은 우선 '선별(Screening)'과 '평가/선정' 세 개의 단계로 나뉘며, '선별'과 '평가' 및 '선정'은 선후 관계에 있다. 안(案)들을 대상으로 '선별'을 먼저 한 후 '평가'를 거쳐 '선정'에 이른다. '선별'은 다시 'Show Stoppers 제거'와 '조직 적합성 검토'로 구성돼 있다. 둘은 장표상으로 하나의 표에서 동시에 처리되는데 각각의 역할은 다음과 같다.

· **Show Stoppers 제거**
→ 고객에게 역반응을 야기하는 대안
→ 관련된 법규나 기업방침/전략에 위배되는 대안
→ 적용하는 데 상당한 비용이 들어가는 대안
→ 다른 아이디어와 중복되거나 대치되는 대안

· **조직 적합성 검토**
→ 경영층의 지원이 없으면 실행이 어려운 대안
→ 회사문화/부서 간에 대치되는 대안
→ 현 IT 운영시스템과 상충되는 대안

선정된 '기능 대안'이 '선별'의 내용에 부합하면 팀 회의 중에 걸러낸다. 물론 유용할 가능성도 배제할 수 없으므로 선별 과정은 신중하게 진행한다. 다음 [그림 A－16]은 'Step－7.4. 기능 대안 확정'의 '선별'에 대한 작성 예이다.

[그림 A－16] 'Step－7.4. 기능 대안 확정' 작성 예('선별' 결과)

Step-7. 아이디어 도출
Step-7.4. 기능대안 확정(선별)

▶ '기능 대안'들에 대한 'Show Stoppers 제거'와 '조직 적합성 검토'를 통한 사전 선별.

[V : 영향 있음]

핵심기능	기능대안	Show Stoppers 제거				조직 적합성 검토			잠재적 Idea 선정
		고객 역반응 야기	법규/기업방침/전략에 위배	예상 비용 초과	타 아이디어와 중복/대치	경영층 지원 필요	문화/부서간 상충성	IT운영 시스템 상충성	
인형을 바꾼다.(동작의 변화)	톱니형 회전체								선정
	감김/풀림 원리								선정
	인형 튀어 오름 탄성이용								선정
게임을 형성한다.	철봉인형의 '회전 수'로								선정
	철봉인형이 거꾸로 서는지 여부로								선정
외관을 바꾼다.	표면형상을 변화시킴								선정
	강한 발광효과 이용								선정
	동작의 변화를 준다								선정
스스로를 이동시킨다.	XY평면 이동			V	V	V			제외
	XY평면 이동+길 찾기			V	V	V			제외
부피를 가감한다	접을 수 있도록								선정
	분해해서 케이스에 넣도록								선정

(기능대안 확정)

■ 'Show Stoppers'와 '조직 적합성 검토'결과 '기능 대안'으로 총 19개를 선정함.

PS-Lab Problem Solving Laboratory

[그림 A－16]에서 '핵심 기능'인 '스스로를 이동시킨다'에 대해 '예상 비용 초과' 부분이 중요 관심 대상으로 부각되었다(고 가정한다). 토이 박스를 이동시키려면 '모터'나 '바퀴' 등 구동에 필요한 부품과 이들을 제어할 '회로' 등이 필요하며, 이에 따른 '비용 부담'도 커질뿐더러 생산을 위한 프로세스의 변화도 불가피함을 예상할 수 있다. 또 '타 아이디어와의 중복/대체'에 있어 '게임을 형성한다'와 중복 내지는 대치되는 개념으로 필요성에 의문이 제기되었다(고 가정한다). 많은 투자가 예상되므로 '경영층 지원 필요' 부문에 있어서도 걸림돌 역할을 한다. 따라서 이들을 제외한 총 19개의 '기능 대안'을 '선별'하였다(고 가정한다).

'선별'이 완료되면, 필요에 따라 '평가/선정'으로 들어가는데 가장 일반적인 방법이 '매트릭스 평가'다. 이에는 [그림 A－15]와 같이 세 가지 종류가 있으며 위에서 밑으로 갈수록 위계가 높다. 'NGT(Nominal Group Technique)'는 팀원들이 점수를 매겨 선정하는 방법을, '(Belief)Decision Matrix'는 '임계치 또는 기준(Criteria)'과 '가중치'를 부여해서 평가하는 방법을, 'KT(Kepper-Tregoe) Matrix(또는 Must-want Matrix)'는 '임계치 또는 기준'을 'Must'한 경우와 'Want' 조건으로 나눈 뒤 'Must'를 모두 만족한 것들을 대상으로 'Want' 조건에서 평가하는 방법을 각각 나타낸다. [그림 A－15] 내 도구들 바로 옆 표기들은 용법은 동일한데 명칭만 달리 불려서 참고로 모아 기록해 놓았다(예, 'Show Stoppers 제거' 경우 'Musts Criteria' 등). 자세한 용법들은 『Be the Solver_프로세스 개선 방법론』편을 참고하기 바란다.

다음 [그림 A－17]은 '선별'과 'Matrix 평가/선정' 과정을 거쳐 최종 확정된 '기능 대안'들을 정리한 표이다. 'Step－8. 콘셉트 개발'의 입력이 된다.

[그림 A－17] 'Step－7.4. 기능 대안 확정' 작성 예

Step-7. 아이디어 도출
Step-7.4. 기능대안 확정

▶ 최종 확정된 '기능 대안'들을 'Step-8. 컨셉 개발'에서 활용할 수 있도록 정리함.

핵심기능 (CTF)	핵심기능 요구사항 (CFR)	기능대안 1	기능대안 2	기능대안 3	비고
인형을 바꾼다. (동작의 변화)	7점 만점 중 5.5점 이상 (5명으로 구성된 4개 패널의 평가)				-
게임을 형성한다.	결과 확인 1초 이내, 게임 난이도 하	철봉 인형 '회전 수'로 놀이형성	철봉인형 거꾸로 서는지 여부	-	-
외관을 바꾼다.	'Y'인 '고객선호도' 12이상(매장 방문자 40%*40초 관찰)	표면형상을 변화	강한 발광효과	동작의 변화	-
부피를 가감한다.	부피 40% 축소토록 조절 가능	접을 수 있도록	분해해서 케이스에 넣도록	-	-
다양한 외부자극을 안다.	외부자극 2개 이상 인식(이 기능을 통해 인형이나 외관등이 작동)	소리+움직임	소리+회전체	움직임+회전체	소리"손뼉,음성 움직임;손 움직임 회전체;토이박스 표면에 뺑뺑이
에너지를 적게 한다.	반영구적 (기존 토이박스가 에너지 소비가 없었음을 고려)	태양광	건전지	충전지	-
친환경 성분을 정한다.	유아 장난감 국제 안전규격만족 (유해성분 함량, 위해 구조설계 등)	에틸렌 공중합체 수지+폴리비닐 알코올+분말 안정제			혼합비가 중요하며 '혼합물 실험법 필요.
접착상태를 유지한다.	접착력 250kgf 이상				

<사진출처> Café.naver.com(전지검색)

PS-Lab
Problem Solving Laboratory

[그림 A－17]에서 열 제목 '기능 대안 1～기능 대안 3'은 최종 확정된 '기능 대안'들을 알기 쉽게 정리한 표이다. '인형을 바꾼다'의 [그림 A－14]와 함께, 'Step－7.3. 기능 대안 도출'의 결과들이 모두 포함된다. 특히 '핵심 기능'인 '친환경 성분을 정한다'와 '접착 상태를 유지한다' 경우 화합물이나 첨가물들에 대한 '혼합물 실험(Mixture Design)'를 통해 성분비의 최적화를 얻는 것으로 설정돼 있다(화합물들은 사전 결정된 것으로 가정했으나 성분 자체들이 '기능 대안'으로 올 수 있다.). 이 결과를 이용하여 'Step－8. 콘셉트 개발'로 들어가 보자.

Step-8. 콘셉트 개발

제품의 실질적인 윤곽이 나오는 '세부 로드맵'이다. 이전까지가 'Y'들의 목표를 달성하기 위해 필요한 '기능'들을 도출해서 선별하고 다듬는 과정이었으면 이제 그들을 이용해 눈에 보이는 형태로 변환시키는 과정이 수반되며, 이것을 '콘셉트 개발'이라고 한다. '콘셉트(Concept)'는 '개념, 구상'으로 해석되며, 좀 더 명확한 정의를 알아보기 위해서는 철학 용어인 '개념'보다 실제 설계 부문에서 자주 쓰이는 '구상'이란 단어를 알아보는 것이 도움 된다. 다음은 국어사전의 정의 중 두 개를 옮겨 놓은 것이다.

- **구상(構想)** 앞으로 이루려는 일에 대하여 그 일의 내용이나 규모, 실현 방법 따위를 어떻게 정할 것인지 이리저리 생각함. 또는 그 생각. (영문) a conception; an idea.
- **구상(具象)** 사물, 특히 예술작품 따위가 직접 경험하거나 지각할 수 있도록 일정한 형태와 성질을 갖춤. (영문) Concreteness, Embodiment.

'구상'이란 단어를 두 개 옮겨 놓은 이유는 실제 설계 과정에서 두 용어가 모두 사용되기 때문이다. 이 기회에 혼선이 없도록 명확하게 알아두자. 보통 기술적인 관점에서 설계는 크게 3단계로 나뉘며, '1단계: 구상 설계(Conceptual Design) - 2단계: 구상(구체) 설계(Concrete Design) - 3단계: 상세 설계(Detail Design)'가 그것이다. 따라서 용어 정의의 첫 번째 '구상(構想)'은 '아이디어를 엮는다'이고, 두 번째 '구상(具象)'은 실제적인 조형 작업, 즉 '여러 가지 재료를 이용하여 구체적인 형태나 형상을 만듦'의 과정에 해당한다. 'Step-8. 콘셉트 개발'과 'Step-9. 상위 수준 설계'에서 바로 '1단계'와 '2단계' 제품 설계가 진행되고, 나머지 '3단계: 상세 설계(Detail Design)'는 로드맵상 'Design

Phase'에 해당한다.

용어에 대한 이해가 섰으면 '세부 로드맵'이 어떻게 전개되는지 알아보자. 우선 'Step－7.4. 기능 대안 확정'의 산출물을 이용해 'Step－8.1 콘셉트 후보 도출'이 수행된다. 즉, 아이디어를 엮어내는 '구상(構想) 설계'가 이루어지는데 이 작업은 통상 팀 회의를 거친다. 교육 중 자주 인용하는 예가 있는데 바로 '로봇 태권 브이를 만드는 초기 과정'으로 비유하는 일이다. 물론 신입 사원처럼 이제 회사 생활 얼마 안 된 직원들을 상대하는 경우 가끔 약간의(?) 세대 차이로 다른 예를 찾아야 하는 불상사가 생기긴 하지만 다행스럽게도 아직까지는 잘 통하는 이미지다. 한마디로 정리하면 'Step－7. 아이디어 도출'에서 '로봇 태권 브이'의 '머리', '몸통', '팔', '다리', '로켓 포' 등에 대한 부분적인 최상의 '대안'들을 마련했으면, 'Step－8.1. 콘셉트 후보 도출'에서는 그들을 조합해 대충 전체적인 모양을 갖춰본다. 이때 '몸통'부터 '로켓 포'까지 각각 여러 개의 '대안'들이 존재할 것이므로 '콘셉트 후보'도 한 개가 아닌 여러 개를 선정하는 것이 유리하다.

이렇게 'Y'들의 '목표'를 고려한 '로봇 태권 브이'가 여럿 만들어지면 이어서 'Step－8.2. 콘셉트 후보 평가'를 통해 가장 적합할 것으로 생각되는 '로봇 태권 브이'를 결정한다. 경우에 따라서는 한 개가 아니라 2～4개 정도가 될 수 있다. 몇 개로 압축된 '로봇 태권 브이'들로부터 'Step－8.3. 최적 콘셉트 선정'이 진행되는데, '최적'이란 단어가 의미하듯 가장 좋은 한두 개의 '로봇 태권 브이'가 탄생한다. 이 글을 읽고 있는 리더들은 '로봇 태권 브이'를 여러분이 설계하고 있을 '○○제품'으로 치환해서 읽어주기 바란다. 이 결과물은 다음 과정인 'Step－9. 상위 수준 설계'로 넘겨진다. '세부 로드맵'들의 내용과 파워포인트 표현들에 대해 알아보자.

Step-8.1. 콘셉트 후보 도출

'콘셉트 후보'는 말 그대로 '후보'다. 그러나 앞으로 알게 되겠지만 완성된 모습의 후보다. 이전 '세부 로드맵'까지는 '제품을 구성하는 부분'들의 발굴과 평가, 선정으로 이어졌다. 만들려는 제품 전체의 이미지는 본 적이 없다. 이에 반해 '콘셉트 후보'는 앞서 정한 부분들을 조합해 제품 전체 이미지를 완성한다. 또 다수의 제품 이미지를 구성한 뒤 그들 중 가장 적합하다고 판단되는 제품을 '최적 콘셉트'로 정한다.

'콘셉트 후보'를 도출하는 과정은 일반적으로 전체 설계 과정에 드는 예산의 약 5% 미만, 소요 시간은 전체 소요 시간의 약 15% 정도로 알려져 있다. 이것은 적은 비용과 노력에 의해 결정되는 장점이 있는 반면, 이후 설계를 확정하는데 직접적인 영향을 주므로 매우 중요한 작업이라 할 수 있다. '최적 콘셉트'는 말 그대로 한 개의 제품만을 골랐다는 뜻이므로 매우 신중의 신중을 기하는 시도가 필수다. 따라서 '최적 콘셉트' 결정 전 평균적으로 '10개 내외'의 후보를 정하는 이유가 거기에 있다. 후보 수는 무엇보다 과제의 규모나 투입 자원, 환경 등의 영향을 고려해서 판단할 사항이다. 과정은 [그림 A-17]을 가져다 놓고부터 시작하는데 팀 회의는 필수적이라는 점을 명심하자. 다음 [표 A-8]은 '콘셉트 후보' 도출 과정을 설명하기 위해 [그림 A-17]의 내용을 가져와 정리한 '개념 조합 표' 작성 예이다.

[표 A-8]을 '제품 설계 방법론'에서는 '개념 조합 표(Concept Combination Table)'라고 부르며, '부분들을 체계적으로 조합하여 전체를 완성하는 표' 정도로 설명된다. 사실 '아이디어 상자(Idea Box)'라는 것이 가장 널리 쓰이고 있는 일반적인 명칭이며, 내부가 그림들로 채워지면 별도로 '모폴로지 차트(Morphological Chart)'[69]라고도 부른다. [표 A-8]에서 '핵심 기능(CTF)'별로 2~3개씩의 '기능 대안'들이 마련돼 있는데, 이들은 실제 제품을 만드는 데 필수적인 요소들이

[표 A-8] 개념 조합 표

핵심 기능 (CTF)	핵심 기능 요구 사항 (CFR)	기능 대안 1	기능 대안 2	기능 대안 3
인형을 바꾼다.	7점 만점 중 5.5점 이상(5명으로 구성된 4개 패널의 평가)			
게임을 형성한다.	결과 확인 1초 이내, 게임 난이도 하	철봉인형 '회전 수'로 놀이 형성	철봉인형 거꾸로 서는지 여부	-
외관을 바꾼다.	'Y'인 '고객 선호도' 120이상(매장 방문자 40*40초 관찰)	표면형상을 변화	강한 발광효과	동작의 변화
부피를 가감한다.	부피 40% 축소토록 조절 가능	접을 수 있도록	분해해서 케이스에 넣도록	-
다양한 외부자극을 안다.	외부자극 2개 이상 인식(이 기능을 통해 인형이나 외관 등이 작동)	소리+움직임	소리+회전체	움직임+회전체
에너지를 적게 한다.	반영구적(기존 토이 박스가 에너지 소비가 없었음을 고려)	태양광	건전지	충전지
친환경 성분을 정한다.	유아 장난감 국제 안전규격만족(유해성분 함량, 위해 구조 설계 등)	에틸렌 공중합체 수지+폴리비닐 알코올+분말 안정제		
접착 상태를 유지한다.	접착력 250kgf 이상	〈참고〉 최적 성분비(혼합물 실험) 결정 → 상세 설계에서 진행		

다. '기능 대안'들은 개개 '핵심 기능'별로 조사와 연구 과정을 거쳐 확정된 것들이며, 이들의 조합을 통해 '콘셉트 후보'들이 탄생한다. 즉, 수 개의 '로봇 태권브이'가 만들어지는데, 만일 열(Column) 수가 10개, 행(Row) 수가 10개면 나올 수 있는 가능 조합(또는 로봇 태권 브이) 수는 무려 100억 개(10^{10})나 된다. [표 A-8]의 경우 '324(=2^2x3^4)'개이다. 엄청난 수의 완제품 후보들이 존재하므로 이들 중 최적의 제품이 포함될 가능성은 그만큼 높아진다. 반대로 양이 많아 선택 폭이 늘어나는 대신 양질의 제품을 찾는 노력도 만만치 않다. 팀의 역량이 필요한 이유이다. 다음 [표 A-9]는 '개념 조합 표'로부터 어떻게 '콘셉트 후보'들이 도출되는지의 과정을 보여준다.

---

69) 번역인 '형태 분석 차트'는 사전에 없는 단어라 영어식으로 표기하였다. 영문인 'Morphology'와 'Morphological'은 혼용되고 있다.

[표 A-9] 콘셉트 후보 도출 과정 예

핵심 기능	핵심기능 요구사항	기능대안 (Function Alternative)				
CTF_1	CFR_1	S_{11}	S_{12}	S_{13}	…	S_{1m}
CTF_2	CFR_2	S_{21}	S_{22}	S_{23}	…	S_{2m}
CTF_3	CFR_3	S_{31}	S_{32}	S_{33}	…	S_{3m}
CTF_4	…	…	…	…	…	…
CTF_5	CFR_n	S_{n1}	S_{n2}	S_{n3}	…	S_{nm}

컨셉후보 1　컨셉후보 2　…

우선 각 '핵심 기능 요구 사항(CFR)'의 '목표' 달성 가능성을 고려하면서 관련된 '기능 대안'을 하나씩 선택해 나간다. 각 '핵심 기능'별로 하나씩의 '기능

[그림 A-18] '개념 조합 표' 예

	Option 1	Option 2	Option 3	Option 4
Vegetable Picking Device		Triangular Plow	Tubular Grabber	Mechanical Picker
Vegetable Placing Device	Conveyor Belt	Rake	Rotating Mover	Force from Vegetable Accumulation
Dirt Sifting Device	Square Mesh	Water From Well	Slits in Plow or Carrier	
Packaging Device				
Method of Transportation		Track System	Sled	
Power Source	Hand pushed	Horse drawn	Wind blown	Pedal driven

대안'이 선정되었으면 비로소 한 개의 '콘셉트 후보'가 탄생한 것이다. 이 같은 과정을 반복하면서 '최소 6~10개'의 '콘셉트 후보'를 조합해 나간다. 경험적으로는 짧은 시간 내에 마무리되는 경우도 있지만 하루 온종일 또는 2~3차례에 걸쳐 진행되기도 한다. 제품의 규모나 고려해야 할 사항들이 많은 경우 또는 부서 간 이해관계가 상충할 때 더 많은 시간이 소요된다. 이해를 돕기 위해 인터넷 주소 'http://www.eng.fsu.edu/~haik/design/idea_generation.htm'에 설명된 기능 대안의 조합 과정, 즉 '콘셉트 후보 도출 과정'을 [그림 A-18]에 옮겨놓았다. 과정의 제목은 'Morphological Chart and Concept Generation'이며 설계 제품은 '채소를 수확하는 이동체'이다. 참고하기 바란다.

[그림 A-18]의 '개념 조합 표'로부터 팀원들이 결정한 '콘셉트 후보'는 다음 [그림 A-19]와 같다.

[그림 A-19] '개념 조합 표'로부터의 '콘셉트 후보 도출' 예

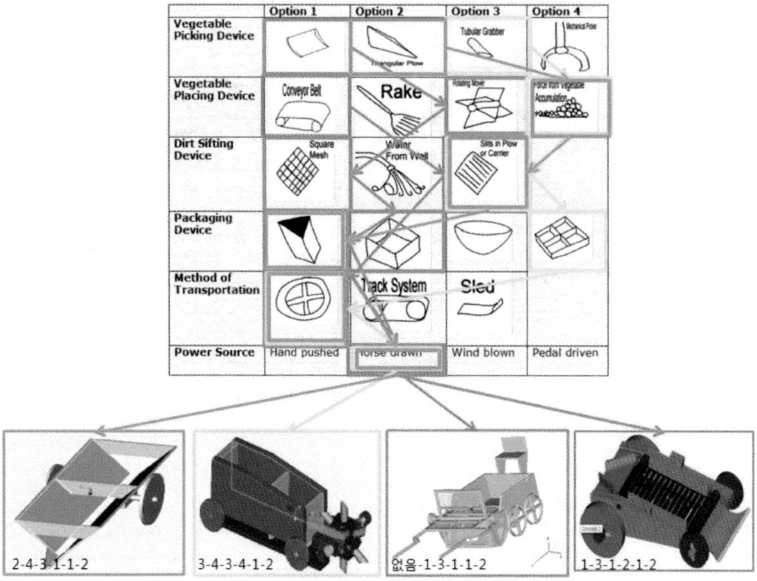

그림이 좀 혼잡하지만 각 '핵심 기능'별 '기능 대안'들을 조합하여 4가지의 '콘셉트 후보'를 만들어냈다(콘셉트 내에 각 '기능 대안'을 숫자로 표기해 놓음). 조합 과정 중의 팀원들 협의 내용이나 '콘셉트 후보'들의 특징들에 대해서는 관심 사항이 아니므로 설명은 생략한다. 조합 과정 중 수많은 의견 교환과 시행착오가 있을 걸로 예상된다.

조립의 예는 [표 A－9]와 [그림 A－19]처럼 쉽게 이해가 된다. 그렇다면 다른 분야는 어떨까? 예를 들면 특정 품질을 달성하기 위해 넣어야 할 '성분'이나 '화합물' 등이 그 예이다. 주로 화학, 바이오, 식품 분야의 개발 과제들이 이에 속한다. 연구소에 가면 초두에 자주 듣는 말이 있다. "우리는 조립 산업이 아니기 때문에 '제품 설계 방법론'이 안 맞거든요!" 자주 들으면 그러려니 하건만 끝까지 본인의 주장을 굽히지 않는 일부 연구원들을 보면 "그래도 참 좋다고 하는 방법론인데 궁금증 정도는 있어야 하는 것 아닌가!" 하고 아쉬움이 남는다. 설계를 하는 일은 그 대상이 조립이든 화학이든 아니면 바이오나 식품이든 전혀 상관이 없다. 무엇을 만들 상황이면 여하간 무엇인가가 들어가야 하기 때문이다. 이들 분야의 '부품'에 대응하는 것이 바로 '성분'이나 '화합물', '첨가물', '레시피(Recipe)' 등이다. [표 A－10]은 '개념 조합 표' 작성 예이다.

[표 A－10] 화학 분야의 '개념 조합 표' 예

핵심 기능 (CTF)	핵심 기능 요구 사항 (CFR)	기능 대안 1	기능 대안 2	기능 대안 3
수용성을 유지한다.	PH 11.2±1.0 비중(20℃) 1.0±0.5	□□ Catalyst	Inorganic ■■	Indium 환원고리○○
피막을 형성한다.	두께 10㎛ 이내 모공면적 1% 이내	○○ Compound	△△ Compound	–
정제 방법을 결정한다.	순도 99.9% 이상	CVD 정제법	◆◆ 정제법	▲▲ 정제법
…	…	…	…	…

'성분'들로 구성된 '기능 대안'들은 '실험 계획(DOE)'에서의 '수준'에 대응하며, 따라서 '다구치 방법(Taguchi Method)'이나 '요인 설계'가 가능하고 이는 Design Phase에서 수행할 '상세 설계'와 동일시되기도 한다. 조립 분야에서 필요한 '콘셉트 설계'가 '실험 계획(DOE)'으로 대체될 수 있다는 뜻이다. 다음 [그림 A-20]은 '토이 박스 개발' 과제의 'Step-8.1. 콘셉트 후보 도출' 작성 예를 나타낸다.

[그림 A-20] 'Step-8.1. 콘셉트 후보 도출' 작성 예

Step-8. 컨셉 개발
Step-8.1. 컨셉후보 도출(개념 조합 표 평가)

▶ 개념 조합표(Concept Combination Table)를 통해 컨셉후보들을 도출함. Workshop으로 운영되었으며, 2차에 걸쳐 진행됨. 모든 상세내용은 별도파일로 개체삽입 시킴.

핵심기능 (CTF)	핵심기능 요구사항 (CFR)	기능대안 1	기능대안 2	기능대안 3	비고
인형을 바꾼다. (동작의 변화)	7점 만점 중 5.5점 이상 (5명으로 구성된 4개 패널의 평가)				-
게임을 형성한다.	결과 확인 1초 이내, 게임 난이도 하	철봉 인형 '회전 수'로 놀이형성	철봉인형 거꾸로 서는지 여부	-	-
외관을 바꾼다.	'Y'인 '고객선호도' 12이상(매장 방문자 40%*40초 관찰)	표면형상을 변화	강한 발광효과	동작의 변화	-
부피를 가감한다.	부피 40% 축소토록 조절 가능	접을 수 있도록	분해해서 케이스에 넣도록	-	-
다양한 외부자극을 안다.	외부자극 2개 이상 인식(이 기능을 통해 인형이나 외관등이 작동)	소리+움직임	소리+회전체	움직임+회전체	-소리"손뼉,음성 -움직임;손 움직임 -회전체;토이박스 표면에 뺑뺑이
에너지를 적게 한다.	반영구적 (기존 토이박스가 에너지 소비가 없었음을 고려)	태양광	건전지	충전지	-
친환경 성분을 정한다.	유아 장난감 국제 안전규격만족 (유해성분 함량, 위해 구조설계 등)	에틸렌 공중합체 수지+폴리비닐 알코올+분말 안정제			혼합비가 중요하 '혼합물 실험법 ' 필요.
접착상태를 유지한다.	접착력 250kgf 이상				

(컨셉후보 도출)

■ **구동에너지가 많이 요구된 '인형을 바꾼다'의 '기능대안 1(벨트 형)'은 선정에서 제외시킴.**

컨셉후보 3 (3-2-2-1-2-1)
컨셉후보 1 (2-1-1-2-1-1)
컨셉후보 2 (2-2-3-1-2-3)
컨셉후보 4 (3-2-3-1-2-1)

PS-Lab Problem Solving Laboratory

본 예에서는 사례를 보일 목적으로 4개의 '콘셉트 후보'들만 도출했으나 수학적인 총 조합 수가 '324개'인 점을 감안하면 좀 더 적합한 후보가 나올 수 있도록 노력한다. '인형을 바꾼다'의 '기능 대안 1'은 구동에 많은 에너지가 예상됨에

따라 선정에서 제외하였다(고 가정한다). 또, 도출 과정 중에 새로운 의견과 아이디어가 나오기도 하는데, 만일 '기능 대안'이나 훨씬 더 앞의 '핵심 기능' 등에 대한 창의적 개념들이 나오면 협의를 거쳐 과감히 앞서 수행된 '세부 로드맵'으로 돌아가 수정 후 다시 로드맵을 밟고 돌아온다. 정해진 길을 하나하나 밟으며 정리해왔으므로 돌아오는 데 소요되는 시간은 원래 소요된 시간 대비 10%도 들지 않는다. 이것이 '제품 설계 방법론' 과정을 따를 때 나타나는 보이지 않는 힘이다. 또 특정 설계 의도나 방향성을 갖고 콘셉트 후보들을 선정할 필요가 있을 때 사전에 팀원들과 '설계 방향'을 설정한 뒤 도출 활동에 임한다. 다음 [그림 A-21]은 도출된 '콘셉트 후보'들이며, 두 번째 행에 '설계 방향'을 포함시켜 개발 제품의 이미지를 표현하였다.

[그림 A-21] 'Step-8.1. 콘셉트 후보 도출' 작성 예

Step-8. 컨셉 개발
Step-8.1. 컨셉후보 도출(컨셉후보 정리)

▶ 팀 회의를 통해 4개의 '컨셉 후보'들을 도출하였으며, 다음과 같이 정리함.

	컨셉후보 1	컨셉후보 2	컨셉후보 3	컨셉후보 4
설계방향 / 보유기능 구분	외부 소리나 움직임을 감지해서 인형이 벨트를 회전하며, 그 회전 수로 게임이 가능토록 함. 매장고객 호감을 얻기 위해 토이박스 표면에 이미지 변화를 제공함. 보관은 분해해서 케이스에 넣도록 하고 구동에 필요한 에너지는 태양광을 적용.	외부 소리나 회전체를 감지해서 인형이 벨트를 회전하며, 거꾸로 서지는지 여부로 게임이 가능토록 함. 매장고객 호감을 얻기 위해 토이박스 자체가 동작의 변화를 제공함. 보관은 접을 수 있도록 하고 구동에 필요한 에너지는 축전지를 적용.	외부 소리나 회전체를 감지해서 인형이 벨트를 회전하며, 거꾸로 서지는지 여부로 게임이 가능토록 함. 매장고객 호감을 얻기 위해 토이박스 자체가 강한 빛으로 발광함. 보관은 접을 수 있도록 하고 구동에 필요한 에너지는 태양광을 적용.	외부 소리나 회전체를 감지해서 인형이 벨트를 회전하며, 거꾸로 서지는지 여부로 게임이 가능토록 함. 매장고객 호감을 얻기 위해 토이박스 자체가 동작의 변화를 제공함. 보관은 접을 수 있도록 하고 구동에 필요한 에너지는 태양광을 적용.
▪외부자극 감지유형 ▪동작원리	▪소리+움직임	▪소리+회전체	▪소리+회전체	▪소리+회전체
▪게임유형 ▪매장고객유인방법 ▪보관방법 ▪구동에너지	▪철봉인형 '회전 수'로 놀이형성 ▪표면형상을 변화 ▪분해해서 케이스에 넣도록	▪철봉인형 거꾸로 서는지 여부 ▪동작의 변화 ▪접을 수 있도록	▪철봉인형 거꾸로 서는지 여부 ▪강한 발광효과 ▪접을 수 있도록	▪철봉인형 거꾸로 서는지 여부 ▪동작의 변화 ▪접을 수 있도록

PS-Lab
Problem Solving Laboratory

[그림 A-21]에서 '콘셉트 후보'들은 '설계 방향'에 기술된 구체적인 내용을 토대로 그 윤곽을 알 수 있다. 팀원들과 다시 검토를 거친 뒤 추가 사항이나 변경 사항이 없다고 판단되면, 'Step-8.2. 최적 콘셉트 평가/선정'으로 넘어간다.

Step-8.2. 최적 콘셉트 평가/선정

'Step-8.1. 콘셉트 후보 도출'의 결과를 갖고 와서 그들 중 'Y'의 목표 달성을 위해 가장 적합한 후보를 '평가/선정'한다. '콘셉트 후보'를 평가해서 '최적 콘셉트'를 선정하는 도구는 다음 [그림 A-22]와 같다. 'Step-7.4. 기능 대안 확정'의 [그림 A-15]에 소개했던 '매트릭스(Matrix) 도구'들이 대부분 그대로 사용된다. 차이점 하나는 [그림 A-22]에 나타난 바와 같이 'Pugh Method'가 추가된다.

[그림 A-22] '최적 콘셉트' 평가/선정용 Matrix 도구

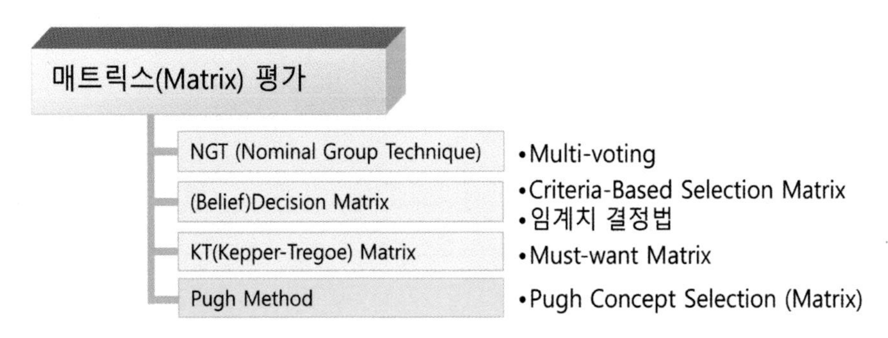

[그림 A-22]의 '평가/선정' 도구들 중 'NGT', '(Belief)Decision Matrix', 'KT Matrix(Must-want Matrix)'는 '콘셉트 후보'들 중 가장 적합한 것을 고르면 역할이 끝나지만, 'Pugh Method'는 후보를 고른 뒤라도 미흡한 영역이 발견되면

다시 변경할 수 있는 기회를 제공한다. 만족할 만한 수준의 설계에 도달할 때까지 계속 변경할 수 있으므로 연구 개발 업무에서의 위계가 가장 높은 특징이 있다. 다른 용어로 'Pugh Concept Selection (Matrix)'의 명칭과 함께 'Hybrid Concept Design'이란 수식어가 따라다닌다. '제품 설계 방법론' 경우 가벼운 설계 등 특별한 사유가 없는 한 'Pugh Method'의 사용을 전적으로 권한다. 다음 [표 A-11]은 이해를 돕기 위해 단 두 개만의 '콘셉트 후보'로 'Pugh Method'의 용법을 간단히 소개하고 있다.

[표 A-11] 'Pugh Method' 사용 예

콘셉트 후보 1 - 구동 에너지 절약형
콘셉트 후보 2 - 원가절감형

평가 기준(Criteria)	가중치	기준 안	콘셉트 후보 1	콘셉트 후보 2
신규 투자비용	10	DATUM	+	S
기존 조립 작업 호환성	6		S	+
부품 구매 용이성	7		−	+
제품 수명	4		S	−
출시 소요 기간	3		S	+
평가	'+' 합		1	3
	'−' 합		1	1
	'Same' 합		3	1
	'+' 가중 합		10	16
	'−' 가중 합		7	4
종합 평가			3	12

- **평가 기준(Criteria)** 기본적으로 과제의 'Y'들이 반드시 들어온다. 왜냐하면 '콘셉트 후보'는 곧 제품의 모습이고 'Y'는 제품 전체를 대변하기 때문이다. 또 [표 A-12]에 소개된 유형들을 참고해서 '평가 기준'을 추가한다. [표 A-12]의 유형들 중 필요한 항목만 활용하되, 각 항목 자체가 '평가 기준'으로 오는 것이 아니라 그들과 관련된 구체적인 특성, 예를 들면 두 번째 열의 '업무 기준'에서 '조직 전략에 미치는 영향'이면 '전략 수립 소요 기간', '정보 수집 용이성' 등을 발굴해서 적용한다.

[표 A－12] '평가 기준(Criteria) 설정을 위한 참고 유형' 예

품질의 8가지 차원[70]	업무 기준	상품 기준	추가 기준
▷ 성능; 상품의 1차 특성 ▷ 특징; 상품의 2차 특성 ▷ 신뢰성; 상품의 실패 빈도 ▷ 일치도; 기준이나 사양과의 일치 ▷ 내구성; 제품의 수명 ▷ 서비스, 수리역량, 대응속도 ▷ 미적 특성; 외부 디자인, 마무리 ▷ 인지 품질; 명성	▷ 조직전략에 미치는 영향 ▷ 조직 능력과의 적합 정도 ▷ 비용효과 ▷ 완전시행까지 필요한 시간	▷ 참신성 ▷ 구입의향 ▷ 신뢰성 ▷ 호감도 ▷ 필요성 ▷ 시점 ▷ 가격 적절성 ▷ 사용 편리성	다른 관련 당사자의 요구 사항을 반영 ▷ 법적 요건 충족도 ▷ 직원의 안전 및 보건 ▷ 사회 공동체의 안전 및 보건 ▷ 정치적 제한요건 충족도

(계속)

- **가중치** [표 A－11]의 '평가 기준'이 모두 중요할 수는 없으므로 상대적 중요도를 기입한다. 경우에 따라서는 생략할 수도 있다. 상대적 중요도를 구하는 방법은 AHP(Analytic Hierarchy Process)나 PCA(Paired Comparison Analysis) 등 쌍 비교 방법 등이 사용된다.
- **기준 안(Datum)** '콘셉트 후보'들의 장단점을 비교하기 위한 대상이다. 통상 현재 생산되고 있는 제품이나, 유사 제품 또는 수준이 높은 제품을 '기준 안'으로 삼는다. 수준이 높은 제품을 비교대상으로 두면 그 보다 더 품질이 우수한 제품을 설계한다는 의도가 깔린다.
- **콘셉트 후보 평가** 현재 '콘셉트 후보 1', '콘셉트 후보 2', 두 개를 '기준 안(Datum)'과 비교하는 것으로 돼 있는데 이때 비교 방법은 '신규 투자비용' 측면에서 '콘셉트 후보 1'이 '기준 안(Datum)'보다 우수하면 '+'를, 부족할 것 같으면 '－', 동등할 것 같으면 'S'를 기입한다.

1차 평가가 완료되면 '+ 가중 합'에서 '– 가중 합('가중치'가 없으면 '+ 합'과 '– 합'이 될 것임)'을 뺀 값, 즉 '종합 평가' 값이 가장 큰 '콘셉트 후보'를 선정한다. 그러나 여기까지 진행만으로는 '(Belief)Decision Matrix'나 'KT(또는 Must-want) Matrix'와 다를 바 없다. 크게 다른 용법은 '평가/선정' 과정이 계속 반복된다는 점이다. [표 A－11]의 결과에서 '종합 평가'의 '12점'을 얻은 '콘셉

70) David Garvin에 의한 품질의 8가지 분류 기준.

트 후보 2'가 우선 선정되지만 평가 항목 중 '–'를 얻은 '제품 수명'에 대해서는 '콘셉트 후보 1'의 'S'와 비교해 열세에 있다. 이와 같이 '평가 기준'에서 다른 '콘셉트 후보'와 열세를 보이는 항목에 대해 좀 더 우수한 '콘셉트 후보'의 구조를 연구해서 그 장점을 추가 반영해 나가는 것이 앞서 얘기한 'Hybrid Concept'의 개념이다. 작업이 반복될수록 제품의 완성도는 자꾸 높아진다. 한번 구조의 변화가 생기면 팀원들이 다시 모여 'Pugh Method'를 또 수행한다. 이 기간이 얼마나 걸릴지는 의사 결정에 참여하는 모든 팀원들이 만족할 때까지 지속될 것이므로 한 주 안에 끝날 수도, 운이 없으면 몇 달이 걸릴 수도 있다. 더 이상 '기준 안(Datum)'보다 열세한 '평가 기준'이 없으면 다음은 '평가 기준' 자체를 바꿔서라도 또다시 'Pugh Method'를 수행한다. 이 작업에 모든 역량과 노하우를 투입해 설계 중인 제품의 실체가 구체화될 때까지 최선의 노력을 기울인다. 다음 [그림 A-23]은 '토이 박스 개발' 과제의 'Step-8.2. 콘셉트 후보 평가/선정'의 예를 보여준다.

[그림 A-23] 'Step-8.2. 콘셉트 후보 평가/선정' 작성 예(1차 평가)

Step-8. 콘셉트 개발
Step-8.2. 콘셉트후보 평가/선정(1차 평가)

▶ 약 2주 간 팀 회의를 통해 1차 최적 콘셉트를 선정.
▶ 각 '콘셉트 후보'들의 장·단점, 특징, 의견 등 모든 논의사항은 별도 파일로 '개세 삽입'시킴.

평가 기준(Criteria)	가중치	콘셉트 후보 1	콘셉트 후보 2	콘셉트 후보 3	콘셉트 후보 4
놀이 유지시간	10	S	+	+	+
고객 선호도	9	S	+	S	+
자극 반응도	8	S	+	+	+
설비투자비용	8	S	S	S	S
수명(인형모듈)	9	S	S	+	+
부품구매 용이성	5	S	+	S	S
공정에서의 작업성	7	S	-	S	S
수리용이성	6	S	S	+	+
제품원가	7	S	+	+	-
에너지 사용량	6	S	-	S	-
휴대 용이성	4	S	+	+	+
평 가	'+' 합		6	6	6
	'-' 합		2	0	2
	'Same 합'		3	5	3
	'+' 가중 합		39	44	46
	'-' 가중 합		13	0	13
종합 평가			26	44	33

– 일시; 20xx.3.5~4.10 – 참석자; 이설계 외 9명.

(최적 콘셉트 평가)

■ 평가결과 '콘셉트 후보 2'가 큰 점수차로 선정되었으며, 타 콘셉트후보에 열세인 '고객선호도', '부품구매 용이성'에 대한 재검토를 향후 2주 동안 수행 후 재 평가하기로 함.

PS-Lab
Problem Solving Laboratory

일반적으로 '기준 안(Datum)'은 현재의 제품을 사용한다. 그러나 '콘셉트 후보'들은 현 토이 박스에 비해 기능이 크게 향상된 제품들이므로 비교에 별 의미가 없어 '콘셉트 후보'들 중 하나를 '기준 안(Datum)'으로 삼았다. [그림 A-23]의 '콘셉트 후보 1'을 보면 모든 '평가 기준(Criteria)'에 대해 'S'로 표기한 이유가 '기준 안'으로 삼았다는 뜻이다.

1차 평가로 선정된 '콘셉트 후보 3'에 대해 결정 과정과 선정 배경들은 모두 장표 오른쪽의 워드 파일로 '개체 삽입'시켜 놓았다(고 가정한다). '기준 안(Datum)'에 비해 '고객 선호도'가 열세로 평가되었는데(다른 후보들은 '+'인 데 비해 'S'로 평가됨) 이것은 타 후보들이 매장에서 고객의 관심을 끌 목적으로 토이 박스의 '움직임'이나 '변화' 기능을 채택한 데 반해 '콘셉트 후보 3'은 단순히 '강한 발광'만을 적용한 이유이다. 또 '부품 구매 용이성'도 '기준 안'과 비교해 'S'인데, '콘셉트 후보 2'처럼 구매가 용이한 '축전지' 대신 구매 경험이 전혀 없는 '태양 전지'를 적용하고 있어 구매 절차에 고민이 반영된 결과이다.

'Pugh Method'는 결정된 '콘셉트 후보'를 그대로 선정하는 도구가 아니다. 따라서 열세로 파악된 '고객 선호도'와 '구매 용이성'에 대한 2차 고려가 필요하며('S'가 세 개 더 있지만 설명은 생략), 이들 항목이 '+'로 평가된 다른 '콘셉트 후보'들의 구조를 분석하는 작업부터 시작한다. 이 과정은 팀원들이 1차가 끝난 후 바로 수행할 수도 있으나 상황에 따라 추가적인 연구 기간을 계획할 수도 있다. 간단한 분석적 사례를 적용해보면 우선 '고객 선호도'가 타 '콘셉트 후보'에 비해 정적인 이미지이므로 매장 고객의 시선을 끄는 데 취약하다는 판단에 따라 팀원들과의 추가 연구 과정을 통해 '발광 자체를 변화시키자'는 대안을 마련하였다(고 가정한다). 그러나 극복할 문제도 생겼다. 빛을 변화시키려면 이를 제어할 회로의 추가로 원가가 상승하기 때문이다. 따라서 타 '콘셉트 후보'에 비해 여전히 원가가 높지 않음을 증명하거나 원가를 획기적으로 낮출 수 있는 모듈 개발 등의 아이디어 창출 과정이 필요하다. '구매 용이성'에 대해서는 대상 업체 조사를 통해 가격, 물류, 품질 등을 살피도록 별도의 조사 기간을 마련한 뒤 검토 결과를 토대로 이후를 결정하기로 하였다(고 가정한다). 이 경우 짧게는 2주에서 길게는 4주 이상의 기간이 소요될지도 모를 일이다. '콘셉트 개발'은 신제품의 윤곽을 잡는 매우 중요한 과정이다. 여기서 결정된 제품 윤곽은 이후부터는 그대로 유지하며 요모조모 구체화의 '상세 설계'가 진행된다. '상세 설계'에서 다시 뜯어 고치려면 분위기가 험악(?)해질 수 있다(물론 꼭 필요한 일이라면 분위기쯤은 극복하고 다시 시행한다). 이것을 '1:10의 법칙'[71]으로 설명한다. 즉, 한 단계 진행돼서 문제가 생기면 그것을 해결하기 위해 이전 단계에 들어간 비용의 10배가 필요하다는 논리다.

[그림 A-24] 개발 단계별 발생 결함을 처리하는 데 드는 비용

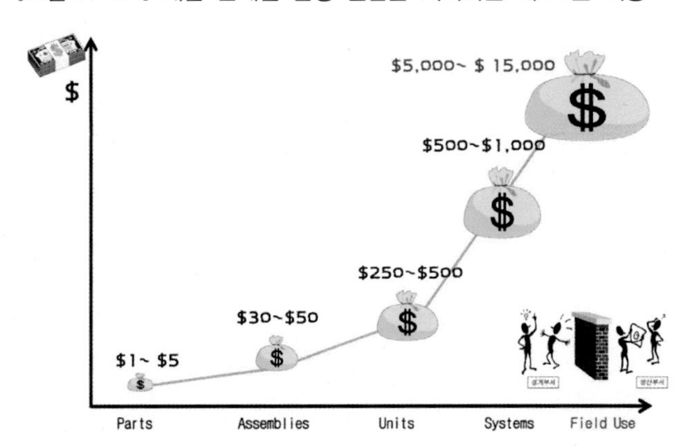

지금까지의 과정과 결과를 정리한 내용이 다음의 [표 A-13]이다.

[표 A-13]의 2번째 열을 통해 '게임의 극적 재미'와 '비용 최소화'의 장점을 토대로 '콘셉트 후보 3'이 선정되었음을 알 수 있다. [그림 A-23]의 '평가 기준

71) MIL HDBK 338B pp928 PCB조립을 거쳐 완성된 Unit으로 판매될 경우 예.

[표 A－13] 선정된 '콘셉트 후보 3'의 개선 방향 예

1차로 선정된 '콘셉트 후보 3'	'콘셉트 후보 3'의 강점	'콘셉트 후보 3'의 취약점(열세)	'콘셉트 후보 3'의 개선 방향
▪ 외부자극 감지용 → 소리+회전체 ▪ 동작원리 →스프링동력과 Stopper 사용 ▪ 게임유형 → 철봉인형 거꾸로 서는지 여부 ▪ 매장고객 유인방법 → 강한 발광효과 ▪ 보관방법 → 접을 수 있도록 ▪ 구동에너지 → 태양 전지	▪ 놀이유지 시간 '+' → 게임유형을 인형의 철봉 회전보다 거꾸로 서는지 여부가 더 극적인 재미를 줄 것으로 판단 ▪ 자극반응도 '+' → '움직임'에 대한 자극 반응보다 '회전체'를 이용하는 것이 원가와 자극 반응에 유리 ▪ 수명/수리용이성/제품원가 → 벨트 사용보다 스프링의 사용이 수명 및 수리, 원가에 유리	▪ 고객선호도 (열세인 사유): 강한 발광 자체가 정적인 효과를 주어 매장을 방문한 고객에게 짧은 시간 동안 유인하는 데 역부족으로 판단 ▪ 부품구매 용이성 (열세인 사유): 태양 전지를 제품에 적용해본 경험이 없어 구매 가격, 유통 등에 대한 운영에 취약	▪ 고객선호도 → 강한 정적인 발광+빛의 세기나 색, 동적 변화 등을 가미 ▪ 부품구매 용이성 → 공동 구매업체 위탁운영 후 협력업체 선정 (우선 제품생산에 지장 없도록 위탁업체 활용하고 향후 당사에 맞는 업체를 선정)

(Criteria)' 중 'S'로 분류된 '고객 선호도'와 '구매 용이성(3번째 열에 요약)'을 극복하기 위해 팀원 회의가 진행되었으며, 그 결과 [표 A－13]의 끝 열처럼 '개선 방향'이 결정되었다(고 가정한다). 따라서 2차로 확정된 '콘셉트 후보'는 다음 [표 A－14]와 같다.

[표 A－14]에서 빨간색으로 표기한 항목이 추가 확정된 내용들이다. '태양 전지'에 대한 '구매'관련 사항은 1차 평가 중 처음 나왔으나 앞으로 있을 'Step－9.1. 설계 요소 발굴'에서 다루게 될 가능성이 높으며, 그때까지는 중요 정보로 관리할 것이다. 현재의 '콘셉트 후보'를 다시 [그림 A－23]과 같이 평가하되 '기준 안(Datum)'을 바꾸거나, '평가 기준(Criteria)'을 변경시켜 최적의 '콘셉트 후보'를 구체화시켜 나간다. 물론 일부 내용들이 변경되거나 새로운 아이디어가 도출돼 큰 폭의 조정이 있을 수도 있다. 현재는 새로운 틈새시장 발굴이라는 목표 달성을 위해 신제품 개발에 초점을 맞춰야 하며, 최종 의사 결정 후 다음 단계로

[표 A-14] 2차로 확정된 '콘셉트 후보' 예

핵심 기능(CTF)	핵심 기능 요구 사항(CFR)	2차 확정된 '콘셉트 후보'
인형을 바꾼다.	7점 만점 중 5.5점 이상(5명으로 구성된 4개 패널의 평가)	
게임을 형성한다.	결과 확인 1초 이내, 게임 난이도 하	철봉인형 거꾸로 서는지 여부
외관을 바꾼다.	'Y'인 '고객 선호도' 12이상(매장 방문자 40x40초 관찰)	강한 발광+빛의 세기나 색, 동적 변화 등을 가미
부피를 가감한다.	부피 40% 축소토록 조절 가능	접을 수 있도록
다양한 외부자극을 안다.	외부자극 2개 이상 인식(이 기능을 통해 인형이나 외관 등이 작동)	소리+회전체
에너지를 적게 한다.	반영구적(기존 토이 박스가 에너지 소비가 없었음을 고려)	태양 전지 공동 구매업체 위탁운영 후 협력업체 지정
친환경 성분을 정한다.	유아 장난감 국제 안전 규격 만족 (유해성분 함량, 위해 구조설계 등)	에틸렌 공중합체 수지+폴리비닐 알코올+분말 안정제 〈참고〉 최적 성분비(혼합물 실험) 결정 → 상세 설계에서 진행
접착 상태를 유지한다.	접착력 250kgf 이상	

안전하게 넘어가기 전까지는 모든 가능성을 열어두는 자세가 필요하다. 통상 이 시점에 위험 관리 목적으로 2~3개의 '최적 콘셉트'를 뽑아 이후 과정을 도모하는 게 일반적이다. [그림 A-25]는 [표 A-14]의 '2차 확정된 콘셉트'를 문서로 작성한 예이다.

지금과 같이 '2차 평가'를 통해 '최적 콘셉트'가 확정될 수도 있으나 설계 제품의 난이도나 상황에 따라 3차나 그 이상의 반복 과정을 거쳐 결정되기도 한다. 본 예의 '3차 평가' 경우 '인형을 바꾼다'에 대해 '철봉을 회전하는 인형 구조'와, '게임을 형성한다'의 '외부 자극에 따라 인형이 회전해 철봉에 거꾸로 서는지 여부'를 외부 공학 전문가에게 문의했다고 가정해보겠다.

[그림 A-25] 'Step-8.2. 콘셉트 후보 평가/선정' 작성 예(2차 평가)

Step-8. 콘셉트 개발

Step-8.2. 콘셉트후보 평가/선정(2차 평가)

▶ 3차에 걸친 팀 회의를 통해 2차로 확정된 '콘셉트 후보'를 선정.

핵심기능 (CTF)	핵심기능 요구사항 (CFR)	2차 확정된 '콘셉트 후보'
인형을 바꾼다.	7점 만점 중 5.5점 이상(5명으로 구성된 4개 패널의 평가)	
게임을 형성한다.	결과 확인 1초 이내, 게임 난이도 하.	철봉인형 거꾸로 서는지 여부
외관을 바꾼다.	'Y'인 '고객 선호도' 12이상(매장 방문자 40*40초 관찰)	강한 발광 +빛의 세기나 색, 동적변화 등을 가미.
부피를 가감한다.	부피 40% 축소토록 조절 가능	접을 수 있도록
다양한 외부자극을 안다.	외부자극 2개 이상 인식(이 기능을 통해 인형이나 외관 등이 작동)	소리 + 회전체
에너지를 적게 한다.	반영구적(기존 토이박스가 에너지 소비가 없었음을 고려)	태양전지 공동 구매업체 위탁운영 후 협력업체 선정
친환경 성분을 정한다.	유아 장난감 국제 안전규격만족(유해성분 함량, 위해 구조설계 등)	에틸렌 공중합체 수지+폴리비닐 알코올+분말 안정제 <참고> 최적 성분비(혼합물 실험법) 결정. -> 상세설계에서 진행.
접착상태를 유지한다.	접착력 250kgf 이상	

(2차 확정 콘셉트 평가)

-일시; 20xx.5.6. 참석자; 이설계 외 11명.

■ 최종 평가 중 매장에서 손님의 시선을 끄는데 '강한 발광'만으로는 목표달성이 어렵다는 의견에 따라 '빛의 세기나 색, 동적 변화 등을 가미'하는 안(案)이 추가됨.

PS-Lab
Problem Solving Laboratory

[그림 A-26] 인형이 거꾸로 서는 운동에 대한 전문가 평가 예(3차 평가)

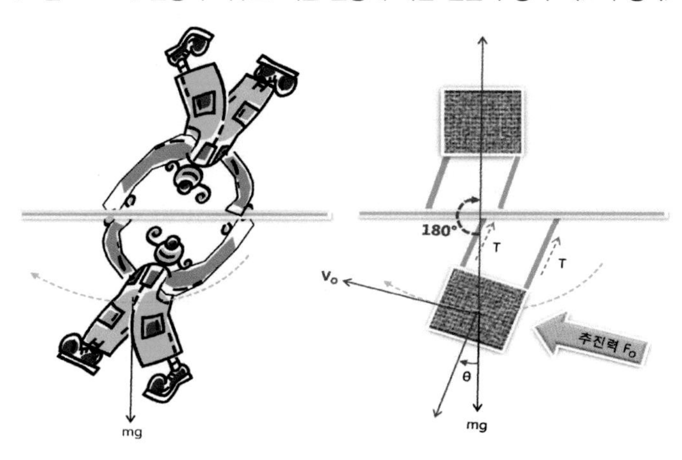

우선 인형이 용수철에 의해 돌출한 후 회전을 거쳐 거꾸로 서기(180° 회전하는 운동) 위해서는 [그림 A-26]의 오른쪽 스케치와 같이 '초기 속도 v_O' 생성을 위해 '추진력 F_O'가 필요하며, 따라서 현재 '태양 전지'로 이 같은 힘을 얻으려면 추가 '전기 에너지'가 불가피한 것으로 파악되었다(고 가정한다). 결국 '2차 전지'가 대안이 될 수 있으나 사용이 불편하고 부피를 작게 하는 데 역효과가 예상됨에 따라 새로운 대안을 찾는 과정이 진행되었으며 팀원들이 장기간 연구 끝에 [그림 A-27]과 같은 콘셉트를 최종적으로 확정하였다(고 가정한다). 물론 이 과정에 수차례 'Pugh Method'를 수행했을 것이나 본문에서의 설명은 생략하고 결과만을 적었다(고 가정한다).

[그림 A-27] '최적 콘셉트' 예

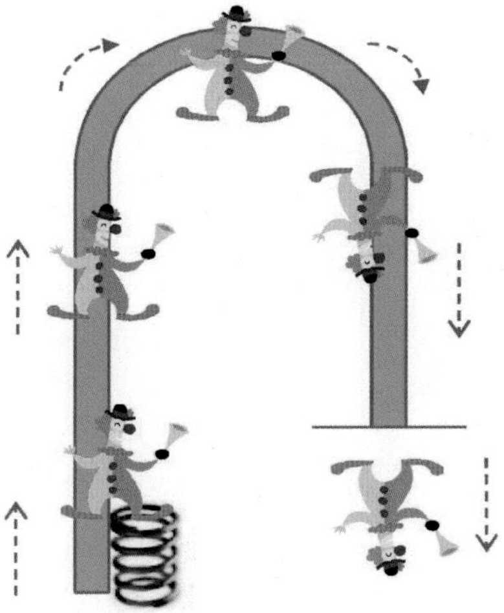

최종 확정된 콘셉트를 보면 기존엔 인형 돌출 후 철봉을 잡고 회전하는 구조였던 데 반해, 외부 신호에 자극을 받으면 용수철 탄성력에 의해 인형이 정해진 루프를 따라 움직이도록 고안되었다. 만일 인형이 루프를 탈출하면 게임에 승리하고 그 외에는 인형 도달 위치에 따라 승패를 가른다. 기계적 에너지만 사용하고, 단순하며, 게임도 할 수 있는 '최적 콘셉트'가 탄생한 것이다. [표 A-15]는 최종 결과이다.

[표 A-15] 최종 확정된 '최적 콘셉트' 예

핵심 기능(CTF)	2차 확정된 '콘셉트 후보'	최종 확정된 '최적 콘셉트'
인형을 바꾼다.	소리+회전체	소리+**루프형**
게임을 형성한다.	철봉인형 거꾸로 서는지 여부	**인형의 탈출 여부 또는 도달 위치**
외관을 바꾼다.	강한 발광+빛의 세기나 색, 동적변화 등을 가미	좌동
부피를 가감한다.	접을 수 있도록	좌동
다양한 외부자극을 안다.	소리+회전체	좌동
에너지를 적게 한다.	태양 전지	좌동
	공동 구매업체 위탁운영 후 협력업체 지정	좌동
친환경 성분을 정한다.	에틸렌 공중합체 수지+폴리비닐 알코올+분말 안정제 〈참고〉 최적 성분비(혼합물 실험) 결정 → 상세 설계에서 진행	좌동
접착 상태를 유지한다.		

다음 [그림 A-28]은 확정된 콘셉트를 파워포인트로 작성한 예이다.

[그림 A-28] 'Step-8.2. 콘셉트 후보 평가/선정' 작성 예('최적 콘셉트' 확정)

Step-8. 콘셉트 개발
Step-8.2. 콘셉트후보 평가/선정('최적 콘셉트' 확정)

▶ 7차에 걸친 팀 회의를 통해 최종 '최적 콘셉트'를 확정.

▶ 기존 콘셉트가 추진력 필요에 따른 추가 에너지가 고려돼야 함에 따라 새로운 콘셉트를 고안함. 용수철 활용으로 추가 에너지가 필요 없고, 구조가 단순하며, 게임용도를 완전히 수용.

핵심기능 (CTF)	핵심기능 요구사항 (CFR)	최종 확정된 '최적 콘셉트'
인형을 바꾼다.	7점 만점 중 5.5점 이상(5명으로 구성된 4개 패널의 평가)	소리 +루프 형
게임을 형성한다.	결과 확인 1초 이내, 게임 난이도 하.	인형의 탈출 여부 또는 도달 위치
외관을 바꾼다.	'Y'인 '고객 선호도' 12이상(매장 방문자 40*40초 관찰)	강한 발광 +빛의 세기나 색, 동적 변화 등을 가미.
부피를 가감한다.	부피 40% 축소토록 조절 가능	접을 수 있도록
다양한 외부자극을 안다.	외부자극 2개 이상 인식(이 기능을 통해 인형이나 외관 등이 작동)	소리 + 회전체
에너지를 적게 한다.	반영구적(기존 토이박스가 에너지 소비가 없었음을 고려)	태양전지 공동 구매업체 위탁운영 후 협력업체 지장
친환경 성분을 정한다.	유아 장난감 국제 안전규격만족(유해성분 함량, 위해 구조설계 등)	에틸렌 공중합체 수지+폴리비닐 알코올+분말 안정제 <참고> 최적 성분비(혼합물 실험법) 결정. -> 상세설계에서 진행.
접착상태를 유지한다.	접착력 250kgf 이상	

(최적 콘셉트 최종평가)

-일시; 20xx.8.31. 참석자; 이설계 외 11명.

PS-Lab Problem Solving Laboratory

지금까지 과정은 "로봇 태권 브이가 대충 만들어졌다"고 할 수 있다. 이제 '최적 콘셉트'의 완성도를 높이기 위한 '상위 수준 설계'로 들어가 보자.

Step-9. 상위 수준 설계

'상위 수준 설계(High Level Design)'의 공식적인 정의를 찾기란 쉽지 않다. 구글에서 'High Level Design'으로 검색했을 때 그나마 다음과 같은 IT부문에서의 설명이 독자가 이해하는 데 설득력이 있어 옮겨 놓았다.

> · **상위 수준 설계(High Level Design)** A high level design discusses an overall view of how something should work and the top level components that will comprise the proposed solution. It should have very little detail on implementation, i.e. no explicit class definitions, and in some cases not even details such as database type (relational or object) and programming language and platform. A low level design has nuts and bolts type detail in it which must come after high level design has been signed off by the users, as the high level design is much easier to change than the low level design.
> '상위 수준 설계'는 큰 시각에서 설계 대상이 어떻게 작동하는지, 그리고 '최적 대안'들로 구성되어 있는지를 검토한다. 따라서 클래스 지정이나, 데이터베이스 유형, 프로그램 언어 또는 플랫폼(하드웨어/소프트웨어 환경) 등과 같은 세세한 것들까지 검토하는 일은 드물다. 하위 수준 설계(통상 '상세 설계'로 부름)는 고객이 상위 수준 설계를 승인했을 때, 볼트나 너트 단위의 상세성을 갖는 설계를 말하며, 통상 '상위 수준 설계'가 '하위 수준 설계(상세 설계)'보다 재구성이 용이하다.

'프로세스 개선 방법론' 경우, 이미 프로세스가 운영되고 있으므로 그 안에서 문제가 되는 부분만(특성으로 얘기하면 'Y'가 될 것임) 수준 측정한 뒤 관계된 'X'들을 찾아 최적 값으로 조정해준다. 반면, '상위 수준 설계'는 이제야 '제품'

의 윤곽이 만들어졌으므로 훨씬 더 완성도를 높여주기 위한(마치 '프로세스 개선 방법론'에서 문제 있는 영역의 완성도를 높여주는 것과 같이) 'X'들을 찾는 과정이 수반된다. 설계 과정에서의 'X'를 '설계 요소(Design Element)'라고 명명하며, 따라서 첫 번째 '세부 로드맵'으로 'Step-9.1. 설계 요소 발굴'이 진행된다. 일부 '제품 설계 방법론' 교재에서는 '설계 요소'와 '설계 인자'를 별개로 나누어 전자의 경우는 '설계 7요소([그림 A-30] 참조)'에 대응시켜 '상위 수준 설계'를 행하는 용도로, 이어 '설계 인자'는 '프로세스 개선 방법론'에서의 '잠재 원인 변수'에 대응시켜 '최적화 대상'으로 구분한다. 논리적으로는 맞지만 현업에서 '설계 7요소'의 최 하부 요소들을 구분하다 보면 실제적으로 '설계 인자'들과 중복되거나 그 경계를 나누기가 모호해지기 일쑤고, 또 '설계 산출물'들과의 구별도 애매해지는 경우가 빈번하다. 따라서 **'설계 인자(Design Factor)'는 설계에서 제어해야 할 변수로, 또 프로세스 제어는 '프로세스 변수(Process Variables)', 드러나지 않은 변수는 '잠재 인자(Potential Causes)'로 구분한 뒤 이들 모두를 '설계 요소'로 통칭**한다.

고려해야 할 '설계 요소'들이 현재의 활동에 모두 중요한 것은 아닐 것이므로 이후 우선순위를 거쳐 '선별 Xs(Screened Xs)'를 찾는다. 이것은 '프로세스 개선 방법론'의 'Step-6. 잠재 원인 변수의 발굴' 과정과 매우 흡사하다. 이어 'Screened Xs'가 정말 중요한지 확인하는 '가설 검정'이 'Step-9.2. 설계 요소 분석'에서 수행된다. '상위 수준 설계'는 실무자들에게 그 의미를 쉽게 이해시킬 목적으로 '주변머리를 갖춰주는 것'으로 말해주곤 한다. '설계 요소'들은 정말 다양한 모습을 갖게 되는데 흔히 알고 있는 '제어 인자'뿐만이 아니라 새롭게 만들어질 제품의 구성 요소들 모두를 포함한다. 이들을 유형별로 구분해서 정리해놓은 것이 앞서 설명한 '설계 7요소'이며, 'Step-9.1. 설계 요소 발굴'에서 활용된다. 이때 어느 '설계 요소'들에 대해서는 실질적인 산출물, 예를 들면 '도면'이나 '부품 명세서', '표준 문서', '운영 지침' 등이 필요하며, 이와 같이 제품 설계 과정에서 발생되는 주변머리들을 정하고 만들어주는 과정이 'Step-9.3. 설계 요소별 산출물 실현'에서 수행된다. 'Step-9.3'은 현시점에서 능력이 닿는 수준까지 진행하며, 더욱 구체적인 산출물을 요하는 경우 Design Phase의 '상세 설계'에서 추진한다. '설계 요소별 산출물'이 정리되면 '상위 수준 설계'가 마무리된 것으로 간주하며, 이어 '상위 수준 설계'가 잘 전개된 것인지 확인하는 'Step-9.4. 상위 수준 설계 검토' 과정을 거친다. 이것은 기업의 설계 과정에서 잘 알려진 '설계 검토(DR, Design Review 또는 Tollgate Review)'와 동일하다.

'Step-8. 콘셉트 개발'의 마무리 글에서 "이제 로봇 태권 브이가 대충 만들어졌습니다"라는 표현을 사용했는데 'Step-9. 상위 수준 설계'가 끝나면 '대충'이란 단어가 빠진 "이제 로봇 태권 브이가 만들어졌습니다"의 표현으로 대체된다. 물론 좀 더 완성도를 높이는 과정은 Design Phase로 그 역할이 넘어간다.

Step-9.1. 설계 요소 발굴

'설계 요소(Design Element)'의 사전적 정의를 찾기란 쉽지 않다. 일반론적으로 '설계 요소'는 'Y'들의 '독립 변수'로 인식하는 것이 바람직하다. 그러나 '제품 설계 방법론'에서는 제품 완성도를 위해 필요한 매우 많은 고려 사항들이 존재하므로 아예 '설계 과정상 요구되는 모든 것들'쯤으로 정의하는 게 설득력이 있다. 따라서 설계 중에 고려할 '제어 가능한' 인자들뿐만 아니라 '핵심 기능 요구 사항(CFR)' 달성에 영향을 주거나 '자원의 이용', '원가', '신뢰성' 등 검토가 필요한 요소 모두를 '설계 인자'로 간주하고, 그 외의 향후 양산 프로세스에서 요구되는 변수(5M-1I-1E)를 '프로세스 변수', 끝으로 '설계 오류'와 같이 설계 과정 또는 제품 내에 잠재된 요소를 '잠재 인자'로 명명하며, 이들을 총칭해 '설계 요소'로 정의한 바 있다. 다음은 기술한 '설계 요소'를 유형별로 구분한 요약표이다.

· '설계 요소(Design Element)'[72]유형

설계 인자(Design Factor); 설계 과정 중에 요구되는 변수들로서 '제품 설계 방법론'에서는 '부품들의 특성'에 대응하며, 'QFD #3' 과정에서 도출된다. 그러나 본문에서는 '설계 인자'의 범위를 넓혀 '핵심 기능 요구 사항(CFR)' 달성에 영향을 주거나 '자원의 이용', '원가', '신뢰성', '공학적 탐색' 등 검토가 필요한 요소 모두를 포함할 것이다. '설계 인자'는 '프로세스 변수'나 '잠재 인자'들과 명백히 구분된다.

잠재 인자(Potential Cause); 설계된 제품에 내재된 인자로 '발열', '잦은 충격' 등과 같이 부품 고장에 원인이 될 수 있는 인자들을 지칭한다. 예를 들면, 부품 '저항'이 '단선'되는 현상에 있어 '과전류'도 원인이 되지만 '낮은 저항 삽입'과 같은 인간 과오(Human Error)도 포함된다. '잠재 인자'는 Design FMEA 또는 Process FMEA를 통해 도출된다.

프로세스 변수(Process Variable); 프로세스 '활동(Activity)'에 투입되는 실체가 있는 변수들을 의미하며, 요약해서 5M(Man, Machine, Material, Method, Measurement)과 1I(Information), 1E(Environment)를 지칭한다. Process Map을 통해 도출된다.

아마도 용어 정의상 가장 논란이 될 수 있는 대상이 '설계 인자'다. 기본 정의인 '부품의 특성'뿐만 아니라 "'핵심 기능 요구 사항(CFR)' 달성에 영향을 주거나 '자원의 이용', '원가', '신뢰성', '공학적 탐색'까지를 포함한다"고 했으니 말이다. 사실 필자가 연구원 시절 양산 제품의 '신뢰성'부터 '고장 해석', '제품 개발'에 이르기까지, 또 컨설턴트로 화학, 식품, 바이오, 조립, 자동차, 장치 산업 등 대부분의 산업 분야 연구 과제를 두루두루 섭렵한 결과로는 다양한 연구 과제 모두를 포용할 '설계 인자'의 정의는 멋진 신의 한 수로 여겨진다(좀 과장된 듯도 하다!).

어느 과제는 '부품의 신뢰성 평가'가 필요치 않을 수도 있으며, 또 어느 과제는 제품의 변형보다 '원가 분석적 접근'이 매우 중요할 수도 있다. 식품이나 화학 분야는 조립보다 '레시피(Recipe)'에 중점을 두는 경우도 많다. 또 기계 연구 과제는 설계 제품의 '동작이나 기구적 메커니즘 탐색'에 주안점을 둘 수 있다.

---

72) 이들의 분류는 필자가 편의에 의해 구분한 결과이다.

그러나 '제품 설계 방법론 로드맵'이 어느 특정 분야의 연구 부문만을 고려해 전개된다면 '일하는 방법론'이 지니는 태생적 한계를 스스로 드러냈다는 평가에서 자유로울 수 없다. 따라서 여러 연구 분야를 아우를 수 있는 가장 유연하고 모두를 포용할 수 있는 접근법이 필요한데 이것은 '설계 인자'의 범위를 약간 넓혀 잡는 데서 해답을 찾을 수 있다. 어느 분야든지 필요한 해석이나 분석은 '설계 인자'로 도출하고, 이들은 다시 '<u>Step-9.2. 설계 요소 분석</u>'에서 상황에 맞게 처리하면 될 일이다. 이때 분석 결과로 나타날 모든 설계 방향들은 '<u>Step-9.3. 설계 요소별 산출물 실현</u>'이나 더 나아가 '<u>Step-11. 상세 설계</u>'에서 대응한다. 앞으로 진행하면서 보충 설명이 있을 것이다.

앞서 정의한 바와 같이 '프로세스 변수'는 'Process Map'을 통해, '잠재 인자'는 'D-FMEA(Design Failure Mode & Effect Analysis)'를 통해 도출되는 것이 일반적이다. 이와 달리 '설계 인자'는 'QFD #3'를 통해 얻어지는데, 이것은 'QFD #1'이 고객의 요구인 '요구 품질'로부터 시스템 관점의 핵심 특성인 'CTQ'들을 얻어내고, 다시 'CTQ'들은 'QFD #2'에서 '핵심 기능(CTF)'들을 얻어내는 입력으로 활용되는 반면, 'QFD #3'에서는 '핵심 기능(CTF)'에 필요한 실질적인 '설계 인자(제품 설계 경우 부품 특성)'들이 도출되기 때문이다. 이와 같이 제품 설계를 위해서는 '설계 인자', '잠재 인자' 그리고 '프로세스 변수' 모두가 고려돼야 하나 여기서는 설계 범위를 편의상 '제품 개발'에 한정하고 '프로세스 변수' 도출은 생략한다. 관심 있는 독자는 『Be thee Solver_프로세스 개선 방법론』편을 참고하기 바란다.

'설계 요소'인 'X'들이 발굴되면 다음으로 'Y'와의 관련성을 따져 1차적으로 선별하는데 이 과정을 '우선순위화'라고 부른다. 지금까지의 '설계 요소' 도출에 대한 설명을 요약하면 다음 [그림 A-29]의 '설계 요소 발굴도'[73]와 같다.

---

73) '프로세스 개선 방법론'에서는 Measure Phase 'Step-6. 잠재 원인 변수의 발굴'에서 동일한 개요도가 쓰이고 있으며, 이때는 'Y'에 대한 잠재 원인 변수를 발굴할 목적이므로 그 명칭을 '설계 요소 발굴도'

[그림 A-29] '설계 요소'의 출처 및 우선순위화 설명을 위한 '설계 요소 발굴도'

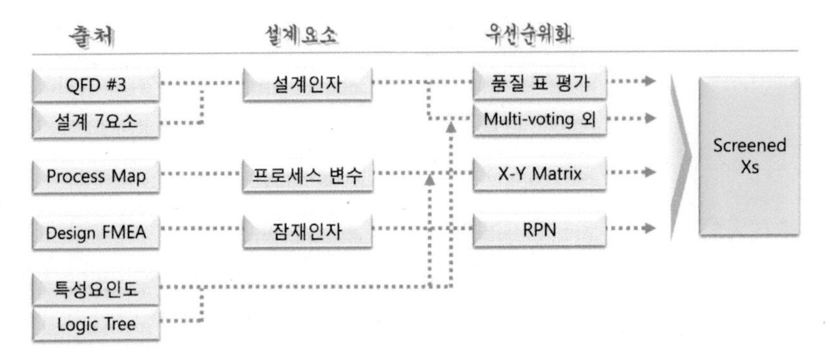

'설계 요소 발굴도'에서 만일 'QFD #2'를 '핵심 기능(CTF, Critical to Function)'을 얻는 용도로 사용하지 않으면, '설계 요소'는 'QFD #3'가 아닌 'QFD #2'에서 얻어져야 하므로 표현도 'QFD #2'로 바뀌어야 한다. 통상 기존 프로세스의 효율을 높이는 '프로세스 개선 방법론' 경우 '잠재 원인 변수'는 '설계 인자'를 제외한 '프로세스 변수'와 '잠재 인자'로 정의한다. 즉, '제품 설계 방법론'처럼 새롭게 만들어내는 것이 아니라 기존의 체계 내에서의 최적화를 목적으로 하기 때문이다.

그러나 '제품 설계 방법론'에서는 제품이나 프로세스를 새롭게 창조하는 의미가 강하므로, '설계 인자'든 '프로세스 변수'든 또는 '잠재 인자'든 모든 가능한 요소들의 사전 검토가 필요하며, 이들을 별개로 구분하기보다 '설계 요소'로 총칭한 전체의 발굴이 중요하다. 예를 들어, 최초의 설계에서 제품을 완성해가며 나타나는 '부품 특성'들은 모두 '설계 인자'가 되고, 향후 발생 가능한 문제점들을 찾아내면 '잠재 인자'가 당장 알려져야 미리 대처가 가능하다. 또 설계 제품을 양산하려면 생산에서 제어할 관련된 '프로세스 변수'를 고려하지 않으면 대형

대신 '잠재 원인 변수 발굴도'로 기술하고 있다.

사고가 터질 수 있다. 설계 활동이 '가치 사슬(Value Chain)'의 초반에 위치하고 있기 때문에 나타나는 현상이다.

따라서 '설계 요소 발굴'을 위해 출처는 'QFD #3(또는 설계 7요소)', 'Process Map', 'Design FMEA', '특성 요인도(어골도, 생선뼈도, Cause & Effect Diagram)' 등 모두를 사용할 것을 권장한다(물론 과제가 처한 상황에 따라 선택적으로 활용할 수 있다). 특히, '설계 요소'들을 유형별로 구분한 '설계 7요소' 경우 '설계 요소'를 도출할 때 실수로 누락되는 일을 방지해주는 중요한 역할을 하기도 한다. 다음 [그림 A－30]은 제품 설계에 중요한 안내 역할을 하는 '설계 7요소'의 예를 보여준다.

[그림 A－30] '설계 7요소' 구성도

	설계 7요소	설계인자 유형	설계인자
설계 7요소	제품/서비스	상품설계요소	인형동작 제어방법
		기술적 요소	전자회로 제어방법
		포장/운송요소	포장방법, 운송방법
		…	…
	프로세스	절차적 요소	평가절차
		기술적 요소	처리방법
		…	…
	정보시스템	펌웨어 요소	데이터 전송방법
		기술적 요소	데이터 표시방법
		…	…
	인력시스템	조직설계요소	작업자 교육계획
		교육 요소	교육 내용
		…	…
	전략	기술적 요소	시장분석방법
		전략적 요소	전략대상(단/중/장기)
		…	…
	모델	이론적 요소	모델방정식
		벤치마크 요소	자료수집방법
		…	…
	설비/장비/원자재	시험요소	제품수명 평가 법
		설계요소	필요 원자재 종류
		…	…

'제품 설계 방법론'에서 '설계 요소'를 도출하는 방법은 우선 'QFD #3', 'Design FMEA', '특성 요인도' 등을 통해 얻어진 요소들을 '설계 7요소'에 대응시켜 누락 여부를 따져보는 방법과, 아예 '설계 7요소'를 '출처'로 활용하는 방법이 있다. 본문에서는 후자를 설명하며 이를 포함해서 'QFD #3법', 'Design FMEA법'에 대해 각각 알아보도록 하겠다. 'Process Map법'은 제외하나 만일 '설계 7요소' 등으로부터 '생산 공정 분석'과 관련한 '설계 요소'가 발굴되면 'Step－9.2. 설계 요소 분석'에서 해당 변수의 분석을 진행할 수 있다. 전개 순서는 '설계 요소' 발굴 중요도에 따라 'QFD #3법'이 우선하고, 이어 '설계 7요소 대응법',[74] 'Design FMEA법', 그리고 '특성 요인도'와 'Logic Tree' 중 전자에 대해서만 간단히 언급하고 넘어갈 것이다.

9.1.1. QFD #3법

Measure Phase에서 'CTQ 선정' 시 그 핵심에 'QFD(Quality Function Deployment)'가 있음을 명시한 바 있다. 'QFD'는 사실 '세부 로드맵'을 전개하면서 중간중간 필요한 시점에 사용되기보다 개발 초기 때 'QFD #1～QFD #4'까지 한 번에 작성하는 것이 일반적이며 설계가 구체화되면서 함께 갱신되는 구조다.

그러나 실용적 측면에서 가장 중요한 첫 번째 'QFD #1'은 반드시 수행하고 나머지는 필요할 때 적절히 활용하는 방안도 권장한다. 왜냐하면 'QFD' 네 개의 전개와 '제품 설계 방법론 로드맵'은 모두 '개발 프로세스'의 각 활동들과 맥락을 같이하지만 'QFD' 흐름보다 '제품 설계 방법론 로드맵'의 흐름이 개발 과정

74) '설계 7요소 대응법'이란 명칭은 편의상 필자가 부여한 용어이다.

을 표현하는 데 더 구체적이고 정교해 'QFD #2～QFD #4'를 포괄하기 때문이다. 따라서 'QFD #1～QFD #4'를 개발 초기에 전개하지 않은 상황이면 'QFD #1'을 제외한 나머지는 '세부 로드맵' 중 필요한 시점에 활용하기 바란다. 일반적인 'QFD'의 유형과 활용은 다음 [그림 A－31]과 같다.

[그림 A－31] 'QFD' 유형 및 활용 예

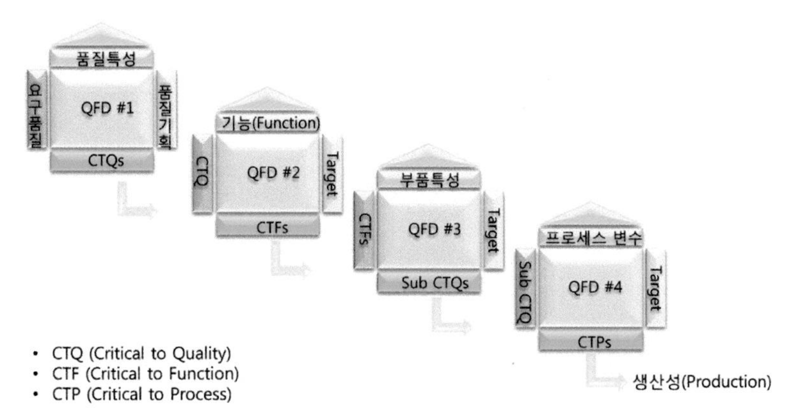

[그림 A－31]을 보면 'QFD #1'에서 '고객의 요구(요구 품질)'가 입력돼 그를 대변할 특성인 'CTQ'가 도출되고, 이 결과는 다시 'QFD #2'에서 '핵심 기능(CTF)'을 뽑는 데 이용된다. 이 과정은 정확히 'Step－6.2. CTQ 선정'과 'Step－7.2. 핵심 기능 선정'에 각각 해당한다. 따라서 현재 해야 할 활동은 바로 'QFD #3'이며, 흐름상 'QFD #2'의 결과물인 'CTF'가 입력돼 'Sub－CTQ'를 산출한다. **'Sub－CTQ'는 '핵심 부품 특성'이며, 앞서 언급한 '설계 인자'에 대응**한다.

'핵심 부품 특성(또는 설계 인자)'은 다시 'QFD #4'의 입력으로 작용해 생산에 중요한 공정 조건, 즉 '핵심 프로세스 변수(CTP)'를 찾는 데 이용된다. 특히 용어들에 공통적으로 'C(Critical)'란 알파벳이 들어 있다. 이것은 새로운 제품을 개발한 경우 현재의 공정이나 기술 모두가 따라서 바뀌는 것이 아니라 개발한 제품에 맞춰야 할 "특별하고 중요한(Critical)" 항목들에 집중한다는 의미를 갖는다. 그럼 '핵심 부품 특성(설계 인자)'은 어떻게 얻어질까? 그 해답은 이미 들고 있다. Measure Phase에서 '고객의 요구 사항'을 '요구 품질'과 '품질 특성'으로 바꿀 때의 'Step-5.4. VOC 분석' 내 '[표 M-17] Scene 전개 작성 예'를 재활용한다. 다음 [표 A-16]은 '[표 M-17]'의 일부를 옮겨 놓은 것이다.

[표 A-16] 'Scene 전개' 작성 예

속 성	원시 데이터	Scene 전개
고등학생	선물용으로는 좀 더 많은 웃음을 줬으면 함.	선물할 때
	가격이 조금 저렴했으면	여럿에 선물할 때
	주변에서 쉽게 구매할 수가 없어 불편함.	빨리 구매해야 할 때
	변화무쌍하게 프로그램화해서 오랫동안 즐겁게	친구들과 심심풀이 시
	스스로 움직이는 토이 박스면 좋을 것 같음.	매번 손으로 작동 시
…	…	…

표 '제목' 중 '속성'은 제거하고, '원시 데이터 → 핵심 기능(CTF)'으로 바꾸면 '핵심 부품 특성'을 얻는 작업이 가능하다. [표 A-17]은 작성 양식이다.

[표 A-17] '핵심 부품 특성(Sub-CTQ 또는 설계 인자)' 발굴 양식 예

핵심 기능(CTF)	Scene 전개	부품 특성(설계 인자)
…	…	…

표 중앙의 'Scene 전개'는 현재 제품을 설계하는 과정에 있으므로 상황의 '연상'은 여전히 유효하다. 제품의 작동 상태를 머리에 떠올리면 아무래도 그를 실현시킬 '부품 특성(설계 인자)'을 발굴할 때 도움 되기 때문이다. 이 시점에 한 가지 고려할 사항이 있다. 첫 열의 '핵심 기능(CTF)'으로부터 이미 '핵심 기능 요구 사항(CFR)'의 설정, 그리고 'Step-8.2. 콘셉트 후보 평가/선정'에서 '최적 콘셉트'를 확보한 상태에 있다. 따라서 원활한 '연상(Scene)' 작업을 위해 [표 A-17]은 다음의 [표 A-18]과 같이 표현해 놓아야 한다.

[표 A-18] '핵심 부품 특성(Sub-CTQ, 즉 설계 인자)' 발굴을 위한 표 예

핵심 기능 (CTF)	핵심 기능 요구 사항 (CFR)	2차 확정된 '콘셉트 후보(현 최적 콘셉트)'	Scene 전개	부품 특성 (설계 인자)
인형을 바꾼다.	7점 만점 중 5.5점 이상(5명으로 구성된 4개 패널의 평가)		인형이 오를 때	탄성력, 무게, Stopping Time
게임을 형성한다.	결과 확인 1초 이내, 게임 난이도 하	인형의 탈출 여부 또는 도달 위치	루프 돌 때	초기 속도, 루프 길이…
외관을 바꾼다.	'Y'인 '고객 선호도' 12 이상(매장 방문자 40x40초 관찰)	강한 발광+빛의 세기나 색, 동적변화 등을 가미	작동 시	LED Type, 광 변환주기, 동작속도
부피를 가감한다.	부피 40% 축소토록 조절 가능	접을 수 있도록	휴대/보관 시	외관 재질, 무게, 부피…
다양한 외부자극을 안다.	외부자극 2개 이상 인식(이 기능을 통해 인형이나 외관 등이 작동)	소리+회전체	외부자극 입력 시	자극감도, 신호 증폭률, 전달속도, 입력전류, 회전속도
에너지를 적게 한다.	반영구적(기존 토이 박스가 에너지 소비가 없었음을 고려)	태양 전지	평상 시	에너지 저장효율…
			작동 시	전력, 무게, 부피..
친환경 성분을 정한다.	유아 장난감 국제 안전 규격만족(유해성분 함량, 위해 구조설계 등)	에틸렌 공중합체 수지+폴리비닐 알코올+분말 안정제	다양한 환경에 노출 시	유해성분 함량, 성분비…
접착 상태를 유지한다.	접착력 250kgf 이상	〈참고〉 최적 성분비(혼합물 실험) 결정 → 상세 설계에서 진행		

[표 A-18]에서 제품이 처하게 될 다양한 상황(Scene)을 연상한 뒤 어느 '부품 특성'이 필요할지를 고려한다(물론 본문은 '다양한 상황' 중 극히 일부만을 언급하고 있다). 연상한 상황 속에서 가능한 모든 '부품 특성'들을 발굴한다. 조금 지겹도록 반복하고 있는 얘기지만 이 과정 역시 혼자 또는 한두 명이 소화할 사항은 아니다. 팀원들이 모여 아주 깊이 있는 성찰의 시간과 협의 절차가 있어야 하며 발굴된 '부품 특성'도 다양하게 포함될 수 있도록 노력한다. '만든 것에 대한 검토(Review)'가 아닌 '만들어가는 과정' 속에 있기 때문이다. 작업이 완료되면 'QFD'의 우선순위 과정인 '품질 표 평가'를 수행한다. 본문은 'QFD' 본 양식 대신 단순 양식을 이용하였다. 다음 [그림 A-32]는 그 예이다.

[그림 A-32] 'QFD #3법'을 이용한 'Sub-CTQ(설계 인자)' 발굴 예

핵심기능	핵심기능요구사항	인형 무게	용수철 상수	탄성력	광 변환 주기	자극 감도	LED Type	성분비	…
인형을 바꾼다	7점 만점 중 5.5점 이상	3	9	9					
게임을 형성한다	결과 확인 1초 이내, 게임 난이도 하	3	9	9	3	3	3		
외관을 바꾼다	'고객 선호도' 12이상				1	1	9		
부피를 가감한다	부피 40% 축소	9					3		
다양한 외부자극을 안다	외부자극 2개 이상인식				9	9	3		
에너지를 적게 한다	반영구적	3	9	3	3	3	9		
친환경 성분을 정한다	유아 장난감 국제 안전 규격 만족							3	
접착상태를 유지한다	접착력 250kgf 이상							9	
		18	27	21	16	16	27	12	…
	설계 요구사항	200g 이하	가변	500kgf/cm²	100ns	20μs	Alkali Type 외	DOE 수행	…

'핵심 기능 요구 사항(CFR)'과 '부품 특성(설계 인자)'들을 평가한 결과 인형이 루프를 돌아 탈출하기 위해서는 용수철 특성이 매우 중요한 공학적 요소로 대두됨에 따라 '용수철 상수'를, 토이 박스 외관에 강한 빛을 내면서 동적인 변화를 연출해내려면 LED의 선택이 중요하다는 판단에 따라 'LED Type'을, 또 박스 미관상 필요한 외부 부착물 접착을 위해 점수는 낮지만 중요하다는 팀원들의 의견을 수렴해 '접착제 성분비'를 'Sub－CTQ(설계 인자)'로 선정하였다(고 가정한다). 이들은 발굴될 다른 '설계 요소'들과 함께 최종 정리를 거쳐 '상위 수준 설계'로 넘겨질 것이다. 그 전까지 현재 발굴한 'Sub－CTQ(설계 인자)'[75]는 잠시 보관해 놓도록 하자.

9.1.2. 설계 7요소 대응법

'설계 7요소'의 실체에 대해서는 [그림 A－30]에 간략하게 소개한 바 있다. 한마디로 '설계 7요소'란 "설계하고자 하는 대상에 대해 고려해야 할 모든 요소들을 빠짐없이 정리한 분류표"이다. 따라서 'Step－8.2. 최적 콘셉트 평가/선정'에서 결정된 '최적 콘셉트'를 가져다 놓고 여기에 필요한 요소가 무엇인지 '설계 7요소 분류표'로 하나하나 대응해가며 필요한 '설계 인자'들을 도출해 나간다. '설계 인자'를 발굴하기 전에 먼저 '설계 7요소'가 어떻게 분류돼 있는지 잠시 알아보자. 다음 [표 A－19]는 '설계 7요소 분류표'를 나타낸다. 분류표는 [그림 A－30] 중 '설계 인자' 열을 제외한 뒤, '정의' 열을 추가하고 '설계 인자 유형' 열을 보충한 결과이다.

75) 'Sub－CTQ'는 '설계 요소' 중 '설계 인자'에 해당한다.

[표 A-19] '설계 7요소 대응법'을 위한 '설계 7요소 분류표' 예

설계 7요소	정의		설계 인자 유형
제품/서비스	H/W	컴퓨터를 구성하는 기계장치를 통틀어 이르는 말이나 여기서는 재료나 부품으로 이루어진 모든 유형의 개체를 의미	상품설계 요소, 문서화 요소, 기술적 요소, 인적 요소, 상품의 시장적 요소, 포장/운송요소, 시험요소 등
	S/W	컴퓨터 프로그램과 관련문서들을 통틀어 이르는 말. 여기서는 각종 정보나 지적재산 등으로 통상 매체(Media)에 저장 된 대상들을 의미	저장매체요소, 기술적 요소, 인적 요소, 상품의 시장적 요소, 시험요소 등
	서비스	생산된 재화의 운반/배급이나 생산/소비에 필요한 노무의 제공. 여기서는 고객을 대신한 부가가치적 행위(무형적, 경험적)를 의미	서비스 방법요소, 문서화 요소, 기술적 요소, 인적 요소, 서비스 시장적 요소 등
프로세스	일이 처리되는 경로. 여기서는 기존의 변경, 새로운 프로세스의 필요로 흐름(Flow)을 명시해야 하는 대상		절차적 요소, 표준요소, 기술적 요소, 인적 요소, 경제적 모형요소 등
정보시스템	사람들 사이에서 지식을 전달하기 위한 모든 수단을 의미하나 여기서는 설계대상을 운영하는 데 필요한 각종 정보 인프라(IT, 매체)를 의미		컴퓨터 어플리케이션 요소, 펌웨어 요소, 기술적 요소, 인적 요소, 상품요소, 시장적 요소, 시험요소 등
인력시스템	설계대상을 운영하고 유지시키기 위한 인적 요소를 의미		조직설계 요소, 직무/업무분석요소, 교육요소, 보상/포상요소, 표준요소, 관리모형요소 등
전략	설계대상에 포함될 다양한 전략적 요소를 의미		전략적 요소, 인적 요소, 기술적 요소, 환경적 요소
모델	설계대상에 요구되는 기술적, 전략적 본보기를 의미		기술적 요소, 인적 요소, 벤치마크요소, 이론적 요소 등
설비/장비/원자재	설계대상을 형성하거나 지원하는 데 필요한 시설, Tool, 재료 등과 관련된 절차 등을 포함		현장선택요소, 유통/운송/저장요소, 표준요소, 설계 요소, 기술적 요소, 인적 요소, 시험요소, 업체선정요소 등

세 번째 열인 '설계 인자 유형'은 말 그대로 유형을 구분한 예로 리더들이 설계하고 있는 제품 종류에 따라 항목이 가감될 수 있다. 현재 도출하고자 하는 '설계 인자'들은 '설계 인자 유형'보다 한 단계 아래 또는 몇 단계 더 아래쪽에 존재한다. 그러나 그들 모두를 열거하는 것은 무리이므로 [그림 A-30]의 맨 끝

분류인 '설계 인자'를 참고하기 바란다. 예를 들어 [표 A－19]의 '설계 인자 유형' 중 'H/W'의 '포장/운송요소'를 고려할 때 [그림 A－30]의 하위 요소인 '운송 방법'이 '설계 인자'가 될 수 있다. '운송 방법'을 더 세분화하면 '육로로 갈 것인지', '해상으로 갈 것인지', '항공편으로 갈 것인지'로 구분되는데 이것들은 '수준(Level)'에 해당하므로 '운송 방법' 아래로의 세분화는 불필요하다. 그러나 [그림 A－30]의 '제품/서비스' 중 '기술적 요소'에 붙어 있는 '전자 회로 제어 방법'의 예는 '제어 방법'을 규정짓는 '특성'들이 나올 때까지 아래로의 세분화 과정이 더 필요하다. 예를 들어, 'LED'를 제어하기 위해 '마이크로 컨트롤러'를 쓸 것이지 아니면 '바이너리 카운터(16비트)'를 쓸 것인지가 '수준'이 될 수 있지만 만일 그들 중 하나가 결정된 상태면 회로의 동작 상태를 확인해줄 '출력 파형' 또는 '출력 전압' 등이 최종적인 '설계 인자'가 될 수 있다. 또 한 가지 염두에 둘 것은 '설계 7요소' 자체에 대한 분류는 출처마다 약간씩 차이가 있다. 예를 들면 '전략', '모델'이 없고, 그 대신 '설비/장비/원자재'가 '설비/장비'와 '원자재'로 분리해 대체되는 경우 등이다. 이 같은 차이는 기업별 특성이나 전개의 편의를 반영한 결과이므로 크게 우려할 바는 아니다. "설계 7요소의 항목이 약간 가변적일 수 있다" 정도로만 알아두자.

지금부터 [표 A－19]의 '설계 7요소 분류표'를 이용해 '설계 인자'를 발굴해 보자. '문제 해결/문제 회피'의 실체는 '로드맵(흐름)'이라고 하였다. 따라서 현재 서 있는 위치에서 뒤를 돌아봤을 때 방금 밟고 온 돌다리가 존재해야 한다. 본 상황에서는 'Step－8.2. 최적 콘셉트 평가/선정'에서 얻은 [표 A－15]의 '최적 콘셉트'가 방금 밟고 온 돌다리이므로 이를 입력으로 놓고 '설계 7요소 분류표'를 대응시키는 일부터 시작한다. 다음 [표 A－20]은 그 예를 보여준다.

[표 A－20] '최적 콘셉트'와 '설계 7요소 분류표' 대응 예

핵심 기능 (CTF)	핵심 기능 요구 사항 (CFR)	최적 콘셉트	설계 7요소						
			제품/서비스	프로세스	정보 시스템	인력 시스템	전략	모델	설비/장비/원자재
인형을 바꾼다.	7점 만점 중 5.5점 이상(5명으로 구성된 4개 패널의 평가)		O	O		O			O
게임을 형성한다.	결과 확인 1초 이내, 게임 난이도 하	인형의 탈출 여부 또는 도달위치	O	O				O	O
외관을 바꾼다.	'Y'인 '고객 선호도' 12 이상(매장 방문자 40x40초 관찰)	강한 발광+빛의 세기나 색, 동적변화 등을 가미	O						O
부피를 가감한다.	부피 40% 축소토록 조절 가능	접을 수 있도록	O						O
다양한 외부자극을 안다.	외부자극 2개 이상 인식(이 기능을 통해 인형이나 외관 등이 작동)	소리+회전체	O			O			O
에너지를 적게 한다.	반영구적(기존 토이 박스가 에너지 소비가 없었음을 고려)	태양 전지	O			O	O		O
친환경 성분을 정한다.	유아 장난감 국제 안전규격만족(유해성분 함량, 위해 구조설계 등)	에틸렌 공중합체 수지+폴리비닐 알코올+분말 안정제	O		O		O		O
접착 상태를 유지 한다.	접착력 250kgf 이상	〈참고〉 최적 성분비(혼합물 실험) 결정 -〉 상세 설계에서 진행	O						O

'열 1～3'은 'Step－8.2. 최적 콘셉트 평가/선정'에서 얻은 [표 A－15]의 '최적 콘셉트'이다. 표의 결과물은 '최적 콘셉트'에 대한 '설계 인자'이며, 이에 개개 '핵심 기능(CTF)'별로 어느 '설계 인자'들이 필요한지 '설계 7요소' 항목들과 하나씩 대응시켜 나간다. '핵심 기능'인 '게임을 형성한다'는 '최적 대안'이 '인

형의 탈출 여부, 또는 도달 위치'이며 이를 실현시키기 위해 부품 특성, 제작을 위한 절차(프로세스), 회전을 위한 다양한 공학적 모델링과 제작에 필요한 '설비/원자재' 등의 필요성을 고려해 해당 '설계 7요소'에 'O'를 표기해 놓았다.

[표 A-20]은 공간 제약상 'O'으로 표시했지만 현업에선 어느 '설계 인자'인지 구체적으로 기록해야 한다. 사실 리더들이 가장 어려워하는 사항이 바로 무엇이 '설계 인자'인가이다. 이에 대해서는 [표 A-20]의 첫 행에 포함된 '핵심 기능-인형을 바꾼다'를 예로 상세하게 설명할 것이다. 다음 [표 A-21]은 '설계 7요소'와의 관련성('O'로 표시된 항목)에 대한 '설계 인자' 구체화의 예이다.

[표 A-21] '설계 7요소 대응법'을 이용한 '설계 인자' 발굴 예

핵심 기능 (CTF)	핵심 기능 요구 사항 (CFR)	최적 콘셉트	출처 (설계 7요소)	설계 요소	설계 원칙
				설계 인자	
인형을 바꾼다.	7점 만점 중 5.5점 이상(5명으로 구성된 4개 패널의 평가)		제품/서비스O	■ 인형 돌출 속도 ■ 구동전압 ■ 용수철 상수/복원력	시스템을 접을 수 있는 구조로 설계
			프로세스	■ 조립 Tact Time ■ 제품평가항목 종류	양산 대비한 조립성 반영
			인력시스템	■ 회로설계 연구원 비율 ■ 공학설계 연구원 비율	자체개발 위한 대학원 이상 전공자
			설비/장비/원자재	■ 원가수준 ■ 신규 조립설비 투자규모 ■ 원자재 구매처 확보여부	기존 토이 박스 원가+20% 수준으로 제작
게임을 형성한다.	결과 확인 1초 이내, 게임 난이도 하	인형의 탈출 여부 또는 도달 위치	제품/서비스	■ 인형무게 ■ 초기속도 ■ 내구성	인형이 루프를 도는 공학적 조건 설정
			…	…	…
…	…	…	…	…	…

[표 A-21] 내 '설계 인자' 열의 내용을 보면 기입해야 할(또는 이 단계에서

해야 할) 내용이 무엇인지 대략적인 윤곽을 잡을 수 있다. '설계 7요소' 중 '제품/서비스' 항목은 대부분 포함되는 것이 일반적인데 그 이유는 '핵심 기능(CTF)'의 대상이 늘 '제품(또는 상품)'이나 '서비스'이기 때문이다. 그 외의 것들은 상황에 따라 선택 유무가 결정된다. 내용을 좀 더 자세히 살펴보면, 우선 [표 A−21]의 '설계 7요소' 중 '제품/서비스'는 '핵심 기능(CTF)'을 보고 판단한다. '핵심 기능(CTF)'이 '인형을 바꾼다'이고, 이것으로부터 '루프를 따라 움직이는 인형'의 모습이 구상되었다. 이렇게 구성된 시스템이 동작한다고 상상하면 고려해야 할 다양한 인자들을 떠올릴 수 있는데, 예를 들면 루프가 오르내리는 반복 작동에 문제가 없는지(내구성), '인형'이 튀어나올 속도는 안정적으로 제어가 가능한 것인지(인형 돌출 속도), 필요한 '에너지 수준'은 어느 정도에서 설계해야 하는지(구동 전압), 만일 용수철이 필요하다면 그의 '상수'나 '복원력'은 얼마의 것을 사용해야 하는지 등이다.

그런데 이들을 설계할 때 반드시 고려할 내용은 [표 A−20]의 '핵심 기능'인 '부피를 가감한다'의 '최적 대안 − 접을 수 있도록'을 반영해야 한다는 점이다. '접지 못하면' 아무리 좋은 인자가 나와도 무용지물이다. 따라서 '설계 인자'를 다룰 때 반드시 고려하거나 반영할 사항들은 [표 A−21] 맨 끝 열인 '설계 원칙'에 기술한다. 물론 상세한 도면이나 근거가 필요하면 '개체 삽입' 기능이나 필요 정보가 저장된 정확한 위치를 입력한다. 또, 이 단계에서 '제어 인자'뿐만 아니라 '대안 인자'나 제품 제작에 필요한 각종 지침, 규정, 규격, 정보 등이 있으면 모두 '핵심 기능'과 연계시켜 꼼꼼하게 정리해 놓는다. 만일 상세 분석이 필요하면 이어질 'Step−9.2. 설계 요소 분석'의 검정 절차로 넘기고, '산출물'이면 'Step−9.3. 설계 요소별 산출물 실현'으로 넘겨 종합 정리한다.

중요한 것은 '핵심 기능(CTF)'과 '핵심 기능 요구 사항(CFR)'들에 필요한 '설계 요소'들이 무엇인지 이를 발굴하는 데 팀원들의 노력과 역량이 집중돼야 한다는 점이다. 다음 [그림 A−33]과 [그림 A−34]는 '설계 7요소 대응법'을 통한

'설계 인자' 발굴 과정을 파워포인트로 정리한 예이다.

[그림 A-33] 'Step-9.1. 설계 요소 발굴(설계 7요소 대응법)' 평가 예

Step-9. 상위수준 설계
Step-9.1. 설계요소 발굴(설계 7요소 대응법)

▶ '최적 콘셉트'와 '설계 7요소'를 각각 대응시키며 관련성을 점검하고, '설계인자' 도출에 활용.

핵심기능 (CTF)	핵심기능 요구사항 (CFR)	최적 콘셉트	설계 7요소						
			제품/서비스	프로세스	정보 시스템	인력 시스템	전략	모델	장비/원자재/설비
인형을 바꾼다.	7점 만점 중 5.5점 이상(5명으로 구성된 4개 패널의 평가)		O	O		O			O
게임을 형성한다.	결과 확인 1초 이내, 게임 난이도 하.	인형의 탈출여부 또는 도달 위치	O	O				O	O
외관을 바꾼다.	'Y'인 '고객 선호도' 12이상 (매장 방문자 40x40초 관찰)	강한 발광 +빛의 세기나 색, 동적 변화 등을 가미.	O						O
부피를 가감한다.	부피 40% 축소토록 조절 가능	접을 수 있도록	O						O
다양한 외부 자극을 안다.	외부자극 2개 이상 인식(이 기능을 통해 인형이나 외관 등이 작동)	소리 + 회전체	O			O			O
에너지를 적게 한다.	반영구적(기존 토이박스가 에너지 소비가 없었음을 고려)	 태양전지	O			O	O		O
친환경 성분을 정한다.	유아 장난감 국제 안전규격 만족(유해성분 함량, 위해 구조설계 등)	에틸렌 공중합체 수지+폴리비닐 알코올+분말 안정제	O		O		O		O
접착상태를 유지 한다.	접착력 250kgf 이상	<참고> 최적 성분비(혼합물 실험법) 결정.-> 상세설계에서 진행.	O						O

(협의내용)

-일시; 20xx.6.(5일). 참석자; 이설계 외 11명.

PS-Lab
Problem Solving Laboratory

파워포인트 장표엔 모든 내용이 포함될 수 없으므로 반드시 '개체 삽입' 기능을 사용해 토의 과정이나 의사 결정된 사항들의 배경이 관리될 수 있도록 한다. 제품을 설계하는 과정만큼이나 확보한 노하우의 중요성을 인식해야 한다. 향후 어느 조직이 어떤 방식으로 보관된 노하우를 사용할지 알 수 없다. 노하우 자료는 바로 기업의 '무형 자산'임을 명심하자.

[그림 A－34] 'Step－9.1. 설계 요소 발굴(설계 7요소 대응법)'을 통한 '설계 인자' 도출 예

Step-9. 상위수준 설계

Step-9.1. 설계요소 발굴(설계 7요소 대응법)

▶ '최적 콘셉트'와 '설계 7요소'를 각각 대응시키며 관련성을 점검한 뒤, 설계인자를 도출하고, 설계원칙을 설정함.

핵심기능 (CTF)	핵심기능 요구사항 (CFR)	최적 콘셉트	출처 (설계 7요소)	설계요소 설계인자	설계원칙
인형을 바꾼다.	7점 만점 중 5.5점 이상(5명으로 구성된 4개 패널의 평가)		제품/서비스	● 인형 돌출 속도 ● 구동전압 ● 용수철 상수/복원력	시스템 접을 수 있는 구조로 설계
			프로세스	● 조립 Tact Time ● 제품평가항목 종류	양산대비한 조립성 반영
			인력시스템	● 회로설계 연구원 비율 ● 공학설계 연구원 비율	자체개발 위한 대학원 이상 전공자
			설비/장비/원자재	● 원가수준 ● 신규 조립설비 투자규모 ● 원자재 구매처 확보여부	기존 토이박스 원가+20% 수준으로 제작
게임을 형성한다.	결과 확인 1초 이내, 게임 난이도 하.	인형의 탈출 여부 또는 도달 위치	제품/서비스	● 인형무게 ● 초기속도 ● 내구성	인형이 루프를 돌 수 있는 공학적 조건설정.
			...	...	...
...	...	...	...	...	...

(설계인자)

-일시; 20xx.6.(5일). 참석자; 이설계 외 11명.

PS-Lab Problem Solving Laboratory

앞서 설명했던 과정을 파워포인트 장표에 그대로 옮겨 놓았다. [그림 A－34]의 '핵심 기능(CTF)'이 총 8개([그림 A－33] 첫 번째 열 참조)이므로 이 모두에 대해 '설계 인자'가 발굴돼야 한다. 파워포인트 한 장에 각 '핵심 기능'별로 '설계 인자'를 나열하는 것도 좋지만 전체적인 흐름을 파악하기 위해 일부만을 싣고 나머지는 [그림 A－34]의 장표 오른쪽 예처럼 '개체 삽입' 기능을 활용하였다(고 가정한다). 작성 요령이므로 상황에 따라 적절히 대처하기 바란다.

지금까지 '설계 7요소 대응법'을 통해 가능한 '설계 인자'를 도출하였다. 그러나 이것만으로 설계하고자 하는 제품의 완벽을 보장한다고 장담할 수는 없으며, 할 수 있는 한 다양한 접근법을 통해 누락된 '설계 요소'들을 찾아내거나, 보완하는 노력이 필요하다. 물론 '설계 7요소 대응법'으로 '설계 요소' 도출이 완료될

수 있으나 복잡도가 높은 설계면 추가적인 발굴 과정으로 향후 발생 위험을 최소화한다. 예상 문제를 최소화시킬 도구에 '제품 설계 방법론'에서 가장 필수적인 'Design FMEA'가 있다. 매우 중요하며 이제부터 FMEA에 대해 알아보자.

9.1.3. Design FMEA법

'제품 설계 방법론'에서의 'FMEA(Failure Mode & Effect Analysis)'는 매우 중요한 역할을 담당한다. 탄생은 미국 해군이나 NASA의 위성 제작에 쓰이며 기술 분야에 적합한 도구로 성장했다. 1940년대 초부터 현재까지 약 80여 년간 그 효용성이 입증되면서 다양한 분야에 응용되고 있다. 필자와 FMEA의 인연은 나름 오랜 역사를 갖고 있다. 1998년도 삼성SDI 연구원 시절 수원·부산 공장의 엔지니어 약 150여 명을 대상으로 FMEA/FTA 사내 강사로 활동했으며, 그해 미국 오하이오주 클리블랜드 소재 NASA 연구소에서 신뢰성 교육을 받으며 FMEA의 실질적인 용도를 확인했었다. 국내에서는 삼성전자 TFT LCD 엔지니어 약 200여 명과 효성중공업 등에서 수년간 P-FMEA와 D-FMEA를 강의했으며 최근엔 직접 집필한 품질 시리즈 중 『Be the Solver_FMEA』편을 교재로 강의를 이어가고 있다.

'FMEA'는 군사 부문에서 민간 부문으로 전해지며 1980년대 초 Ford社에서 'Design FMEA'를 응용한 'Process FMEA'가 탄생했으며, 이후 전 산업 부문으로 확산되었고 'System FMEA', 'Machinery FMEA', 'Service FMEA' 등을 낳았다. 그러나 양식과 전개가 모두 동일하므로 정확한 용법만 알아두면 업무가 어느 분야에 속하든 같은 방식으로 활용이 가능하다. 또 한 가지 꼭 염두에 둘 사항이 있다. 업계에서 'FMEA 바이블'은 Ford社가 제작한 매뉴얼이다. 기술 분야에선 바로 Ford社의 매뉴얼 학습이 매우 중요하다. 그러나 수백 쪽에 이르는 용법을 본문에 옮기는 일은 제약이 많다. 따라서 FMEA 바이블을 원하는 독자는 필자의 Ford사 매뉴얼을 기반으로 한『Be the Solver_FMEA』편을 참고하고 본문에선 브레인스토밍을 활용한 일반 접근법을 소개한다.

현재 제품 설계를 하고 있고 FMEA 유형들 중 'Design FMEA'가 필요하다. '설계 요소(정확히는 잠재 인자)'를 도출하기 위해 FMEA가 어떻게 활용되는지, 또 용법은 현재 수행 중인 과제와 어떻게 연결되는지에 대해 상세히 알아보자. 다음 [표 A-22]는 'Design FMEA'용 일반 양식이다.

[표 A-22] Design FMEA 양식 예

No	아이템/기능	잠재적 고장 모드	잠재적 고장의 영향	심각도	분류	잠재적 고장의 원인/메커니즘	발생도	현 설계 관리	검출도	RPN	권고 조치 사항	책임자 및 목표 완료 예정일	조치 결과				
													조치 내용	심각도	발생도	검출도	RPN

제품 설계를 위한 'Design FMEA' 경우 두 번째 열이 '아이템 또는 기능'으로 돼 있는데 여기서 '아이템(Item)'이란 '부품'을, '기능(Function)'은 '부품의 역할'을 지칭한다. 다음은 FMEA 용법을 이해하는 데 도움 되는 사례이다.

"1986년 1월 28일 플로리다에서 발사된 우주왕복선 챌린저호가 이륙한 지 73초 만에 공중 폭발하는 충격적인 사고가 발생하였다. 원인은 오른쪽 보조 추진 로켓의 'O-ring'이 주변 온도가 낮아 같은 비율로 팽창하지 않은 때문인데 틈 새로 새어나온 고온 고압의 연료에 불이 붙어 공중 분해되는 사고로 이어진 것이었다. 그런데 그 'O-ring'의 제작사인 모톤 치오콜社의 한 엔지니어가 발사 1년 전인 1985년 1월부터 계속적으로 'O-ring'의 기능 상실 가능성을 제기하였으며, 발사 직전 회의 때까지도 발사를 취소하거나 연기할 것을 반복해서 요청하였으나 고위 관리자들에 의해 일정대로 추진된 것이 화를 자초하고 말았다."

사고 내용은 필자가 FMEA 강의를 할 때 빠트리지 않고 인용하는 예이다. 우주 왕복선처럼 수십만 개의 부품들로 이루어진 복합체임에도 그 부분품과 관련된 엔지니어는 치명적인 결과의 가능성을 사전에 잘 인지했다. 그것도 자그마치 1년 전에 말이다. 즉, [표 A-22]의 'FMEA 양식' 중 두 번째 열의 '아이템 또는 기능'에 부품인 'O-ring'을 집어넣고 무슨 잘못될 가능성이 있는지(세 번째 열인 '잠재적 고장 모드')를 적어 나가면 그로부터 전체 시스템에 어떤 영향이 미치는지(네 번째 열인 '잠재적 고장의 영향')를 찾을 수 있다. 예를 든 챌린저호 경우 다음 [표 A-23]으로 정리된다.

[표 A-23] 챌린저 사고의 Design FMEA 작성 예

No	아이템/기능	잠재적 고장 모드	잠재적 고장의 영향	심각도	분류	잠재적 고장의 원인/메커니즘	발생도	현 설계 관리	검출도	RPN	권고 조치 사항
1	O-ring	불균일한 팽창	가스 샘으로 폭발	10		저온	2	없음	8	160	교체

예에서 일곱 번째 열인 '잠재적 고장의 원인/메커니즘'의 '저온'이 원인이 돼

서, 세 번째 열인 '잠재적 고장 모드' 내 'O-ring'의 '불균일한 팽창'으로, 네 번째 열인 '잠재적 고장의 영향'의 '가스 샘으로 폭발'이라는 인과성을 갖는 사건이 정리되었다. 여기서 '심각도'는 'Severity'의 약자인 'SEV'로도 쓰며 '폭발' 자체가 매우 심각한 상황일 것이므로 가장 높은 '10점'이 부여되었다. 또 '발생도'는 'Occurrence'의 줄임말로 'OCC'로도 쓰인다. '저온' 때문에 사고가 나는 경우가 얼마나 자주 있을 것인가를 '1~10'의 숫자로 표기한다. 예는 매우 희귀한 사건으로 보고 아주 낮은 '2'를 부여했다. 끝으로 '검출도'는 'Detection'으로 'DET'로도 쓰인다. 사고가 발생하면 그 원인을 얼마나 빨리 알아내는 가는 현재 어떻게 관리(아홉 번째 열인 '현 설계 관리')하고 있는가에 달려 있으므로 체계가 있으면 원인 파악이 그만큼 빨라 조치도 쉬워지겠지만 그렇지 않으면 원인 규명을 못해 심각한 문제가 초래될 수 있다. 챌린저호 경우 문제 제기가 되었으나 상태 규명이 어려운 관계로 '8'이라는 점수를 부여해보았다. 결국 'RPN(Risk Priority Number: 위험우선순위 수)'은 '160(=SEV×OCC×DET)'인 높은 수준으로 평가되었다. 그런데 지금까지 설명된 'FMEA' 용법이 도대체 과제와 무슨 관련성이 있는 것인가? 아마 의문을 제기할 수 있다. 답변을 위해 사전 지식 습득 차원에서 부연한 뒤 다시 본론으로 돌아오겠다.

앞서 챌린저호의 공중 폭발이 있기 1년 전 모틴 치오클社의 한 'O-ring'개발 담당 엔지니어가 주변 기온이 낮아질 경우 부품에 문제가 발생할 수 있음을 주장했다고 하였다. 이와 같이 시스템의 가장 하위를 이루는 개별 부품들의 개발자들은 그것들이 어느 상황에서 어떤 잘못될 가능성들(고장 모드)이 존재할지를 거의 완벽하게 알고 있다. NASA에서는 다양한 경로로부터 입수된 부품들을 조립하여 하나의 위성을 제작하므로 완성된 위성(시스템) 시각에서 유발되는 문제점과 그를 구성하고 있는 부품들과의 연계성을 추적하기엔 분명 한계가 있다. 따라서 만일 부품 하나하나를 제작한 엔지니어들이 각자가 만든 부품들의 잘못될 가능성(설사 발생 가능성이 낮더라도)들이 무엇인지, 또 실제 발생하면 전체 시스템에 어떤 영향을 미칠 것인지, 또 그 부품이 잘못되는 원인은 무엇인지 등을 정리해서 실제 발생 가능한 순서별로 요약해준다면 위성과 같은 시스템을 다루는 NASA(Set Maker)는 문제 발견 시 원인 추적에 큰 도움을 받을 수 있다.

그러나 'FMEA'는 사후 약방문처럼 문제가 발생한 뒤 원인을 추적하는 용도로 쓰이는 문서가 아니다. 전체 시스템이 완성되기 훨씬 전 부품들의 윤곽이 나오는 시점부터 작성을 시작한다는 데 막대한 영향력이 있다. 즉, 사전에 미리 문제점을 끄집어내는 용도이며, 미리 문제를 알고 있으므로 사전에 개선이나 해결이 가능하다. 따라서 교육 중에 'FMEA'를 한마디로 표현해서 '~전(前)'이라고 강조하는 이유이기도 하다.

다른 예로 제품 개발에서의 FMEA 용법에 대해 한 단계 더 들어가 보자. 만일 종이를 사람이 직접 일정 크기로 잘라내는 공정이 있다고 하자. 담당자는 종이 자르는 단순 작업을 계속할 것이며 이때 칼이 자꾸 무뎌져 업무 효율을 저하시키는 원인이 되었다. 담당자는 칼끝이 무뎌져도 업무 효율을 떨어트리지 않고 계속 사용할 수 있는 대안을 고민하기 시작했으며, 여러 방법들을 시도해본 결과 칼이 무뎌졌을 때 그 끝을 잘라내는 것이 가장 효과적이라는 걸 알게 되었다. 그러나 균일하게 하면서 쉽게 잘라낼 수 있는 묘안이 떠오르지 않아 생각은 거기서 멈춰 있었다. 수년이 지난 어느 날 우편물 배송을 위해 우체국에 들른 담당자는 우표를 받아 쥐면서 촘촘히 뚫린 구멍들이 우표들을 잘라내기 쉽게 한다는 것을 발견했다. 그리고 자기가 쓰는 칼에 일정 간격으로 홈을 파서 필요할 때 떨어져 나가도록 설계를 완성하고 이것을 대량 생산에 이르게 하였다. 바로 주변에서 쉽게 구입할 수 있는 '커터 칼'의 발명 과정이며, 담당자는 일본의 '니혼 전사지社'에서 일하던 '오모'라는 사람이다. 이 상황을 'Design FMEA'로 작성해 보면 다음 [표 A-24]와 같다.

[표 A-24] '전사지 자름 칼'의 Design FMEA 작성 예

No	아이템/기능	잠재적 고장 모드	잠재적 고장의 영향	심각도	분류	잠재적 고장의 원인/메커니즘	발생도	현 설계 관리	검출도	RPN	권고 조치 사항
1	전사지용 칼	무뎌짐	업무효율 저하	8		오래 사용	8	눈으로 확인	3	192	교체

즉, '원인 → 고장 모드 → 영향'의 과정으로 재구성하면 "오래 사용해서(Cause) 칼의 무뎌짐이 발생하고(Failure Mode) 그에 따라 업무 효율이 저하(Effects)되는 사건"을 말한다. '업무 효율이 저하'되므로 '심각도(SEV)'는 '8'의 높은 값을, 이런 사건의 발생 빈도도 높으므로 '발생도(OCC)' 역시 높은 '8', 대신에 '무뎌짐'은 눈으로 관리하되 빨리 인지할 수 있으므로 '검출도(DET)'는 낮은 '3'을 부여해서 이들을 곱한 총 'RPN'은 '192'의 높은 위험 우선순위를 얻었다. 그러나 이것은 현재의 현상일 뿐 'FMEA' 본래 용도인 '~전'의 모습은 아니다. 그래서 아직 '커터 칼'이 개발되기 이전인 '오모'가 개선하려고 애쓰던 시점으로 돌아가 보자.

'오모'는 업무 효율을 높이기 위해 칼이 무뎌졌을 때 잘라내서 계속 재활용하는 것이 효과적이라는 것은 알고 있었다. 그런데 제품(칼)에 어떻게 그런 효과를 낼 수 있도록 해줄 것인가, 다시 말해 설계 용어로 어떤 '기능(Function)'을 부여해줄 것인가를 고민한 것으로 구체화할 수 있다. '오모'가 우표를 보고 아이디어를 얻기 전이므로 이 단계에서 만일 'FMEA'를 작성한다면 어떤 모습이 될까? 실제 연구 개발 과정에서 필요한 '기능(Function)'은 찾아냈지만 아직 그를 실현시킬 '부품'이나 '재료' 또는 '작동 원리'가 마련되기 전의 시점과 정확히 일치한다. 다음 [표 A-25]는 '기능(Function)'만을 알고 있는 상황에서 작성된 'Design FMEA' 예이다.

[표 A－25] '전사지 자름 칼'의 Design FMEA(기능 관점) 작성 예

No	아이템/기능	잠재적 고장 모드	잠재적 고장의 영향	심각도	분류	잠재적 고장의 원인/메커니즘	발생도	현 설계 관리	검출도	RPN	권고 조치 사항
1	쉽게 잘라지게 하는 기능	날 끝이 불균일하게 잘라짐.	종이 자를 때 찢어짐.	10		자를 때 칼 끝에 불균일한 힘이 가해짐.	8	니퍼로 자름.	2	160	날 끝이 일정하게 잘리도록 아이디어 발굴
		잘리는 조각이 일정하지 않음.	칼을 새것으로 교체	4		힘의 전달이 일정치 않음.	7	니퍼로 자름.	2	56	일정한 크기로 잘리도록 아이디어 발굴

[표 A－24]와 [표 A－25]의 차이점은 무엇일까? 우선 '두 번째 열(아이템 또는 기능)'의 내용이 [표 A－24]는 부품명인 '전사지 자름 칼'이고, [표 A－25]는 '쉽게 잘라지게 하는 기능', 즉 '기능(Function)'이 들어가 있다. 아직 '기능'을 실현시킬 '부품'이나 '모습'이 결정되지(연구되거나 발견되지) 않은 단계이기 때문이다. 이런 설계 과정을 '구상 설계'라 하였다. 두 번째 열의 제목을 보면 '아이템 또는 기능'으로 돼 있는데, [표 A－24] 경우는 부품이 확정돼 있으므로 '아이템'에 대응하는 반면, '구상 설계'에서는 아직 확정된 것이 없으므로 '아이템'이 아닌 '기능'에 대응한다. 또, 개발자인 '오모'가 '구상 설계' 시점에 예상되는 '원인 → 고장 모드 → 영향'의 사건을 배열하면, 하나는 "자를 때 칼끝에 불균일한 힘이 가해져서(Cause) 날 끝이 불균일하게 잘라지면(Failure Mode) 종이 자를 때 찢어짐(Effects)"과, 다른 하나는 "자르는 힘의 전달이 일정치 않아서(Cause) 잘리는 조각이 일정하지 않게 되고(Failure Mode) 결국 칼을 새것으로 교체(Effects)"하는 두 가지로 정리된다. 이들 중 첫 번째 예상되는 사건이 종이를 잘 잘라야 하는데 그렇지 못한 경우이므로 위험도(RPN)가 큰 값인 '160'을

보인다. 그리고 역시 초기 개발 단계이므로 [표 A－25]의 맨 끝 열 '권고 조치 사항'에는 날 끝이 일정하게 잘리도록 '새로운 아이디어 발굴'의 필요성이 제기돼 있다(즉, 개발, 보완 기회를 얻음). 이들 모두는 아직 개발되지 않은 '커터 칼' 이전의 과정이므로 실제 발생된 상황은 아니며, 따라서 [표 A－25]의 열 제목에 모두 '잠재적(Potential)'이라는 단어가 공통으로 포함돼 있는 이유이다-'잠재적 고장 모드', '잠재적 고장의 영향', '잠재적 고장의 원인/메커니즘' 등.

지금까지의 설명을 이해한 리더라면 '제품 설계 방법론'에서 'D–FMEA'를 어떻게 활용해야 하는지 파악했을 줄 안다. 현재 새로운 제품을 개발하는 과정에 있으며, 지금까지 확실하게 결정돼 있는 것은 [그림 A－33]의 첫 열과 같은 '핵심 기능(CTF)'들 뿐이다. [표 A－22]에 제시된 'FMEA' 양식의 첫 번째 열이 '아이템 또는 기능'이다. 즉, 현재 개발 단계에서 결정된 것은 '기능'들이므로 이들이 '입력' 대상이 돼야 한다는 점과 만일 '부품'이 결정돼 있으면 그 '부품명'을 입력한 뒤 그것의 예상되는 잘못될 가능성, 즉 '고장 모드'를 적출한다. 이 과정 중에 아직 드러나진 않았지만 유발시키는 '잠재 원인(Potential Causes)'이 적출될 것이고, 이것이 현재 발굴하고자 하는 '잠재 인자'이다. '토이 박스 개발' 과제로 돌아와 'Design FMEA'를 작성하면 다음 [표 A－26]의 모습이 될 것이다.

[표 A－26]을 보면 '아이템 또는 기능' 열에 '핵심 기능'과 '부품'이 입력돼 있다. 기업에 따라 '부품'과 '기능' 열을 따로 구분하는 경우도 있으며, 이 단계에서 대부분의 '부품'이 결정돼 있으면 'Part No'로 명명된 '부품 번호' 열을 추가할 수 있다. 'Part No'는 설계 도면의 '부품 번호'와 일치할 것이다. 'RPN' 열을 보면 '100'이 넘는 경우에 굵은 빨강으로 강조해 놓았는데 설계 시 중점적으로 처리할 것임을 시사한다. 'RPN=162' 경우 "루프 회전 동력 미달로 인형 회전이 안 돼 게임 불가"라는 잠재 사건을 찾아냈다. '현 설계 관리'에 기입된 '동역학 모델링'은 이런 잠재 사건을 확인할 관리 상태를 나타낸다. 따라서 이 사건

[표 A-26] Design FMEA 작성 예

No	아이템/기능	잠재적 고장 모드	잠재적 고장의 영향	심각도	분류	잠재적 고장의 원인/메커니즘	발생도	현 설계 관리	검출도	RPN	권고 조치 사항
1	인형을 바꾼다.	인형 돌출 안 됨.	교체비용 증가	9		스프링 탄성 상실	2	동역학 모델링	3	54	-
2	인형을 바꾼다.	인형 돌출 안 됨.	교체비용 증가	9		회로의 돌출감지 실패	3	회로 설계	3	81	-
3	인형을 바꾼다.	인형 루프 돌지 못함.	게임 불가	9		루프 회전동력 미달	6	동역학 모델링	3	162	동역할 모델링 검정[가설 검정(Step-9.2. 설계 요소 분석)]
	…	…	…			…		…			…
26	인형을 바꾼다.	인형 탈출 못함.	게임 불가	9		인형 무게중심 이동	3	샘플 테스트	2	54	필요 시 Sample Test
27	부피를 가감한다.	힌지 헐거움.	접히지 않음.	8		잦은 사용으로 마모	7	가속수명 시험	3	168	가속수명시험 (Step-9.3. 설계 요소 별 산출물 실현)
28	부피를 가감한다.	부품이 두꺼움.	휴대 어려움.	6		초기 설계 미숙	4	로드맵 심화교육	2	48	-
	…	…	…			…		…			…
96	태양 전지	셀 파손	구동불가	9		Bypass 소재고장	1	고장설계	4	36	-
97	태양 전지	충전 안 됨.	오작동	8		光 유입량 부족	7	회로설계	2	112	가설 검정
98	태양 전지	光기전력 저하	오작동	8		전지판 효율 미달	5	회로설계	5	200	가설 검정
	…	…	…			…		…			…

이 제품 생산 후 발생되는 것을 사전 차단하기 위해 '권고 조치 사항', 즉 '설계 방향'에 "동역학 모델링 검정"이 기재돼 있고 'Step-9.2. 설계 요소 분석'에서 진행될 것이므로 '가설 검정(Step-9.2. 설계 요소 분석)'도 함께 입력돼 있다. 또, 'RPN=168' 경우 "잦은 사용으로 힌지가 마모돼 헐거워짐에 따라 부피 감소를 위한 접힘이 안 되는 사건"이며, 힌지의 수명을 확인하기 위해 'Step-9.2. 설계 요소 분석'에서 수명에 미치는 핵심 인자(통상 '부하'라 함)를 찾은 뒤 'Step-9.3. 설계 요소별 산출물 실현'에서 '(가속)수명 시험'을 진행한다. 짧은 기간에 힌지의 내구성 확인이 어려우므로 '가속 시험'이 필요하다. 다음은

'RPN=112'와 '200'인 '태양 전지'의 잠재 사건인데 이에 대해선 좀 더 상세한 설명이 필요하다. 이들에 대해 알아보자.

사실 대부분의 연구 과제가 'Step-9.1. 설계 요소 발굴' 직전 단계인 'Step-8.2. 최적 콘셉트 평가/선정'에서 이미 부품들이 결정된다. 이런 경우라면 굳이 [표 A-26]의 '아이템 또는 기능' 열에 '핵심 기능(CTF)'을 입력할 필요는 없다. 특히 '부피를 가감한다' 경우 이미 '잠재적 고장 모드' 열에 '힌지 헐거움'과 같이 '힌지'라는 '부품'이 있으므로 '아이템 또는 기능' 열에 '부피를 가감한다' 대신 '힌지'라고 직접 입력하는 것이 올바르다. 이와 같이 단일 부품은 직접 그 명칭을 입력하지만 [표 A-26]의 입력 예에서처럼 '태양 전지'는 양상에 차이가 있다. 즉, '태양 전지'는 단일 부품이라기보다 몇 종의 부품들로 이루어진 모듈이기 때문이다. '태양 전지'의 기본 구조는 다음 [그림 A-35]와 같다.

[그림 A-35] '태양 전지'의 일반적 구조 예

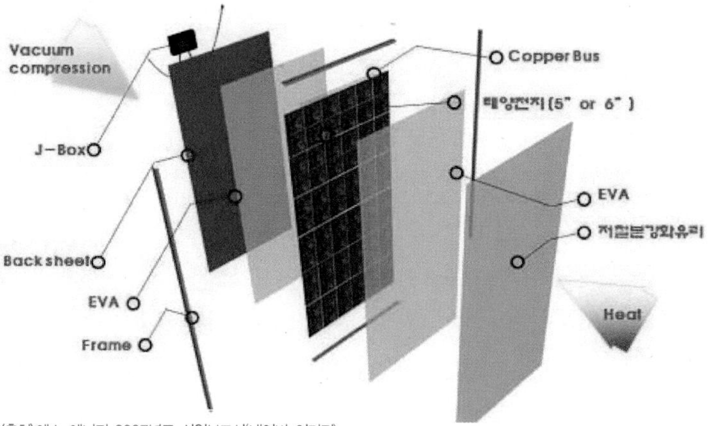

〈출처〉에스 에너지 2007년도 사업보고서(네이버 이미지)

[그림 A－35]와 같이 '태양 전지 모듈(PV Module)'은 표면 유리(저철분 강화 유리), 충진재(EVA, Ethylene Vinyl Acetate), 태양 전지 셀, 후면 시트(Back Sheet) 등으로 구성되는데 만일 [표 A－26]의 '아이템 또는 기능' 열에 이들을 각각 입력하면 어떻게 될까? 아마 부자재들의 '고장 모드'가 발굴되면서 다양하고 매우 분석적인 잠재 문제들이 기술될 것이다. 그러나 '토이 박스' 설계자 입장에선 설사 '태양 전지'에 대한 문제들이 적출되더라도 그들을 설계 과정 중에 해결할 방법은 극히 제한적이다. 딱히 '태양 전지 모듈'을 바꿔주든가 아니면 고장이 덜한 높은 품질의 모듈을 찾아보는 작업이 유일한 해법일지 모른다. 따라서 이미 결정된 '태양 전지'는 그를 구성하는 각각의 부자재들을 입력으로 하기보다 '태양 전지 모듈' 자체를 입력으로 하는 것이 바람직하다. 이때 도출될 문제점들에 대한 '설계 방향'은 현재 시중에 판매되는 제품을 조사하거나 정 없으면 제품에 맞도록 약간의 개발 과정이 포함될 수 있다(물론 이때도 '태양 전지 모듈' 업체에 특성에 맞는 제품이 될 수 있도록 개발 요청을 하게 될 것이다). 이와 같이 <u>'아이템 또는 기능' 열에 입력될 부품의 수준을 결정하는 작업을 '해석 레벨의 결정'</u>이라고 한다. [표 A－26]의 '태양 전지'는 '부자재'보다 '모듈'의 형태가 적절하다고 판단한 예이며, 'RPN=112'와 'RPN=200'은 '광 유입량 부족'이나 '전지판 효율 미달' 원인이 '충전'이나 '광기전력' 저하로 나타나 제품의 '오동작' 가능성을 지적한 것이다. 이것의 '설계 방향'은 '가설 검정'이며, '토이 박스' 작동에 필요한 전기에너지 양과 '태양 전지 모듈'이 생성할 전기 에너지 양의 비교 분석으로부터 그 사용 가능성 또는 상세 설계 방향 등을 확인하게 될 것이다.

'해석 레벨의 결정'에 이어 <u>또 한 가지 염두에 둘 사항이 'PSA(Part Stress Analysis)'이다</u>. [그림 A－36]은 'D－FMEA'와 연계된 활동들이다.

[그림 A-36] 'D-FMEA' 개요

그림에서 'Design FMEA'는 작성 전 'PSA'와, 작성 후 'DR(Design Review)'과 연계돼 있음을 알 수 있다. 'DR'은 'Step-9.4. 상위 수준 설계 검토'에서 이루어지므로 여기서는 'D-FMEA' 작성 과정에 맞게 'PSA'에 대해 알아보자. 'PSA(Part Stress Analysis)'는 용어가 사전에 기술된 것은 없지만 일반적으로 다음과 같이 설명할 수 있다(번역과 원문도 함께 실음).

> · PSA(Part Stress Analysis) PSA는 시스템이 주어진 시간 안에 얼마나 자주 기능을 상실하는가! 즉, '시스템 고장률' 추정을 위해 필요한 '신뢰도 예측 분석' 활동이다. 이때 정확한 고장률 추정을 위해 부품들에 대한 상세정보가 사전 요구된다. 통상 부품의 파라미터들 및 그와 관련된 스트레스 파라미터들을 곱해 '파이 인자(Pi Factors)'들을 생성하는데 이로부터 '예측된 고장률'과 'MTBF(Mean Time Between Failures)'를 얻어낸다.
> (원문) A parts stress analysis is a reliability prediction analysis that provides an estimate of a system's failure rate – how often the system will fail in a given time period. A part stress analysis takes detailed information about the components into account, to offer an accurate estimate of the failure rate. Both part parameters and stress-related parameters are used to create the pi factors that are generally multiplied together to provide the predicted failure rate and Mean Time Between Failures (MTBF).

'부품의 신뢰도 예측'은 주로 『MIL-HDBK-217』을 염두에 두는 것이 일반적인데 이것은 '신뢰도 예측'의 원조 격 표준으로 거의 모든 전자 부품들에 대한 수학적 모델을 제공한다. 전자 부품에 대한 것이므로 국방성뿐만 아니라 일반 민간 기업 등 모든 분야에 활용될 수 있다. 우선 'Part Stress Analysis'에 단어 'Stress'가 있는데 이것은 '물리적 힘'인 '장력(Tension)', '응압(Compression)', '전단 응력(Shear)', '비트는 힘(Torsion)', '휨 응력(Bending)' 또는 그들의 조합으로 물체에 변형을 일으키는 '변형력(응력)'을 의미한다. 그러나 용어 정의상 주로 '기계적인 부분(Mechanics)'에 한정되는데 개념을 조금 확장하면 '열응력(Temperature Stress)'[76]이나 '전기적 스트레스(Electrical Stress)'[77]와 같이 전자 부품 영역까지 포함시킬 수 있다. 다시 'PSA'를 종합하면 다음과 같이 정리할 수 있다.

· PSA(Part Stress Analysis) 제품을 구성하는 각 부품에 가해질 스트레스를 연구하고, 그로부터 얻어진 부품들의 고장률을 통해 전체 시스템의 고장률을 예측하는 활동.

정의를 따른다면 현재 개발 중인 제품 구성품들에 어떤 스트레스가 가해질 것이며, 이로부터 나타날 현상은 어떤 것들이 있는지 짐작하는 데 매우 큰 도움을 준다. 따라서 'PSA' 활동을 통해 현재 정해 놓은 부품들의 '고장 모드(Failure Mode)'를 파악할 수 있으며, 내역들을 [표 A－26]의 3번째 열인 '잠재적 고장 모드'에 입력한 뒤 위험도가 큰 사건에 대해 고장률 예측 등을 수행할 수 있다. 『MIL－HDBK－217』의 'Introduction'에 의하면 "부품들의 신뢰도 예측은 FMECA[78]에 있는 고장 사건들의 확률 평가에 사용된다"의 표현과 상통한다고

76) 일반적으로 'Thermal Stress'로 불린다.
77) 사전적 정의는 없으나 『MIL－HDBK－217』에 포함된 용어임.
78) FMEA가 정성적 평가인 데 비해, FMECA는 정량적 평가를 지향한다.

볼 수 있다.

상황을 환기하면 현재 'D-FMEA'를 작성 중에 있으며, 그중 [표 A-26]의 2번째, 3번째 열의 입력에 대해 논하고 있다. 사용될 부품들의 'PSA'활동을 수행하면 적어도 그 부품의 '고장 모드'가 정리되고, 그로부터 훨씬 더 의미 있는 FMEA 작성이 수행될 수 있다. 다음은 부품 유형별 일반적으로 알려진 '고장 모드'를 나타낸다.

[그림 A-37] '기계 부품'과 '전자 부품'별 '고장 모드' 예

Device Type	Failure Mode	α
Accumulator, Tank	Leaking	0.47
	Seized	0.23
	Worn	0.20
	Contaminated	0.10
Actuator	Spurious Position Change	0.36
	Binding	0.27
	Leaking	0.22
	Seized	0.15
Alarm, Annunciator	False Indication	0.48
	Failure to Operate on Demand	0.29
	Spurious Operation	0.18
	Degraded Alarm	0.05
Battery, Rechargeable, Ni-Cd	Degraded Output	0.72
	No Output	0.28
Bearing	Binding/Sticking	0.50
	Excessive Play	0.43
	Contaminated	0.07
Belt	Excessive Wear	0.75
	Broken	0.25
Blower Assembly	Bearing Failure	0.45
	Sensor Failure	0.16

Device Type	Failure Mode	α
Diode, Rectifier	Short	0.51
	Open	0.29
	Parameter Change	0.20
Diode, Silicon Control Rectifier (SCR)	Short	0.98
	Open	0.02
Diode, Small Signal	Parameter Change	0.58
	Open	0.24
	Short	0.18
Lamp/Light	No Illumination	0.67
	Loss of Illumination	0.33
Liquid Crystal Display	Dim Rows	0.39
	Blank Display	0.22
	Flickering Rows	0.20
	Missing Elements	0.19
Mechanical Filter	Leaking	0.67
	Clogged	0.33
Meter	Faulty Indication	0.51
	Unable to Adjust	0.23
	Open	0.14
	No Indication	0.12
Microwave, Diode	Open	0.60
	Parameter Change	0.28
	Short	0.12

<출처> SRC(System Reliability Center)

번역 중 의미가 잘못 전달될 수 있어 영문 그대로 옮겨 놓았다. '고장 모드' 옆에 'α'가 있는데 이것은 '고장 모드 확률(Failure Mode Probability)'로 앞서 'PSA'에서 언급한 부품의 '고장률'을 나타낸다. 이와 같이 '고장 모드'와 함께

'고장률'을 조사해서 함께 정리하면 'FMEA'가 위험도가 높은 부품들에 대한 'PSA' 활동에 큰 역할을 할 것이다. 'RPN'이 높은 것들은 'Step-9.2. 설계 요소 분석'으로 넘겨 확인(검정)작업을 거치고, '산출물'이 필요한 경우는 'Step-9.3. 설계 요소별 산출물 실현'에서 구체화 작업을 수행한다. 다음 [표 A-27]은 'Design FMEA' 수행 후 발굴된 '잠재 인자'를 정리한 예이다.

[표 A-27] 'Design FMEA'를 이용한 '잠재 인자' 발굴 예

출처	핵심 기능 (CTF)/부품	설계 요소	설계 방향 (권고 조치 사항)	설계 원칙	비 고
		잠재 인자			
Design FMEA	인형을 바꾼다.	루프 회전동력 미달	동역학 모델링	인형이 이탈할 수 있는 용수철 상수 설정	Step-9.2. 설계 요소 분석
	...	...	...	...	...
	부피를 가감한다.	잦은 사용으로 마모(힌지)	가속수명 시험	고객요구인 5만 회 달성하도록 설계하되 영향 주는 스트레스를 발굴	'Step-9.2. 설계 요소 분석'
	...	...	...	...	...
	태양 전지	광 유입량 부족	회로설계	생성전력과 소비전력 비교 분석	'Step-9.2. 설계 요소 분석'
		전지판 효율 미달	회로설계		'Step-9.2. 설계 요소 분석'
	...	...	...	...	...
	...	...	...	...	...

[표 A-27]의 '설계 방향'은 'FMEA'의 '권고 조치 사항'의 내용이며, '현 설계 관리'에서 언급된 관리 방법대로 'Step-9.2. 설계 요소 분석'에서 진행한다. 「9.1.1. 설계 7요소 대응법」에서 결과로 정리된 [표 A-21]과 방금 정리된 [표 A-27]을 '출처', '설계 요소', '설계 원칙' 열들과 서로 비교해보면 쉽게 그 연계성을 확인할 수 있다.

FMEA로부터 도출된 '설계 요소'들에 대한 검증 작업은 양식 [표 A-22] 중 지금껏 설명이 안 된 '권고 조치 사항' 이후의 열들을 통해 이루어지며, 이때 'RPN'을 재평가해서 위험 수준이 초기 설계에 비해 낮아졌는지를 확인한다. 다음 [표 A-28]은 'FMEA' 양식 중 개선에 대한 검증 영역인 'FMEA 재평가'를 나타낸다. 이 부분의 용법에 대해서는 'Step-9.4. 상위 수준 설계 검토'에서 추가로 다루어질 것이다.

[표 A-28] Design FMEA 양식 중 '재평가 영역' 예

No	아이템/기능	잠재적 고장 모드	잠재적 고장의 영향	심각도	분류	잠재적 고장의 원인/메커니즘	발생도	현 설계 관리	검출도	RPN	권고 조치 사항	책임자 및 목표 완료 예정일	조치 결과				
													조치 내용	심각도	발생도	검출도	RPN

사실 교육 중 'FMEA'의 필요성을 역설하기 위해 [그림 A-38]과 같은 개념도를 사용하곤 한다.

[그림 A-38]에서 둥근 원들은 설계 과제를 수행하기 위해 필요한 '아주 중요한 일(큰 원)'들, '중요한 일(중간 크기 원)'들, 그 외에 '여러 해야 할 일(작은 원)'들을 나타낸다. 이때 원들 사이사이 공간은 무엇을 의미할까? 중요하다고 알려져 있는 일(원)들만으로 전체 원기둥 골격을 건실하게 유지할 수 있을지에 대해 고민해보자. 리더가 수행하는 설계 과정엔 사실 느끼지 못하거나 몰라서 또는

드러나 있지 않아서 예기치 못한 결과로 치닫는 경우가 종종 있다. 만들어 놓고 제품이 설계대로 작동하지 않거나 시간적 갭을 두고 문제점들이 노출되는 경우 등이다. 이런 유형들을 '잠재적 ○○'로 표현하며 [그림 A-38]에서 관리의 손끝이 잘 안 닿는 빈 공간에 비유된다. FMEA를 수행한다는 의미는 바로 보이진 않지만 마치 시멘트를 붓듯이 전체를 견고하게 만든다는 의미로 해석한다. 즉, 'FMEA' 작성을 통해 눈에 보이지 않는 다양한 개발 과정의 문제점들을 들춰내서 사전에 개선하는 것이다. 한마디로 "문제가 일어나기 전에 개선을 하는 유일한 도구"로 칭할 수 있다.

[그림 A-38] FMEA 역할 개념도

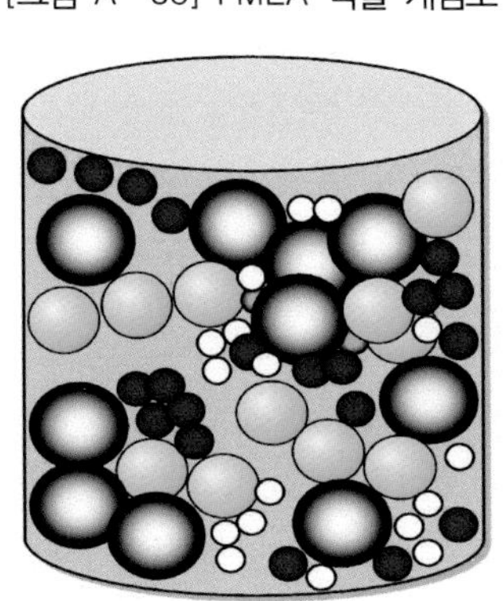

개발과 비용과의 관계에서 다음 [그림 A-39]는 '콘셉트 설계('구상 설계'로 돼 있음)'부터 '상세 설계('설계 및 개발 단계'로 돼 있음)'까지의 소요 비용이 전체 중 차지하는 비율은 약 95%이며, 특히 이 기간에 제품 신뢰성의 약 70~80%가 결정되는 만큼 신뢰성 확보에 노력해야 함을 엿볼 수 있다.[79)]

79) 「LTCC M-모듈의 신뢰성 설계사례」(박정원, 박훈) 인용.

[그림 A-39] 제품 개발 3단계와 Life Cycle Cost(%)

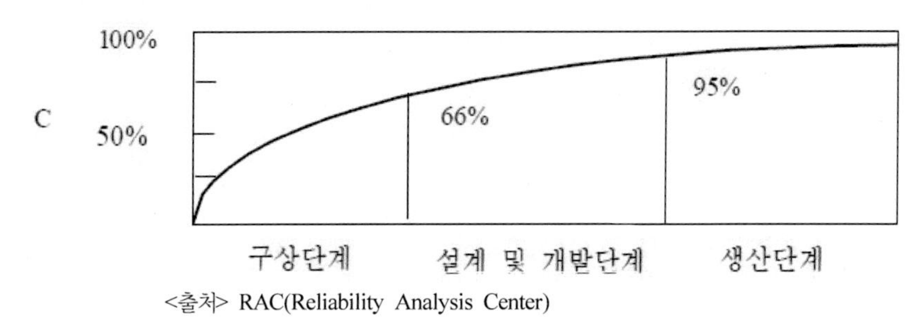

<출처> RAC(Reliability Analysis Center)

따라서 초기 개발 단계 중 주요 잠재 문제가 누락되면 이들을 보완하는 데 비용이 계속 누적될 수밖에 없다. 'FMEA' 수행을 단순히 '잠재 인자'를 찾으려는 목적이 아닌 설계의 완성도를 높여줄 아주 중요한 기회로 삼아야 하며, 제품 설계 과정에서 반드시 수행해야 할 절차로 인식된다.

'FMEA'는 설계의 완성도를 검증하는 용도로 계속 활용하면서 갱신한다. 사실 'FMEA' 용법의 중요성에 비추어볼 때 훨씬 더 자세히 소개하고 싶지만 로드맵에 집중하고자 하는 본래의 취지에서 벗어나므로 이쯤에서 마무리한다. 국내에서는 'FMEA'에 대한 서적이 눈에 잘 띄지 않는다. 20여 년 전 『100PPM 품질경영 (Ⅱ)』(노형진, 정경훈 저, 도서출판 컴퓨러)란 책[80]에서 'DR(Design Review)', 'FTA(Fault Tree Analysis)'와 함께 잘 다루어진 경우가 있었으나 지금은 서점에서 찾아보기 어렵다. 자세한 용법을 원하는 독자는 필자가 쓴 『Be the Solver_FMEA』편을 참고하기 바란다. 다음 [그림 A-40]과 [그림 A-41]은 '잠재 인자' 발굴에 대한 과정과 결과를 파워포인트로 표현한 예이다. 참고하기 바란다.

80) 현재는 '품절' 상태에 있다.

[그림 A-40] 'Step-9.1. 설계 요소 발굴(Design FMEA법)' 예(잠재 인자)

Step-9. 상위수준 설계

Step-9.1. 설계요소 발굴(Design FMEA법)

▶ '최적 콘셉트'의 매개체인 '핵심기능(CTF)'과 '부품'을 입력으로, 예상되는 문제점과 위험요소 및 '잠재 인자' 발굴을 'D-FMEA'를 통해 수행.

No	Item or Function	Potential Failure Mode(s)	Potential Effect(s) of Failure	SEV	Class	Potential Cause(s)/ Mechanism(s) of Failure	OCC	Current Design/ Process Controls	DET	RPN	Recommended Action(s)
1	인형을 바꾼다.	인형 돌출 안 됨.	교체비용 증가	9		스프링 탄성 상실	2	동역학 모델링	3	54	-
2	인형을 바꾼다.	인형 돌출 안 됨.	교체비용 증가	9		회로의 돌출감지 실패	3	회로 설계	3	81	-
3	인형을 바꾼다.	인형 회전 안 함	게임 불가	9		루프 회전동력 미달	6	동역학 모델링	3	162	가설검정(Step - 9.2. 설계요소 분석)
	...	...	...			...		...			...
26	인형을 바꾼다.	인형 거꾸로 서지 않음	게임 불가	9		인형 무게중심 이동	3	샘플 테스트	2	54	필요 시 Sample Test
27	부피를 가감한다	힌지 헐거움	접히지 않음	8		잦은 사용으로 마모	7	가속수명 시험	3	168	가속수명시험(Step - 9.3. 설계요소 별 산출물 실현)
28	부피를 가감한다	부품이 두꺼움	휴대 어려움	6		초기 설계 미숙	4	로드 맵 심화교육	2	48	-
	...	...	...			...		...			...
96	태양전지	셀 파손	구동불가	9		Bypass 소재고장	1	고장설계	4	36	-
97	태양전지	충전 안 됨	오작동	8		光 유입량 부족	7	회로설계	2	112	가설검정
98	태양전지	光기전력 저하	오작동	8		전지 판 효율 미달	5	회로설계	5	200	가설검정
	...	...	...			...		...			

(D-FMEA)

- 일시; 20xx.7.(4일). 참석자; 이설계 외 명

PSLab Problem Solving Laboratory

그림의 예에서 'FMEA' 전체는 '개체 삽입'에서 확인할 수 있다. 또, 오른쪽 아래에 수행된 '일시' 및 '참석자' 명단이 포함돼 있다.

이전과 동일하게 전체 내용들은 '개체 삽입' 기능을 이용하는 것으로 가정하였다. [그림 A-41]의 '비고'란에 표기된 것처럼 'Step-9.2. 설계 요소 분석'에서 '가설 검정'이 수행되는데 '제품 설계' 과제 경우 일반적으로 알고 있는 '정량적', '정성적 분석'뿐만 아니라, '기술적 분석'의 쓰임새가 두드러진다는 것을 알 수 있다. '기술적 분석'이란 [그림 A-41]의 '설계 방향'에 기입된 방식 등의 접근으로 단순히 기존의 데이터를 수집해서 검정하는 방식과는 차이가 있다. 끝으로 '특성 요인도'를 이용한 '설계 요소 발굴'에 대해 알아보자.

[그림 A-41] 'Step-9.1. 설계 요소 발굴(Design FMEA법)' 예(잠재 인자)

Step-9. 상위수준 설계
Step-9.1. 설계요소 발굴(Design FMEA법)

▶ '핵심 기능(CTF)'을 입력으로 한 'Design FMEA'로부터 '잠재 인자'를 도출하고, '설계 방향'과 '설계 원칙'을 설정함.

※ '핵심기능(CTF)'별 잠재인자 전체는 첨부파일에 포함시킴.

출처	핵심 기능(CTF)/부품	설계 요소 잠재인자	설계 방향 (Recommended Action(s))	설계 원칙	비 고
Design FMEA	인형을 바꾼다.	루프 회전동력 미달	동역학 모델링	인형이 이탈할 수 있는 용수철 상수 설정	Step - 9.2. 설계 요소 분석
	...	...	...	...	...
	부피를 가감한다.	잦은 사용으로 마모(힌지)	가속수명 시험	고객요구인 5만 회 달성하도록 설계하되 영향 주는 스트레스 발굴	'Step - 9.2. 설계 요소 분석'
	...	...	...	...	...
	태양전지	광 유입량 부족	회로설계	생성전력과 소비전력 비교분석	'Step - 9.2. 설계 요소 분석'
		전지판 효율 미달	회로설계		'Step - 9.2. 설계 요소 분석'
	...	...	...	...	...
	...	...	...	...	...

(설계요소)

-일시; 20xx.7.(4일). 참석자; 이설계 외 11명.

PS-Lab Problem Solving Laboratory

9.1.4. 특성 요인도 법

'특성 요인도(Cause and Effect Diagram)[81]'는 일본의 품질 관리 전문가였던 이시가와 가오루 박사가 1953년 고안하여 가와사키 제철에서 처음으로 품질 관리에 적용한 것으로 알려져 있으며 생선뼈처럼 생겼다 해서 '생선뼈도(Fish-bone Diagram)' 또는 '어골도(魚骨圖)'라고도 한다. 그 외에 고안한 사람의 이름을 따서 '이시가와 다이어그램(Ishikawa Diagram)'이나 인과성을 밝힌다 해서

81) 한국통계학회 '통계학 용어 대조표'에는 '특성 요인도' 또는 '인과도'로 해석하고 있으며, 영문은 "Cause-and-effect Diagram"으로 표현하고 있다.

‘원인－결과도’ 등 다양하게 불리고 있다. ‘QC 7가지 도구’ 중 하나로 용법은 잘 알려져 있으므로 여기서는 ‘[그림 A－29] 설계 요소 발굴도’에서 설명된 것처럼 ‘QFD #3’ 또는 ‘설계 7요소’, ‘Process Map’, ‘Design FMEA’ 등 타 출처들과의 차이점에 대해서 알아보자.

초두에 언급한 대로 ‘QFD 및 설계 7요소’는 ‘설계 인자’를, ‘Process Map’은 ‘프로세스 변수’, ‘Design FMEA’는 ‘잠재 인자’를 도출하는 출처로 이용되었다. 반면에 ‘특성 요인도’는 이 네 가지 출처 모두를 포함하는 특징을 갖는다. 왜냐하면 브레인스토밍을 통해 ‘설계 요소’들이 도출되기 때문에 굳이 유형을 구분할 이유가 없기 때문이다. 따라서 ‘특성 요인도’는 다음과 같은 용도로 활용하는 것이 바람직하다.

① **보완이 필요하다고 판단될 때**: ‘설계 7요소’나 ‘Process Map’ 또는 ‘Design FMEA’를 통해 ‘설계 요소’를 발굴하였으나 혹시 누락된 변수가 존재할 가능성이 있다고 의심되면 팀원들과 보완의 차원으로 추가적인 ‘설계 요소’들을 발굴하는 데 이용한다. 이 경우 ‘X－Y Matrix’를 사용해서 우선순위화를 하거나, ‘특성 요인도’상에 팀원들의 협의를 거쳐 가장 중요하다고 판단되는 변수들에 ‘(1), (2), (3), …’ 과 같이 번호를 매겨 중요 변수를 구분한다.

② 타 **출처를 쓰기가 모호하거나 단순한 과제를 수행할 때**: 설계 대상이 복잡하지 않고 단순하거나 기존 제품의 일부만을 재설계할 경우에 적합하다. ‘토이박스’ 예처럼 새로운 개념이 아닌 ‘인형 돌출’에만 한정해서 변경이 이루어지는 경우 ‘특성 요인도’만으로 ‘설계 요소’를 도출한다. 특정 기능을 향상시키는 과제는 다른 부위들은 기존 것을 유지하면서 변경될 부분에만 집중하게 되므로 전체 관점의 설계 요소를 발굴하는 작업은 불필요하다. [그림 A－42]는 ‘특성 요인도’의 예이다.

[그림 A－42] '특성 요인도' 예

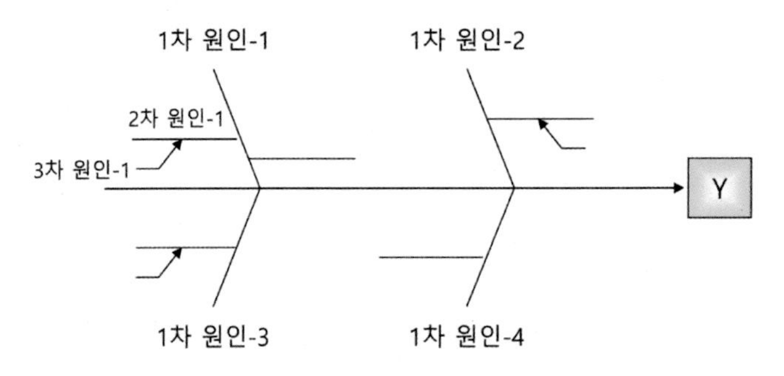

'1차 원인' 경우 시작이 어려우면 '5M－1I－1E'를 입력하는 것도 한 방법이다. '2차'나 '3차'로 세분화해서 'Y'에 영향을 줄 수 있는 '설계 요소'들을 발굴한다. 이후 우선순위화할 때는 가급적 최종 차수 요소를 사용하도록 하되 특별한 규칙이 있는 것은 아니므로 팀원들과 협의해서 결정한다. 도출된 모든 '설계 요소'들은 'X－Y Matrix(또는 Multi－voting)'를 통해 우선순위화한 뒤 '설계 원칙'이나 '설계 방향' 등을 확정한다. 사례는 생략한다.

그 외에 현업에서 자주 활용되는 'Logic Tree'는 'MECE(Mutually Exclusive Collectively Exhaustive)의 원리', 즉 '중복되거나 누락되지 않는' 형태로 예상되는 문제의 원인이나 '설계 요소'를 마치 나무줄기처럼 전개해 찾아 나가는 도구이다. 용법과 사례는 주변에서 쉽게 접할 수 있으므로 역시 생략한다. 추가 정보가 필요한 독자는 『Be the Solver_정성적 분석』편을 참고하기 바란다.

다음은 지금까지 발굴된 '설계 요소'들을 종합한 뒤, 이후에 구체적으로 무엇을 해야 하는지 제시하는 과정이 남았다. 이것을 '선별 Xs(Screened Xs)'라고 명명할 것이다.

9.1.5. 선별 Xs(Screened Xs)

'Step-9.1. 설계 요소 발굴'의 초두에 '설계 인자'든 '프로세스 변수'든 또는 '잠재 인자'든 모든 가능한 요소들의 도출을 통한 사전 검토가 요구되며 이들을 별개로 구분하기보다 '설계 요소'로 총칭한 전체의 발굴이 중요하다고 역설한 바 있다. 이에 '핵심 기능(CTF)'을 시작으로 '설계 요소'들의 출처인 'QFD #3', '설계 7요소', 'Design FMEA', '특성 요인도'를 모두 활용하는 예를 설명하였다.

이제 이들에 대한 결과를 한자리에 모아 놓고 이어질 '세부 로드맵'의 활동을 구체화하는 작업이 필요하다. 물론 매 단계에 팀원들의 열정적인 참여와 구체적인 의사 결정이 필요하다는 것은 누누이 강조하였다. 다음 [표 A-29]는 앞서 'QFD #3법'의 [그림 A-32], '설계 7요소 대응법'의 [그림 A-34]인 '설계 인자' 및 'Design FMEA'의 [그림 A-41]인 '잠재 인자'들을 종합한 결과이다.

[표 A-29] 각 출처별 발굴된 '설계 요소' 종합 예

출처 설계 7요소	설계 요소 설계 인자	설계 방향(또는 설계원칙)	다음 '세부 로드맵'
제품/서비스	-인형돌출 속도	-시스템 접을 수 있는 구조	Step-9.2. 설계 요소 분석
	-구동전압	-축적된 전기에너지와의 비교	
	-용수철 상수/복원력	-인형이 루프를 돌 수 있는 공학적 조건 설정	
	…	…	…
프로세스	-조립 Tact Time	-양산 대비한 생산성 고려	Step-9.2. 설계 요소 분석
	-제품 평가항목 종류	-양산 대비한 조립성 반영토록	
	…	…	
인력시스템	-회로설계연구원 비율	-자체개발 위한 대학원 이상 졸업자	Step-9.3. 설계 요소별 산출물 실현
	-공학설계연구원 비율	-자체개발 위한 대학원 이상 졸업자	
	…	…	
설비/장비/원자재	-원가수준	-기존 토이 박스 원가+20% 수준으로 제작	Step-9.2. 설계 요소 분석
	-신규조립설비 투자규모		
	-원자재 구매처확보유무		
	…	…	…

제품/서비스	–인형무게 –초기속도 …	–인형이 루프를 돌 수 있는 공학적 조건 설정		Step – 9.2. 설계 요소 분석
…	…	…		…
Design FMEA	잠재 인자	설계 방향	설계 원칙	
	–루프 회전동력 미달	–동역학 모델링	–루프를 이탈할 초기 값 설정	Step – 9.2. 설계 요소 분석
	–잦은 사용으로 마모(힌지)	–가속수명시험	–접기 5만 회 달성 위한 스트레스 선정	
	–광 유입량 부족	–회로설계	–생성전력과 소비 전력 비교분석 –접을 수 있도록 부피고려	
	–전지판 효율미달	–회로설계		
	…	…		…
특성 요인도	…	…	…	…

표에서 맨 끝 열의 '다음 세부 로드맵'은 각 출처별로 '설계 방향'들이 분석으로 이어질 경우 'Step – 9.2. 설계 요소 분석'으로 표기하고, 그 외에 바로 '산출물'로 이어질 경우는 'Step – 9.3. 설계 요소별 산출물 실현'에서 처리토록 한 것이다. 현재는 '설계 7요소 대응법'과 'Design FMEA'를 중심으로 '설계 요소'와 '산출물'들을 일부 예시하고 있으나 실제 과제 수행 중에는 양도 많으려니와 좀 더 다양하게 정리될 것이다.

본 활동이 '설계 요소'들의 종합인 만큼 '핵심 기능(CTF)'이나 '핵심 기능 요구 사항(CFR)'을 표에 포함시켜도 좋으며(사실 공간적 제약으로 이들을 제외시켰다), 팀 회의를 거치는 동안 수정·보완이 된 내역이나 새로운 '설계 요소'가 추가될 수 있으므로 이의 기록도 명확히 해둘 필요가 있다. '제품 설계 방법론'은 완전하지 않다. 오직 완성도를 높이는 과정과 노력만이 존재하므로 언제든 새로운 문제나 개선 기회가 나오면 가감이 가능하다는 점 명심하자. 만약 필요한 수정을 위해 훨씬 이전 '세부 로드맵으로 갈 수밖에 없는 상황이 발생하더라도 순서대로 밟아왔기 때문에 갔다 다시 오는 데 소요되는 시간은 크게 줄어든다. 이것이 개발에서 로드맵을 따르는 가장 큰 장점들 중 하나다.

다음은 이전에 '핵심 기능(CTF)'별 '핵심 기능 요구 사항(CFR)'들이 존재했던 것과 같이 각 '설계 요소'들에 대해 '핵심 기능 요구 사항(CFR)'을 만족시킬 수 있는 '설계 요구 사항'이 설정돼야 한다. '설계 요구 사항'이란 다음과 같은 의미를 갖는다.

· **설계 요구 사항**
'핵심 기능 요구 사항(CFR)'을 달성하기 위하여 '설계 요소'에 부여된 요구 사항. 즉, X의 측정 지표, 목표 값, 규격 한계 등을 지칭.
하나의 '설계 요소'에 다수의 '설계 요구 사항'이 존재할 수 있음.
'설계 요소'와 '설계 요구 사항'의 관계는 '핵심 기능(CTF)'과 '핵심 기능 요구 사항(CFR)'의 관계와 유사함.

보통 [표 A-29]에 '설계 요구 사항'을 함께 포함시켜 정리하는 것이 올바르나 공간의 제약으로 둘로 나누게 되었다. 과제를 수행하는 리더라면 다음 [표 A-30]과 같은 형식의 양식을 상황에 맞게 수정해서 활용하면 효과적이다.

[표 A-30] 각 출처별 발굴된 '설계 요소' 종합 양식 예

핵심 기능 (CTF)	핵심 기능요구 사항(CFR)	출처	설계 요소	설계 원칙 또는 설계 방향	설계 요구 사항	다음 '세부 로드맵'

예를 들면, 'Y'의 하나인 '놀이 유지 시간'의 경우 [표 A-30]을 쓰면 다음 [표 A-31]과 같이 정리된다.

[표 A－31] 'Y'와 '핵심 기능 요구 사항' 및 '설계 요구 사항'과의 관계 예

Y_1; 놀이 유지 시간

핵심 기능(CTF)	핵심 기능요구 사항(CFR)	출처	설계 요소	설계원칙 또는 설계 방향	설계 요구 사항	다음 '세부 로드맵'
인형을 바꾼다.	목표 7점 만점 중 5.5점 이상(5명으로 구성된 4개 패널의 평가)	설계 7요소	루프(인형) 돌출 속도	시스템 접을 수 있는 구조로 설계	10cm/s ↓	Step－9.2.
			구동전압	태양열 전기에너지와 비교	~ 5V, 0.4mA	
			…	…	…	…
		D-FMEA	회전 동력미달(인형)	동역학 모델링(이탈할 초기 값 설정)	6cm ↓	Step－9.2.
			…	…	…	…
부피를 가감한다.	목표 부피 40% 축소토록 조절 가능	설계 7요소	…	…	…	…
		D-FMEA	잦은 사용으로 마모	가속수명 시험(5만 회 이상 달성토록 스트레스 발굴)	5만 회 ↑	Step－9.2.
…	…	…	…	…	…	…

[표 A－31]에 각 '설계 요소'별 '설계 요구 사항'들이 적혀 있다. 실험을 통해서만 설정이 가능한 수준도 있겠으나 가급적 내·외부 조사 자료나 기존 경험 등을 토대로 설정해 놓는 것이 바람직하다. 물론 수정의 가능성은 열어둔다. [그림 A－43]은 'Step－9.1. 설계 요소 발굴'을 종합한 장표 예이다.

그림에서 '설계 요소'들과 '핵심 기능(CTF)' 및 '핵심 기능 요구 사항(CFR)' 간 관계 도표와 '설계 요구 사항'에 대한 상세 내역은 '개체 삽입' 기능을 활용하는 것으로 처리하였다(고 가정한다). 참고로 'D－FMEA'의 '잠재 인자'들은 모두 특성적 표현으로 전환하였다[예: [표 A－29]의 '잦은 사용으로 마모(힌지)' → '힌지 마모도' 등]. 기나긴 여정을 밟아온 듯하다. 그러나 갈 길도 멀다. 새로운 것을 만들어내는 일은 매우 어려운 작업이다. 고려할 변수들이 너무 많기

[그림 A-43] 'Step-9.1. 설계 요소 발굴' 종합 예

Step-9. 상위수준 설계
Step-9.1. 설계요소 발굴(설계요소 종합)

▶ 각 출처 별 설계요소를 종합하였으며, 'CTF/CFR' 연계 및 '설계요구사항'은 개체 삽입 함.

출처 설계 7요소	설계요소 설계인자	설계방향(또는 설계원칙)		다음 '세부 로드맵'
제품/서비스	-인형돌출 속도 -구동전압 -용수철 상수	- 시스템 접을 수 있는 구조 - 축적된 전기에너지와의 비교 - 인형이 루프를 탈출할 수 있는 공학적 조건 설정		Step - 9.2. 설계요소 분석
	...	...		...
프로세스	-조립 Tact Time -제품 평가항목 종류	- 양산 대비한 생산성 고려 - 양산 대비한 조립성 반영토록		Step - 9.2. 설계요소 분석
	...	...		
인력시스템	-회로설계연구원 비율 -공학설계연구원 비율	- 자체개발 위한 대학원 이상 졸업자 - 자체개발 위한 대학원 이상 졸업자		Step - 9.3. 설계요소 별 산출물 실현
	...	...		
설비/장비/원자재	-원가수준 -신규조립설비 투자규모 -원자재 구매처확보유무	- 기존 토이박스 원가+20% 수준으로 제작		Step - 9.2. 설계요소 분석
	...			...
제품/서비스	-초기속도	- 인형이 루프를 따라 움직일 수 있는 공학적 조건 설정.		Step - 9.2. 설계요소 분석
...	...	...		...
	잠재인자	설계방향	설계원칙	
Design FMEA	-루프 회전동력 -힌지 마모도 -광 유입량 -전지 판 효율	- 동역학 모델링 - 가속수명시험 - 회로설계 - 회로설계	루프를 돌 수 있는 초기값 설정 - 접기 5만회 달성위한 스트레스 선정 -생성전력과 소비전력 비교분석 -접을 수 있도록 부피 고려	Step - 9.2. 설계요소 분석
	...		...	...
특성요인도	...	...	...	...

(설계요소)

PS-Lab
Problem Solving Laboratory

때문이다. 따라서 로드맵 자체가 다소 무겁다고 쉬운 방법을 찾으려는 노력은 버려야 한다. 일부 리더들이 '제품 설계 방법론'에 들어서며 맞닥트리는 다양한 낯선 도구들이 너무 어렵다고 하소연하는 경우를 자주 본다. 단순한 과제는 단순하게 넘어가도 된다. 굳이 QFD를 안 해도 될 과제를 멋지게 보이기 위해 작성한다든가 이미 결정된 콘셉트를 'Pugh Method'로 재평가하는 일은 정말 사라져야 한다. 꼭 그렇게 하는 리더들이 과제 수행을 "Paper Work"로 치부하곤 한다. 지금의 과정은 어느 정도 난이도를 갖고 있는 제품을 대상으로 하고 있음을 결코 잊어서는 안 된다. 팀원 간 협업 없이 혼자선 도저히 할 수 없는 과정이라는 점도 명심하기 바란다. 이제 다음 '세부 로드맵'인 'Step-9.2. 설계 요소 분석'에 대해 알아보자.

Step-9.2. 설계 요소 분석

익숙한 '프로세스 개선 방법론 로드맵'을 생각해보자. Measure Phase 'Step-6. 잠재 원인 변수의 발굴'에서 'X'들이 선별되면(Screened Xs) 이어 Analyze Phase로 들어가 'Step-7. 분석 계획 수립'과 그에 따른 'Step-8. 데이터 분석'이 이루어지고, 'Step-9. 핵심 인자(Vital Few Xs) 선정'이 완료된 후 Improve Phase로 들어가 개선이 진행된다. '프로세스 개선 방법론 로드맵'을 현재 '제품 설계 방법론'의 Analyze Phase에 빗대면 [그림 A-44]로 요약된다.

[그림 A-44]의 대응 관계는 '제품 설계 방법론'의 지금까지의 과정과 앞으로 전개될 내용에 대해 연계성을 파악하고 이해하는 데 큰 도움을 줄 것이다. 즉, 어느 부문의 과제를 수행해도 방법론 간 기본적 흐름엔 차이가 없다. 흐름이 한 눈에 들어오지 않는 독자는 '프로세스 개선 방법론 로드맵'을 간단히 훑어보고 난 뒤 본문을 읽는 것도 좋은 방법이다.

[그림 A-44] '프로세스 개선/제품 설계 방법론' 로드맵 간 대응 관계

우선 '프로세스 개선 방법론'의 Measure Phase에서 수행되는 'Step-6. 잠재 원인 변수의 발굴'은 '제품 설계 방법론'의 Analyze Phase '세부 로드맵'인 'Step-9.1. 설계 요소 발굴'에 대응한다. 이후 '프로세스 개선 방법론'의 Analyze Phase는 '제품 설계 방법론'의 'Step-9.2. 설계 요소 분석'에, Improve Phase의 'Step-10'과, '최적화' 과정인 'Step-11'은 '제품 설계 방법론'의 'Step-9.3. 설계 요소별 산출물 실현'에 각각 대응한다. '프로세스 개선 방법론'에 매우 익숙한(또는 잘 알고 있는) 리더라면 현재의 '제품 설계 방법론' 위치에서 어느 유형의 활동을 해야 하는지 머리에 정리가 될 것으로 생각된다.

좀 의문이 있긴 하다. [그림 A-44]에서의 '프로세스 개선 방법론'은 Step 흐름인 'MAI Phase'를 논하는 데 반해 '제품 설계 방법론'의 대응 Phase는 Analyze 한 개뿐이기 때문이다. 그럼 나머지 Design Phase는 무슨 역할을 하는 것일까? '프로세스 개선 방법론'으로 치면 'Step-11. 최적화'를 더욱 구체화하는 과정 또는 한 번 더 최적화를 검토하는 과정에 해당한다. 그렇다고 '제품 설계 방법론'의 Design Phase가 Analyze Phase에서 벌어지는 '상위 수준 설계'의 보조 역할을 한다는 의미는 아니다. 일의 완성이란 작은 과정이 누적돼 나타나는 결과이므로 Design이 없으면 Analyze에서 해야 할 일의 부하뿐만 아니라 일의 구분에도 상당한 혼란이 가중될 것이다.

'로드맵'은 그렇다 치고 '분석' 내용까지도 '프로세스 개선 방법론'과 동일할까? 답은 "아니올시다"이다. '프로세스 개선 방법론'에선 'Y'가 '6 시그마 수준'에 미달되는 양만큼 원인 요소가 존재한다는 가정하에 '핵심 X'를 찾는 반면, '제품 설계 방법론'은 제품의 '완성도'를 높이는 '분석'에 집중한다. [그림 A-45]의 '분석 도구 유형'을 보자.

[그림 A-45] '제품 설계 방법론'에서의 '분석 도구 유형' 개요도

[그림 A-45]에서 '정량적 분석'은 '프로세스 개선 방법론'과 별반 차이가 없다. 그러나 '기술적 분석'은 좀 다르다. 통상 '프로세스 개선 방법론'이나 '프로세스 설계 방법론' 등에선 '기술적 분석'을 '정성적 분석'에 포함시키거나, '전문가 의견' 또는 '기술 자료'만을 '기술적 분석'으로 분류하기도 한다. 그러나 '제품 설계 방법론'에선 꼭 필요한 분석들이 있는데, 예를 들면 '콘셉트 설계'가 기계적 동작을 필요로 하는 경우이면 '정역학(Statics)'이나 '동역학(Dynamics)'을, 또 운동 속도가 빠른 부분이 있으면 '진동/모달 분석(Vibration/Modal Analysis)'이, 부품들이 큰 힘에 의해 변형이나 파괴 등이 일어나면 '유한 요소 분석법(FEA, Finite-Element Analysis)', 발열과 관계하면 '열전달 해석(Heat Transfer Analysis)'이, 만일 '부품'에서 '제품'에 이르기까지 '수명'이 중요하다면 '신뢰성 분석(Reliability Analysis)' 등이 필요하다. 이와 같이 설계 제품의 완성도를 높이기 위한 분석을 통틀어 '공학적 탐색'[82]이라 명명하고, 여기에 이론식 등을 적

82) 저자가 정의한 용어이다.

용한 '시뮬레이션'을 추가한다([그림 A-45] 참조). '공학적 탐색'은 바로 앞에서 언급한 다양한 공학적 해석을 포함한다. 그 외에 꼭 설계에 반영할 '인자'인지를 확인하기 위해 '정량적 분석'을 수행하는데 이 과정은 '프로세스 개선 방법론'의 '가설 검정'과 동일하다.

보통 '제품 설계 방법론'을 논할 때 '조립 산업'을 예로 드는 경우가 많다. 이 때문에 '화학'이나 '제약', '바이오', '제철', '시스템 엔지니어링' 부문의 일부 연구원들이 "'제품 설계 방법론'은 우리에게 안 맞는 방법이거든요!" 하고 배타적으로 나오기도 한다. 그러나 말이 되겠는가? 방법이든 구조든 레시피든 뭔가 만들어내는 일을 주 업무로 할 연구원들이 일의 절차가 없다는 것이?[83] 그러나 이들 산업 군은 '조립 산업'과 다른 특징은 있다. 없다면 오히려 이상할 것이다. 'Step-8.1. 콘셉트 후보 도출'의 [표 A-10] 화학 분야의 개념조합 표 예'를 참조하면 해답은 바로 나온다. 즉, 'Step-8.1. 콘셉트 후보 도출' 과정 중 이미 '성분('조립 산업'에서의 부품에 대응)'과 그들의 '수준(함량, 분자량, 구조, 정제 방법 등)'이 거의 결정돼야 하기 때문에 '로드맵' 관점에선 '최적 콘셉트 선정', '핵심 설계 요소 선정', '상세 설계'가 동시에 이루어지는 구조다. 따라서 Analyze Phase와 Design Phase가 뭉쳐져 전개될 수 있다는 점이 다를 뿐, 현재 설명 중인 '제품 설계 방법론 로드맵'은 여전히 유효하다. 만일 이들 분야의 연구 과제라면 'Step-9.2. 설계 요소 분석'은 이미 'Step-8.1. 콘셉트 후보 도출' 과정 중 수행될 수 있다는 점을 감안하기 바란다(주로 '실험 계획'이 이용된다). 다음은 '화학'이나 '제약', '바이오', '제철', '시스템 엔지니어링' 부문의 '제품 설계 방법론 로드맵' 특징을 그림으로 표현한 개요도이다.

83) '제품 설계 방법론 로드맵'이 일의 절차를 세밀하게 구현한 방법론임을 전제한 표현이다.

[그림 A-46] '조립' 이외 산업의 '핵심 설계 요소' 특징

이제 'Step-9.2. 설계 요소 분석'으로 다시 돌아와 어느 방법과 과정을 거쳐 원하는 결과를 얻고, 이것이 어떻게 Design Phase와 연계되는지 하나하나 검토해보기로 하자. 그 전에 '설계 요소 분석'의 목차 역할을 할 '분석 계획과 데이터 수집 계획'을 수립해야 한다. [그림 A-47]은 그 예이다.

[그림 A-47]의 '설계 요소' 열 내용은 [그림 A-43] 'Step-9.1. 설계 요소 발굴 종합 예'에서 오되, 일의 성사나 분석의 중요도를 고려해 우선순위가 높은 것부터 배치한다. 예를 들어 '원가 수준'은 '공학적 탐색'이 완료된 후 부품들의 윤곽이 명확해지므로 이들 분석이 이루어진 후 수행하도록 뒤쪽에 배치한다. 두 번째 열은 통상 "X가 Y에 영향을 주는가?"와 같은 가설이 들어오나 '제품 설계 방법론' 경우 해야 할 분석 내용을 간단히 요약하는 것도 좋다. 'Data 유형' 열은 '설계 요소'별로 '[표 M-26] 데이터 유형 분류 체계'를 참조해서 설정한다. 'Graph' 열은 분석 중 대표적인 시각화 도구를, '분석 Tools' 열은 '핵심 분석 기법'을 기입한다. '저장 위치' 열은 '설계 요소' 데이터가 보관된 위치를 적는데 팀 회의를 통해 발생되는 경우이면 '팀 미팅 시 발생' 등으로 표기한다. 그 외에 시스템 속에 저장돼 있으면 주로 사용되는 '화면명', 'dB명', 또는 '○○ PC', '○○

관리 파일' 등 실제 분석에 쓰일 데이터들 보관 위치를 기입한다.

분석 준비가 완료되었다. 본문은 [그림 A－47]을 바탕으로 '기술적 분석', '정성적 분석' 및 '정량적 분석'에 대해 설명을 이어 나갈 것이다.

[그림 A－47] 'Step－9.2. 설계 요소 분석(분석계획/데이터 수집계획 수립)' 예

Step-9. 상위수준 설계
Step-9.2. 설계요소 분석(분석계획/데이터 수집계획 수립)

▶ 앞서 발굴된 '설계요소'를 토대로 분석을 위한 '분석 계획 및 데이터 수집 계획 수립' 을 수행.

설계요소	가설(또는 분석내용)	분석계획			데이터 수집계획			
		Data유형	Graph	분석 Tools	표본크기	저장위치	수집 담당자	기간
용수철 상수	인형이 루프를 탈출하기 위한 용수철 특성의 공학적 탐색.	비척도	스케치	동역학	해당사항 없음	팀 미팅 시 발생	이설계	~8/12
...	...	...	...	...	...	...	...	...
인형 돌출속도	인형을 박스위로 올리기 위한 회로의 공학적 탐색.	비척도	스케치	동역학	해당사항 없음	팀 미팅 시 발생	이설계	~8/15
전지 판 효율	태양전지로 토이박스를 동작시킬 수 있는지에 대한 회로분석	비척도	회로도	회로분석	해당사항 없음	팀 미팅 시 발생	박찬오	~8/16
...	...	...	...	...	...	...	...	...
원자재 구매처 확보유무	안정되고 품질 높은 원자재 구매처 확보를 위한 시장분석.	이진수 자료	챠트	벤치마킹	해당사항 없음	B/M 보고서	박찬오	~8/14
조립 Tact Time	설계제품을 1개 조립하는데 소요되는 시간분석(작업성 고려)	비척도	P-Map	Process분석	30	공정 PO Sys.	김유나	~8/20
원가수준	핵심기능을 토대로 목표원가 달성 위한 부품 별 원가배분 분석.	비척도	도표	원가분석	해당사항 없음	구매 Sys.	김유나	~8/15
힌지 마모도	힌지 마모도 수명시험을 위해 인자 수배 및 수준 결정.	비척도	스케치	가설검정	해당사항 없음	팀 미팅 시 발생	이승업	~8/30
신규조립설비 투자규모	설비투자대비 효과에 대한 재무분석	비척도	설비 설계도	재무분석	해당사항 없음	기획 보고서	이승업	~8/19
분말 안정제	접착제의 안정제 종류를 선정	명목척도	챠트	ANOVA	30	공급업체	박찬오	~8/19
...	...	...	...	...	...	...		

PS-Lab
Problem Solving Laboratory

9.2.1. 기술적 분석

[그림 A－45]의 '분석 기법 유형 개요도'를 보면 '공학적 탐색', 'Simulation'으로 이루어져 있으나 이 외에 다양한 분석적 접근도 포함시킬 수 있다. 이전에도 언급한 바와 같이 '공학적 탐색'은 '제품의 완성도를 높이기 위한 분석'으로,

제품에 기계적 동작이 포함되면 당연히 운동 역학적 적합성을 평가해야 하며 이 작업을 통해 제품을 완수할 부품이나 기계적 연결들이 훨씬 더 구체적으로 드러난다. 분석 결과들은 다음 로드맵인 'Step-11. 상세 설계'에서 제품의 미세 설계를 확정짓는 데 기여한다. 물론 '기술적 분석'에는 '정역학(Statics)'이나 '동역학(Dynamics)' 외에도 '진동/모달 분석(Vibration/Modal Analysis)', '유한 요소 분석법(FEA, Finite-Element Analysis)', '열전달 해석(Heat Transfer Analysis)', '신뢰성 분석(Reliability Analysis)' 등이 포함된다고 설명한 바 있다. 본문은 [그림 A-47]의 '설계 요소' 중 인형의 '용수철 상수'에 대해 '공학적 탐색'을 자세히 소개한다.

'용수철 상수'라는 설계 인자가 어떤 경로로 발굴되었는지 알아보기 위해 [그림 A-34]의 'Step-9.1. 설계 요소 발굴(설계 7요소 대응법)' 중 일부를 다음 [표 A-32]에 다시 옮겨 놓았다.

[표 A-32] '설계 7요소 대응법'을 이용한 '설계 인자' 발굴 예

핵심 기능 (CTF)	핵심 기능 요구 사항 (CFR)	최적 콘셉트	출처 (설계 7요소)	설계 요소	설계 원칙
				설계 인자	
인형을 바꾼다.	7점 만점 중 5.5점 이상(5명으로 구성된 4개 패널의 평가		제품/서비스	루프 돌출속도 구동전압 **용수철 상수** 복원력	시스템을 접을 수 있는 구조로 설계
			…	…	…
게임을 형성한다.	결과확인 1초 이내, 게임 난이도 하	인형의 탈출 여부 또는 도달 위치	제품/서비스	인형무게 초기속도 내구성	인형이 루프를 돌 수 있는 공학적 조건 설정
			…	…	…
…	…	…	…	…	…

[표 A-32]를 보면 '핵심 기능'과 '핵심 기능 요구 사항'에 대한 '최적 콘셉

트'로 "루프를 도는 인형(표에 그림으로 표현돼 있음)"이 결정되었으며, '설계 7요소 대응법'을 통해 설계 인자인 '용수철 상수'가 발굴되었음을 알 수 있다. 이때 팀원들이 '설계 인자'가 필요하다는 판단의 근거는 무엇일까? 잠시 발굴 당시 팀원들 간 의견 녹취록(있을 리 만무하지만 '만일'이란 가정하에)을 들어보면 금방 알 수 있는 사실이다. 즉, 외부 신호에 의해 '토이 박스'에서 튀어나온 인형이 스스로 루프를 따라 움직이려면 초기 동력이 필요한데 이때 동력은 인형을 밀어 올리는 힘, 즉 용수철에서 나오며, 결국 우리가 할일은 원하는 공학적 상황을 만족시킬 '**용수철 상수**'를 찾는 문제로 귀결된다. 또 이 동작은 '게임을 형성한다'의 '핵심 기능'과 연계돼야 하므로 '최적 콘셉트'인 '인형의 탈출 여부 또는 도달 위치'를 동시에 고려해야 한다. '용수철 상수'에 대한 '공학적 탐색'은 다음 [그림 A-48]로 요약된다.

[그림 A-48] 루프에서 인형 운동의 '공학적 탐색' 예

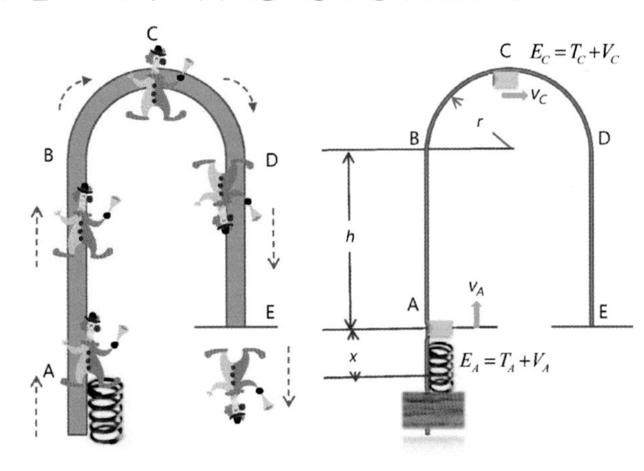

[그림 A-48]에서 왼쪽은 실제 제품의 이미지를, 오른쪽은 '공학적 탐색'을

위한 스케치이다. 이 해석의 목적은 정확한 변수들의 값(루프의 높이 h, 용수철 압축 변위 x 등)을 정하고, 인형이 탈출할 수 있게 하기 위한 '용수철 상수'를 결정하는 것이다. 이를 통해 이후에 수행될 'Step – 11. 상세 설계'에서 제품의 완성도는 더욱 높아진다. 지금부터 '공학적 탐색'의 한 예가 어떻게 '상세 설계'와 연동되는지를 보여주기 위해 과정을 자세히 다루어보도록 하겠다(이 과정을 위해 20년 넘게 묵혀두었던 동역학 책을 오랜만에 뒤져보는 계기가 되었다. 당시엔 어디다 써먹나 의아해했었는데 이렇게 써먹다니!).

[그림 A – 48]에서 'A'지점의 '총 에너지, E_A'는 'C'지점의 '총 에너지, E_C'와 동일하다. 그 유명한 '에너지 보존 법칙'이 성립하기 때문이다. 따라서

$$T_A + V_A = T_C + V_C \qquad (A.1)$$

식 (A.1)에서 'T'는 '운동 에너지', 'V'는 '위치 에너지'이며, 특히 '위치 에너지'는 용수철에 의한 경우와, '기준점(A)'에서 높아짐에 따라 나타나는 경우가 있다. 또 식 (A.1)의 'T_A'는 초기에 질점(인형)이 정지해 있으므로 항상 '0'이다. 우선 'V_A'를 구하면, 기준점이므로 높이에 따른 '위치 에너지=0'이고, '용수철 변위(x)'에 의한 '위치 에너지'만 존재하므로 다음 식 (A.2)로 계산된다.

$$V_A = \frac{1}{2}kx^2 \qquad where, k = \text{용수철 상수} \qquad (A.2)$$

식 (A.1)의 우변에 있는 'T_C'는 'C'지점에서의 수평 속력 'v_C'를 알아야 한다. 만일 질점(인형)이 루프와 접촉을 유지하려면 루프가 물체에 가하는 힘은 '0'보다 크거나 같아야 한다. 이때, 루프의 반발력(N)을 '0'이라 놓으면 최소한의 속력 'v_C'를 계산할 수 있다.

$'C'$ 지점에서 구심 가속도(a_r)는 (A.3)

$$a_r = \frac{v_c^2}{r}, \quad v_c^2 = ra_r = 9.81\,r$$

$$\because + \downarrow \sum F_n = ma_{r,} \quad W = ma_r \text{ 이므로}$$
$$mg = ma_r, \quad \text{따라서} \quad a_r = g = 9.81 m/s^2$$

식 (A.3)을 적용해서 'Tc'를 구하면 다음과 같다.

$$T_C = \frac{1}{2}mv_c^2 = \frac{1}{2}m(9.81\,r) \cong 4.91mr\ (J) \tag{A.4}$$

끝으로 식 (A.1)에서 'Vc'는, 이 지점에선 용수철의 '위치 에너지'는 존재하지 않으므로 순수 높이에 의한 '위치 에너지'만 고려한다. 다음은 계산 결과이다.

$$V_C = mgh = 9.81mh\ (J) \tag{A.5}$$

이제 식 (A.2), (A.4), (A.5)를 처음 식 (A.1)에 대입하면 다음과 같다.

$$0 + \frac{1}{2}kx^2 = 4.91mr + 9.81mh \tag{A.6}$$

'C' 지점을 통과하기 위한 최소한의 '용수철 상수'를 구하고 있으므로 식 (A.6)의 좌변에 있는 '*k*'를 남기고 모두 오른쪽으로 넘기면 식 (A.7)과 같다.

$$\begin{aligned} k &= \frac{2(4.91mr + 9.81mh)}{x^2} \\ &= \frac{9.81m(r+2h)}{x^2} \quad (J/m^2 \text{ or } N/m) \end{aligned} \tag{A.7}$$

결국 식 (A.7)을 활용하면 인형이 튀어나올 높이, 즉 토이 박스의 '높이(h)'와 루프 반경(r), 인형의 '무게(m)', 용수철의 '변위(x)'를 결정했을 때 '용수철 상수(k)'를 얻을 수 있다. 'h, r, m, x'는 토이 박스의 외형만 정해지면 알 수 있는 값들이므로 그로부터 'k'에 맞는 용수철을 찾아보면(청계천 상가?) 될 일이다.

지금까지의 '공학적 탐색'으로부터 'Step-11. 상세 설계'는 훨씬 탄력을 받을 수 있다. 토이 박스 작동 등을 '원가(Cost)'나 제조 공정(기존의 지그나 관리 조건 등)을 고려하여 다양하게 시뮬레이션 해볼 수 있기 때문이다. 가장 저렴하고 기존 공정을 유지한 상태에서 신제품을 생산한다면 효과를 극대화할 수 있다. 다음 [그림 A-49], [그림 A-50]은 파워포인트 작성 예이다.

[그림 A-49] 'Step-9.2. 설계 요소 분석(가설 검정-기술적 분석)' 예

Step-9. 상위수준 설계
Step-9.2. 설계요소 분석(가설검정_기술적 분석)

검정 1. (용수철 상수) 인형이 루프를 탈출하기 위한 용수철 특성의 공학적 탐색

▶ **분석방향 :** 인형이 용수철에 의해 루프를 타고 도는 운동에 대해, 이탈을 위한 '용수철 상수'를 정하고, 그로부터 필요한 토이박스의 외형적 규모를 상세설계에서 결정하고자 함.

❑ 인형의 운동 경로

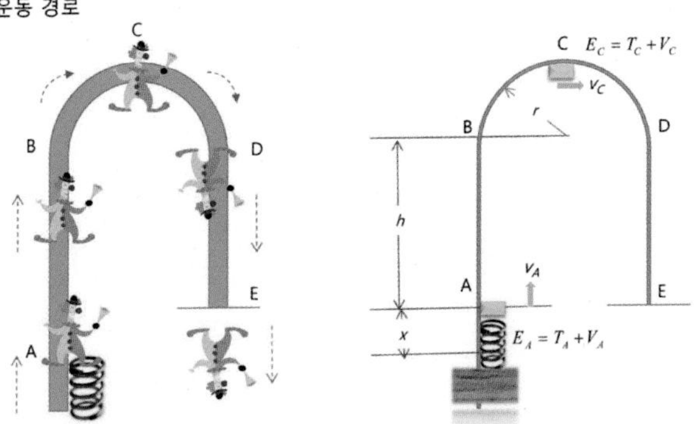

■ 용수철에 의해 위로 올려진 인형은 경로 AB를 거쳐 원형 루프를 타고 E지점에서 이탈하게 됨. 외부자극이 크지 않으면 이탈대신 높이 올라가는 정도로 게임이 이루어짐. 다음 장 기술분석 수행.

PS-Lab Problem Solving Laboratory
계속

[그림 A-49]는 '용수철 탄성'으로 루프를 따라 운동할 인형의 경로 및 관련된 공학적 변수들을 표기한 스케치이다. 인형은 'A'지점을 출발해 'B → C → D → E'를 따르며, 외부 자극 크기(소리 등)에 따라 탈출을 하거나 일정 위치까지 다다르는 등의 변화를 겪는다. 게임으로서의 '기능(역할)'을 수행할 수 있다는 의미다. 이에 대한 '공학적 탐색'을 통해 '용수철 상수'를 얻는 과정은 다음 [그림 A-50]에 나타내었다.

[그림 A-50] 'Step-9.2. 설계 요소 분석(가설 검정-기술적 분석)' 예

Step-9. 상위수준 설계
Step-9.2. 설계요소 분석(가설검정_기술적 분석)

검정 1_계속

▶ **분석방향;** 'A' 지점과 'C'지점의 총 에너지가 보존되는 원리를 이용하여 '용수철 상수'를 계산.

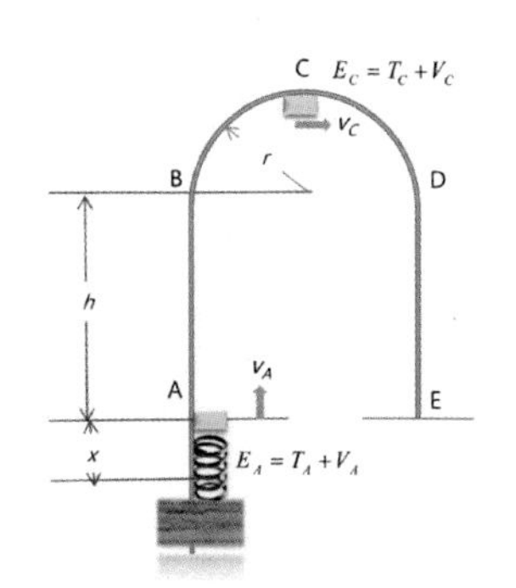

$$T_A + V_A = T_C + V_C \quad \text{------------- 1)}$$

$$0 + \frac{1}{2}kx^2 = 4.91mr + 9.81mh \quad \text{---- 2)}$$

$$\because\ T_C = \frac{1}{2}mv_c^2 = \frac{1}{2}m(9.81 * r) \cong 4.91mr$$

$$V_C = mgh = 9.81mh$$

$$k = \frac{9.81m(r + 2h)}{x^2} \quad \text{------- 3)}$$

k; 용수철 상수, m; 인형 질량, r; 루프 반경, h; 높이

■ 인형질량과 루프 구조 등은 거의 정해졌으므로 원가(Cost)를 고려하여 각 값들을 'Step-9.3. 설계요소별 산출물 실현' 및 'Step-11. 상세설계'에서 최종 확정할 예정임.

PS-Lab
Problem Solving Laboratory

[그림 A-50]의 맨 아래 결론을 보면 '원가(Cost)'를 고려해 각 값들을 'Step-9.3. 설계 요소별 산출물 실현'이나 'Step-11. 상세 설계'에서 최종 확정할 것임을 알리고 있다. 따라서 장표 내 (식 3)을 이용해 적절한 토이 박스 구조

의 결정이 이후에 진행될 것이다(물론 이 정도 규모는 바로 최적화 완료가 가능하나, 단순한 제품을 로드맵으로 전개하기보다 난이도가 높은 제품을 전개하는 것으로 가정하는 게 전체 흐름을 이해하는 데 유리하다. 따라서 최적화는 현 단계 이후로 넘길 것이다).

'기술적 분석'의 또 다른 예를 들어보자. [그림 A-47]의 '분석 계획'에 포함된 '설계 요소'들 중 '**<u>인형 돌출 속도</u>**'가 그 대상이다. '분석 계획' 내 '가설(또는 분석 내용)' 열을 보면 '인형을 박스 위로 올리기 위한 회로의 공학적 탐색'으로 돼 있다. 본 예에서는 '태양 전지'로부터 제공된 기전력으로 전자석을 움직여 용수철 변위 'x'를 제어하고, 제어된 변위에 따라 인형의 '상승 높이'가 결정되는 구조를 가정한다. 다음 [그림 A-51]은 구조의 개요도[84]를 나타낸다.

[그림 A-51] 인형 돌출에 대한 개요도

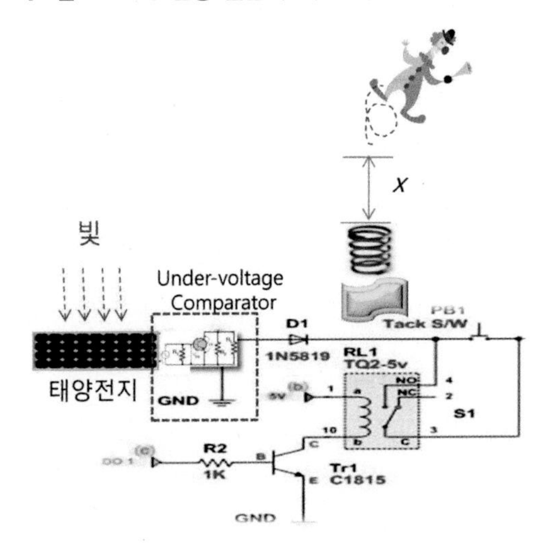

84) <그림 출처> http://www.snailnsnake.co.kr/Open%20Proj/OPJ5/page%206.htm

[그림 A－51]에서 '태양 전지'에 의해 발생된 전기 에너지가 전자석을 가동해 용수철의 변위를 조절하는 구조(로 가정)이며, 전기 에너지 크기는 외부 신호(음성, 소리 등)에 연동한다. 특히 빨간 점선으로 강조된 부위는 '태양 전지'로부터의 기전력이 '5V' 이하로 떨어질 경우 오작동을 방지할 목적으로 회로를 리셋(Reset)하는 '부족 전압 비교기(Under-voltage Comparator)'를 나타낸다. 지금부터 수행될 '기술적 분석'은 '태양 전지'의 '전기 에너지'가 환경에 따라 변동 폭이 클 것임을 염두에 둔다. 이에 만일 일정 전압을 유지하지 않을 경우 나타날 오작동을 미연에 방지하기 위해 중요도가 높은 '비교기'의 최적화를 구현하고자 한다(고 가정한다). 우선 '비교기' 회로의 구성은 다음 [그림 A－52]와 같다.[85]

[그림 A－52] '부족 전압 비교기(Under-Voltage Comparator)' 예

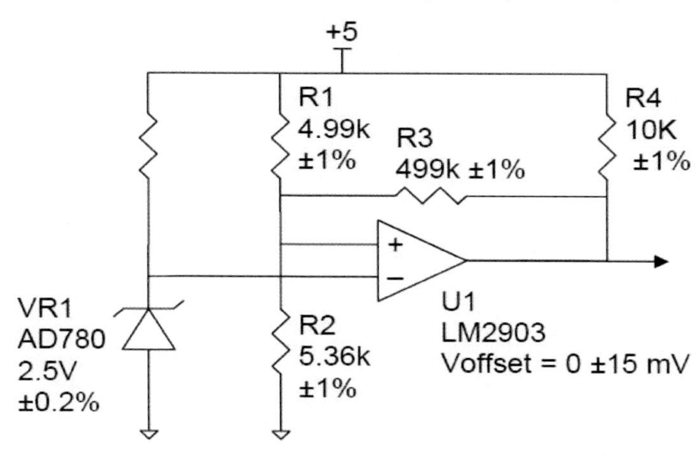

우선 본 예에서, 만일 '5V' 이하로 내려갈 때 회로를 차단하는 전압(V_{Trip_down}),

85) 이후부터의 과정은 "Optimizing an Analog Circuit Using Monte Carlo Analysis, by Andy Sleeper, OQPD.cpm"의 자료 내용을 인용하였다.

'5V'에 근접할 때 회로를 동작시키는 전압(V_{Trip_up}), 안정한 상태를 유지하는 데 필요한 '전압($V_{Trip\_up} - V_{Trip\_down}$)' 중 오동작과 관련 있는 '$V_{Trip\_down}$'에 초점을 맞출 것이다. 전자석을 통한 용수철의 안정된 작동을 위해 'V_{Trip_down}'은 '4.75~4.85V'를 유지해야 하는 것으로 알려져 있다. 상한선이 있는 이유는 회로 자체의 변동을 고려한 것이다. [그림 A-52]에서 영향력이 적은 저항과 다이오드 등을 무시하면 'V_{Trip_down}'은 다음의 과정을 거쳐 표현될 수 있다(이와 같은 '전이 함수'를 만들어내는 일은 쉽지 않은 여정이다. '전이 함수'는 'Step-10. 전이 함수 개발'에서 다시 논하게 될 것이다).

- V_{Trip_down}; 비교기 상태가 바뀌는 점에서의 버스 전압(+5V Bus Voltage)
- V_+; 비교기 '+입력 단'에서의 전압, $V_+ = V_- + V_{Offset}$ at the trip point
- V_-; 비교기 '-입력 단'에서의 전압, $V_- = VR_1$
- V_{Trip_down}을 조사하면, '비교기' 상태가 바뀌기 전 출력은 높게 되고, 따라서 'LM2930'의 '오픈 콜렉터 출력(Open-collector Output)'은 플로팅(Floating) 상태에 있게 된다. 이를 감안한 'V_+'는,

$$\rightarrow V_+ = V_{Trip-down}\frac{R_2}{\frac{R_1(R_3+R_4)}{R_1+R_3+R_4}+R_2} = VR_1 + V_{Offset} \text{ 이고 따라서}$$

$$\rightarrow V_{Trip-down} = [VR_1 + V_{Offset}][\frac{R_1(R_3+R_4)}{R_2(R_1+R_3+R_4)}+1] \quad \text{(전이 함수)} \quad (A.8)$$

이제 관심 대상인 'V_{Trip_down}'의 수준을 알아보기 위해 그를 구성하고 있는 각 부품들의 규격을 활용해보자. 예를 들면 [그림 A-52]의 '저항 R_1' 경우, 현재 정해진 규격은 '4.99k±1%'이므로 '상/하한 규격'은 '5,039.9'와 '4,940.1'이다. 또 이 저항을 여럿 모아 놓으면 '균등 분포(Uniform Distribution)'를 따른다고

가정할 것인데 이것은 실제 환경보다 더 악조건인 보수적 설정이다. 따라서 다른 부품들 역시 동일한 분포로 가정하고 해석할 것이다.

우선 미니탭에서 식 (A.8) 내 각 부품들의 규격과 분포를 적용한 '랜덤 데이터'를 생성(기본 데이터는 '11.2.1. 공차 설계_몬테카를로 시뮬레이션' 참조)한 뒤 역시 미니탭 '계산' 기능을 통해 'V_{Trip_down}'을 얻는다. 이후 규격인 '4.75∼4.85V'를 적용해서 '현 프로세스 능력(Process Capability)'을 구한다. [그림 A-53]은 'V_{Trip_down}'의 '현 프로세스 능력'을 얻기 위한 과정과 결과이다.

[그림 A-53] '랜덤 데이터' 생성 및 워크시트 결과 예

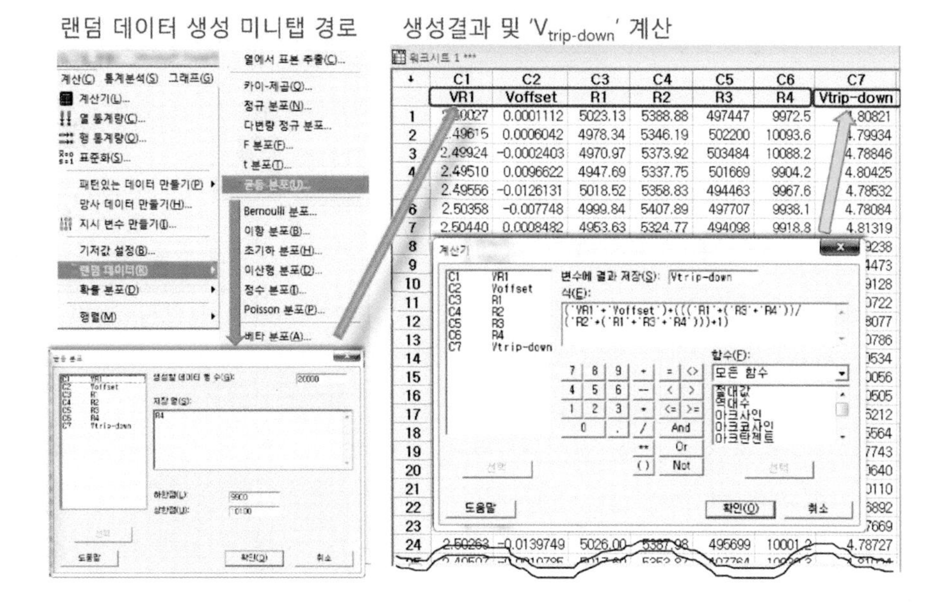

[그림 A-53]의 왼쪽은 미니탭 위치와 '대화 상자'를, 오른쪽은 각 전자 부품별 '랜덤 데이터'와 'V_{Trip_down}'을 구한 결과를 각각 나타낸다. 열 'V_{Trip_down}'의 데이터에 대해 '현 프로세스 능력' 산정 결과를 [그림 A-54]에 나타내었다.

[그림 A-54] 'V_{Trip_down}'에 대한 '현 프로세스 능력' 결과

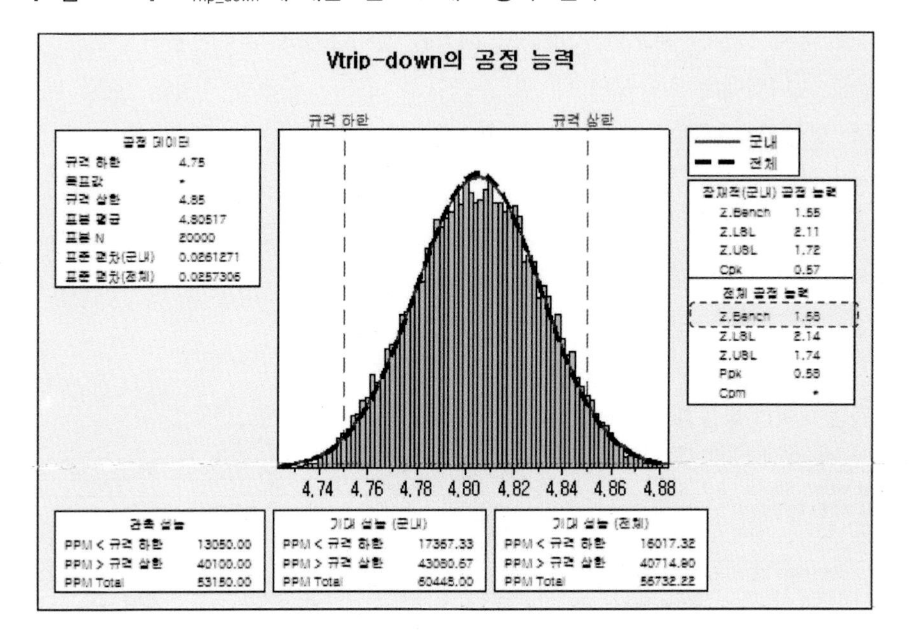

[그림 A-54]에 의하면 고객 요구 조건 '4.75~4.85V' 기준 약 94.33%의 수율을 보이며, 'Ppk' 기준 '0.58'로 매우 낮은 상태임을 알 수 있다. '시그마 수준' 역시 '약 1.58'로 낮은 수준을 보인다. 결론적으로 현재 주어진 회로 조건으론 목표하는 바를 수용할 수 없으므로 이에 대한 대처가 필요한 상황이다. 사실 이 부분에 대한 최적화는 본 단계에서도 처리 가능하나 부품들의 '공차 설계(Tolerance Design)'와 맞물릴 것으로 보여 'Step-11. 상세 설계'로 그 역할을 넘긴다(고 가정한다). [그림 A-55]와 [그림 A-56]은 지금까지의 과정을 파워포인트로 작성한 예이다.

[그림 A－55]는 제어 회로 중 개선 대상인 ‘부족 전압 비교기(Under-voltage Comparator)’를 오른쪽에 확대한 그림이다. 설계 대상이 무엇인지 명확히 하기 위한 조치다. [그림 A－56]은 ‘현 프로세스 능력’을 얻은 결과이며, 이를 토대로 ‘상세 설계’가 ‘Step－11.2. 상세 설계 수행’에서 진행될 것임을 알리고 있다.

[그림 A－55] ‘Step－9.2. 설계 요소 분석(가설 검정－기술적 분석)’ 예

Step-9. 상위수준 설계

Step-9.2. 설계요소 분석(가설검정_기술적 분석)

검정 4. (인형 돌출 속도) 인형을 박스 위로 올리기 위한 회로의 공학적 탐색

▶ **분석방향**; 인형을 튀어 오르게 할 제어회로는 외부의 소리 등 자극에 반응하며, 이때 회로 출력특성의 수준을 파악함으로써 오류가 없도록 최적화를 구현하고자 함.

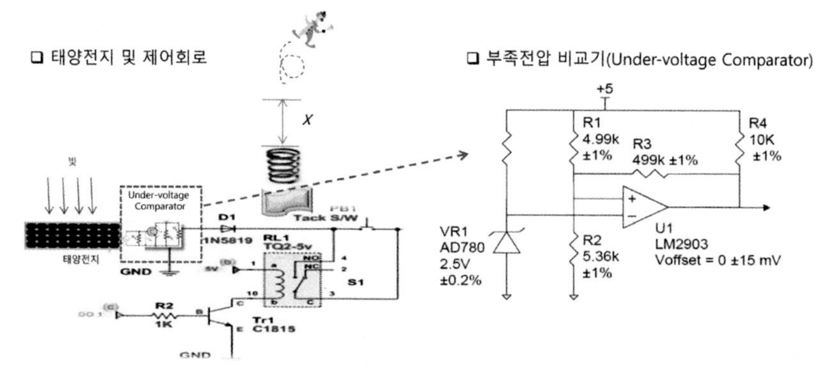

■ 핵심 회로인 ‘부족전압 비교기’는 출력전압($V_{trip\text{-}down}$)을 ‘4.75~4.85’를 유지시킬 목적으로 설계돼야 함. 이 회로에 대한 출력 수준을 파악하고자 함.

PS-Lab 계속 Problem Solving Laboratory

[그림 A－56] ‘Step－9.2. 설계 요소 분석(가설 검정－기술적 분석)’ 예

Step-9. 상위수준 설계
Step-9.2. 설계요소 분석(가설검정_기술적 분석)

검정 4_계속

▶ **분석방향 ;** 출력특성(V_{Trip_down})에 대한 ‘전이함수’를 정의하고, 랜덤데이터를 활용하여 ‘시그마 수준’을 산정 .

■ V_{Trip_down} ; 비교기 상태가 바뀌는 점에서의 버스전압(+5V Bus Voltage)
■ V_+ ; 비교기 ‘+입력 단’에서의 전압, $V_+=V_-+V_{offset}$ at the trip point
■ V_- ; 비교기 ‘ - 입력 단’에서의 전압, $V_-=VR_1$
■ V_{Trip_down}을 조사하면, ‘비교기’ 상태가 바뀌기 전 출력은 높게 되고, 따라서 ‘LM2930’의 ‘Open-collector Output’은 플로팅(Floating) 상태에 있게 된다. 이를 감안한 ‘V_+’는,

$$V_+ = V_{Trip-down}\frac{R_2}{\frac{R_1(R_3+R_4)}{R_1+R_3+R_4}+R_2} = VR_1 + V_{Offset}$$

고, 따라서

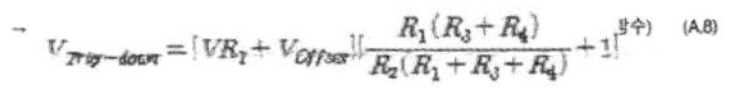

$$V_{Trip-down} = [VR_1 + V_{Offset}][\frac{R_1(R_3+R_4)}{R_2(R_1+R_3+R_4)}+1]$$

(A.8)

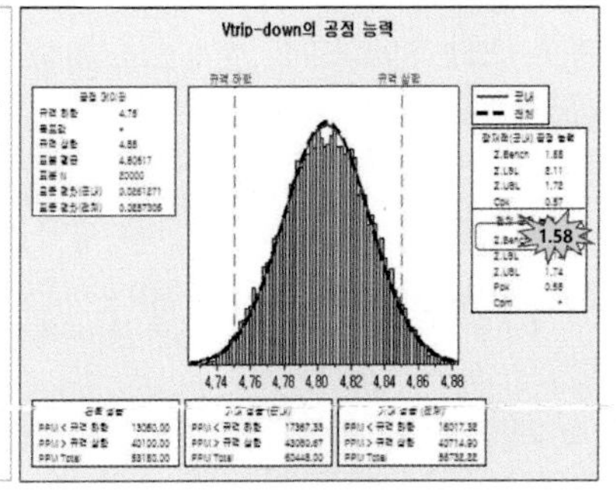

■ 회로로부터 정의된 ‘전이함수’를 이용, ‘출력특성’의 성능을 파악한 결과, 약 ‘1.58 시그마 수준’을 보임. 오류가 없도록 할 수준엔 크게 미달한 상태며, 부품 공차설계가 필요할 것으로 판단돼 ‘Step-11.2 상세 설계 수행’에서 최적화를 수행하도록 함.

PS-Lab
Problem Solving Laboratory

9.2.2. 정성적 분석

[그림 A－45]의 ‘제품 설계 방법론 분석 도구 유형 개요도’ 내 ‘정성적 분석’을 보면 다양한 도구들이 포함돼 있다. 특히 ‘Gap Analysis’는 현재의 상태를 다른 것과 비교해서 보완점을 모색하는 모든 도구들의 통칭이며, 따라서 기술된 ‘보조 분석 도구’ 외에도 유사한 개념이면 모두 추가가 가능하다. ‘전문가 의견’이나 ‘기술 자료’의 경우 ‘프로세스 개선 방법론’이나 ‘프로세스 설계 방법론’ 등에선 ‘기술적 분석’으로 분류되기도 하나 모두를 ‘정성적 분석’ 범주에 넣어도 무방하다. 본문에서는 [그림 A－47] ‘Step－9.2. 설계 요소 분석(분석 계획/데이

터 수집 계획 수립) 예' 중 '**전지 판 효율**'에 대한 '정성적 분석'을 설명한다.

[그림 A-47] 내 두 번째 열 '가설(또는 분석 내용)'을 보면 '전지 판 효율'에 대해 '태양 전지로 토이 박스를 동작시킬 수 있는지에 대한 회로 분석'으로 표기돼 있다. 즉, '전지 판 효율'의 발굴 배경이 전지나 전기 에너지를 쓰게 될 불편함 대신 영구적인 자체 동력원(애초 토이 박스가 동작에 필요한 에너지가 불필요했으므로 이에 익숙한 고객을 염두에 둔 처사임)의 활용을 고려한 바 있다. 또 '[그림 A-43] Step-9.1. 설계 요소 발굴 종합 예'에서 'Design FMEA'를 통해 '잠재 인자'로 발굴되었음도 확인할 수 있다.

이어 '전지 판 효율'을 분석하기 위해 어느 도구가 적합할지 생각해보자. 현재 처한 상황을 간단히 돌아보면, 우선 '토이 박스'가 주로 실내에서 이용될 가능성이 높으므로 "태양광을 받기 위해 항상 밖으로 나가야 하는가?"와 같은 의문이 생긴다. 그러나 이 질문에 대한 답변은 의외로 간단하다. '전자계산기'나 집에서 쓰이는 'TV 리모컨' 중 '태양 전지'가 부착된 제품이 이미 판매되고 있기 때문이다. 이것이 '[그림 A-23] Step-8.2. 콘셉트 후보 평가/선정 작성 예(1차 평가)'에서 '태양 전지'가 선택된 구체적 배경이다. 그런데 'Design FMEA'를 수행하면서 과연 '태양 전지'로부터의 기전력이 토이 박스 내 회로를 동작시키는 데 충분한지에 대한 잠재적 문제가 이슈로 떠올랐다. 따라서 분석의 초점은 전자계산기 수준의 '태양 전지'로 '토이 박스 회로'가 필요로 하는 기전력을 생산해낼 수 있는지에 대한 검증이 필요하며, 도구는 '정성적 분석' 내 'Gap Analysis' 중 '전문가 의견'이 가장 적합하다고 판단한다(고 가정한다). '태양 전지'의 '효율'에 대해선 이미 분야에 종사하는 전문가들에겐 보편화된 정보일 것이기 때문이다. 다음 [그림 A-57]과 [그림 A-58]은 '전문가 의견'에 대한 분석을 정리한 예이다.

[그림 A-57] 'Step-9.2. 설계 요소 분석(가설 검정-정성적 분석)' 예

Step-9. 상위수준 설계
Step-9.2. 설계요소 분석(가설검정_정성적 분석)

검정 5. (전지 판 효율) 태양전지로 토이박스를 동작시킬 수 있는지에 대한 회로분석

▶ **분석방향** : 전자계산기 수준의 '태양전지'로 토이박스 회로가 필요로 할 기전력을 생산해 낼 수 있는지를 전문가 조언을 통해 알아 보고, 보완사항이 있다면 설계에 반영하고자 함.

❑ 태양전지와 연결된 제어회로

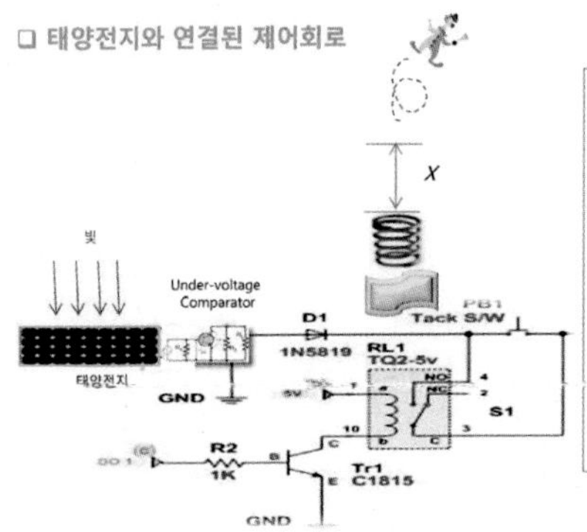

❑ 전문가 의견

- 전압; 전자계산기 내 태양전지 판의 발전 전압은 Cell당 0.5~1V 정도이며 입사되는 빛의 세기에 비례함. 따라서 전자계산기나 리모컨 경우 3V이상이 되어야 하기에 4~7개의 Cell이 필요함.
- 전류; 전적으로 태양전지 판의 넓이와 효율에 비례하는데, 전자계산기 경우 소비전류가 보통 수 mA 이하로 아주 작기 때문에 4~7개의 Cell 정도면 충분하지만 그 외에 전자석이나 모터,전구를 동작시키기 위해서는 훨씬 큰 태양전지 판이 필요할 것임.
- 부피 ; 보통 태양전지 전면엔 Cell을 보호하기 위해 '저철분 강화유리'가 씌워지므로 토이박스엔 역효과가 날 것임. 따라서 '박막(또는 나노) 태양전지'를 권함.

<한국 그린전지 개발 연구원의 김태양 수석 연구원, 20xx. 8.10>

■ '전문가 의견'을 조사한 결과 '박막(또는 나노) 태양전지'에 대한 정보를 입수했으며, 이들의 효율과 토이박스 요구조건과의 비교를 위해 추가분석 수행.

PS-Lab Problem Solving Laboratory 계속

[그림 A-57]에서 '태양 전지'를 포함한 토이 박스 제어용 핵심 회로와 '전문가 의견'을 함께 정리했다. '태양 전지' 특성(전압, 전류)들은 시중에 판매되고 있는 전자계산기나 리모컨용을 참고했으며, 특히 '핵심 기능(CTF)' 중 하나인 '부피를 가감한다'를 염두([그림 A-43] 'Step-9.1. 설계 요소 발굴' 종합 예의 '설계 원칙' 참조)에 두고 수집되었다. 조사 중 '실리콘형'이 표면에 강화 유리를 씌워 부피가 크고 무거운 단점이 있는 반면 '박막형'과 '나노형' 태양 전지가 시판되고 있음을 알게 되었다(고 가정한다). 따라서 '구조', '변환 효율', '용도', '가격', '토이 박스 적용성' 등 종합적인 비교를 통해 가장 적합한 전지를 선택하기 위한 추가 분석이 수행되었다. [그림 A-58]은 그 예이다.

[그림 A－58] 'Step－9.2. 설계 요소 분석(가설 검정－정성적 분석)' 예

Step-9. 상위수준 설계
Step-9.2. 설계요소 분석(가설검정_정성적 분석)

검정 5_계속

▶ **분석방향**; 실리콘, 박막, 나노(Nano) 태양전지에 대한 성능비교.

구분 \ 종류	실리콘 형	박막 형	나노(Nano) 형
구조	P, N형 반도체로 분류 비 결정계(AMOLFASS)	유리기판 위에 태양전지를 증착시켜 만듦.	중합체(Polymer)에 나노로드라는 재료를 첨가해서 생산
변환효율	약 15~ 20%	약 11~ 12%	20% 이상
용도 (토이박스 활용 여부)	가 능 (시계, 탁상 계산기)	좌 동	좌 동
가격	W당 4,000원 선	W당 1,080~1,560원 선	W당 800원 선 (실리콘 형의 1/5 수준)
토이박스 적용 성	표면 강화유리 존재로 제품 무게에 영향이 있으며, 휴대를 위한 부피감소 기능에 부정적임.	실리콘 전지에 비해 가격이 매우 저렴하나 효율이 떨어짐. 토이박스 표면에 밀착시킬 수 있어 현 설계제품에 긍정적임.	재료표면에 페인트처럼 칠해 사용할 수 있으며, 특성, 가격, 부피 등 모든 비교에서 매우 긍정적임. 수입해야 하는 것이 단점임.

■ 시중에서 판매되고 있는 태양전지를 조사한 **결과 '나노(Nano) 형'이 특성, 가격, 부피 등 모든 비교에 있어 매우 적합**한 것으로 파악됨. 단, 수입을 해야 하는 어려움이 있음.

PS-Lab
Problem Solving Laboratory

'태양 전지 유형'별 특징을 비교 분석한 결과 가격, 효율, 부피 등 모든 면에서 현재 설계 중인 '토이 박스'에 가장 적합한 '나노형'을 선택하였다(고 가정한다). 특히 '나노형'은 페인트로 칠할 수 있어 개발 중인 '토이 박스'엔 최상의 전기에너지 발생원이 될 것으로 판단하였다. 다음은 '[그림 A－47] Step－9.2. 설계 요소 분석(분석 계획/데이터 수집 계획 수립) 예' 중 '원가 수준 분석'에 대해 알아보자.

'**원가 수준**', 즉 개발 제품의 '원가(Cost)'란 항상 깊이 있게 고민해야 할 요소다. 굳이 '설계 요소'라고 명명하거나 발굴하지 않아도 어차피 해결하고 넘어가야 한다. 그렇다면 '제품 설계 방법론 로드맵' 중 어느 단계에서 수행해야 할까? '원가'를 분석하는 시점은 '기능(Function)'이 결정된 직후에 이뤄지는 게 일반적이다. 이를 감안하면 Analyze Phase 'Step－7.2. 핵심 기능 선정', 'Step－7.3.

기능 대안 도출', 'Step-7.4. 기능 대안 확정' 중 적정한 '세부 로드맵'에서 수행한다. 여기서 '적정한'이란 과제별로 목적하는 바가 다를 수 있는데, 예를 들면 기존 제품의 '원가절감'형 과제 경우 '핵심 기능'만 파악되면 바로 '원가 분석'이 가능하고, 일부는 '기능 대안'이 나와야 부품의 윤곽을 잡을 수 있거나 또는 콘셉트가 '확정'돼야 일괄적인 '원가 분석'이 가능할 수 있다. 또 개발 대상의 규모가 크거나 복잡하면 부품과 직접 연관된 '설계 요소'의 구체화가 이뤄진 뒤 '원가 분석'이 이행될 수 있다. 이 외에 Analyze Phase에서 발굴된 '기능'들을 대상으로 '원가 분석'을 1차 수행한 뒤, 본 단계에서 2차로 구체화 과정을 밟는 것도 위험을 줄일 수 있는 한 방법이다. 본문에선 '분석'의 의미를 살려 모든 분석적 요소는 'Step-9.2. 설계 요소 분석'에서 통합해 진행하는 것으로 결정하였다. 지금부터 상세 분석 과정으로 들어가 보자.

제일 먼저 수행할 사항은 '핵심 기능(CTF)'들 간 '상대적 중요도'를 알아내는 일이다. 이 작업은 'Step-7.1 기능 분석' 중 '7.1.2. FAST를 이용한 기능 도출'에서 소개한 'VE(Value Engineering)'의 일부이기도 하다. 'VE(가치 공학)'에서 소개하는 '핵심 기능'들의 '상대적 중요도' 평가 방법은 'AHP법', 'FD법(Forced Decision Method)', 'DARE법(Decision Alternative Ratio Evaluation System)', 'IWDM법(Improved Weight Decision Method)', 'Delphi법', 'Value Mismatch법' 등 많기도 하다. 사실 종류가 많은 것이지 사용이 복잡한 건 아니다. 그러나 본문에서 소개할 우선순위 방법은 사용 빈도가 높은 'AHP(Analytic Hierarchy Process)'를 활용할 것이다.[86] 이를 위해 '[그림 A-4] Step-7.1. 기능 분석 작성 예(FAST 적용)'와 '핵심 기능(CTF)'이 요약된 '[표 A-6] 재조정된 핵심 기능 예'를 상기해보자. 다음 [표 A-33]은 [표 A-6]에 'Y'를 대응시켜 정리한 결과이다.

---

86) 'VE'에서의 목표원가 산정과정 및 'AHP' 활용에 대한 근거는 'Journal of ASQC Vol.21, No.2, Dec. 1993, 박노국 외 2명' 중 'AHP' 부분만을 참고하였다.

[표 A-33] '핵심 기능(CTF)'에 'Y'를 대응시킨 예

Y	핵심 기능(CTF)	Y	핵심 기능(CTF)
'재미의 표현 수'를 늘린다.	인형을 바꾼다.	'부착물 접착력'을 높인다.	친환경 성분을 정한다.
	게임을 형성한다.		접착 상태를 유지한다.
'놀이 유지 시간'을 늘린다.	외관을 바꾼다.		상자표면을 보호한다.
	부피를 가감한다.		미적 가치를 높인다.
	스스로를 이동시킨다.	-	-
'자극 반응도'를 높인다.	다양한 외부자극을 안다.	-	-
	에너지를 적게 한다.	-	-

[표 A-33]을 통해 '핵심 기능(CTF)'들이 어느 'Y'에서 유래되었는지를 알 수 있는데, 참고로 'Y'들도 기능적 표현을 적용하였다. '핵심 기능' 간 우선순위를 알아보기 위해 먼저 'Y'들부터 'AHP'를 수행한다. 다음 [표 A-34]는 그 결과를 보여준다('AHP' 용법에 대해서는 관련 자료 등을 참조하기 바란다).

[표 A-34] 'Y'들에 대한 'AHP' 수행 예

Y	재미의 표현 수를 늘린다.	놀이 유지 시간을 늘린다.	자극 반응도를 높인다.	부착물 접착력을 높인다.
재미의 표현 수를 늘린다.	1	1/3(=0.33)	5	9
놀이 유지 시간을 늘린다.	3	1	7	9
자극 반응도를 높인다.	1/5(=0.2)	1/7(=0.14)	1	3
부착물 접착력을 높인다.	1/9(=0.11)	1/9(=0.11)	1/3(=0.33)	1

[표 A-34]의 행 값들을 '기하 평균'한 뒤 각각을 전체 합으로 나누면 'Y'들 간 '중요도'를 얻는다. 다음 [표 A-35]는 그 예이다.

[표 A-35] 'Y'들에 대한 우선순위(기하 평균) 예

Y	재미의 표현 수를 늘린다.	놀이 유지 시간을 늘린다.	자극 반응도를 높인다.	부착물 접착력을 높인다.	기하평균	중요도
재미의 표현 수를 늘린다.	1	1/3(=0.33)	5	9	1.97	0.30
놀이 유지 시간을 늘린다.	3	1	7	9	3.71	0.57
자극 반응도를 높인다.	1/5(=0.2)	1/7(=0.14)	1	3	0.54	0.09
부착물 접착력을 높인다.	1/9(=0.11)	1/9(=0.11)	1/3(=0.33)	1	0.25	0.04

[표 A-35]를 보면 'Y'들 간 상대적 중요도를 알 수 있다. 적어도 '부착물 접착력을 높인다'보다 '놀이 유지 시간을 늘린다'가 약 '14.3배(=0.57/0.04)' 중요함을 알 수 있다. 여기까지가 '1차적 해석'이고, 이어질 '2차적 해석'은 [표 A-33]의 '계층(Hierarchy)' 구조를 참고해서 수행한다. 전체 과정을 보이는 건 여러모로 제약이 따르므로 '재미의 표현 수를 늘린다' 경우만 살펴보자. [표 A-33]에서 '인형을 바꾼다'와 '게임을 형성한다' 두 항목이 있으므로 다시 'AHP'를 수행하되 이때 '1차적 해석'과의 차이점은 '재미의 표현 수를 늘린다' 관점에서 상대 비교를 한다. 다음 [표 A-36]의 결과를 얻는다.

[표 A-36] 하위 계층 간 'AHP' 수행 예

재미의 표현 수를 늘린다.(0.30)

핵심 기능(CTF)	인형을 바꾼다.	게임을 형성한다.	기하평균	중요도	전체 중요도
인형을 바꾼다.	1	1/7(=0.143)	0.38	0.12	0.360
게임을 형성한다.	7	1	2.65	0.88	0.264

[표 A-36]의 '전체 중요도'는 [표 A-35] 내 '재미의 표현 수를 늘린다'의 중요도인 '0.3'을 각각 곱해서 얻는다. 이 같은 과정을 각 'Y'들에 똑같이 수행한 뒤 정리하면 다음 [표 A-37]이 된다.

[표 A-37] '핵심 기능(CTF)'에 'Y'를 대응시킨 예

Y	중요도	핵심 기능(CTF)	전체 중요도	상대적 중요도
'재미의 표현 수'를 늘린다.	0.30	인형을 바꾼다.	0.360	0.272
		게임을 형성한다.	0.264	0.199
'놀이 유지 시간'을 늘린다.	0.57	외관을 바꾼다.	0.414	0.313
		부피를 가감한다.	0.113	0.085
		스스로를 이동시킨다.	0.043	0.032
'자극 반응도'를 높인다.	0.09	다양한 외부자극을 안다.	0.075	0.057
		에너지를 적게 한다.	0.015	0.011
'부착물 접착력'을 높인다.	0.04	친환경 성분을 정한다.	0.027	0.020
		접착 상태를 유지한다.	0.008	0.006
		상자표면을 보호한다.	0.004	0.003
		미적 가치를 높인다.	0.001	0.001
			합	1.0

[표 A-37]의 '상대적 중요도'는 '원가 분석'을 위한 [표 A-38]에 적용한다.

[표 A-38] '원가 분석'용 도표 예

핵심 기능(CTF)	기능별 현 원가(C)	기능별 우선도(P) (상대적 중요도)	기능별 평가치 (F=목표*P)	V= F/C	원가절감 목표 (C-F)	착수순위
인형을 바꾼다.	14,289	0.272	12,394.93	0.87	1,894.07	2
게임을 형성한다.	11,080	0.199	9,068.35	0.82	2,011.65	2
외관을 바꾼다.	9,950	0.313	14,263.28	1.43	-4,313.28	-
부피를 가감한다.	4,995	0.085	3,873.42	0.78	1,121.58	3
스스로를 이동시킨다.	3,102	0.032	1,458.23	0.47	1,643.77	3
다양한 외부자극을 안다.	6,125	0.057	2,597.47	0.42	3,527.53	1
에너지를 적게 한다.	5,041	0.011	501.27	0.10	4,539.73	1
친환경 성분을 정한다.	886	0.020	911.39	1.03	-25.39	-
접착 상태를 유지한다.	32	0.006	273.42	8.54	-241.42	-
상자표면을 보호한다.	629	0.003	136.71	0.22	492.29	4
미적 가치를 높인다.	833	0.001	45.57	0.05	787.43	4
합계	56,962	1.000	45,569.6	-	**11,437.97**	-

[표 A－38]에서 '기능별 현 원가(C)' 열은 과거 유사 제품이나 최근 조사된 정보를 토대로 각 '기능'을 실현시킬 부품들의 현 '단가'를 종합해서 입력한다([표 A－39] 참조). 이어 '기능별 우선도(P)' 열에 [표 A－37]의 '상대적 중요도'를 옮겨 놓으면 나머지 항목들은 자연스럽게 산정된다. 참고로 '기능별 평가치' 열에서 '목표'는 '파레토(Pareto) 법칙'에 의거 현 수준의 '80%'를 적용한다(예, '인형을 바꾼다' 경우, 0.272×56,962×0.8=12,394.93을 얻었다). 맨 끝 열인 '착수 순위'는 바로 앞 '원가절감 목표'가 큰 값을 중심으로 일의 순서를 정한다. 앞으로 '상세 설계' 등을 진행하면서 목표액만큼 원가절감 노력을 해야 한다. 현재 개발할 '토이 박스' 경우 기존엔 없던 '제어 회로'가 새롭게 포함됨에 따라 순위가 높게 나온 것으로, 나머지 기계적 작동이며 원가절감 난이도가 상대적으

[표 A－39] '기능별 현 원가' 산정을 위한 조사 표 예

핵심 기능 / 부품	F1 인형을 바꾼다.	F2 게임을 형성한다.	F3 외관을 바꾼다.	F4 부피를 가감한다.	F5 스스로를 이동 시킨다.	F6 다양한 외부자극을 안다.	F7 에너지를 적게 한다.	F8 친환경 성분을 정한다.	F9 접착 상태를 유지한다.	F10 상자 표면을 보호한다.	F11 미적 가치를 높인다.
1.재료비											
인형	460										
루프		90									
용수철		46									
판재			39								
힌지				18							
…	…	…	…	…	…	…	…	…	…	…	…
2.노무비											
가공인력	42										
설계담당		27				320	1,230				
…	…	…	…	…	…	…	…	…	…	…	…
3.장비비											
가공설비			74								
납땜설비			13				67				
…	…	…	…	…	…	…	…	…	…	…	…
합	14,289	11,080	9,950	4,995	3,102	6,125	5,041	886	32	629	833

로 낮을 것으로 판단하였다(고 가정한다). 그 외에 '음수 값'들은 현재 '원가'가 개발 제품에 쓰일 부품의 '원가'보다 낮다는 의미로 그동안 거래처나 연구개발 능력 등을 충분히 확보하고 있어 원가에 자신을 보이는 대목이라 할 수 있다. 전체 '원가절감 목표'는 현재의 '56,962원'에서 '11,437.97원' 줄인 '45,524.03원'을 만드는 것이다. 다음 [표 A-39]는 '기능'을 실현시킬 부품들의 '원가(Cost)'를 조사한 예이다.

[표 A-39]를 작성하기 위해선 '원가'를 산정할 관련 부서들의 협조가 있어야 하며, 전체 일정을 계획한 뒤 분담한 역할을 수행해 나간다. 연구원 한두 명에 의해 대충 설정하는 일은 가급적 피한다. 다음 [그림 A-59], [그림 A-60]은 '원가 수준 분석'에 대한 파워포인트 작성 예이다.

[그림 A-59] 'Step-9.2. 설계 요소 분석(가설 검정-정성적 분석)' 예

Step-9. 상위수준 설계
Step-9.2. 설계요소 분석(가설검정_정성적 분석)

D M A D V

검정 10. (원가수준) 핵심기능을 토대로 목표원가 달성 위한 부품 별 원가배분 분석.

▶ **분석방향**; 현재 설계상태에서의 원가를 분석하고 현 수준대비 20% 절감하기 위한 기능별 설계방향을 설정. 이로부터 정해진 원가에 맞는 설계 및 부품수배가 이루어질 수 있음.

❑ 'Y'와 '핵심기능' 간 대응관계

Y	핵심기능 (CTF)	Y	핵심기능 (CTF)
'재미의 표현 수'를 늘린다.	인형을 바꾼다.	'부착물 접착력'을 높인다.	친환경 성분을 정한다.
	게임을 형성한다.		접착상태를 유지한다.
'놀이 유지시간'을 늘인다.	외관을 바꾼다.		상자표면을 보호한다.
	부피를 가감한다.		미적가치를 높인다.
	스스로를 이동시킨다.	-	-
'자극 반응도'를 높인다.	다양한 외부자극을 안다.	-	-
	에너지를 적게 한다.	-	-

❑ 'Y'들에 대한 우선순위(중요도)

Y	재미의 표현 수를 늘린다.	놀이 유지시간을 늘인다.	자극 반응도를 높인다.	부착물 접착력을 높인다.	기하평균	중요도
재미의 표현 수를 늘린다.	1	1/3(=0.33)	5	9	1.97	0.30
놀이 유지시간을 늘인다.	3	1	7	9	3.71	0.57
자극 반응도를 높인다.	1/5(=0.2)	1/7(=0.14)	1	3	0.54	0.09
부착물 접착력을 높인다.	1/9(=0.11)	1/9(=0.11)	1/3(=0.33)	1	0.25	0.04

(분석 과정)

PS-Lab Problem Solving Laboratory 계속

'AHP'를 이용해 'Y'들 간 우선순위를 정하고(기하 평균), 그들에 대한 '중요도'를 산정하였다. '중요도'는 '기하 평균' 전체의 합으로 각각을 나누어 얻는다. 상세 과정은 '개체 삽입'으로 처리되었다(고 가정한다). 이 작업이 완료되면 각 'Y'들 내 '핵심 기능'들에 대해 두 번째 'AHP'를 수행하는데, 과정과 결과는 다음 [그림 A-60]과 같이 파워포인트에 정리하였다.

[그림 A-60] 'Step-9.2. 설계 요소 분석(가설 검정-정성적 분석)' 예

Step-9. 상위수준 설계
Step-9.2. 설계요소 분석(가설검정_정성적 분석)

검정 10_계속

▶ **분석방향**; '핵심기능'별 원가절감 액과 중요도에 따른 착수순위를 결정.
▶ 'Y' 및 '핵심 기능(CTF)'들에 대한 AHP 평가과정, '가능 별 현 원가(C)'의 산정은 '개체 삽입' 참조.

핵심기능 (CTF)	기능별 현 원가(C)	기능별 우선도(P) (상대적 중요도)	기능별 평가치 (F=목표*P)	V= F/C	원가절감 목표 (C-F)	착수순위
인형을 바꾼다.	14,289	0.272	12,394.93	0.87	1,894.07	2
게임을 형성한다.	11,080	0.199	9,068.35	0.82	2,011.65	2
외관을 바꾼다.	9,950	0.313	14,263.28	1.43	-4,313.28	-
부피를 가감한다.	4,995	0.085	3,873.42	0.78	1,121.58	3
스스로를 이동시킨다.	3,102	0.032	1,458.23	0.47	1,643.77	3
다양한 외부자극을 안다.	6,125	0.057	2,597.47	0.42	3,527.53	1
에너지를 적게 한다.	5,041	0.011	501.27	0.10	4,539.73	1
친환경 성분을 정한다.	886	0.020	911.39	1.03	-25.39	-
접착상태를 유지한다.	32	0.006	273.42	8.54	-241.42	-
상자표면을 보호한다.	629	0.003	136.71	0.22	492.29	4
미적가치를 높인다.	833	0.001	45.57	0.05	787.43	4
합계	56,962	1.000	45,569.6	-	11,437.97	-

(분석 과정)
(현 원가)

■ 새로 도입되는 회로부품 및 설계의 원가를 우선적으로 절감하도록 설계추진하고, 게임, 부피, 외관의 순으로 이후 진행. 전체 절감목표는 약 11,438원임.

회로 부품은 기존 '토이 박스'에 포함돼지 않은 새로운 접근이므로 집중적인 원가절감 노력이 설계 중 요구되며, 이어 게임, 부피 줄임, 외관 처리 순으로 기능 향상을 위한 절감 노력이 수행된다. 상세 정보는 '개체 삽입'해 놓은 것으로 가정하겠다. '정성적 분석'은 이 정도에서 정리하고 다음은 '정량적 분석'에 대해

알아보자.

9.2.3. 정량적 분석

'정량적 분석'은 말 그대로 숫자를 이용해 분석하는 방법이다. 보통 '그래프 분석'과 '통계 분석'을 합한 명칭이며, 통계학에선 '확증적 자료 분석(Confirmatory Data Analysis)', 줄여서 'CDA'라고 한다. 주로 '가설 검정'을 다룬다. [그림 A-61]은 '정량적 분석'에 포함된 통계 도구들이다.

[그림 A-61] '정량적 분석'의 구분 개요도

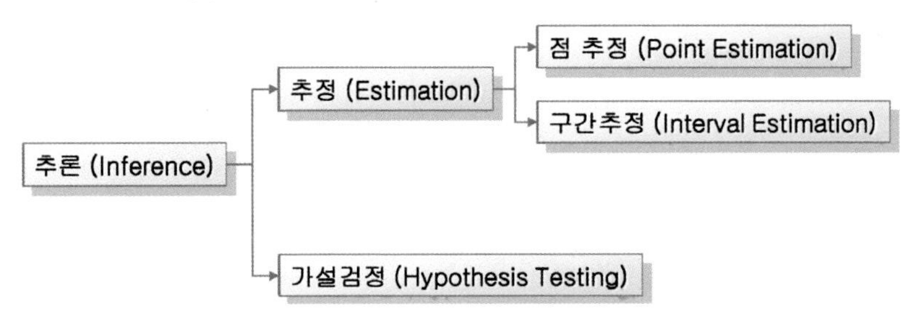

'추정'은 모집단의 '모수(평균, 분산, 비율 등)'를 알아내는 것이고, '가설 검정'은 생각하는 모두가 '가설'이므로 데이터를 통해 이를 확인하는 접근법이다. 특히 '가설 검정'은 국내에 경영 혁신이 도입되며 활용 접근성이 매우 높아진 분야이다. 대학 특정 학과의 학생들 전유물이었지만 이젠 기업 내 누구라도 학습 받으면 쉽게 활용할 수 있을 만큼 대중적이다. 고급이 아닌 기본 지식이 됐다고 생각한다. '가설 검정' 학습에는 잘 정리된 통계 도구 선정 방법들이 제공되며, 한마디로 통계적 실체를 잘 몰라도 주어진 데이터로 어느 검정 절차를 거치는지 명확히 알 수 있다. 자동차의 작동 원리를 잘 모르는 일반인들이 직접 운전해서 목적지에 도달할 수 있는 것과 비유된다. 다음 [그림 A－62]와 [그림 A－63]은 원하는 '통계 분석'을 할 수 있도록 안내할 '분석 세부 로드맵'을 나타낸다. 교육 중 한번씩 접해보았을 줄 안다.

[그림 A－62] 분석 4－블록

X \ Y	연속 자료	이산 자료
연속 자료	✓ 그래프: 산점도 ✓ 통 계: 상관분석 회귀분석 ①	✓ 그래프: 파레토 차트, 기타 ✓ 통 계: 로지스틱 회귀분석 ②
이산 자료 (범주 자료)	③ ✓ 그래프: Box Plot, 히스토그램, Multi-vari Chart ✓ 통 계: 등 분산 검정, t-test, ANOVA, 비 모수 검정	④ ✓ 그래프: 막대 그래프, 기타 ✓ 통 계: 1-표본 비율검정, 2-표본 비율검정, 카이 제곱 검정

[그림 A－62]에서 만일 'Y－연속', 'X－연속'(블록 ①)이면 두말할 것도 없이 그래프는 '산점도'를, 통계 분석은 '상관 분석'과 예측의 필요성이 있으면 '회귀 분석'을 수행한다. 또 'Y－연속', 'X－이산(범주)'(블록 ③)이면 그래프는 'Box－Plot(상자 그림)', 통계 분석은 '등 분산 검정', 't－검정' 등을, 'Y－이산', 'X－연속'(블록 ②)이면 '로지스틱 회귀분석', 끝으로 'Y－이산', 'X－이산(범주)'(블록 ④)이면 '비율 검정'을 수행한다. 이런 접근은 'Y'나 'X'의 데이터 유형을 알게 되면 통계 도구들을 미리 결정할 수 있음을 의미한다. 그런데 [그림 A－62]의 블록 4개 중 '③'과 '④'번 불록에 해당하면 '분석 세부 로드맵'으로 넘어가 '가설 방법', '미니탭 위치' 및 '통계 도구'를 선택하도록 안내하는데 대표적인 흐름도에 다음 [그림 A－63]이 있다.

[그림 A－63] 분석 세부 로드맵

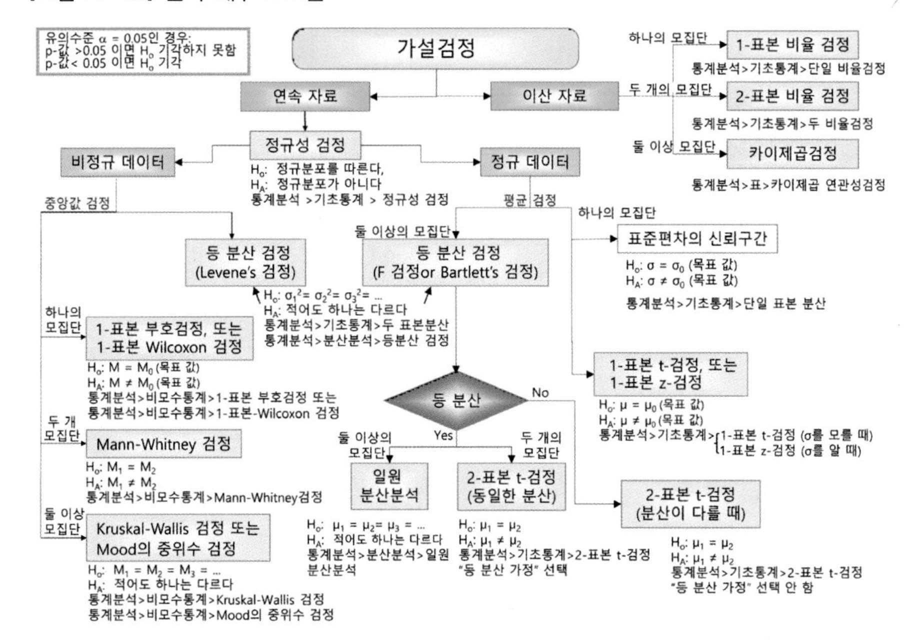

[그림 A－63]에서 'Y'가 '연속 자료'이면 '정규성 검정 → 등 분산 검정 → 평균 검정'의 순서를 밟는데 이것은 데이터를 쌓아 놓았을 때의 '모양(분포)', 흩어진 정도인 '분산', 중심 위치인 '평균'을 순차적으로 비교하기 위함이다. 셋 중 하나라도 다르면 다른 모집단에서 온 표본이라고 판단(검정)한다. 만일 'Y'가 '이산 자료'면 초반에 오른쪽의 '비율 검정'으로 경로가 선택된다. 그 외에 '정규성 검정'에서 데이터 모양이 좌우대칭 종 모양(정규 분포)을 보이지 않으면 왼쪽인 '비모수 검정(중앙값 검정)'으로 들어간다.

사실 '프로세스 개선 방법론'과 '프로세스 설계 방법론'에선 '평균 검정'과 '비율 검정'에 대해 풀이 과정과 사례를 하나하나 언급했으나 '제품 설계 방법론'에선 초두에 언급했듯이 리더들이 검정 방법에 대해 어느 정도 인지하고 있음을 전제한다. '공학적 탐색'이나 '신뢰성 분석' 등 차별된 도구들이 포함돼 있어 책의 분량을 고려해야 하기 때문이다. 따라서 '가설 검정'에 대해 자세히 학습하고 싶은 독자는 『Be the Solver_프로세스 개선 방법론』편이나, 『Be the Solver_확증적 자료 분석』편을 참고하기 바란다. 본문에서는 '[그림 A－47] Step－9.2. 설계 요소 분석(분석 계획/데이터 수집 계획 수립) 예'의 설계 요소들 중 '분말 안정제'의 종류를 선정하는데 '분산 분석(ANOVA)' 하나만 활용하고 나머지는 개인의 학습으로 남긴다. 그 전에 '가설 검정'에 대한 일반적 접근법에 대해 알아보자.

가설 검정 방법

'가설 검정'은 말 그대로 "가설을 검정한다"이다. 앞서 설명했던 대로 '가설'이란 '우리가 이야기하는 모든 것'이라고 하였다. 즉, 확인되지 않은 것은 모두 가설이다. '[그림 A－47] Step－9.2. 설계 요소 분석(분석 계획/데이터 수집 계획 수립) 예'들은 모두 과제 지표 'Y'에 영향을 줄 것으로 판단되어 선별된 것들로 이 역시 확인되지 않는 한 가설에 해당한다. 따라서 '설계 요소 분석'은 정말 'Y'에 영향을 주는지 확인(검정)하는 절차이다. 검정 절차는 다음과 같다.

① **가설을 세운다**. '가설'은 '귀무가설(歸無假說, Null Hypothesis)'과 '대립가설(對立假說, Alternative Hypothesis)'이 있다. '귀무가설'의 사전적 의미는 "설정한 가설이 진실할 확률이 극히 적어 처음부터 버릴 것이 예상되는 가설"이다. '대립가설'의 사전적 의미는 "귀무가설이 기각될 때 받아들여지는 가설로 대체가설(代替假說)이라고도 한다"이다. 리더 중에서도 가설을 세우라고 하면 매우 어려워하는 경우가 참 많다. 경험적으로 '대립가설'을 먼저 기술하는 것이 유익하다. 왜냐하면 미니탭에 입력하는 과정이 '대립가설' 위주로 되어 있기 때문이다.

따라서 교육생들에게는 항상 '대립가설'을 먼저 설정하도록 유도한다.

각 가설의 의미를 되새겨 보자. '귀무가설'의 사전적 의미를 잘 보면 "~처음부터 버릴 것이 예상되는 가설"로 되어 있다. 검정을 한다고 결정한 순간 기존에 비해 변화가 있었거나 차이가 유발된 것을 확인해보겠다는 의지가 저변에 깔려 있다. 그렇지 않으면 굳이 검정이라는 확인 절차를 거쳐야 할 하등의 이유가 없기 때문이다. 따라서 검정을 한다고 결정된 순간 변화나 차이를 고려하게 되며 이를 '대립가설'로 설정하는데 이 경우 '귀무가설'은 "처음부터 버릴 것이 예상되는 가설"이 된다. 예를 들면, '수율'을 향상시키는 과제를 수행한 후 정말 기존에 비해 '수율'이 늘어났는지 확인하려면 '대립가설'은 "기존에 비해 수율이 늘어났다"가 되거나, 또는 구체적으로 늘어났기를 기대하는 '수율'이 '5'라면 "기존보다 5가 늘어났다" 등으로 표현한다. 기호로 표시하면 'H_a: $\mu_{new} - \mu_{old} > 0$' 또는 '$H_a$: $\mu_{new} - \mu_{old} > 5$'에 각각 해당한다. 또 '귀무가설'은 '$H_0$: $\mu_{new} - \mu_{old} \leq 0$' 또는 '$H_0$: $\mu_{new} - \mu_{old} \leq 5$'가 될 것이다. 즉, 귀무가설은 "처음부터 버릴 것이 예상되는 가설"이 된다. 설사 검정 결과 예상과 달리 '수율'이 늘어나지 않은 것으로 확인되면 귀무가설을 버리지 못하게 될 수도 있다. 그건 어디까지나 데이터로부터 확인된 이후의 상황이므로 그 전까지 귀무가설은 여전히 "처음부터 버릴 것이 예상되는 가설" 상태를 유지한다.

참고로 대립가설이 'H_a: $\mu_{new} - \mu_{old} > 0$'가 될 경우 귀무가설은 그 반대인 '$H_0$: $\mu_{new} - \mu_{old} \leq 0$'인데, 이때 부등호 '≤'를 쓰는 대신 항상 '='만 쓰는 것이 관례로 되어 있다. 그 이유는 "작거나 같은 것의 최댓값이 '0'인데, 얻어진 값이 설사 '0'인들 변한 것이 아니므로 하물며 그보다 작은 것은 두말할 나위도 없다"는 의미이기 때문이다. 따라서 '귀무가설'은 어떤 경우든 항상 '='으로 표기한다. 다음의 식 (A.9)는 "수율이 기존과 차이가 있다"라는 가설(기존 '수율'보다 크든 작든 차이가 있는지 여부만을 확인하는 가설)을 표기한 예이다. 항상 대립가설을 먼저 설정하는 습관을 키우자.

$$H_o: \mu_{new} - \mu_{old} = 0$$
$$H_a: \mu_{new} - \mu_{old} \neq 0 \qquad (A.9)$$

검정이 ‘양측 검정(Two-sided Test)’인지 ‘단측 검정(One-sided Test)’[87]인지 선택을 어려워하는 리더들이 있는데 ‘대립가설’을 몇 번 설정해보면 어려움은 곧 사라진다. ‘대립가설’은 항상 당면한 문제에 대해 ‘차이가 있다’로 설정하기 때문에 사실은 고민할 이유가 전혀 없다. 일반적으로 정보가 충분히 있는 경우는 ‘단측 검정’을, 정보가 충분치 않은 경우는 ‘양측 검정’을 하는 것으로 알려져 있다. 예를 들면 ‘남자가 여자보다 키가 크다’라는 말을 했을 때 이는 현재로서는 객관적으로 확인되지 않은 사실이므로 ‘가설’에 지나지 않는다. 그러나 통상적인 관념으로 ‘남자가 여자보다 키가 클 것이란 정보를 경험을 통해 어느 정도 인지’하고 있으면 사전 정보를 갖고 있는 것이며, 이때 가설은 다음 식 (A.10)과 같이 ‘단측 검정’이 온다.

$$H_o: \mu_{Man} - \mu_{Woman} = 0$$
$$H_a: \mu_{Man} - \mu_{Woman} > 0 \qquad (A.10)$$

그러나 만일 ‘남자가 여자보다 키가 클 것’이란 사전 정보가 전혀 없으면 ‘대립가설’을 세울 때 ‘크다’라고 넣기가 어렵다. 큰지 작은지 전혀 알 수 없기 때문이다. 이렇게 정보가 없는 경우의 가설은 ‘양측 검정’을 기본으로 설정한다. 가설을 세운 예는 다음 식 (A.11)과 같다.

$$H_o: \mu_{Man} - \mu_{Woman} = 0$$

---

87) 한국통계학회 ‘통계학 용어 대조표’에는 ‘양측 검정’과 ‘단측 검정’ 외에 ‘양쪽꼬리검정(Two-tailed Test)’과 ‘한쪽꼬리검정(One-tailed Test)’으로도 표현하고 있다.

$$H_a: \mu_{Man} - \mu_{Woman} \neq 0 \qquad (A.11)$$

과제를 수행할 때 리더는 프로세스 운영을 장기간 담당해왔으므로 가설 검정에 대한 기본적인 정보를 충분히 숙지하고 있는 경우가 많다. 따라서 가설을 세울 때 '단측 검정'인지 또는 '양측 검정'인지를 고민하는 경우는 매우 드물다.

② **유의 수준을 결정한다**. 검정 과정 중에 흔히 마주치는 '유의 수준', 'p-값', '제1종 오류(또는 생산자 위험, α 오류)', '제2종 오류(또는 소비자 위험, β 오류)', '임계 값', '신뢰 수준', '검정력'들에 대한 정의와 해석은 『Be the Solver_확증적 자료 분석』편에 상세하게 설명해 놓았으므로 필요한 리더는 참고하기 바란다. '유의 수준(有意水準 Significance Level)'은 0.1(10%), 0.05(5%), 0.01(1%)을 주로 적용하며, 관습적으로 '0.05'의 사용이 일반화되어 있다.

어느 성인 집단의 신장(키) 분포가 있다고 가정하자.-분포의 평균은 170㎝, 표준 편차는 5㎝, 정규 분포로 가정한다. 다음 [그림 A-64]는 설명된 분포와 '유의 수준', '임계 값', '수용 역' 및 '기각 역'을 나타내는 '검정 개요도'를 나타낸다.

[그림 A-64] '검정'을 위한 개요도

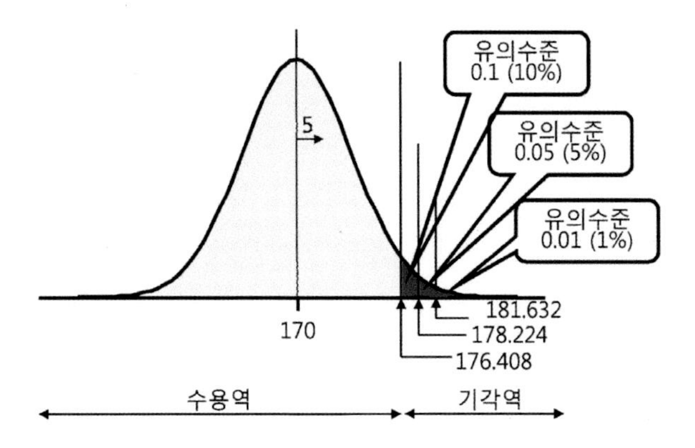

[그림 A-64]를 미리 확보한 후 '비교 집단'으로 명명하고 잠시 잘 보관해두도록 하자. 이제 주변에서 임의 한 명을 선정한 다음, 그 키를 측정하니 '180㎝'라고 하자. '검정'이라고 하는 것은 이렇게 표본을 추출해서 그 값(표본 크기가 1개 이상일 경우는 평균이 될 것임)을 측정할 경우, 측정값이 보관하고 있던 '비교 집단'에 속하는지 그렇지 않은지를 확인하는 과정이다. 따라서 미리 측정해둔 집단에 측정한 키(180㎝)의 소유자가 포함되는지 그렇지 않은지가 중요한데 그 전에 가설을 세워보면 다음 식 (A.12)와 같다(사전 정보로부터 이 키의 소유자가 다른 집단에서 왔을 것이란 추측이 있었다고 가정한다. 이 경우 '단측 검정'이 될 것이다.).

$$H_o:\ \mu_{Measure} = 170$$
$$H_a:\ \mu_{Measure} > 170 \qquad (A.12)$$

'$\mu_{Measure}$'는 미리 측정한 '180㎝'의 소유자가 속한 모집단의 평균을 뜻한다. 측정한 값은 '180㎝'이고, 또 딱 하나의 값밖에 없으므로(이 외에는 다른 키의 집단에서 왔다는 어떤 정보도 현재로서는 없음) 이 사람이 적어도 평균이 '180㎝'의 집단에서 왔다고 볼 수밖에 없다. '대립가설'의 의미를 풀어보면 "측정된 키(여기선 180㎝) 값이 속한 모집단 평균($\mu_{Measure}$)은 '비교 집단'의 평균(170㎝)보다 크다"이다. 물론 귀무가설은 대립가설의 반대인 "측정된 키(여기선 180㎝) 값이 속한 모집단 평균($\mu_{Measure}$)은 '비교 집단' 평균과 동일하거나 작을 것이다"로 해석한다.

가설이 마무리되었으므로 '180㎝' 키의 소유자에 대해 이제 어떤 결정을 내려야 한다. 그런데 '180㎝'는 '비교 집단'의 평균인 '170㎝'보다 수치상으로는 '10㎝'가 더 크다. 차이 값만 보게 되면 어떤 이는 큰 차이이므로 '비교 집단'에 포함시킬 수 없다고 주장할 수도 있고, 어떤 이는 '170㎝'나 '180㎝'나 매한가지이므로 '비교 집단'에 포함시켜도 좋다고 할 수도 있다. 물론 판단을 유보하는 부류도 있을 수 있다. 어느 판단이 옳을까? 또 판단을 해야 할 상황이면 필요한 것이 과연 무엇일까? 정답은 '기준'이 있어야 한다는 것이다. 물론 그 기준은 바로 '유의 수준'이 될 것이다. '유의 수준'은 '10%', '5%', '1%' 중에서 선택하면 되는데 또 문제가 있다. '비교 집단'에서 각 기준을 가르는 '임계 값(Critical Value)'은 각각 176.408㎝, 178.224㎝, 181.632㎝가 되는데 ([그림 A-64] 참조), '유의 수준'을 '10%'와 '5%'를 선택하면 '기각 역'에 들어가므로(176.408㎝, 178.224㎝보다 180㎝가 오른쪽에 위치) '비교 집단'에 포함시킬 수 없게 되는 반면, '1%'를 선택하면 '수용 역'에 들어가(181.632㎝보다 180㎝는 왼쪽에 위치) '비교 집단'에 속한다고 판단을 하게 된다. 즉, '유의 수준'을 선정하는 데 따라 판단이 달라질 수 있다. 앞서 설명했던 바와 같이 관례적으로 '5%'를 적용하고 있고, 공학 분야에서는 '10%'를 적용하는 것이 일반적이다. 그러나 의학 분야처럼 인체에 미치는 영향을 고려할 경우 '1%'를 적용하는 경우도 많다. 예를 들면 기존 약품을 대체할 새로운 신약을 개발한 경우 인체에 무해하다는 명백한 차이를 보이려면 기존 평균보다 훨씬 떨어진 위치에 평균이 존재해야 신뢰할 수 있기 때문이다.

일반적으로 5%를 선정한다고 했으므로 키의 예에서는 5%의 x-값(또는 임계 값, Critical Value)이 178.224㎝가 해당되며, 측정값 '180㎝'는 이보다 오른쪽 '기각 역'에 위치함에 따라 '비교 집단'과는 다른 집단에서 온 사람으로 판단한다.

③ **검정 통계량을 선정한다**. '검정 통계량'은 하나의 식이다. 왜 검정을 하는데 식이 필요한지는 '정규 분포의 표준화'라고 하는 과정에 그 해답이 있다. '정규 분포'를 표준화하면 '표준 정규 분포'가 된다. 아마도 대부분의 통계 분야에서 마주치는 가장 대표적인 분포가 있다면 '정규 분포'가 아닌가 싶다. 이것은 적어도 '정규 분포'만 알면 상당한 수준의 통계 활용 능력을 갖게 된다는 말과 같다. '표준 정규 분포'와 '검정 통계량' 등에 대해서는 그 탄생 배경과 설명의

깊이 등을 고려해 통계만 별도로 다룬『Be the Solver_확증적 자료 분석』편을 참고했으면 한다. 본문은 리더들이 기본 지식을 아는 것으로 가정하고 본래의 목적인 검정의 표현과 활용에 집중하고자 한다.

'표준 정규 분포'는 '평균=0', '표준 편차=1'인 '정규 분포'를 말한다. 보통 현업에서 측정하는 특성 유형은 천차만별이다. 사람의 키는 100㎝ 전후에서, 몸무게는 50㎏ 전후, 볼트 길이는 5㎝ 전후, 머리카락 두께는 수십 ㎛대에서 또 밀도, 속도, 회전력 등등 수많은 평가 대상들이 다양한 분야에 종사하는 담당자들에 의해 측정되고 관리된다. 또 이런 데이터들은 대체로 어느 표준 프로세스 상황하에서 운영되는 것이므로 모두 모아 놓으면 좌우 종 모양의 '정규 분포'를 이룰 가능성이 매우 높다. 자연도 일정한 원리에 의해 지배되므로 하나의 거대한 표준 프로세스로 볼 수 있다. '표준 정규 분포'는 이 같은 다양한 측정 대상들로부터 구성된 '정규 분포'를 '평균=0', '표준 편차=1'인 단일 분포로 통일화한다는 데 큰 의미가 있다. 이렇게 단일화하면 모든 해석은 '표준 정규 분포'를 중심으로 이루어져 단순할 뿐만 아니라 서로 다른 부문 간의 수준 비교도 가능하다. 물론 필요하다면 '표준 정규 분포' 이전의 원분포로도 전환이 가능하다. 미니탭의 「통계 분석(S) > 기초 통계(B)」에서 접하는 '1－표본 z(또는 t)－검정', '2－표본 t－검정' 등이 모두 검정 통계량에 해당한다. 이들은 표본으로부터 측정한 값을 '표준 정규 분포'의 x－축 값인 'z'나 't' 값으로 전환해준다. 이렇게 전환된 값을 이용해서 측정한 '표본 평균'이 '비교 집단'에 속하는지 그렇지 않은지('기각 역'에 포함되는지 '수용 역'에 포함되는지)를 판단한다. 모집단의 '표준 편차'를 알면 표준화 일반식은 다음과 같다.

$$z = \frac{\bar{x} - \mu}{\frac{\sigma}{\sqrt{n}}} \qquad \text{(A.13)}$$

또 모집단의 '표준 편차'를 모르면 다음과 같다.

$$t = \frac{\bar{x} - \mu}{\frac{s}{\sqrt{n}}} \qquad \text{(A.14)}$$

'표준 정규 분포'의 표준화 값으로 전환하는 식의 분모를 보면 '모 표준 편차'를 알면 'σ'를, 모르면 '표본의 표준 편차'인 's'가 들어가 있고, 그 대신 표준화 값을 표현하는 영문 철자는 각각 'z'와 't'를 사용한다. 이론을 제외한 순수 실용적 차원에서 '검정 통계량'을 설명하면, 단순히 '분석 4－블록'과 '분석 세부 로드맵'만 제대로 활용해도 누구나 데이터에 적합한 '검정 통계량'을 쉽게 선택할 수 있다. 이 같은 체계가 바로 과거에 접하기 어려웠던 통계 검정에 대한 변화된 모습들 중 하나다.

④ **검정 통계량을 계산한다**. '검정 통계량'을 찾았으면 표본들의 평균을 산정한다. 앞의 예에서 표본을 한 개로 보고 '180㎝'인 단일 데이터를 사용했지만 최소 5개 이상의 '표본 크기'가 요구되며, 이들에 대한 '표본 평균'을 구한 뒤, 이 값을 '표준 정규 분포'상의 표준화 값으로 전환한다. 전환해주는 식인 '검정 통계량'은 일반적으로 '$t = (\bar{x} - \mu)/(s/\sqrt{n})$'을 사용하며, 이것은 '모집단의 표준 편차'를 대부분 알고 있지 못하기 때문이다. '검정 통계량'의 '$\bar{x}$'는 '표본 평균'을, 's'는 '표본 표준 편차'를 입력하고, 'n'은 '표본 크기'를 넣는다. 이렇게 얻어진 't' 값은 '유의 수준'의 '임계 값=$t_{0.05}$'와 비교해서 '수용 역' 또는 '기각 역' 위치 여부를 가린다. '$t_{0.05}$'는 '유의 수준'을 '0.05(5%)'로 했을 때 이 면적이 가르는 'x－축' 값인 't'값을 나타낸다.

⑤ **결론을 내린다**. '유의 수준'을 가르는 '임계 값'과 표본으로부터 산정된 't'값을 비교하여 't'값이 '수용 역'에 위치하면 귀무가설을, '기각 역'에 위치하면 '대립가설'을 받아들인다. 또 '임계 값'을 기준으로 판단하는 대신 면적인 '유의 수준=5%' 대비 '검정 통계량'의 값이 자르는 면적, 즉 'p－값'과 비교할 수도 있다. 'p－값'이 허용된 최대 수준인 '5%'보다 작으면 '기각 역'에 포함된다. 통계적 결론을 내린 후 반드시 실제 사용하는 프로세스 용어로 풀어쓴다. 통계적 결론은 말 그대로 "통계적으로 설명된 결과"이므로 제3자에게는 바로 와 닿지 않기 때문이다. 주의할 점은 '귀무가설'을 받아들일 때는 "귀무가설을 채택한다"라고 표현하는 대신 "귀무가설을 기각할 수 없다"로 표현한다. 반대로 '대립가설'을 받아들일 때는 "대립가설을 채택한다"로 표현한다. '귀무가설'은 채택 여부와 관계없이 늘 존재하는 기존의 상황이기 때문이다.

검정을 통해 확인하고 싶은 것은 기존과 다른 변화나 기존과의 차이 여부인 '대립가설'에 있으며, 이는 프로세스 관리 노력 여하에 따라 채택 여부가 결정될 수 있다. **결론에 대한 일반적인 표현은 "유의 수준 0.05에서 p－값이 0.001이므로 대립가설 채택, 즉 두 유형 간 속도에 차이가 있으며 A형이 B형보다 약 2.5분의 빠른 처리 수준을 보이는 것으로 파악됨"**과 같이 먼저 기준인 유의 수준(또는 임계 값)을 기술하고, 이어 데이터로부터 측정된 p－값(또는 검정 통계량에서 얻어진 값)을 적어 '기각 역'인지 '수용 역'인지를 판단한다. 다음에 이 판단에 따라 '대립가설' 채택 여부를 선택하고 프로세스 용어로 재설명하거나 수치 분석 결과를 바탕으로 향후 방향성 등을 설정한다.

이제 실질적인 분석 사례와 파워포인트로 표현한 예를 들어볼 것이다. 이를 위해 앞서 설명했던 바와 같이 '[그림 A－47] Step－9.2. 설계 요소 분석(분석 계획/데이터 수집 계획 수립) 예' 중 '분말 안정제'에 대해 '접착력'을 가장 크게 할 '분말 안정제 종류' 선택의 문제로 들어가 보자. 이 경우 'X'는 '분말 안정제 종류'인 '범주형'이 되고, 'Y'는 '접착력'이 '연속형'이므로 다음 [그림 A－65]처럼 '분석 4－블록'의 '블록－③'에 해당된다.

[그림 A－65] 분석 4－블록

X \ Y	연속 자료	이산 자료
연속 자료	✓ 그래프: 산점도 ✓ 통 계: 상관분석 회귀분석 ①	✓ 그래프: 파레토 차트, 기타 ✓ 통 계: 로지스틱 회귀분석 ②
이산 자료 (범주 자료)	③ ✓ 그래프: Box Plot, 히스토그램, Multi-vari Chart ✓ 통 계: 등 분산 검정, t-test, ANOVA, 비 모수 검정	④ ✓ 그래프: 막대 그래프, 기타 ✓ 통 계: 1-표본 비율검정, 2-표본 비율검정, 카이 제곱 검정

'[그림 A－62] 분석 4－블록'에서 '블록－③'과 '④'에 해당되면 '[그림 A－63] 분석 세부 로드맵'으로 간다고 한 바 있다. '분석 세부 로드맵'에서 '블록－③'의 '통계 도구'들 중 어느 것을 선택해야 하는지와 미니탭 위치, 가설 수립 등 분석에 관한 전체 정보를 얻을 수 있다.

이에 '[그림 A－66] 분석 세부 로드맵'을 다시 보자. 우선 'Y' 데이터가 '연속 자료', '이산 자료'에 따라 첫 번째 경로가 결정되는데, 예에선 '접착력'이 '연속 자료'에 속하므로 왼쪽으로 들어선다. 이어 '연속 자료'의 주 분석 대상, 즉 데이터를 쌓아 놓았을 때의 '모양(분포)', 그 중심인 '평균', 흩어짐 정도인 '산포(또는 표준 편차)'들 중 '모양(분포)'을 비교한다. 따라서 이 시점에 '분말 안정제 종류' 간 '접착력'이 각각 '정규 분포'하는지를 확인(검정)한다. 만일 모든 군이 '정규 분포'하면 다음은 '산포'가 동일한지 비교하며 이것이 '등 분산 검정'이다. 다시 모든 군들이 '등 분산'하면 그제야 '평균'이 동일한지 그렇지 않은지에 대한 검정 자격이 주어진다. 단 '2－표본 t－검정' 경우 '등 분산'하지 않아도 평균 검정이 가능하다. 다음 [그림 A－66]에 해당 경로를 빨간 실선으로 표기해 놓았다.

[그림 A－66] 분석 세부 로드맵(‘분산 분석’ 경로)

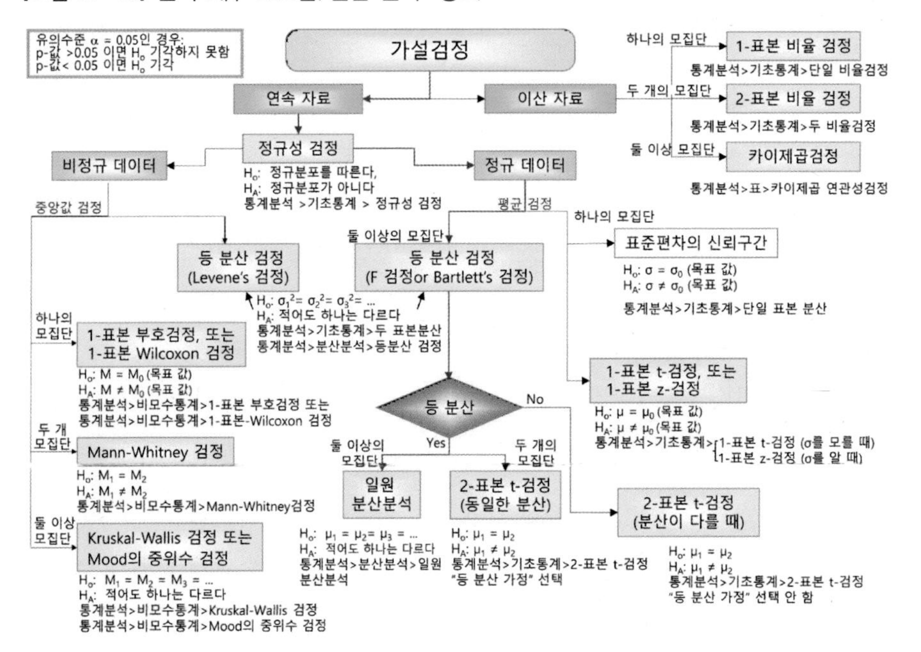

‘평균 검정’에 있어 [표 A－40]의 ‘분말 안정제 종류’별 수집 데이터를 보면 비교 대상이 3개의 군이므로 ‘분산 분석(ANOVA)’을 선택한다. 참고로 ‘일원 분산 분석’의 ‘일원’은 ‘One－way’의 번역으로 ‘한 개 인자(One－way)’를 의미한다. 한 개 인자 내 수 개 수준들의 평균을 비교하는 것이다. 만일 두 개 인자 내 수준들의 평균을 비교한다면 ‘이원(Two－way)’이 된다.

‘**<u>분산 분석</u>**<u>(ANOVA)</u>’은 처음 접하는 리더들에게 오해를 많이 사는 분석법이다. ‘분산 분석’을 “분산을 분석하는 도구”로 이해하기 십상이다. ‘분산 분석’은 1920년대 초 R. A. Fisher에 의해 소개된 ‘평균을 검정’하는 통계 도구이다. 기본 접근이 ‘분산’을 이용하기 때문인데 영문인 ‘ANOVA(<u>An</u>alysis <u>o</u>f <u>Va</u>riance)’

를 직역하면 "분산을 이용한 평균의 차이 분석법"이다. 이 방법이 발표되기 전에는 예를 들어 3개 데이터 군의 평균을 비교할 때 '2－표본 t－검정'으로 'A와 B', 'B와 C', 'A와 C' 등으로 검정한 뒤 결론을 유도해야 하지만 평균의 차이가 없다는 가설을 기각하지 않을 확률(말이 복잡하면 '평균들이 통계적으로 동일할 확률'쯤 된다. 통상 귀무가설을 '채택'한다거나, 평균들이 '똑같다'라는 표현은 쓰지 않는다.)은 '$0.95^3 \fallingdotseq 0.8574$(유의 수준 0.05, 3개의 동일한 평균을 가진 모집단에서의 표본 추출로 가정, 이때 세 번의 '2－표본 t－검정'이 필요함)'가 되며, 차이가 없다는 가설 중 적어도 하나를 기각할 확률은 '$1-0.8574 \fallingdotseq 0.143$'이다. 좀 복잡한 과정이긴 하지만 결론적으로 모든 경우에 있어 귀무가설이 옳다는 것을 알 경우 '2－표본 t－검정'으로는 '제1종 오류'를 범할 가능성이 약 14.3%나 된다. 만일 5개 표본들의 평균 차이를 검정하게 되면 '제1종 오류'를 범할 확률은 약 '40%'로 증가한다. 따라서 이를 보완하고 또 두 개 이상 데이터 군의 평균을 합리적으로 비교하기 위해 소개된 것이 '분산 분석'이다. 이론은 별도 서적을 참고하기 바라고, 여기서는 과정만 간단히 다룰 것이다.

'접착력'을 향상시키기 위해 세 유형의 '분말 안정제'가 조사되었으며, 어느 것이 '접착력'에 유리한지 확인하려고 한다. 데이터는 과거의 연구 개발 중에 일부씩 시험한 것들이며 수집 결과는 다음 [표 A－40]과 같다(고 가정한다).

[표 A－40] '분산 분석(ANOVA)'을 위한 데이터(단위 '*kgf*')

분말안정제 A	125.5	119.3	131.4	116.1	123.9	－
분말안정제 B	156.5	162.1	150.3	166.3	139.6	170.5
분말안정제 C	190.4	179.2	183.5	162.8	149.2	177.6

우선 앞서 소개된 검정 과정을 따르면 다음과 같다.

① 가설을 세운다.

H_o: $\mu_A = \mu_B = \mu_C$

H_a: 모든 μ_j가 동일한 것은 아니다(또는).

적어도 하나의 μ_j가 다른 것과 차이가 있다(또는).

H_o가 아니다.

② 유의 수준을 정한다.: 0.05

③ 검정 통계량을 선정한다.: 분산 분석(ANOVA)

④, ⑤는 미니탭을 통해 확인. (A.15)

'대립 가설'은 세 표본들 중 한 개라도 다른 표본 집단과 평균의 차이가 확인되면 다르다고 판단해야 하므로 '$\mu_A \neq \mu_B \neq \mu_C$'와 같이 표현하지 않는다. 한 개의 평균이 다른 두 표본들의 평균과 다를 수도 있고, 세 개 집단의 평균이 모두 다를 수도 있다. 어느 상황이든 차이가 있다는 결론만 나오면 미니탭이 보여줄 'p－값'은 유의 수준 '0.05'보다 작게 나온다. 반면에 '귀무가설'은 모집단들의 평균이 모두 동일할 것이라는 가설을 부호로 표시한다. '비교 대상'이 두 개 군 이상이므로 '분산 분석'을 통해 평균의 차이를 검정해야 하나 그 전에 '분석 세부 로드맵' 관점에서 미리 확인할 사항들이 있다. [그림 A－66]에 빨간 선으로 강조한 흐름처럼 '정규성 검정'과 '등 분산 검정'이 그것이다. [그림 A－67]은 파워포인트 작성 예이다.

[그림 A－67]에서 '분석 세부 로드맵'의 '모양(분포) → 산포 → 평균'의 검정 순으로 분석 결과가 작성되었음을 알 수 있다. 물론 현재의 결론은 초기 분석으로 만일 '분말 안정제 C'가 왜 평균이 높은지 그 화학적 메커니즘을 밝힌다든지 등의 '사실 분석'을 수행할 수 있다. '사실 분석'은 데이터의 차이를 유발하는 물리·화학적 현상을 찾는 후속 분석으로 '분석의 심도'를 높이는 활동이다. '분석의 심도'가 깊을수록 최적화에서의 작업도 수월하다. 장표의 오른쪽 아래에

'계속'의 화살표는 '분석의 심도'가 깊어짐을 암시한다. 최종 결론은 'Step-9.3. 설계 요소별 산출물 실현', 또는 'Step-11. 상세 설계'에서 내려질 것이다.

[그림 A-67] 'Step-9.2. 설계 요소 분석(가설 검정-정량적 분석; 분산 분석)' 예

Step-9. 상위수준 설계
Step-9.2. 설계요소 분석(가설검정_정량적 분석)

검정 15. '분말 안정제'간 '부착물 접착력'에 차이가 있는가?

▶ **분석방향**; '부착물 접착력'에 가장 크게 영향을 줄 '분말 안정제'를 선정한 뒤, 향후 최적화에 활용하고자 함 .

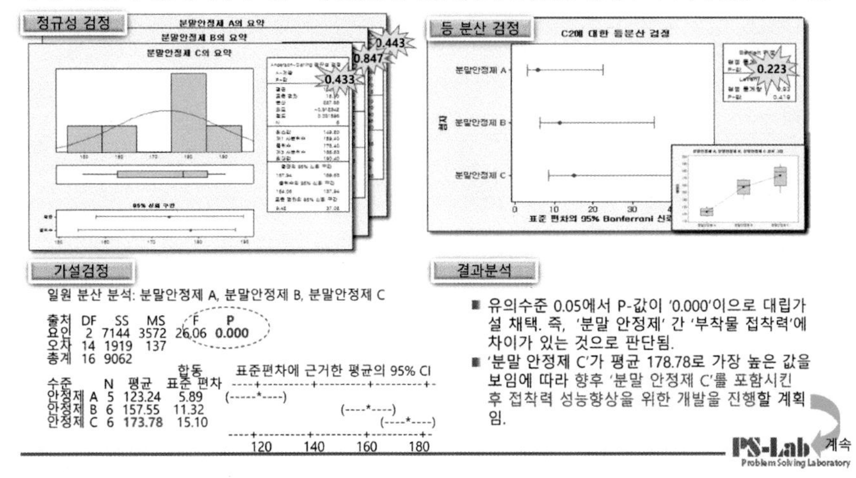

[그림 A-66]의 타 분석 도구들(t-검정, 비율 검정 등)은 『Be the Solver_프로세스 개선 방법론』편을 참고하기 바란다. 다음은 지금까지의 분석 결과를 전체적으로 요약할 '핵심 설계 요소 선정 및 산출물 정의'에 대해 알아보자.

9.2.4. 핵심 설계 요소 선정 및 산출물 정의

'Step-9.2. 설계 요소 분석'이 '기술적, 정성적, 정량적' 분석들의 일부 또는 조합으로 진행되지만 결과는 하나다. 즉 '프로세스 개선 방법론'에서의 '핵심 인

[표 A-41] '설계 요소' 분석 결과 종합 예

출처	설계 요소	설계 방향(또는 설계원칙)/산출물	
설계 7요소	설계 인자		
제품/서비스	-용수철 상수	-Step-9.3.설계 요소별 산출물 실현'에서 **전이 함수를 통한 제품특성 최적화** (특성; k, m, r, h)	
	-인형 돌출 속도	-'Step-11.2. 상세 설계'에서 **'공차 설계'** 수행	
	…	…	
프로세스	-조립 Tact Time	-기술 TFT에서 추진; 조립공정 운영계획서	
	-제품 평가항목 종류		
	…	…	
인력시스템	-회로설계연구원 비율	-인사팀(담당자 김인사); 선발인력 명단	
	-공학설계연구원 비율	-인사팀(담당자 김인사); 선발인력 명단	
	…	…	
설비/장비/원자재	-원가수준	-현재 대비 20%절감(₩11,437.97)	
	-신규조립설비 투자규모	-기획팀 TFT(팀장 김투자); 설비투자 내역서	
	-원자재 구매처확보유무	-구매팀(담당자 김 구매); 구매처 확보보고서	
	…	…	
…	…	…	
Design FMEA	잠재 인자	설계 방향(또는 설계원칙)/산출물	
	-힌지 마모도	-힌지 접었다 펴는 횟수	'Step-9.3.설계 요소별 산출물 실현'에서 **가속수명시험** 진행
	-전지판 효율	-나노(Nano)형 태양 전지 부착	
	…	…	
특성 요인도	-분말 안정제	-'분말 안정제 C' 최적비율 설정	'Step-9.3.설계 요소별 산출물 실현'에서 **'혼합물 실험'** 수행
…	…	…	…

자(Vital Few Xs)'들이 그것이다. 그러나 분석 중 '유의함(의미 있을 정도로 Y에 영향을 미치는 X)'일 경우를 '핵심 인자'로 잘못 아는 리더들이 상당히 많다. '핵심 인자'는 '유의함'으로 판단한 '설계 요소'에 대해 '사실 분석'이 이뤄진 뒤 '개선 방향'이 도출된 경우라야 한다. 분석은 프로세스(또는 개발 과정 중)에서 얻은 데이터로 진행되며, "유의함"이란 "데이터가 변동했음"의 뜻이고, 이 같은 현상은 프로세스 내 원치 않는 변화가 생겼음을 암시한다. 개선(또는 최적화)은 원치 않는 상황을 정상화하는 과정이므로 그것이 무엇인지 명확히 찾아내야 분석이 종료된다. 제품 개발 과정에서의 '분석' 역시 동일한 개념이 적용된다.

따라서 분석을 통해 얻은 '설계(또는 개선) 방향'들을 '설계 요소'와 함께 모두 모아 정리한 뒤 이어지는 '세부 로드맵'에서의 할 일을 규정지어야 한다. 마치 '프로세스 개선 방법론'에서 'Step－9. 핵심 인자(Vital Few Xs) 선정'처럼 말이다. 다음 [표 A－41]은 'Step－9.1. 설계 요소 발굴'에서 '9.1.4. Screened Xs'의 [그림 A－43]을 옮겨 놓되 분석 결과를 추가하였다. '분석 결과의 추가'란 'Step－9.2. 설계 요소 분석'에서 새롭게 얻은 '산출물'들을 '추가'한다는 의미다. 이미 당시 [그림 A－43]의 '설계 요소'들은 분석이 필요한 것뿐만 아니라 분석이 필요치 않아 바로 '산출물'을 정했던 유형도 포함돼 있었음을 상기하자.

[표 A－41]에서 빨강으로 강조한 부분은 'Step－9.2. 설계 요소 분석'에서 가설 검정을 수행한 '설계 요소'와 그 결과로 얻은 '설계 방향(또는 개선 방향)'을 나타낸 것이다. 물론 이들에 대한 좀 더 상세하고 더 많은 결과들을 확보하고 있어야 하지만 본문에서는 목록 정도로만 대신한다. 다음 [그림 A－68]은 'Step－9.2. 설계 요소 분석' 결과를 파워포인트로 최종 정리한 예이다. '설계 요소'별 상세한 '설계 원칙'이나 구체적인 방향성 등은 첨부된 '개체 삽입' 파일에 들어 있는 것으로 가정한다.

[그림 A－68] ‘Step－9.2.설계 요소 분석(핵심설계 요소 선정 및 산출물 정의)’ 예

Step-9. 상위수준 설계
Step-9.2. 설계요소 분석(핵심설계요소 선정 및 산출물 정의)

▶ ‘조립공정 운영 계획서’를 포함 사전 확정된 산출물 총 24 건과
▶ 가설검정을 통해 확보된 설계방향 및 추가 산출물 16건에 대한 종합요약.

출처 설계 7요소	설계요소 설계인자	설계방향(또는 설계원칙)/ 산출물	
제품/서비스	-용수철 상수	- ‘Step-9.3. 설계요소 별 산출물 실현’에서 전이함수를 통한 제품특성 최적화 (특성; k, m, r, h)	
	- 인형 돌출 속도	- ‘Step-11.2. 상세설계’에서 ‘공차설계’ 수행(회로).	
	...	...	
프로세스	-조립 Tact Time -제품 평가항목 종류	- 기술 TFT(팀장 김 운영); 조립공정 운영계획서	
	...	...	
인력시스템	-회로설계연구원 비율	- 인사팀(담당자 김 인사); 선발인력 명단	
	-공학설계연구원 비율	- 인사팀(담당자 김 인사); 선발 인력 명단	
	...	...	
설비/장비/원자재	-원가수준	- 현재 대비 20%절감(₩11,437.97)	
	-신규조립설비 투자규모	- 기획팀 TFT(팀장 김 투자); 설비투자 내역서	
	-원자재 구매처확보유무	- 구매팀(담당자 김 구매); 구매처 확보 보고서	
...	...	...	
	잠재인자	설계방향(또는 설계원칙)/ 산출물	
Design FMEA	-힌지 마모도	- 힌지 접었다 펴는 횟수	‘Step-9.3.설계요소 별 산출물 실현’에서 ‘가속수명시험’ 진행.
	-전지판 효율	- 나노(Nano)형 태양전지 부착	
	...		
특성요인도	-분말 안정제	- ‘분말 안정제 C’ 최적비율 설정.	‘Step-9.3.설계요소 별 산출물 실현’에서 ‘혼합물 실험’ 수행.
...	...	...	...

(설계방향)
(산출물 List)

PS-Lab
Problem Solving Laboratory

이제 [그림 A－68]의 목록들에 대해 팀원들과 최종 확정된 ‘설계 방향(개선, 산출물 등)’들을 ‘실현’시키는 일만 남았다. 물론 중간중간 ‘즉 실천’도 있을 것이므로 전체가 무엇인지, 그중 어떤 것들이 완료된 것이고 또 보완되어야 할 것인지에 대한 명확한 과정 관리가 필요하다. 다음 ‘세부 로드맵’인 ‘Step－9.3. 설계 요소별 산출물 실현’에서는 이미 확정된 내용들에 대해 전반적인 ‘실현’을 수행한다. 또 그 과정 중에 좀 더 세밀하고 추가적인 노력이 필요한 부분들에 대해서는 Design의 ‘상세 설계’로 넘긴다. 이제 ‘상위 수준 설계’에 대한 마무리 과정에 대해 알아보자.

Step－9.3. 설계 요소별 산출물 실현

'Step－9.3'은 '상위 수준 설계'를 마무리 짓는 활동으로 앞서 진행된 결과 모두를 집합시킨 뒤 '산출물'을 만들어내고, 설계 내용들을 최대한 '실현'시킨다. 여기서 못다 한 내용은 Design Phase의 '상세 설계(Detail Design)'에서 보완한다. 본 '세부 로드맵' 이름이 '최적화'나 '상위 수준 설계 구체화' 등이 아닌 '설계 요소별 산출물 실현'으로 명명한 이유는 "제품을 만들어냈다"라고 하면 그를 뒷받침할 근거들이 남아 있어야 공유할 수 있고 또 성과에 대해 인정받을 수 있기 때문이다. 외형만 멋들어지게 제품 상태를 유지하고 정작 그를 입증할 성능 데이터나 앞으로 생산이 가능하다는 보장성 확증이 없으면 수 개월간 작업한 결과를 신뢰받긴 어렵다. '산출물'의 사전적 정의와 '제품 설계 방법론'에서의 정의 및 특징은 다음과 같다.

· **산출물(産出物)** (국어사전)=산물(産物). 1.일정한 곳에서 생산되어 나오는 물건. 2.어떤 것에 의하여 생겨나는 사물이나 현상을 비유적으로 이르는 말.

· **과제 수행에서의 일반적 정의 및 특징**

☞ '산출물'이란 설계 단계에서 만들어낸 결과물을 의미.

☞ 산출물이 작성되면 해당 설계 요소에 대한 '상위 수준 설계'가 완료되었다는 것을 의미.

☞ 산출물은 최소한의 Summary 형태로 작성한 후 실현시키고, 그 외의 특정 '설계 요소'에 대해서는 필요하지 않을 수도 있음.

☞ 선택된 설계 콘셉트의 성능과 타당성을 평가하기 충분할 정도로만 상세하면 됨.

☞ 성능과 타당성 예측 대신 논리적 확실성으로 대체할 수 있는 경우도 있음.

그렇다면 '산출물' 실현을 위해 본 '세부 로드맵'에서 할 수 있는 접근법은 무엇일까? 해답은 '[그림 A－44] 프로세스 개선과 제품 설계 방법론 로드맵 간 대응 관계'에 있다. 그림 중 일부만 옮기면 다음 [그림 A-69]이다.

[그림 A-69] '프로세스 개선/제품 설계' 방법론의 로드맵 대응

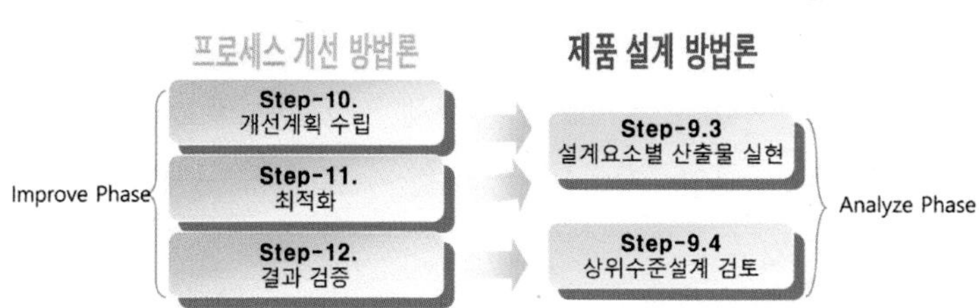

'대응 관계'를 보면 'Step-9.3. 설계 요소별 산출물 실현'은 '프로세스 개선 방법론'의 '최적화'에 대응한다. '프로세스 개선 방법론'에서 사용하는 주된 '도구(Tools)'들은 '실험 계획'이나 '회귀 분석'이었다. 반면, '제품 설계 방법론'에서의 '도구'를 나열하면 [그림 A-70]으로 요약된다.

[그림 A-70]의 맨 아래 수평 화살표와 단계(구상 단계~폐기 단계)는 제품의 '설계'에서부터 '폐기'까지의 'Life Cycle'를 나타내며, 그 위의 사각형에 쓰인 항목들이 해당 '단계'에서 주로 쓰일 '도구(Tools)'들이다. 각 '단계'에서 '도구'들을 쓰는 순서는 아래에서 위로 돼 있음을 그림 오른쪽 상향 화살표(주황색)가 지시한다. 이해를 돕기 위해 간략히 부연하면 우선 맨 처음 '**구상 단계**'는 어느 제품을 만들어야 할까를 고민하는 시점이므로 '도구'들은 주로 '시장조사', '벤치마킹'에 국한하며 이들 수집 정보는 모두 'QFD'에 모아 놓고 해석하는 절차를 밟는다. 다음 '**설계 단계**'에선 'QFD'에서 나온 제품 특성(CTQs)들에 대해 '목표 신뢰성 결정'이 완료되며, 이를 하위 부품으로 연계시키는 작업이 수행되는데 이때의 '도구'들은 '신뢰도 예측', '신뢰도 배분', '용장성 부여' 등과 관계한다. 여기서 결정된 내용들에 잠재된 문제를 적출할 목적의 'D-FMEA'가 수행되며, 잠재 문제들을 해결하기 위해 각종 시험 평가가 이루어지는데 이때의 '도구'들에

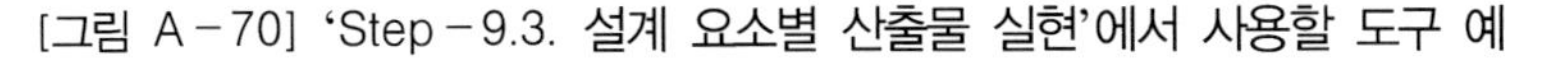

[그림 A-70] 'Step-9.3. 설계 요소별 산출물 실현'에서 사용할 도구 예

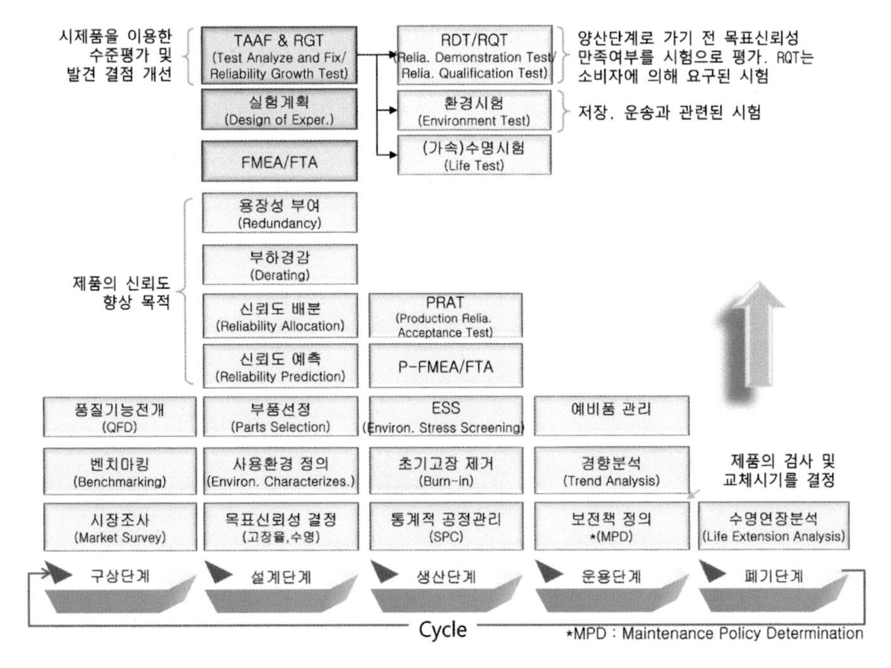

'실험 계획(DOE)', '환경시험', '(가속) 수명 시험', 'RDT/RQT'[88] 등이 포함된다. 이어 '**생산 단계**'에선 제품 생산과 관련한 '통계적 프로세스 관리(SPC, Statistical Process Control)'나 열화를 사전 제거하거나 찾아내는 'Burn-in', 'ESS(Environmental Stress Screening)' 또는 프로세스상 잠재 문제를 적출할 'P-FMEA' 등이 포함된다. '**운용 단계**'는 제품이 출시된 후 보전이나 서비스, 발생 문제점 등을 추적, 관리해야 할 필요성으로 '경향 분석(Trend Analysis)'이나 '예비품 관리' 등의 '도구'들이 쓰인다. 끝으로 '**폐기 단계**'는 제품 수명이 끝나 폐기하는 단계며, 이때 왜 고장이 났는지 등을 해석해서 수명을 연장할 공학적

88) RDT(Reliability Demonstration Test)/RQT(Reliability Qualification Test)로 양산직전 목표신뢰성을 만족하는지 확인하는 시험들을 말한다.

탐색을 수행하고 이 정보를 다시 처음의 '구상 단계'에 넘겨줌으로써 하나의 큰 주기(Cycle)를 완성한다. 결국 전체 흐름은 현재 수행하고 있는 '제품 설계 방법론 로드맵'과 '일대일' 대응 관계에 있으며, 현 '세부 로드맵'에 필요한 도구들은 [그림 A−70]의 상단에 위치한 항목들(분홍색으로 강조해 표기된)로 압축된다. 이제 'Step−9.2 설계 요소 분석' 결과를 토대로 '상위 수준 설계'를 위한 최적화 전략을 수립해보자. 다음 [그림 A−71]은 작성 예이다.

[그림 A−71] 'Step−9.3. 설계 요소별 산출물 실현(최적화 전략 수립)' 예

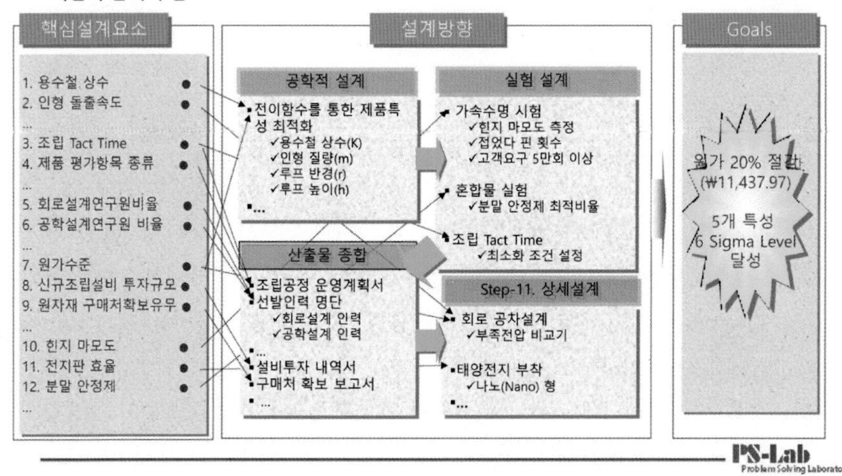

[그림 A−71]에서 맨 왼쪽의 '핵심 설계 요소'는 분석을 거친 '설계 요소'들이며, 가운데 '설계 방향'엔 네 개의 그룹이 있고 '상위 수준 설계' 시 그 유형이 비슷한 것들끼리 묶어 '그룹명'을 부여했다. 즉, 그룹명 '실험 설계'는 '가속

수명 시험'과 '혼합물 실험'을, 그룹명 '산출물 종합'엔 이미 'Step-9.2 설계 요소 분석'에서 확정된 '산출물'들을 모아 정리하였다. 이들은 실험이나 공학적 설계가 마무리된 후 추가로 나온 '산출물'들과 함께 종합하게 될 것이다. 그룹명 'Step-11. 상세 설계'는 공차 설계가 필요한 항목으로 본 '세부 로드맵'이 아닌 'Step-11.2. 상세 설계 수행'에서 진행되는바([그림 A-54~55] 참조) 여기선 단지 지금까지의 결과를 종합하는 의미로 포함시켰다. 또 맨 오른쪽엔 목표가 표기돼 있는데 '설계 요소'인 '원가 수준'을 분석해서 나온 '원가절감 목표액'도 중요해 기존 'Y'들의 목표와 함께 추가하였다. 얇은 여러 화살표들은 '설계 방향'이 나온 '핵심 설계 요소'와 연결돼 있다. 본 '전략 수립 개요도'는 크게 3가지 용도로 활용한다.

- **<u>목표 달성 여부를 확인하는 용도</u>** '설계 방향'들이 만족되면 목표를 달성할 수 있는지 팀원들과 검토할 목적으로 활용.
- **<u>'설계 방향'들의 이력을 확인하는 용도</u>** '설계 방향'들이 어느 '설계 요소'를 분석해서 나왔는지 그 이력을 확인하는 데 활용.
- **<u>'목차'로 활용하는 용도</u>** 이후의 과정이 어떻게 전개되는지 이 한 장으로 확인이 가능. 예를 들어 연두색 화살표로부터 '공학적 설계' 그룹 내 '전이 함수를 통한 제품 특성 최적화'가 수행된 뒤, '실험 설계' 그룹의 '가속 수명 시험'과 이어 '혼합물 실험' 등의 순으로 전개되리라는 것을 알 수 있음.

이제 정해진 각 그룹 내 '설계 방향'들에 대해 '상위 수준 설계'의 최적화를 구현해보자. 대표적인 '공학적 설계'와 '실험 설계'에 대해서만 알아볼 것이다.

9.3.1. '공학적 설계_전이 함수를 통한 제품 특성 최적화' 예

'Step-9.2. 설계 요소 분석'에서 '용수철 상수'에 대한 공학적 탐색을 토대로 식 (A.16)이 탄생한 바 있다(관련 사항은 [그림 A-48, 49, 50] 참조).

[그림 A-72] 인형의 운동 경로 개요도

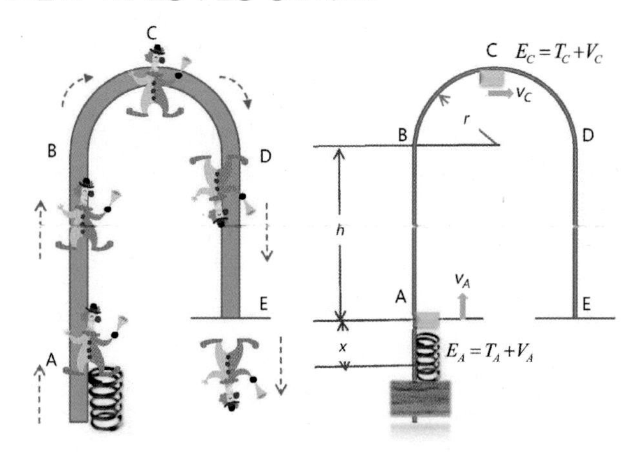

$$k = \frac{2(4.91mr + 9.81mh)}{x^2} = \frac{9.81m(r+2h)}{x^2} \quad (J/m^2 \text{ or } N/m) \tag{A.16}$$

결국 제품 특성의 최적화는 '*m, r, h, x*'를 구하는 문제로 귀결되는데 이 특성들은 '토이 박스'의 부피나 외관이 알려져 있으므로 '원가(Cost)'나 '신뢰성' 정도만 고려해서 결정한다(고 가정한다). 다음 [표 A-42]는 기존 제품의 정보로부터 얻어진 값들이다.

[표 A-42] 1차로 얻어진 '특성(*m, r, h, x*)'들의 값

구분 \ 특성	m	r	h	x
설정 값	200g	40㎜	100㎜	30㎜

과제에 따라 복잡한 '전이 함수'는 컴퓨터 시뮬레이션이 필요할 수 있으나 본문은 이 정도 선에서 정리할 것이다. [표 A-42]로부터 'k'는 다음과 같다.

$$k = \frac{9.81*0.2(0.04+2*0.1)}{0.03^2} = 523.2\ (J/m^2 \text{ or } N/m) \qquad (A.17)$$

'k'값에 대응하는 코일을 조사한 결과가 다음 [표 A-43][89]이다(고 가정).

[표 A-43] 용수철 후보에 대한 상세 특성 조사 예

	원추형 코일	원통형 코일	장고형 코일	단지형 코일
용수철 유형				
기본 특성	선경 Φ0.5 외경 Φ60 길이 60mm	선경 Φ1.5 외경 Φ70 길이 80mm	선경 Φ2.3 외경 Φ50 길이 75mm	선경 Φ2.1 외경 Φ65 길이 68mm
물리적 특성	k; 0.23 p; 70 T; 36 K; 1.92	k; 0.83 p; 90 T; 26 K; 1.75	k; 0.76 p; 85 T; 32 K; 1.19	k; 0.58 p; 95 T; 34 K; 1.38
설계 특성	k(정수)=(Gxd4)/(8xnxD3), (하중)=kxs, T(최대응력)=(8xDxP)/(3.14xd3)x4, k(응력 수정계수)=[(4C-1)/4C-4)]+[0.615/C]			
단가	₩8.2	₩16.3	₩18.3	₩22.3

89) <그림 출처> http://topspring.co.kr/product/product01.htm, 수치는 임의로 설정함.

분석된 '용수철 상수(k)'에 맞는 제품을 팀원들과 검토한 결과 '원추형 코일 스프링' 경우 '루프'의 고정이 수월하고, 바닥면 직경이 커서 상대적으로 안정돼 보이며 조립에 따른 작업성도 매우 우수한 것으로 판단하였다(고 가정한다). 가격 또한 저렴해 선택 우선순위로 결정되었으나 문제는 '선경'이 작아 뒤틀리거나 복원력이 떨어질 것이란 지적이 나왔다. 이에 용수철 제조업체에 문의하여 동일한 조건에 '선경'만 크게 하는 방안을 논의키로 최종 결론 내었다(고 가정한다).

9.3.2. '실험 설계_가속 수명 시험' 예

'가속 수명 시험(ALT, Accelerated Life Testing)'은 네이버 용어 사전에서 "전압, 온도, 진동, 압력 등 제품의 수명에 큰 영향을 미치는 변수의 스트레스 수준을 실제 사용 조건보다 열악한 수준으로 시험하는 것. 빠른 기간 내에 제품의 고장 자료를 얻고, 실제 사용 조건에서의 수명 관련 품질 특성치를 추정하는 방법으로 사용된다. (중략)"고 되어 있다. 통상 두 가지 정보를 얻을 수 있는데 하나는 수명이 어느 정도 될 것인지에 대한 통계적 추정치와, 다른 하나는 강한 스트레스 부과로 취약한 부위부터 고장 나기 때문에 제품 설계의 어디를 더 보완해야 할지를 알려준다(고장 해석). 삼성SDI 연구원 시절 PDP가 막 양산 체계로 들어설 때쯤 필자는 신제품의 수명 평가를 위한 'PDP 가속 수명 시험' 연구과제 리더였다. 경험적으로 동일한 구조와 동작 조건 아래에선 제품의 신뢰성 특성이 동일하다는 점이 알려져 있으므로 소형 패널을 제작하여 약 11개월간 진행했었다. 사실 패널이 소형이었지 구조나 동작 조건은 동일하므로 제작과 평가에 꽤 많은 비용이 들었다. 과제가 종료된 후 임원과 부서장들이 모두 모인 자리에서 결과 발표가 있었고, 그 성과로 말미암아 얼마 후 미국 컨설팅 업체로부터의 '제품 설계 방법론' 교육 과정에 선발되는 당시로선 꽤 좋은 기회를 얻게 되었다.

발표 때 참석한 사업본부장이 결과에 매우 만족스러워한 것이었다. 거두절미하고 '토이 박스 개발'에서 '가속 수명'이 적용되는 '힌지 마모도'에 대해 알아보자.

현재까지 알려진 토이 박스의 '몸체(Body)' 구조와 '핵심 기능'인 '부피를 가감(CFR: 부피 40%로 축소, 최적 콘셉트: 접을 수 있도록)'하기 위한 설계 정보들은 다음 [그림 A-73]의 스케치와 같다.

[그림 A-73] 토이 박스 '몸체'와 '부피를 가감'하기 위한 '힌지' 위치 개요도

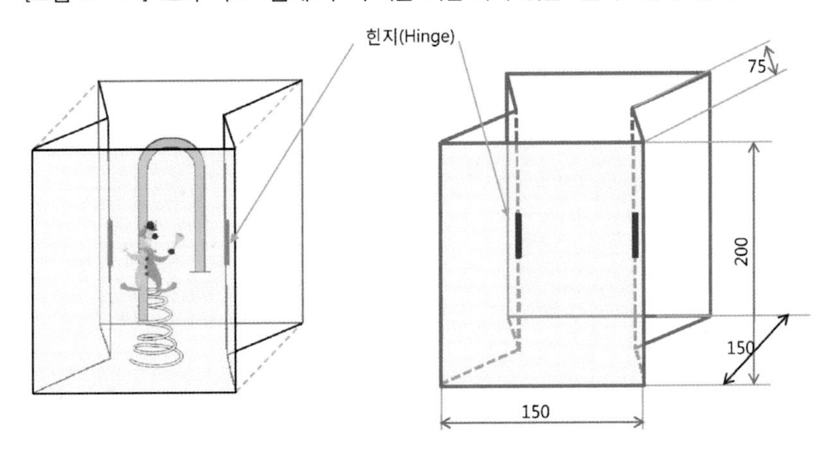

[그림 A-73]은 '[그림 A-28] Step-8.2. 콘셉트 후보 평가/선정 작성 예(콘셉트 확정)'에서 언급된 '핵심 기능(CTF)-부피를 가감한다'에 대한 '최종 콘셉트-접을 수 있도록'에 대한 개요도이다. '접을 수 있도록' 하기 위한 부품이 바로 '힌지(Hinge)'이며, '가속 수명 시험'은 이 '힌지'가 고객 요구 사항인 '50,000회'를 접었다 펴도 고장 발생이 없는지를 확인하는 데 있다. 현재 연구개발팀에서 '무게', '재질', '접는 횟수'를 중심으로 조사한 '힌지 후보'는 다음 [표 A-44]의 3가지 타입[90])으로 압축된 상태다(라고 가정한다).

[표 A-44] 조사된 힌지 후보 예

	록 & 힌지	엔프라 플랫 힌지	머시너리 힌지
힌지 형상			
설계도			
물리적 특성	질량; 155g 접는 횟수; 60,000 재질; SUS 316	질량; 100g 접는 횟수; 65,000 재질; Al 합금	질량; 132g 접는 횟수; 60,000 재질; SUS 304
단가	₩340	₩390	₩315

우선 '(가속) 수명 시험' 중 '힌지'를 접었다 펴는 반복 수행을 위해 '벤딩 머신(Bending Machine)'을 활용하고, 분당 10회를 반복하도록 설정하였다(고 가정한다). '힌지'의 '고장 모드'는 '연결 부위가 헐거워지거나 빠지는 등의 기능 상실'로 정의하고, 접었다 펴는 횟수가 15만 회(15,000분, 약 10.4일)에 도달하거나 모두 고장이 나면 시험을 종료한다. 고장 났는지 여부는 100회마다 확인한 뒤 기록한다. 이와 같이 시간을 정해 놓고 수행하는 수명 시험을 '제1종 중도절단(Type Ⅰ Censored)'이라고 한다. '중도 절단(Censored)'은 정해진 시간 내에 고장이 발생하지 않아도 시험을 종료하는 것이며, 이때 고장 나지 않은 제품의 데이터도 분석에 포함시킨다. 이런 데이터를 '중도 절단 데이터(Censored Data)'

90) <그림 출처> http://www.arin.co.kr로 '물리적 특성' 등은 임의로 설정하였음.

라 하고, 반대로 완전히 고장 난 데이터를 '완전 데이터(Completed Data)'라고 한다. 주변에서 접하는 데이터 대부분이 후자에 속한다. '(가속) 수명 시험'은 스트레스의 수준을 정해 놓고 각 수준별 표본을 할당한 뒤 결과에 대해 통계 검정을 수행하고 정상 대비 가속의 수준(가속 계수)을 구해 향후 개발 제품 시험에 적용하는 효과도 있으나 본 예에선 가장 단순한 시험법만 설명할 것이다. 좀 더 자세한 사항은 별도의 서적 등을 참고하기 바란다. 지금까지의 시험 방법 및 사전 정보를 정리하면 다음 [표 A-45]와 같다.

[표 A-45] (가속) 수명 시험에 대한 시험 방법 및 사전 정보 요약 예

항 목	시험방법 및 사전정보	항 목	시험방법 및 사전정보
시험 설비 설정 값	Bending Machine 10회/분	중간 검사	매 100회마다
고장 모드	연결부위 헐거워짐, 빠짐 현상	기존 분포	로그 정규 분포 (Log-normal Distribution).
시험 종료시점	150,000회 또는 모두 고장발생 시	일반 힌지 MTTF Log Data 표준편차	29,739회 0.186

[표 A-45] 내 '기존 분포'는 선행 연구를 통해 '힌지 수명'을 설명할 분포가 '로그 정규 분포(Log-normal Distribution)'임을 명시한 것이고, '일반 힌지 MTTF(Mean Time to Failure)'란 '로그 정규 분포'로 해석한 '일반 힌지'의 불량 나기까지 반복된 횟수를 나타낸다. 이것으로 시험 준비는 마무리된 것 같다. 시험에 임하기 전 적절한 표본이 몇 개 필요한지 '표본 크기'를 확인해보자. 미니탭 입력을 위해 '일반 힌지 MTTF'와 '목표 값'을 로그 변환하면 다음과 같다.

$$\begin{aligned}&\text{일반 힌지 } MTTF;\ \ Log(29739) \cong 4.473 \\ &\text{목표 } \quad MTTF;\ \ Log(50000) \cong 4.699 \\ &\text{로그 } Data\text{의 표준편차; } s = 0.186\end{aligned} \quad (A.18)$$

다음 [그림 A-74]는 미니탭 입력 과정과 결과를 나타낸다.

[그림 A-74] 각 힌지 유형별 '표본 크기' 구하기 예

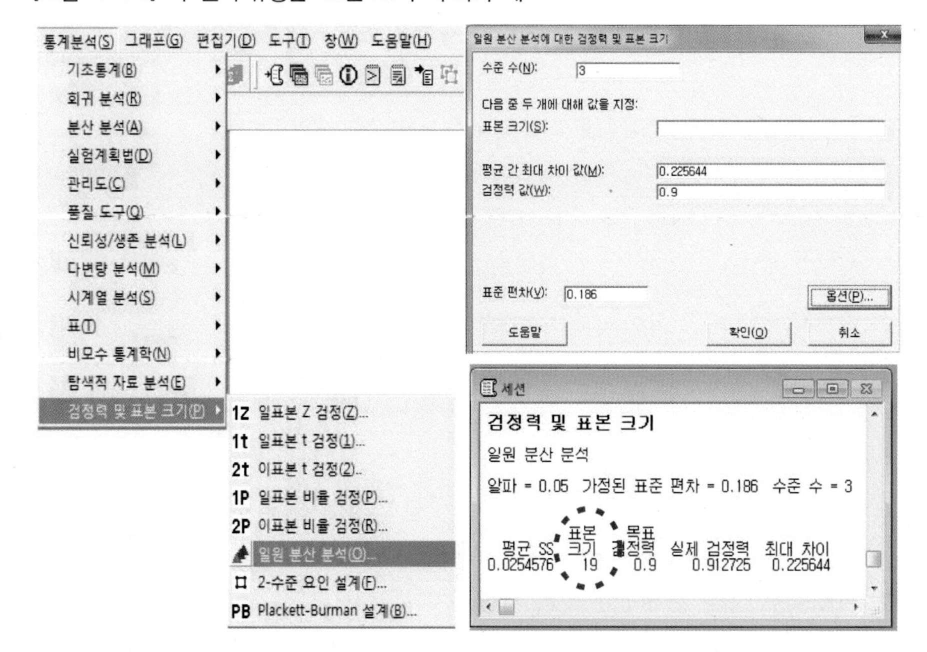

[그림 A-74]에서 미니탭「통계 분석(S) > 검정력 및 표본 크기(P) > 일원 분산 분석(W)...」에 들어가 기본 입력을 수행한다. '검정력'은 특별한 사유가 없는 한 '0.9'를 적용한다. 미니탭 결과로부터 적정 '표본 크기'는 '19'개로 나왔으나 약간 조정해서 관리하기 좋은 '표본 크기'로 결정한다. 본 예에서는 '20개'로

정하였다. 시험 결과 '150,000회'까지 가기 전 모두 고장이 남에 따라 '중도 절단(Censored)'된 경우는 없었다(고 가정한다). 데이터와 미니탭 위치는 다음 [그림 A-75]와 같다.

[그림 A-75] 결과 데이터와 미니탭 분석 위치 예

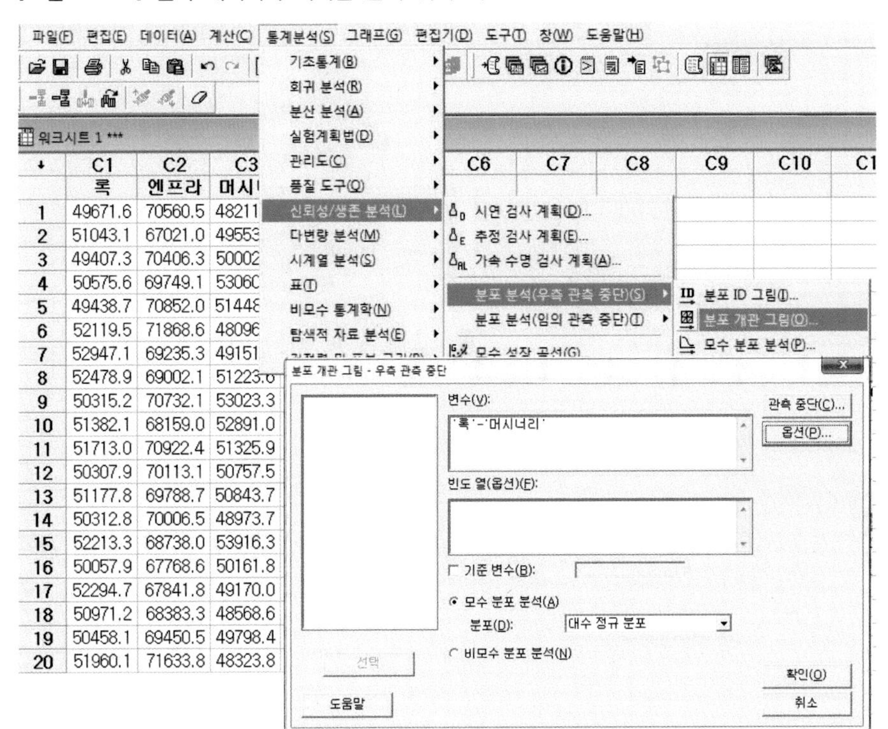

미니탭 결과는 다음 [그림 A-76]과 같다.

[그림 A-76] 미니탭 ‘수명 분석’ 결과 예

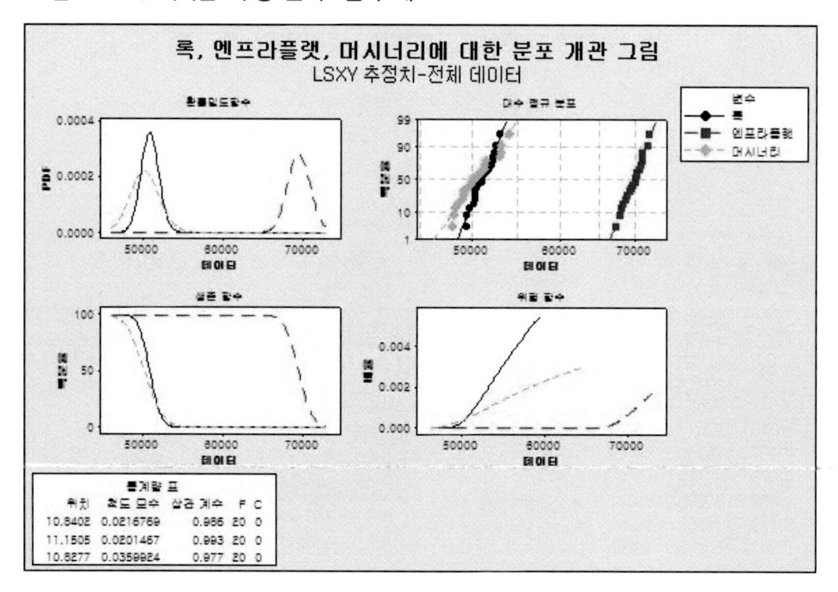

[그림 A-76]은 ‘엔프라 플랫(빨간 그래프)’ 경우가 다른 두 유형에 비해 확연한 수명(접었다 펴는 횟수)의 차이를 보이고 있음을 알 수 있다. 따라서 ‘엔프라 플랫’만의 수명 분석을 위해 미니탭의 「통계 분석(S) > 신뢰성/생존 분석(L) > 분포 분석(우측 관측 중단)(D) > 모수 분포 분석(P)…」에 들어가 결과를 요약하면 다음과 같다.

	추정치	표준 오차	95.0% 정규 CI 하한	상한
평균(MTTF)	**69613.6**	313.645	**69001.5**	**70231.0**
표준 편차	1402.63	248.820	990.703	1985.83
중위수	69599.4	313.542	68987.6	70216.7
제1 사분위수(Q1)	68660.1	350.736	67976.1	69350.9
제3 사분위수(Q3)	70551.7	360.398	69848.8	71261.6
사분위 간 범위(IQR)	1891.60	335.377	1336.33	2677.60

'평균(MTTF)'은 약 '69,613.6회'로, '95% 신뢰 구간'은 '69,001.5∼70,231.0'으로 고객 요구인 '50,000회' 이상을 충분히 만족하는 것으로 확인되었다. 그러나 [표 A-44]의 '단가'를 보면 '엔프라 플랫'이 다른 유형보다 '50∼75원' 더 비싼 것으로 파악돼 세 유형 모두에 대해 통계량을 비교해보았다. 결과를 다음 [표 A-46]에 요약해 놓았다.

[표 A-46] 각 유형별 통계량 비교

항 목	평균(MTTF)	95% CI
엔프라 플랫 힌지	69,613.6	69,001.5∼70,231.0
록 & 힌지	51,043.8	50,561.1∼51,531.1
머시너리 힌지	50,428.5	49,638.9∼51,230.5

다른 두 유형에 대해 추가 분석한 결과 '머시너리 힌지' 경우 '신뢰 구간'에 '50,000회'가 들어는 가지만 하한이 '50,000회' 이하를 보이는 반면, '록 & 힌지' 경우 하한이 '50,000회' 이상으로 고객 요구 조건을 충분히 만족하는 것으로 파악되었다. '록 & 힌지'를 선택할 경우 단가가 '₩340'이므로 '엔프라 플랫 힌지'에 비해 '50원'이 더 저렴한 장점이 있다. 또 실제 '토이 박스'가 '50,000회' 이상 사용되는 경우가 흔치 않으므로 '록 & 힌지'를 제품에 적용하는 것으로 결정하였다(고 가정한다). [그림 A-77], [그림 A-78]은 '(가속) 수명 시험'에 대한 파워포인트 작성 예를 보여준다.

'(가속) 수명 시험'을 위해서는 수명을 설명할 '분포' 등 사전 정보가 요구된다. 물론 시험 결과 데이터를 이용해 찾아낼 수도 있으나 통상적으론 부품이나 재료들의 '확률 밀도 함수(pdf)' 정보를 논문이나 기술 자료, 문헌 등에서 얻어낼 수 있다. 따라서 수행할 시험에 대해 관련 논문 조사는 꼭 해야 할 일들 중 하나다. 또, '고장의 정의(고장 모드)'를 명확히 해야 하는데 시험 중 '고장'이라

[그림 A-77] 'Step-9.3. 설계 요소별 산출물 실현(가속수명시험)' 예

Step-9. 상위수준 설계

Step-9.3. 설계요소 별 산출물 실현(실험설계-가속수명시험)

▶ 부피를 줄이기 위해 접을 수 있도록 할 '힌지 후보'를 조사함. 세 유형에 대해 고객 요구조건인 접기 '50,000회' 만족유무를 평가하기 위해, 토이박스' 몸체'와 '사전정보'를 다음과 같이 기술함.

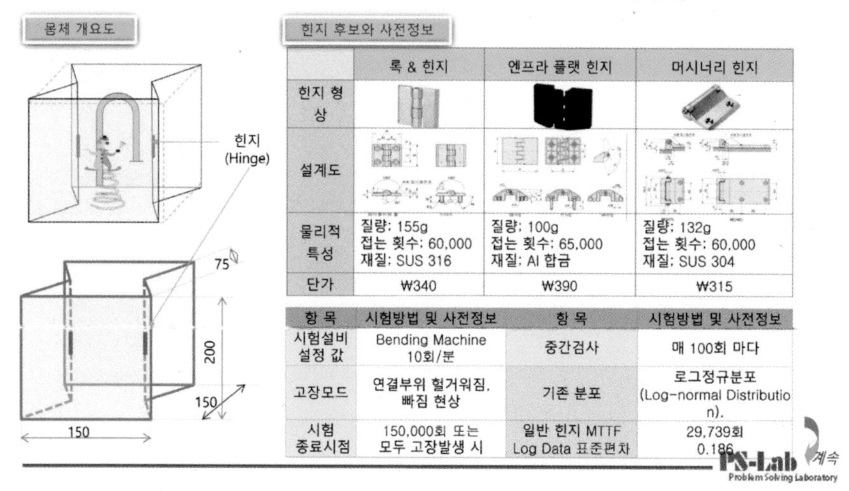

	록 & 힌지	엔프라 플랫 힌지	머시너리 힌지
힌지 형상			
설계도			
물리적 특성	질량: 155g 접는 횟수: 60,000 재질: SUS 316	질량: 100g 접는 횟수: 65,000 재질: Al 합금	질량: 132g 접는 횟수: 60,000 재질: SUS 304
단가	₩340	₩390	₩315

항 목	시험방법 및 사전정보	항 목	시험방법 및 사전정보
시험설비 설정 값	Bending Machine 10회/분	중간검사	매 100회 마다
고장모드	연결부위 헐거워짐, 빠짐 현상	기존 분포	로그정규분포 (Log-normal Distribution).
시험 종료시점	150,000회 또는 모두 고장발생 시	일반 힌지 MTTF Log Data 표준편차	29,739회 0.186

고 판단할 근거가 필요하다. 고장의 정의가 2개 이상이거나 명확하지 않으면 정작 평가 대상의 '수명'이 얼마나 되는지 파악할 수 없다. 그 외에 정할 사항들이 다수 있으나 이 정도에서 정리하도록 하겠다. [그림 A-78]은 [그림 A-77]과 연결된 장표로 최종 '힌지'를 확정한 근거를 설명한다.

앞서 설명했듯이 수명 특성이 가장 좋다고 해서 바로 선택하는 것은 제고해봐야 할 일이다. 왜냐하면 '특성'이 좀 모자라지만 고객 요구 조건을 충분히 만족하면서도 '단가'가 저렴할 수 있기 때문이다. [그림 A-78]은 '수명 특성'이 가장 뛰어난 '엔프라 플랫 힌지'의 분석 정보지만 결국 '록 & 힌지'를 선정하게 된 배경을 보여준다. '록 & 힌지'는 '엔프라 플랫 힌지'보다 월등하진 않지만 고객 요구 조건을 충분히 만족시키면서 가격도 '50원'이나 저렴한 특징을 갖는다. 따라서 토이 박스에 맞게 설계 수정 후 주문 요청하는 방향으로 팀 회의에서

[그림 A－78] ‘Step－9.3. 설계 요소별 산출물 실현(가속 수명 시험)’ 예

Step-9. 상위수준 설계
Step-9.3. 설계요소 별 산출물 실현(실험설계-가속수명시험)

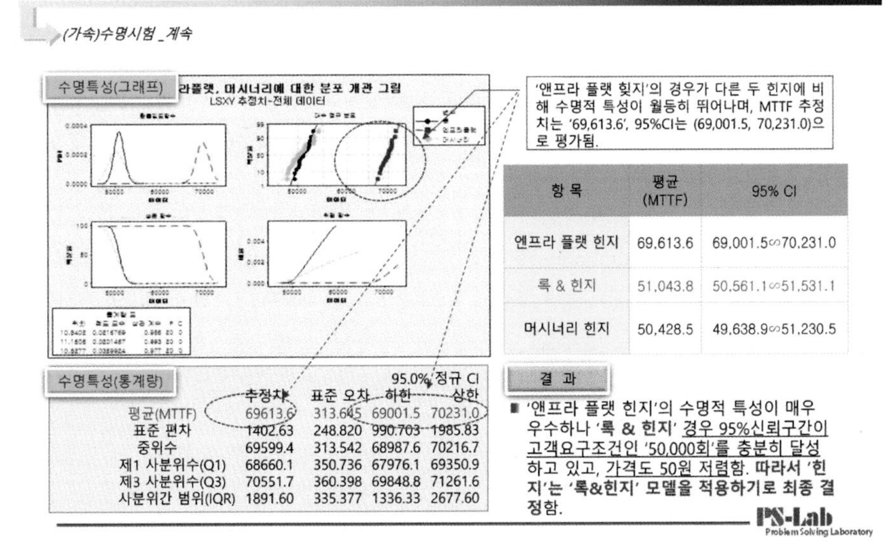

‘록 & 힌지’를 최종 확정하였다(고 가정한다). 이제 끝으로 ‘[그림 A－71] Step－9.3. 설계 요소별 산출물 실현(최적화 전략 수립) 예’에 있는 ‘실험 설계’ 중 ‘혼합물 실험’에 대한 ‘산출물 실현’에 대해 알아보자.

9.3.3. ‘실험 설계_혼합물 실험’ 예

‘Step－9.2. 설계 요소 분석’에서 ‘부착물 접착력’ 향상을 위해 ‘분말 안정제 C’가 적합하다는 결론을 내린 바 있다. 그러나 단순히 결정된 ‘분말 안정제 C’를 넣는다고 해서 원하는 접착력이 생기는 게 아니라 적정 양을 넣어야 할 것이며, 또 문제는 다른 혼합물도 있으므로 전체 대비 몇 %씩의 비율로 원료를 혼합

해야 하는지 고려해야 한다. 이와 같이 전체 투입 혼합물을 ‘1’로 보고 그중 얼마의 비율이 원료들 간 ‘최적 조건’인지 결정하는 접근법이 ‘혼합물 실험(Mixture Experiment, 또는 Mixture Design)’이다.

‘혼합물 실험’은 ‘실험 계획(Design of Experiment)’의 유형들[91] 중 그 위계가 가장 높은 ‘반응 표면 설계(Response Surface Design)’와 동격이다. 위계가 높다는 것은 ‘제곱 항’이 포함돼 ‘X’와, ‘Y’가 ‘곡률’로 된 관계를 밝힐 수 있다는 뜻이다. 그러나 사실 대부분의 연구원들이 ‘혼합물 실험’을 꺼리는 경향이 강한데 그 이유는 낯선 단어들이 많고 해석도 ‘요인 설계’만큼 깔끔하지 않으며, 무엇보다 실험 과정이 그리 녹록지 않는 등 비호감 요소들이 많기 때문이다. 본문에서는 로드맵에 초점을 맞추고 있으므로 ‘혼합물 실험’ 활용법에 대해 자세히 논하진 않을 것이다. 다만 기본 개념 정도만 언급[92]하고 ‘산출물 실현’에 집중해서 마무리하도록 하겠다.

‘혼합물 실험’은 실험의 대상이 여러 성분(Components)들의 혼합으로 이루어져 있고, ‘Y’를 최소 또는 최대로 만들 최적의 ‘혼합 비율(Mixing Proportion)’ 결정에 관심이 있을 경우 수행하는 실험 방법이다.

[그림 A-79] ‘혼합물 실험’ 개요도

- 제약조건; k개의 성분의 혼합에 있어서 x_i를 i 번째 성분의 혼합비율 이라 하면,

  $x_1 + x_2 + x_3 + \cdots + x_i = 1,\ x_i \ge 0,\ i = 1,2,\cdots,k$

- k-1 차원의 심플렉스(Simplex): $x_1 + x_2 + x_3 + \cdots + x_i = 1$, $x_i \ge 0,\ i = 1,2,\cdots,k$ 을 만족하는 점들의 집합

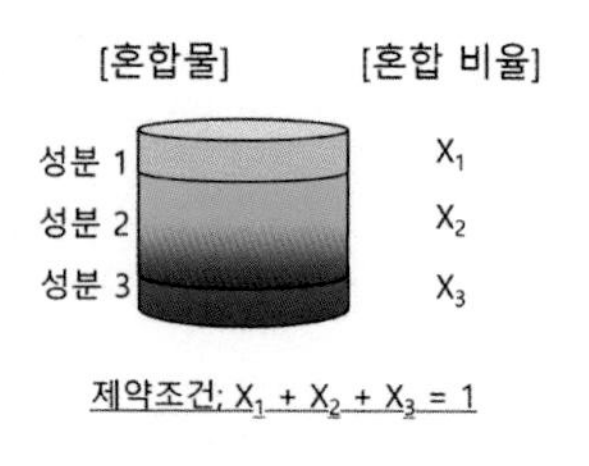

---

91) OFAT(One Factor at a Time) - 부분 요인 설계(Fractional Factorial Design) - 완전 요인 설계(Full Factorial Design) - 반응 표면 설계, 또는 혼합물 실험.

92) ‘Be the Solver’ 시리즈 중 ‘확증적 자료 분석(CDA)’편에 수록된 내용을 옮겨 놓았다. ‘한국통계학회’ 용어집을 따라 ‘혼합물 실험’으로 쓰고 있으나, 많은 자료에서 ‘혼합물 설계’로도 불린다.

[그림 A-79]의 왼쪽 정의에서 '제약 조건'은 실험에 들어갈 성분들을 모두 섞어 놓았을 때 그들의 혼합 비율은 전체 '1'이다. 물론 비율이 '음수'가 되는 경우는 없으므로 'x≧0'가 성립한다. '혼합물 실험'에서는 '심플렉스(Simplex)'라는 다소 생소한 용어가 등장하는데, 이것의 정의를 'WIKIPEDIA' 사전에서 찾아 옮겨 놓았다. 다음은 그 예이다.

- **심플렉스(Simplex)** In geometry, a simplex (plural simplexes or simplices) is a generalization of the notion of a triangle or tetrahedron to arbitrary dimension. Specifically, an n-simplex is an n-dimensional polytope with n+1 vertices, of which the simplex is the convex hull. For example, a 2-simplex is a triangle, a 3-simplex is a tetrahedron, and a 4-simplex is a pentachoron. A single point may be considered a 0-simplex, and a line segment may be viewed as a 1-simplex.(Skip)··· (번역) 기하학에서, 심플렉스란 삼각형 또는 사면체 개념을 일반화시킨 용어이다. 특히, 'n-simplex'는 'n+1'개의 꼭짓점을 갖는 다면체를 의미하는데, 예를 들어 0-simplex는 한 점을, 1-simplex는 직선, 2-simplex는 삼각형, 3-simplex는 사면체 등에 대응한다(중략)···.

'심플렉스'를 설명하기 전에 '심플렉스'가 '완전 요인 설계'에서의 '입방체도(Cubic Plot)'에 대응하므로 먼저 이에 대해 알아보자. '완전 요인 설계'는 기본적으로 각 인자별 두 개 수준에서 설계하는데 이때 실험 점들을 시각화시키기 위해 '입방체도'를 사용한다. 인자가 2개면 실험 점 4개(=2^2)의 표현을 위해 '입방체도'는 '정사각형'을 사용하고('정방체도'라고 한다), 3개면 실험 점 8개(=2^3)를 위해 '정육면체'를 사용한다. 또, 인자가 4개면 실험 점이 총 '16개(=2^4)'이므로 두 개의 정육면체를 사용한다. 이것은 미니탭의 「통계 분석(S) > 실험 계획법(D) > 요인(F) > 입방체도(B)...」에서 작성할 수 있다. 인자 수가 '2, 3, 4개'인 경우의 '입방체도'를 다음 [그림 A-80]에 나타내었다(2인자 경우는 '정방체도'라고 함).

[그림 A-80] 인자 수별 '입방체도' 예

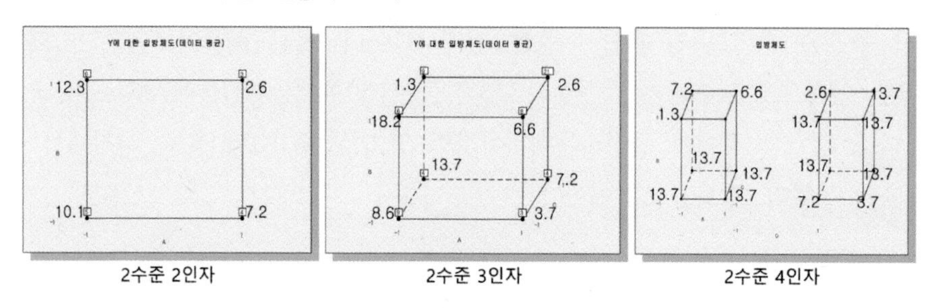

[그림 A-80]은 각 수준들의 조합(또는 처리, Treatment)과 해당 'Y'를 시각적으로 쉽게 파악하도록 돕는다. 다시 '혼합물 실험'으로 돌아와 만일 2개의 성분을 혼합하여 목표 'Y'를 위한 혼합비 결정을 고려할 때 시각화시킬 수 있는 방법에 대해 알아보자. 각 성분은 '0'부터 '1'까지 무한히 많은 값들의 분포를 갖게 되고, 따라서 두 성분의 혼합 조합도 무한히 존재한다. 이 환경은 심플렉스 정의에 따라 '1-simplex(1차원 심플렉스)'이며 '선분'으로 나타낸다.

[그림 A-81] 1-simplex(1차원 심플렉스) 예

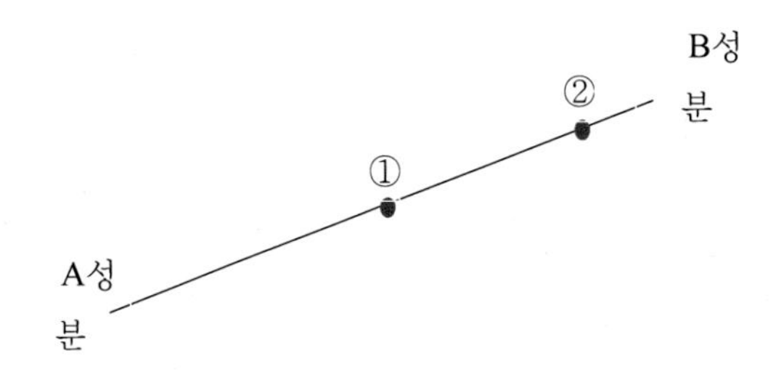

[그림 A-81]에서와 같이 '선분'은 '2 꼭짓점(=n+1=1+1)'을 가지며, 임의 위치를 정하면 각 성분의 혼합비를 표현할 수 있다. 예를 들어 '①'의 경우 'A성분=0.5, B성분=0.5'이고, '②'는 'A성분=0.8, B성분=0.2' 등이다. 만일 성분

(Components)이 '3개'이면 심플렉스 정의에 따라 2-simplex(2차원 심플렉스)인 '삼각형'이 되고, 미니탭의 「통계 분석(S) > 실험 계획법(D) > 혼합물 설계(X) > 심플렉스 설계도(P)...」에서 다음 [그림 A-82]를 얻는다.

[그림 A-82] 2-simplex(2차원 심플렉스) 설계도 예

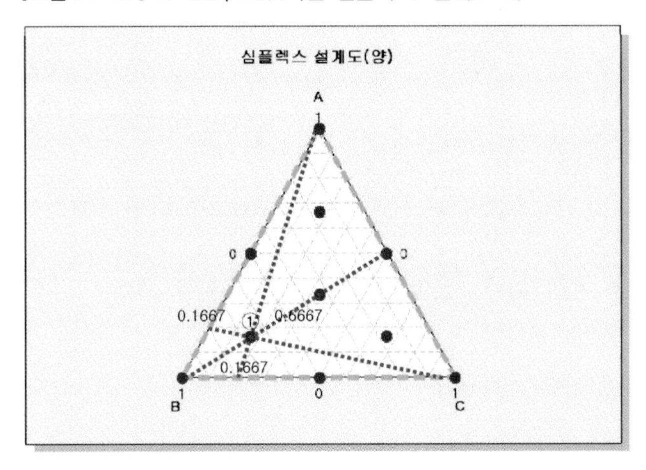

[그림 A-82]에서 각 선분 위의 세 점('0'으로 표시돼 있음)은 양 끝 두 성분이 각각 '0.5'의 비율에 해당하고, 삼각형 내, 예를 들면 '①' 위치는 'A성분=0.1667, B성분=0.667, C성분=0.1667'이 포함된다. 이 위치를 '설계 표(Data Matrix)'와 비교하면 [그림 A-83]의 강조된 조합과 같다.

'혼합물 실험'에는 기본 실험법인 '심플렉스 중심 설계(Simplex Centroid Design)'와 '심플렉스 격자 설계(Simplex Lattice Design)' 두 가지 방법이 있으며, 삼각형 내부 점 포함 여부에 따라 '확대(Augmented)', '확대 없음(Unaugmented)'[93]으로 구분한다. 실험 방법 확인을 위해서는 미니탭의 「통계

93) 한국통계학회 '통계학용어대조표'에는 포함돼 있지 않으나 'Augmentation'을 '확대'로, 'Augmented Matrix'를 '확대 행렬' 등으로 표기하고 있어, 이에 따라 'Augmented'를 '확대'로 정의함. 참고로 '미니

[그림 A-83] '[그림 A-82]' 내 '①' 위치에서의 각 성분의 비율

워크시트 4 ***

+	C1	C2	C3	C4	C5	C6	C7	C8
	StdOrder	RunOrder	PtType	블럭	A	B	C	Y
1	5	1	2	1	0.50000	0.00000	0.50000	4
2	1	2	1	1	1.00000	0.00000	0.00000	5
3	10	3	-1	1	0.16667	0.16667	0.66667	2
4	6	4	2	1	0.00000	0.50000	0.50000	7
5	2	5	1	1	0.00000	1.00000	0.00000	8
6	9	6	-1	1	0.16667	0.66667	0.16667	5
7	7	7	0	1	0.33333	0.33333	0.33333	3
8	4	8	2	1	0.50000	0.50000	0.00000	4
9	3	9	1	1	0.00000	0.00000	1.00000	12
10	8	10	-1	1	0.66667	0.16667	0.16667	3

분석(S) > 실험 계획법(D) >혼합물 설계(X) > 혼합물 설계 생성(C)…」의 '대화 상자'에서 '도움말' 버튼을 누른 뒤 다음 [그림 A-84]와 같이 위치에 들어가 '참고 항목'을 정독하기 바란다.

[그림 A-84] '혼합물 실험' '도움말' 위치

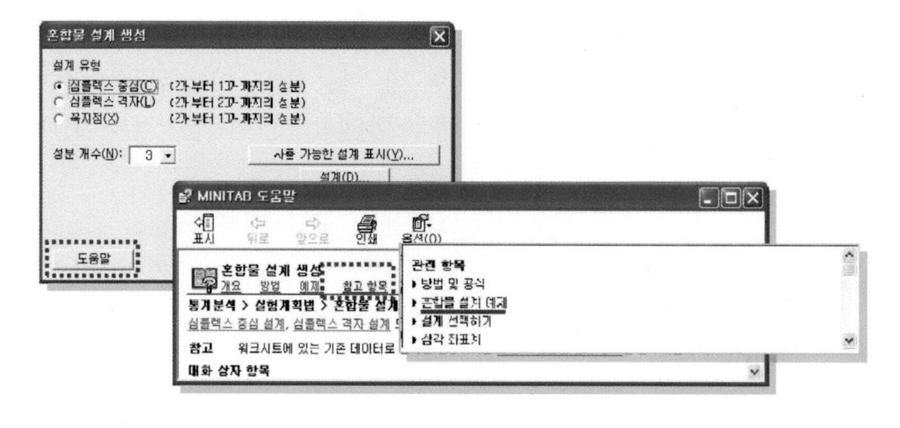

탭 Ver.14'에서는 'Unaugmented'를 '증대 전', 'Augmented'를 '증대 후'로 표기하고 있음.

지금까지 '혼합물 실험'의 기본 사항에 대해 살펴봤으며, 상세한 과정 및 해석은 책의 범위를 벗어나므로 관심 있는 리더는 관련 서적을 참고하기 바란다. 이제 기본 준비가 됐으므로 '분말 안정제 C'의 최적 비율 설정으로 들어가 보자.

본 예의 경우 성분은 '분말 안정제 C', '공중합체 수지', '폴리비닐 알코올'이 전체의 '80%'를, 나머지 20%는 친환경 물질 등이 고정으로 차지하며, 특히 '온도'가 그들 반응에 매우 중요하다는 것이 알려져 있어 '공정 변수'로 추가하였다(고 가정한다). 또, 세 성분은 특정 비율 범위만 가능하다고 할 때 제약 조건에 필요한 '꼭짓점 설계'가 적용된다.

설계는 미니탭 「통계 분석(S) > 실험 계획(D) > 혼합물 실험(X) > 혼합물 실험 생성(C)...」에 들어가 '꼭지점(X)'을 선택하고, '성분 개수(N)'엔 '3'을 지정한 뒤 필요한 입력을 이어간다. 본 과정에선 단계별 입력 방법과 결과 해석은

[그림 A-85] 'Step-9.3. 설계 요소별 산출물 실현(혼합물 실험_Plan)' 예

Step-9. 상위수준 설계

Step-9.3. 설계요소 별 산출물 실현(실험설계-혼합물 설계_Plan)

목 적

과제 'Y'인 '부착물 접착력' 향상을 위해 '분말 안정제 C' 와 '에틸렌 공중합체수지, 폴리비닐 알코올 들간 최적 비율을 설정하고자 함.

실험계획

Level 선정

성분 1: 분말 안정제 C	0.05	0.10
성분 2: 에틸렌 공중합체 수지	0.20	0.45
성분 3: 폴리비닐 알코올	0.15	0.30
공정변수; 온도	25℃	40℃
그 외 성분	20% 고정(친 환경 물질 포함)	

Response선정

Y_1	부착물 접착력	150 kgf 이상
Y_2	유해성분 증발량 (50℃)	10 ppm 이내

설 계

①	꼭지점 설계(Extreme Vertices)
②	3 성분들은 정해진 비율 미만 또는, 초과할 수 없음.
③	중앙점, 축점 추가, 총 실험 수= 20

실험기간	2xxx. x. x ~ oo.oo (2일간)
장소	연구동 3층 제 3연구실
기 타	측정설비; Peel시험기, ICP-MS
	KOLAS 절차에 따라 수행

※실험에 대한 모든 조건 및 상황은 예를 들기 위해 임의로 설정된 것임.

계속

생략하고 파워포인트 작성 예만 가지고 전개 과정을 설명할 것이다. [그림 A-85]는 '혼합물 실험'을 위한 '계획(Plan) 단계'이며, 실험 과정 전체는 '데밍 사이클(Deming Cycle)'로 알려진 'Plan-Do-Check-Act'로 전개된다.

[그림 A-85]의 제목을 보면 '... (혼합물 실험_Plan)'처럼 'Plan'을 포함하고 있으며, 장표엔 과정의 '목적'과 '실험 계획'에 대한 상세 내역이 기술돼 있다. 특이 사항으론 유해 성분의 방출을 억제해야 할 필요성['[그림 A-28] Step-8.2. 콘셉트 후보 평가/선정 작성 예(콘셉트 확정)' 참조]으로 'Y_2(유해 성분 증발량)'을 추가시킨 점이다. 고객의 강력한 요구이니만큼 '부착물 접착력'과 함께 개발 과정 중 평가해야 할 주요 대상이다. 다음 [그림 A-86]은 [그림 A-85]와 연결되는 장표로 'Do'를 표현한 예이다.

[그림 A-86] 'Step-9.3. 설계 요소별 산출물 실현(혼합물 실험_Do)' 예

Step-9. 상위수준 설계
Step-9.3. 설계요소 별 산출물 실현(실험설계-혼합물 설계_Do)

혼합물 설계_계속

▶ '심플렉스 설계도' 및 실험을 통한 'Y_1(부착물 접착력)', 'Y_2(유해성분 증발량)' 수집.

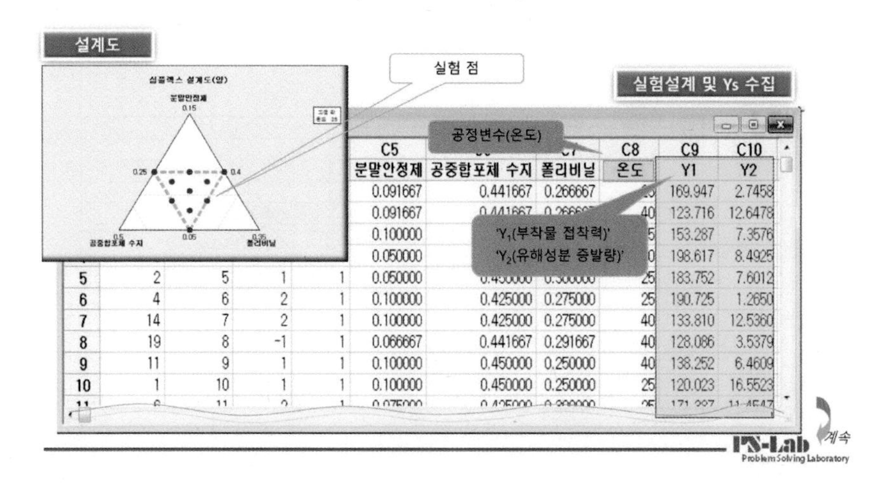

'Do', 즉 '실행'은 보여줄 수 없으므로 그 결과인 '데이터'를 옮겨 놓는다. [그림 A－86]의 '설계도'는 '꼭짓점 설계'의 실험 점 위치를 나타내며, 투입 성분 비율의 제약 때문에 삼각형 전체가 아닌 일부만의 영역에 분포한다. 워크시트를 보면 인자에 '온도'가 포함돼 있는데 미니탭에서 성분 입력과 함께 '2개 수준'을 설정해서 나타난 결과다. 본 예에선 '25℃'와 '40℃'가 표기돼 있다. 다음 [그림 A－87]은 미니탭으로 분석한 결과를 정리한 'Check' 예이다.

[그림 A－87] 'Step－9.3. 설계 요소별 산출물 실현(혼합물 실험_Check)' 예

Step-9. 상위수준 설계
Step-9.3. 설계요소 별 산출물 실현(실험설계-혼합물 설계_Check)

D M A D V

혼합물 설계_계속 실험을 통해 얻어진 결과 값을 토대로 미니탭 분석수행.

혼합물에 대한 회귀 분석: Y2 대 분말안정제, 공중합체

Pooling 후

-분말안정제; 0.1
-공중합체수지; 0.425
-폴리비닐; 0.275
-온도(고정); 25

'Y1(부착물 접착력)'; 188.06
'Y2(유해성분 증발량); 1.215

Y1, Y2의 중첩 등고선도

'Y1(부착물 접착력)'과 'Y2(유해성분 증발량) 동시 만족시키는 영역. 온도20고정

결 과

- 최적비율; 분말안정제; 0.1, 공중합체수지;0.425, 폴리비닐;0.275, 온도;20℃ 고정).
- 'Y1(부착물 접착력)'; 188.06, 'Y2(유해성분 증발량); 1.215 로 목표 만족.
- 각 성분의 공차설정은 'Step-11. 상세설계'에서 수행.

PS-Lab Problem Solving Laboratory

우선 [그림 A－87]의 왼쪽은 미니탭 '세션 창'으로 '병합(Pooling)' 결과를, 오른쪽 위 그래프는 '최적 비율'을 나타내며, 그 아래 그래프는 '중첩 등고선도'로 'Y_1(부착물 접착력)'과 'Y_2(유해 성분 증발량)'의 목표를 동시에 만족시킬 영

역을 보여준다. 이 그래프는 'Step-11. 상세 설계'에서 '성분'들의 '공차'를 설정하는 데 활용하게 될 것이다. 결과를 요약하면 '분말 안정제 C=0.1', '공중합체 수지=0.425', '폴리비닐=0.275', '온도=20℃(관리가 용이한 온도)'에서 'Y_1(부

[표 A-47] '설계 7요소 분류표'에 '산출물'을 대응시켜 정리한 예

설계 7요소	정의		설계 인자 유형	산출물
제품/서비스	H/W	컴퓨터를 구성하는 기계장치를 통틀어 이르는 말이나 여기서는 재료나 부품으로 이루어진 모든 유형의 개체를 의미한다.	상품설계 요소	☞ 설계도면 →몸체(Body) 설계도면 →힌지(Hinge) 설계도면 →루프 部 설계도면 ☞ 제품 동작 Diagram ☞ 제품 회로도 ☞ 소요부품 명세서 ☞ 원자재 소요서 ☞ 접착제 조제서 →최적조합비율 ☞ 동작특성 사양서(k,m,r,h)
			시험요소	☞ (가속)수명평가 표준서
			…	…
프로세스	일이 처리되는 경로. 여기서는 기존의 변경, 새로운 프로세스의 필요로 흐름(Flow)을 명시해야 하는 대상이다.		절차적 요소	☞ 조립공정 운영계획서 →Tact Time, 평가 고려
	…		…	…
정보 시스템	사람들 사이에서 지식을 전달하기 위한 모든 수단을 의미하나 여기서는 설계대상을 운영하는 데 필요한 각종 정보 인프라(IT, 매체)를 의미한다.		시장적 요소	☞ BOM Update보고서
인력 시스템	설계대상을 운영하고 유지시키기 위한 인적 요소를 의미한다.		조직설계 요소	☞ 설계연구원 선발지침서 ☞ 업무 조직도
	…		…	…
모델	설계대상에 요구되는 기술적, 전략적 본보기를 의미하다.		이론적 요소	☞ 인형돌출 운동학 보고서 ☞ 회로 동작이론 보고서
전략	설계대상에 포함될 다양한 전략적 요소를 의미한다.		전략적 요소	☞ 신제품 시장보고서
설비/장비/원자재	설계대상을 형성하거나 지원하는 데 필요한 시설, Tool, 재료 등과 관련된 절차 등을 포함한다.		기술적 요소	☞ 설비투자 내역서
			업체선정요소	☞ 구매처 확보 보고서
			저장요소	☞ 원자재 관리 지침서
	…		…	…

착물 접착력)=188.07kgf'를, 'Y₂(유해 성분 증발량)=1.215ppm'이 각각 예측된다. 이 결과는 목표인 'Y_1(부착물 접착력)=150kgf 이상', 'Y_2(유해 성분 증발량)=10ppm 이하'를 훨씬 뛰어넘는 긍정적 결과이다. 이제 실현된 '산출물'을 모두 정리하는 일만 남았다. 다음 [표 A-47]이 그 예이다.

[표 A-47]은 '[표 A-19] 설계 7요소 대응법을 위한 설계 7요소 분류표 예'를 가져다 놓은 뒤 '[표 A-29] 각 출처별 발굴된 설계 요소 종합 예'와 '[그림 A-68] Step-9.2. 설계 요소 분석(핵심 설계 요소 선정 및 산출물 정의)예'의 산출물들을 종합 정리한 결과이다. 결국 **표에 정리된 '산출물'들을 하나하나 '실현'시켜 나가면 '상위 수준 설계' 과정이 마무리된다**. 이 외에도 과제의 규모나 성격에 따라 다양한 '설계 인자 유형'별 '산출물'들이 정리될 수 있다. 다음 [그림 A-88]은 '힌지(Hinge) 설계 도면'[94]에 대한 '산출물 실현' 예이다.

[그림 A-88] '힌지(Hinge) 설계도면' 산출물 예

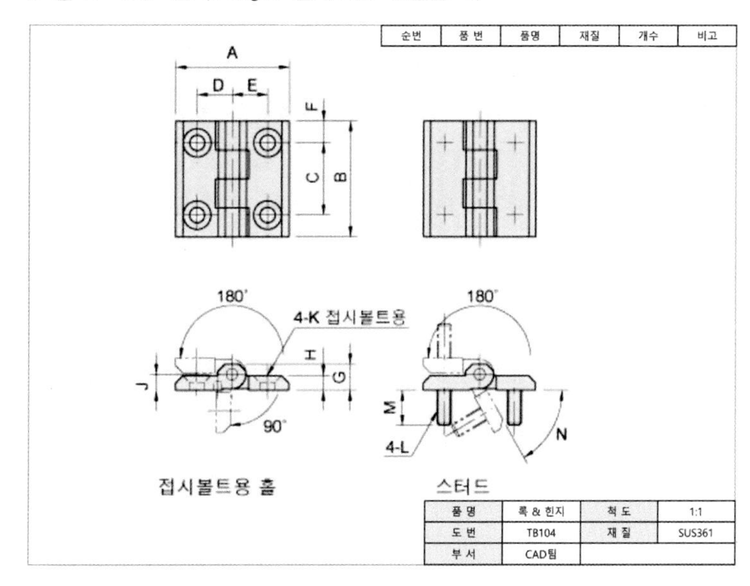

94) 출처; www.arin.co.kr

다음 [표 A-48]은 '소요 부품 명세서'의 예이다.[95)]

[표 A-48] '소요 부품 명세서' 산출물 예

순번	품번	품명	재질 (규격)	개수	비고	구분	단가(원)	Total(원)
TG100 ASS'Y, 본체 프레임 소요부품 명세서								
1	TB101	몸체	Al판재	1	그릴판재	외주	850	750
2	TB102	덮개	Al판재	1	인형돌출부 개폐	외주	60	60
3	TB103	와이어	φ 0.1x10	2	덮개, 몸체 연결	외주	3	6
3	TB104	힌지	SUS361	2	크롬도금/주문제작	구매	340	680
4	TB105	리벳	φ 2Al	4	루프고정용	구매	5	20
TB200 ASS'Y, 루프 부의 소요부품 명세서								
1	TB201	루프	φ 8AL봉	1	인형 이동경로	구매	75	75
2	TB202	인형	PL	1	토이 박스 상징물	구매	130	130
3	TB203	와이어	φ 0.2x50	3	인형 루프에 고정용	구매	6	18
4	TB204	용수철	탄소강	1	원추형	구매	8.2	8.2
5	TB205	스토퍼	SUS104	2	회로신호에 따라 용수철 변위제어	구매	10	20
6	TB205	리벳	φ 2Al	2	스토퍼 회전축 고정용	구매	5	10
…	…	…	…	…	…	…	…	…
TB300 ASS'Y, PCB회로 부의 소요부품 명세서								
1	TB301	PCB모듈	도전동판	1	외부자극인식 및 스토퍼 제어용	외주	870	870
2	TB302	전자석	φ 10x20L	1	스토퍼 제어용	구매	1,300	1,300
3	TB303	리벳	φ 2Al	2	전자석 고정용	구매	5	10
4	TB304	태양 전지 모듈	Nano형	1	전자석 동력제공	구매	5,600	5,600
…	…	…	…	…	…	…	…	…
…								
…	…	…	…	…	…	…	…	…
합계								27,120

95) 『공학 설계 창의적 신제품 개발 방법론』, 김종원, 양식 참조.

[표 A-48]의 '합계'가 '27,120원'으로 '[그림 A-60] Step-9.2. 설계 요소 분석(가설 검정-정성적 분석) 예'의 원가 목표인 '45,569.6원'을 크게 하회한다. 아직 노무비와 설비 관련 비용 등이 포함되지 않았으나 목표 달성이 충분히 가능할 것으로 판단된다(고 가정한다). [그림 A-89]는 파워포인트 작성 예이다.

[그림 A-89] '설계 요소별 산출물 목록'과 실현된 '산출물(개체 삽입 됨)' 예

Step-9. 상위수준 설계

Step-9.3. 설계요소 별 산출물 실현(설계 7요소 분류표 활용)

D M A D V

▶ 상위수준설계에서 수행된 산출물과 그 원본을 아래와 같이 종합함(개체삽입 참조)

설계 7요소		정의	설계인자 유형	산출물
제품/서비스	H/W	컴퓨터를 구성하는 기계장치를 통틀어 이르는 말이나 여기서는 재료나 부품으로 이루어진 모든 유형의 개체를 의미한다.	상품설계요소	☞ 설계도면 →몸체(Body) 설계도면 →힌지(Hinge) 설계도면 →루프 部 설계도면 ☞ 제품 동작 Diagram ☞ 제품 회로도 ☞ 소요부품 명세서 ☞ 원자재 소요서 ☞ 접착제 조제서 →최적조합비율 ☞ 동작특성 사양서(k,m,r,h)
			시험요소	☞ (가속)수명평가 표준서
			...	...
프로세스		일이 처리되는 경로. 여기서는 기존의 변경, 새로운 프로세스의 필요로 흐름(Flow)을 명시해야하는 대상.	절차적 요소	☞ 조립공정 운영계획서 →Tact Time, 평가 고려
		...	...	...
정보 시스템		사람들 사이에서 지식을 전달하기 위한 모든 수단을 의미하나 여기서는 설계대상을 운영하는데 필요한 각종 정보 인프라(IT, 매체)를 의미한다.	시장적 요소	☞ BOM Update보고서
인력 시스템		설계대상을 운영하고 유지시키기 위한 인적요소를 의미한다.	조직설계요소	☞ 설계연구원 선발지침서 ☞ 업무 조직도
		...	...	...
모델		설계대상에 요구되는 기술적, 전략적 본보기를 의미하다.	이론적 요소	☞ 인형돌출 운동학 보고서 ☞ 회로 동작이론 보고서
전략		설계대상에 포함될 다양한 전략적 요소를 의미한다.	전략적 요소	☞ 신제품 시장보고서
설비/장비/원자재		설계대상을 형성하거나 지원하는데 필요한 시설, Tool, 재료 등과 관련된 절차 등을 포함한다.	기술적 요소 업체선정요소 저장요소	☞ 설비투자 내역서 ☞ 구매처 확보 보고서 ☞ 원자재 관리 지침서
		...	...	...

PS-Lab
Problem Solving Laboratory

...

이로써 '상위 수준 설계(High Level Design)'가 마무리되었다. 다음은 지금까지의 설계 내용이 재대로 잘 이루어졌는지 확인할 'Step-9.4. 상위 수준 설계 검토(Scorecard 포함)'에 대해 알아보자.

Step－9.4. 상위 수준 설계 검토(Scorecard 포함)

"설계를 검토한다"는 현재까지의 작업이 제대로 이루어졌는지, 그리고 올바른 방향으로 가고 있는지 확인하는 활동이다. 따라서 여러 사람들의 의견뿐 아니라 검토 방법이나 참여자들의 구성 등 사전에 고려해야 할 사항들이 많다.

제품 개발에서 논하는 '상위 수준 설계 검토'는 일반적으로 '설계 능력'을 '평가'하는 데 맞춰져 있다. 즉, 현재까지 진행된 결과를 토대로 Measure Phase에서의 'Y'의 '현 수준'과 '목표 수준' 간 '격차(Gap)'가 얼마나 좁혀졌는지 확인하는 데 초점을 둔다. 다음 [그림 A－90]은 '설계 검토'를 위한 흐름도이다.

[그림 A－90] '설계 검토' 흐름도

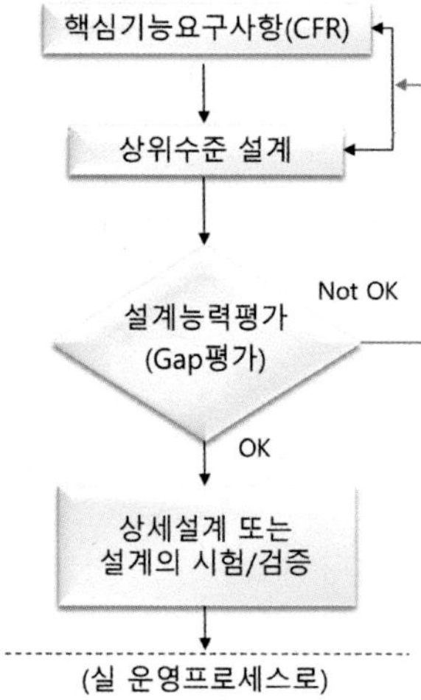

핵심기능요구사항(CFR)
상위수준 설계
설계능력평가
(Gap평가)
Not OK
OK
상세설계 또는
설계의 시험/검증
(실 운영프로세스로)

[그림 A－90]의 '마름모꼴'에서 의사 결정이 필요한데 만일 '핵심 기능 요구사항(CFR)'을 불만족하면 '상위 수준 설계'로 다시 돌아가지만 만족하면 다음인

'상세 설계'로 넘어간다. 그렇다면 '설계 검증'의 구체적 활동은 무엇일까?

[그림 A-90]처럼 '핵심 기능요구 사항(CFR)'이 'Y'들을 대변하는 조건이면 지금까지 실현된 '산출물'들은 'X'들을 대변한다. 따라서 일을 제대로 했는지의 확인은 개념적으론 간단하다. 즉 '$Y=f(X)$'의 관계식으로부터 원하는 수준(목표 수준)에 도달했는지(또는 할 것인지)를 검증해내면 될 일이다. 이 관계식을 '전이 함수(Transfer Function)'라고 한다. 따라서 기업 내 '제품 설계 방법론' 교재는 일반적으로 '상위 수준 설계 검토'에 이르러 '전이 함수'의 개발 방법을 논한다. 그런데 문제가 있다. '$Y=f(X)$'를 어떻게 구성해야 할지 난감하다. '점도'와 '온도'의 관계처럼 딱 떨어져 구현되는 상황은 별개로 두고 실제 과제 수행 중엔 다양한 상황에 노출되기 때문이다. 과거에는 이 같은 한계 때문에 '제품 설계 방법론' 전개에 어려움을 호소했지만 다양한 해법이 제시되면서 정량화 방법론들이 개발되거나 응용되었고, 실제 활용하는 수준에까지 이르렀다. 그러나 꼭 함수적인 '분석적 방법'만이 유일한 해법은 아니다. 과제와 연계된 담당자들이 모두 모여 의견을 내고 문제점을 드러내 보완하는 방법도 적합한 접근법 중 하나다. '설계 능력 평가'를 유형별로 모아 정리하면 다음 [그림 A-91]과 같다.

[그림 A-91] '설계 능력 평가' 방법

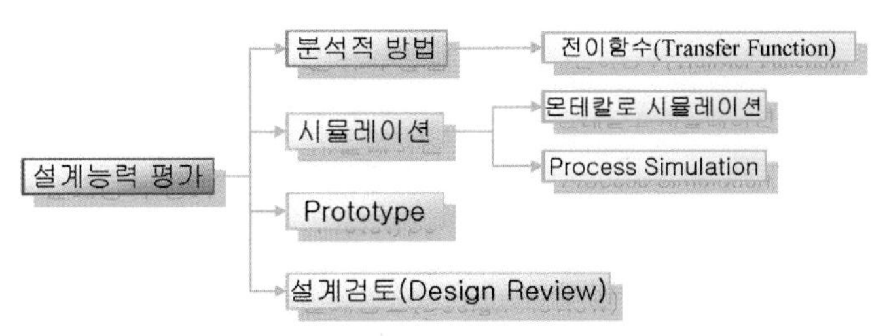

[그림 A-91]에서 '분석적 방법'은 실질적인 '$Y=f(X)$)'를, '시뮬레이션'은

랜덤 데이터를 통해 성과의 추정을, 'Prototype'은 간단히 만들거나 구성하는 방법을, 끝으로 '설계 검토'는 여러 사람이 모여서 수행하는 접근법이다.

그러나 경험적으로 Analyze Phase에서 '전이 함수'를 찾거나 시뮬레이션 등을 하면 첫째, Analyze Phase의 분량이 많아져 제한된 기간 내에 완료가 어렵거나 내용의 부실화 가능성, 둘째, 설계 윤곽이 Analyze Phase에서 대부분 확정됨에 따라 '최적화'인 '상세 설계(Design Phase)' 수행 당위성이 줄어들고, 셋째, '공차 설계(Parameter Design)' 과정에 '전이 함수'가 대부분 쓰이는 현실을 고려할 때, 지도 시 'Step－9.4. 상위 수준 설계 검토'는 말 그대로 '설계 검토(Design Review)'로 끝내고, '전이 함수'와 같은 정량적 접근은 Design Phase 초입에 수행하도록 유도한다. 훨씬 현실적이고 분량의 균형을 이루는 등 전개가 매끄러운 특징이 있다. 또, 'Analyze Phase', 'Design Phase'의 구분만 있을 뿐 '세부 로드맵' 관점에서 서로 연결돼 있으므로 흐름상 바뀌는 내용이나 부담은 전혀 없다.

따라서 [그림 A－91]에서 논한 '전이 함수'는 Design Phase로 넘기고, 본문은 지금까지 수행된 '상위 수준 설계'를 '설계 검토(Design Review)' 관점에서 이어갈 것이다. 단, 많은 추정이 있겠지만 '가설 검정'으로부터 확인된 '상위 수준 설계 방향' 및 '산출물'을 토대로 'Scorecard'는 꼭 작성하고, 또 [그림 A－91]의 '분석적 방법'이 가능하면 정량화된 'Scorecard' 작성도 권장한다. 이제 '설계 검토(이후부터 'DR'로 명명)' 관점에서의 '설계 능력 평가'에 대해 알아보자.

'DR'은 기술 분야인 연구 개발에서는 흔한 용어다. 유사한 용어로 'Tollgate Review'가 있는데, 여하간 이 관문을 거쳐야 새로운 고속도로로 진입할 수 있다. 기본적인 사전 준비 내용과 절차 등은 다음과 같다.

- 평가 기준 및 목표치 설정
- 설계 검토 참가자 선정
- 설계 검토 Check List/평가 Sheet 개발 및 준비
- 데이터 수집 과정 및 분석 결과 준비
- 향후 활동 계획 협의 및 문서화
- 설계 검토 진행에 대한 개선 사항 검토

그러나 경험해 본 리더라면 잘 알다시피 현실 세계에서는 위와 같은 교과서적 접근은 잘 먹혀들지 않는다. 우선 참석자들이 과제 리더만큼 깊이 있게 고민한 사람들이 아니기 때문에 세세한 내용을 이해하고 의견을 개진할 수준까지 가는 데 오래 걸릴뿐더러 심하면 정해진 시간 내에 파악은커녕 그냥 앉아 있다 '내가 왜 불려왔지?' 하고 내심 갸우뚱하면서 걸어 나가기 일쑤다. 내용을 단시간 내 파악하지 못하므로 원활한 대화가 있을 리 만무하다. 따라서 'DR'을 할 때 정해진 시간 내 목적 달성을 위해서는 사전 준비가 필수적인데 그중 가장 핵심이 'FMEA'이다. 'FMEA'는 '[표 A−26] Design FMEA 작성 예'에서 설명한 바 있다. 'DR'진행은 다음과 같은 절차를 따른다.

1) 과제 개요 설명

과제가 왜 진행되었는지에 대한 배경을 짧게 설명한다. Define Phase 'Step−1.1 과제 선정 배경 기술'을 중심으로 요약해서 전달하되, 필요 시 'Step−2.1. 사전 진단(문제/기회 기술)'과 'Step−2.2. 목표 기술' 정도를 추가한다. 10분을 넘지 않도록 하고, 시간 내 과제 수행 취지를 충분히 전달할 수 있도록 'Story Line'을 구성하되 장표는 2장 정도로 압축하고 가급적 시각화시킨다.

2) 설계된 제품 개요(모습)를 설명한다.

당위성을 설명했으면 본론으로 바로 들어간다. 이를 위해 설계의 가장 핵심을 보여주고 왜 그렇게 설계했는지, 그리고 기존 제품과의 차이점을 명확하게 전달한다. 이때 문장으로 기술하기보다 '제품 형상' 자체를 띄워 놓고 이미지로 전달하는 것이 효과적이다. 소요 시간은 10분 내외로 한다.

3) FMEA를 최대로 활용한다.

설계 제품에 대한 설명이 끝났으면 질의응답 없이 바로 FMEA를 띄워 놓고 '잠재 고장 모드(Potential Failure Modes)'와 '영향(Potential Effects)', '원인(Potential Causes)'을 설명한 뒤 개선 과정과 'RPN 재평가'를 공유해 위험도가 낮아졌음을 알린다. 이때, 도출된 FMEA 내용을 하나하나 설명하기보다 'RPN'이 높은 주요 항목들에 대해서만 요령 있게 전달해 향후 문제점이 예상되지만 사전에 충분히 해결하기 위한 노력이 있었고 계속 그러리란 의지를 표방한다. 또 위험도가 가장 큰 '영향(Effects)' 한 개 정도를 끄집어내 'FTA(Fault Tree Analysis)' 수행 결과를 설명한다. 이런 분위기는 참석자들로 하여금 'DR'이 논쟁이 아닌 문제점 찾기에 주력할 것이라는 생각을 갖게 하는 데 일조한다.

4) 문제점 등을 논의하고 새로 나온 내용들은 팀원이 기록한다.

참석자들에게 내용 파악을 위한 질문이나 예상되는 문제점을 자연스레 말하도록 환경을 조성하고, 나온 내용들은 FMEA에 기록한 뒤 개선이 따를 것임을 시사한다. 따라서 가급적 문제점과 해결책까지 말해줄 수 있도록 유도하고, 팀원에게 모든 내용을 기록하도록 한다. 이때 프로젝터 화면에 FMEA를 띄워 놓고 나오는 의견을 하나하나 기록하는 모습은 좋은 방법이 아니다. 참석자들이 글자가 쓰이는 것에 이목이 집중돼 의견 개진에 소홀해질 수 있기 때문이다.

이제 '토이 박스 개발' 과제로 돌아와 '1)~4)' 중 기술적 DR이 가능한 '3)'에 대해 알아보자. 다음 [표 A-49]는 Analyze Phase 'Step-9.1. 설계 요소 발굴' 중 '[표 A-26] Design FMEA 작성 예'를 다시 옮겨 놓은 것이다.

[표 A-49] Design FMEA 작성 예

No	아이템/기능	잠재적 고장 모드	잠재적 고장의 영향	심각	분류	잠재적 고장의 원인/메커니즘	발생	현 설계 관리	검출	RPN	권고 조치 사항
1	인형을 바꾼다.	인형 돌출 안 됨.	교체비용 증가	9		스프링 탄성 상실	2	동역학 모델링	3	54	-
2	인형을 바꾼다.	인형 돌출 안 됨.	교체비용 증가	9		회로의 돌출감지 실패	3	회로 설계	3	81	-
3	인형을 바꾼다.	인형 루프 돌지 못함.	게임 불가	9		루프 회전동력 미달	6	동역학 모델링	3	162	가설 검정 (Step-9.2. 설계 요소 분석)
	…	…	…			…		…			…
26	인형을 바꾼다.	인형 탈출 못함.	게임 불가	9		인형 무게중심 이동	3	샘플 테스트	2	54	필요 시 Sample Test
27	부피를 가감한다.	힌지 헐거움.	접히지 않음.	8		잦은 사용으로 마모	7	가속수명 시험	3	168	가속수명시험 (Step-9.3. 설계 요소별 산출물 실현)
28	부피를 가감한다.	부품이 두꺼움.	휴대 어려움.	6		초기 설계 미숙	4	로드맵 심화교육	2	48	-
	…	…	…			…		…			…
96	태양전지	셀 파손됨.	구동불가	9		Bypass 소재고장	1	고장설계	4	36	-
97	태양전지	충전 안 됨.	오작동	8		光 유입량 부족	7	회로설계	2	112	가설 검정
98	태양전지	光기전력 저하됨.	오작동	8		전지판 효율 미달	5	회로설계	5	200	가설 검정
	…	…	…			…		…			…

[표 A-49]의 '잠재적 고장 영향(Potential Effects)'을 보면, '게임 불가', '구동 불가', '오작동' 등과 같이 제품 자체가 쓸모없게 되는 사건들이 있는데 이들을 하나의 '영향'인 '인형 돌출되지 않음'으로 통합한 뒤 'FTA'를 수행해보자.

'FTA(Fault Tree Analysis)'는 1960년대 초 미국 벨 전화 연구소의 H. A. Watson에 의해 '대륙 간 탄도 미사일(ICBM)' 개발 과정 중 발사 관제 시스템의 안전성 평가에 처음으로 사용된 것으로 알려져 있다. 1965년엔 보잉 항공사의 D. F. Hasli에 의해 보완됨으로써 실용화가 시작되었고, 시스템의 고장 해석 방법으로 미사일, 무기 산업, 항공 우주 산업, 원자력 산업, 화학 공업 부문에 크게 공헌하기 시작했다. 1970년대엔 안전성 해석의 수단으로만 적용돼 크게 주목받지 못하다 현재에 이르러서는 FMEA와 더불어 모든 산업의 문제 해석 기법으로 중요한 위치를 차지하고 있다. FMEA와는 자매(필자가 교육 중 쓰는 표현이다) 관계로 둘이 항상 붙어 다니는 특성이 있다. 우선 공통점이 있는 반면 차이점도 있는데 다음 [표 A-50]은 둘을 비교한 예이다.

[표 A-50] 'FMEA'와 'FTA'의 비교

비교 항목	FMEA	FTA
적용대상	구성품의 고장 모드가 시스템에 미치는 영향 해석	시스템의 바람직하지 못한 사상으로부터 원인계 해석
방식	정성적, 귀납적 방식 H/W 단일 고장 해석에 적합	정량적, 연역적 방식 S/W를 포함한 다중 고장 해석에 적합
해석 방향	부품(원인) → 시스템(결과)으로 Bottom-up	시스템(결과) → 부품(원인)으로 Top-down
출력자료	FMEA Sheet	FT도, '정상 사상'의 확률
공통점	문제가 발생하기 전 검토해서 사전에 해결하는 기법으로 활용	

비교 내용을 보면 서로 상반된 기법으로 보이나 가장 중요한 공통점이 있는데 바로 "문제가 발생하기 전에 해결한다"는 것이다. 즉, 현 상황이 아직 시장에 제품이 출시되기 전인 만큼 'FMEA'와 'FTA'의 용법이 딱 들어맞는 시점이다.

'FTA'는 Tree 전개를 통해 상위 시스템 문제가 하위 부품의 문제로 어떻게 연계되는지 '정성적 분석'이 가능한 반면, '정량적 분석'을 위해 '사상/논리 기호'와 '부울 대수(Boolean Algebra)'가 필요하다. [그림 A-92]는 '사상/논리 기호'와 '부울 대수'를 정리한 표이다(글씨가 작으나 있다는 정도만 알아두자).

[그림 A－92] '사상/논리 기호'와 '부울 대수(Boolean Algebra)' 예

사상/논리기호

No.	기 호	명 칭	설 명
1		사상 (Event)	정상사상 및 중간사상
2		기본사상 (Basic Event)	더 이상 전개 되지 않고, 발생확률을 얻을 수 있는 가장 낮은 수준의 사상
3		AND Gate	입력이 동시에 발생할 때 출력이 발생
4		OR Gate	입력 중 하나만 발생하여도 출력 발생
5		비 전개사상	정보부족 또는 해석기술 불충분 등의 이유로 더 이상 전개할 수 없는 사상
6		통상사상 (Normal Event)	통상 발생한다고 생각되는 사상 (예: 화재의 "공기 존재")
7		연결기호 (Transfer)	관련부분의 이행 또는 연결
8	조건	Inhibit Gate	입력이 조건을 만족하는 경우에 출력 발생

부울대수

	논리합의관계	논리적의 관계
자명율	$A \cup A = A$	$A \cap A = A$
교환율	$A \cup B = B \cup A$	$A \cap B = B \cap A$
결합율	$A \cup (B \cup C) = (A \cup B) \cup C$	$A \cap (B \cap C) = (A \cap B) \cap C$
흡수율	$A \cup (A \cap B) = A$	$A \cap (A \cup B) = A$
분배율	$A \cup (B \cap C) = (A \cup B) \cap (A \cup C)$	$A \cap (B \cup C) = (A \cap B) \cup (A \cap C)$
0의 관계	$A \cup 0 = A$	$A \cap 0 = 0$
I와 관계	$A \cup I = I$	$A \cap I = A$
상보성	$A \cup \bar{A} = I$	$A \cap \bar{A} = 0$
드모르간 정리	$\overline{A \cup B} = \bar{A} \cap \bar{B}$	$\overline{A \cap B} = \bar{A} \cup \bar{B}$

'FTA'의 기본 분석법을 잠깐 알아본 뒤 그를 이용해 '토이 박스 개발' 과제에 적용해보자. 두 가지인데 하나는 'FT도의 단순화'이고, 다른 하나는 '미니멀 커트 세트(Minimal Cut Set)'이다.

'**<u>FT도의 단순화</u>**'는 제품에 발생한 문제, 즉 '정상 사상(Top Event)'에 대해 작성된 FT도를 팀원들과 검토해가면서 단순화시키는 과정으로 단순화된 FT도는 정량적 해석에 많은 도움을 준다. 다음 [그림 A－93]은 아주 간단한 예이다.

[그림 A－93] FT도의 단순화 예

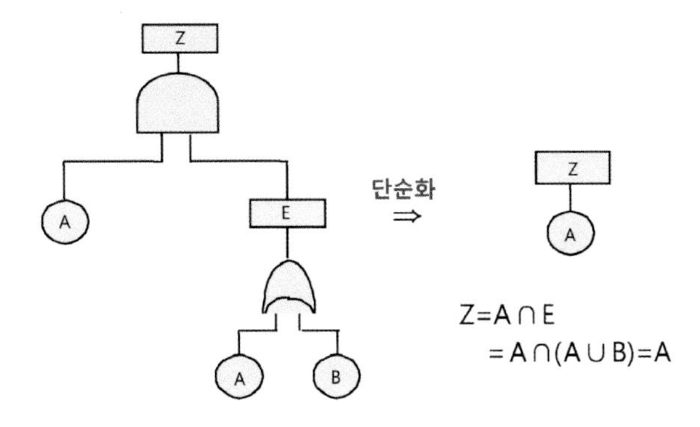

'FT도'에서 'Z=A∩(A∪B)'는 [그림 A-92]의 '부울 대수' 중 '흡수율'에 해당하며, 따라서 이 경우 'A'로 단순화된다. 결국 'A'와 'B' 간 얽혀 일어날 사건 'Z'는 'A'만 관리하는 문제로 귀결돼 해석과 설계 작업을 용이하게 해준다.

'**미니멀 컷 셋(Minimal Cut Set)**'은 '정상 사상(Top Event)'을 일으키는 '필요충분조건의 컷 셋(Cut Set)'이다. '컷 세트(Cut Set)'은 '기본 사상(Basic Event)의 집합'으로써 그 속에 포함된 모든 '기본 사상'이 일어났을 때 '정상 사상'이 발생한다. 좀 어렵다. 예를 들어보자. 식 (A.19)는 [그림 A-94]의 확률 계산 결과다.

$$
\begin{aligned}
T &= G1 + G2 \\
&= A \cdot G3 + B \cdot G3 \\
&= (A+B) \cdot G3 \quad (\text{분배율}) \\
&= (A+B) \cdot (B+C+D) \\
&= (A+B) \cdot B + (A+B) \cdot (C+D) \\
&= B + (A+B) \cdot C + (A+B) \cdot D \\
&= B + A \cdot C + B \cdot C + A \cdot D + B \cdot D \\
&= B + A \cdot C + A \cdot D \quad (\text{흡수율})
\end{aligned}
\tag{A.19}
$$

[그림 A-94] '미니멀 컷 셋'을 얻기 위한 FT도

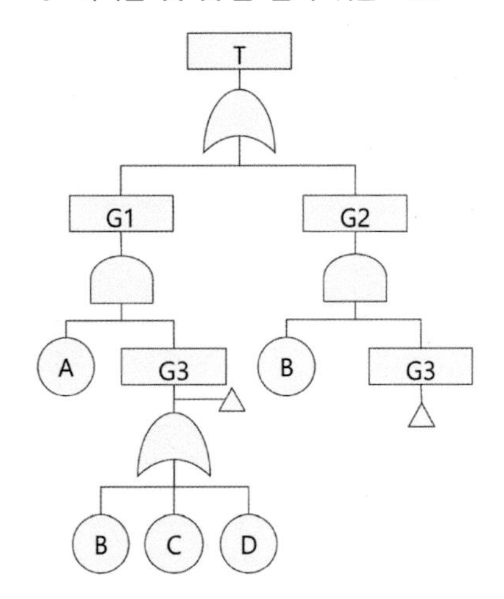

식 (A.19)에서 맨 끝의 'B+A·C+A·D'는 'B가 발생'하거나, 'A와 C가 동시에 발생'하거나, 'A와 D가 동시에 발생'한 경우에 '정상 사상(T)'이 발생한다. 앞서 '미니멀 컷 셋'의 정의를 '정상 사상(Top Event)을 일으키는 필요충분조건의 컷 셋(Cut Set)'이라고 한 바 있다. 즉, 예의 경우 '정상 사상(T)을 일으키는 필요 충분한 컷 셋'은 '<u>{B}, {A, C}, {A, D}</u>'임을 알 수 있다.

기본 지식을 습득했으므로 다음은 '미니멀 컷 셋'이 '토이 박스 개발' 과제의 '상위 수준 설계 검토'에 어떻게 활용되는지 알아보자. 다음 [그림 A－95]는 설계 중인 '토이 박스'의 구조(스케치)와 각 부품의 명칭, 기능 및 재료를 나타낸 예이다.

[그림 A－95] '토이 박스'의 구조 및 부품의 명칭, 기능 예

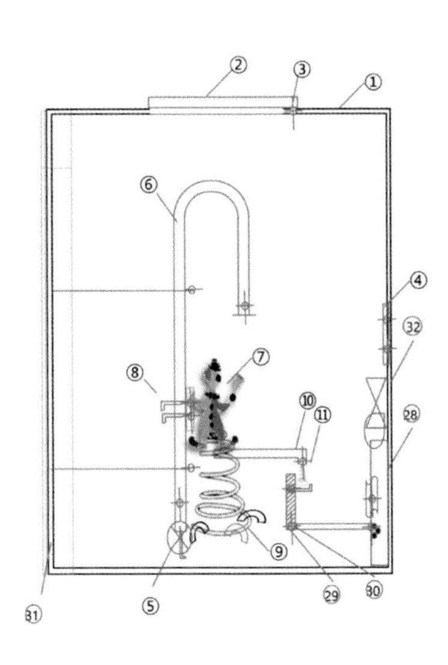

순번	품 번	품명	재질 (규격)	개수	기능
		TG100 ASS'Y, 본체 프레임 소요부품 명세서			
1	TB101	몸체	Al판재	1	그릴판재
2	TB102	덮개	Al판재	1	인형돌출부 개폐
3	TB103	와이어	ϕ0.1x10	2	덮개, 몸체 연결
4	TB104	힌지	SUS361	2	크롬도금/주문제작
5	TB105	리벳	ϕ2Al	4	루프고정용
		TB200 ASS'Y, 루프의 소요부품 명세서			
6	TB201	루프	ϕ8AL봉	1	인형 이동경로
7	TB202	인형	PL	1	토이박스 상징물
8	TB203	와이어	ϕ0.2x50	3	인형 루프에 고정용
9	TB204	용수철	탄소강	1	원추형
10	TB205	스토퍼	SUS104	2	회로신호에 따라 용수철 변위제어
11	TB205	리벳	ϕ2Al	2	스토퍼 회전축 고정용
...	...	...	...	...	...
		TB300 ASS'Y, PCB회로의 소요부품 명세서			
28	TB301	PCB모듈	도전동판	1	외부자극인식 및 스토퍼 제어용
29	TB302	전자석	ϕ10x20L	1	스토퍼 제어용
30	TB303	리벳	ϕ2Al	2	전자석 고정용
31	TB304	태양전지 모듈	Nano형	1	전자석 동력제공
32	TB305	음향센서	10~100Hz	2	외부 음파감지
...	...	...	...	...	...
			...		
...	...	...	...	...	...

개발 제품의 단면도에 부품들의 위치를 표시하였고, 도표엔 단면도와 연계된 '순번'과 '부품명', '재료', '기능' 등을 정리해 놓았다. 정리된 기본 정보를 바탕으로 'FTA(Fault Tree Analysis)'를 수행하며, 제일 먼저 'FT도'가 작성돼야 한다. [그림 A-95]와 같이 모든 부분품들의 내역이 드러나 있으므로 문제를 야기하는 근원을 찾아 들어갈 수 있다. 이때 [그림 A-92]에 보였던 '사상 기호'와 '논리 기호'를 사용한다. 명심할 사항은 설계에 대한 이해와 공학적 지식을 충분히 갖춘 팀원들이 참석해야 한다는 점이다. 다음 [그림 A-96]은 '토이 박스 개발' 과제의 'FT도'를 작성한 예이다.

[그림 A-96] '토이 박스'의 'FT도' 작성 예

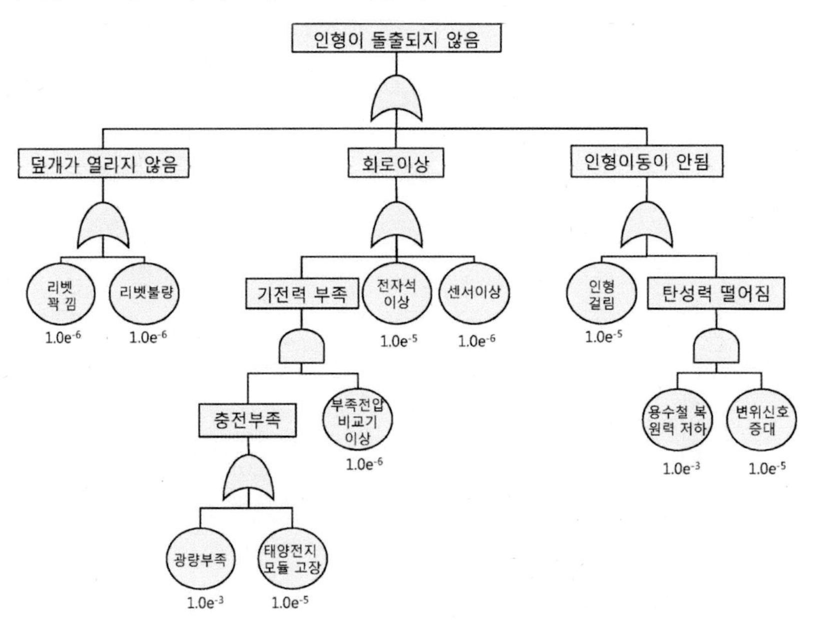

인형이 돌출되지 않음 = 덮개가 열리지 않음 + 회로이상 + 인형이동이 안됨
= (리벳꽉낌 + 리벳불량) + (기전력부족 + 전자석 이상 + 센서이상) +
(인형걸림 + 탄성력 떨어짐)
= (리벳꽉낌 + 리벳불량) + ((충전부족 • 부족전압비교기 이상) +
전자석 이상 + 센서이상) + (인형걸림 + (용수철 복원력 저하 •
변위신호증대))
= (리벳꽉낌 + 리벳불량) + (((광량부족 + 태양전지모듈 고장) •
부족전압비교기 이상) + 전자석 이상 + 센서이상) + (인형걸림 +
(용수철 복원력 저하 • 변위신호 증대))
= (리벳꽉낌 + 리벳불량) + ((광량부족 • 부족전압비교기 이상) +
(태양전지모듈 고장 • 부족전압비교기 이상) + 전자석 이상 +
센서이상) + (인형걸림 + (용수철 복원력 저하 • 변위신호 증대))

(A.20)

확률 계산을 위한 식 (A.20)으로부터 '미니멀 컷 셋'은 '**{리벳 꽉 낌}, {리벳 불량}, {광량 부족, 부족 전압 비교기 이상}, {태양 전지 모듈 고장, 부족 전압 비교기 이상}, {전자석 이상}, {센서 이상}, {인형 걸림}, {용수철 복원력 저하, 변위 신호 증대}**'로 정리된다. 내용 파악이 어려워 다음 [표 A-51]로 요약했다.

[표 A-51] '미니멀 컷 셋'과 '기본 사상'의 '확률'

No	미니멀 컷 셋	기본 사상	발생 확률
1	리벳 꽉 낌	리벳 꽉 낌	$1.0e^{-6}$
2	리벳 불량	리벳 불량	$1.0e^{-6}$
3	광량 부족, 부족 전압 비교기 이상	광량 부족	$1.0e^{-3}$
4	태양 전지 모듈 고장, 부족 전압 비교기 이상	부족 전압 비교기 이상	$1.0e^{-6}$
5	전자석 이상	태양 전지 모듈 고장	$1.0e^{-5}$
6	센서 이상	전자석 이상	$1.0e^{-5}$
7	인형 걸림	센서 이상	$1.0e^{-6}$
8	용수철 복원력 저하, 변위 신호 증대	인형 걸림	$1.0e^{-5}$
'발생 확률'은 부품 제조사와 자체 보유된 데이터를 활용. 센서 등 회로 부품은 'MIL-HDBK-217', 1975년 일본 전자 통신 학회 발표 내용 등을 참조		용수철 복원력 저하	$1.0e^{-3}$
		변위 신호 증대	$1.0e^{-5}$

[표 A－51]을 보면 '기본 사상'들의 '발생 확률'이 포함돼 있다. 사실 'FTA'를 수행할 때 가장 어려운 대목이다. '정량적 분석'의 타이틀에 걸맞게 '정량적 데이터'가 있어야 하기 때문이다. 다행스럽게도 전자 부품들에 대해선 『MIL－HDBK－217』 등에 자세히 수록돼 있으나 없으면 자사가 보유 중인 고장률 자료 등을 활용하는 게 가장 좋은 방법이다. 경로야 어떻든 본 예에서 수집된 각 '기본 사상'들의 '고장 발생 확률'을 통해 '정상 사상'인 '인형이 돌출되지 않음'에 대한 확률 및 우선순위를 구하면 다음 [표 A－52]와 같다.

[표 A－52] "인형이 돌출되지 않음"의 '정상 사상'에 대한 FTA의 정량적 분석 예

No	미니멀 컷 셋	Value	f－v	Cum
5	전자석 이상	$1.0e^{-5}$	0.43	0.43
7	인형 걸림	$1.0e^{-5}$	0.43	0.87
1	리벳 꽉 낌	$1.0e^{-6}$	0.04	0.91
2	리벳 불량	$1.0e^{-6}$	0.04	0.96
6	센서 이상	$1.0e^{-6}$	0.04	1.00
8	용수철 복원력 저하, 변위 신호 증대	$1.0e^{-8}$	0.00	1.00
3	광량 부족, 부족 전압 비교기 이상	$1.0e^{-9}$	0.00	1.00
4	태양 전지 모듈 고장, 부족 전압 비교기 이상	$1.0e^{-11}$	0.00	1.00
합		$2.30e^{-5}$	－	－

[표 A－52]로부터 '정상 사상'인 '인형이 돌출되지 않음'의 빈도는 '$2.30e^{-5}$'으로 이것은 1년을 약 10,000시간으로 가정했을 때, '토이 박스' 10대당 '인형이 돌출되지 않음'의 발생 확률이 연간 '약 2.3회'라는 뜻이다. 시장에 출시한 제품 10대당 1년에 2.3대의 고장은 제품 개발 프로세스의 고도화가 필요한 상황으로 보인다(즉, 제품 보완의 필요성이 있음).

설계 보완을 위해 FTA 결과를 활용한다. 예를 들어, [표 A-52]로부터 현재의 부품을 적용할 때 '전자석 이상'이 전체의 '약 43%'를, '전자석 이상+인형 걸림+리벳 꽉 낌 및 불량'이 전체의 '약 96%'을 점유한다. 결국 'FTA'로부터 **'전자석 교체', '인형을 루프에 고정해두는 방법', '리벳 교체나 적용 방법' 등에 있어 '상세 설계'의 추진이 필요한지 판단**해야 한다. 다음 [그림 A-97]은 'FTA'에 대한 파워포인트 작성 예이다.

[그림 A-97] 'Step-9.4. 상위 수준 설계 검토(DR 수행_FTA 작성)' 예

Step-9. 상위수준 설계

Step-9.4. 상위수준설계 검토(DR을 위한 FTA 작성)

▶ '상위수준설계'를 검토하기 위해 'DR' 수행. 이때, FMEA와 FTA를 통해 설계수준을 파악하고자 함. 다음은 FTA를 위한 'FT도' 임(상세내역은 '개세 삽입' 참조).

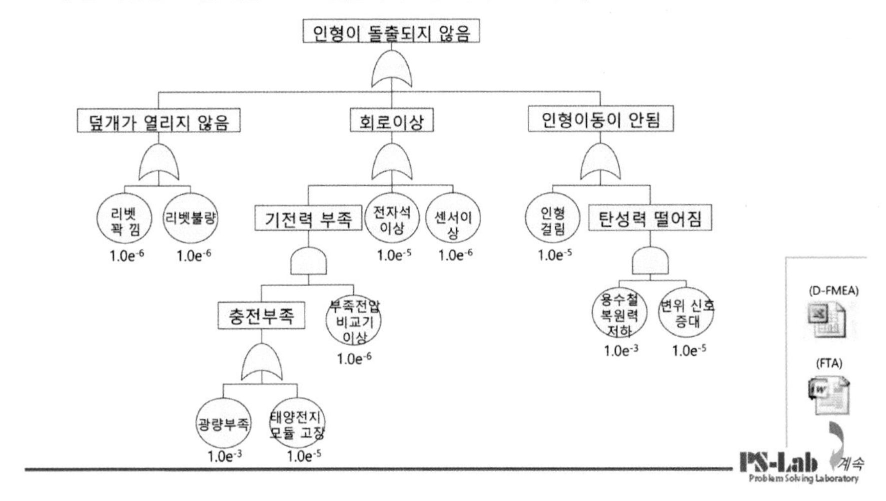

[그림 A-97]의 'FT도'에서 '인형이 돌출되지 않음'은 FMEA 작성으로부터 매우 심각한 문제로 인식돼 결정된 '정상 사상'이며, 설계자와 기술 인력이 모두 참여한 가운데 얻은 결과물이다(로 가정한다). 또 각 '기본 사상' 하단에 쓰여

있는 '발생 확률'은 기존 보유 중인 조사 자료와 『MIL－HDBK－217』 등을 참고한 값이다. 물론 상세한 조사 과정과 출처 등은 이전과 동일하게 오른쪽 '개체 삽입'에 첨부하였다(고 가정한다).

다음 [그림 A－98]은 'FT도'로부터 '미니멀 컷 셋(Minimal Cut Set)'과 그에 대한 '정상 사상'의 발생 확률을 계산한 결과이다. 앞서 설명했으므로 해석은 생략한다.

[그림 A－98] 'Step－9.4. 상위 수준 설계 검토(DR 수행_FTA 결과)' 예

Step-9. 상위수준 설계
Step-9.4. 상위수준설계 검토(DR을 위한 FTA 작성)

FTA_계속

▶ 작성된 'FT도'와 '기본사상 확률'로부터 '안형아 돌출되지 않음'의 잠재문제에 대한 정량적 해석을 다음과 같이 수행.

미니멀 컷 셋/발생확률

No	미니멀 컷 셋	기본사상	발생확률
1	리벳 꽉 낌.	리벳 꽉 낌.	$1.0e^{-6}$
2	리벳불량	리벳불량	$1.0e^{-6}$
3	광량부족, 부족전압 비교기 이상	광량부족	$1.0e^{-3}$
4	태양전지 모듈 고장, 부족전압 비교기 이상	부족전압 비교기 이상	$1.0e^{-6}$
5	전자석 이상	태양전지 모듈 고장	$1.0e^{-5}$
6	센서이상	전자석 이상	$1.0e^{-5}$
7	인형 걸림.	센서이상	$1.0e^{-6}$
8	용수철 복원력 저하, 변위신호 증대	인형 걸림.	$1.0e^{-5}$
'발생확률'은 부품 제조사와 자체 보유된 데이터를 활용. 센서 등 회로부품은 'MIL-HDBK-217', 1975년 일본 전자통신학회 발표 내용 등을 참조.		용수철 복원력 저하	$1.0e^{-3}$
		변위신호 증대	$1.0e^{-5}$

정량적 분석

No	미니멀 컷 셋	Value	f - v	Cum
5	전자석 이상	$1.0e^{-5}$	0.43	0.43
7	인형 걸림.	$1.0e^{-5}$	0.43	0.87
1	리벳 꽉 낌.	$1.0e^{-6}$	0.04	0.91
2	리벳불량	$1.0e^{-6}$	0.04	0.96
6	센서이상	$1.0e^{-6}$	0.04	1.00
8	용수철 복원력 저하, 변위신호 증대	$1.0e^{-8}$	0.00	1.00
3	광량부족, 부족전압 비교기 이상	$1.0e^{-9}$	0.00	1.00
4	태양전지 모듈 고장, 부족전압 비교기 이상	$1.0e^{-11}$	0.00	1.00
합		$2.30e^{-5}$	–	–

(분석결과)

(확률계산)

■ '정상사상'의 빈도는 '2.30e-5'
■ 이것은 1년을 약 10,000시간으로 가정했을 때, 10대 발생 확률이 약 '2.3회/년'라는 의미.
■ 현재의 부품을 사용할 때 '전자석 이상'이 전체의 '약 43%'를, '전자석이상+인형 걸림+리벳 꽉 낌 및 불량'이 전체 '약 96%'를 점유

PS-Lab
Problem Solving Laboratory

[그림 A－98]의 'FTA' 결과로부터 '전자석', '인형 걸림 해소를 위한 루프 연결 부위 재설계', '리벳관련 불량 처리' 등에 대한 상세 설계 여부가 관건이지만 이 결과들은 'DR'에 참석한 관련 담당자들과 협의해서 결정할 일이다. 또 필요

하면 '[그림 A-91] 설계 능력 평가 방법'의 'Prototype'을 제작해 확인할 수도 있다. 'Step-9.4. 상위 수준 설계 검토'는 이 정도에서 마무리하고 다음 [표 A-53]은 Measure Phase의 [표 M-31]에서 정리된 'Scorecard'를 갱신(Update)한 결과이다.

[표 A-53] 'Step-9.4. 상위 수준 설계 검토(Scorecard 작성)' 예

Ys	중요도	단위	T.F. Y/N	성과 표준		Performance σ				목표	비고
				LSL	USL	M	A	D	V		
재미의 표현 수	10	개	N	•단위; 토이 박스 1개 •기회; 부여된 표현 •결점; 5.5점 미만		1개	6			5 이상	현 제품
놀이 유지 시간	7	분	Y	3	-	0.29	3.6			20	$\bar{x}$=14.1
고객 선호도	6	점	N	1.0	-	-0.27	3.2			6.0	0.25×30
자극 반응도	6	-	Y	제품 동작매뉴얼 기준		0	1.58			6.0	-
부착물 접착력	3	Kgf	N	150	-	2.29	4.8			6.0	$\bar{x}$=188.07

□ T.F.: Transfer Function(전이 함수)
□ '성과 표준'이 '이산 자료'인 경우 'LSL/USL' 대신 '불량(또는 결점)의 정의' 사용

[표 A-53]에서 'T.F.'는 '전이 함수(Transfer Function)'이며, '놀이 유지 시간'과 '자극 반응도'에 대해 'Y'로 표기돼 있다. 이것은 'Step-9.2 설계 요소 분석'에서 얻은 식 (A.7)과 식 (A.8)을 염두에 둔 것이다. '자극 반응도'는 식 (A.8)을 통해 얻은 '[그림 A-56] Step-9.2. 설계 요소 분석(가설 검정-기술적 분석) 예'에서, '부착물 접착력'은 '[그림 A-87] Step-9.3. 설계 요소별 산출물 실현(혼합물 실험_Check) 예'에서의 결과를 반영한 것이다.

지금까지 기나긴 Analyze Phase가 진행돼왔다. 이제 결과를 토대로 최적화 개념인 Design Phase로 넘어가 프로세스 설계의 완성도를 높여보자.

Design

'Design Phase'는 앞서 진행된 '상위 수준 설계'의 완성도를 높이는 활동이 주를 이룬다. '실험 계획' 관점에선 '상위 수준 설계'가 '파라미터 설계(Parameter Design)'로, '상세 설계'는 '공차 설계(Tolerance Design)'로 대변된다. 또 경우에 따라서는 '상위 수준 설계'와 '상세 설계'가 통합돼 한 번에 전개되기도 하는데, 주로 화학, 식품, 바이오 등의 분야이다. 이들은 하나의 '실험 계획'으로 '상세 설계'까지 완료될 수 있기 때문이다. 본문은 '조립 산업'을 중심으로 설명하고, 그 외의 산업들은 응용적 측면에서 다룰 것이다.

Design Phase 개요

'Design Phase'는 Analyze Phase에서 완성한 '상위 수준 설계'에 대해 세세한 부분까지 다룸으로써 설계의 완성도를 최고조로 높이는 영역이다. GE에서 로드맵이 태동할 때는 'DMADV'이었지만 국내에 들어오면서 'Optimize'가 정착되어 'DMAD(O)V'가 일반화됐다. 중간의 괄호는 필수라기보다 과제 상황에 따라 선택적임을 표현한 것이다. 필자의 경험으론 'Optimize Phase'를 'Design Phase'에 포함시켜 'DMAD(O)V'가 아닌 'DMADV'로 활용하면 충분하다. 따라서 'DMADV'를 기본 로드맵으로 정한다.

Analyze Phase 후반에 언급했듯이 'Design Phase'의 초기인 'Step-10. 전이 함수 개발'에서 추가 '설계 요소'를 발굴하되, '세부 로드맵' 관점에서 'Step-10.1. 전이 함수 확정'을 두어 과제 전체 'Y'와 'Xs' 간 관계식 도출 및 설계의 적합성을 평가한다. 다음 'Step-10.2. 핵심 설계 요소 보완'에서 '전이 함수'의 개발로부터 '상세 설계(Detail Design)'를 위해 추가되거나 보완이 필요한 '설계 요소(Design Element)'를 나열하고, 이어지는 '세부 로드맵'인 'Step-11. 상세 설계'에서 'Step-11.1. 상세 설계 계획 수립'을 한 뒤 지금까지의 결과를 바탕으로 'Step-11.2. 상세 설계 수행'을 실시한다. 최종 Step인 'Step-12. 설계 검증'에서는 '상세 설계' 내용뿐만 아니라 '상위 수준 설계'를 아우르는 전체적인 설계의 완성도를 점검한다. 이를 위해 'Step-12.1. 설계 검증 Plan', 'Step-12.2. 설계 검증 Do/Check', 'Step-12.3. 설계 검증 Act' 순으로 설계 최적화 여부를 확인한다.

사실 과제에 따라 '상위 수준 설계'와 '상세 설계'의 경계가 모호한 경우가 자주 관찰된다. 둘 간의 경계를 명확히 하는 방법은 '전이 함수'가 확정되기 전의 모든 활동은 '상위 수준 설계' 영역으로, '전이 함수'가 개발되어 수리적 평가가 가능하고 이를 근거로 미세 설계가 이루어지는 모든 활동은 '상세 설계' 영역으로 간주한다. 물론 과제에 따라 '전이 함수'가 필요치 않은 경우 경계 구분에 약간의 혼선은 감수해야 한다.

이제부터 Design Phase의 첫 단추를 꿰는 '전이 함수 개발'부터 시작해보자. 참, 한 가지 확인하고 넘어갈 일이 있다. '제품 설계 방법론' 로드맵 경우 출처(기업에서 만들어진 교재, 컨설팅 회사에서 만들어진 교재 등)별로 그 흐름을 표현하는 데 약간의 차이가 있음을 인정해야 한다. 즉, '15－Step'이라는 '총론'은 유사한데 '각론'인 '세부 로드맵'에서 제목의 표현이나 전개에 차이를 보이는 것은 어느 것이 옳고 그른지 이분법적 논리로 가리기보다 리더가 가장 이해하기 쉽고 업무 환경에도 잘 맞는 것을 활용하는 것이 좋다. 그러기 위해서는 논리가 명확한 로드맵을 확실하게 익히는 것이 중요하며, 그래야 약간 변형된 로드맵을 마주쳤을 때 그 특징과 장점, 단점을 스스로 비교해 응용할 수 있는 능력을 키울 수 있다. Design Phase 첫 Step인 'Step－10. 전이 함수 개발'에 대해 알아보자.

Step-10. 전이 함수 개발

'전이 함수?' 참 어려운 용어다. 시리즈를 집필하면서 새로운 용어들을 마주칠 때면 그 의미를 따지는 데 많은 시간을 보냈던 필자에게 이 '전이 함수' 역시 예외는 아니다. 도대체 그 실체가 뭘까? 가장 쉽게 알아볼 수 있는 방법이 인터넷 검색이다. "헉! 그런데 용어 정의가 없다?" '전이 함수'는 있긴 한데 '시계열 분석'의 일종 같기도 하고, 또는 무슨 공학에서 쓰이는 용어 같기도 하고., 아무튼 '정의'는 없다. 한국통계학회 '통계학 용어 대조표'를 두드린 결과 영문으로 'Transfer Function'으로 돼 있어 이를 토대로 검색해보았더니 유일하게 '위키피디아 사전'에서 "수학적 표현이며, 선형 시간-변환 시스템의 입력과 출력 간 시간 또는 공간 주파수 식으로 나타낸~"이라나. 정상적인 머리로는 이해하기 어려운 낱말들로 구성돼 적어도 선량한 기업인 영역은 아닌 듯싶다. 인터넷 검색 중 'Transfer Function'이 '전달 함수'로도 쓰이고 있는 것 같아 이 단어로 검색한 결과 "아, 있다 있어!" 국어사전에 다음과 같이 쓰여 있는 걸 발견했다.

· **전달 함수** (국어사전) [명사][북한어]〈컴퓨터〉 영 초기 조건일 때에, 입구 신호의 라플라스 변환과 출구 신호의 라플라스 변환의 비. 곧, 요소 또는 체계의 신호 변환 특성을 복소수 구역에서 교시한 함수이다.

그런데 왜 해필 '북한어'일까? 그도 찝찝하지만 설명 역시 와 닿지 않는다. 혁신 프로그램이 한없이 순진한 기업인들에게 '통계'니 '확률'이니 하는 폭탄을 안긴 것도 열 받는데 거기다 '라플라스 변환, 복소수 구역'이라니. 이런 걸 써먹다간 기업에서 총궐기 대회나 파업이 일어날지도 모를 일이다. 물론 '제품 설계 방법론'도 묻혀버릴 게 뻔하다. 이후 구글이나 다른 포털을 모두 뒤졌지만 충분한 답변은 얻지 못했다. 도대체 무슨 용어인데 이리 꼭꼭 숨겨둔 걸 찾아서 쓰는 걸까? 과거 버스 요금 대신 '토큰'을 사용한 적이 있다. 그런데 '토큰'은 외국에서 잘 쓰지도 않는 용어임에도 사전에서 찾아내 사용하게 됐다는 후문이 있었다. 처음 용어를 선택할 때 신중해야 하는데 일단 시작되면 되돌리긴 어렵다. 인터넷을 한참 뒤지던 필자는 'Transfer Function'의 다른 해석인 '이송 함수'를 찾아냈다. 이걸로 다시 검색해본 결과 'IT 용어 사전'에서 다음을 발견했다.

- **이송 함수(Transfer Function, 移送函數)** (IT용어사전) ① 주어진 시스템에서 시간이나 공간상의 두 상이한 점에서 물리적 조건들 간의 관계 또는 중간에 게재되는 시간이나 공간의 역할을 설명해주는 수학적 표현 식. ② 한 값에서 다른 유형의 값으로 변환하는 데 사용되는 함수.

이전 용어 정의들을 그대로 담고 있지만 일단 표현이 좀 부드러워 차라리 나아 보인다. 그 외에 인터넷상에서 '전이 함수'의 영어 표현이 'Transition Function'으로도 간혹 쓰이고 있어, 이들을 모두 종합해보았다.

- **전이 함수**(통계학 용어 대조표) ≒ **전달 함수**(국어사전, 대한수학회) ≒ **이송 함수**(IT용어사전) ≒ **추이 함수**(대한수학회) ≒ **전환 함수**(일부 DFSS교재) ≒ **Transfer Function**(위키피디아, 통계학 용어 대조표, 대한수학회) ≒ **Transition Function**(대한수학회).

와! 희한하다. 영어 단어는 분명 'Transfer Function'쯤 될 것 같은데 해석은 출처마다 제각각인 것도 그렇지만 인터넷 검색 결과로 미루어 짐작건대 분명 공통된 용도로 쓰이는 단어임에도 출처마다 표현도 이렇게까지 다르다니! 쓰는 사람들이 각자 알아서 써버린 형국이 아닌가 싶다. 과연 제품 설계 분야에서 가져다 쓸 만한 용어인지도 의심스러울 뿐이다. 그러나 필자가 용어 정의는 최우선적으로 '한국통계학회'의 '통계학 용어 대조표'를 따른다고 선언했는지라, 앞으로 '전이 함수(Transfer Function)'로 통일할 것이다. 그리고 그 용어 해석은 'IT용어 사전'에서 풀어쓴 '이송 함수'의 것을 가져다 쓸 것이다(완전히 조립품이 되었다!). 지금까지 장고하게 용어 하나 설명하는 데 소중한 지면을 할애한 것은 그만큼 기본적인 것들이 갖춰져 있지 않음을 역설적으로 표현해본 것이다. 한 분야에 입문할 때 용어 정의를 아는 것만으로도 30% 이상의 학습 효과가 생긴다. 그러나 그마저도 벅찬 게 현실이다. 거기다 항상 더 높은 수준만을 요구한다니…. 결론적으로 '전이 함수'를 다음과 같이 정의하고 활용하도록 하겠다.

· **전이 함수(Transfer Function)** (IT용어사전) ① 주어진 시스템에서 시간이나 공간상의 두 상이한 점에서 물리적 조건들 간의 관계 또는 중간에 게재되는 시간이나 공간의 역할을 설명해주는 수학적 표현 식. ② 한 값에서 다른 유형의 값으로 변환하는 데 사용되는 함수.

이제 '전이 함수'의 용어를 'X와 Y 간의 관계식' 정도로 이해했으면 'Step-10.1. 전이 함수 확정'에서 이들의 종류와 활용법 그리고 사례 등에 대해 알아보고, 'Step-10.2. 핵심 설계 요소 보완'에서 그를 토대로 '상세 설계'를 위한 사전준비가 어떻게 이루어지는지에 대해 학습해보자.

Step-10.1. 전이 함수(Transfer Function) 확정

'제품 설계 방법론'에서 가장 어려움을 호소하는 것들 중 하나이다. 왜냐하면 '전이 함수'가 늘 딱 부러져 존재하는 게 아니기 때문이다. 그러나 제품 설계는 시작부터 완료까지 뭔가 만들어가는 과정이므로 '수행자 또는 의사 결정자'에겐 '설계 완성도'를 중간중간 가늠할 '매개체'가 필요하다. 즉, '전이 함수'의 '정의'에 따르면 "~두 상이한 점에서 물리적 조건들 간의 관계 ~"에 따라 '두 상이한 점' 중 하나는 '설계 완성도', 다른 하나는 '수행자 또는 의사 결정자'라 하면 (물론 필자의 의역이다!) 둘을 연결할 매개체인 '수학 식'이 요구된다.

[그림 D-1] '매개체' 역할로서의 '전이 함수' 예

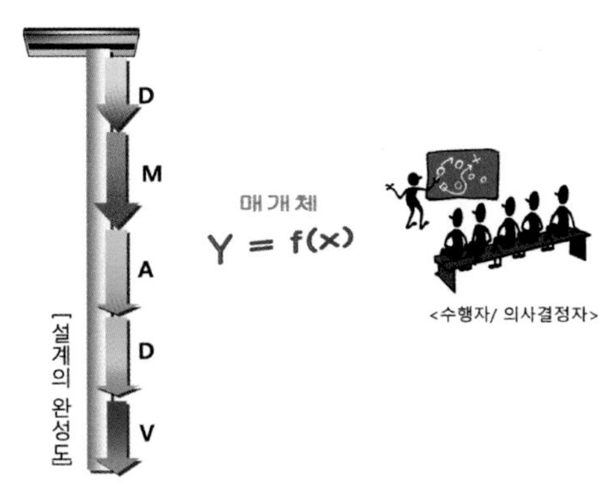

[그림 D-1]은 로드맵 'DMADV'를 거치면서 '설계 완성도'가 높아질수록 그 수준을 평가할 '수행자'와의 연결 고리(매개체)가 필요함을 시각화시킨 예이다. 즉, 수학적 표현인 '$Y=f(X)$'가 필요하다. 다음은 'OQPD.com'의 'Andy Sleeper'[96]의 '전이 함수' 유형인데 학습에 큰 도움이 돼 옮겨 놓았다.

---

96) *Six Sigma Tolerance Design Case Study, Optimizing an Analog Circuit Using Monte Carlo*

· **전이 함수(Transfer Function)** '전이 함수'는 시스템(체계) 정중앙에 위치(그림 참조)해서 입력(X)을 출력(Y)으로 전환시키는 역할을 한다. 수학 방정식으로 표현되며, 알려져 있을 수도, 추정될 수도 또는 전혀 알려져 있지 않을 수도 있다. 이 같은 3가지 유형은 공학 문제에서 늘 마주치는 일이다.

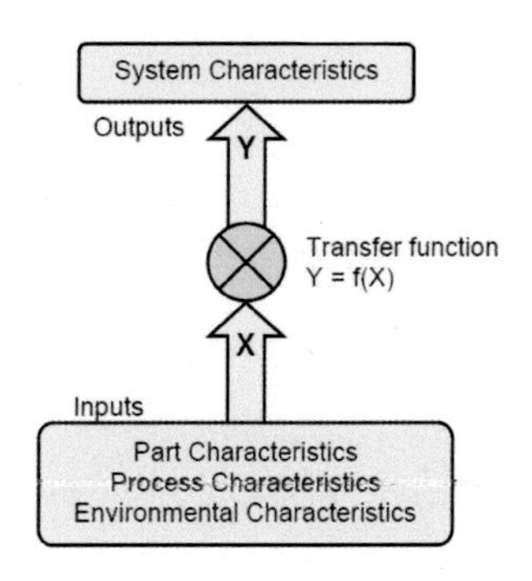

–**White Box**: 과학, 공학 원리로부터 분석적으로 유도하는 경우.
–**Gray Box**: 시스템 작동을 컴퓨터 시뮬레이션해서 추정하는 경우. 이는 너무 복잡해서 유도가 어렵거나 해석적 접근이 안 될 수도 있음.
–**Black Box**: 물리계 반응을 관찰해서 추정하는 경우. 주로 DOE 등에서 얻어지는 '선형 회귀 방정식'이 해당됨.

'전이 함수'의 필요 배경에 대해서는 충분히 설명했으므로 이제 각 유형(White, Gray, Black)별 사례에 대해 알아보자.

---

*Analysis*의 저자임.

10.1.1. 전이 함수 개발 – 'White Box형'

'White Box형'은 이미 '9.2.1. 기술적 분석' 중 용수철에 의해 루프를 따라 운동하는 인형의 '용수철 상수'를 구하는 문제에서 예를 든 바 있다(식 A.7). 즉,

$$\begin{aligned} k &= \frac{2(4.91mr + 9.81mh)}{x^2} \\ &= \frac{9.81m(r+2h)}{x^2} \quad (J/m^2 \text{ or } N/m) \end{aligned} \tag{D.1}$$

또, 태양 전지의 기전력을 일정 전압으로 유지시키기 위한 '부족 전압 비교기' 예에서 '$V_{Trip\text{-}down}$'인

$$V_{Trip-down} = [VR_1 + V_{Offset}][\frac{R_1(R_3+R_4)}{R_2(R_1+R_3+R_4)} + 1] \tag{D.2}$$

을 얻은 바 있다. 그렇다면 이 시스템(토이 박스)의 '전이 함수'는 어떤 모습일까? 질문에 답하기 위해 우선 전체 시스템이 어떻게 작동하고 있는지에 대한

[그림 D-2] 세부 '기능 블록도(FFBD)' 작성 예

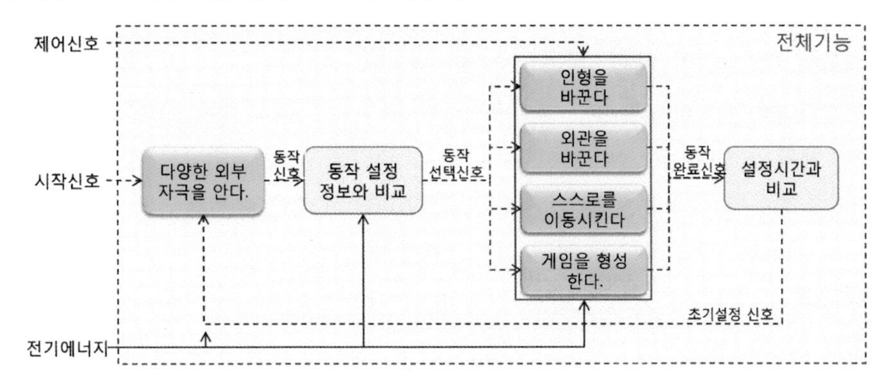

재검토가 필요하다. 따라서 'Step-7.2. 핵심 기능 선정'에서 다루었던 '7.2.3. 기능 블록도(FFBD) 작성'의 [그림 A-11]을 다시 가져와 보자.

앞서 설명한 '전이 함수' 정의에 따르면 '시스템 정중앙에 위치해서 입력(X)을 출력(Y)으로 전환시키는 역할'이라 했으므로 [그림 D-2]에서 '입력(X)'은 '시작 신호(음폭, 음의 강도 등)'가 되고, '출력(Y)'은 인형이 그 '시작 신호에 따라 돌출되는 것'으로 요약될 수 있다. 따라서 굳이 함수 관계를 따지면 다음 식 (D.3)의 모양새를 갖춘다.

$$H_{\text{인형돌출높이}} = f(\text{음폭, 음의 강도 등}) \qquad \text{(D.3)}$$

이때 한 가지 의문이 생긴다. 애초 Measure Phase에서 설정한 'Ys'인 '재미의 표현 수, 놀이 유지 시간, 고객 선호도, 자극 반응도, 부착물 접착력'과 Analyze Phase에서 발굴된 'Xs'인 '핵심 설계 요소'와의 함수 관계가 어찌 보면 진정한 시스템적 'Y'와 'X'를 연결할 '전이 함수'가 아닌가 하고 말이다. 그러나 이 문제는 지금껏 'Ys'를 만족시켜 주기 위해 각종 아이디어를 동원한 '기능 대안'과 그들의 수준을 최상으로 높일 수 있는 '최적 대안'에서 그 연계성을 파악해야 한다. 즉, 일련의 **숙고한 과정을 거쳐 나온 현 제품 모습(Analyze Phase '상위 수준 설계'가 완료된 상태에서의 제품 모습)의 완전한 동작 여부가 Measure Phase에서 정한 모든 'Ys'를 대변한다.** 결국 Measure Phase에서의 'Ys'와 Analyze Phase에서의 'Xs'에 대해 공학적 함수 관계나 시뮬레이션 또는 '실험 계획' 등을 통해 함수화하는 일에 큰 의미를 부여할 필요는 없다(물론 단순 설계 활동에선 함수 관계가 존재할 수 있다). 'Ys'의 수준은 오로지 Measure Phase '[표 M-26] 운영적 정의 작성 예'에 따른 '정의'와 '성과 표준'으로서만 정해지며, 그 수준이 높으면 당초 고려한 고객이 호감을 갖는 것이고 그에 따라 매출에 기여하리라는 정성적 연계성을 확인하는 용도로 이용한다. 만일 매출이 기대만큼 오르지 않았다면 설계 과정 중 고려치 못한 환경적 요소(IMF 사태, 금융 위기 등)가 개입했거나 Analyze Phase '콘셉트 설계' 과정의 문제로 돌려야 한다.

그 외에 화학이나 재료, 알려진 공학적 원리 등에 의해 작동하는 제품 경우 Measure Phase QFD로부터 명확한 공학적 특성(CTQs, 이후 Ys)이 바로 나올 수 있다. 이 경우 'X'들과의 '전이 함수'가 쉽게 결정되거나, 또는 성격이 너무 명확해서 발굴된 '설계 요소'와의 관계가 즉각 함수로 표현될 수도 있다.

다시 '토이 박스의 전이 함수 개발'로 돌아와 정리하면 '상위 수준 설계'까지 완료된 제품을 완전하게 동작시킬지 여부에 모든 초점이 맞춰져야 하고, 이를 좀 더 구체적으로 표현하면 외부 '시작 신호(음폭, 음의 강도 등)'로부터 '인형이 돌출하는 높이' 간의 연계성을 파악하는 데 주력해야 한다. 이 과정을 부연하기 위해 '[그림 A－95] 토이 박스의 구조 및 부품의 명칭, 기능 예'에 있는 구조도를 [그림 D－3]에 다시 가져와보았다.

[그림 D－3] 토이 박스의 구조도 예

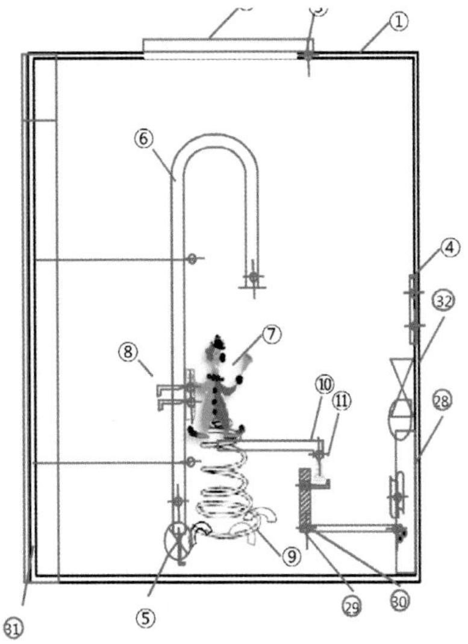

[그림 D－3]의 오른쪽에 있는 '㉜ 음향 센서'가 외부 신호를 감지하면, '㉘ PCB 모듈'에서 전기 신호로의 전환과 증폭이 이루어지고, 이것이 '㉙ 전자석'의 전류를 가변시켜 '⑩ 스토퍼'의 상하 이동으로 '⑨ 용수철'에 의한 '변위(x)'가 발생하는 구조이다. 이후부턴 식 (D.1)에 의한 기계적 작동이 이루어질 것이고, 이때 '㉘ PCB 모듈'에 안정적 전원이 유지되도록 식 (D.2)가 작용한다(고 가정한다). 결국 이와 같은 상세한 흐름은 '설계 요소'의 추가적인 검토가 요구되는데, 즉 '㉜ 음향 센서'에 대한 '음향 센서 감도(γ)', '㉘ PCB 모듈'에 대한 '전기 신호 증폭률(λ)', '㉙ 전자석'의 '전자석 전류량(α)', '⑩ 스토퍼'의 '스토퍼 변위(=용수철 변위(χ))' 등이 그것이며, 이들의 공학적 검토로부터 '전이 함수'가 탄생할 수 있다. 조금 더 구체화시키면 '스토퍼 변위'는 '전자석'의 '자기력'과 관계할 것이고, 다시 '자기력'은 '전자석 전류'와 관계하므로 본 시스템의 '전이 함수'를 구성하는 일은 충분히 가능하다. 이 같은 상위 특성에서 하위 특성으로 전개되는 것을 'CTQ Flow－down'이라 하고, 만일 각 특성별 '목표 값'과 '규격'을 중심으로 전개하면 'CFR Flow down'이라고 명명한다. 이렇게 **하위로 전개하게 되면 부품별 성능 특성의 목표를 할당하게 되므로 '상세 설계(Detail Design)'가 가능**하다. 그러나 본문은 이 과정까지 포함하진 않을 것이다. 책을 읽고 있을 리더들이 "이게 무슨 책이지?" 하고 갸우뚱하게 만드는 것도 취지에서 벗어날뿐더러 무엇보다 30년 가까운 세월 동안 누렇게 변색된 전자기학 책을 뒤적거리기도 사실 벅차다(양해 바람^^). 따라서 식 (D.3)의 '전이 함수'는 다음과 같이 요약하고 넘어가겠다.

$$H_{인형돌출높이} = f[\chi(\alpha(\lambda))] \quad (D.4)$$

'전이 함수'가 구성되면 '태양 전지 모듈'의 성능과 'PCB 모듈'의 동특성 등을 감안해 수준 측정이 가능하게 되는데, 이같이 '하위 특성들의 조합으로부터 상위 특성의 수준을 평가'하는 것을 'Capability Flow－up'이라고 한다.

Analyze Phase 'Step－9.4. 상위 수준 설계 검토'에서 '전이 함수'를 구성해 '설계 검토'를 하는 대신 'DR(Design Review)'로 전개했으며, 중요 기법으로 '위험 평가(Risk Assessment)' 관점의 'FMEA'와 'FTA'를 사용했었다. 그러나 만일 식 (D.4)의 구성이 가능하다면 이 '전이 함수'를 이용해 'Step－9.4. 상위 수준 설계 검토'에서의 'Capability Flow－up'의 수행도 가능하다고 한 바 있다. Analyze Phase와 Design Phase의 구분만 있을 뿐 '세부 로드맵'상 'Step－9.4'와 'Step－10.1'은 연속해서 존재하기 때문이다.

지금까지 'White Box형' '전이 함수'의 구성을 '토이 박스'의 예로써 설명하였다. 리더가 어느 R&D 분야에 속해 있던 이와 같은 과학·공학적 원리로부터 해석적 접근의 '전이 함수' 개발이 가능하다면 'Capability Flow－up'의 전기를 마련해보기 바란다. 하지만 현실적으로 어렵다면 다음에 이어질 'Gray Box형' 또는 'Black Box형'을 고려해야 할 것이다. 이제 'Gray Box형'에 대해 알아보자.

10.1.2. 전이 함수 개발 － 'Gray Box형'

과거 PDP(Plasma Display Panel) R&D부문에 속해 있을 때 외부로부터 유입되는 광(태양광 등)의 영향을 최소화시키기 위해 표면에 어느 코팅을 해야 하는가에 대한 연구테마가 있었다. 빛이 입사하면 표면에서 반사돼 화면이 잘 안 보이기 때문인데 이를 해결하기 위해 Glass 표면에 여러 층의 박막을 입힐 필요가 있었다. 원리적으로는 박막 각 층의 굴절률과 두께의 상호작용에 따라 반사 방지 효과가 결정되는데 이를 해결하기 위해 각 재료별 '굴절 계수'나 '흡수 계수'에 따른 '반사율' 이론식, 파동성을 고려한 빛의 '경로 차', 입자성을 고려한 단층 박막의 굴절률 이론식 등이 기본적으로 쓰인다. 그러나 다층 박막에 대한 이론식은 명확하게 "이거다"라고 할 만한 게 없었다. 또 다층 박막의 반사율 경우 '전기장과 자기장의 비', '공기－박막 간 전기장/자기장' 등의 변수들을 고려해야 하는 등 한마디로 재료별, 각 박막 층별, 그 외의 변수별 간 조합들이 최종 반사 방지에 미치는 효과를 검증해내는 게 필요 요건들이었다. 그럼 이와 같은 상황에 처했을 때 연구원이 할 수 있는 일이 무엇일까? 취한 조치에 따라 연구 진척 상황을 점검하려면 매번 표본을 만들어 측정하는 일이 주업이 될 것이다. 그러나 이런 방법 말고 시뮬레이터를 이용한 '시뮬레이션'이 최적의 해법이 될 수도 있다. 사실 기업 연구소엔 시뮬레이션만 전담하는 팀이 별도로 구성돼 있어 한두 개의 수식으로 설명할 수 없는 현상들을 이미지와 랜덤데이터를 통해 추적하곤 하는데 이것이 바로 'Gray Box형'의 '전이 함수' 접근법이다. 시뮬레이션 역시 이론식의 조합으로 구성은 돼 있으나 굳이 하나의 방정식 형태로 끄집어내서 '전이 함수'화 할 이유는 없다. '시뮬레이션' 산출물이 실제 공정, 또는 Lab에서의 실험 결과와 일치하는지 후속 작업으로 '결과 검증(Step－12)'이 잘 이루어지면 되기 때문이다.

사실 방금 설명한 유형들은 주변에서 자주 접하는 예들이다. 전자총에서 발사된 전자빔(Electron Beam)의 전자기장에 따른 궤적을 이해한다든가, 재료 연구에서 이온 주입에 따른 반도체 박막의 종단별 불순물 농도를 추정한다든가, 또 제철 전기로에서 용강(강철이 녹은 쇳물) 표면의 변동(Fluctuation)을 공정 조건별로 확인하는 작업들이 모두 포함된다. 분명 결과물을 내준 알고리즘은 존재(없는 것은 아니다)하나 너무 복잡하거나 'White Box형'처럼 분석적으로 접근하긴 어려운 유형들이다. 이들 'Gray Box형'으로부터 형성된 '전이 함수(함수 형태로 눈앞에 보이진 않을 것임)'는 그에 반영된 '설계 요소'를 정의한 뒤 정확한 조건값을 찾도록 '상세 설계(Detail Design)' 과정을 밟거나, 상황에 따라 'Capability Flow－up'을 단행해 'Y'의 수준을 확인할 '상위 수준 설계 검토'에 활용한다.

지금까지 설명한 예는 연구 분야별로 너무 다양한 경우가 존재할 것이므로 'Gary Box형'이 무엇이라는 것 정도만 설명하고 나머지 사례 등은 각자의 몫으로 남겨두겠다. 다음은 세 번째 유형인 'Black Box형'에 대해 알아보자.

10.1.3. 전이 함수 개발 – 'Black Box형'

익히 잘 알고 있는 '실험 계획(DOE, Design of Experiment)'이 주를 이룬다. 그 외에 '회귀 방정식'도 있는데, 전자는 의도적인 실험을 통해 'Y'와 'X'를 얻은 뒤 그로부터 함수 관계를 얻는 반면, 후자는 실험의 난이도나 설비 부족, 큰 비용 등의 이유로 의도적 실험이 불가할 때 과거의 자료를 통해 'Y'와 'X'의 함수 관계를 얻는다. 따라서 공학적 원리를 이용한 해석적 접근이나 시뮬레이션을 통한 방법과는 구별된다.

'실험 계획'은 이미 'Step-9.3. 설계 요소별 산출물 실현'에서 '혼합물 실험(Mixture Design)'을 선보인 바 있다. 본문은 '실험 계획'의 종류와 간단한 설명을 다는 정도로 마무리하고, 활용법에 대해서는 『Be the Solver_실험 계획(요인 설계/강건 설계)』편을 참고하기 바란다. 다음은 통상적인 '실험 계획'의 위계(다음 순으로 갈수록 X로 Y를 설명하는 정도가 높아짐)를 나타낸다.

① OFAT(One Factor at a Time)

한 번에 한 인자씩 조정하되 나머지 인자들은 고정시키는 실험법이다. '상호(교호)작용'을 파악하기 어려우며, 역으로 프로세스에 대한 이해나 노하우가 매우 높을 때 수행하는 것이 좋다. 'Y'와 'X'의 함수 관계를 얻을 수 없으므로 '전이함수' 관점에서의 활용 가능성은 매우 낮다.

② 부분 요인 설계(Fractional Factorial Design)

'Fractional'은 '단편적인', '아주 작은'의 뜻이며, 'Factorial'은 '인자(Factor)'

의 형용사적 표현으로 '요인적인'의 뜻을 갖는다. 연결해서 풀어쓰면 "요인 실험을 하되 아주 적은 수만 하겠다"이다. 예를 들면 인자 수가 '3개', 통상 '2수준'이면, 총 '8회(=2^3)'의 실험을 해야 하지만 '4회'로 줄여 수행할 경우 '부분 요인 설계'에 해당한다. 여러 상황이 존재하지만 실험 결과를 신뢰할 수 있으면 '전이 함수'로서 활용이 가능하다.

③ 완전 요인 설계(Full Factorial Design)

2수준 3인자 경우, 총 '8회(=2^3)'의 실험을 모두 수행하면 '완전 요인 설계'라고 한다. '상호작용'까지 모두 분해가 가능하므로 신뢰도가 높고, '전이 함수'로서도 활용가치가 높다. '그래프 분석'을 통해 해석 수준을 높일 수 있다.

④ 반응 표면 설계(RSM, Response Surface Method)/혼합물 실험

2차 방정식을 얻기 위한 실험 방법이다. 앞서 설명한 '완전 요인 설계' 경우, 최종 얻게 될 함수 모습은, 'Y=7.125－1.125A+0.875B+2.375C－2.875A*B－0.875B*C(단, A=온도, B=압력, C=농도)'와 같이 1차 항으로 구성돼 있어 만일 'Y'와 'X'의 관계가 곡률로 엮일 경우 원하는 답을 얻지 못한다. 이때 '반응 표면 설계'를 수행하면 'A*A', 'B*B'와 같은 2차 항이 추가돼 자료의 설명력은 매우 높아지는 장점이 있다. 그러나 실험 수가 2배 이상 증가하며, 수준의 범위도 커져 실험 수행에 어려움이 따르는 단점이 있다. '혼합물 실험'은 '반응 표면 설계'와 위계가 같은데 1차식부터 2차식까지 얻을 수 있으며, 'Step－9.3. 설계 요소별 산출물 실현'에서 예를 보였으므로 별도의 설명은 생략한다.

⑤ 그 외의 '실험 계획'

'다구치 방법(Taguchi Method)'[97]이나 '진화적 조업(EVOP, Evolutionary Operation)'[98] 등이 있으나 이에 대한 설명은 생략한다. '전이 함수'로서는 '다구

치 방법'은 가능하나 'EVOP'는 함수 관계 설정에 애로 사항이 있어 적합하지 않을 수 있다. '다구치 방법'은 『Be the Solver_실험 계획(요인 설계/강건 설계)』 편을 참고하기 바란다.

'Black Box형'에 대한 '전이 함수'는 '[그림 A−71] Step−9.3. 설계 요소별 산출물 실현(최적화 전략 수립) 예'에 보인 '실험 설계' 그룹 내 '조립 Tact Time(최소화 조건 설정)'의 경우로 설명하고, 파워포인트 작성 사례를 들어 최종 정리할 것이다.

우선 상황 설정으로 '토이 박스'를 하루 8시간 근무 기준 500개를 만든다고 할 때 'Tact Time'은 '57.6초(=8×60×60/500)'로 이것은 설계 목표인 '60초 이하'를 만족한다. 그런데 '토이 박스' 각 모듈의 본체 조립 순서를 결정하는데 이견이 많아 이에 대한 '전이 함수'를 구성한 뒤 실질적인 Tact Time 설계 목표와 일치하는지 여부를 판단하고자 한다(고 가정한다). 다음의 세 활동(Activity)은 연속 공정이며, 각 '활동'별 설정된 수준에 따라 'Tact Time' 결과를 측정하고자 한다('완전 요인 설계'로 진행함).

[표 D−1] 각 '활동'별 수준 설정

활동(Activity)	몸체 조립	모듈 장착	마무리
1 수준(+)	부착물 붙임.	용수철 모듈부터 조립	내부부터
2 수준(−)	부착물 안 붙임.	PCB회로모듈부터 조립	외부부터
수준 설명	Box 조립 후 부착물 부착 여부에 대한 시간 평가	부착 위치별 리베팅 작업에 차이가 있음. 그에 대한 시간 평가	외부 부착물 상태와 내부 끝 티, 배선 등 점검 필요. 그에 대한 시간 평가

97) 한국통계학회 통계학 용어집 표현을 따랐다. 그 외에 '다구치 설계', '다구치 실험' 등으로도 불린다.
98) 이 역시 한국통계학회 통계학 용어집 내용을 따라 표현하였다.

우선 2수준 3인자이므로 총 8회(=2^3)가 필요하나, 실험의 난이도가 높지 않아 측정의 정밀도 향상을 위해 2회 반복하는 것으로 정했다. 다음 [그림 D-4]는 미니탭 경로와 설계 및 실험 수행 결과를 요약한 예이다.

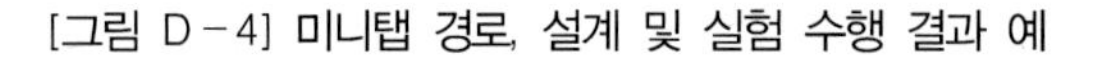
[그림 D-4] 미니탭 경로, 설계 및 실험 수행 결과 예

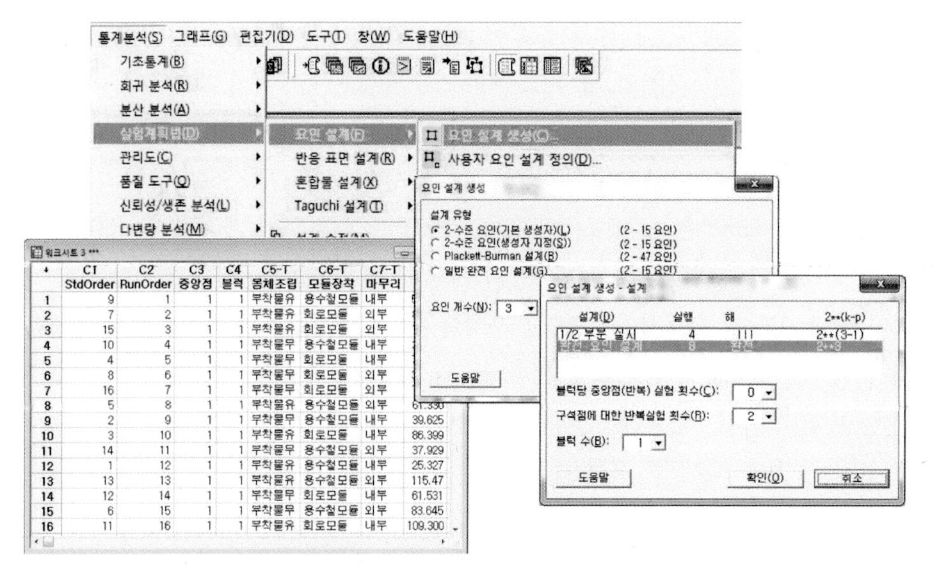

	C1	C2	C3	C4	C5-T	C6-T	C7-T	
	StdOrder	RunOrder	중앙점	블럭	몸체조립	모듈장착	마무리	
1	9	1	1	1	부착물유	용수철모듈	내부	
2	7	2	1	1	부착물유	회로모듈	외부	
3	15	3	1	1	부착물유	회로모듈	외부	
4	10	4	1	1	부착물무	용수철모듈	내부	
5	4	5	1	1	부착물무	회로모듈	내부	
6	8	6	1	1	부착물무	회로모듈	외부	
7	16	7	1	1	부착물무	회로모듈	외부	
8	5	8	1	1	부착물유	용수철모듈	외부	[illegible]
9	2	9	1	1	부착물무	용수철모듈	내부	39.625
10	3	10	1	1	부착물유	회로모듈	내부	86.399
11	14	11	1	1	부착물무	용수철모듈	외부	37.929
12	1	12	1	1	부착물유	용수철모듈	내부	25.327
13	13	13	1	1	부착물유	용수철모듈	외부	115.47
14	12	14	1	1	부착물무	회로모듈	내부	61.531
15	6	15	1	1	부착물무	용수철모듈	외부	83.645
16	11	16	1	1	부착물유	회로모듈	내부	109.300

[그림 D-4] 내 워크시트를 보면 'StdOrder(표준 순서)'의 순서가 섞여 있는 바와 같이 '랜덤화'돼 있음을 알 수 있고, 2회 반복이므로 총 16회의 실험으로 구성돼 있다. 다음은 잘 알려진 바와 같이 분석으로 들어간다. 어느 정도 과정에 대해 이해한다고 보고 필요한 부분에 대해서만 설명을 이어 나갈 것이다. 상세한 사항은 『Be the Solver_실험 계획(요인 설계/강건 설계)』편이나 관련 자료를 참고하기 바란다. 다음 [그림 D-5]는 '통계 분석'과 '그래프 분석' 결과를 요약한 것이다.

[그림 D－5] ‘완전 요인 설계’의 미니탭 분석 결과 예(통계 분석, 그래프 분석)

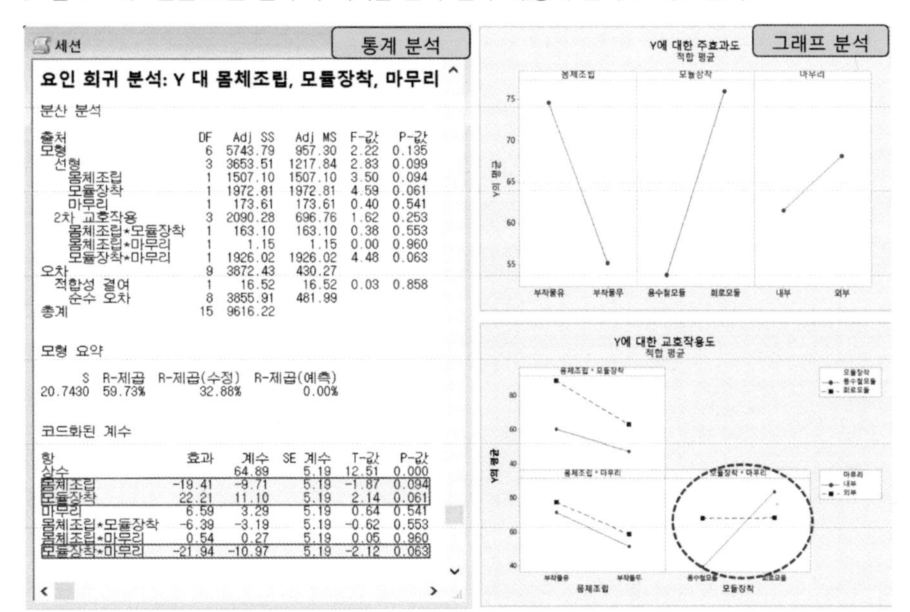

[그림 D－5]에서 ‘통계 분석’ 경우 ‘R－제곱(수정)’은 ‘32.88%’로 높지 않으나, ‘유의 수준=10%’에서 ‘몸체 조립’, ‘모듈 장착’, ‘모듈 장착*마무리’가 유의한 것으로 파악되었다. 또, ‘상호작용’ 경우 ‘모듈 장착’은 ‘용수철 모듈’을 먼저, ‘마무리’는 ‘내부’부터 작업하는 것이 ‘Tact Time’을 최소화할 수 있다. ‘회귀 분석’을 통한 ‘최적 조건’을 요약하면 다음 [표 D－2]와 같다.

[표 D－2] 각 ‘활동’별 수준 설정

활동(Activity)	몸체조립	모듈장착	마무리
1 수준(+)	－	용수철 모듈부터 조립	내부부터
2 수준(−)	부착물 안 붙임.	－	－

다음 [그림 D-6]은 미니탭 '반응 최적화 도구(회귀 분석)'의 수행 결과를 보여준다.

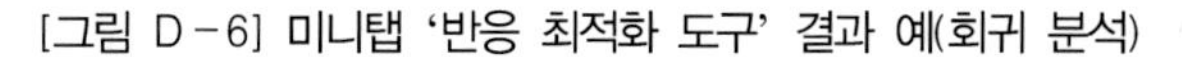

[그림 D-6] 미니탭 '반응 최적화 도구' 결과 예(회귀 분석)

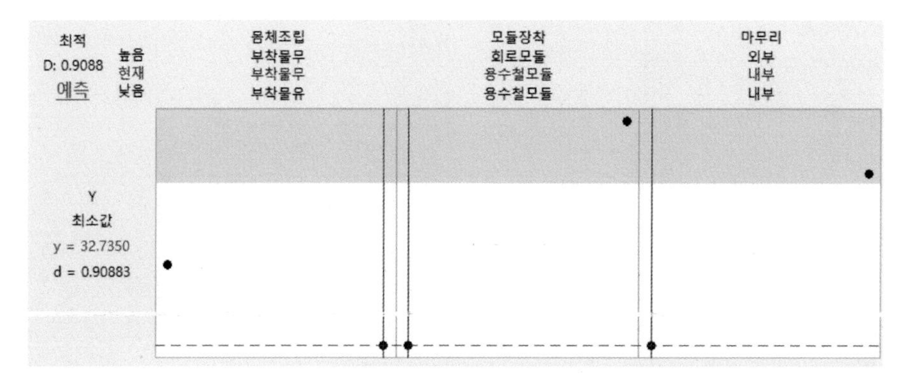

[그림 D-6]에서 'Tact Time 최소화'를 위해 [표 D-2]와 동일한 결과를 얻었으며, 특히 예상되는 평균 'Tact Time'은 약 '32.74초'로 설계 목표인 '60초'보다 약 '27초' 단축됨을 알 수 있다. 이 경우 '병합(Pooling)'을 거쳐 최종 설정된 '전이 함수'는 다음과 같다(코드화되지 않은 단위).

$$\begin{aligned} Y_{\text{조립}\,Tact\,Time} &= 64.89 - 9.71*\text{몸체조립} + 11.10*\text{모듈장착} \\ &+ 3.29*\text{마무리} - 10.97*\text{모듈장착}*\text{마무리} \end{aligned} \quad \text{(D.5)}$$

지금까지의 과정을 파워포인트로 정리하면 다음 [그림 D-7]과 같다.

[그림 D－7] ‘Step－10.1. 전이 함수 확정(Black Box형)’ 예

Step-10. 전이함수 개발
Step-10.1. 전이함수(Transfer Function) 확정

- ‘조립 Tact Time’을 설계목표에 맞추기 위한 전이함수 개발.
- 최적은 ‘몸체조립(부착물 안 붙임)’, ‘모듈장착(용수철 모듈부터 조립)’, ‘마무리(내부)’로 요약됨.

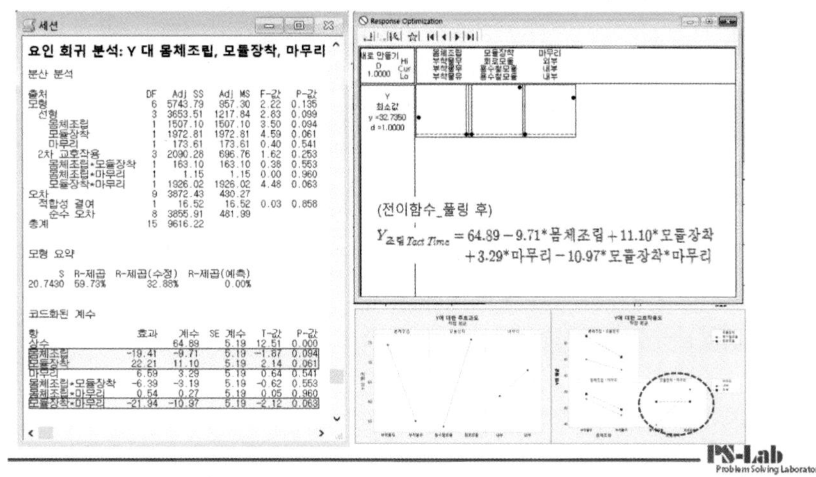

수행 중인 과제에 대해 적합한 ‘전이 함수’가 얻어졌으면 다음 ‘세부 로드맵’인 ‘Step－10.2. 핵심 설계 요소 보완’으로 넘어간다. 이에 대해 알아보도록 하자.

Step－10.2. 핵심 설계 요소 보완

‘설계 요소(Design Element)’는 이미 ‘Step－9. 상위 수준 설계’의 ‘세부 로드맵’인 ‘Step－9.1. 설계 요소 발굴’에서 상세하게 다룬 바 있다. ‘프로세스 개선 방법론’에서는 ‘Step－6. 잠재 원인 변수의 발굴’에서 ‘변수’를 한 번 도출한 뒤 이어지는 Analyze Phase나 Improve Phase에서 추가로 원인 변수가 발견되면

'Step-6. 잠재 원인 변수의 발굴'로 다시 돌아가 보완하면 그만이다. 이후부터는 추가된 '변수'에 대해 '검정'과 '최적화'가 진행된다.

그러나 '제품 설계 방법론'에서는 제품을 만들어가는 과정이 '상위 수준 설계'와 '상세 설계'로 구분해 진행되는 만큼 '설계 요소'가 발굴되는 시점과 그 상세함에 차이가 있을 수 있다. 쉽게 얘기하면 설계 단계가 두 개로 구분돼 있으므로 '설계 요소'도 두 번 발굴한다고 생각하면 편리하다. 다만 서로 흐름을 타며 연계하고 있으므로 Design Phase에서의 '설계 요소'는 Analyze Phase에서의 그것과 완전히 다른 모습보다는 상호보완적 차원에 있다. 굳이 특징을 요약하면 다음과 같다.

- 1) 상위 수준 설계에서 미처 고려하지 못한 하위 구조의 상세 설계 요소가 확인된 경우(예, '전이 함수 개발'로부터 나온 식 (D.4) 내 '전기 신호 증폭률' 등).
- 2) 예상치 못한 위험이 발견되어 설계 요소의 보완 필요성이 제기된 경우(예, [표 A-29]의 '설계 7요소'로 '신규 조립 설비 투자 규모'가 선정되었으나 대외적 환율 급등으로 설비 수입에 제동이 걸린 경우 등).
- 3) 기존에 고려한 프로세스, 방법 등에 변경 필요성이 발생한 경우(예, [표 A-21]의 '설계 7요소' 중 '제품 평가 항목 종류'가 기존 자체 조립에서 일부 모듈을 '아웃소싱'하도록 결정됨에 따라 관련 평가 항목들이 변경됨 등).

Analyze Phase [표 A-29]와 [그림 A-43]에서 처음 발굴된 '설계 요소'들을 종합하였고, 이들은 가설 검정이 필요한 것과 그렇지 않은 것들로 구분한 뒤 분석 후 '핵심 인자'로 재분류하였다([표 A-41], [그림 A-68]).

또, Design Phase의 '전이 함수' 개발로 '설계 요소'들이 추가 발굴되었다. 이제 이들을 대상으로 '상세 설계'에서 어떤 상세한 작업을 수행할지 결정하기에 이르렀으며, 따라서 다음 '세부 로드맵'으로 넘겨줄 내용이 무엇인지 정리가 필요한 시점이다. 'Step-9.3. 설계 요소별 산출물 정의'에서 처리한 요소들을 제외하고 최종 정리한 결과가 다음 [표 D－3]이다(라고 가정한다).

[표 D－3] 최종 보완된 ‘설계 요소’ 예

출처	설계 요소	설계 방향(또는 설계원칙)/산출물	
설계 7요소	설계 인자		
제품/서비스	~~–용수철 상수~~	– Step–9.3.설계 요소별 산출물 실현'에서 특성(k, m, r, h) 설정 완료	
	–인형 돌출 속도	– 식 (A.8) 회로 부품들의 ‘공차 설계’ 수행	
	…	…	
프로세스	~~–제품 평가항목 종류~~	– 기술 TFT에서 추진; 조립공정 운영계획서 완료	
	…	…	
인력시스템	~~–회로설계연구원 비율~~	– 인사팀(담당자 김인사); 선발인력 명단 완료	
	~~–공학설계연구원 비율~~	– 인사팀(담당자 김인사); 선발인력 명단 완료	
	…	…	
설비/장비/원자재	~~–원가수준~~	– 현재 대비 20% 절감(₩11,437.97) 달성 완료	
	–신규조립설비 투자규모	– 기획팀 TFT(팀장 김투자); 설비투자 내역서 완료	
	~~–원자재 구매처확보유무~~	– 구매팀(담당자 김구매); 구매처 확보 보고서 완료	
	…	…	
…	…	…	
Design FMEA	잠재 인자	설계 방향(또는 설계원칙)/산출물	
	~~–한지 미모도~~	– 한지 접었다 펴는 횟수	가속수명시험 보고서 완료
	~~–전지판 효율~~	– 나노(Nano)형 태양 전지 확정 완료	
	…	…	
특성 요인도	–분말 안정제	– ‘분말 안정제 C’ 최적비율 설정	– 혼합물 실험보고서 완료, – 성분별 ‘공차 설계’ 수행
	…	…	…
전이 함수	–조립 Tact Time	– 산출물; ‘몸체조립’, ‘모듈장착’, ‘마무리’ 공정의 작업절차서 및 표준화	
	–PCB회로 모듈 수준	– 음향 센서 감도, 전기신호 증폭률, 전자석 전류량 상세 설계	
	…	…	

[표 D-3]에서 빨간색 글자들이 '상세 설계' 대상이다. 이미 'Step-9.3. 설계 요소별 산출물 실현'에서 완료한 것들은 제외하고(~~θθ~~표시), 변경이나 새로 추가한 설계 요소를 중심으로 '상세 설계'가 진행된다. '출처' 중 '전이 함수' 이외 것들은 Analyze Phase에서 '상세 설계' 목적으로 넘어온 것들이다('Step-9.2. 설계 요소 분석', 'Step-10.1. 전이 함수 확정' 참조). 다음 [그림 D-8]은 문서로 작성한 예이다.

[그림 D-8] 'Step-10.2. 핵심설계 요소 보완' 작성 예(중간 줄 친 항목은 완료)

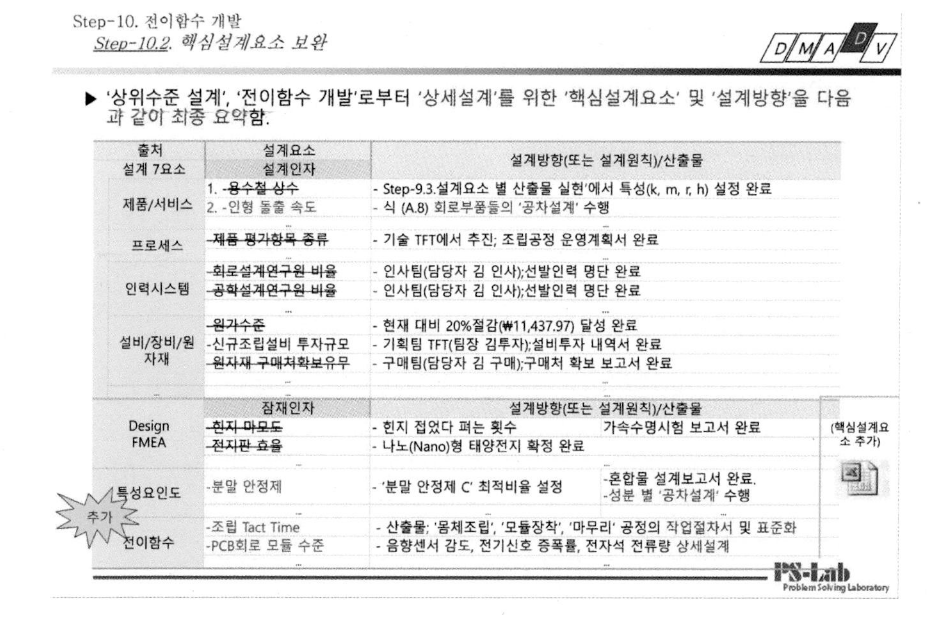

출처 설계 7요소	설계요소 설계인자	설계방향(또는 설계원칙)/산출물	
제품/서비스	1. ~~용수철 상수~~	- Step-9.3.설계요소 별 산출물 실현'에서 특성(k, m, r, h) 설정 완료	
	2. -인형 돌출 속도	- 식 (A.8) 회로부품들의 '공차설계' 수행	
	...	...	
프로세스	~~제품 평가항목 종류~~	- 기술 TFT에서 추진; 조립공정 운영계획서 완료	
	...	...	
인력시스템	~~회로설계연구원 비율~~	- 인사팀(담당자 김 인사);선발인력 명단 완료	
	~~공학설계연구원 비율~~	- 인사팀(담당자 김 인사);선발인력 명단 완료	
	...	...	
설비/장비/원자재	~~원가수준~~	- 현재 대비 20%절감(₩11,437.97) 달성 완료	
	-신규조립설비 투자규모	- 기획팀 TFT(팀장 김투자);설비투자 내역서 완료	
	~~원자재 구매처확보유무~~	- 구매팀(담당자 김 구매);구매처 확보 보고서 완료	
...	...	...	
	잠재인자	설계방향(또는 설계원칙)/산출물	
Design FMEA	~~힌지 마모도~~	- 힌지 접었다 펴는 횟수	가속수명시험 보고서 완료
	~~전지판 효율~~	- 나노(Nano)형 태양전지 확정 완료	
	...	...	
특성요인도	-분말 안정제	- '분말 안정제 C' 최적비율 설정	-혼합물 설계보고서 완료. -성분 별 '공차설계' 수행
	...	...	...
전이함수	-조립 Tact Time	- 산출물; '몸체조립', '모듈장착', '마무리' 공정의 작업절차서 및 표준화	
	-PCB회로 모듈 수준	- 음향센서 감도, 전기신호 증폭률, 전자석 전류량 상세설계	
	...	...	

이제 'Step-11. 상세 설계' 활동으로 들어가 보자.

Step-11. 상세 설계

'상세 설계(Detail Design)'는 단어가 의미하는 바 그대로 "상세하게 설계한다"이다. 간혹 상세하게 설계하는 '대상'이 무엇인지 정확하게 규정짓지 못해 현업에서 이 과정을 수행하다 보면 본인이 생각했던 개선 내용들을 앞뒤 관계없이 잔뜩 쌓아 놓기가 일쑤다. 본 '세부 로드맵'은 설계를 마무리하는 과정이다. 마무리하고자 하는 것은 앞서 벌려 놓았던 많은 미완성의 작업들을 찾아내서 깔끔하게 정리한다는 뜻이다. 그렇다면 '앞서 벌려 놓았던 많은 미완성의 작업'이란 무엇을 지칭하는 것일까? 바로 '상위 수준 설계'에서 좀 더 세밀하게 정의해야 할 것들과, '전이 함수'를 개발하면서 마주친 새롭게 해야 할 것들을 포함한다. 전체 관계를 개요도로 정리하면 다음 [그림 D-9]와 같다.

[그림 D-9] '상세 설계'의 개요도

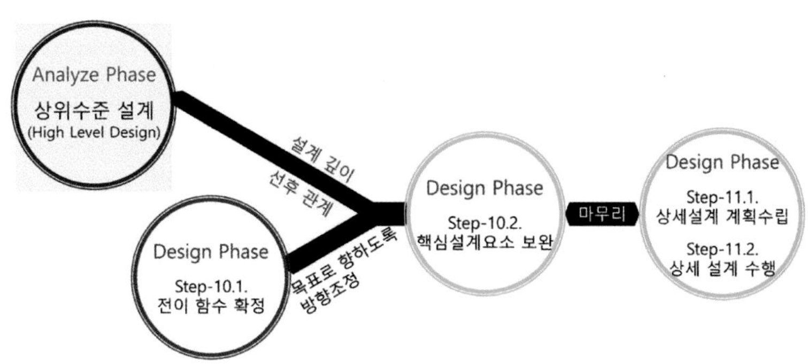

[그림 D-9]처럼 **'설계 깊이'**는 '상위 수준 설계'가 주로 전체적인 윤곽을 잡는 작업이고 그러다 보면 아주 세부적인 내용들은 규정짓지 못할 수 있는데 이 작업 과정을 '깊이'라는 단어로 요약하였다. 즉, '상위 수준 설계' 중 「9.3.2. 실

험 설계_가속 수명 시험」에서 '힌지'에 대한 수명 평가 중 일부 부품에 중대한 결점이 발견되었다면 그를 제외하고 실험을 계속할 수는 있다. 그러나 만일 유사 현상이 향후 제품 시판 후 치명적 결점으로 작용한다면 통계적 수명은 고객 요구를 만족시킬지언정 판매 향상엔 부정적일 수 있다. 따라서 '상세 설계'에서는 '고장 해석(Failure Analysis)'[99]을 통해 메커니즘을 밝혀내고 필요하면 적합한 '힌지'를 재구매하든가 아니면 다른 대책을 강구해야 한다. '고장 해석'은 광학 현미경이나 간단한 시약을 통해 쉽게 처리할 수도 있으나 '전자 현미경(SEM, Scanning Electron Microscope)', 'EDX(Energy Dispersive X-ray Spectroscopy, 성분 분석기)', 더 나아가선 'FT-IR', 'AES(Auger Electron Spectroscopy)', 'ICP-MS'와 같은 극미세, 극미량의 분석적 접근을 통해서도 이루어질 수 있다. 즉, 깊이 있는 해석이 '상세 설계'에서 다루어진다. 또 '**선후 관계**'란 '상위 수준 설계'에서 이루어진 '부족 전압 비교기'의 '$V_{Trip\text{-}down}$'의 예처럼 규격 대비 성능(시그마 수준)을 만족시켜 주기 위해 각 구성 부품들의 '공차' 설정이 요구되며, 따라서 이 역시 '상세 설계'의 몫이다. 일반적으로 '상위 수준 설계'에서 다루어지는 '실험 계획(DOE)'의 결과를 '파라미터 설계(Parameter Design)'라 하고, '상세 설계'에서 다루어지는 최적화를 '공차 설계(Tolerance Design)'라고 부른다. 동일한 과정이 '부착물 접착력' 향상을 목적으로 수행된 '혼합물 실험'에도 그대로 적용된다. 정리하면 '실험 계획'을 통해 'Y'와 'X' 간 관계식과 '최적 조건'이 확보되면 후속으로 'X의 최적 조건'별 '공차 설계'가 필요한데 이것이 바로 '선후 관계'의 예라 할 수 있다.

[그림 D-9]를 보면 다른 한 축이 '상세 설계'와 연결돼 있는데 바로 'Step-10.1. 전이 함수 확정'이다. 이것은 앞서 설명된 여러 유형(White/Gray/Black Box)의 '전이 함수'가 단순히 함수 관계만을 따진다기보다 따짐의 과정을 통해

---

99) 일반적으로 '고장 분석' 또는 '고장 물리(Physics of Failure)'로 불리며, 물리/화학적 분석을 통해 문제의 근원을 해석하는 신뢰성의 한 분야이다.

목표 달성에 장애가 되거나 달리 가고 있는 요소를 사전에 적출해서 제거할 수 있는 기회를 제공한다. 따라서 보정 필요성이 발견되면 바로 '상세 설계' 활동으로 연결될 수 있다. 이들 모두의 고려는 결국 설계될 제품의 완성도를 높이는 계기로 작용한다. 반대로 '상위 수준 설계'에서 이미 구체화 작업까지 모두 진행한 경우 '상세 설계'에서 무슨 일을 해야 할까? 상황에 따라 달라지겠으나 '깊이' 측면과 '선후 관계'의 측면 모두에 해당되지 않으므로 현 상태 그대로 완료한 것으로 본다. 쉽게 말해 '상위 수준 설계'만으로 최적화가 이루어진 경우라 할 수 있다. '제품 설계 방법론 로드맵'은 해야 할 일을 빠트리지 않도록 과정을 섬세하게 정렬해놓은 것이지 할 필요도 없는 일까지 꾸겨 넣어서 흐름에 맞추도록 요구하진 않는다. '전체 로드맵'을 밟을 필요가 없는 과제는 불필요한 '세부 로드맵'은 생략하고 넘어간다.

'상세 설계'를 위해서는 '상위 수준 설계'에서 넘겨진 일들은 무엇이며, '전이 함수' 개발 과정 중에 추가된 것들이 무엇인지 규정하고, 이들을 어느 방법으로 구체화할지를 계획하는데, 이 작업은 '<u>Step-11.1. 상세 설계 계획 수립</u>'에서, 또 계획된 내용을 토대로 하나씩 세부적인 마무리를 진행하는데 이 과정은 '<u>Step-11.2. 상세 설계 수행</u>'에서 이루어진다. 여기까지 진행하면 일단 설계가 완료된 것으로 간주하고, '<u>Step-12. 설계 검증</u>'에서 '상위 수준 설계'를 포함한 전체적인 설계의 검토가 이루어진다. 'Step-12. 설계 검증'은 '프로세스 개선 방법론'의 'Step-12. 결과 검증'에 대응한다. '세부 로드맵'으로 들어가 보자.

Step-11.1. 상세 설계 계획 수립

과제 목표를 달성하기 위해 향후 전개될 'Step-11.2. 상세 설계 수행'의 '목차' 기능을 담당한다. 따라서 가능하면 요약되고 정리된 모습으로 전체의 전개가 한눈에 들어올 수 있도록 표현하는 것이 중요하다. 다음 고려 사항을 모두 만족할 수 있도록 구성한다.

① **'세부 로드맵' 관점에서 앞뒤 연계성을 고려**: '세부 로드맵'들은 마치 물처럼 단절됨 없이 흘러가야 한다. 따라서 매 '세부 로드맵'마다 얻어진 산출물은 다음 '세부 로드맵'의 입력으로 들어가는 소위 주고-받는 관계가 성립돼야 한다. 예를 들어 Design Phase의 'Step-10.2. 핵심 설계 요소 보완'의 산출물인 '설계 방향([그림 D-8] 참조)'을 다음 활동의 어디에선가 받아주는 모습이 관찰돼야 한다. 다음 [그림 D-10]은 설명된 상황에 대한 개요도이다.

[그림 D-10] 'Step-11.1. 상세 설계 계획 수립'으로 넘겨야 할 내용

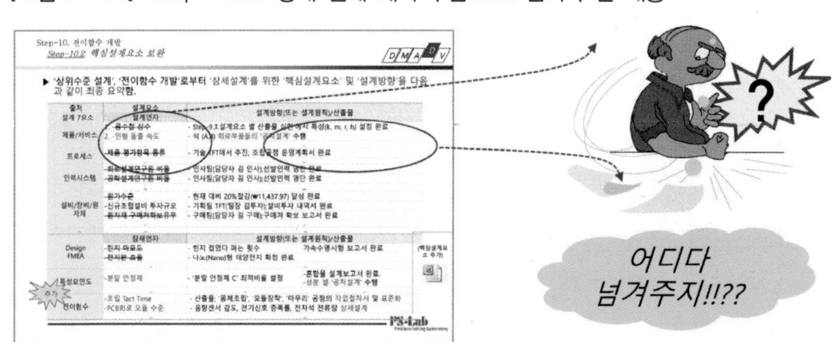

② **주요 활동에 '설계 방향' 배치**: '상세 설계'에서의 주요 활동이란 '공차 설계', '실수 방지 설계', '시험 표본(Test Sample) 제작', '신뢰성 평가', '상세 설계 사양 확정'으로 이루어지며, 독립된 활동이라기보다 순서에 따라 '상세 설계'가 진행된다. 예를 들어 '시험 표본'이 있어야 완제품의 '신뢰성 평가'가 가능하기 때문이다. 전체 과정을 요약하면 다음 [그림 D-11]과 같다.

[그림 D-11] 'Step-11.2. 상세 설계 수행' 개요도

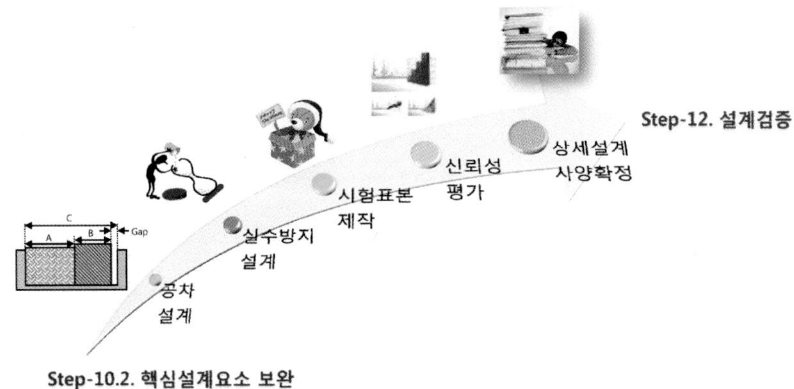

③ **'Step-12. 설계 검증'도 포함시킨다.**: '상세 설계 수행'의 '입력'으로 작용하는 것이 'Step-10.2. 핵심 설계 요소 보완'인 반면, '출력'으로 작용하는 것이 'Step-12. 설계 검증'이다. 따라서 '상세 설계 계획 수립'에서 '결과 검증'까지의 전 과정을 시각화시키면 이후 전개될 상황을 한눈에 파악할 수 있다. 또, 과제 목표 달성 여부도 검토할 수 있어 팀원들과의 의견 교환에 큰 도움을 준다. [그림 D-12]는 'Step-11.1. 상세 설계 계획 수립'에 필요한 양식의 작성 방법을 보여준다.

이해를 돕기 위해 [그림 D-12]의 각 영역별로 다음에 자세한 설명을 달아 놓았다.

① '핵심 설계 요소' 영역: Analyze Phase 'Step-9.2. 설계 요소 분석(핵심 설계 요소 선정 및 산출물 정의)'과 Design Phase 'Step-10.2. 핵심 설계 요소 보완'에서 '핵심 설계 요소'들을 가져와 배열한다. '설계 방향'이 존재하면 모두 해당된다.

[그림 D－12] ‘Step－11.1. 상세 설계 계획 수립’ 작성 방법

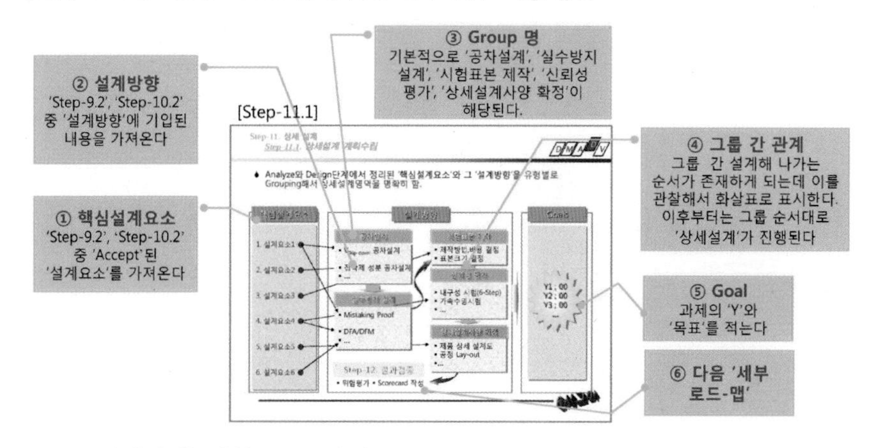

고려해야 할 사항(1) → 설명 ① ②
고려해야 할 사항(2) → 설명 ③ ④
고려해야 할 사항(3) → 설명 ⑥

② ‘설계 방향’ 영역: ‘①’의 ‘핵심 설계 요소’로부터 나온 ‘설계 방향’들을 가져와 배열한다.

③ ‘Group명’ 영역: ‘설계 방향’들은 ‘제품’이나 ‘프로세스’, ‘시스템’, ‘운영 표준’ 등의 명칭으로 묶을 수 있다. 특히 ‘제어 인자’의 ‘설계 방향’ 경우 ‘최적화_주로 RSM, 다구치 등’, ‘공차 설계’, ‘신뢰성’ 등으로 묶인다. 이 같은 ‘설계 방향’들의 묶음은 향후 변화될 모습을 한눈에 파악하는 데 큰 도움을 준다. 즉, ‘설계 요소’ 자체를 최적화하는 개념보다 ‘설계 방향’을 최적화하는 방향으로의 전개가 현실적으로 타당하며, 따라서 해당 그룹을 찾아 ‘설계 방향’을 모아 정리한다.

④ ‘그룹 간 관계’ 영역(연두색 화살표): ‘그룹명’을 부여하면, 전개 순서의 윤곽이 드러난다. 그러나 현재는 ‘공차 설계 → 실수 방지 설계 → 시험 표본 제

작 → 신뢰성 평가 → 상세 설계 사양 확정'으로 정해져 있어 별도의 고려는 필요치 않다. 흐름은 그대로 'Step-11.2. 상세 설계 수행' 과정의 전개 순서에 반영된다.

⑤ 'Goals' 영역: Measure Phase 'Step-6.3 Scorecard 작성'에서 설정된 '목표'를 기술함으로써 현재까지 정리된 '설계 방향'을 통해 목표를 충분히 달성할 수 있는지 검토한다. 일단 '상세 설계'가 진행되면 해야 할 일이 많으므로 중간중간 목표 달성 여부를 확인할 기회는 현저히 줄어든다. 팀원들과 충분한 사전 검토를 거치도록 하고 미진할 시 Analyze Phase로 돌아가 추가 분석 등을 통해 '설계 방향'을 재도출하거나, 필요하면 'Step-9.1. 설계 요소 발굴'에서 변수의 추가 여부를 결정한다.

⑥ 다음 '세부 로드맵' 영역: 정해진 '공차 설계 → 실수 방지 설계 → 시험 표본 제작 → 신뢰성 평가 → 상세 설계 사양 확정'의 순서 모두를 다 수행할 필요는 없다. 과제마다 특성이 있기 때문이다. 따라서 어느 그룹에서 'Step-12. 결과 검증'으로 연결되는지 명확히 한다.

'Step-11.1. 상세 설계 계획 수립'이 마무리되면, Design Phase의 핵심 활동인 'Step-11.2. 상세 설계 수행'으로 들어간다. [그림 D-13]은 '토이 박스 개발'의 '상세 설계 계획 수립' 예이며, 내용을 이해하는 데 많은 도움을 줄 것이다(참고로, Analyze Phase 'Step-9.3. 설계 요소별 산출물 실현'에서 '상위 수준 설계'의 '전략 수립'에 유사한 예를 적용한 바 있다[그림 A-71]).

'설계 방향'은 '[그림 A-71] Step-9.3. 설계 요소별 산출물 실현(최적화 전략 수립) 예'와 '[그림 D-8] Step-10.2. 핵심 설계 요소 보완 작성 예'에서 왔다. '설계 방향'들은 유형별로 묶어(편의상 일부만 표기한 것으로 가정) 해당 그룹에 정리하였다. 점선 화살표는 '설계 방향'이 나온 '설계 요소'를 보여주며, 그룹 간 화살표(연두색)는 이후에 전개될 'Step-11.2. 상세 설계 수행' 전개 순서

[그림 D－13] 'Step－11.1. 상세 설계 계획 수립' 작성 예(토이 박스 개발)

Step-11. 상세 설계
Step-11.1. 상세설계 계획수립

▶ Analyze와 Design단계에서 정리된 '핵심설계요소'와 그 '설계방향'을 유형별로 Grouping해서 상세설계 영역을 명확히 함.

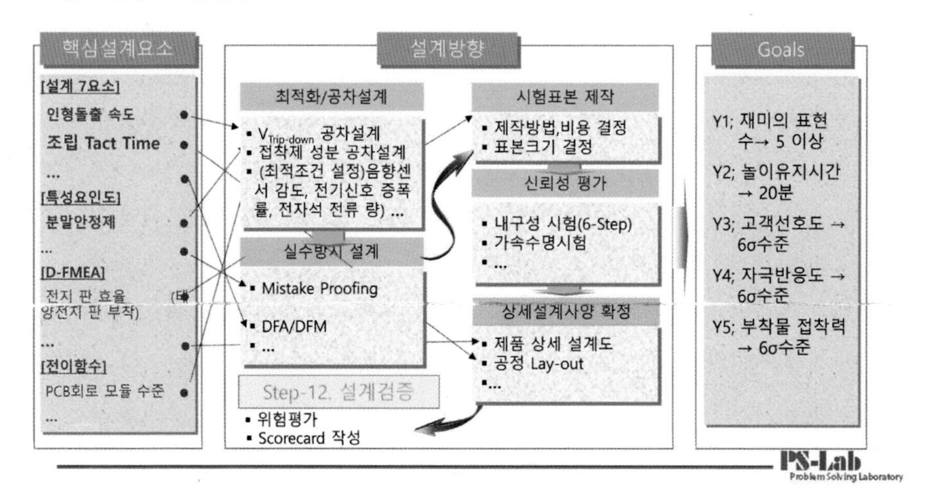

이다. 이들 '설계 방향'들로 '목표(Goals)'가 달성될 수 있는지 팀원들과 재확인하는 것도 잊어서는 안 될 중요 사항이다. 이제 '상세 설계'로 들어가 보자.

Step－11.2. 상세 설계 수행

말 그대로 이전 '세부 로드맵'에서 수립된 'Step－11.1. 상세 설계 계획 수립'대로 진행한다. '공차 설계', '실수 방지 설계_DFMA', '신뢰성 평가_내구성 시험'에 대해 알아보고(사실 이들은 '상세 설계'에서 중요도가 높은 도구들이다), 그 외의 것들에 대해서는 '상세 설계'가 이루어진 것으로 가정하고 결과만 요약할 것이다.

11.2.1. 공차 설계(Tolerance Design)

'공차 설계'는 'Step-9.2. 설계 요소 분석(기술적 분석)'이나, 'Step-9.3. 설계 요소별 산출물 실현'에서 이루어진 활동의 연장이다. 그러나 그들 모두가 '공차 설계'로 연결되진 않는다. '공차(Tolerance)'는 "(네이버 백과사전) 기계 부품 등을 제작할 때 설계상 정해진 치수에 대해 실용상 허용되는 범위의 오차를 가리킨다. 가공한 뒤 다듬질을 마친 후의 치수가 공차에 들어 있을 때 공작이 쉬워지며, 공차는 끼워 맞추기의 종류에 따라 달라진다"이다. 이에 대해 '공차 설계(Tolerance Design)'는 "(WWW.OQPD.com) 부품 허용 오차 및 환경의 변화가 시스템에 미치는 영향을 예측하거나, 품질, 비용, 적시 출시(Time to Market)를 목적으로 시스템 설계를 최적화하는 학문", 또 "(Karl G. Merkley)[100] 공정 능력, 원가, 요구 성능 등에 기초한 공차의 할당"이다. 그런데 막상 '공차 설계'를 하려면 막막한 게 현실이다. 그나마 국내에 '제품 설계 방법론' 도입으로 '공차 설계'가 부각된 면과, 완전하진 않지만 접근 방법 및 도구들이 제공된 것은 나름 큰 공이 아닌가 싶다. [그림 D-14]는 일반적으로 언급되는 '공차 설계'의 접근법들을 모아 놓은 것이다.

[그림 D-14]의 밑줄 친 항목들이 자주 활용되고 논의되는 유형들이며, 특히 'Statistical' 내 '(추가)'는 사용 빈도가 높은 데 반해 분류에는 없어 필자가 임의로 포함시켰다. 본문에는 '공차 설계'의 중요성을 감안해 그동안 리더들을 대상으로 교육 중 이루어진 대부분(빨간 글씨)을 설명하려고 한다. 단, '다구치 방법'은 '파라미터 설계 → 공차 설계'로 이어지는 자체 전개법이 있으나 여기서 논하기엔 분량이 너무 많아 제외시켰다. 관심 있는 독자는 국내에도 잘 알려진 'Tolerance Design',[101] 또는 『Be the Solver_실험 계획(요인 설계/강건 설

100) A dissertation submitted to the faculty of Brigham Young University in partial fulfillment of the requirements for the degree of Doctor of Philosophy.

[그림 D－14] '공차 설계(Tolerance Design)' 도구들 예

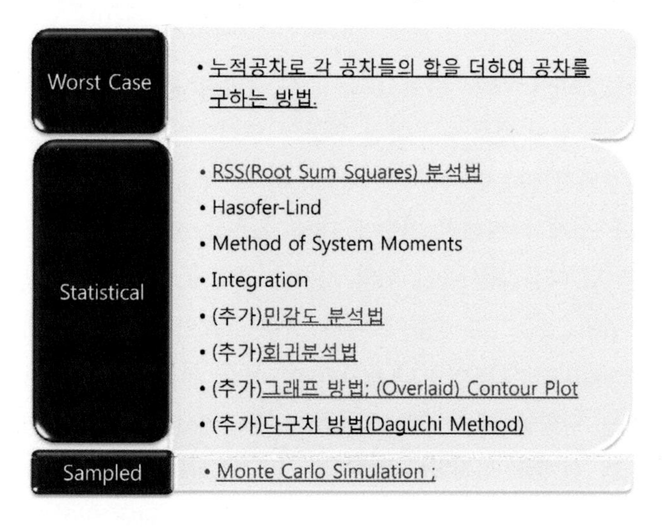

계)』편 등을 참고하기 바란다. 지금부터 '몬테카를로 시뮬레이션(Monte Carlo Simulation) → 민감도 분석법 → 회귀 분석법 → RSS 분석법 → 그래프 방법' 순으로 설명을 이어 나가도록 하겠다.

(**몬테카를로 시뮬레이션**) 본 과정은 '9.2.1. 기술적 분석'의 '[그림 A－52] 부족 전압 비교기(Under-Voltage Comparator) 예'에서 '공차 설계'의 필요성을 강조하였으며, 그 이후 전개는 'Design Phase'로 넘긴다고 설명한 바 있다. 당시를 간단히 회고하면 회로에 일정 전압을 유지시키기 위한 '부족 전압 비교기'가 있으며 그를 통제할 '$V_{Trip\text{-}down}$'의 수준을 평가한 결과 'Ppk=0.58(수율 약 94.33%, 시그마 수준 1.58)'로 매우 낮음을 확인하였었다. 이에 개선의 필요성이 있으며 이 시스템에 '변동(Variation)'을 크게 유발하는 부품이 무엇인지 알아보기 위해 'Crystal Ball'[102]의 'Sensitivity Chart'를 사용한다. 'Crystal Ball'은 엑셀에서

101) 저자 C. M. Creveling은 국내 기업 컨설팅으로 방문했던 경험이 있다.

동작하며 현 상황을 분석하기엔 어렵지 않으나 자세한 해설은 기술 자료[103]를 참고하고, 여기선 간단한 내용 위주로만 전개하겠다. 다음은 '[그림 A－54] V_{Trip_down}에 대한 공정 능력 결과'를 얻었던 'Crystal Ball' 입력 상태이다.

[그림 D－15] 현 '부품'들의 규격 예

3		Nominal	Tolerance	Minimum	Maximum
4	VR1	2.5000	0.2%	2.495	2.505
5	Voffset	0.0000	0.015	-0.0150	0.0150
6	R1	4990	1%	4940.1	5039.9
7	R2	5360	1%	5306.4	5413.6
8	R3	499000	1%	494010	503990
9	R4	10000	1%	9900	10100

다음 [그림 D－16]은 '민감도 차트(Sensitivity Chart)' 결과를 보여준다.

[그림 D－16] 부품별 'Sensitivity Chart' 결과 예

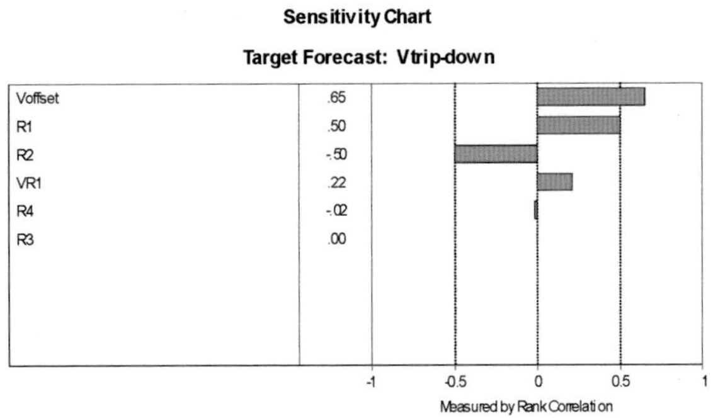

Sensitivity Chart

Target Forecast: Vtrip-down

Voffset	.65
R1	.50
R2	-.50
VR1	.22
R4	-.02
R3	.00

-1 -0.5 0 0.5 1

Measured by Rank Correlation

차트에서 '변동'을 야기하는 부품이 '$V_{Offset} > R_1 \cong R_2 > VR_1 > R_4 > R_3$' 순이며, 따

102) 엑셀에서 운용되며 예측, 모델링, 시뮬레이션, 최적화를 하는 데 유용한 프로그램이다. 제품 설계에 사용 빈도가 매우 높은 편이다.

103) *Optimizing an Analog Circuit Using Monte Carlo Analysis, Andy Sleeper.*

라서 'V_{Offset}'과 연관된 현 'LM 2903 비교기(0±15mV)'를 유사한 단가의 'LM 293(0±9mV)'으로 대체하였다(고 가정한다). 다음은 그 결과이다.

[그림 D－17] 비교기 '0±15mV' → '0±9mV' 대체 결과 예

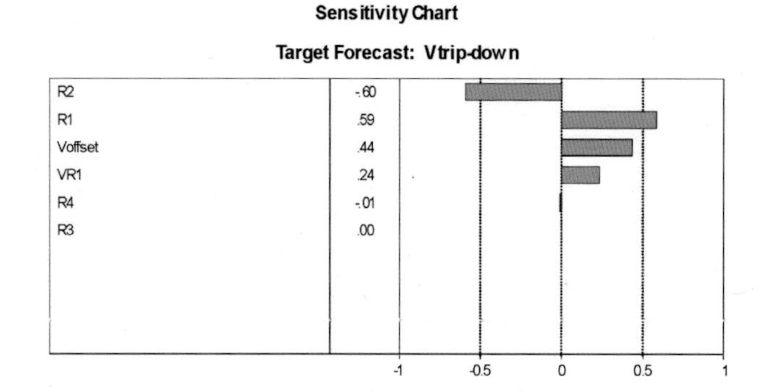

[그림 D－17]의 'Crystal Ball'의 재 시뮬레이션 결과 'V_{Offset}'의 '변동'은 개선됐으나 'R_1'과 'R_2'가 여전히 악영향을 주고 있다. 개선 수준을 알아보기 위해 '[그림 A－53] 랜덤 데이터 생성 및 워크시트 결과 예'와 동일하게 '공정 능력'을 확인한 결과 'Ppk=0.69(수율 약 97.41%, 시그마 수준 1.95)'로 향상되었으나 여전히 기대엔 못 미치는 수준으로 확인되었다(고 가정한다).

사실 'R_1'과 'R_2'의 '변동'을 줄이는 문제는 간단하다. 오차 범위가 훨씬 작은 0.1%대 저항(현재 1%)을 사용하면 그만이기 때문이다. 그러나 「9.2.2. 정성적 분석」에서 '설계 요소'인 '원가 수준'을 분석한 결과, 현 대비 20%인 약 '11,438원'을 절감해야 하기 때문에 원가 부담이 훨씬 큰 0.1%대 저항을 구매하기엔 큰 제약이 따른다. 또, 'Crystal Ball'에서 'R_1'과 'R_2'의 입력을 '1% → 0.1%'로 바꾼 후 공정 능력을 평가하면 'Ppk=1.31(수율 약 99.996%, 시그마 수준 약 3.95)'로 실제 제조 공정의 변동 '1.5Shift'를 고려할 경우 역시 기대에 못 미친

다(고 가정한다). 이 상황에 연구팀이 고려할 여러 대안들 중 '전이 함수'의 재그룹(또는 재설계)을 통해 해법을 찾고자 한다. 즉, 식 (A.8)의 '전이 함수' 중 분자, 분모의 'R_1', 'R_2'를 비율 'R_1/R_2'로 제어할 단품을 찾는 일이다. 이 경우 부품 단가도 상당수 줄일 수 있다. 다음은 재그룹 한 '전이 함수'이다.

$$V_{Trip-down} = [VR_1 + V_{Offset}][(\frac{R_1}{R_2})\frac{R_3 + R_4}{R_1 + R_3 + R_4} + 1] \quad (D.6)$$

비율 'R_1/R_2'를 제어할 단품인 '저항 네트워크(Resistor Network 또는 Array Resistor)'가 있으며, 내부엔 0.1% 오차 범위의 10,000Ω짜리 저항 두 개가 있고 비율 'R_1/R_2'는 1±0.025%로 제어된다. 단가도 0.1% 저항 1개 값보다 저렴하다. 이 '저항 네트워크'를 적용한 재설계 회로가 다음의 [그림 D－18]이다.

[그림 D－18] 재설계된 '부족 전압 비교기' 예

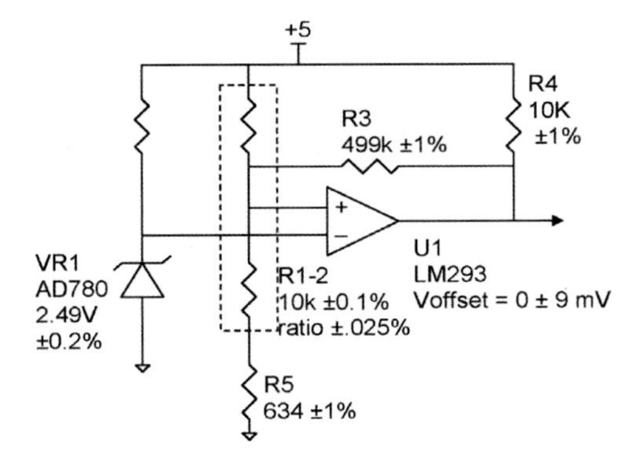

회로의 재설계가 이루어진 후 기존과의 차이점은 'R_1', 'R_2'가 독립적으로 'Crystal Ball'에 입력되는 반면, 비율 'R_1/R_2' 경우 상호의존 관계가 존재한다. 즉, 하나의 부품(저항 네트워크) 안에 두 개 저항 값의 비율이 '1±0.025'가 되도

록 서로 작용해야 하기 때문에 이러한 현실(제약)을 'Crystal Ball' 입력 시 반영해야 한다. 가장 쉬운 접근이 만일 '$R_{1=}$10,000Ω'일 때, '$R_{2=}$9,997.5～10,002.5Ω'이 돼야 하며, 약간의 기교를 발휘하면 '$R_2=R_1+R_2A$'로 대체가 가능하다(단, $R_2A=0\pm2.5\Omega$). 따라서 [그림 D－18]의 재설계 회로에 맞는 '전이 함수'를 새롭게 정의하면 다음 식 (D.7)에 대응한다.

$$V_{Trip-down} = [VR_1 + V_{Offset}][(\frac{R_1}{R_1 + R_2A + R_5})\frac{R_3 + R_4}{R_1 + R_3 + R_4} + 1] \qquad (D.7)$$

보완된 입력으로 '민감도 차트(Sensitivity Chart)'를 얻으면 다음 [그림 D－19]와 같다.

[그림 D－19] '저항 네트워크(Resistor Network)' 적용 후 결과 예

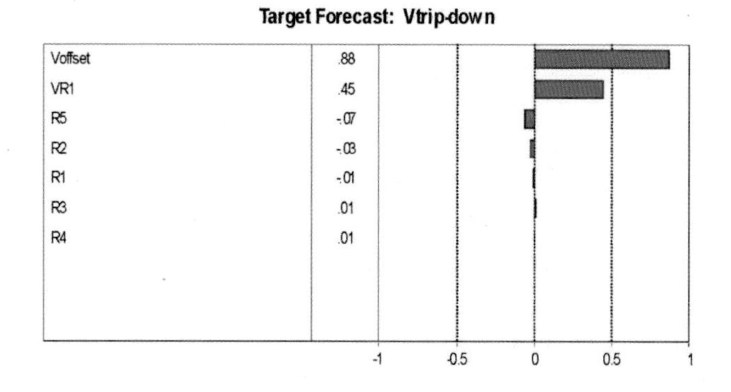

가장 영향력 있는 '변동'이 다시금 'V_{Offset}'이 된 반면, 다른 모든 저항들의 변동은 거의 사라졌음을 알 수 있다. 이제 남은 일은 보유 중(재고가 있다고 가정)인 'LM293' 50개를 가져다 'V_{Offset}'을 측정하는 것이며, 그 결과는 다음 [그림 D－20]과 같이 '0'을 중심으로 '정규 분포'함을 확인하였다(고 가정한다).

[그림 D－20] 실제 측정한 'V_{Offset}' 분포 예

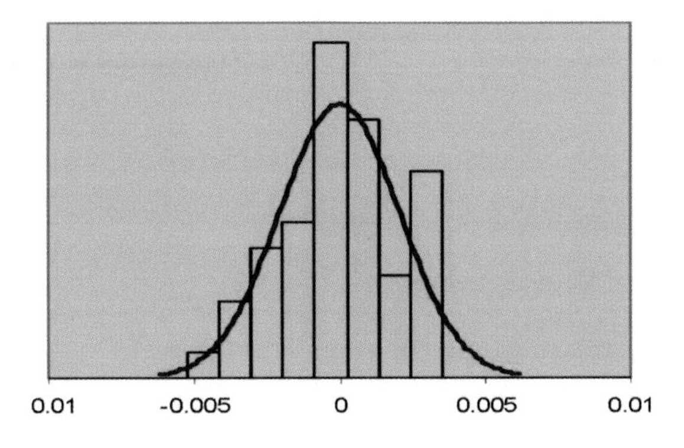

[그림 D－20]의 결과로부터 'Crystal Ball' 시뮬레이션 입력 시 기존 '균등 분포(Uniformly Distribution)' 대신 '정규 분포'로 대체돼야 한다(평균=3x10^{-6}, s=0.00207). 다음 [그림 D－21]은 최종 입력과 '공정 능력' 결과이다.

[그림 D－21] '공정 능력 분석'을 위한 입력 값과 결과 예

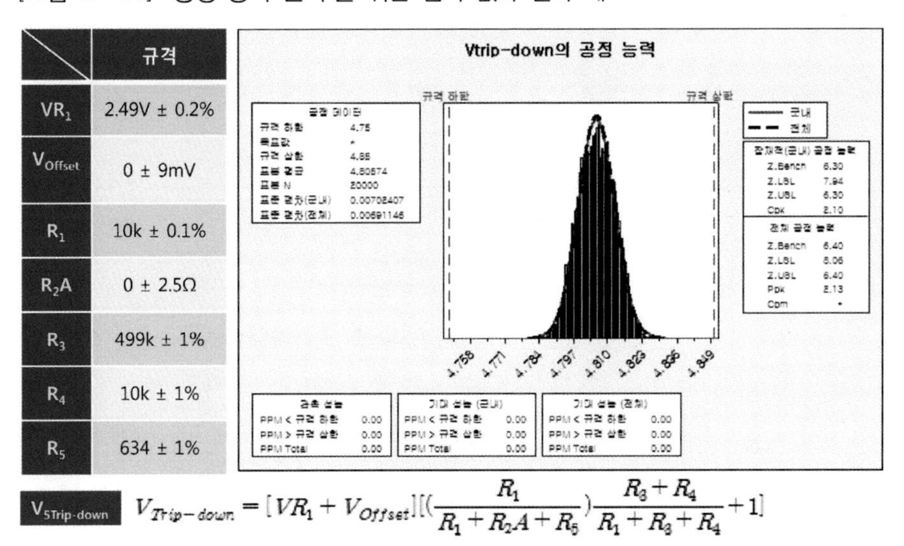

	규격
VR_1	2.49V ± 0.2%
V_{Offset}	0 ± 9mV
R_1	10k ± 0.1%
R_2A	0 ± 2.5Ω
R_3	499k ± 1%
R_4	10k ± 1%
R_5	634 ± 1%

$V_{5Trip\text{-}down}$

$$V_{Trip-down} = [VR_1 + V_{Offset}][(\frac{R_1}{R_1 + R_2A + R_5})\frac{R_3 + R_4}{R_1 + R_3 + R_4} + 1]$$

[그림 D－21]을 보면 ‘P_{pk}=2.13(수율≒거의 100%, 시그마 수준≒6.40)’으로 설계 수준을 완벽하게 만족하고 있음을 알 수 있다. 다음 [그림 D－22]는 파워포인트 장표로 최종 정리한 예이다(편의상 중간 과정은 생략하고 결과만 표현하였다).

[그림 D－22] ‘Step－11.2. 상세 설계 수행’ 작성 예(회로 공차 설계)

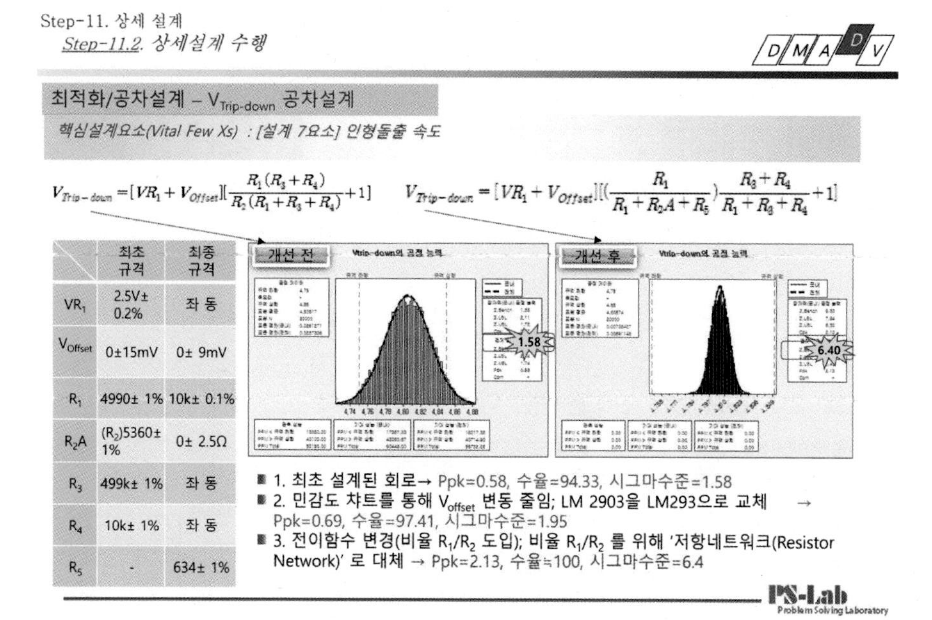

[그림 D－22]에서 개선 전·후의 ‘전이 함수’, ‘입력 값’, ‘공정 능력’을 표현하였고, 그 아래엔 단계별로 수행했던 내역과 결과를 요약하였다. 다음은 [그림 D－14]의 ‘공차 설계 방법’들 중 ‘민감도 분석법’에 대해 알아보자.

(**민감도 분석법**) 통계학에서 쓰이는 ‘Delta Method’란 것이 있다. 이것은 “(WIKIPEDIA) 중심 극한 정리를 확장시킨 개념으로 ‘설계 요소(X_s)’가 정규 분

포에 수렴하면 그로 이루어진 함수($f(X)$)도 정규 분포에 수렴함을 보일 수 있는데 이때 일차 테일러급수(Taylor Series Expansion)와 Slutsky 정리를 이용하여 유도된다"이다. '테일러급수'를 사용하면 '민감도 계수'를 얻거나 각 '설계 요소(Xs)의 변동'이 'Y의 변동'에 미치는 영향을 파악할 수 있다. 다음은 'POE (Propagation of Errors)'라고도 하며, '테일러급수'로부터 얻어진다.

$Y=f(X_1,\ X_2,\ X_3,\ \ldots\ X_n)$일 때,

$$\sigma_Y^2 = \left\{\frac{\partial Y}{\partial X_1}\right\}^2 \sigma_{X_1}^2 + \left\{\frac{\partial Y}{\partial X_2}\right\}^2 \sigma_{X_2}^2 + \ldots \left\{\frac{\partial Y}{\partial X_n}\right\}^2 \sigma_{X_n}^2 \qquad \text{(D.8)}$$

식 (D.8)에서 '$\left\{\frac{\partial Y}{\partial X_n}\right\}$'는 '민감도 계수(Sensitivity Coefficient)'이며, 'X_n의 변동'이 'Y의 변동'에 미치는 영향은 다음 식으로부터 얻어낸다.

$$\sigma_{X_n}^2 \text{의 기여도} = \frac{\left\{\frac{\partial Y}{\partial X_n}\right\}^2 \sigma_{X_n}^2}{\sigma_Y^2} \qquad \text{(D.9)}$$

결국 '민감도 분석'은 앞서 설명된 '몬테카를로 시뮬레이션'과 유사한 과정으로 'Crystal Ball'에서 돌아가는 수식적 체계를 눈으로 확인하는 효과를 준다. 편미분의 어려움으로 비교적 간단한 '전이 함수('DOE'로부터 얻어진 것으로 가정)'를 활용하여 과정을 학습해보도록 하자. 다음은 '실험 계획'으로부터 얻어진 '전이 함수'이고 최종적으로 'Y'를 '6시그마 수준'으로 만들 'Xs'의 공차 설정에 관심이 있다(고 가정한다)(식 바로 아래에 각 변수들의 1차 규격을 포함시켰다).

$$Y = 679 - 145A - 5.5B - 4.1C + 1.5AB + 0.75AC \qquad \text{(D.10)}$$

단, Y(0±15㎜), A(11.7±0.3㎜), B(21.2±0.5㎜), C(163±3℃),

우선 'Y'의 '평균($\hat{\mu}$)'을 'Xs의 목표 값'으로부터 예측하면 다음과 같다.

$$Y = 679 - 145*11.7 - 5.5*21.2 - 4.1*163 + 1.5*11.7*21.2 + 0.75*11.7*163 = -0.015 \quad \text{(D.11)}$$

결과로부터 'Xs'가 '목표 값'에 잘 맞도록 관리되면 'Y'도 규격을 충분히 만족하리라는 것을 알 수 있다. 다음은 'Y'의 '표준 편차($\hat{\sigma}$)'를 알아보는데 이때 식 (D.8)이 사용되며, 세 '설계 요소(Xs)'에 대해 편미분을 수행한 뒤 식 (D.10)에 적어 놓은 목표 값들을 활용해 구한다. 다음은 '설계 요소(Xs)'들의 '민감도 계수(Sensitivity Coefficient)'를 나타낸다.

$$\frac{\partial Y}{\partial A} = -145 + 1.5B + 0.75C = -145 + 1.5*21.2 + 0.75*163 = 9.05 \quad \text{(D.12)}$$
$$\frac{\partial Y}{\partial B} = -5.5 + 1.5A = -5.5 + 1.5*11.7 = 12.05$$
$$\frac{\partial Y}{\partial C} = -4.1 + 0.75A = -4.1 + 0.75*11.7 = 4.675$$

식 (D.12)의 결과를 식 (D.8)에 입력하면 'Y의 분산'을 얻는다. 다음은 계산 과정과 그 결과이다(단, 각 '설계 요소'의 '표준 편차'는 '자연 공차($=3\hat{\sigma}_x$)'로부터 얻어짐. 예로써 'B' 경우 ±0.5㎜로부터 $\hat{\sigma}_B = 0.5/3 = 0.167$).

$$\widehat{\sigma_Y^2} = \left\{\frac{\partial Y}{\partial A}\right\}^2 \sigma_A^2 + \left\{\frac{\partial Y}{\partial B}\right\}^2 \sigma_B^2 + \left\{\frac{\partial Y}{\partial C}\right\}^2 \sigma_C^2 = 9.05^2*0.1^2 + 12.05^2*0.167^2 + 4.675^2*1^2 = 26.7242 \quad \text{(D.13)}$$

$$\widehat{\sigma_Y} = \sqrt{\widehat{\sigma_Y^2}} \cong 5.17$$

'Y'의 '평균'과 '표준 편차'가 각각 '−0.015'와 '5.17', 또 '규격'이 '0±15'이므로 '공정 능력'을 산정하면 다음과 같다.

$$\begin{aligned} z_{lt} &= \varphi^{-1}\{1-2*P(X<-15)\} \\ &= \varphi^{-1}\{1-2*0.001875\} \\ &= \varphi^{-1}\{0.99625\} \\ &\cong 2.674 \text{ 시그마수준} \end{aligned} \qquad \text{(D.14)}$$

식 (D.14)와 같이 '장기 시그마 수준=2.674'로 설계 조건에 미달됨을 알 수 있다(1.5 Shift 고려 시 '단기 시그마 수준=4.174'로 '6시그마 수준'에 약 '1.826' 정도 못 미치고 있음). 설계에서 '6시그마 수준'이 확보되지 않으면 제조 공정에서 장기적인 외부 영향 등으로 제품의 품질에 악영향을 미칠 것이 분명하다. 따라서 이러한 문제를 해결하기 위해 각 '설계 요소'의 '분산 기여도'를 식 (D.9)로부터 얻으면 다음과 같다.

$$\begin{aligned} \sigma_A^2 \text{의 기여도} &= \frac{\left\{\frac{\partial Y}{\partial A}\right\}^2 \sigma_A^2}{\sigma_Y^2} = \frac{0.82}{26.7242} \cong 3.06\% \\ \sigma_B^2 \text{의 기여도} &= \frac{\left\{\frac{\partial Y}{\partial B}\right\}^2 \sigma_B^2}{\sigma_Y^2} = \frac{4.05}{26.7242} \cong 15.15\% \\ \sigma_C^2 \text{의 기여도} &= \frac{\left\{\frac{\partial Y}{\partial C}\right\}^2 \sigma_C^2}{\sigma_Y^2} = \frac{21.86}{26.7242} \cong 81.8\% \end{aligned} \qquad \text{(D.15)}$$

결국 식 (D.15)로부터 **'설계 요소 C'의 변동을 줄여야** 전체적인 'Y'의 개선이 크게 이루어질 수 있음을 알 수 있다. 얼마만큼 줄여야 하는지 최종 검토해보면, '장기 6시그마 수준'을 '3.4PPM'으로 가정할 경우 한쪽으로 약 '1.7PPM'벗어나며, 이때 'Y'의 표준 편차는 다음과 같이 추정할 수 있다.

$$
\begin{aligned}
z_{LSL} &= \varphi^{-1}(1.7 \times 10^{-6}) \cong -4.645 \\
&= \frac{-15-(0)}{\widehat{\sigma_Y}} \\
\therefore \widehat{\sigma_Y} &= \frac{-15-0}{-4.645} \cong 3.23
\end{aligned} \tag{D.16}
$$

얻어진 'Y의 표준 편차'를 이용하여 식 (D.8)을 다시 수행하면 'C의 표준 편차'를 얻는다. 다음은 그 과정과 결과이다.

$$
\begin{aligned}
&3.23^2 = 9.05^2 * 0.1^2 + 12.05^2 * 0.167^2 + 4.675^2 * \sigma_C^2 \\
&\sigma_C^2 \cong 0.223, \text{ 따라서 } \sigma_C \cong 0.472
\end{aligned} \tag{D.17}
$$

식 (D.17)에 따르면 **'설계 요소 C'의 '표준 편차'는 기존의 '1.0'에서 '0.472'로 약 '53%' 줄여야 함**을 알 수 있다. 이 줄어든 '표준 편차'와 'C'의 규격을 통해 '설계 요소' 자체도 '6시그마 수준'이 될 수 있도록 조정하면 'X'부터 'Y'까지 '6시그마 수준'의 설계 목표를 달성할 수 있다. 물론 'Y'의 수준을 높이기 위한 다른 접근도 가능할 것이고, 또 '설계 요소' 중 일부는 '공정 데이터'를 사용해 좀 더 실질적인 '공차 설계'의 접근도 가능하다. 그러나 여러 응용 영역으로 간주하고 이 정도에서 마무리하도록 하겠다. 한 가지 명심할 일은 지금까지의 과정이 앞서 설명한 '몬테카를로 시뮬레이션'으로도 가능하다는 점이다. 같은 모습을 다른 관점에서 볼 수 있다는 정도로 정리하고 다음은 세 번째인 '회귀 분석법'에 대해 알아보자.

(**회귀 분석법**) '회귀 분석(Regression Analysis)'은 "(위키백과) 통계학에서 관찰된 연속형 변수들에 대해 '독립 변수'와 '종속 변수' 사이의 인과관계에 따른 수학적 모델인 선형적 관계식을 구하여 어떤 '독립 변수'가 주어졌을 때 이에 따른

‘종속 변수’를 예측한다. 또한 이 수학적 모델이 얼마나 잘 설명하고 있는지를 판별하기 위한 적합도를 측정하는 분석 방법이다. 1개의 ‘종속 변수’와 1개의 ‘독립 변수’ 사이의 관계를 분석할 경우를 ‘단순 회귀 분석(Simple Regression Analysis)’, 1개의 ‘종속 변수’와 여러 개의 ‘독립 변수’ 사이의 관계를 규명하고자 할 경우를 ‘다중 회귀 분석(Multiple Regression Analysis)’이라고 한다”이다. 설계 검증 경우 ‘Analyze Phase’에서 ‘단순 회귀’ 위주로 등장하며, 교재에 따라 ‘다중 회귀’나 회귀 적합성을 판단하는 ‘진단 회귀’ 등이 함께 소개되기도 한다. ‘공차 설계’를 위한 ‘회귀 분석법’은 꼭 ‘단순 회귀 분석’ 결과에만 제한을 두진 않는다. 따라서 ‘다중 회귀 분석’의 유형인 ‘실험 계획(DOE)’의 ‘모형 식’으로도 적용이 가능한데 우선 ‘단순 회귀’의 경우를 간단히 알아본 뒤 ‘다중 회귀’의 경우에 대해서도 학습해보자. 다음 [그림 D−23]은 미니탭「통계 분석(S) > 회귀 분석(R) > 적합선 그림(F)…」에서 그려진 ‘단순 회귀’로, 특히 ‘옵션(P)’ 내 ‘신뢰 구간 표시(D)’와 ‘예측 구간 표시(P)’를 선택하였다(95% 신뢰구간; 빨간 점선, 95% 예측구간; 연두색 점선).

[그림 D−23] ‘단순 회귀(신뢰 구간/예측 구간 표시)’ 예

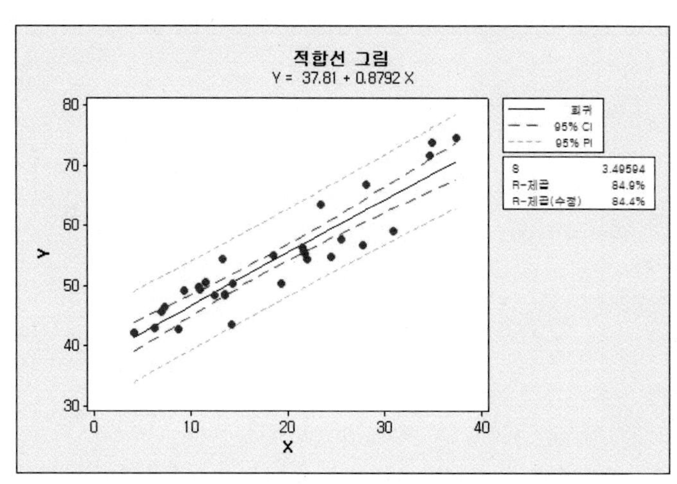

이 경우 만일 출력 변수 'Y'의 규격이 '40～60'이면, 'X'값의 범위는 어떻게 설정해야 할지가 '공차 설계'의 요지다. 이때 필요한 정보가 '신뢰 구간'과 '예측 구간'의 정의다. '신뢰 구간'은 "(국어사전) 확률 함수에서 모집단의 대푯값이 들어 있을 수 있는 확률 값의 범위"로 [그림 D-23]을 빌리면 빨간 두 개의 점선에 해당한다. 예를 들어보자. 그래프에서 'X'가 변하면 'Y'도 변하며 특정 'X'에 대해 직선상 특정 'Y'가 존재한다. 이때 'Y'는 곧 '해당 X에 대한 모집단의 대푯값'에 해당하나 값의 변동 가능성 때문에 이론적으로 두 개의 빨간 점선 사이에 '모평균'이 존재한다고 본다.

반면에 '예측 구간'은 "(WIKIPEDIA)이미 관측된 값이 있을 때, (그를 기반으로)미래 관측 값이 확률적으로 들어가게 될 구간을 추정하는 것"이다. 간단히 정리하면 '신뢰 구간'은 이상적 직선에 대한 접근인 데 반해, '예측 구간'은 실제 데이터를 기반으로 한 접근이다. 결국 '공차 설계'는 현실을 반영한 변수들의 상/하한을 결정하는 작업이므로 '신뢰 구간'보다 '예측 구간'의 활용이 더 의미가 있다. 다음 [그림 D-24]는 '예측 구간'을 통한 'X'의 가능한 '공차 범위'를 나타낸다.

[그림 D-24] 'Y'의 규격(40～60)에 대한 'X'의 공차 설정 예

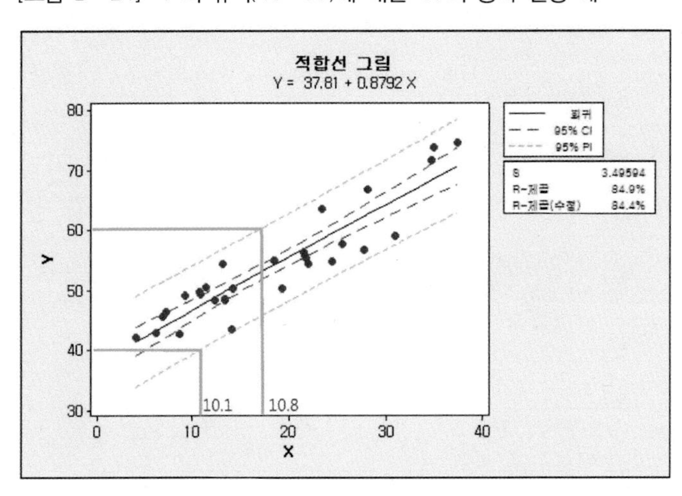

[그림 D－24]에서 'Y'의 범위 '40～60'에 대응할 'X'의 범위(공차)는 '10.1～10.8'임을 알 수 있다. 물론 'X'값 측정에 대한 사전 '측정 시스템 분석(MSA)'이 돼 있어야 하며, 만일 측정 오차가 있으면 그를 감안해 'X'의 범위를 최종 결정해야 한다.

그러나 앞서 설명한 내용은 '그래프 방법'의 간단한 접근법이고 본문에서 소개할 방법은 좀 더 발전된 예이며 '실험 계획(DOE)' 결과로 얻어진 '다중 회귀'를 이용한다.[104] 2수준 3인자, 2회 반복의 '실험 계획(DOE)'으로부터 다음과 같은 결과를 얻었다고 가정하자.

[그림 D－25] '2^3 2회 반복' 완전 요인 설계 예

항	효과	계수	SE 계수	T	P
상수		3.441	0.05634	61.07	0.000
A	-2.194	-1.097	0.05634	-19.47	0.000
B	1.706	0.853	0.05634	15.14	0.000
C	**2.981**	**1.491**	**0.05634**	**26.46**	**0.000**
A*B	-0.369	-0.184	0.05634	-3.27	0.011
A*C	-0.744	-0.372	0.05634	-6.60	0.000
B*C	0.706	0.353	0.05634	6.27	0.000
A*B*C	-0.019	-0.009	0.05634	-0.17	0.872

Y에 대한 분산분석(코드화된 단위)

출처	DF	Seq SS	Adj SS	Adj MS	F	P
주 효과	3	66.4467	66.4467	22.1489	436.16	0.000
2원 상호작용	3	4.7517	4.7517	1.5839	31.19	0.000
3원 상호작용	1	0.0014	0.0014	0.0014	0.03	0.872
잔차 오차	8	0.4062	0.4062	0.0508		
순수 오차	8	0.4062	0.4062	0.0508		
전체	15	71.6061				

[그림 D－25]에서 설계 요소 'C'의 공차를 설정하고자 할 때, '다중 회귀'지만 'C'만의 계수만 두고 보면, 'C'가 한 단위 증가 시 'Y'는 '1.491(C의 계수)'만큼 증가함을 알 수 있다. 또, 'p－값'을 구하기 위해 't－값'이 계산되었으며,

104) 미국 컨설팅 회사인 'Qualtec 社' '6시그마 교재'의 예를 참고하였다.

따라서 '정규 분포'에서 논의되고 있음도 알 수 있다.

[그림 D-26] '설계 요소 C'에 대한 공차 설정(신뢰 구간 활용) 예

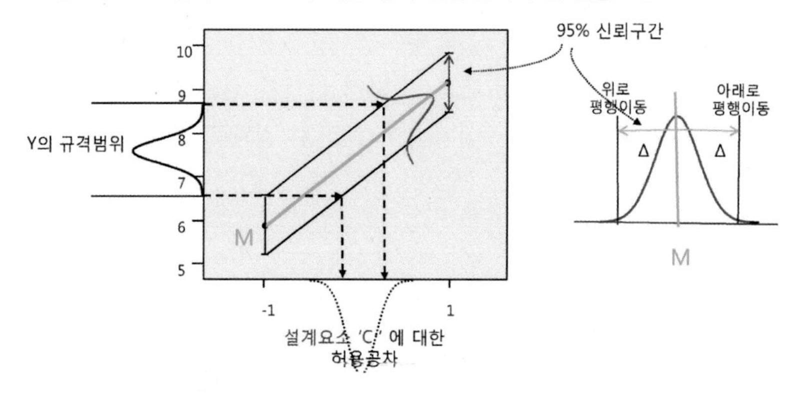

[그림 D-26]은 좀 복잡해 보이긴 하나 '설계 요소 C'만 떼어내 '단순 회귀'로 재표현해 본 것이다. 'Y위 규격 범위'와 '신뢰 구간'을 이용한 '설계 요소 C'의 허용 공차를 파악하는 것은 [그림 D-24]의 경우와 동일하다. 그러나 여기선 $X-$축 상의 두 점을 수식으로 찾아내는 차이점이 있다. 우선 특정 'X'에 대해 특정 'Y'값은 신뢰 구간 내에 분포하게 될 것이며, 이 분포(파란색 정규 분포)만을 떼어낸 것이 오른쪽 '정규 분포' 그래프이다. 즉, '신뢰 구간'을 이루는 두 선분은 직선(중심선) 'M'의 위나 아래로 '델타(Δ)'만큼 평행 이동시킨 위치에 있다. 이때 '설계 요소 C'의 '계수'와 '절편'을 이용하면 'Y'의 '규격 상한'과 '하한'에 각각 대응할 $X-$축 위의 두 값을 찾아낼 수 있다. '설계 요소 C'만 고려한 '단순 선형 회귀' 모형은 다음과 같이 정의할 수 있다.

$$Y = \beta_0 + \beta_1 x_c \rightarrow Y_{USL(\text{or } LSL)} = \beta_0 + \beta_1 x_{c_{USL(\text{or } LSL)}} \quad \text{따라서,} \tag{D.18}$$

$$x_{c_{USL}} = \frac{Y_{USL} - (\beta_0 + C.L)}{\beta_1}, \quad x_{c_{LSL}} = \frac{Y_{LSL} - (\beta_0 - C.L)}{\beta_1}$$

(단, $C.L$은 신뢰구간, $\beta_{0,} \beta_1$은 [그림 $D-25$]의 상수 = 3.441, C계수 = 1.491)

식 (D.18)의 '델타(Δ)'에 해당하는 'C.L'은 다음을 통해 얻을 수 있다.

$$\Delta = \pm\, t_{(\alpha/2, n-1)} * \frac{s}{\sqrt{n}} \tag{D.19}$$
$$(Where, \alpha = 0.05, n = 16, s = SE\text{계수})$$

미니탭 「계산(C) > 확률 분포(D) > t분포(T)…」에서 '$t_{(\alpha/2, n-1)} = t_{(0.025, 15)}$'를 구해보면 '2.131'을 얻는다(반복이므로 'n=16'). 's'는 [그림 D-24] 내 'SE 계수'이며 산정 과정은 다음 [그림 D-27]과 같다.

[그림 D-27] 's(SE 계수)' 얻는 과정 예

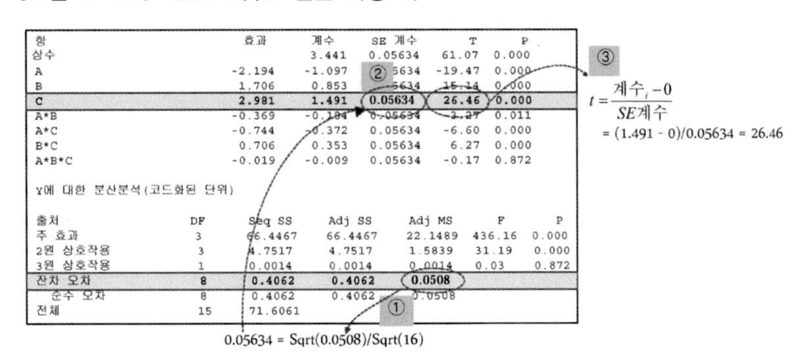

항	효과	계수	SE 계수	T	P
상수		3.441	0.05634	61.07	0.000
A	-2.194	-1.097	0.05634	-19.47	0.000
B	1.706	0.853	0.05634	15.14	0.000
C	2.981	1.491	0.05634	26.46	0.000
A*B	-0.369	-0.184	0.05634	-3.27	0.011
A*C	-0.744	-0.372	0.05634	-6.60	0.000
B*C	0.706	0.353	0.05634	6.27	0.000
A*B*C	-0.019	-0.009	0.05634	-0.17	0.872

Y에 대한 분산분석(코드화된 단위)

출처	DF	Seq SS	Adj SS	Adj MS	F	P
주 효과	3	66.4467	66.4467	22.1489	436.16	0.000
2원 상호작용	3	4.7517	4.7517	1.5839	31.19	0.000
3원 상호작용	1	0.0014	0.0014	0.0014	0.03	0.872
잔차 오차	8	0.4062	0.4062	0.0508		
순수 오차	8	0.4062	0.4062	0.0508		
전체	15	71.6061				

't-값'을 얻는 과정까지 포함시켰으며, 현재 필요한 's'는 '①'과 '②'를 참

조한다. 즉, '설계 요소 C'에 대해 필요한 's=0.05634'이다. 결국 식 (D.19)에서 '델타(Δ)'는 다음과 같다.

$$\Delta = \pm t_{(\alpha/2, n-1)} * \frac{s}{\sqrt{n}} = 2.131 * 0.05634 = 0.12 \quad \text{(D.20)}$$

지금까지 설명된 값들을 활용해 식 (D.18)을 완성하면 다음과 같다.

$$\begin{aligned} x_{c_{USL}} &= \frac{Y_{USL} - (\beta_0 + C.L)}{\beta_1} = \frac{4.5 - (3.441 + 0.12)}{1.491} = 0.63 \\ x_{c_{LSL}} &= \frac{Y_{LSL} - (\beta_0 - C.L)}{\beta_1} = \frac{4.5 - (3.441 - 0.12)}{1.491} = -0.55 \end{aligned} \quad \text{(D.21)}$$

물론 이것은 '부호(Coded)'화된 결과이므로 실제 값으로의 전환이 필요하며 정해진 공차는 자체가 최종 양산에 적용할 수준이라기보다 앞서 '몬테카를로 시뮬레이션' 등에서 설명한 바와 같이 'Y'의 '6시그마 수준'에 근접하도록 추가적인 조정 작업이 수반될 수 있다.

본문은 이 정도에서 정리하도록 하고, 다음은 '[그림 D-14] 공차 설계(Tolerance Design) 도구들 예' 중 'RSS 분석법'에 대해 알아보자.

(**RSS 분석법**) 'RSS'는 'Root Sum of Squares'의 첫 알파벳을 딴 용어로 통계적 공차 설계의 대표 격이다. 각 부품은 규격 한계 내에서 '정규 분포'한다고 가정하며, 또 '각 부품의 목표 값 및 RSS'로부터 'Gap'의 '평균'과 '표준 편차'를 얻어 공차 설계에 반영한다. [그림 D-28]의 예를 통해 공차 설계를 수행해 보자. 초기 설계 시 각 치수는 동일 부품 또는 유사 부품 데이터를 이용한다.

[그림 D-28] 'RSS 분석법'을 위한 상황 설정 예

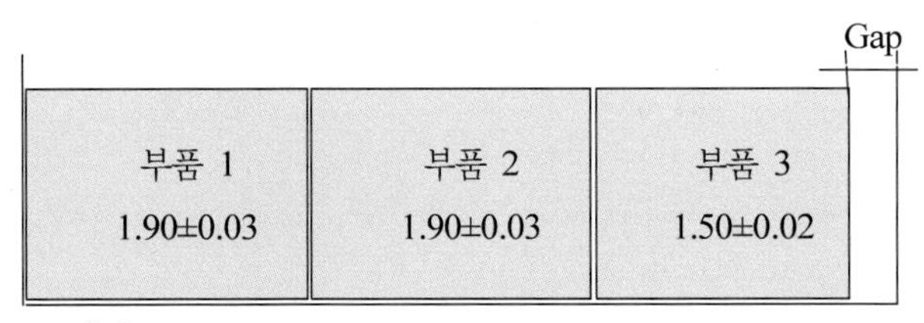

'RSS 분석법'은 'Gap'의 '평균'과 '표준 편차'를 구해 그의 '프로세스 능력 수준'으로부터 공차를 설계하는 방법이다. 'Gap'의 '평균'과 '표준 편차'는 다음 식으로부터 얻는다.

$$\begin{aligned} \mu_{Gap} &= \mu_{상자} - (\mu_{부품1} + \mu_{부품2} + \mu_{부품3}) \\ &= 5.40 - (1.90 + 1.90 + 1.50) = 0.1 \end{aligned} \tag{D.22}$$

$$\begin{aligned} \sigma_{Gap}(RSS) &= \sqrt{\sigma^2_{상자} + \sigma^2_{부품1} + \sigma^2_{부품2} + \sigma^2_{부품3}} \\ &= \sqrt{0.01667^2 + 0.01^2 + 0.01^2 + 0.00667^2} = 0.023 \end{aligned}$$

$$(단, 각\ 부품의\ '표준편차'는\ '\pm\alpha/3')$$

현재 부품들의 공차로부터 '프로세스 능력'을 구하려면 'Gap 분포~N(0.1, 0.023^2)'에 쓰일 '규격'이 필요하다. '규격'은 'Gap'의 상태에 따라 부품이 들어가지 않거나 헐거운 경우를 가늠할 기준이며, 편리상 다음과 같다고 가정한다.

$$LSL = 0.01, \quad USL = 0.2 \tag{D.23}$$

식 (D.22)와 (D.23)을 알기 쉽게 도해하면 다음 [그림 D-29]와 같으며, 그

바로 아래 '시그마 수준'을 산정해놓았다.

[그림 D-29] 'Gap'의 '프로세스 능력' 산출 예

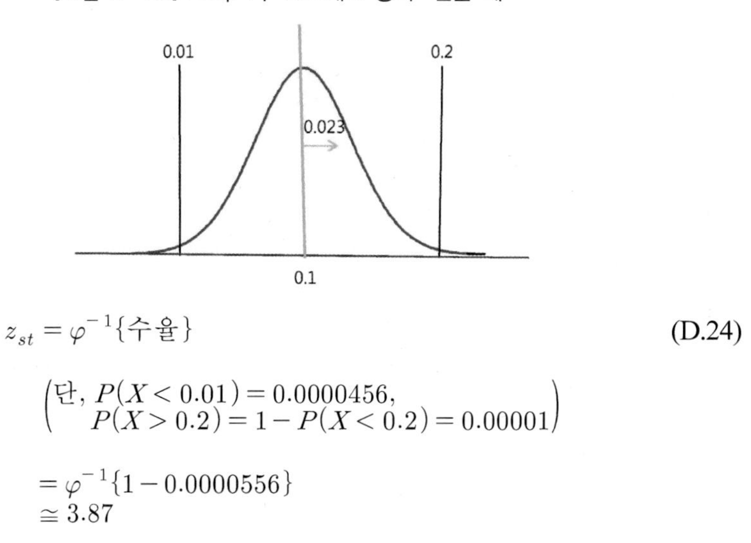

$$z_{st} = \varphi^{-1}\{\text{수율}\} \tag{D.24}$$

$$\begin{pmatrix} \text{단, } P(X < 0.01) = 0.0000456, \\ \quad P(X > 0.2) = 1 - P(X < 0.2) = 0.00001 \end{pmatrix}$$

$$\begin{aligned} &= \varphi^{-1}\{1 - 0.0000556\} \\ &\cong 3.87 \end{aligned}$$

설계 과정 중 단기 프로세스 능력 '3.87'은 6시그마 수준 대비 약 '2.13'이 부족한 상태로 부품들의 공차를 최적화할 필요가 있다. 이때 '상세 설계'를 수행할 사항은 ① 부품 치수, 또는 ② 상자 치수를 조정하거나, ③ 각 부품들의 표준편차를 줄이거나, ④ USL을 키우는 접근법이 가능하다. '①과 ②'는 '비용'을, '③'은 실행 가능한지와 비용을, 그리고 '④'는 고객 만족 여부를 확인해야 한다. 'RSS 분석법'은 이 정도에서 정리하고 끝으로 '그래프 방법(Overlaid Contour Plot)'에 대해 알아보자.

(**그래프 방법**-중첩 등고선도) 그래프 방법은 이미 [그림 D-24]와 [그림 D-26]에서 선보인 바 있으나 여기서는 '실험 계획(DOE)' 과정 중에 얻을 수 있는

'등고선도(Contour Plot)'나 '중첩 등고선도(Overlaid Contour Plot)' 중 후자의 경우를 예로 들 것이다. 이 외에 꼭 실험을 하지 않더라도 '과거 데이터(Historical Data)'가 있으면 미니탭 「그래프(G) > 등고선도(C)…」에서 그려진 것 역시 동일한 효과를 낼 수 있다.

'중첩 등고선도'는 'Step-9.3. 설계 요소별 산출물 실현'의 [그림 A-87]에서 '혼합물 실험' 결과의 하나로 소개한 바 있다. '완전 요인 설계'에서도 얻을 수 있는데 주로 다음 [그림 D-30]과 같은 모습을 보인다.

[그림 D-30] '중첩 등고선도' 예

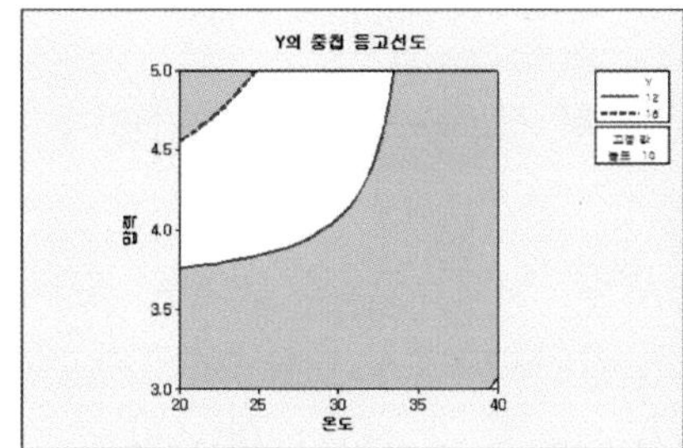

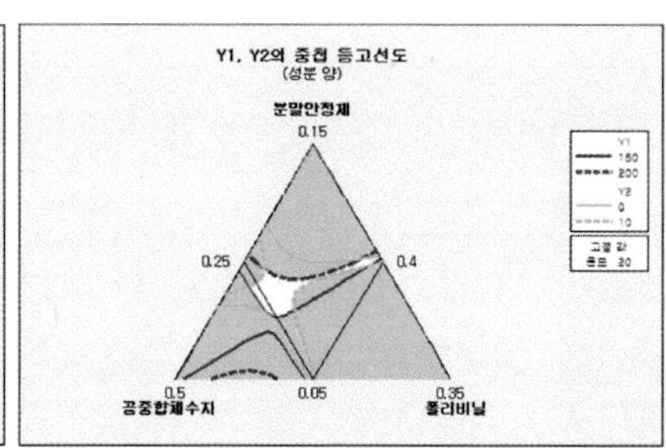

[그림 D-30]의 왼쪽 그래프는 '2^3 완전 요인 설계'이며, 오른쪽 그래프는 '3 성분 혼합물 실험'의 예를 나타낸 것이다. 두 경우 접근 방법은 동일하므로 보기가 쉬운 왼쪽 그래프를 이용하여 '설계 요소'의 '공차 설계'에 대해 알아보도록 하자. 다음 [그림 D-31]은 '온도', '압력'에 대한 '공차 설계'의 '그래프 방법'을 나타낸다.

[그림 D－31] 각 ‘설계 요소’의 공차 설정 예

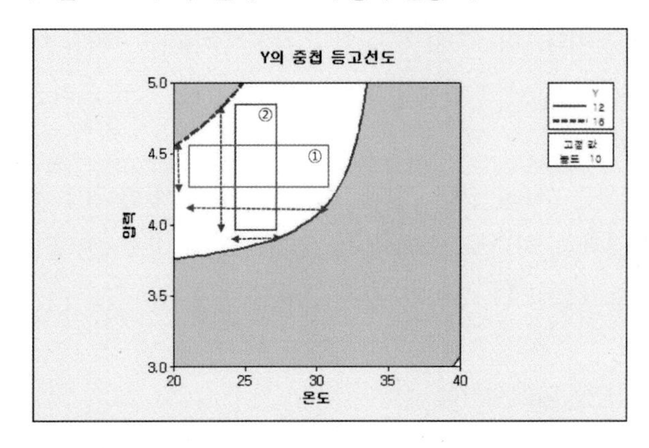

[그림 D－31]의 오른쪽 ‘범례’를 보면, ‘고정 값, 농도 10’이 표기돼 있는데 이것은 제어하기 가장 어렵거나 비용이 많이 드는 ‘설계 요소’를 관리가 용이한 특정 값에 ‘고정’시켰음을 의미한다. 다시 말해 관리가 필요치 않도록 설계한다는 뜻이다. 따라서 설계 대상은 2개 인자로 줄어들었으며, 다시 ‘온도’와 ‘압력’ 중 상대적으로 관리와 비용을 고려해 제어가 어려운 ‘설계 요소’의 관리 폭을 넓게, 제어가 손쉬운 ‘설계 요소’를 좁게 유도한다. 극단적으로 표현하면 관리가 어려운 ‘설계 요소’의 최적 조건을 아무 값이나(범위를 크게 가져가므로) 놓아도 ‘Y’의 목표 달성이 가능하도록 설계함을 의미한다. 따라서 [그림 D－31] 경우, ‘압력’이 설비의 한계나 위험 등으로 추가 비용 부담이 예상되는 경우라 가정하면, 가급적 ‘압력’ 값이 넓은 ‘②’의 공차 설정이 유리하다. ‘②’의 설정에서 ‘온도’는 ‘25.0～27.5℃’를, ‘압력’은 ‘3.9～4.8㎩’로 관찰된다. 특히 ‘그래프 방법’에서 주의할 사항은 측정 오차를 감안해야 한다는 점이다. 즉, [그림 D－31] 내 빨간 실선과 점선은 ‘Y값’이 각각 ‘12’와 ‘16’으로 만일 내부 사각형을 이 ‘Y’의 한계 값에 붙여서 평가하게 되면 오차가 ‘+’요소로 발생될 경우 ‘Y’의 목표를 만족시키지 못하게 된다. 물론 ‘설계 요소’들의 제어가 모두 용이하다면 내부

사각형을 훨씬 작게 축소시켜 'Y'의 목표 달성 가능성을 최대화할 수도 있다. 이 같은 '설계 요소' 최적화의 다양한 접근은 과제가 처한 상황을 고려해 판단한다. 설사 '설계 요소'가 4개라 하더라도 제어가 어려운 2개를 '고정'해 접근할 수 있으므로 관리 대상을 최소화하면서 'Y'의 목표를 달성하는 데는 이전 예와 별반 차이가 없다. 지금까지의 '공차 설계'를 요약하면 다음과 같다.

[표 D-4] 대표적인 '공차 설계' 방법들의 비교

방법	가정	장점	단점
Worst Case	-X가 극값을 가짐. -규격을 알고 있음.	-빠르고 쉽다. -매우 보수적이다.	-프로세스 능력 미고려 -빠듯한 공차 -비용증가 가능성
RSS분석법	-X는 독립 변수 -선형 수학적 모형 -공차=±3σ	-빠르고 쉽다. -확률분포 사용	-대체로 프로세스 능력. 고려하지 않음. -1차식만 가능
민감도분석법	-X는 독립 변수 -일차 미분 값=0	-비선형 모형도 가능 -영향이 큰 X선별이 가능	-편미분이 어렵다. -정규/균일분포만 가능
몬테카를로 시뮬레이션	-X가 임의 변수이다.	-모든 분포 가능 -평균, 표준 편차 산정	-한 작업조건에서만 재실행됨.

지금까지 공차 설계의 여러 유형을 섭렵하였으며, 상세하진 않았으나 학습을 위한 소기의 목적은 달성했다고 판단한다. 제품 설계 과제별로 적합한 방법이 선택되면 한 단계 더 들어가 고민하는 일은 리더들의 숙제로 남겨둔다. 이제 '[그림 D-13] Step-11.1. 상세 설계 계획 수립 작성 예(토이 박스 개발)'로 다시 돌아가 두 번째 그룹인 '실수 방지 설계'에 대해 알아보자.

11.2.2. 실수 방지 설계(Mistake Proofing Design)

본론으로 들어가기에 앞서 현 제품의 설계 상태를 확인해보자. 계속 이어지는 도구 설명에만 집중하다 보면 무슨 목적으로 여기에 와 있는지 길을 잃을 수 있기 때문이다. 우선 Analyze Phase 'Step-9.3. 설계 요소별 산출물 실현'에서 '토이 박스'를 구성할 부품들의 특성, 성분 등의 최적 조건을 설정(파라미터 설계)한 바 있으며, 이로부터 제품의 윤곽이 대부분 잡히는 계기가 되었다(간혹 교육 중 로봇 태권 브이를 예로 들곤 하는데 전체적인 로봇의 형태가 대부분 갖춰진 상태이다. 그러나 조립을 위한 부품과 부품 간 정확한 치수 산정 등은 아직 미완으로 남아 있다). 설계 상태는 'Step-11.2. 상세 설계 수행'으로 들어와 부품들의 특성, 성분 등의 최적 조건에 '±α'와 같은 '공차 설계'를 가함으로써 그 조립의 완성도를 높여 놓은 상태다. 그렇다면 이제 고민할 사항은 하나의 로봇 태권 브이를 조립할 때 정말 어려움 없이 손쉽게 할 수 있느냐와 제조 현장에서 양산 시 비용 등의 상승을 유발할 문제점은 없는지 등이 검토돼야 한다. 왜냐하면 설계 단계에서의 제품 조립과 양산 단계에서의 조립은 그 처한 환경이 너무나도 다르며, 따라서 조립과 관련한 다양한 잠재 문제들이 드러나 처리 비용의 상승뿐만 아니라 회사 운영에 심각한 타격을 유발할 수 있기 때문이다. 이런 이유로 향후 발생 문제를 미리 100% 완벽하게 해결한다는 의미의 '실수 방지 설계'가 필요하다. 만일 조립 제품이 아닌 화학, 바이오, 식품 등의 유형들은 'FMEA'를 통한 '위험 평가(Risk Assessment)'의 접근이 유효하다. 'FMEA'는 모든 단계에서 수행 가능하므로 적합한 시점을 찾아 활용한다. 통상 조립 제품의 경우가 그렇지 않은 산업 부문의 경우보다 추가 고려 사항이 많으므로 조립 제품 예에 초점을 맞춰 전개해 나가도록 하겠다.

기업 교재를 보면 Verify Phase 초반에 항상 '실수 방지' 내용이 포함돼 있는데 가끔 교육 중에 '실수 방지'가 어떻게 로드맵과 연계되는지 질문을 받곤 한다. 답으로 '잠재 문제 분석(FMEA 등)'의 '감소 방안'을 수행할 때 적용되는 도구임을 강조한다. 물론 이 외에 Measure나 Analyze 또는 Design Phase 어디에서든 '실수 방지'의 적용이 가능하며, '즉 실천'에도 활용된다. 본문은 Design Phase에 한정하며, 용어의 탄생 배경과 정의는 다음과 같다.

- **실수 방지** (Poka-yoke, ポカヨケ) (WIKIPEDIA) 포카요케는 일본어이며 영문 번역 시 “Fail-safing”또는 “Mistake-proofing”을 의미한다. 린 생산방식의 한 수법으로 설비 운영자가 실수(Poka)하지 않게(yokeru) 도움을 주는 역할을 한다. 주목적은 설비 운영자들이 만들어낼 인적 오류(Human Errors)를 예방하거나, 보정 또는 주의를 끌도록 함으로써 제품 결점을 제거하는 데 있다. 이 개념은 ‘도요다 생산 시스템’의 일부를 담당한 시게오 신고(Shigeo Shingo)에 의해 형식화되었으며, 초기에는 ‘Baka-yoke’로 불리었으나 그 의미가 “Fool-proofing(or Idiot-proofing)”과 같이 ‘바보’ 또는 ‘얼간이’로 되어 있어 좀 더 온화한 표현인 ‘Poka-yoke’로 변경되었다. (생략)….

‘실수 방지’는 다양한 감소 방안이나 개선 방안들에 대해 세세하게 어떻게 하라는 식의 방법을 알려주지는 않는다(센서 사용이나 평가 대상 배치 등의 예들이 소개되고 있으나 모든 경우에 적용될 수는 없음). 단지 인적 오류를 완전히 차단시킬 수 있는 방법이면 모두 포함될 수 있다. 따라서 예상되는 문제를 완전히 차단시킬 수 있는 방법을 팀원들과 깊이 있게 고민하여 해법을 찾는 일이 중요하다. 그렇다면 생산 공정이 아닌 ‘상세 설계 단계’에서 ‘실수 방지’를 위한 구체적 활동은 어떤 것이 있을까? 다음은 기업 교재에서 논하는 ‘실수 방지 설계’의 기본 원칙을 옮겨 놓은 것이다.

- **제거** 조립 중 실수 가능한 부분을 설계에서 제거할 수 있는지 고려한다.
- **대체** 작업자 개입보다 신뢰성 있는 공정으로 대체될 수 있는지 고려한다.
- **편리** 작업을 수행하기 쉽도록 고려한다.
- **감지** 다음 단계로 넘어가기 전 실수를 감지할 수 있는 방안을 강구한다.
- **완화** 실수가 미치는 영향을 극소화할 방안을 강구한다.

한마디로 “양산 공정에서의 실수 가능한 문제를 드러낸 후 설계 관점에서 처리해주는 것"으로 요약할 수 있다. 도구적인 측면에서 이것을 실현시켜 줄 가장 좋은 대안은 바로 'DFMA(Design for Manufacturing and Assembly)'이다. 사실 'DFMA'를 '실수 방지' 차원에서 설명하는 출처는 없다(또는 아직 보지 못했거나). 또, 'DFMA'를 수행한다고 모든 '실수 방지'가 대체된다는 보장도 없다. 그렇지만 '실수 방지'가 "이거다"라고 규정하기보다 예상 실수를 100% 완벽하게 차단할 목적의 개념임을 감안하면 'DFMA' 역시 그의 일부분 내지는 부분 집합으로 설명해도 큰 무리는 없을 것 같다. 또 앞서 기술한 '실수 방지'의 5가지 '원칙' 역시 'DFMA'의 개념과 무관하지 않는다는 점도 도입에 힘을 실어준다. 따라서 '실수 방지 설계'의 여러 방법들 중 그 구성이 명확한 'DFMA'를 본문에 소개한다. 인터넷 네이버에서 'DFMA'로 검색하면 'WIKIPEDIA'의 용어가 검색된다. 탄생 배경을 제외한 정의만 옮겨 놓으면 다음과 같다(통상 'DFA/DFM'이 따로 구분되고, 합쳐 부를 때만 'DFMA'로 쓰임).

· DFA(Design for Assembly) (WIKIPEDIA) 제품 조립이 쉽도록 설계하는 프로세스다. 만일 제품이 소수 부품으로 이루어져 있다면, 조립 시 투입 시간과 비용이 줄어드는 게 상식이다. 또 부품을 잡거나, 움직이기, 방향 잡기, 끼워 넣기가 수월하다면 이 역시 조립 시간과 비용을 줄일 수 있다. 이와 같이 부품 수를 줄이거나 손쉬운 조립 방법을 찾아주면 원가 경쟁력을 확보할 수 있는 이점이 생긴다.

· DFM(Design for Manufacturability) (WIKIPEDIA) 제조가 쉽도록 제품을 설계하는 공학적 기술이다. 기본 아이디어는 대부분 공학적 지식과 연계돼 얻어지지만, 제조 과정에 필요한 기법인 만큼 세부적인 사항은 제조 기술에 폭넓게 의존한다. 'DFM'은 다음과 같은 목적으로 쓰인다.

- 조립 측면: 조립 동작을 단순화함으로써 구조가 복잡하고 값이 비싼 부품의 유입을 차단한다.
- 공정 측면: 부품 제조 라인을 단순화시켜 공정의 복잡 가능성을 차단한다.
- 서비스 측면: 설계를 단순화하고 저렴하게 구성함으로써 서비스에 따르는 어려움과 비용 부담을 줄일 수 있다.

이제부터 'DFMA'에 대해 알아보되 통상 'DFA'가 'DFM'보다 선행한다. 또, 미국 컨설팅社인 'SBTI'에서 제공한 엑셀 양식을 빌려 전개해 나가도록 하겠다.

[그림 D－32] 'DFMA'의 분석 순서

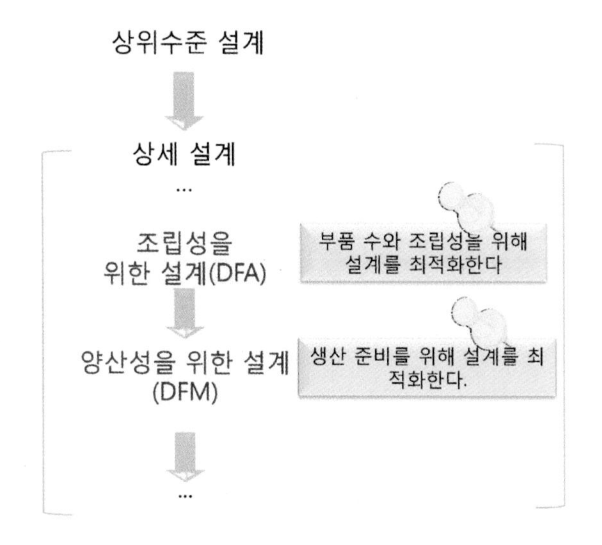

(DFA) 'DFA'는 설계팀으로 하여금 최소의 비용으로 생산 단계 이양 제품을 설계하기 위해 사용되는 기법이며, '부품 수'와 '취급 및 조립 용이성'에 중점을 둔다. 기업 교재에선 주로 단편적인 접근법들을 소개하는 정도로 넘어가거나 아예 제외시키는 경우가 대부분이다. 또, 조립 산업이 아닌 경우면 굳이 포함시킬 이유도 없다. 'DFA'를 글이나 설명 정도로만 전달하면 업무 활용에 어려움이 있으므로 미국 6시그마 컨설팅 업체인 'SBTI社'에서 제공한 엑셀 양식과 과정을 소개하도록 하겠다. 단, 용법의 상세 설명은 본 책의 범위를 벗어나므로 적정선을 유지할 것이다. [그림 D－33]은 구성된 엑셀 양식의 예이다.

[그림 D-33] 'DFA/DFM' 분석 양식 예

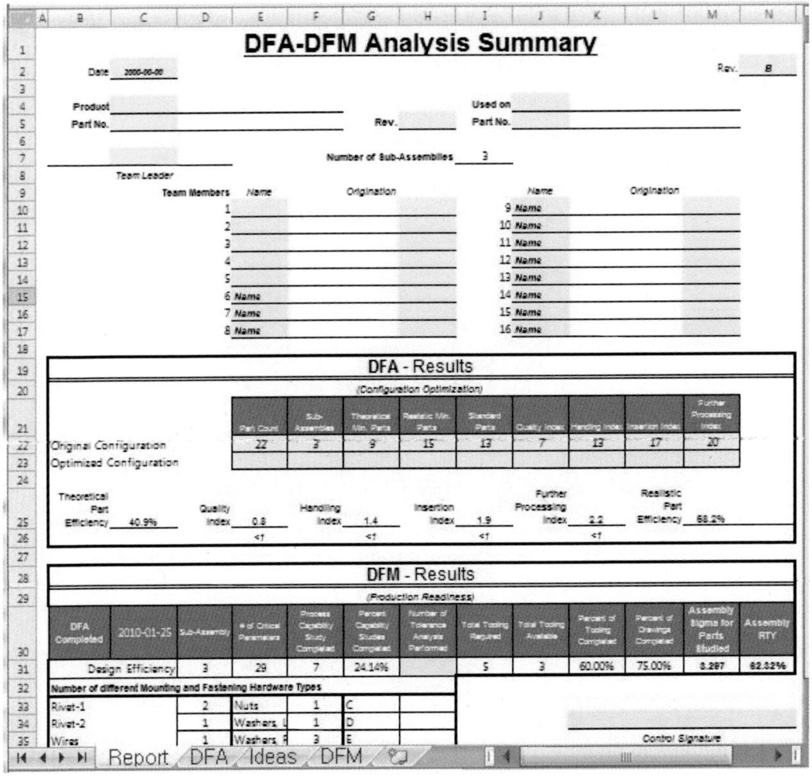

DFA-DFM Analysis Summary

Date 2000-00-00 Rev. B

Product / Part No. / Rev. / Used on / Part No.

Number of Sub-Assemblies 3

Team Leader

Team Members Name Origination

1 ~ 5, 6 Name, 7 Name, 8 Name, 9 Name ~ 16 Name

DFA - Results

(Configuration Optimization)

	Part Count	Sub-Assemblies	Theoretical Min. Parts	Realistic Min. Parts	Standard Parts	Quality Index	Handling Index	Insertion Index	Further Processing Index
Original Configuration	22	3	9	15	13	7	13	17	20
Optimized Configuration									

Theoretical Part Efficiency 40.9% / Quality Index 0.8 (<1) / Handling Index 1.4 (<1) / Insertion Index 1.9 (<1) / Further Processing Index 2.2 (<1) / Realistic Part Efficiency 68.2%

DFM - Results

(Production Readiness)

DFA Completed	2010-01-25	Sub-Assembly	# of Critical Parameters	Process Capability Study Completed	Percent Capability Studies Completed	Number of Tolerance Analysis Performed	Total Tooling Required	Total Tooling Available	Percent of Tooling Completed	Percent of Drawings Completed	Assembly Sigma for Parts Studied	Assembly RTY
Design Efficiency		3	29	7	24.14%		5	3	60.00%	75.00%	3.297	62.32%

Number of different Mounting and Fastening Hardware Types

Rivet-1	2	Nuts	1	C
Rivet-2	1	Washers, L	1	D
Wires	1	Washers, F	3	E

Control Signature

Report / DFA / Ideas / DFM

[그림 D-33]을 보면 맨 위에 '작성일', '제품명', '팀원 및 부서' 등을 입력하도록 돼 있고, 그 아래 'DFA Results'와 'DFM Results'가 있다. '결과(Results)', 즉 요약 장표이므로 자료를 받아와야 하는데 맨 아래 '액셀 시트'를 보면 'DFA', 'Ideas', 'DFM' 순으로 돼 있음을 알 수 있다. 'Idea'는 분석 결과에 따라 '상세설계' 필요성이 있을 때 개선 대안을 적는 장소이므로 이 부분을 제외하면 'DFA 시트'에서 분석된 내용과, 이어 'DFM 시트'에서 분석된 내용들이 맨 첫 장의 'Report'로 끌려 들어오는 구조이다. 다음은 'DFA 시트'의 항목과 작성 예이다.

[그림 D-34] 'DFA 분석 양식' 예

Assembly Na *Toy Box* Revision *3* Team Leader *SK.Lee*

Parts								Error Proofing		Handling			Insertion				Further Processing				
번호	부품번호	개수	부품 명	이론상 최소부품 수	실제 최소 부품수	표준화 여부	Cost (High = Y)	부품이 바뀌거나 빠트려질 가능성	잘못된 방식으로 조립될 가능성	부품이 걸치거나 엉킬 가능성	부품이 변형되거나 깨지거나 날카롭거나 미끄러울 가능성	집거나 조작 시 도구가 필요한 경우·집게,핀셋, 확대경	한 번에 정렬하거나 위치잡기가 어렵다	부품의 고정이 필요하다	부품삽입이 어렵다	조립 시 접근이 어렵고 보이지 않는다	조립 시 방향전환이 있다	나사못, 리벳사용, 구멍뚫기, 조이기 등이 요구된다	용접,납땜,접착이 있다	도장,윤활,액체나 기체 사용이 있다	검사나 측정 등이 요구된다
1				S	U	B															
2	TB101	1	몸체	N	Y	Y	Y				Y						Y	Y		Y	
3	TB102	1	덮개	Y	Y	Y			Y		Y							Y	Y	Y	Y
4	TB103	2	와이어	N	Y	Y				Y		Y									
5	TB104	2	힌지	Y	Y	Y	Y		Y			Y		Y				Y			
6	TB105	4	리벳	N	Y	Y		Y				Y		Y							
7	...	...	...	...	...	...	...	...	...	...	...	...	...	...	...	...	...	...	...	...	...

'영문'을 편의상 번역해놓았다. 'Parts'열 항목들은 '이론상 최소 부품 수', '실제 최소 부품 수', '표준화 여부' 등이며, 해당 부품에 'Y'를 표기하면, 그 총수

[그림 D-35] '이론상 최소 부품 수'의 'Y 여부' 결정 흐름도 예

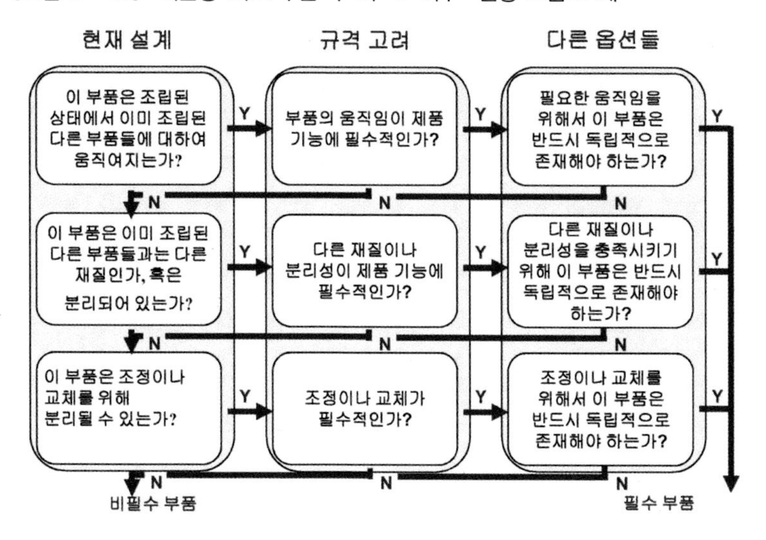

를 세어 [그림 D-33]으로 옮겨진다. 특히 '이론상 최소 부품 수'는 [그림 D-35]의 흐름도를 따라 'Y(es) 여부'를 결정한다.

[그림 D-35]의 '흐름도'에서 맨 아래 오른쪽으로 나오는 부품의 경우만 '이론상 최소 부품 수'에 포함시킨다('Y'로 표기한다). 그 외에 'Error Proofing-부품이 바뀌거나 빠트려질 가능성, 잘못된 방식으로 조립될 가능성', 'Handling-부품이 겹치거나 엉킬 가능성, 부품이 변형되거나 깨지거나 날카롭거나 미끄러울 가능성, 잡거나 조작 시 도구가 필요한 경우', 'Insertion-한 번에 정렬하거나 위치 잡기가 어렵다, 부품의 고정이 필요하다, 부품 삽입이 어렵다, 조립 시 접근이 어렵고 보이지 않는다', 'Further Processing-조립 시 방향전환이 있다, 나사못-리벳 사용-구멍 뚫기-조이기 등이 요구된다, 용접-납땜-접착이 있다, 도장-윤활-액체나 기체 사용이 있다, 검사나 측정 등이 요구된다'에 대해 각 부품별로 평가한다. 'DFA'에 대한 최종 'Report 시트'를 확인하면 다음 [그림 D-36]과 같다(고 가정한다).

[그림 D-36] 'DFA' 결과 예

DFA - Results

(Configuration Optimization)

	Part Count	Sub-Assembles	Theoretical Min. Parts	Realistic Min. Parts	Standard Parts	Quality Index	Handling Index	Insertion Index	Further Processing Index
Original Configuration	57	3	28	36	37	12	18	37	25
Optimized Configuration									

Theoretical Part Efficiency	Quality Index	Handling Index	Insertion Index	Further Processing Index	Realistic Part Efficiency
49.1%	0.4	0.6	1.3	0.9	63.2%
	<1	<1	<1	<1	

[그림 D-36]의 가정된 예에서 'Insertion Index; 1.3(=37/28)'은 수용 조건 '<1'을 만족시키지 못하므로 '상세 설계'를 고려할 필요가 있다. 이 경우 [그림 D-36]엔 보이지 않으나 'Insertion'의 항목 중 '한 번에 정렬하거나 위치 잡기가 어렵다'에 대해 '루프, 용수철, 스토퍼'의 정렬이 가장 염려스러운 경우로 나타났으며 팀원들이 '상세 설계'를 위한 대안으로 다음과 같은 해법을 냈다고 가정한다.

[그림 D-37] '용수철' 정렬이 쉽도록 고안한 '상세 설계' 예

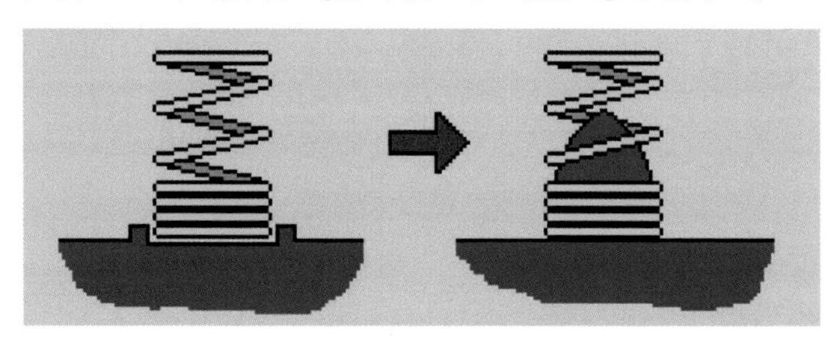

[그림 D-37]을 보면 '용수철'의 고정과 정렬에 어려움이 예상됨에 따라 '몸체' 바닥에 돌출부를 추가하여 문제를 한 번에 해결했음을 알 수 있다. 물론 '비용' 측면을 검토해서 큰 영향이 없다는 것도 확인해야 할 사항이다. 'DFA'에 대한 지금까지의 사항을 파워포인트로 정리하면 다음과 같다.

[그림 D-38] 'Step-11.2. 상세 설계 수행' 작성 예('용수철' DFA)

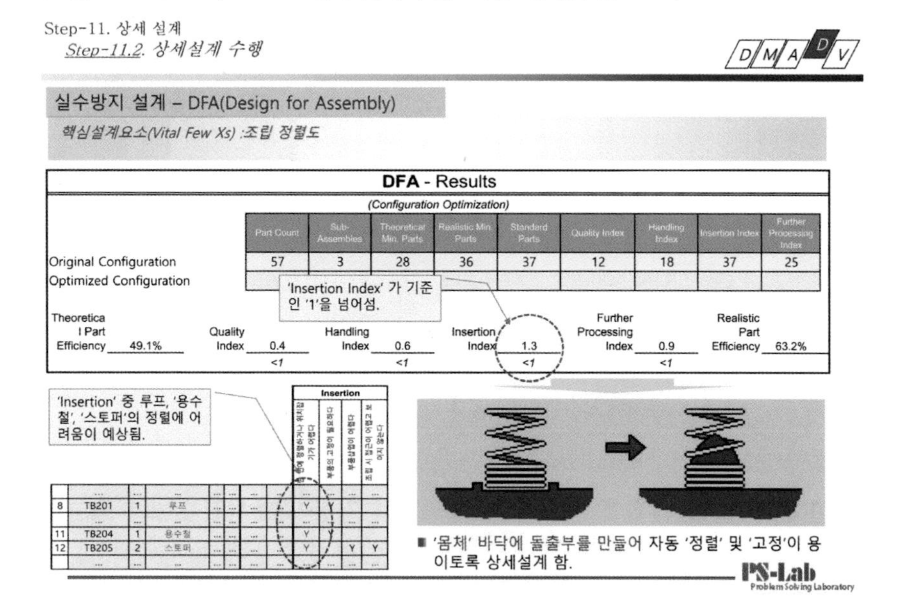

좀 복잡해 보이지만 편의상 한 장에 표현해보았다. 실제 제품 설계 과제라면 장표가 추가되거나 '개체 삽입' 기능을 활용해야 할 것이다. 'DFA'를 종합 정리하면, 다음과 같은 기본 가이드라인을 따라 수행할 것을 권장한다.

· DFA 가이드라인
부품 수와 종류를 줄인다.
부품이 잘못 조립될 수 없도록 한다.
조정(Adjustments)이 필요 없도록 한다.
부품이 한 번에 정렬되거나 위치를 찾게 한다.
접근이 용이하고 작업 중 쉽게 볼 수 있게 한다.
대량의 부품을 취급하기 쉽게 한다.
조립 과정에서 재조정(Z-축으로 조립) 및 2차 작업을 최소화한다.
부품이 대칭성 혹은 비대칭성을 갖도록 만든다.

[그림 D-39]는 [그림 D-36] 내 '이론적 부품 효율(Theoretical Part Efficiency)'을 높이기 위해 '부품 수'를 줄인 예이다(Qualtec社 교재).

[그림 D-39] 'DFA' 활동을 통해 '부품 수'를 줄인 '상세 설계' 예시

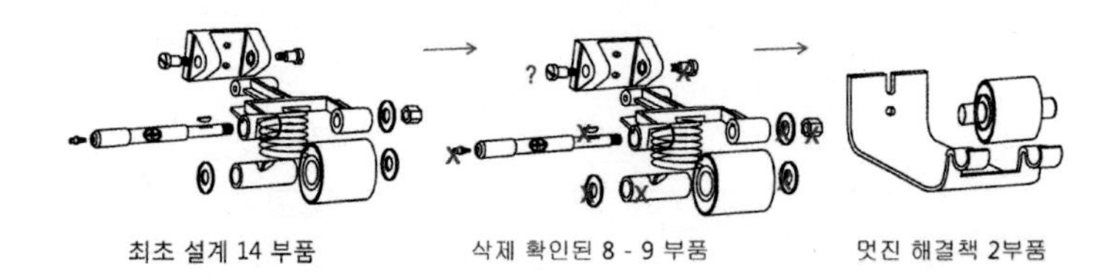

(**DFM**) 'DFM'은 생산 공정 중 비용 측면의 **가장 효율적인 '재료' 및 '공정'을 선택**하기 위해 사용하는 도구이다. 조립 제품의 경우 그를 구성하는 부품들이

존재하며, 다시 부품들은 설계 도면이 필요하다. 이때, 부품별 설계 도면에서 관리해야 할 중요 특성들이 있게 되는데 이 개수가 많아질수록 공정은 그에 비례해 작업성이 떨어지고, 또 투입될 자원의 증가로 비용 상승의 원인이 된다. 이런 구조는 통상 '누적 수율(Y_{RT}; Roll Throught Yield)'로 해석함으로써 개선의 실마리를 잡을 수 있다. 예를 들어, 도면상 관리해야 할 부품 특성이 총 50개이고 부분 조립품(Sub-assembly)이 5개, 또 각 부품 특성이 3시그마 수준(수율 =99.73%)으로 유지된다면, '누적 수율'은 다음과 같이 표현될 수 있다.

$$Y_{Part} = \Pi Y_{부품특성} = 0.9973^{50} \cong 0.874 \qquad (D.25)$$
$$Y_{Assembly} = 0.874^{5} \cong 0.509$$

즉, '부분 조립품'이나 '부품 수'가 증가할수록 그들을 제대로 조립할 가능성은 자꾸 줄어든다는 것을 알 수 있다. 다음은 'DFA'의 경우와 동일하게 설계 제품의 'DFM' 수준을 조망할 수 있는 예이다([그림 D-33]의 하부).

[그림 D-40] 'DFM' 결과 예

DFM - Results

(Production Readiness)

DFA Completed	2010-01-25	Sub-Assembly	# of Critical Parameters	Process Capability Study Completed	Percent Capability Studies Completed	Number of Tolerance Analysis Performed	Total Tooling Required	Total Tooling Available	Percent of Tooling Completed	Percent of Drawings Completed	Assembly Sigma for Parts Studied	Assembly RTY
Design Efficiency		3	29	7	24.14%	4	5	3	60.00%	75.00%	**0.916**	**50.83%**

Number of different Mounting and Fastening Hardware Types					
Rivet-1	2	Nuts	1	...	...
Rivet-2	1	Washers, Lock	1	...	...
Wires	1	Washers, Flat	3	...	...

Control Signature

[그림 D-40]에서 약한 빨강으로 처리된 셀 중 '24.14%'는 '현 프로세스 능력 평가가 완료된 부품(Present Capability Study Completed)'의 점유율을 나타

낸다. '점유율'은 도면 내 부품들의 공차를 고려한 수준 평가이며 설계 진척도의 척도가 된다. 또, '75.00%'는 '도면이 완료된 점유율(Percent of Drawings Completed)'로써 역시 설계 과정의 진척을 나타내며, 그 옆의 '50.83%'는 '조립품 누적 수율(Assembly RTY)'로 수준 평가가 필요한 부품들의 현 능력을 종합한 결과이다. 이 값이 '100%'를 향해 가야 설계의 완성도가 높아지며, 만일 낮으면 '부품 수'를 줄이거나 공차 재조정, 표준 편차 감소 등의 '상세 설계' 활동이 연동된다. 다음 [그림 D-41]은 [그림 D-40]을 위한 세부 분석 예이다.

[그림 D-41] 'DFM 세부 분석' 예

Assembly Na *Toy Box* **Revision** *3* **Team Leader** SK,Lee

No	Part Number	Quality	Part Description	Sub-Assembly	# of Critical Parameters	Process Capability Study Completed	Process Standard Deviation	Critical Tolerances	Estimated Yield / Critical Tolerances	RTY estimate	Tooling Required	Tooling Available for Data	Standard Material	Number of Processing Steps
1	0	0	0	1										
	...	...	...	...	...	...	...	...	...	...	...	...	...	...
	TB202	1	인형	0	1									1
	TB203	1	와이어	0	1						.			2
	TB204	1	용수철	0	3	Y	0.0012	0.004	93.44%	81.573%	Y	Y		3
	TB205	1	스토퍼	0	2						Y			3
	...	...	...	0	...	...	...	...	...	...	...	...	...	...
	0	0	0	1										
	TB301	1	PCB모듈	0	4	Y	0.13	0.4	88.85%	62.315%	Y	Y		4
	TB302	1	전자석	0	3									3
	...	...	...	0	...	...	...	...	...	...	...	...	...	...
	Totals	6		5	50	7				50.832%	3	2	0	16

Hardware Analysis

	No.	Size	Material	Plating	Head Type	Qty
Rivet-1	1	φ2.0	Al			6
	2	φ2.5	Al			4
	3					

Drawing Readiness

Drawing Needed	Drawings Completed
24	18
Percent Complete	75.00%

빨간색으로 처리된 셀 결과들이 [그림 D-40]으로 옮겨졌음을 알 수 있다. 사실 'DFM'의 '상세 설계' 활동은 'DFA'의 활동과 직접적으로 연결돼 있으므로 'DFA'와 'DFM'을 분리해서 접근하는 것은 위험한 발상이다. 지금과 같이 한 시트 내에서 종합적으로 판단한 뒤 '상세 설계'로 들어가는 것이 적합하다.

'DFM'까지 완료하면 제조성을 고려한 좀 더 진보된 설계 제품이 탄생하며, 부분이 아닌 전체 최적화의 양상을 띠게 된다. 또 제품을 이루는 부품, 부분품들의 설계 도면도 완성 단계에 이르는데 이들의 진척은 모두 [그림 D－40]에서 종합 관리됨으로써 팀원들과 공유할 수 있는 기회를 갖는다.

'DFMA' 활동을 거치면서 또 하나 주목할 점은 '표준화(Standardization)'이다. 아무래도 부품 수를 줄이거나 치수 조정, 공차 설정 등의 '상세 설계' 활동을 수행하려면 재료나, 부품들의 '표준화'가 이뤄져야 하기 때문이다. '토이 박스 개발' 과제의 경우 '[표 A－48] 소요 부품 명세서 산출물 예'를 보면 '몸체'에 '덮개'를 고정시킬 '와이어'는 'φ0.1'을 쓰는 대신, '인형'을 '루프'에 고정시킬 '와이어'는 'φ0.2'를 정해 놓았다. 부품이 동일한 '와이어'인데 규격이 다르면 관리도 어렵거니와 섞임에 따른 '실수 방지 설계'를 마련해야 하는 등 추가 조치가 필요하다. 또 둘 간의 재질이 다르면 그를 다룰 공구나 장치도 호환이 안 될 수 있기 때문에 생산 중 비용 상승의 원인이 될 수 있다. 따라서 동일 재료, 동일 규격화를 통해 '공급자(Supplier)'도 일원화하면 단가 인하 효과는 물론 생산 시 많은 이점을 얻는다. 이들 모두가 '상세 설계' 과정에서 마무리할 사항들이다. '실수 방지 설계'는 이 정도 수준에서 정리하고 다시 '[그림 D－13] Step－11.1. 상세 설계 계획 수립 작성 예(토이 박스 개발)'로 돌아가 세 번째 그룹인 '시험 표본 제작'에 대해 알아보도록 하자.

11.2.3. 시험 표본(Test Sample) 제작

앞서 '공차 설계'와 '실수 방지 설계'를 거치면서 제품뿐만 아니라 생산 공정까지 전반적인 최적화가 구현되었다(고 가정한다). 따라서 '로봇 태권 브이'의 거의 완벽한 윤곽이 드러난 상황이며, 다른 큰 이슈가 없는 한 지금껏 설계해온 '제품'이 고객 요구 수준을 충분히 만족하는지 평가하는 일만 남았다. 이 작업은 「11.2.4. 신뢰성 평가」에서 이루어지며, 활동으로 들어가기에 앞서 시험에 쓰일 '표본'이 필요하다. 이를 위해 표본의 제작 방법, 비용 결정, 표본 크기 결정 등이 선행돼야 한다. 일반적으로 전체 과정을 '신뢰성 시험 계획(Reliability Test Plan)'이라고 한다. 사실 본문에서 전체를 다룰 생각은 없다. 원리적인 이해가 필요한 독자는 『Be the Solver_신뢰성 분석』편과, 추가로 다음의 자료를 참고하기 바란다. 본문은 '표본 크기'의 기본 개념 정도만 소개한다.

· <u>신뢰성 '시험 계획'을 설명하는 해외 규격 예</u>
상황이나 성격은 조금씩 다르지만 대개 아래와 같은 규격들이 존재.
<u>ASTM E 122</u>; 'Recommended Practice for Choice of Sample Size to Estimate the Average Quality of a Lot or Process'
<u>CRD-C 580</u>; 'Standard Recommended Practice for Choice of Sample Size to Estimate the Average Quality of a Lot or Process'
<u>MIL-HDBK-108</u>; 'Sampling Procedures and Tables for Life and Reliability Tasting' → 『Be the Solver_신뢰성 분석』편에 수록됨.
<u>IEC 60410</u>; 'Sampling Plans and Procedures for Inspection by Attributes'

필요한 '표본 크기(Sample Size)'에 대해선 이미 「9.3.2. 실험 설계_가속 수명 시험 예」의 식 (A.18)과 [그림 A-74]에서 설명한 바 있다. 즉, 시험 상황이 어느 정도 구체적이면 미니탭 「통계 분석(<u>S</u>) > 검정력 및 표본 크기(<u>P</u>)」에서 적합한 '표본 크기'를 추정해낼 수 있다. 통계학(주로 정규 분포를 가정한 경우)에선 다음과 같은 이유로 표본의 최소 개수를 '5개' 정도로 제시한다.

[그림 D-42] '표준 오차 vs. 표본 크기' 및 '모평균 신뢰 구간 vs. 표본 크기'

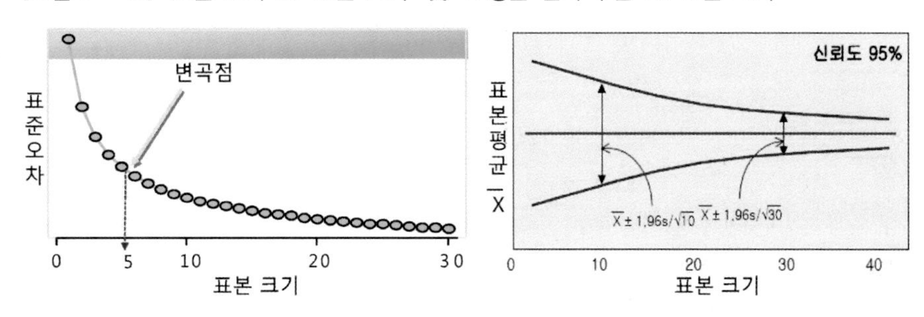

[그림 D-42] 왼쪽 그래프는 '표준 오차('표본 평균으로 이루어진 분포의 표준 편차'로 상세 설명은 생략)'와 '표본 크기'의 관계이며 '변곡점', 즉 '오차'가 안정된 수준의 시작점을 '5개' 정도로 본다. 또 '표본 크기'를 "충분하다"로 판단하는 개수를 '30개' 수준으로 보는데, '표본 크기'가 작을 때 따르는 't-분포'[105]의 '표준 편차'가 '$\sigma = \sqrt{\frac{df}{df-2}}$, $df > 3$'이며, 'df=30'에 근접할수록 표준 정규분포에 근접함에 따라 나온 개수이다. 정리하면 정량적 데이터를 얻을 경우 표본 제작은 '최소 5개~최대 30개'가 적정하다고 볼 수 있다. [그림 D-42]의 오른쪽 그래프는 '모평균'을 추정하기 위한 '95% 신뢰 구간'으로 만일 '표본 크기'가 '10개'면 '모집단 평균은 8.8~11.2(폭 2.4) 사이에 존재'하는 것으로, '30개'면 '모집단 평균은 9.3~10.7(폭 1.4) 사이에 존재'하는 것으로 추정[106]되며, 후자의 폭이 훨씬 좁아 '모집단 평균을 추정할 정밀도가 높음'을 알 수 있다. 한마디로 표본이 충분하면 모집단의 정확한 '모수(평균)'를 아는 데 도움이 된다.

다시 '토이 박스 개발' 과제로 돌아와 보자. 이제 얼추 모습이 갖춰진 '토이 박스'를 제품관점에서 시험할 시기가 되었으며, 다음 활동에서 수행할 '신뢰성

---

105) '표준 오차', 't-분포 및 표준 편차', '신뢰 구간' 등에 대해서는 관련 서적이나 『Be the Solver_확증적 자료 분석』편을 참고하기 바란다.

106) 이 값들은 '구간 추정'을 통해 얻을 수 있으나 본문에선 그 과정을 생략하였다.

평가' 항목들 중 몇몇을 선정해야 한다. 만일 '회로나 재료의 특성', 또는 '제품의 수명'이 매우 중요하다면 '(가속) 수명 시험'이 필요할 수 있다. 가속된 스트레스하에서 제품이 정상 조건일 때 견디어줄 수명을 통계적으로 추정하고, 악조건 상황에서의 고장 발생을 통해 재설계 기회도 가질 수 있기 때문이다. 이 경우 '신뢰성 시험 계획을 설명하는 해외 규격' 중 'MIL－HDBK'이 적합한 '신뢰성 시험 계획'의 모델이 될 수 있다. 그러나 '토이 박스'가 조립으로 구성된 제품임을 감안하면 특정 '스트레스'하에서 '수명'을 평가하는 것보다 고객의 사용에 따르는 기능 상실이나 운송 중 발생하는 파손 등 주로 '내구성(Durability)'에 주목할 필요가 있다(고 가정한다). 이런 상황이면 '신뢰성 시험 계획을 설명하는 해외 규격' 중 'ASTM E 122'가 '시험 계획'을 수립하는 데 도움 될 수 있다. 그러나 본문은 비용, 제작 용이성, 적정 표본 크기 등 여건을 종합한 결과 '10개'의 '시험 표본(Test Sample)'을 제작한 것으로 가정한다. 이제 이 표본을 가지고 다음 활동인 '신뢰성 평가'로 들어가 보자.

11.2.4. 신뢰성 평가(Reliability Test)

완제품에 대한 평가가 주를 이룬다. 현재의 위치 파악을 위해 '[그림 A－70] Step－9.3. 설계 요소별 산출물 실현에서 사용될 도구 예'를 다시 옮겨 놓았다.

'상위 수준 설계'에선 부품 등 제품 일부의 평가 목적으로 신뢰성 도구를 사용했지만 현재는 완제품을 대상으로 하는 차이만 있다. '토이 박스'의 '내구성 평가(Durability Test)'는 [그림 D－43]의 'RDT/RQT'와 '환경시험' 영역에 해당한다. 'RDT/RQT'는 각각 'Reliability Demonstration Test'와 'Reliability Qualification Test'의 첫 자를 딴 것으로 양산 단계로 가기 전 목표 신뢰성이나 고객 요구 사항을 만족하고 있는지를 평가하는 시험이다. '환경시험(Environment

[그림 D-43] 완제품 평가에 사용될 도구 예

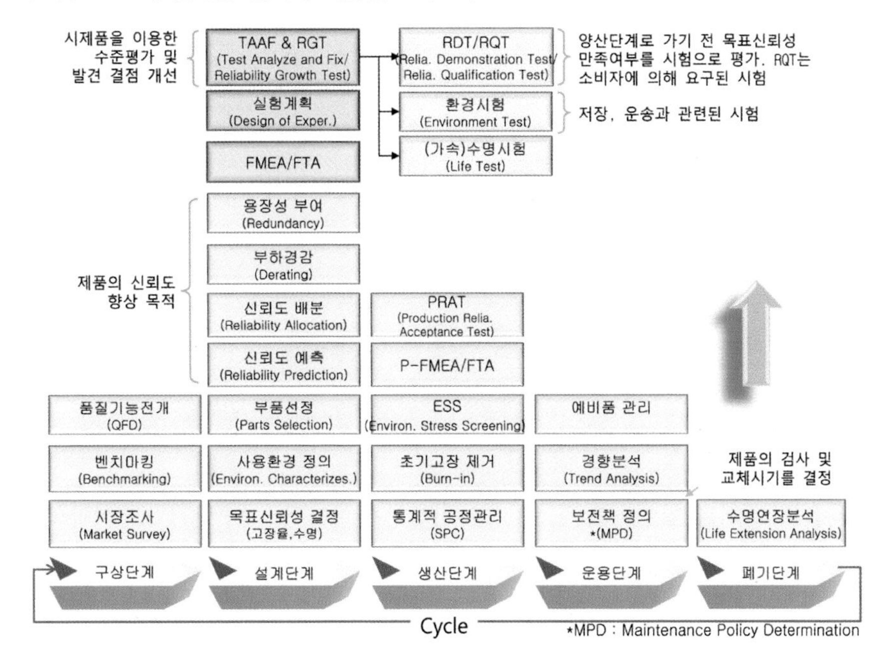

Test)'은 예상되는 환경에서 제품이 제 기능을 유지하는지를 평가하는 것으로 이 역시 다양한 평가 방법들이 속해 있다. 우선 평가 항목과 시험 규격을 정하기 위해 [그림 D-44]와 같이 '토이 박스'의 사용 환경과 운송 환경을 조사하였다(고 가정한다).

조사된 운송 환경을 보면 생산 라인이 공장 동 2층에 자리하고 있고, 출하 창고까지 돌리(Dolly)로 10단을 적재해 요철 있는 바닥면을 따라 옮겨진다. 이후 약 15시간을 머문 뒤, 엘리베이터로 운송 차량에 탑재된다. 물류는 1~11t급 운송 차량을 통해 국내 중간 지역인 충청도 A지역 1차 물류 거점과 중간 물류 거점을 거쳐 최종 단위 매장으로 옮겨지는데, 이때 최대 이송 거리가 약 452.3km에 이르며, 고속도로 및 지방도로로 미루어 포장된 노면만을 통과한다. 제품 특

[그림 D-44] '토이 박스' 운송 환경 분석 예

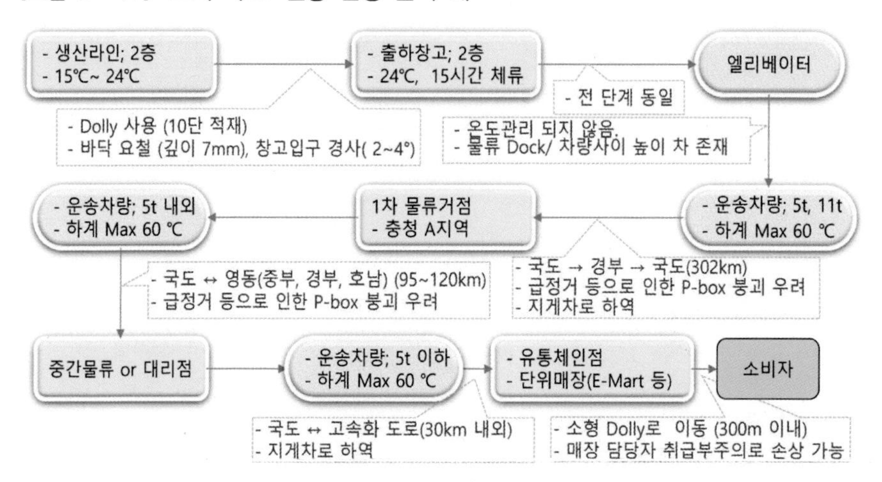

성상 온도 관리는 불필요하며, 하절기 차량 내 최고점은 약 60℃로 파악되었다(고 가정한다). 환경 분석을 알기 쉽게 요약하면 다음과 같다.

[표 D-5] 조사된 '토이 박스' 운송 환경 요약

구분	내 용
물류환경	- 고속도로/국도 약 452.3km, 5시간 이상 - 온도; 최소 5~60℃(4계절) - 돌리(Dolly) 10단 적재 이동 - 1Pack에 20개 소 포장 구성
운송단계	생산라인 → 출하창고 → 차량이동 → 물류거점/단위매
특이사항	- 운반 시 요철, 바닥 간 높이 차 등으로 충격 발생 가능성 - 운송 차량 급정거 등으로 진동, 충격 발생 가능성 - 매장 개별 진열 시 취급 부주의로 바닥면 낙하 가능성 - 지게차 상/하역 시 포장 상태에서 충격 가능성

[표 D-5]의 요약된 내용을 보면 소비자의 '사용 환경'은 포함돼 있지 않은데 이것은 '특이 사항' 중 매장 담당자가 진열 시 취급 부주의로 바닥에 떨어뜨리는

환경과 일치하므로('토이 박스' 사용 환경이 책상이나 적어도 사람이 들고 다니는 높이에 존재할 것이므로) 별도로 언급하지 않았다. 사실 제품 설계 과제의 대상 제품이 기존 것의 개량이면 시험 평가 항목이나 규격이 크게 달라질 이유는 없다. 그러나 기존과 차별된 신제품 개발을 염두에 둔다면 좀 더 포괄적 평가 연구가 필요하다. 따라서 다소 무리가 되더라도 지금의 방법을 고수해 나갈 것이다. [표 D－5]의 조사 내용을 토대로 평가 항목을 정의하면 다음 [표 D－6]과 같다.

[표 D－6] 조사된 '운송 환경'으로부터 '내구성' 평가 항목 정의 예

구분	환 경	내구성 시험		기후시험
		진동(Vibration)	충격(Shock)	
이동	–포장도로 약 452.3km –5시간 이상 –급정거 등	◎	–	–
	–바닥 간 높이 차 –운반 시 요철 (7mm)	–	◎	–
	–매장 개별 진열 시 취급 부주의 로 바닥면 낙하	–	◎(단품상태)	–
온도	–5～60℃ (4계절)	–	–	◎
포장상태	–돌리(Dolly) 10단 적재 이동 –1Pack에 20개 소 포장 구성	◎(포장상태)	–	–
	– 지게차 상/하차	–	◎(포장상태)	–
세부 평가항목		1)진동 방향 축 선정 2)주파수 범위(Frequency Range or Bandwidth) 3)가속도진폭(Acceleration Amplitude, G값) 선정 4)Sweep Rate(oct/min) 선정 5)Cycles 수의 선정	1)EFFDR(Equ. Free Fall Drop Range) 2)Step Vel. Test 3)Step Accl. Test	기술적 검토결과 기후영향은 대상에서 제외키로 결정

좀 더 정확한 환경을 정의하는 방법도 있는데, 내구성 평가에 쓰일 설비 판매 업체에 알아보면 실제 제품과 함께 탑재해서 온도, 습도는 물론 진동, 충격 등

모든 운송 환경을 기록할 수 있는 장비도 이용할 수 있다. 이런 제품을 사용한다면 시험 항목과 규격을 설정하는 데 한결 부담을 덜 수 있는 장점이 있다. 단점은 시간과 비용이 만만치 않게 든다. 그러나 꼭 직접 자료를 얻지 않아도 접근할 수 있는 방법은 얼마든지 있다. 기존 경험을 토대로 자세하게 구성된 해외 규격을 사용하는 일이 그것이다. 다음 [표 D−7]~[표 D−9]는 [표 D−6]을 토대로 '진동 시험'에 대해 '해외 규격'을 조사한 예를 보여준다.

[표 D−7] 진동 시험 중 'Sweep Test' 시험 규격 조사 예

구분	한국공업규격(KS)	IEC(68-2-6)	ASTM(3580-80)
제품 상태	−	−X,Y,Z 축(최초 X축→이후 가장 영향 있는 축 선정) −f_1 0.1/1/5/10/55/100/150/300/500/2000/5000 Hz −G값은 Cross over freq.에 따라 분류 −1 oct/min −1,2,3,10,20,50,100 Cycles에서 선택	−Z축 −3~100Hz −0.1~1.0 oct/min −1 Cycle or 이상
포장 상태	−Z or X, Y축(필요 시) −5~50 or 5~100Hz −0.75G(화물차 경우) −방법 A; 주파수의 시간에 따른 지수변화 0.5 oct/min 방법 B; 선형변화는 7Hz/min 초과하지 않도록 −수송거리 시간 1000km 미만 20min 1000과 2000 40min 2000 이상 60min	추천 f_1~f_2 Hz 1~35 1~100 10~55 10~150 10~500 10~2000 10~5000 55~500 55~2000 55~5000 100~2000	−Z축(단위포장 경우 필요 시 X, Y축) −3(2)~100Hz −0.1G(0.25G) −0.5~1.0 oct/min −2 Cycles ☞단위포장 ☞()는 Palletized load, Unitized load Vertical Stack 등

'Sweep Test'는 제품을 진동 테이블에 올려놓고 낮은 주파수부터 높은 주파수까지 휩쓸고(Sweep) 지나가면서 '공진 주파수'를 찾는 과정이다. '공진 주파수'는 특정 주파수에서 제품에 손상이 가해질 가능성이 가장 높은 대역을 의미한다. '한국 공업 규격(KS)'은 '수송 거리'에 따라 '시험 시간'을 정해주고 있는 게 특징이고, 'IEC'는 시작과 끝 주파수를 상황에 맞도록 선택해 쓰도록 하고 있다.

다음은 'Dwell Test'의 조사 내용이다.

[표 D-8] 진동 시험 중 'Dwell Test' 시험 규격 조사 예

구분	한국공업규격(KS)	IEC(68-2-6)	ASTM(3580-90)
제품 상태	-	-X,Y, Z 축(최초 X축→이후 가장 영향 있는 축 선정) -G값은 Cross over freq.에 따라 분류 -10, 30, 90min, 10h에서 선택	-Z축 -0.1~0.5G(선택) -15min/각 공진 점 ※필요 시 Option으로 실시
포장 상태	-Z or X, Y축(필요 시) -가속도; 화물차±0.5G, 철도±0.25G -수송거리 시간 1000km 미만 5min 1000과 2000 10min 2000 이상 15min ※공진주파수가 복수인 경우 각각의 주파수로 시험하고, 시간의 합계가 상기 시간에 일치하도록 함.	-	-Z축(단위포장 경우 필요 시 X, Y축) -0.1G(0.25G) -15min/max res. 4개 ☞단위포장 ☞()는 Palletized load, Unitized load Vertical Stack 등

'Dwell Test'는 [표 D-7]에서 찾아진 공진 주파수에서 집중적으로 시험하는 방법이다. 제품이 망가질 가능성이 가장 높은 대역이므로 시간은 상대적으로 짧지만, 공통적으로 15분 정도는 견디도록 설계돼야 함을 엿볼 수 있다.

[표 D-9] 진동 시험 중 'Random Test' 시험 규격 조사 예

구분	한국공업규격(KS)	IEC(68-2-34)	ASTM(4169)
제품 상태	-	-20(or 5 or 10)~150 -30s, 90s, 3, 5, 30, 90min, 3h, 9h, 30h 선택 -G값, PSD 등은 본문 참조	-
포장 상태	-5~50Hz -0.015G²/Hz -0.822Grms -20min	-	-Z축 -1~200Hz -0.52Grms -180min -트럭조건 ☞트럭조건의 Program Software 적용 가능

'Random Test'는 실제 환경과 동일한 불규칙 조건을 가하게 되며 미리 설정된 S/W 프로그램을 이용한다. [표 D－7]~[표 D－9]로부터 최종적으로 다음과 같은 '진동 시험'에 대한 규격을 설정하였다(고 가정한다).

[표 D－10] '진동 시험' 규격 설정 예

<table>
<tr><th>구분</th><th>Sweep Test</th><th>Dwell Test</th><th>Random Test</th></tr>
<tr><td>제품 상태</td><td>–Z축
–3~100Hz
–0.1~1.0oct/min
–2Cycle</td><td>–Z축
–0.5G
–15min/각 공진 점</td><td>–</td></tr>
<tr><td>포장 상태</td><td>–Z축
–2~100Hz
–0.25G(가혹 0.5G)
–1oct/min
(가혹 0.5 oct/min)
–2Cycles
(1Cycle보다 가혹)</td><td>–Z축
–0.25G(0.5G는 매우 가혹으로 제외)
–15min at Almost Fixed Freq.

※ Almost Fixes Freq.(또는 Restricted Freq. Sweeping); 시험 중 떨림이 있거나 많은 시료를 동시에 시험할 경우, 정확한 공진 점을 파악하기 어려운데 이때 공진 점을 기준으로 0.8~1.2배에 해당하는 작은 범위를 선정해 Sweep Test 형식으로 대체(IEC 68-2-6)</td><td>–Z축
–1~200Hz
–0.52Grms
–180min
–트럭조건
<table><tr><th>Freq</th><th>PSD</th><th>Slop</th></tr><tr><td>1</td><td>0.00005</td><td>11.5</td></tr><tr><td>4</td><td>0.01</td><td>0</td></tr><tr><td>16</td><td>0.01</td><td>–7.56</td></tr><tr><td>40</td><td>0.001</td><td>0</td></tr><tr><td>80</td><td>0.001</td><td>–15.1</td></tr><tr><td>200</td><td>0.00001</td><td>–15.1</td></tr></table></td></tr>
</table>

'Sweep Test'와 'Dwell Test'는 제품 자체에 대한 설계 품질을, 'Random Test'는 실제 운송 환경에서의 영향을 보게 되므로, 만일 전자에 문제가 있으면 공진 점을 피하도록 제품 재료나 구조를 변경할 '상세 설계'가, 후자에 문제가 있으면 운송 중 파손을 피할 포장의 '상세 설계'가 이뤄져야 한다(포장 상태에 대한 평가는 표본이 훨씬 많아야 하므로 Verify Phase에서 실행하는 것이 전개상 용이하다. 물론 이 시점에 가능하다면 수행해도 무방하다). 시험에 따른 소요 시간은 다음의 식을 통해 유추할 수 있다.

$$T_{total} = Sweep\,Test + Dwell\,Test + Random\,Test \quad \text{(D.26)}$$

이때 'Dwell Test'와 'Random Test'는 [표 D-10]에 정해져 있으므로 산정해서 제외하고 'Sweep Test'만 구하면 다음과 같다.

$$T = \left[\frac{\ln(\frac{f_2}{f_1})*2}{\ln 2 * SR} \right] * \tag{D.27}$$

$$of\ Cycles(\min) = \left[\frac{\ln(\frac{100}{3})*2}{\ln 2 * 1} \right] * 2cycles \cong 20.24\text{분}$$

$$where, SR(Sweep\ Rate = 1oct/\min$$

따라서 [표 D-10]의 '제품 상태'만 고려할 때 최소 약 '35.24분(=20.24+15)'이 소요될 것으로 보이며, 공진점이 2개 이상이면 '15분'씩 추가된다.

'충격 시험'은 'DBC(Damage Boundary Curve)'를 이용하여 '상세 설계' 부분을 파악하게 되는데 다음은 'DBC'의 예이다.

[그림 D-45] 'DBC(Damage Boundary Curve)' 예

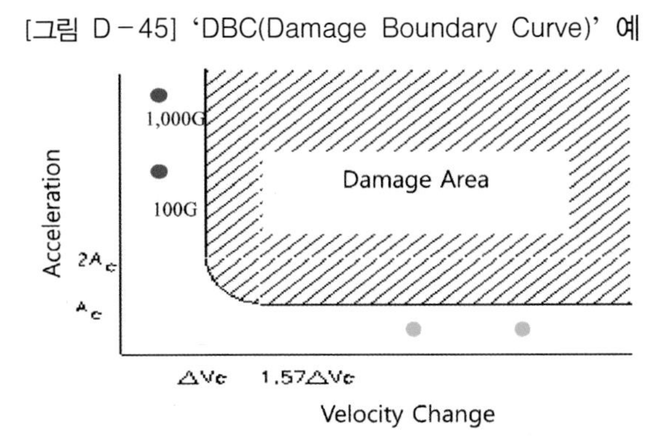

[그림 D-45]에서 'X-축'의 타점(연두색)은 'Step Velocity Test'를 수행해

서 얻어지며, 이것은 비포장 제품을 낙하시킬 수 있는 최대 높이를 알려준다. 만일 그 낙하 높이가 [표 D-6]의 '매장 개별 진열 시 취급 부주의로 바닥면 낙하' 시 예상 높이(통상 사람이 진열하므로 100cm 내외가 될 것이다)보다 낮게 나오면 내구성 향상을 위한 재설계(상세 설계)를 해야 한다. 'Y-축'의 타점(파란색)은 'Step Acceleration Test'를 수행해서 얻어지며, 만일 제품 내구성 향상이 아닌 포장으로 그 문제를 제거할 목적이면 설계 낙하 높이에서 떨어뜨릴 때, 제품에 '임계 가속도'보다 적은 값이 전달될 수 있도록 포장 설계가 이뤄져야 한다(설명이 좀 어렵지만 이 정도 선에서 정리하겠다). 다음 [표 D-11]은 언급한 두 시험의 요약이다.

[표 D-11] 'Step Velocity Test'와 'Step Acceleration Test' 예

구분	Step Velocity Test	Step Acceleration Test
수식개념	$F \cdot \Delta t = m\Delta v$ $\begin{bmatrix} -\Delta t\text{를 } 2 \sim 3ms\text{로 고정} \\ -\Delta v\text{를 가변} \end{bmatrix}$	$F \cdot \Delta t = m\Delta v$ $\begin{bmatrix} -\Delta t\text{는 설비의 충격부위로 가스압을 이용 강도조절} \\ -\Delta v\text{는 낙하높이 } h\text{를 고정해서 일정값 유지} \end{bmatrix}$
그래프 형상	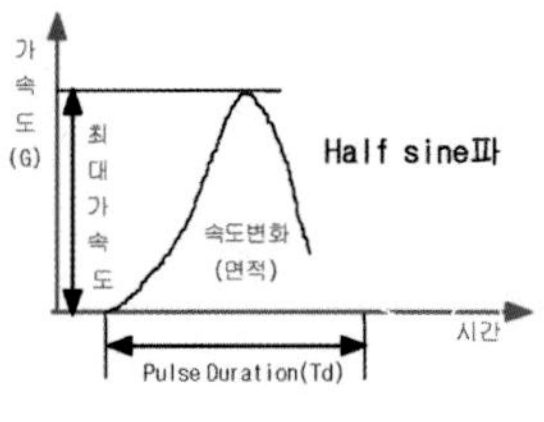 가속도(G), 최대가속도, Half sine파, 속도변화(면적), 시간, Pulse Duration(Td)	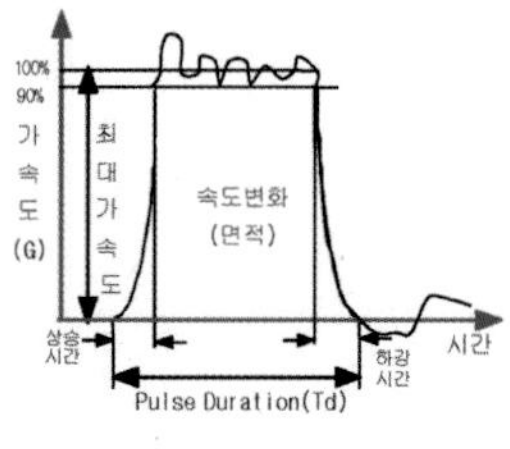 100%, 90%, 가속도(G), 최대가속도, 속도변화(면적), 상승시간, 하강시간, 시간, Pulse Duration(Td)

만일 이 과정을 통해 '포장 설계'까지 고려한다면 'Lansmont社'의 'Six Step

Method for Cushioned Package Development'[107]를 권장한다. 다음은 '6 Step'의 간단한 요약이다.

- **Step 1: Define the Environment** 운송 환경을 조사하여 자료화한다([그림 D-44] 참조).
- **Step 2: Product Fragility Analysis** 제품 자체의 내구성을 평가하기 위해 진동 시험(고유 주파수 확인)과 충격 시험(Damage Boundary Curve를 얻음)을 수행해서 취약 부위를 알아낸다.
- **Step 3: Product Improvement Feedback** 제품 자체의 내구성 향상을 위해 재설계(상세 설계)를 수행한다.
- **Step 4: Cushion Material Performance Evaluation** 제품의 보완이 완료되고 비용이나 기술적으로 더 이상의 내구성 향상이 불필요하다고 판단될 때, 포장으로 나머지 취약점을 극복하기 위한 완충 재료의 선정이 이루어진다.
- **Step 5: Package Design** 선정된 완충 재료의 '완충 곡선'과 'Step 1'의 '설계 높이', 'Step 2'의 '임계 가속도' 등과 비교해서 포장재의 적절성을 계량적으로 평가한다.
- **Step 6: Test the Product/Package System** 포장 설계가 완료되었으면, Prototype의 포장 시스템을 사용해 완충 포장이 설계대로 작동하는지 '낙하 시험'을 수행한다. 문제가 지적된 부분은 'Step 3'이나 'Step 4'로 다시 돌아가 보완한다.

'신뢰성 평가'는 이 정도에서 마무리하겠다. 다양한 경우의 접근이 가능할 것이며, 상황에 맞는 대응은 리더들의 몫으로 남겨둔다. 이 과정을 거쳐 '토이 박스 개발'의 내구성 향상과 포장에 대한 처리가 완료되었다고 가정하고 다음과 같이 최종 파워포인트로 정리하였다(고 가정한다).

107) Site 'http://www.lansmont.com/sixstep/default.htm' 참조.

[그림 D－46] ‘Step－11.2. 상세 설계 수행’ 작성 예(신뢰성 평가_환경 분석)

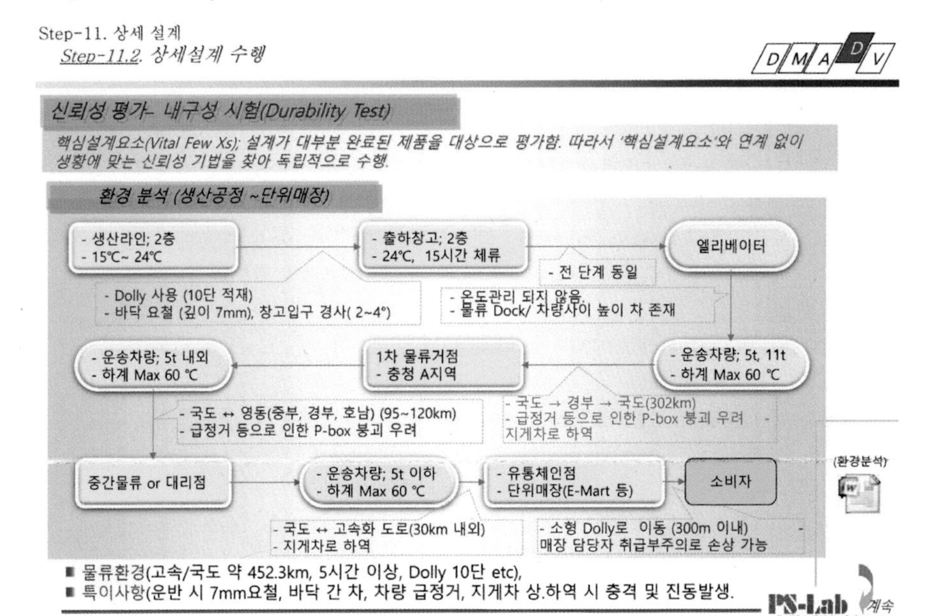

[그림 D－46]은 고객의 사용 및 운송 환경을 조사한 [그림 D－44]를 문서로 작성한 예이다. 상세한 조사 내역 및 요약 정보 등은 ‘개체 삽입’으로 처리하였다(고 가정한다). 다음 [그림 D－47]은 ‘환경 분석’으로부터 ‘진동 시험’의 필요성이 대두됨에 따라 ‘해외 규격’을 조사하였고, 그로부터 적합한 ‘평가 항목’ 및 ‘규격’을 설정한 예이다. ‘공진 주파수’가 운송 환경 중에 발생됨을 확인하고 ‘회로 부착 부위’를 약 ‘3cm’ 이동시켜 공진 점을 피하도록 ‘상세 설계’하였다(고 가정한다).

[그림 D－47] ‘Step－11.2. 상세 설계 수행’ 작성 예(신뢰성 평가_진동)

Step-11. 상세 설계
Step-11.2. 상세설계 수행

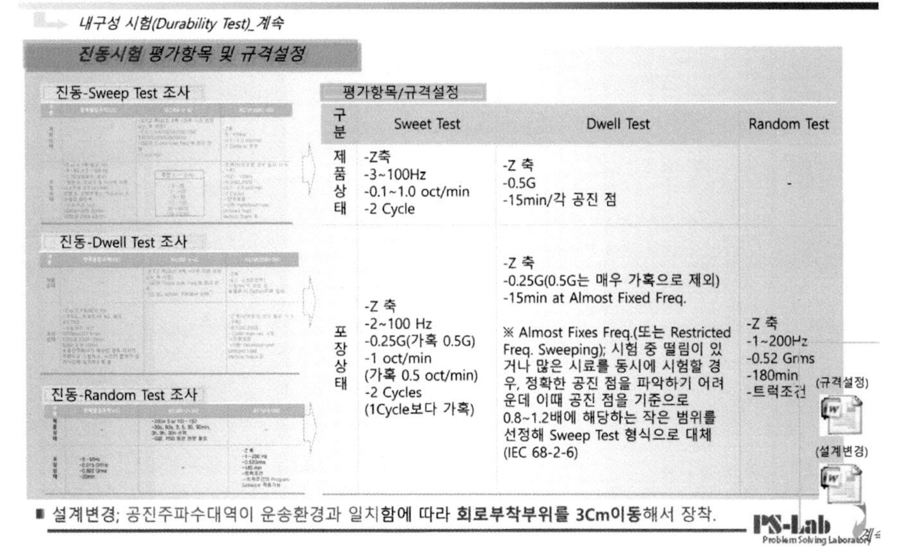

[그림 D－48]은 ‘환경 분석’으로부터 ‘충격 시험’의 필요성이 대두되었고, 그에 따라 ‘Step Velocity/Acceleration Test’를 통해 ‘DBC’를 작성했으며, 결과로부터 고객이 주로 사용하는 ‘80cm’ 높이에서 충격 발생 시 ‘루프 연결 부위’가 탈착되는 문제가 발견되었다(고 가정한다). 이에 고정용 ‘리벳(Rivet)’을 기존 ‘3㎜ → 5㎜’로 변경하고, 또, 운송 시 제품 간 부딪침으로 손상이 예상됨에 따라 1 Pack 내 기존 20 → 25개로 늘려 제품 간 미세 공간을 제거하도록 ‘상세 설계’하였다(고 가정한다).

[그림 D－48] ‘Step－11.2. 상세 설계 수행’ 작성 예(신뢰성 평가_충격)

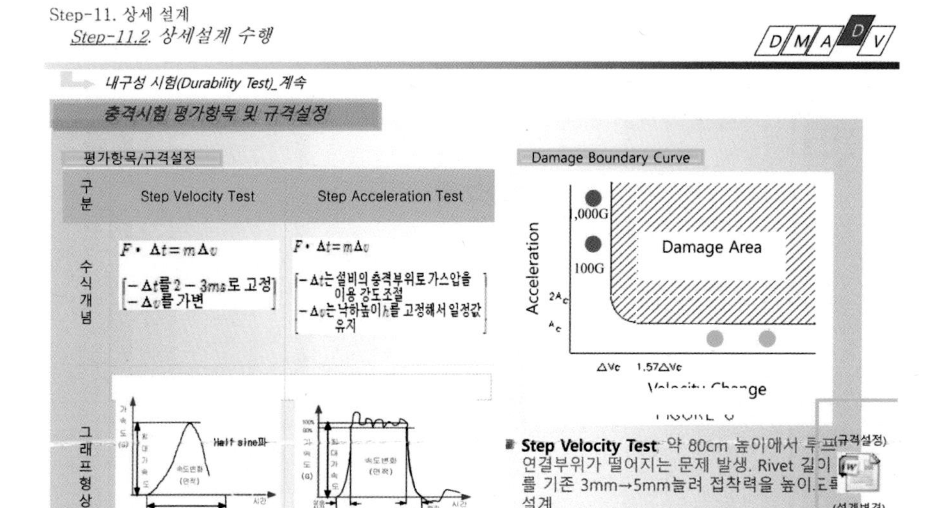

다음 [그림 D－49]는 [그림 D－48]의 재설계(상세 설계) 내용을 설명하기 위해 추가된 장표이다.

‘신뢰성 평가’를 통해 제품의 ‘시간적 품질(Quality in Time)’이 확보되었다. 좀 멀리 오긴 했으나 ‘[그림 D－13] Step－11.1. 상세 설계 계획 수립 작성 예(토이 박스 개발)’로 다시 돌아가 다음 ‘그룹명’인 ‘상세 설계 사양 확정’에 대해 알아보자.

[그림 D-49] 'Step-11.2. 상세 설계 수행' 작성 예(신뢰성 평가_충격)

Step-11. 상세 설계
Step-11.2. 상세설계 수행

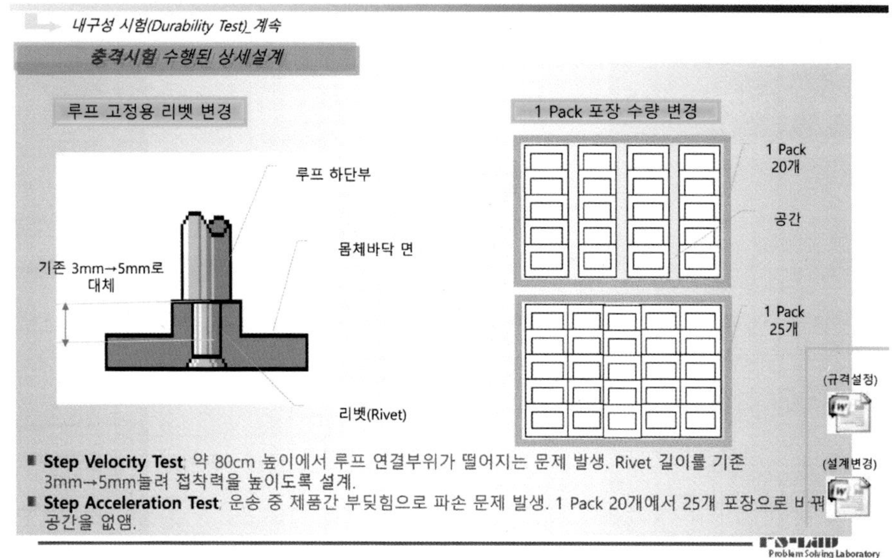

11.2.5. 상세 설계 사양 확정

지금까지 설계를 진행하면서 완성된 '도면(Drawing)'을 최종적으로 정리해야 한다. 아울러 연관된 산출물들도 별도의 양식을 통해 종합하는 활동도 병행한다. 쉽게 말해서 "설계 중 발생된 모든 문서들을 종합한다"로 압축할 수 있다.

우선 '도면'과 '산출물'들은 'Step-9.3. 설계 요소별 산출물 실현'의 '[표 A-47] 설계 7요소 분류표에 산출물을 대응시켜 정리한 예'에도 있고, '상세 설계'를 거치면서 확정된 내용들도 포함한다. 또 '도면'들의 전체 개수와 완성 여부는

'[그림 D-40] DFM 결과 예'의 'Percent of Drawings Completed(도면 완성률)'과 '[그림 D-41] DFM 분석 양식 예' 중 'Drawings Readiness(도면 준비성)'에 잘 나타나 있다. 따라서 이들을 참고해서 '도면'과 '산출물'들을 본 활동 중 종합함으로써 보완이나 누락 방지 등의 최종 마무리를 수행한다. [그림 D-50]은 '도면(Drawings)'의 예이다.

[그림 D-50] 확정된 '도면(조립도, 부품도 등)' 예

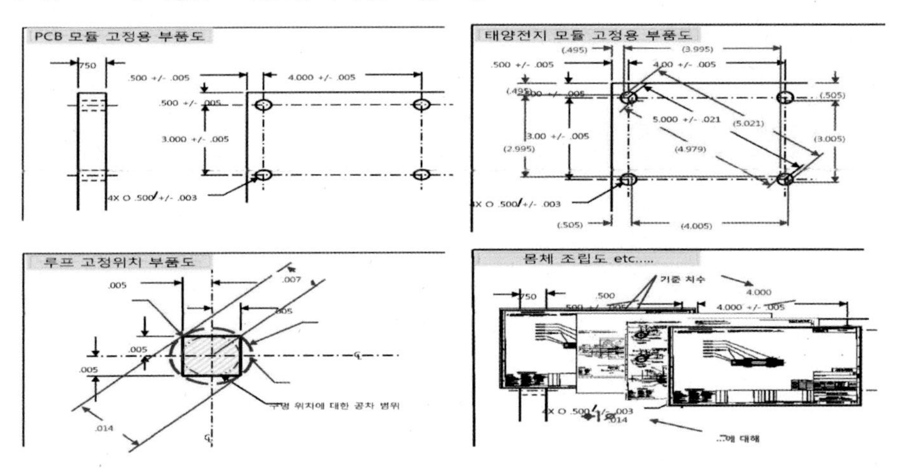

다음은 '토이 박스'와 연계된 '도면(Drawings)'을 종합한 예[108]이다.

---

108) 『공학 설계_창의적 신제품 개발 방법론』, 김종원, 문운당, p.159 참조.

[그림 D-51] '토이 박스' 시제품 제작 도면의 구성 예

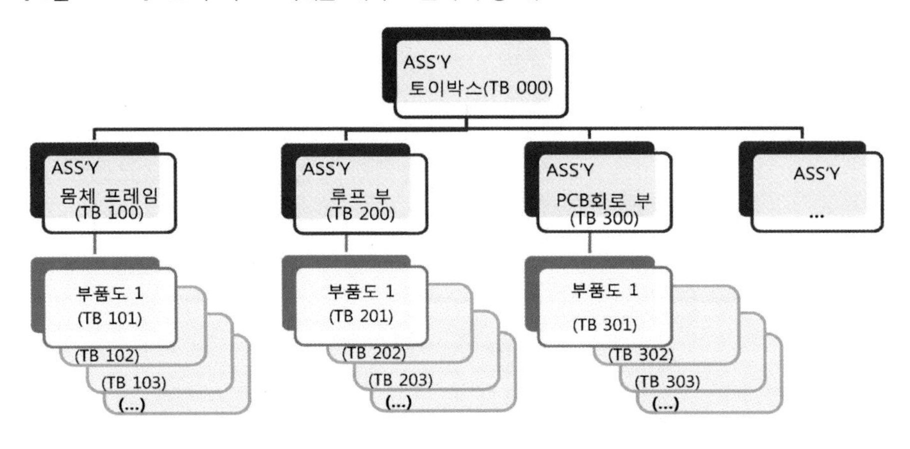

[표 D-12] '부품도' 산출물 예

순번	품번	품명	용도	비고
TG100 ASS'Y, 본체 프레임 소요부품 명세서				
1	TB101	몸체	제품의 프레임 .	태양 전지 부착
2	TB102	덮개	인형돌출을 위한 출입구	인형돌출 시 자동개폐
…	…	…	…	…
TB200 ASS'Y, 루프 부의 소요부품 명세서				
1	TB201	루프	인형이 움직이는 경로	–
2	TB202	인형	게임 가능토록 돌출	–
…	…	…	…	…
TB300 ASS'Y, PCB회로 부의 소요부품 명세서				
1	TB301	PCB모듈	외부 신호 처리, 전자석 제어	–
2	TB302	전자석	스토퍼 동작 및 용수철 변위 제어	릴레이형
…	…	…	…	…
…				
…	…	…	…	…

다음 [그림 D-52]는 '부품도'를 파워포인트로 정리한 예이다.

[그림 D-52] 'Step-11.2. 상세 설계 수행' 작성 예(상세 설계 사양 확정)

Step-11. 상세 설계
Step-11.2. 상세설계 수행

상세설계 사양 확정_ 제품상세 설계도

핵심설계요소(Vital Few Xs) : 도면 완성률

조립도 및 부품도 List

순번	품 번	품명	용도	비고
			TG100 'ASS'Y, 본체 프레임 부품도	
1	TB101	몸체	제품의 프레임	태양전지 부착
2	TB102	덮개	인형돌출을 위한 출입구	인형돌출 시 자동개폐
...	...	...	...	...
			TB200 'ASS'Y, 루프 부의 부품도	
1	TB201	루프	인형이 움직이는 경로	-
2	TB202	인형	게임 가능토록 돌출	-
...	...	...	...	...
			TB300 'ASS'Y, PCB회로 부의 부품도	
1	TB301	PCB모듈	외부 신호 처리, 전자석 제어	-
2	TB302	전자석	스토퍼 동작 및 용수철 변위제어	릴레이 형
...	...	...	...	...
			...	
...	...	...	...	...

(부품도)
(산출물)
(변경관리)

■ '도면 완성률(조립도, 부품도)' 100% 완료(DFM Update).
■ '상위수준설계'와 '상세설계' 수행을 통한 산출물 전체는 '개체삽입' 참조.
■ '상세설계' 중 '변경 점 현황'은 별도 기록하여 '개체삽입'으로 관리.

PS-Lab
Problem Solving Laboratory

많은 길을 걸어왔다. 이제 제품 설계의 모든 것이 완료되었다(고 가정하고), 'Y'들의 'Scorecard 작성'을 통해 과제의 완성도를 평가하는 일만 남았다. '상세 설계'의 최종 '세부 로드맵'으로 들어가 보자.

Step-12. 설계 검증

본 '세부 로드맵'은 '프로세스 개선 방법론'의 'Step-12. 결과 검증'과 매우 유사한 과정으로, 내용을 그대로 빌리면 'Step-11. 상세 설계'에서 완성된 각종 설계 내용들의 목표 달성 수준을 종합적으로 평가한다. 여기서 '평가'라 함은 과제 지표인 'Y'의 향상 정도를 파악하는 것인데, 본 과정이 제품 설계이므로 'Y'의 평가 수준은 원칙적으로 '6시그마 수준'을 달성해야 한다. 경험적으로 '6시그마 수준'을 달성하는 빈도는 그리 높은 편은 아니다. 그러나 '6시그마 수준'에 미달하더라도 현업에서 사용하는 척도(%, ~율 등)로 환산했을 때 목표 수준 이상을 대부분 달성해야 한다. 예를 들어 적은 양의 수율 향상을 보였지만 단위당 절감 금액이 커서 목표액을 충분히 달성할 수도 있고, 또는 시간 등의 특성들은 공정별로 몇 분을 줄이는 것도 큰 개선인데 반해 '시그마 수준'으로 표현할 경우 개선 폭이 상대적으로 저평가되는 경우 등이다. 따라서 '시그마 수준'은 물론 현업에서 사용하고 있는 척도도 함께 표기하는 것이 바람직하다.

초두에 본 '세부 로드맵'의 '설계 검증'이 '프로세스 개선 방법론'의 '결과 검증'과 매우 유사하다고 했는데 이 표현은 완벽하게 동일하다는 뜻은 아니다. '프로세스 개선 방법론'의 개념은 현존하는 대상(제품이든, 프로세스든)의 일부를 최적화하는 경우며 전체 속의 일부이므로 그동안의 운영 방식으로 지속적 관리가 자연스레 보장되는 반면, '제품 설계'에서는 새롭게 만든 것이 현재에도 문제가 없어야 할뿐더러, 향후에도 문제없이 잘 돌아가리란 확신을 줘야 한다. 그렇지 않으면 의사 결정권자는 사업화를 주저하게 될는지도 모른다. 따라서 이 시점에 확인해야 할 사항은 단순히 '프로세스 개선 방법론'의 '결과 검증'뿐만 아니라 향후 미래의 품질에도 확신을 줄 수 있는 '그 무엇'까지를 검증해낼 필요가 있다. 이것을 구체적으로 표현하면 첫째, '상세 설계' 결과를 반영한 Y들의 수준은 얼마나 향상되었는지(물론 가정이 많이 포함될 것이다), 둘째, 가까운 미래의 환경 변화에 대비한 마련책은 있는지, 셋째, 들어가는 '비용 대비 편익'을 산정해서 과연 투자할 가치가 있는 것인지 등이 포함된다. 도구적인 측면에서 첫째는 'Scorecard 작성', 둘째는 '민감도 분석(Sensitivity Analysis)', 셋째는 '비용 편익 분석(Cost-Benefit Analysis)'이 대표적인 예이다. 셋 모두가 기본적으로 필요한 것은 당연하지만 과제의 성격이나 상황에 따라 선택해 쓸 수도 있다. 그러나 'Scorecard'만은 반드시 포함시킨다.

'설계 검증'을 수행하는 기본 과정은 'P－D－C－A Cycle'을 따른다. 그러므로 전체적인 계획을 세우는 'Step－12.1. 설계 검증_Plan', 계획대로 추진해서 얻은 결과의 수집 및 분석까지를 포함한 'Step－12.2. 설계 검증_Do/Check', 여기서 'Scorecard 분석', '민감도 분석', '비용 편익 분석'이 이루어진다. 또 밝혀진 문제점을 보완하고 확인하는 'Step－12.3. 설계 검증_Act'로 마무리한다. 경우에 따라서는 이 과정을 끝낸 뒤 '위험 평가(Risk Assessment)'가 이루어지나 이어지는 'Verify Phase' 초반에 동일한 '세부 로드맵'이 있으므로 설명은 그쪽으로 넘긴다. 이제 '세부 로드맵'에 대해 하나씩 파헤쳐보자.

Step－12.1. 설계 검증_Plan

본격적인 '설계 검증'으로 들어가기에 앞서 '어느 항목들이 어떤 순서로 진행될 것인지'에 대한 요약 정보를 제공한다. 이를 통해 'Step－12.2. 설계 검증_Do/Check'에서 전개될 내용들이 일목요연하게 담겨진다. 다음 [그림 D－53]은 파워포인트로 작성된 예를 보여준다.

[그림 D－53] ‘Step－12.1. 설계 검증_Plan’ 작성 예

Step-12. 설계 검증

Step-12.1. 설계 검증_Plan

'Step-11. 상세설계' 내용을 요약하고, 이들이 'Y'들을 얼마나 향상시킬 것인지 검증하기 위한 계획을 수립.

※ 'Step-11.1. 상세설계 계획수립' 예 중 '그룹 명-시험표본 제작, 상세설계 사양 확정'은 설계사항이 아니므로 'Plan'에서 제외함.

검증항목	그룹 명	설계방향	상세설계(최적화)	검증방법	관련 Ys
1. Ys의 수준향상 평가	최적화/ 공차설계	▪ $V_{Trip\text{-}down}$ 공차설계	• 비교기 교체(LM 2903→LM 293) • 비율'R_1/R_2'를 '저항 네트워크'로 대체 ☞산출물; [그림 D-52] 참조	전이함수	$V_{Trip\text{-}down}$ ~놀이유지시간 ~ 자극 반응도
		▪ 접착제 성분 공차설계	• 운영온도; 20℃ • 분말안정제(0.08~0.12),공중합체 수지(0.42~0.44), 폴리비닐(0.265~0.286)	전이함수	부착물 접착력
		▪ (최적조건 설정)음향센서 감도, 전기신호 증폭률, 전자석 전류 량	• 음향센서감도(10mV/Pa), 전기신호 증폭률(120), 전자석 전류 량(4~6mA) ☞산출물; [그림 D-52] 참조	전이함수	용수철변위(x) ~자극반응도 ~ 고객 선호도
		...	...	...	...
	실수방지 설계	▪ Mistake Proofing	• 와이어 재질과 규격 표준화(사용 시 혼선 방지) • 리벳류 재질과 규격 표준화(혼입 방지) ☞산출물; [그림 D-52] 참조		-
		▪ DFA/DFM	• 용수철 정렬용 돌출 가이드 적용 • 부품 RTY향상을 위한 PCB 모듈 단순화	DFA/DFM Index	~자극 반응도
		...	...	...	
	신뢰성 평가	▪ 내구성 시험(6-Step) ▪ 가속수명 시험	• 공진 점 이동을 위해 'PCB 모듈' 이동설계 • 내 충격 설계 위해 '루프' 고정용 리벳 5mm로 대체 • 운송 중 파손 없애기 위해 1Pack 25개로 설계변경 ☞산출물; 내구성 평가항목/시험규격 설정 etc	공진 점 DB Curve	~고객 선호도
		...	...	...	
2. 설계 운영요소	자원의 최적화	(미래 환경변화에 따른) 자원의 배분	• 공정 투입자원의 최적조건 설정	동적 계획법	비용
	비용/효과 최적화	추가 투자 최적화	• 판매량 추정을 통한 추가 투자규모 결정	의사결정론	이익

PS-Lab
Problem Solving Laboratory

Design Phase에서 수행된 ‘상세 설계’ 내용들이 전체적으로 정리돼야 그로부터 향상된 수준의 파악이 가능하다. 따라서 이들의 요약 정보를 정리하는 것부터 시작한다. [그림 D－53]의 표에 있는 각 ‘열(Column)’의 내용과 역할이 무엇인지 정리하면 다음과 같다.

- **검증 항목** ‘상세 설계’ 수행 후 ‘세부 로드맵’에서 어느 항목을 검증해야 하는가를 정해준다. 예에서는 2가지로 규정하고 있는데 첫째는 ‘Y관점’이다. ‘Ys의 수준 향상 평가’는 Analyze Phase ‘상위 수준 설계’ 이후 최적화된 내용을 토대로 ‘Y’들의 향상 정도를 확인하는 것이 목적이다. 둘째는 설계 ‘운영 요소’이다. 여기서 ‘자원의 최적화’는 ‘(미래 환경 변화에 따른) 자원의 배분’으로, 현재까지 확정된 사항들이 가까운 미래에 어떤 이유로든 변동이 불가피할 경우 수익을 유지하기 위해 자원의 재분배

를 어떻게 해야 하는가를 평가한다. 그 외에 '비용/효과의 최적화'는 추가로 투입될 '비용(투자)' 대비 얻게 될 '효과'를 적절한 의사 결정 도구를 활용하여 판단한다.

- **그룹명/설계 방향** 'Ys의 수준 향상 평가'에만 적용되는 내용으로 [그림 D-13]의 '(상세)설계 방향'과 그들을 그룹으로 묶은 '그룹명'을 옮겨온다.
- **상세 설계(최적화)** 'Step-11.2. 상세 설계 수행'에서 얻은 결과들을 요약한다. 이들로부터 무엇을 검증해야 하는가가 구체화된다.
- **검증 방법** '설계 검증'은 지금까지의 설계된 결과가 Measure Phase에서 언급된 Ys의 수준을 얼마나 올려놓았는가를 평가하는 것이다. 따라서 각각의 '상세 설계(최적화)'별 'Y'의 향상 정도를 확인할 방법이 요구된다. 통상 'Pilot Test', '시뮬레이션', '추이 분석', '전이 함수' 등의 방법들이 동원되거나 극단적으로 다양한 '추정'의 방법들이 사용된다. 만일 아무리 생각해도 검증할 방법이 없으면 '상세 설계(최적화)' 내용은 'Ys'에 간접적인 영향을 주는 '체질 개선 효과'로 평가한다.
- **관련 Ys** '상세 설계(최적화)'가 어느 'Ys'에 상승효과를 주는지 알기 위해 관련된 'Y'를 기술한다. 만일 관련된 지표가 없으면 간접적으로 영향을 주는 '체질 개선 효과'로 간주되고, 이때 '검증 방법'은 공란으로 남긴다. [그림 D-53]에선 '~ 놀이 유지 시간'과 같이 '~'을 달아 놓았는데 '상세 설계' 내용이 간접적으로 관계한다는 표식이다.

보통 파워포인트 장표 하나면 'Step-12.1. 설계 검증_Plan'이 가능하지만 'Pilot Test'나 '시뮬레이션' 등 상세 계획이 필요하면 장표를 추가한다. 다음은 본 계획을 바탕으로 실행이 이루어지는 'Step-12.2. 설계 검증_Do/Check'에 대해 알아보자.

Step-12.2. 설계 검증_Do/Check

'Step-12.1. 설계 검증_Plan'에서 정리된 내용을 중심으로 하나씩 검증을 수행한다. 우선 언급된 'Ys의 수준 향상 평가_전이 함수'와 '설계 운영 요소' 중

‘미래 환경 변화에 따른 자원의 배분_동적 계획법’ 및 ‘추가 투자 최적화_의사 결정론’에 대해 자세히 알아보자.

12.2.1. Ys의 수준 향상 평가_전이 함수

「10.1.1. 전이 함수 개발－White Box형」에서 Measure Phase의 ‘Ys’가 ‘전이 함수’ 속에 직접 포함되지 않았다. 그럼에도 ‘기능 대안의 최적 콘셉트 선정’을 거쳐 제품이 완성된 뒤 이것이 제대로 **동작되는지 여부**만 확인하면 ‘Ys’의 목표가 달성된 것으로 판단했다. 왜냐하면 ‘최적 콘셉트’는 ‘Y의 목표’를 달성하기 위해 ‘세부 로드맵’을 따라 구성된 결과물이기 때문이다. 따라서 제품이 정상 작동하는지 확인하기 위해 ‘전이 함수’를 이용하고(비록 Measure의 Ys가 포함돼 있진 않지만) 이로부터 얻어진 수준은 ‘Ys’를 직접적으로 설명할 ‘대용 특성’으로서 의미를 갖는다. 이와 같은 논리대로라면 이미 몇몇 ‘전이 함수’별 수준을 측정해 놓은 상태다. 다음 [표 D－13]은 현재까지 측정된 ‘전이 함수’와 그 ‘수준’ 및 ‘출처’를 모두 모아 놓은 것이다.

[표 D－13] 활용된 ‘전이 함수’와 ‘수준’ 및 ‘출처’

관련 Ys	전이 함수 및 결과	출처	세부 로드맵
$V_{Trip-down}$	☞ $V_{Trip-down} = [VR_1 + V_{Offset}][(\frac{R_1}{R_1+R_2A+R_5})\frac{R_3+R_4}{R_1+R_3+R_4}+1]$ ☞프로세스 능력 평가결과 시그마 수준=6.40, Ppk=2.13	식 (D.7) [그림 D－21]	Step－11.2. 상세 설계 수행
부착물 접착력	☞ $Y_1(Y_2)$=f(분말안정제, 공중합체수지, 폴리비닐) ☞분말안정제(0.1), 공중합체수지(0.425), 폴리비닐(0.275) 온도(20℃ 고정) ☞ $Y_{부착물\ 접착력}$=188.07kgf(LSL; 150kgf) ☞ $Y_{유해성분\ 증발량}$=1.215ppm(USL; 10ppm)	[그림 A－87]	Step－9.3. 설계 요소별 산출물 실현

용수철 변이(x)	☞ $x = \sqrt{\frac{9.81m(r+2h)}{k}} \quad (m)$ ☞음향 센서감도(10mV/Pa), 전기신호 증폭률(120), 전자석 전류량(4~6mA)하에서 'x'의 변위에 대한 수준평가 要	식 (D.1)	Step-10.1. 전이 함수 확정

첫 번째 '관련 Ys' 열은 [그림 D-53]의 '관련 Ys' 열 속 빨간색 항목들을 옮겨 놓은 것이다. '$V_{Trop\text{-}down}$'은 이미 '공차 설계' 과정 중에 수준 평가가 완료되었으므로 여기선 그 값을 그대로 활용한다. '부착물 접착력'은 목표를 달성했지만 성분들의 '최적 조건(분말 안정제=0.1, 공중합체수지=0.425, 폴리비닐=0.275)'에서 '재현 실험'을 수행해 그 수준을 파악할 필요가 있다. 또, '용수철 변이(x)' 역시 '최적 조건(음향 센서 감도=10㎷/Pa, 전기 신호 증폭률=120, 전자석 전류량=4~6㎃)'에서 '전류량 변화'에 따른 '변위(x)'가 작동하는지 '재현 실험'이 요구된다. 만일 **이들 3개의 특성이 '6시그마 수준'을 달성하면 제품 설계는 "충분히 만족스럽다"로 평가되고, 따라서 Measure Phase에서 정한 'Ys'를 대상으로 '운영적 정의'에 따라 수준 평가에 들어갈 수 있는 토대가 마련된다**. [그림 D-54]는 '부착물 접착력'의 '재현 실험' 결과를 보여준다.

[그림 D-54]에서 '부착물 접착력'과 '유해 성분 증발량'에 대한 '재현 실험'을 'Plan-Do-Check-Act'로 요약하였다. '부착물 접착력' 경우 '5.47'로 '6시그마 수준'엔 미치지 못했으나 규격을 벗어날 확률이 거의 '0'에 가까워 만족할 만한 수준으로 평가되었다(고 가정한다). '유해 성분 증발량'은 기대치인 '1.215ppm'보다 높은 '2.231ppm', '표준 편차'가 '0.86'으로 다소 큰 양상을 보였으나 국제 기준에 충분히 부합하는 것으로 평가되었다. 그러나 만일 '재현 실험' 결과 '기대 값'에 훨씬 못 미치거나 '6시그마 수준'에서 멀어져 있다면 '상위 수준 설계'와 '상세 설계' 및 '재현 실험' 간 차이를 유발하는 원인이 무엇인지 추적해야 하며 이 과정은 'Act'에서 진행한다(이 경우 'Act' 과정을 설명하기 위한 장표가 더 추가돼야만 할 것이다). 이제 남은 '용수철 변위(x)'는

[그림 D－54] ‘Step－12.1. 설계 검증_Do/Check’ 작성 예(재현 실험)

Step-12. 설계 검증
Step-12.2. 설계 검증_Do/Check

(Ys의 수준향상 평가_전이함수)

‘부착물 접착력’에 대한 재현실험을 통해 6시그마 수준을 달성했는지를 평가.

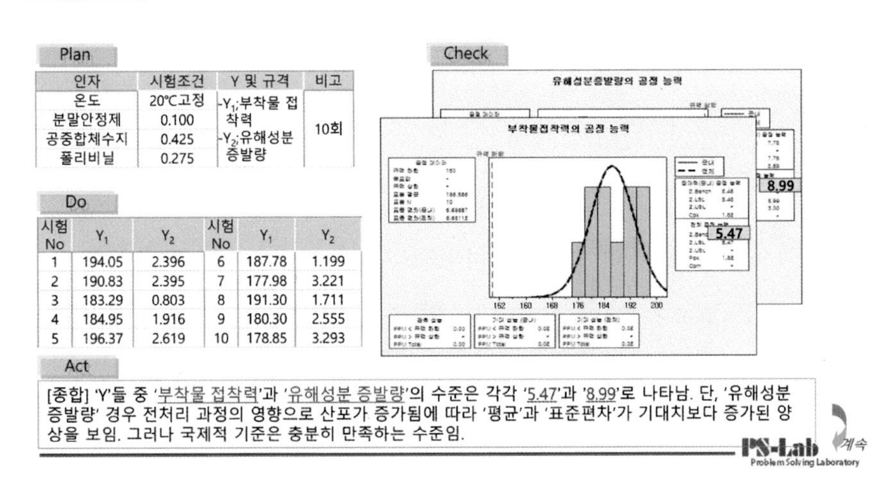

Plan

인자	시험조건	Y 및 규격	비고
온도	20℃고정	-Y_1:부착물 접착력	10회
분말안정제	0.100		
공중합체수지	0.425	-Y_2:유해성분 증발량	
폴리비닐	0.275		

Do

시험 No	Y_1	Y_2	시험 No	Y_1	Y_2
1	194.05	2.396	6	187.78	1.199
2	190.83	2.395	7	177.98	3.221
3	183.29	0.803	8	191.30	1.711
4	184.95	1.916	9	180.30	2.555
5	196.37	2.619	10	178.85	3.293

Act

[종합] ‘Y’들 중 ‘부착물 접착력’과 ‘유해성분 증발량’의 수준은 각각 ‘5.47’과 ‘8.99’로 나타남. 단, ‘유해성분 증발량’ 경우 전처리 과정의 영향으로 산포가 증가됨에 따라 ‘평균’과 ‘표준편차’가 기대치보다 증가된 양상을 보임. 그러나 국제적 기준은 충분히 만족하는 수준임.

PS-Lab Problem Solving Laboratory

계속

어떤 방식으로 설계 검증을 해야 할까?

과제별 상황들이 모두 다를 것이므로 본문의 방법이 공통적으로 적용되리란 보장은 없다. ‘Case by Case’로 ‘설계 검증’이 이루어질 수 있다는 얘기다. 예를 들어 식 (D.1)은 적합한 ‘용수철 상수’를 정하기 위한 용도였으나 ‘변위(x)’를 파악하기 위해 ‘x’에 대한 식으로 다시 풀어내었다. 이 ‘변위(x)’는 ‘스토퍼’를 통해 ‘전자석 세기’에 영향을 받으므로 다음과 같은 함수 관계가 성립한다(고 가정한다).

$$변위(x) = f(F_{자기력}),\ F_{자기력} = \mu_o * S * (\frac{N*I}{2*d})^2 \qquad (D.28)$$

$Where, \mu_o$: 진공/공기의 투자율, S: 코어 단면적, 떨어진 거리 : d,
전류 : I, 코일수 : N

[표 D-13]에서 '전류량'의 '최적 조건'은 외부로 입력되는 '음향 세기'에 따라 '4~6㎃'로 가변되고 있으며, 식 (D.28)에서 나머지 특성들이 고정일 때 '자기력, $F_{자기력}$'은 '전류의 제곱(I^2)'에 비례함을 알 수 있다. 약간의 공학적 지식이 필요하겠지만 단순하게 볼 때 '변위(x)'는 '자기력'에 의한 '인력'과 '용수철'의 '반발력' 차에 의해 결정될 것이며 이렇게 예측된 현상이 실제 전류량을 가변시켜 나타난 실측치와 일치하는가를 확인([그림 D-55])하면 '설계 검증'이 완료된다(고 가정한다). 다음 [그림 D-55]는 '전류'와 '변위' 간 이론과 실측과의 비교 그래프이다.

[그림 D-55] 전류(I)와 용수철 변위(x)의 관계

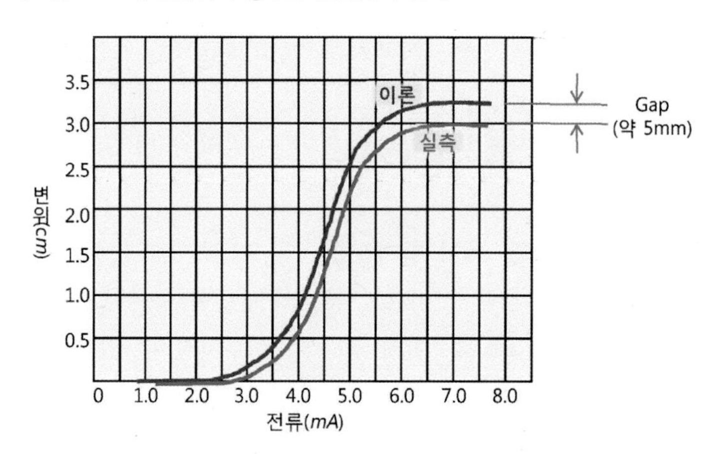

[그림 D-55]에서 '전류(I)의 변화' 대비 '용수철 변위(x)'의 '이론'과 '실측치' 비교 결과, 용수철 '변위'가 정해질 때 '실측'의 경우가 약 '0.2㎃' 지연이 발생하고 있으며, 이 결과로 최고점에서 '변위(x)' 약 '5㎜의 Gap'이 존재하는 것으로 확인되었다. Analyze Phase의 식 (A.16)과 [표 A-42]에서 인형이 '루프 높이(100㎜)'를 이탈할 이론적 '변위(x)'는 '30㎜'인 점을 감안하면, '전류

상한' '6㎃'에서 이미 목표치에 도달하고 있어 작동에 문제가 없는 것으로 판단하였다(고 가정한다). 또, 약간의 변동은 오히려 게임의 즐거움을 높이는 효과(동일한 6㎃가 인가되어도 약간의 변동성이 존재)가 있기 때문에 충분히 수용 가능한 수준으로 판단하였다. 이제 [표 D-13]의 검증이 완료되었다. 이들에 대해 결과를 종합하면 다음 [표 D-14]와 같다.

[표 D-14] 'Y_s의 수준 향상 평가_전이 함수'의 '결과 검증' 요약

관련 Ys	전이 함수 및 결과	검증 결과
VTrip-down	☞ $V_{Trip-down} = [VR_1 + V_{Offset}][(\frac{R_1}{R_1+R_2A+R_5})\frac{R_3+R_4}{R_1+R_3+R_4}+1]$ ☞공정능력 평가결과 시그마 수준=6.40, Ppk=2.13	6.4 시그마 수준
부착물 접착력	☞$Y_1(Y_2)=f$(분말안정제, 공중합체수지, 폴리비닐) ☞분말안정제(0.1), 공중합체수지(0.425), 폴리비닐(0.275) 온도(20℃ 고정) ☞$Y_{부착물\ 접착력}$ =188.07kgf(LSL; 150kgf) ☞$Y_{유해성분\ 증발량}$ =1.215ppm(USL; 10ppm)	5.47시그마 수준 / 8.99 시그마 수준
용수철 변이(x)	☞$x = \sqrt{\frac{9.81m(r+2h)}{k}}$ (m) ☞음향 센서감도(10mV/Pa), 전기신호 증폭률(120), 전자석 전류량(4~6mA)하에서 'x'의 변위에 대한 수준평가 要	전류 상한(6mA)에서 변위(x) '30mm' 만족

'결과 검증'으로부터 제품의 성능이 확인되었으며, 이들을 '제품 설계' 과정에 맞도록 양식화하는 방법이 바로 'Product Scorecard'를 사용하는 일이다. 이것은 Measure Phase '[표 M-29] Scorecard 작성 표'와는 용도에 약간의 차이가 있다. 다음은 두 'Scorecard'에 대한 정의이다.

· **Scorecard** 과제 자체의 성과를 평가하는 용도로 사용. 'Step-6.4. Scorecard 작성'에서 시작돼, 매 Phase마다 'Ys'의 수준 향상을 기록한다.
· **Product Scorecard** 제품 자체의 성능을 평가하는 용도로 사용. 현재의 제품은 '과제 Ys'를 만족시킬 목적으로 설계가 진행돼 온 것이며, 따라서 제품 자체의 동작 상태만을 평가할 'Scorecard'가 요구된다. 이것이 검증되면 과제 'Ys'의 성과도 달성된다.

'Step-6.3. Ys 결정'의 'Ys'가 '제품의 특성'과 일치하면 'Scorecard'는 하나로 통일한다. 그러나 '토이 박스 개발' 경우 '재미의 표현 수', '고객 선호도' 등은 제품 특성과 간접적 관계지 직접적 관계는 없으며, 또 굳이 설명할 필요도 없다. 이미 Analyze 'Step-8.2. 최적 콘셉트 평가/선정'의 결과가 그들로부터 형성된 산출물이기 때문이다. 따라서 산출물의 정상 동작만 파악할 필요가 있다.

[그림 D-56] 'Product Scorecard' 작성 예

Product | 토이박스

품번	Assembly	Performance σ		Process σ		Part σ		Software σ	
		DPU Est	Opp Count	DPU Est	Opp Count	DPU Est	Opp Count	DPU Est	Opp Count
TG100	ASS'Y 본체 프레임	0.00000	2	0.00013	10	0.00001	12		
TG200	ASS'Y 루프 부	0.00008	3	0.00009	12	0.00001	9		
TG300	ASS'Y PCB 회로 부	0.00001	2	0.00001	17	0.00001	7		
	Totals	0.00009	7	0.00023	39	0.00003	28		
	First Time Sigma	3.73		3.50		4.04		#NUM!	
	DPU/Opp	0.00001		0.00001		0.00000		#DIV/0!	
	Sigma/Opp Long Term	4.20		4.38		4.76		#DIV/0!	
	Sigma/Opp Short Term	5.70		5.88		6.26		#DIV/0!	

Top Level Summary / Top Level Financial / Performance / Process / Parts / Software

[그림 D-56]은 'Product Scorecard'의 예이다. 미국 'Qualtec社'에서 제작한 양식으로 현 단계에 매우 적합하다. 잘 보이지 않지만 맨 아래 '워크시트명'을

옮기면 'Top Level Summary', 'Top Level Financial', 'Performance', 'Process', 'Parts', 'Software' 순이다. '토이 박스'의 경우 'Software'는 빼고 'Parts'부터 'Performance'까지의 수준을 묶어 최종 'Sigma Long Term'과 'Sigma Short Term'을 얻는다. 이 양식은 설계 부서 내 양식을 대신 쓰거나 또는 직접 만들어 쓸 수 있으므로 필요성 정도만 언급하고 넘어가겠다. [그림 D-57]은 모든 하부 양식들을 포함한 예이며 [그림 D-54]와 연결된 장표이다.

[그림 D-57] 'Product Scorecard' 작성

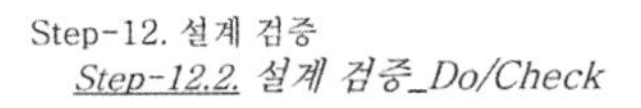

Ys의 수준향상 평가_전이함수 _계속

제품의 정상적 작동을 확인하기 위한 종합적 판단을 'Product Scorecard'로 수행.

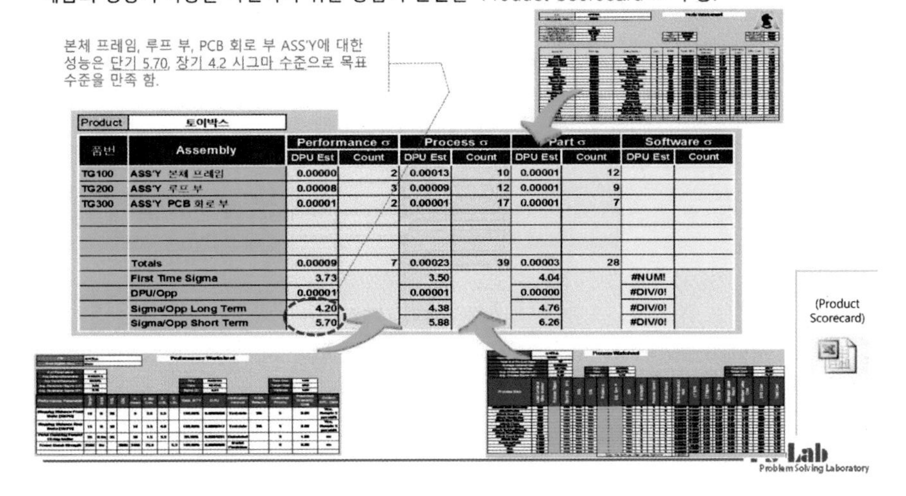

Product	토이박스								
품번	Assembly	Performance σ		Process σ		Part σ		Software σ	
		DPU Est	Count	DPU Est	Count	DPU Est	Count	DPU Est	Count
TG100	ASS'Y 본체 프레임	0.00000	2	0.00013	10	0.00001	12		
TG200	ASS'Y 루프 부	0.00008	3	0.00009	12	0.00001	9		
TG300	ASS'Y PCB 회로 부	0.00001	2	0.00001	17	0.00001	7		
	Totals	0.00009	7	0.00023	39	0.00003	28		
	First Time Sigma	3.73		3.50		4.04		#NUM!	
	DPU/Opp	0.00001		0.00001		0.00000		#DIV/0!	
	Sigma/Opp Long Term	4.20		4.38		4.76		#DIV/0!	
	Sigma/Opp Short Term	5.70		5.88		6.26		#DIV/0!	

[그림 D-57]에서 '단기 5.7시그마 수준', '장기 4.2 시그마 수준'으로 당초 목표인 '단기 6시그마 수준'엔 못 미치지만 내부 검토 결과 충분한 수준으로 판단하였다(고 가정한다). 이제 남은 일은 Phase별로 계속돼 온 'Scorecard'를

작성한다. 다음 [표 D-15]는 과제 'Scorecard'을 '상세 설계'에 맞춰 갱신한 예이다. 파워포인트 작성은 단원 맨 뒤에 포함시킬 것이다.

[표 D-15] 상세 설계 후 'Y_s'에 대한 Scorecard 작성 예

Ys	중요도	단위	T.F. Y/N	성과 표준		Performance σ				목표	비고
				LSL	USL	M	A	D	V		
재미의 표현 수	10	개	N	•단위: 토이 박스 1개 •기회: 부여된 표현 •결점: 5.5점 미만		1개	6.0	6.0		5 이상	설계제품 기준
놀이 유지 시간	7	분	Y	3	–	0.29	3.6	6.0		20	$\bar{x}$=24.3
고객 선호도	6	점	Y	1.0	–	-0.27	3.2	6.0		6.0	시험표본 통한 관찰조사
자극 반응도	6	–	Y	제품 동작매뉴얼 기준		0	1.58	6.6		6.0	무결점
부착물 접착력	3	Kgf	Y	150	–	2.29	4.8	5.47		6.0	$\bar{x}$=186.6

□ T.F.: Transfer Function(전이 함수)
□ '성과 표준'이 '이산 자료'인 경우 'LSL/USL' 대신 '불량(또는 결점)의 정의' 사용

'상세 설계'가 완료된 제품으로 Measure Phase의 '[표 M-26] 운영적 정의 작성 예'에 따라 측정한 결과 전체 'Ys'의 수준이 '6시그마 수준'을 넘거나 근접한 것으로 파악되었다(고 가정한다).

12.2.2. 설계 운영 요소_동적 계획법(Dynamic Programming)

사실 본 주제 이후 내용은 대부분의 제품 설계 과제에서 불필요하거나 건너뛰

는 경우가 많을 줄 안다. 연구원이 주로 하는 일이 제품의 기능 향상이나 신제품 개발에 시간을 투입하는 반면, 본문의 '자원 배분의 최적화'나 '비용/편익 최적화' 같은 일에 골몰할 이유가 없는데 바로 지원 부서가 있기 때문이다. 그렇다고 전혀 의미 없는 일은 아니다. 이런 지식까지를 보유하고 있는 연구원이면 개발 과정 중에 어떤 식으로든 제품 콘셉트에 반영을 시킬 것이다. 미래 환경 변화에 따라 배분해야 할 자원은 어떤 것이 있을까? 가장 대표적인 건 '인력'이 될 것이다.

제품의 변경 규모가 크거나 완전히 다른 개념으로 설계되었다면 공정의 변화도 불가피하지만 그에 따른 인력의 배치도 크게 고려해야 할 사항이다. 이들에 따라 크게 좌우되는 것이 바로 '비용'과 '품질'이기 때문이다. 그러나 본문에서 인력 선정이나 교육 방법, 배치 기준 등을 논하는 것은 범위를 너무 벗어난다. 따라서 간단한 사례를 통해 핵심 사항만 짚는 수준에서 정리하도록 하겠다.

(상황)[109] 현재 설계된 제품의 양산 계획은 생산량 대비 투입될 월 M/H 기준 첫 달에 2,000hrs, 두 번째 달에 3,500hrs, 세 번째 달 5,000hrs, 네 번째 달 7,500hrs, 다섯 번째 달 11,000hrs이 요구될 것으로 예상된다. 우선 첫 달에 전문 엔지니어 7명을 고용하고자 하며, 각 엔지니어는 월 160hrs을 일할 수 있다. 또, 생산량이 증가할수록 새로운 엔지니어의 교육이 있어야 하며 필요 기간은 1개월 정도가 소요될 것으로 예상된다. 신입 엔지니어들은 1개월간 전문 엔지니어에게 40hrs의 학습 기회를 부여 받게 될 것이다. 전문 엔지니어는 월 300만, 신입 엔지니어는 월 150만 원을 급여로 받는다. 과거 자료로부터 전문 엔지니어의 2%가 매월 이직하는 것으로 알려져 있을 때, 향후 5개월간 매달 소요 비용을 최소화시킬 인력 계획을 세워야 하는 것이 현재의 과제다.

109) 본 예는 '『Excel 활용 의사결정』, 박광태, 김민철 공저, 박영사'에 수록된 내용을 상황에 맞게 편집해서 옮겨 놓은 것이다. 이후의 '투자 대비 효과 분석'도 동일하다.

몇 가지 결정해야 할 사항들이 시간적 혹은 공간적으로 관련되어 그들 간 결합 방법에 따라 서로 다른 결과가 일어날 때, 이들 관계를 고려하여 최적화를 시도하는 해결법이 '동적 계획법(Dynamic Programming)'이다. 이 방법은 1957년 Bellman에 의해 정립된 것으로 예산, 설비, 수송, 재고, 인력 계획 등 다단계 의사 결정 문제에 널리 적용되고 있다. 다음은 주어진 '상황'에 대한 최적해이다.

[그림 D-58] '동적 계획법'을 이용한 월별 최적 인력 계획 결과

기본 설계자료		
1월 전문 엔지니어	7	명
전문엔지니어 월 시간	160	hrs
신입 엔지니어 학습시간	40	hrs
전문엔지니어 월 급여	3,000,000	원
신입 엔지니어 월 급여	1,500,000	원
월 이탈률	2%	

투입인력 및 비용						
월	1	2	3	4	5	
신입 엔지니어 수	18	11	17	18	0	
전문 엔지니어 수	7	24.7	35.4	51.5	68.8	
월말 이탈자 수	0.14	0.49	0.71	1.03	1.38	
생산에 투입시간	406.99	3500.00	5000.00	7500.00	11000.00	
	>=	>=	>=	>=	>=	
생산에 요구시간	2000	3500	5000	7500	11000	T/T Cost
비용	47,737,981	90,917,885	131,396,066	181,852,410	206,250,000	658,154,341

즉, 첫 번째 달에 신입 엔지니어 18명, 두 번째 달 11명, 세 번째 달 17, 네 번째 달 18 순으로 투입돼야 하며, 최종 달부터는 새롭게 투입하지 않더라도 생산량이 증대되지 않는 한 유지될 것으로 보인다. 물론 다음 반기 계획이 추가된다면 일부 조정은 불가피하다. 이때 예상되는 최소 인건비용은 '약 6억 5천8백만 원'이다. 가끔 풀이 과정 때문에 문의가 오곤 해서 아래 셀의 수식을 포함시켰으니 참고하고, '주석) 109'의 관련 서적을 활용하기 바란다.

[그림 D－59] '동적 계획법' 수행 시 셀 내 수식 예

기본 설계자료		
1월 전문 엔지니어	7	명
전문엔지니어 월 시간	160	hrs
신입 엔지니어 학습시간	40	hrs
전문엔지니어 월 급여	3,000,000	원
신입 엔지니어 월 급여	1,500,000	원
월 이탈률	2%	

투입인력 및 비용						
월	1	2	3	4	5	
신입 엔지니어 수	18	11	17	18	0	
전문 엔지니어 수	=B2	=B12-B13+B11	=C12-C13+C11	=D12-D13+D11	=E12-E13+E11	
월말 이탈자 수	=B12*$B$7	=C12*$B$7	=D12*$B$7	=E12*$B$7	=F12*$B$7	
생산에 투입시간	=B12*$B$3-$B$4*B11	=C12*$B$3-$B$4*C11	=D12*$B$3-$B$4*D11	=E12*$B$3-$B$4*E11	=F12*$B$3-$B$4*F11	
	>=	>=	>=	>=	>=	
생산에 요구시간	2000	3500	5000	7500	11000	T/T Cost
비용	=$B$5*B12+$B$6*B11	=$B$5*C12+$B$6*C11	=$B$5*D12+$B$6*D11	=$B$5*E12+$B$6*E11	=$B$5*F12+$B$6*F11	=SUM(B18:F18)

계산할 독자를 위해 엑셀 기준 [그림 D－59] 첫 열은 엑셀 'A'열에, 첫 행은 엑셀 '1'행에 대응한다. 또, '동적 계획법' 실행은 셀 'T/T Cost'를 찍고, 엑셀의 '해 찾기'에서 다음 [그림 D－60]과 같이 입력한 뒤 '실행'한다(단, '옵션' 내 '음수 아닌 것으로 가정' 설정). [그림 D－61]은 파워포인트 작성 예이다.

[그림 D－60] 엑셀 '해 찾기' 입력 예

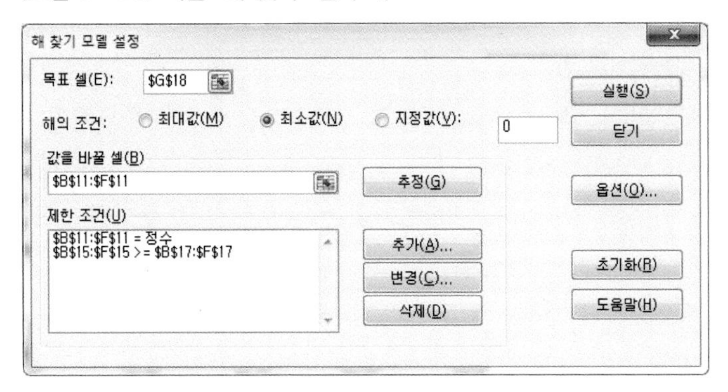

[그림 D-61] 'Step-12.2. 설계 검증_Do/Check' 작성 예(자원 배분)

Step-12. 설계 검증
Step-12.2. 설계 검증_Do/Check

(미래 환경변화에 따른 자원의 배분_동적 계획법)

단계적 생산량을 증가시켜 나갈 계획으로 설정된 상황에 최적화된 인력계획을 설정하고자 '동적 계획법' 수행. 입안된 기본 설계정보는 아래 그림 상위에 해당됨.

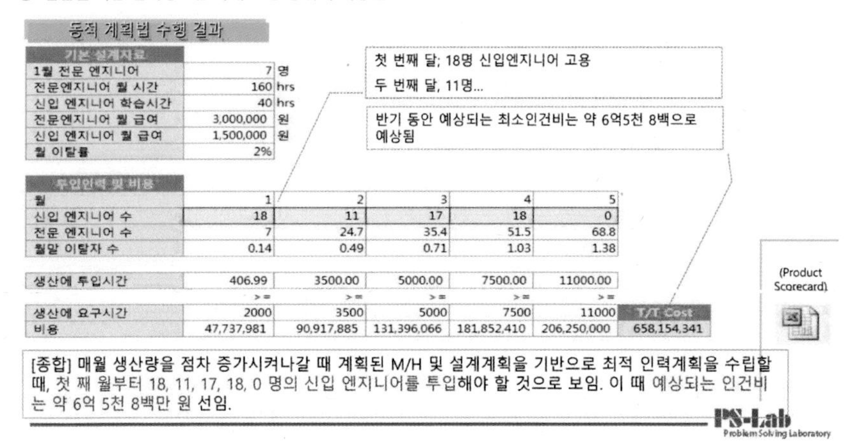

동적 계획법 수행 결과

기본 설계자료		
1월 전문 엔지니어	7	명
전문엔지니어 월 시간	160	hrs
신입 엔지니어 학습시간	40	hrs
전문엔지니어 월 급여	3,000,000	원
신입 엔지니어 월 급여	1,500,000	원
월 이탈률	2%	

투입인력 및 비용						
월	1	2	3	4	5	
신입 엔지니어 수	18	11	17	18	0	
전문 엔지니어 수	7	24.7	35.4	51.5	68.8	
월말 이탈자 수	0.14	0.49	0.71	1.03	1.38	
생산에 투입시간	406.99	3500.00	5000.00	7500.00	11000.00	
	>=	>=	>=	>=	>=	
생산에 요구시간	2000	3500	5000	7500	11000	T/T Cost
비용	47,737,981	90,917,885	131,396,066	181,852,410	206,250,000	658,154,341

[종합] 매월 생산량을 점차 증가시켜나갈 때 계획된 M/H 및 설계계획을 기반으로 최적 인력계획을 수립할 때, 첫 째 월부터 18, 11, 17, 18, 0 명의 신입 엔지니어를 투입해야 할 것으로 보임. 이 때 예상되는 인건비는 약 6억 5천 8백만 원 선임.

PS-Lab
Problem Solving Laboratory

12.2.3. 설계 운영 요소_의사 결정론(Decision-making)

이 과정은 Define Phase 'Step-2.3. 효과 기술'에서 이미 투자 대비 성과('효율성'과 '효과성')를 조사한 전력이 있으며, 그 결과가 '토이 박스'의 제품 개발 배경을 이루고 있다. 즉, 개발한 뒤 손해가 난다고 분석되었으면 제품 설계는 애초에 시작되지도 않았을 것이다. 따라서 본문에선 제품 개발에 따른 여러 상황 변동 중 추가적으로 투자가 발생한 것으로 가정하고, 이에 대한 의사 결정 방법만 언급하고자 한다. 물론 이마저도 실제 기업 연구원들이 경험할 가능성은 낮다. 그러나 절차의 존재를 아는 것만으로도 '콘셉트 설계'에 좀 더 신중을 기할 수 있다. 본론으로 들어가기 전 연관 용어에 대해 알아보자.

기존과 다른 새로운 분야에 입문하고 또 학습해가면서 항상 주의 깊게 관찰했던 사안이 바로 '용어 정의'가 아닌가 싶다. 『Be the Solver_확증적 자료 분석』편과 『Be the Solver_프로세스 설계 방법론』편에서도 강조했던바, 본문에서도 용어의 혼선이 없도록 정확하고 공인된 출처를 따르려 노력하고 있다. 그들 중의 하나가 '비용-편익'이라는 합성 용어다. 혹자는 '비용-효과'로도 쓰고 있으며, 간혹 '편익-비용'으로 뒤집어쓰기도 한다. 이번 기회에 용어 정의에 대해 확실히 해두고 이것들이 '제품 설계' 과제에서 어떤 효용성을 갖는지에 대해서도 알아보자. 다음은 사전 정의를 옮겨 놓은 것이다.

- **비용 편익 분석**(Cost-benefit Analysis, 費用便益分析) (국어사전) 〈경제〉 어떤 안(案)을 실현하는 데 필요한 비용과 그로 인하여 얻어지는 편익을 평가, 대비함으로써 그 안의 채택 여부를 결정하는 방법.
- (네이버 용어사전) 여러 정책대안 가운데 목표 달성에 가장 효과적인 대안을 찾기 위해 각 대안이 초래할 비용과 편익을 비교·분석하는 기법을 말한다. 즉, 어떤 프로젝트와 관련된 편익과 비용들을 모두 **금전적 가치**로 환산한 다음 이 결과를 토대로 프로젝트의 소망성을 평가하는 방법을 말한다. 각 대안의 비교에는 비용편익비(費用便益比, B/C ratio), 순현재가치(純現在價値, net present value), 내부수익률(內部收益率, IRR) 등의 기준이 사용된다.

'국어사전' 정의가 바로 와 닿지 않아 '네이버 용어사전'을 추가하였다. 공통적으로는 '얻고자 하는 바' 대비 들어가는 '비용'을 평가하는 것인데, '네이버 용어 사전'의 굵은 글씨로 표시한 바와 같이 '금전적 가치'라고 하는 어구에 집중할 필요가 있다. 즉, **실현하려고 하는 '목표'와 그를 위해 투입되는 '비용' 모두가 '금전적 가치'로 평가**될 수 있어 객관적이고 효과적인 의사 결정을 유도한다. 이들 방법을 세분화하면 '비용 편익 비', '순 현재 가치', '내부 수익률'이 있다. 그 외에 '손익 분기점 분석'도 의사 결정을 위해 좋은 정보를 제공하는데 활용은 별도의 서적 등을 참고하기 바란다.

앞서 설명한 '비용 편익 분석'과 혼동해서 쓰이지만 정의 자체가 완전히 다른 '비용 효과 분석'이 있다. 다음은 용어 정의이며, 참고로 '국어사전'에는 없어 '네이버 용어사전'의 것을 옮겨 놓았다.

· **비용 효과 분석(Cost－effectiveness Analysis, 費用效果分析)** (네이버 용어사전) 여러 정책대안 가운데 가장 효과적인 대안을 찾기 위해 각 대안이 초래할 비용과 산출 효과를 비교·분석하는 기법을 말한다. 이 기법은 특정 프로젝트에 투입되는 비용들은 금전적 가치로 환산하나, 그 프로젝트로부터 얻게 되는 편익 또는 산출은 **금전적 가치로 환산하지 않고** 산출물 그대로 분석에 활용하는 특징을 지닌다. 이 기법은 산출물을 금전적 가치로 환산하기 어렵거나, 산출물이 동일한 사업의 평가에 주로 이용되고 있다.

'비용 편익 분석'과의 확연한 차이는 실현하려고 하는 '목표'가 '금전적 가치'로 환산되지 않는다는 것이다(투자될 '비용'이 확인되는 것은 동일). 예를 들면 '고객 만족도 1점 향상'이라는 목표를 두고 프로세스를 설계한다고 할 때 '목표' 자체는 금전적 가치의 환산이 어렵거나 또는 불필요할 수도 있다. 따라서 '목표'는 정성적 형태 그대로 두고 단지 그를 실현하기 위한 여러 대안 중 금전적으로 환산된 최소의 비용 또는 합리적인 비용의 것을 비교해 선택하는 접근법이다.

이제 '토이 박스 개발' 과제로 돌아와 앞서 언급한 바와 같이 추가 투자의 상황이 발생했으며, '판매량'과의 조율을 통해 이익 규모가 가장 큰 대안을 찾아보려는 노력이 전개 핵심이다. 이에 '비용 편익 분석'의 '비용 편익 비', '순현재 가치', '내부 수익률'을 적용할 입장은 아니며, 또 '비용 효과 분석'과 같이 '금전적 가치로 환산되지 않음'의 상황도 아니다. 따라서 이 경우를 가장 잘 대변할 '의사 결정론(Decision-making Method)'을 활용할 것이다. 다음은 문제 해결을 위해 현 상황을 설명한 예이다.

(상황) 새로운 콘셉트가 도입된 '토이 박스' 경우, 기존에 없던 'PCB 회로'가 장착됐으며, 현재의 프로세스에 이를 조립 가공할 공정이 추가로 고려돼야 할 상황이다. 이에 가장 경제적인 대안을 찾기 위해 공정 투자 규모를 대, 중, 소로 구분하고 '판매량'의 수준(낮음, 보통, 높음)별 예상되는 '이익'을 조사하였다(고 가정한다). 다음은 조사된 자료이다.

[표 D－16] '투자 규모'별 '판매량'에 따른 예상 이익 추정 표

투자 ＼ 판매량	낮음	보통	높음	비 고
소규모	15	35	40	–단위: 백만 원 –'투자규모'와 '판매량' '투자검토서' 참조
중규모	25	60	60	
대규모	–20	30	90	

다음 [그림 D－62]는 '의사 결정 방법론'을 이용해 얻은 결과이다.

[그림 D－62] '의사 결정 방법론'별 '엑셀' 결과 예

1. 라플라스 기준 모든 상황에 동일한 확률을 부여

투자 ＼ 판매량	낮음	보통	높음	기대이익
소규모	15	35	40	30.0
중규모	25	60	60	48.3
대규모	- 20	30	90	33.3
			선택 안	**48.3**

2. 맥시민 기준 조심스럽고 비관적 예측을 통한 의사결정

투자 ＼ 판매량	낮음	보통	높음	기대이익
소규모	15	35	40	15
중규모	25	60	60	25
대규모	- 20	30	90	- 20
			선택 안	**25**

3. 맥시맥스 기준 낙관적인 의사결정

투자 ＼ 판매량	낮음	보통	높음	기대이익
소규모	15	35	40	40
중규모	25	60	60	60
대규모	- 20	30	90	90
			선택 안	**90**

4. 후르비츠 기준 미래에 대해 낙관과 비관의 중간적 의사결정

투자 ＼ 판매량	낮음	보통	높음	기대이익
소규모	15	35	40	33
중규모	25	60	60	50
대규모	- 20	30	90	57
낙관계수	0.7		선택 안	**57**

5. 미니맥스 기준 기회손실기준 가장 작은 경우를 선정

투자 ＼ 판매량	낮음	보통	높음	기대이익
소규모	10	25	50	50
중규모	-	-	30	30
대규모	25	30	-	30
			선택 안	**30**

의사 결정을 위해 기본적으로 활용 빈도가 높은 '라플라스 기준(모든 상황에 동일한 확률을 부여해서 가장 큰 기대 값을 선정)', '맥시민 기준(조심스럽고 비관적 예측을 통한 의사 결정)', '맥시맥스 기준(낙관적인 의사 결정)', '후르비츠 기준(미래에 대해 낙관과 비관의 중간적 의사 결정)', '미니맥스 기준(기회 손실 기준 가장 작은 경우를 선정)'을 적용해보았으며, 결과를 요약하면 다음 [표 D-17]과 같다.

[표 D-17] 의사 결정론 결과 종합

의사결정론	대안 선정기준	결과	최종 결정	비 고
라플라스 기준	모든 상황에 동일한 확률을 부여해서 가장 큰 기대 값을 선정	중규모	대규모	비관적인 상황이 중규모 이상임.
맥시민 기준	조심스럽고 비관적 예측을 통한 의사결정	중규모		
맥시맥스 기준	낙관적인 의사결정	대규모		
후르비츠 기준	미래에 대해 낙관과 비관의 중간적 의사결정	대규모		
미니맥스 기준	기회손실 기준 가장 작은 경우를 선정	중/대규모		

비관적 의사 결정 도구인 '맥시민 기준'이 '중규모'이고, 나머지 대부분이 그 이상으로 파악됨에 따라 내부 팀 회의를 거쳐 추가 투자 규모를 최대화하기로 최종 결정하였다(고 가정한다). Define Phase에서 조사된 시장 상황과 제품 개발 수준에 큰 변화가 없었음을 확인한 결과이다. 물론 기업의 투자 환경이 여기서 보인 예처럼 그리 간단치 않다는 것은 잘 알고 있다. 그러나 어느 경우라도 변수의 수와 규모에 차이가 있을 뿐 결과적으로 의사 결정을 시도하는 과정 자체는 차이가 없다. 비관적으로 볼 것인지, 중도적으로 볼 것인지, 아니면 낙관론이 지배적인지는 상황에 맞는 판단이 뒤따라야 하며 그러기 위해선 주어진 자료를 토대로 최대한 객관적 접근을 시도하는 것이 가장 합리적이다. 다음 [그림 D-63]은 추가 투자에 대한 의사 결정 과정을 파워포인트로 정리한 예이다.

[그림 D－63] ‘Step－12.2. 설계 검증_Do/Check’ 작성 예(추가 투자 최적화)

Step-12. 설계 검증
Step-12.2. 설계 검증_Do/Check

(추가 투자 최적화_의사결정론)

‘PCB 회로모듈’의 장착으로 기존에 없던 조립공정의 추가 투자 필요성 생김. 이에 투자규모 결정을 위한 의사결정론 분석 수행.

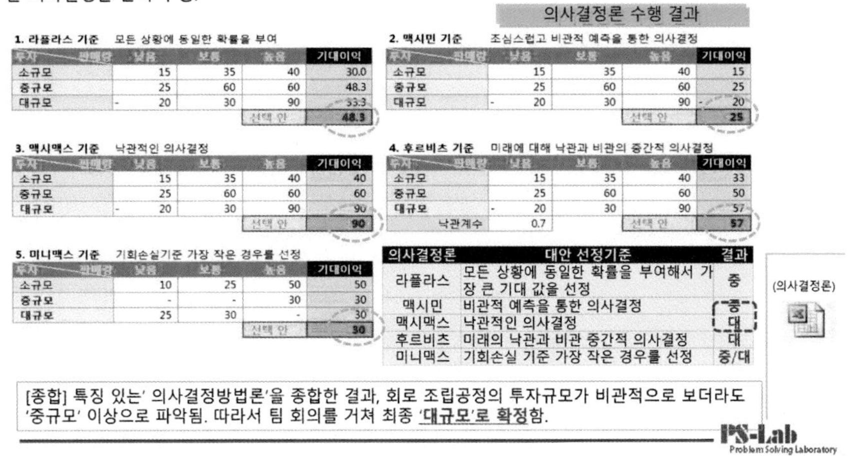

의사결정론 수행 결과

1. 라플라스 기준 모든 상황에 동일한 확률을 부여

투자＼판매량	낮음	보통	높음	기대이익
소규모	15	35	40	30.0
중규모	25	60	60	48.3
대규모	- 20	30	90	33.3
			선택 안	48.3

2. 맥시민 기준 조심스럽고 비관적 예측을 통한 의사결정

투자＼판매량	낮음	보통	높음	기대이익
소규모	15	35	40	15
중규모	25	60	60	25
대규모	- 20	30	90	- 20
			선택 안	25

3. 맥시맥스 기준 낙관적인 의사결정

투자＼판매량	낮음	보통	높음	기대이익
소규모	15	35	40	40
중규모	25	60	60	60
대규모	- 20	30	90	90
			선택 안	90

4. 후르비츠 기준 미래에 대해 낙관과 비관의 중간적 의사결정

투자＼판매량	낮음	보통	높음	기대이익
소규모	15	35	40	33
중규모	25	60	60	50
대규모	- 20	30	90	57
낙관계수	0.7		선택 안	57

5. 미니맥스 기준 기회손실기준 가장 작은 경우를 선정

투자＼판매량	낮음	보통	높음	기대이익
소규모	10	25	50	50
중규모	-	-	30	30
대규모	25	30	-	30
			선택 안	30

의사결정론	대안 선정기준	결과
라플라스	모든 상황에 동일한 확률을 부여해서 가장 큰 기대 값을 선정	중
맥시민	비관적 예측을 통한 의사결정	중
맥시맥스	낙관적인 의사결정	대
후르비츠	미래의 낙관과 비관 중간적 의사결정	대
미니맥스	기회손실 기준 가장 작은 경우를 선정	중/대

(의사결정론)

[종합] 특징 있는’ 의사결정방법론’을 종합한 결과, 회로 조립공정의 투자규모가 비관적으로 보더라도 ‘중규모’ 이상으로 파악됨. 따라서 팀 회의를 거쳐 최종 ‘대규모’로 확정함.

PS-Lab
Problem Solving Laboratory

사실 제품 하나를 기획, 설계하고 완성하기까지 미래의 불확실성 때문에 예상치 못한 많은 상황이 발생한다. 과제 중간에 ‘Drop’이란 쓴 잔을 마시기도 하고, 갑자기 과제의 규모나 범위가 커지거나 축소되는 바람에 초기 취지가 무색하게 되는 일도 비일비재하다. 그러나 “연구 개발이 그런 것이다”라고 치부하기보다 미래의 동향에 최대한 객관적 접근을 시도하다 보면 새로운 규칙성을 발견하게 되고 미래를 보는 식견도 훨씬 넓어진다. “내 것이 아니다”란 사고보다 연구원도 이런 ‘의사 결정 방법론, 비용/효과, 비용/편익’에 대한 이해를 구하고 또 많은 관심을 가져주기 바란다. 다음은 검증 단계의 끝 관문인 ‘Step－12.3. 설계 검증_Act’로 넘어가보자.

Step－12.3. 설계 검증_Act

'Do/Check'에서 설계 내용과 관련해 'Product Scorecard'의 수준이 기대 이상에 미치지 못하거나 개발 완료된 제품을 운용할 전문 인력의 투입 부재, 투자 규모나 성격의 갑작스러운 변동 등 예상치 못한 변화로 설계 자체를 변경시켜야만 하면 바로 여기 'Act'에서 처리한다. 물론 보완할 양이 끝도 없이 많으면 정말 문제지만 그렇지 않다면 변화된 현실에 맞게 보정하는 일은 언제나 가능하다. 만일 1회성으로 끝나지 않을 사안이면 익히 알려진 'P－D－C－A Cycle'처럼 'Plan'부터 시작한다. 문제가 모두 해결되면 개선된 '프로세스 능력'을 평가/예측한다. 사실 제품 설계 과제를 수행하다 보면 다양한 경우의 수와 마주하는데 현실적으로 '프로세스 능력'의 측정이 불가한 경우도 있고, 다음 활동인 'Verify Phase'에서 측정이 가능한 경우도 있다. 또 어느 'Y'는 평가가 가능하지만 어느 'Y'는 측정에 어려움이 있을 수 있다. 제품이 다양한 만큼 최종 평가도 다양할 수밖에 없다. 따라서 모든 유형들을 싸잡아 한마디로 방법론을 정의하는 일은 확실히 무리가 따른다. 그러나 명확한 것은 **"과연 Measure Phase에서 설정한 수준이 설계 과정을 거치며 정말 높아졌느냐?"**를 확인할 필요는 있다. 이 생각에 이르면 무슨 방법을 강구해서라도 향상 여부를 측정해야 한다.

만일 측정의 어려움이 있는 상황이면 팀 회의를 최대한 활성화함으로써 다양한 아이디어 발굴과 실행으로 연결될 수 있도록 노력한다. 이때 주제는 "정말 시그마 수준이 높아졌는가?"와 같은 문구가 화이트보드에 큼지막하게 쓰여 있어야 한다. 편의상 보완의 필요성은 없다고 가정하고 [표 D－15]를 다시 가져다 다음과 같이 'Act'를 마무리한다.

[그림 D-64] 'Step-12.3. 설계 검증_Act' 작성 예(Scorecard 작성)

Step-12. 설계 검증
Step-12.2. 설계 검증_Act

'Product Scorecard'를 통해 설계의 완성도는 파악된 상태이며, Measure Phase에서의 과제 'Y'가 목표 대비 달성되었는지를 '상세 설계' 후 최종 평가함.

Scorecard 작성

Ys	중요도	단위	T.F. Y/N	성과표준		Performance σ				목표	비고
				LSL	USL	M	A	D	V		
재미의 표현 수	10	개	N	•단위; 토이박스 1개 •기회; 부여된 표현 •결점; 5.5점미만		1개	6.0	6.0		5 이상	설계제품 기준
놀이 유지시간	7	분	Y	3	-	0.29	3.6	6.0		20	$\bar{x}$=24.3
고객 선호도	6	점	Y	1.0	-	-0.27	3.2	6.0		6.0	시험표본 통한 관찰조사
자극 반응도	6	-	Y	제품 동작매뉴얼 기준		0	1.58	6.6		6.0	무결점
부착물 접착력	3	Kgf	Y	150	-	2.29	4.8	5.47		6.0	$\bar{x}$=186.6

(산정과정)

□ T.F.: Transfer Function/ □ '시그마수준'이 아닌 경우는 정해진 '단위'를 함께 씀.

다음은 '제품 설계 방법론'의 최종 활동인 'Verify Phase'로 들어가 보자.

Ⅵ

Verify

Verify Phase는 설계한 제품이 실제로 잘 작동하는지를 확인하는 영역이다. 따라서 모든 활동은 실질적인 관점에서 파악하고 평가하는 데 맞춰져 있다. '프로세스 개선 방법론'과 유사하지만 '이관'에 따른 고려가 신중하게 검토될 필요가 있다. 새롭게 설계한 제품이므로 최초 적용 시점부터 많은 문제점이 유발할 수 있기 때문이다.

Verify Phase 개요

'Verify'의 사전적 정의는 "증명[입증]하다, <사실·행위 등이 예언·약속 등을> 실증하다"이다. 그런데 이와 유사한 단어로 'Validate'가 있다. '제품 설계 방법론 로드맵'에 익숙한 리더라면 한 번쯤 의문을 갖거나 질문을 하는 경우가 있는데 바로 'Verify'와 'Validate'의 차이점에 대해서다. 'Validate' 역시 "정당성을 입증하다, 실증하다"로 의미상 차이가 없기 때문이다. 그런데 왜 이런 질문을 하는 것일까? 왜냐하면 똑같은 '제품 설계 로드맵'이지만 'Verify'가 'DMADV'에 속해 있는 반면, 'Validate'는 'DIDOV'에 속해 있기 때문이다.

같은 '검증한다'지만 기술한 차이점이 존재하는 이유는 추측건대 두 가지로 요약된다. 하나는 '개요 단계'에서 '로드맵의 탄생 배경'을 설명할 때 'DIDOV'는 기존 서비스 부문 등에 주로 써오던 'DMADV'와의 차별성을 갖기 위해 단어 자체를 달리 가져갔을 가능성과, 다른 하나는 영어 자체의 정의(뉘앙스라고 해야 맞을 듯싶다)에 따른다고 볼 수 있다. 'Verify'는 제품을 좀 더 검사하거나 실험들을 수행해서 정확성이나 진실을 테스트하는 느낌이 강한 반면, 'Validate'는 대상에 대해 진실이라고 선언하고 공식적인 인가를 인정한다는 의미가 강하다. 이 때문에 'Verify'는 설계 제품의 품질 특성들이 규격에 부합하는지를 평가하고, 'Validate'는 고객의 시각에서 만족할 만한 결과물을 제공할 수 있는지의 '품질 보증 프로세스' 검증에 집중한다.[110)]

통상 'DMADV'는 기존 프로세스가 존재하는 상황에서 부족한 부분을 개선할 목적으로 설계의 필요성을 느낄 때('Small Change'로도 불린다) 적합한 로드맵인 반면, 'DIDOV'는 프로세스가 존재하지 않는 최초 개발에 적용('Big Change'

110) P. G. Maropoulos 외 *Design verification and validation in product lifecycle*, CIRP-598; No. of Pages 20 참조.

로 불린다)한다. 존재하는 프로세스의 문제점이 확인되면 심도 있게 검사해서 검증해내는 작업이 필요하며, 프로세스가 없는 최초 개발이면 그 필요성과 추진을 선언하고 결과에 대해 공식적인 인가를 받는 과정이 필요하기 때문이다.

'Verify Phase'에서는 무슨 활동을 하는 걸까? 말 그대로 "실증 또는 검증한다"이다. 그러나 '검증'에 대한 얘기라면 이미 한 번 거쳐온 상태다. 'Step－12. 설계 검증'이 그것이다. 그러나 확연한 차이점이 있는데 'Step－12. 설계 검증'은 설계된 결과물이 최적의 환경에서 문제없이 잘 돌아가고, 또 목표를 달성해낼 것이라 기대하는 반면, 'Verify'에서는 실제 생산 프로세스를 운영해보면서 추가적인 개선점이 없는가를 검증한다. 즉, 최적의 좋은 환경(시뮬레이션, 간단한 상황 설정 등)에서는 단기 데이터만 얻을 수 있어 기껏 해야 단기성과를 예측할 수 있지만, Verify Phase에서는 1달 이상의 실 생산 프로세스 운영 기간을 거치며(실상은 긴 기간은 아니더라도) 장기 성향의 성과 예측을 할 수 있는 특징이 있다. 따라서 **'Verify Phase'는 실제 생산 프로세스를 운영할 때 어느 수준을 유지할 수 있는지를 검증하는 데 관심과 초점이 맞춰져 있다.** '프로세스 개선 방법론'의 'Control Phase'와 의미상 동일하다.

프로그램을 개발하는 과제를 생각해보자. 핵심 활동은 프로그램 언어를 사용해 원하는 출력(정보 등)을 얻는 것이 목적이므로 프로그램상 '오류'가 없고, 또 빠르면서 정확하게 작동하도록 개발하는 것이 핵심이다. 따라서 개발은 크게 '개발 단계'와 '운영 단계'로 나뉜다. 프로그램을 '개발'했으면 실 서버에 적용해 잘 돌아가는지 '운영' 수준을 확인한다. 그러나 이때 예상치 못한 문제점이 발생해서 실 서버에 들어 있던 많은 데이터가 손상 받으면 어떻게 될까? 아마 개발자는 상사나 고객으로부터 뭔 일을 당해도 크게 당할 것이다. 이와 같은 문제를 방지하기 위해 '개발 단계'와 '운영 단계' 사이에 '이관(Staging) 단계'[111]를 두는데, 이것은 '개발 단계 → 개발/테스트 서버', '이관 단계 → 스테이징 서버(또는 Pre－

111) Verify Phase에서 생산 운영자인 'Process Owner'에게 설계 결과를 넘겨주는 '이관'과는 다른 의미임.

production 서버)' 그리고 끝으로 '운영 단계 → 실 서버'의 작업 환경을 거치도록 해서 혹시 있을지도 모르는 개발 프로그램의 안 좋은 영향을 사전 차단하고, 신뢰성을 검증하기 위한 안전장치를 둔다. 굳이 예를 들은 프로그램 개발 과정과 현재의 '제품 설계' 과정을 비교하면 '개발 단계'는 'DMAD'에, '운영 단계'는 'Verify'에 대응한다. 이때 '이관(Staging) 단계'처럼 중간 검증 과정은 어디에 대응할까?

설계한 제품을 바로 실 환경에 적용하는 데는 부담이 따를 수밖에 없다. 예상하지 못한 문제점이 다방면으로 쏟아져 나올 수 있기 때문이며 누구도 그렇지 않을 것이라 장담하기 어렵다. 따라서 대부분의 '제품 설계 방법론 로드맵(DMADV든, DIDOV든)'에서는 Verify Phase의 첫 번째 활동으로 'Pilot 실행'을 넣어 마치 실 서버로 가기 직전의 '이관 단계' 기능을 수행한다. 이것은 실 환경에 적용 전 조금 안전한 유사 환경에서 사전 검증해보자는 의미가 내포돼 있다. 그러나 본문에서는 이 활동을 빼고 '프로세스 개선 방법론'과 동일한 '잠재문제 분석(PPA, Potential Problem Analysis)'을 두도록 구조화하였다. 왜냐하면 실제 과제를 수행해보면 'Design Phase'의 'Step-12. 설계 검증'과 'Verify Phase'의 'Step-13. Pilot 실행' 및 'Step-14. 실효성 검증'의 활동이 현실적으로 중복돼 활동의 의미가 퇴색하기 때문이다. 따라서 중복의 문제를 없애고 기존 'Pilot' 기능을 가져가기 위해서는 'Design Phase'의 'Step-12. 설계 검증'에 'Pilot' 기능을 부여하고, 실 환경에의 검증은 Verify Phase 'Step-14. 실효성 검증'에서 수행한다. 또 프로그램 개발에서의 '이관 단계(Staging)'에 해당하는 중간 검증은 'Step-13. 관리 계획 수립' 내 'Step-13.1. 잠재 문제 분석'에서 처리하도록 정리하였다. 이렇게 하면, 제품 설계에서 중요시하는 신뢰성 검증 등의 과정도 'Step-13'에서 처리할 수 있음은 물론, 가장 큰 장점은 '프로세스 개선 방법론'과 동일한 '세부 로드맵'으로 구성돼 로드맵 간 호환성을 극대화할 수 있다. 한마디로 '프로세스 개선 방법론'과 동일하면서 '제품 설계 방법론'의 기능을 모두 수용할 수 있게 된다. 따라서 앞으로 'Verify Phase'는 '프로세스 개선 방법론' 내 'Control Phase'의 '세부 로드맵'과 동일하게 전개하되 내용은 '제품 설계 방법론'의 필요성에 맞도록 구성할 것이다.

이제 'Verify Phase'에서 해야 할 일에 대해 구체적으로 생각해보자. 이 Phase는 'Design Phase'와의 연속선상에 있다. Design Phase 'Step－12. 설계 검증'에서 수행한 내용을 되돌아보면 상세 설계(최적화) 내역들을 모두 모아 목표로 했던 'Y'의 값이 나오는지와, 미래 환경 변화를 고려한 자원의 고려 및 재무적 관점의 투자 적합성 등에 대한 평가가 이루어졌다. 그러나 활동들 대다수는 실 환경에서 이루어졌다기보다 최적의 가공된 또는 시뮬레이션 환경에서 수행되는 게 일반적이다. 물론 실 환경에 바로 적용해 검증할 수 있으면 'Verify Phase'의 일부 '세부 로드맵'과의 병합도 가능하다. 만일 최적의 환경이나 시뮬레이션을 통해 최적화 내용이 검증되면 동일한 결과가 실 환경에서도 나올 수 있는가를 확인해야 하며 바로 이런 이유 때문에 'Verify Phase'가 필요하다. 즉, **'Verify Phase'는 '실 환경에서의 검증'** 또는 제조의 용어를 굳이 빌리자면 **'양산성 검증'**으로 요약할 수 있다.

이제 'Verify Phase'의 활동 목적이 '실 환경에서의 검증'이면, Design Phase 'Step－11. 상세 설계'에서 확정된 내용들을 들고 실 환경에 바로 적용해서 결과를 관찰할 일만 남은 걸까? 실제 환경은 예측할 수 없는 수많은 외부 변수들로 꽉 차 있다. 만일 이들에 의해 최적화 내용들이 영향을 받아 제 역할을 해내지 못하면 더 말할 것도 없이 목표 달성은 그만두고라도 고객의 불만 증대나 예상치 못한 손실로 오히려 안 한만 못한 결과를 초래할 수도 있다. 다행이 여태껏 공포(?)스러운 경험을 하진 않았지만 충분히 일어날 수 있는 사건이기 때문에 실제 환경에 최적화 내용을 적용하기 전 무엇인가 해야만 한다. 이것이 'PPA(Potential Problem Analysis)'가 필요한 이유이다. 대형 사고를 완전히 차단할 수는 없지만 최소화하거나 미리 막아보자는 의도가 깔려 있다. 따라서 'Verify Phase'의 시작은 바로 이 'PPA'부터 수행하며 매우 중요한 과정이므로 대충 넘어가거나 빠트려서는 절대 안 된다는 점을 명심하자.

'PPA' 과정은 Verify Phase 'Step－13. 관리 계획 수립' 초기에 바로 수행한다. 'PPA' 내용 중에는 문제의 심각성이 큰 경우 '감소 방안'이 마련되는데, 이때 '예상 문제'가 '감소 방안'에 의거해 미리 제거되지 않으면 최적화 내용을 실제 프로세스에 적용한 후 대형 사고가 발생할 수 있다. 따라서 '감소 방안'대로 수행하는 과정을 '실수 방지('Mistake Proofing' 또는 'Fool Proofing')'라고 한다. 즉, 시스템적으로 완전히 예상 문제를 차단해야만 최적화 내용이 들어갔을 때 목표하는 바를 실현할 수 있다. 이 작업이 마무리되면 이어 '관리 계획(Control Plan)'을 수립하는데, 바로 'Deming Cycle'인 'P－D－C－A Cycle'이 시작된다.

'관리 계획'은 최적화 내용을 유지하기 위해 관련 'X's'들을 어느 방법으로 관리할 것이며, 또 문제 발생의 확인법과 그 처리에 대해 기술한 양식이다. 설계자가 최적화 내용이 적용된 관련 프로세스 모두를 관리/감독할 수는 없으므로 생산운영 담당자에게 설계한 것은 무엇이며, 유지시키기 위해 어떻게 관리해야 하는지를 조목조목 알려줘야 할 때 유용한 문서이다. '관리 계획'에 대해서는 'Step－13. 관리 계획 수립'에서 또 한 번 설명이 있을 것이다. 이 과정이 끝나면 'Step－14. 실효성 검증'으로 들어간다.

'Step－14. 실효성 검증'은 'P－D－C－A Cycle'의 'D－C－A' 활동에 해당한다. 따라서 Design Phase에서 형성된 최적화 내용을 실 환경에 적용할 때도 'Step－12. 설계 검증'과 동일한 'Plan－Do－Check－Act'로 구성돼 있다. 'Act'에서는 최종 'Scorecard'가 작성될 것이며, 향후 설계된 제품을 양산할 때 어느 정도 수준이 될 것인가에 대한 추정과 또 과제로부터 'Y'들이 얼마만큼 향상되었는지 등의 정보를 획득하게 된다. 여기까지가 과제의 실질적인 완료 단계이며, 나머지는 재무적 효과나 이관을 위한 작업 및 사업부장 승인 등 문서화 활동이 수반된다. 'Step－15. 이관/승인'에 대해서는 해당 시점에 설명할 것이다. 이제부터 Verify Phase의 각 'Step'별 세부 내용으로 들어가 보자.

Step-13. 관리 계획 수립

해야 할 '세부 로드맵'을 간단히 서술하면 '잠재 문제 분석(PPA) → 실수 방지(Mistake Proofing) → 관리 계획 수립 → 표준화'의 순이다. 'Step-13.1. 잠재 문제 분석(PPA, Potential Problem Analysis)'은 앞서 개요 단계에서 설명한 바와 같이 최적화 내용을 실제 환경에 적용하기 전 예상되는 문제점을 도출해서 '감소 방안'을 이끌어낼 목적으로, 다음 'Step-13.2. 실수 방지'는 예상 문제가 발생하지 않도록 시스템적으로 완전히 차단시키는 일종의 개선 활동을, 'Step-13.3. 관리 계획 작성'은 문제점들 제거 후 적용된 최적화 내용이 지속적으로 운영돼야 목표 달성이 가능할 것이므로 특정 항목들을 선정하여 관리할 계획서를 작성하며, 끝으로 'Step-13.4. 표준화'는 '관리 계획서'상의 새롭게 정립된 내용들을 일종의 법제화함으로써 누구든지, 또 언제든지 일정하게 활용 가능한 체제를 만드는 데 있다. '프로세스 개선 방법론'의 'Control Phase Step-13'과 흐름상의 차이점은 없으며[112] 단지 제품 설계 경우 새롭게 설계된 특성상 변경점이 훨씬 더 많을 것이므로 점검할 대상의 규모가 상대적으로 매우 크다는 점과, 그들 간의 복잡한 유기적 관계를 고려해야 하는 차이점이 있다. 만일 필요하다면 [그림 D-43]의 '생산 단계'를 참조해서 공정의 'ESS(Environmental Stress Screening)'나 '초기 고장 제거(Burn-in)' 등의 접근이 추가될 수 있다. 이제 '세부 로드맵'에 대해 하나하나 관찰해보도록 하자.

---

112) '프로세스 개선 방법론', '제품 설계 방법론' 모두를 쉽게 숙지할 수 있도록 동일 '세부 로드맵'으로 구성하였다.

Step-13.1. 잠재 문제 분석(PPA, Potential Problem Analysis)

Design Phase에서 마련된 상세 설계(최적화) 내용을 실제 생산 프로세스에서 검증하기 위해서는 현재 운영 중인 프로세스의 변경이 불가피하다. 따라서 새롭게 설계된 내용들을 바로 적용했을 때 나타날 위험들을 감수하기보다 사전에 잠재된 문제점을 적출해서 제거해보자는 활동이 의미가 있는데 이를 통칭해서 '잠재 문제 분석'이라 부른다.

[그림 V-1] 시간(Time) - 성과(Performance) - 잠재 위험(Risk)의 개요도

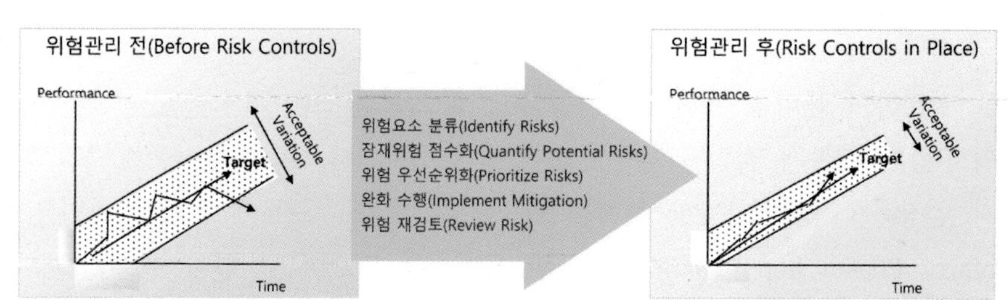

[그림 V-1][113]의 왼쪽 그림은 'X-축'의 '시간(Time)'에 따른 'Y-축'의 '성과(Performance)'는 계속 향상돼 가고 있는 반면, 예상치 못한 '잠재 위험(Potential Risk)'으로부터 '허용 가능한 변동(Acceptable Variation)'이 발생하고 있고, 이로 인해 '목표(Target)'에서 벗어나는 일들이 반복되고 있음을 보여주고 있다(지그재그 선). 그러나 만일 '위험'이 지속적으로 관리된다면(오른쪽 그림) 실질적인 활동은 산포가 최소화된 상태에서 '목표(Target)' 근처에 유지되는 안정된 결과를 보일 것이다.

'위험'을 지속적이고 체계적으로 관리할 수 있는 가장 권장할 방법은 역시 'FMEA(Failure Mode & Effect Analysis)' 사용이라고 단언할 수 있다. 'FMEA'

113) GE의 DFSS 개요 설명 자료에서 인용함.

는 Analyze Phase 'Step－9.1. 설계 요소 발굴'에서 '고장 모드'를 적출하거나, '잠재 인자'를 발굴하는 용도로 소개된 바 있다. '[표 A－22] Design FMEA 양식 예'처럼 각 열(Column) 이름에 'Potential(잠재적)'이란 단어가 공통적으로 들어 있는데 이것은 'FMEA' 용법이 일을 수행하기 직전에 작성해서 문제가 발생하기 전에 차단시키도록 개발된 도구이기 때문이다. 따라서 **지금까지 설계된 '제품'을 실제로 운영해야 하는 현 단계 속성상 'FMEA'는 사전 위험 평가와 그 해결을 위해 가장 적합하면서 반드시 활용해야 할 도구**이다. '프로세스 개선 방법론'경우 FMEA를 간략화한 '표를 이용한 방법'과 'FMEA를 이용한 방법' 두 가지를 제안해 선택하도록 유도했지만 '제품 설계' 과제는 제품과 프로세스 변화의 정도가 크므로 'FMEA'만 사용할 것을 권장한다.

이제 'FMEA'를 현 Verify Phase에서 어떻게 접목시켜 사용하는지 알아보자. 'FMEA'는 현시점에서 새롭게 시작하는 것은 아니다. 과제 수행 중 Analyze Phase에서 협의의 의미로 사용했든 본래의 용도로 활용했든 그때의 'FMEA'를 그대로 가져와 내용을 추가해 나간다. 대부분의 교재에서 'FMEA'를 '살아 있는 문서'라고 표현하는데 그 이유는 제품 또는 프로세스가 존재하는 한 그 안의 5M－1I－1E(Man, Machine, Material, Method, Measurement, Information, Environment) 중 하나 이상이 변경될 때, 이후 무슨 일이 일어날 것인지 위험 평가용으로 계속해서 내용을 추가하며 사용하는 문서이기 때문이다. Design Phase에서 제품의 상세 설계(최적화) 내용이 프로세스의 변경을 암시하고 있으므로 현재의 과정은 'FMEA' 본래 용도 그대로 활용된다고 볼 수 있다. 물론 기존 내용과의 차별화를 위해 신규로 삽입됐다는 표식을 해두거나 이력을 남겨두는 것이 중요하다.

그러나 '제품 설계 방법론'의 **Verify Phase에서는 'Design FMEA'가 아닌 'Process FMEA'를 사용한다는 것이 하나의 큰 차이점**이다. 좀 더 구체적으로 설명하면 우선 '프로세스 개선 방법론'을 생각해보자.[114] 이것은 현재 운영 중인 프로세스의 문제점 중 영향력이 큰 유형을 골라내 효율화시키는 방법론이다. 따라서 Measure Phase에서 '잠재 원인 변수의 발굴'을 수행할 때 'FMEA'는 'Process FMEA'를 사용한다. 프로세스가 존재하기 때문에 가능한 일이다. 그러나 제품 설계에서는 다르다. 동일하게 Analyze Phase 'Step-9.1. 설계 요소 발굴'에서 'FMEA'가 사용되지만 이때는 'Design FMEA'를 사용하였다. 왜냐하면 제품을 만드는 과정이기 때문이며, 따라서 'FMEA 양식' 최초 열에는 '부품명'이나 '핵심 기능(CTF, Critical to Function)'을 입력하여 전개하였다. 그러나 지금은 상황이 다른데 그것은 이미 '상위 수준 설계'에서 '프로세스 맵(향후 추가될 공정이 있을 수 있다)'이 구성되었고, '산출물 실현' 과정을 거치면서 구체화돼 있기 때문이다. 설계의 변경이 있으면 Analyze Phase의 Design FMEA를 갱신하고, 지금과 같이 실 환경에 적용하는 것은 '프로세스'이므로 향후 무슨 위험이 존재할 것인지 도출하기 위해서는 당연히 'Process FMEA'가 필수적이라 할 수 있다. 다음 [표 V-1]은 'Process FMEA'의 일반 양식을 나타낸다.

[표 V-1] Process FMEA 양식 예

#	Process Function (Step)	Potential Failure Modes (process defects)	Potential Failure Effects (Y's)	SEV	Class	Potential Causes of Failure (X's)	OCC	Current Process Controls	DET	RPN	Recommend Actions	Responsible Person & Target Date	Taken Actions	SEV	OCC	DET	RPN
1																	
2																	
3																	
4																	
5																	
6																	
7																	

114) 제품 설계 과정은 '프로세스 개선 방법론'과 많은 부분에서 공통점이 있다. 이것은 설계 완료 후 공정 운영에서 나타나는 비효율성은 '프로세스 개선' 측면에서 처리돼야 하기 때문이다. 따라서 '프로세스 개선 방법론' 도구들의 용법과의 차이점을 설명하는 것은 일반적인 일이다.

[표 V-1]에서 점선 원으로 표시된 열 이름은 'Process Function(Step)'이며, 괄호 속 'Step'이란 프로세스의 '활동(Activity)'을 의미한다. 이 '열'에 입력을 위해서는 '프로세스 맵'이 필요하며, [표 A-47]의 '산출물' 내 '조립 공정 운영 계획서'와 [그림 D-13] 'Step-11.1. 상세 설계 계획 수립 작성 예'의 '공정 Lay-out'에서 최종적인 맵을 완성한 바 있다(고 가정한다). 따라서 이것부터 가져다 놓고 '위험 평가'를 수행하는 것이 순서이다. 다음은 본 과제를 통해 최종 설계된 '프로세스 맵'을 옮겨 놓은 것이다.115)

[그림 V-2] 조립 공정 개요도(추가 투자된 회로 조립 공정 포함)

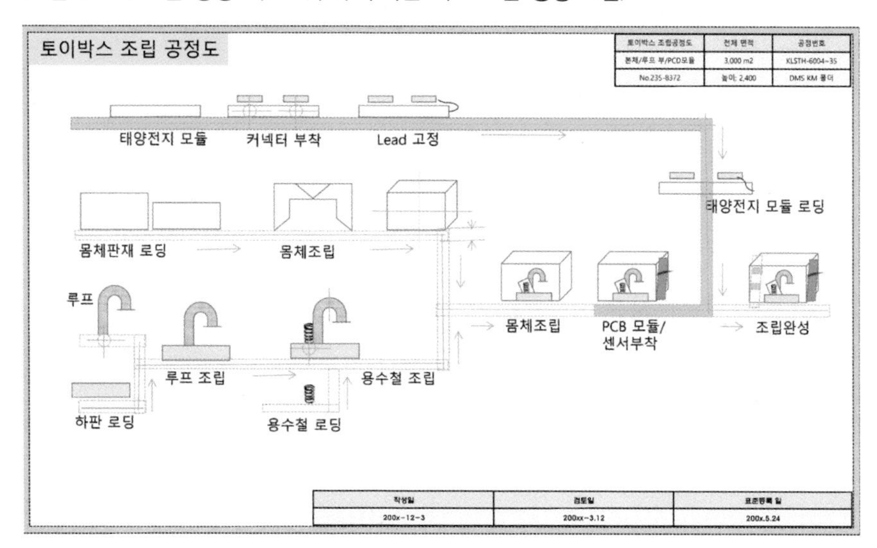

[그림 V-2]는 Design Phase에서 '상세 설계'를 거쳐 최종 완료된 '프로세스 맵' 개요도이다(라고 가정한다). 상단 라인이 '태양 전지 모듈 조립 공정'이고,

115) 로드맵 학습이 목적이므로 [그림 V-2]의 상세 설계 경우만을 반영한 것으로 하고 이후를 전개할 것이다.

그 아래가 '몸체 조립 공정', 맨 아래가 '루프 및 용수철 모듈 조립 공정'을 나타내며 연두색 라인이 새롭게 투자된 영역을 나타낸다. 현시점까지 설계자들은 맵이 완전할 것이라 판단하고 있겠지만(물론 공정도만 봐서는 매우 불완전해 보이나 리더들의 너그러운 관용을 바란다) 사실은 장기간 운영해본 경험이 없으므로 'Step-9.2. 설계 요소 발굴'의 '[그림 A-38] FMEA 역할 개념도'처럼 전체 골격을 와해시킬 수 있는 중간중간의 공백이 존재할 수 있으며, 이를 메우기 위한(완성도를 높이기 위한) 과정이 FMEA를 통해 이루어져야 한다. 따라서 프로세스 맵의 완성도를 높이기 위해 또는 숨어 있는 잠재 문제(위험)를 드러내기 위해 다음 [그림 V-3]과 같이 FMEA를 수행한다.

[그림 V-3] 잠재 문제 분석(P-FMEA 사용) 예

Process or Function	Potential Failure Modes (Process defects)	Potential Failure Effects (Y's)	SEV	Potential Cause of Failure(X's)	OCC	Current Process Controls	DET	RPN	Recommended Action(s)	Responsible Person & Target Date	Taken Actions	SEV	OCC	DET	RPN
(태양전지) 커넥터 부착	연결 부 단락	회로동작 불능	9	조립 Miss	3	작업 후 통전 Test	1	27	-						
(태양전지) 커넥터 부착	연결 부 단락	회로동작 불능	9	도선 단선	2	사전 통전 Test	1	18	-						
(태양전지) 커넥터 부착	전극위치 바뀜	회로동작 불능	7	작업자 실수	2	실수방지 운영 (전극 직경 다름)	2	28	-						
...	...	...		...		...			...						
용수철 조립	위치정렬 안됨	돌출 높이 설계치 벗어남	8	수작업 정렬	7	운영 안 없음	8	448	정렬용 도구 개발	박찬오 /20xx.9.12	Microsoft Office werPoint 프레젠테이	8	2	2	32
용수철 조립	루프 고정 안됨	돌출 높이 설계치 벗어남	8	리벳 불량	3	고정강도 Test	2	48							
...	...	...		...		...			...						

예는 간단히 기술하였으나 경험상 1시간 정도만 투자해도 약 200여 개의 '잠재 고장 모드'를 열거해낼 수 있다. 중요한 사건만 골라서 입력하는 것은 좋은 접근법이 아니다. 질보다는 양 위주로 도출하되 평가는 'RPN'으로 결정하도록

한다(Ford社의 FMEA 용법과는 배치된다. 해당 내용에 관심 있는 독자는 『Be the Solver_FMEA』편을 참고하기 바란다). 이미 용법에 대해서는 'Step−9.1.설계 요소 발굴'에서 설명했으므로 생략하고, 다만 한 가지 확실하게 강조할 사항은 다양한 부문의 사람들이 모여 진행해 달라는 것이다. 설계 제품을 양산하게 되면 그와 관계된 사람들은 족히 수십에서 많으면 수백 명이 될 수 있다. 그들 모두를 필요로 하지는 않지만 적어도 핵심 인력들의 참여는 필수적이라 할 수 있다. 왜냐하면 잠재 문제를 도출하는 자리이기 때문이다. [그림 V−3]에서 빨간 사각형으로 표시된 영역은 'FMEA 재평가'이며, 'Taken Actions', 즉 실제 잠재 위험을 감소시킨 활동이 무엇인지의 결과에 따라 'OCC(발생도)'나 'DET(검출도)'가 줄어들 것이므로 'RPN'은 현저히 감소한다. 예에선 'PPT 파일'이 링크(Link)되어 있는데 단순히 개선을 위해 수행된 '○○했음'이라고 적기보다 개선과정 및 내용을 상세히 기록한 보고서를 첨부하는 것이 매우 도움 된다. 'RPN'이 높아 개선이 필요한 부분들은 모두 '과제' 하나씩에 대응하기 때문에 '프로세스 개선 방법론'이나, '즉 실천 방법론' 등을 활용하여 해결이 가능하다.

참고로 재평가에서 '심각도(SEV)'는 감소 방안 수행 전과 동일한 값을 가져야 한다. '아이들의 불장난으로 불이 났든, 전기 누전으로 불이 났든' 일단 불이 나면 그 심각성은 동일하다고 판단한다. 잠재된 문제의 위험을 감소시키기 위한 활동은 '발생도(OCC, Occurrence)'를 낮추거나 '검출도(Detection)'를 높이는 것이지 '심각도(SEV, Severity)'를 조절하는 것은 매우 어렵다(가능성은 있지만 매우 낮다). '심각도'를 낮출 수 있는 유일한 방법은 맨 첫 열의 입력란, 즉 'Process Step'을 제거하거나 구조를 바꾸는 것 등이다. 프로세스 활동이 없으면 '고장 모드'도 없을 것이며 그에 따른 '영향'도 존재하지 않을 것이기 때문이다.

개선 방향은 '발생도(OCC)'가 높으면 '설계 변경'을, '검출도(DET)'가 높으면 '공정 개선'을 수행한다. '잠재 문제 분석(PPA)'이 완료되면 추천된 개선 방안별로 실제 개선이 이행돼야 한다. 이 작업은 '실수 방지'가 담당한다. 'FMEA'의 파워포인트 작성 예는 'Step-9.1. 설계 요소 발굴'의 [그림 A-40]을 참조하고 여기서는 생략한다.

Step-13.2. 실수 방지(Mistake Proofing)

'문제 해결/문제 회피'의 어느 교재를 보든 Verify Phase 초반에 항상 '실수 방지' 내용이 포함돼 있는데 가끔 교육 중에 '실수 방지'가 어떻게 로드맵과 연계되는지 질문을 받곤 한다. 답은 이제까지 설명해온 것처럼 '잠재 문제 분석'의 '감소 방안' 수행에 필요한 도구라고 요약할 수 있다. '상세 설계'된 제품을 양산 공정에 바로 흘려버리면 아마 쏟아지는 문제들에 골머리를 썩일 게 분명하다. 하룻밤에 10억여 원의 손실을 본다면 개발자나 설계자들이 감당하기엔 어려운 상황이다. 실제 있었던 얘기다. 따라서 'Process FMEA'로부터 감지된 위험성들에 대해 사전 개선이 이루어져야 하며, 그것도 철저한 계획과 검증하에 추진돼야 한다. 또 개선된 결과가 다시 원래의 상태로 회귀하지 않게 개선 방안에도 신중해야 하는데 이같이 문제를 원천적으로 차단하는 접근이 '실수 방지'의 근본 취지라 할 수 있다. 물론 이 외에 Measure나 Analyze 또는 Design Phase 어디에서든 '실수 방지'의 적용이 가능하며 '즉 실천'에도 활용될 수 있다. 용어의 탄생 배경과 정의는 이미 'Step-11.2. 실수 방지 설계'에서 설명했으므로 여기서는 생략한다.

'실수 방지'는 다양한 감소 방안이나 개선 방안들에 대해 세세하게 어떻게 하라는 식의 방법을 알려주지는 않는다(센서 사용이나 평가 대상 배치 등의 예들이 소개되고 있으나 모든 경우에 적용될 수는 없음). 단지 인적 오류를 완전히 차단시킬 수 있는 방법이면 모두 포함될 수 있다. 따라서 'Process FMEA'에서 드러난 예상되는 문제를 완전히 차단시킬 수 있는 방법을 팀원들과 깊이 있게 고민하거나 벤치마킹 등을 수행해 최적의 해법을 찾는 일이 매우 중요하다. 다음 [표 V-2]는 기업 교재에서 주로 언급하고 있는 대표적인 '실수 방지 설계'의 예를 보여준다.

[표 V-2] 대표적인 '공정 실수 방지 설계' 예

실수 방지 설계	설 명
1 상이한 크기의 안내 핀	좌/우, 상/하 간 대칭적 구조로 작업에 혼선가능성이 있을 때 한 쪽을 다른 쪽과 직경, 돌출길이 등을 달리함.
2 한계 스위치	부품이나 제품이 정해진 위치에서 벗어나는 것을 방지하기 위해 '한계 스위치(Limit Switch)'를 사용하여 정위치 확인토록 구성함.
3 대조표	작업자가 일순서의 착오를 방지하기 위해 점검표/대조표를 작성하여 활용토록 개선함.
4 에러 탐지와 경보(장치)	작업자의 잘못된 이행을 방지하기 위해 발생 직후 감지가 가능한 경우라면 실수를 알리는 경보장치를 활용함.
5 카운터	수행횟수에 대한 잘못된 계수를 방지하려면 자동으로 횟수를 세는 장치를 마련함.

출처: Qualtech.社 교재

사실 [표 V-2]에서 설명한 기본적인 예뿐만 아니라 다양한 '실수 방지'적 접근도 존재할 수 있다. 또, 'Step-11.2. 실수 방지 설계'에서 수행한 'DFM/DMA'와 여기서의 활동을 연계해 평가 및 관리를 통합해서 운영할 수도 있다. 이 같은 운영의 묘는 어느 것이 효율적이냐 하는 관점이므로 전적으로 과제 리더와 팀원 또는 자체적인 연구 프로세스에 준해서 움직여줄 일이다. 따라서 별도의 언급은 하지 않겠다. [그림 V-4]는 앞서 [그림 V-3]에서 논한 '용수철 조립 공정'에서 "수작업 정렬(Cause)로 위치 정렬이 안 돼(Failure Mode) 인형 돌출 높이 설계치 벗어남(Effects)" 사건에 대해 '개선 방향(Recommended Actions)'이 '정렬용 도구 개발'로 결정된 바 있으며, 이에 대한 '실수 방지' 차원의 파워포인트 작성 예를 보여준다.

[그림 V-4] 'Step-13.2. 실수 방지' 예

Step-13. 관리계획 수립
Step-13.2. 실수방지

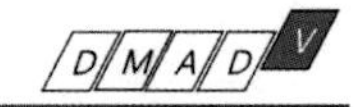

FMEA 분석으로부터 '용수철 조립 공정' 중 '수작업 정렬(Cause)로 위치정렬이 안 돼(Failure Mode) 인형돌출 높이 설계치 벗어남(Effects)'의 사건에 대해 '정렬용 도구개발을 다음과 같이 수행함.

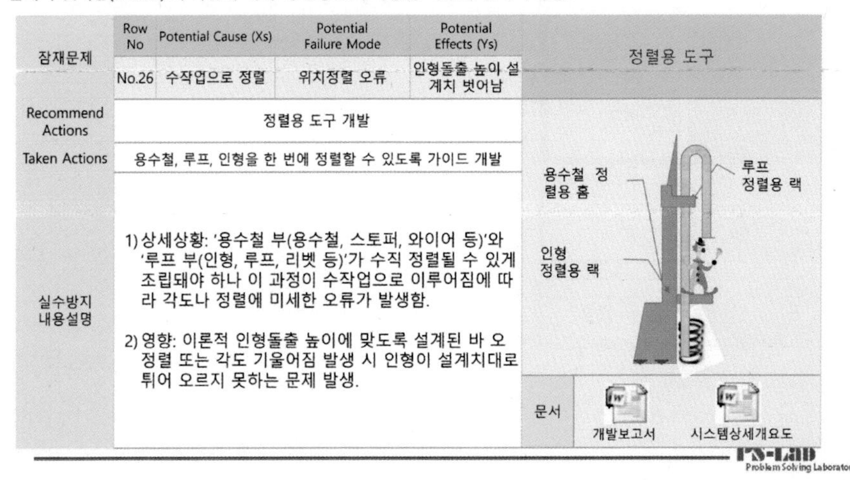

잠재문제	Row No	Potential Cause (Xs)	Potential Failure Mode	Potential Effects (Ys)	정렬용 도구
	No.26	수작업으로 정렬	위치정렬 오류	인형돌출 높아 설계치 벗어남	
Recommend Actions	정렬용 도구 개발				
Taken Actions	용수철, 루프, 인형을 한 번에 정렬할 수 있도록 가이드 개발				
실수방지 내용설명	1) 상세상황: '용수철 부(용수철, 스토퍼, 와이어 등)'와 '루프 부(인형, 루프, 리벳 등)'가 수직 정렬될 수 있게 조립돼야 하나 이 과정이 수작업으로 이루어짐에 따라 각도나 정렬에 미세한 오류가 발생함. 2) 영향: 이론적 인형돌출 높이에 맞도록 설계된 바 오정렬 또는 각도 기울어짐 발생 시 인형이 설계치대로 튀어 오르지 못하는 문제 발생.				

[그림 V-4]를 보면 표 왼쪽 열에 '잠재 문제'가 있고, 이는 'FMEA'에서 적출된 "수작업 정렬(Cause)로 위치 정렬이 안 돼(Failure Mode) 인형 돌출 높이 설계치 벗어남(Effects)"이라는 사건을 기술한 후 그 아래에 상황과 영향에 대한 부연을, 오른쪽엔 '정렬용 도구 개요도'와 관련된 문서(개발 보고서, 시스템 상세 개요도 등)를 포함하고 있다. 즉, 적출된 문제를 해결하기 위해 루프 부, 인형,

용수철 부의 정렬을 작업자가 한 번의 도구 사용으로 처리하도록 구성된 것이다(라고 가정한다).

지금까지 진행된 '잠재 문제 분석'과 그 '개선'을 통해 최적화된 설계 내용을 실제 프로세스에 적용하는 것이 가능해졌으면 이제부터는 설계된 내용대로 잘 운영되는지를 확인할 '항목'들을 선정하고, 어떻게 관리할지를 정립해야 하는데 이것이 '관리 계획 작성'이다. 이에 대해 알아보자.

Step-13.3. 관리 계획(Control Plan) 작성

'관리 계획'에서 '관리(Control)'란 단어의 의미를 되새길 필요가 있는데, '관리'는 'X'를 대상으로 사용되는 용어라 하였다. 또 'Y'는 기본적으로 'X'들이 결정되면 따라서 결정되는 속성을 가지고 있으므로(그래서 '종속 변수'라고 한다), 'X'들만 꽉 잡고 있으면 무엇이 잘못되고 무엇이 고쳐져야 하는지를 알게 되는데 이것이 '관리(Control)'라고 설명한 바 있다. 'Y'는 정말 예상대로 잘 가고 있는지 쳐다보는 '모니터링(Monitoring)' 대상이므로 보고 있다가 문제가 발생하면 그에 영향을 주는 'X'를 찾아 보정하는 작업이 이어져야 한다. 결과적으로 '관리 계획'을 수립하기 위해서는 대상이 되는 'X'들이 필요하게 되며 이들을 총칭해서 '관리 항목'이라고 부른다.

그러나 '관리 항목'의 의미를 '세부 로드맵'의 시각에서 쳐다보면 약간 다른 해석을 할 수 있다. 즉, 지금까지 로드맵을 쭉 거쳐 온 이유는 새로운 비즈니스에 필요한 제품을 설계하는 데 있었다. 또 이 시점엔 설계된 제품을 실 환경에서 시운전해보고 예상치 못한 다양한 문제점들을 확인해서 처리하는 과정이 핵심으로 자리한다. 그런데 제품이 제대로 작동하고 있는지 여부는 어떻게 알 수 있을까? 문제가 전혀 드러나 있지 않다고 해서 "제품이 완전하다"라고 할 수도 없고, 또 잘못된 문제가 드러나더라도 어느 '상세 설계' 여파 때문인지 모른다면 그 역시 문제라고 할 수 있다. 따라서 '관리 항목'이란 '상세 설계' 하나하나가 제대로 작동하고 있는지를 관찰할 수 있는 특성이라야 목적하는 바를 이룰 수 있다. 이런 시각에서 '관리 항목'을 설정하면 팀원들과 모여 '상세 설계'가 무엇이고, 어느 특성으로 대변시켜야 시간적 추적이 용이할 것인지 고민하는 시간이 필요하다.

이제 '관리 항목'이 될 수 있는 후보들에 대해 알아보자. Measure Phase에서 과제의 지표인 'Y'를 '운영적 정의'하고(Step－6.2. Ys 결정), 그의 수준을 평가하였으며(Step－6.3. Scorecard 작성), Analyze Phase에서 수준을 향상시키기 위한 'X'를 발굴하였다(Step－9.1. 설계 요소 발굴). 또 그들이 정말 'Y'를 흔들어 대는 변수들인지 확인하기 위해 'Y'에 맞춰보는 검정을 수행해서 개선 방향을 이끌어냈고(Step－9.2. 설계 요소 분석), 이 결과를 토대로 'Step－9.3. 설계 요소별 산출물 실현'과 Design Phase 'Step－11. 상세 설계' 등 제품에 적합한 구체화 및 최적화 과정을 거친 바 있다. 그렇다면 이렇게 많은 시간과 노력을 투입해서 결론지은 최적화 이후에 가장 중요하게 해야 할 일은 무엇일까? 바로 새로운 제품에 적합하도록 고쳐진 생산 프로세스가 최적화되기 전의 상태로 다시 돌아가는 것을 방지하는 일이다. 많은 시간과 노력 끝에 얻은 결실이 한순간에 개선 전 상태로 회귀하거나 개선 내용이 왜곡되거나 하는 일로 생산 프로세스 관리에 영향을 줘서는 안 될 일이기 때문이다. 따라서 '관리 항목' 후보들이란 최적화 내용이 프로세스에서 잘 운영되고 있는지 관찰할 수 있는 '특성'이 돼야 하는데 가장 우선순위가 높은 대상은 당연히 최적화의 기원이 되는 '핵심 설계 요소(Vital Few X's)'들이다.

고려해볼 만한 또 하나의 후보가 바로 Verify Phase 초반에서 진행된 '잠재 문제 분석(Potential Problem Analysis)'이다. '잠재 문제 분석'이란 최적화 내용을 실제 프로세스에 적용하기 위해 예상되는 장애 요인들을 도출해서 사전에 처리하자는 활동이었다. 여기서 '장애 요인'이란 최적화를 실제 프로세스에 적용하고자 할 때 앞에서 가로막는 커튼으로 상상하면 될 듯하다. 그 커튼을 제거해야 실제 프로세스로의 적용이 가능할 것이므로 '실수 방지' 차원에서 다시 커튼이 드리워지지 않도록 시스템적으로 완전히 차단해야 한다. 따라서 일단 제거된 문제들이 다시 드리워지지 않도록 또는 나타난다고 해도 바로 발견해서 원상 복귀시키는 접근이 필요한데 이를 위해 관련되는 특성을 찾아 '관리 항목'에 반영한다. 예를 들어 업무 절차를 바꿔 해당 담당자가 새롭게 지켜야 할 상황이 발생한 경우이면, '업무 절차 표준 준수율'을 설정해 바뀐 절차가 유지되는지 주기적으로 점검하거나, [그림 V-4]의 '실수 방지 예'처럼 '오 정렬 발생률'을 두어 실제 '정렬 도구'의 사용으로 잘못된 정렬이 완전히 제거되었는지 확인하는 것 등이다. 물론 '관리 항목'이 나올 수 있는 출처는 '핵심 설계 요소'나 '잠재 문제 분석' 외에 '즉 실천' 중에 관리의 필요성이 있다고 판단되거나, Process Owner의 조언 등 다양한 경로를 통해서도 결정될 수 있다. 다만 앞서 언급한 '핵심 설계 요소'나 '잠재 문제 분석' 등을 통해 고려되는 항목들이 '관리 항목'으로서 의미가 크다.

'관리 항목'이 결정되면 '관리 계획(Control Plan)'을 수립하게 되는데 가장 일반적으로 사용되는 [그림 V-5]의 양식을 통해 설명해 나갈 것이다(만일 ISO 9000, QS 9000 등을 인증 받은 경우 요구된 표준 관리 양식이 있을 것이나 본문은 학습의 용도로 단순한 양식으로만 설명함).

[그림 V-5] '관리 계획 작성' 양식 예

Process:	고객	고객요구:	Ys :

<table>
<tr><th rowspan="2">Process Map</th><th colspan="5">검 토 사 항</th><th colspan="2" rowspan="2">이상조치</th></tr>
<tr><th>관리항목</th><th>관리규격</th><th>기록방법</th><th>주기</th><th>담당자</th></tr>
<tr><td rowspan="3"></td><td></td><td></td><td></td><td></td><td></td><td colspan="2"></td></tr>
<tr><td>표준Code</td><td>날짜</td><td colspan="2">제·개정 내 용</td><td>작성자</td><td>결재자</td><td>표준</td></tr>
<tr><td></td><td></td><td colspan="2"></td><td></td><td></td><td></td></tr>
</table>

기본 양식인 [그림 V-5] 내 각 항목들을 상세하게 설명하면 다음과 같다.

- **상단의 'Process', '고객', '고객 요구', 'Y'** 관리 계획 수립을 위한 기본 정보를 적는 난이다. 'Process 맵'은 Define Phase 'Step-2. 과제 정의'의 '범위 기술' 중 '프로세스 범위'의 '시작'과 '끝'을 보고 작성한다. 또는 관련 프로세스가 표준화되어 있으면 당연히 표준 프로세스가 기술돼야 한다. 단, 최적화가 이루어진 영역이 포함돼야 작성의 의미가 있다.
- **관리 항목** 기본적으로 'Y'도 포함하도록 한다. 'Y'와 'X'가 각각 '모니터링'과 '관리'라는 용어로 구분되기는 하지만 함께 관찰해야 할 필요성이 있기 때문이다. 프로세스의 어느 단계에서 측정돼야 하는지 알려주기 위해 '원 숫자'로 '프로세스 단계 - 관리 항목'을 대응시킨다([그림 V-6] 참조).

(계속)

- **관리 규격** '규격(Specification)'이 될 것이며, 연속 자료는 '망목 특성', '망대 특성', '망소 특성'별로 'LSL(Lower Spec. Limit)/USL(Upper Spec. Limit)', 'LSL' 및 'USL'이 각각 입력돼야 한다. '단위'를 함께 표기하거나 필요하다면 별도의 열을 삽입하는 것도 가능하다. '관리 항목'이 '~여부', '~유무' 등이라면, 'Yes/No' 또는 'O/X' 등이 관리 규격으로 표현된다.
- **기록 방법** 가장 중요한 정보로 다음과 같은 유형들이 사용될 수 있다.
  ☞ 관리도(Control Chart) → 특성을 관리하는 데 가장 강력하게 추천하는 도구로 잘 알려진 바와 같이 연속형 관리도($\overline{x}$-R Chart, I-MR Chart 등)와 이산형 관리도($p-Chart$, $np-Chart$, $u-Chart$, $c-Chart$ 등)가 있다. 시간에 따라 타점하므로 측정 주기가 짧을수록 실시간에 가깝게 관리할 수 있는 장점이 있다. '평균'과 '산포', '그룹 간 변동'과 '그룹 내 변동' 모두를 시각적으로 관찰할 수 있으며, 프로세스가 관리하(또는 관리상태, Under Control)에 있는지를 판단하는 척도가 된다.
  ☞ Check List(또는 Check Sheet) → '관리도'는 특성이 수치인 경우에 매우 유용한 관리 도구이나 그 외에 수치로 얻을 수 없는 특성들은 점검 사항들을 기입한 '체크 시트'를 사용해서 주기적으로 관리해 나갈 수 있다. 항목별로 '√' 기호를 쓰거나, '5점 척도' 등 상황에 맞게 표준화해서 활용한다.
  ☞ 자동화 관리 → 업무에 IT 시스템 활용률이 높아짐에 따라 개선 영역도 시스템 내에 존재하는 경우가 많으며, 따라서 최적화 내용의 관리 역시 시스템 내에서 이루어지도록 조치할 수 있다. 데이터 수집과 결과 산정 및 기록 등의 업무 부담에서 자유로울 수 있어 바람직한 방향이라 할 수 있다.
  ☞ Audit → 성격이 다를 수 있지만 도출된 '관리 항목'이 주기성이 없거나 타 부문에 걸쳐 고려돼야 하는 경우, 또는 전사적인 규모에서 접근이 필요한 경우 'Audit'라는 명목으로 해당 특성의 관리 상태를 확인한다. 단, 'Audit'는 자주 하기보다 분기 또는 반기 등 평가 주기가 통상 길다는 단점이 있고 부분적으로 시행이 어려우므로 전사 또는 부문에서 운영 중인 'Audit 체계'가 있다면 이를 최대로 활용하는 것도 좋은 접근법이다.
- **주기** '측정 주기'를 의미하며, 짧을수록 문제 발생 시 검출해 내기가 수월할 것이나 투입 시간이나 자원을 고려해야 하므로 '관리 항목'에 적합한 주기를 선택하도록 한다. 그러나 1달을 넘어서는 것은 문제 발생을 검출해낼 기회가 현저히 줄어들 것이므로 가급적 피하는 게 좋다. '주기' 내에 '표본 크기'의 열을 삽입해서 관리할 수도 있으므로 상황에 맞게 양식을 편집해서 사용해도 좋다.

(계속)

· **이상 조치** '관리도'의 경우는 기본적으로 검정 대상인 8개(이산형 관리도는 더 적은 4개 검정 항목으로 구성됨) 중 1개 이상이 발생하면 상응한 조치를 취하도록 되어 있고, 그 외의 '관리 항목'들에 대해서는 상황에 맞는 조치 기준을 설정해놓도록 한다.

· **하단의 '표준 Code', '날짜', '제·개정 내용', '작성자', '결재자'** 최적화 내용이 기존 프로세스를 변경시킨 만큼 관련 표준류의 개정(표준이 있는 경우) 또는 제정(표준이 없는 경우)이 요구된다. 필요한 제·개정 사항을 요약한다.

'관리 계획서'가 작성되면, 곧바로 제·개정된 표준류에 대해 어느 내용들이 변경되었는지 파워포인트 장표를 추가한다. 이에 대해서는 'Step-13.4. 표준화'에서 다룰 것이다. [그림 V-6]은 '토이 박스 개발' 과제의 '관리 계획'과 '제·개정 표준'에 대한 예를 보여준다.

[그림 V-6] 'Step-13.3. 관리 계획 작성' 예

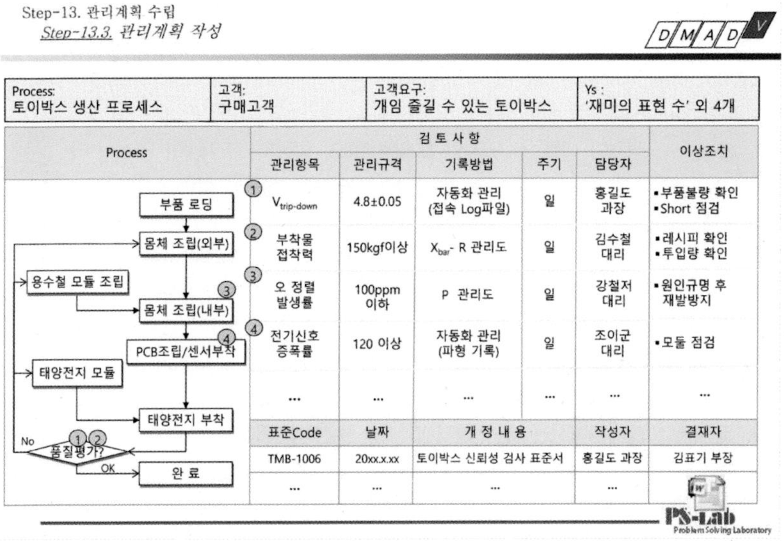

Step-13. 관리계획 수립
Step-13.3. 관리계획 작성

D M A D V

Process: 토이박스 생산 프로세스	고객: 구매고객	고객요구: 개임 즐길 수 있는 토이박스	Ys : '재미의 표현 수' 외 4개

Process	검 토 사 항					이상조치
	관리항목	관리규격	기록방법	주기	담당자	
①	$V_{trip-down}$	4.8±0.05	자동화 관리 (접속 Log파일)	일	홍길도 과장	▪부품불량 확인 ▪Short 점검
②	부착물 접착력	150kgf이상	X_{bar}- R 관리도	일	김수철 대리	▪레시피 확인 ▪투입량 확인
③	오 정렬 발생률	100ppm 이하	P 관리도	일	강철저 대리	▪원인규명 후 재발방지
④	전기신호 증폭률	120 이상	자동화 관리 (파형 기록)	일	조이균 대리	▪모듈 점검
	…	…	…	…	…	…
	표준Code	날짜	개 정 내 용		작성자	결재자
	TMB-1006	20xx.x.xx	토이박스 신뢰성 검사 표준서		홍길도 과장	김표기 부장
	…	…	…		…	

부품 로딩
몸체 조립(외부)
용수철 모듈 조립
몸체 조립(내부)
PCB조립/센서부착
태양전지 모듈
태양전지 부착
품질평가?
No
OK
완 료

PS-Lab
Problem Solving Laboratory

회사마다 다양한 관리 계획 양식이 있을 것이며, 분량도 [그림 V-6]보다는 훨씬 많을 것이나 여기서는 최소화된 형태로 꾸며보았다. 상단의 Process명인 '토이 박스 생산 프로세스'는 Define Phase의 'Step-2. 과제 정의' 내 '범위 기술'에서 가져왔으며(당시엔 '토이 박스 개발 프로세스'임), '고객'/'고객 요구'/'Y'는 Measure Phase 'Step-4.3. 고객 선정'/'Step-6.1. CTQ 선정'/'Step-6.2. Ys 결정'에서 가져왔다. 'Process' 흐름도는 'Step-11.2. 상세 설계 수행'의 최종 결과물(흐름도는 [그림 V-2]에 표현해 놓았음)을 가져와 간략하게 요약하였다(고 가정한다). '관리 항목'은 각 프로세스 영역에 '원 숫자' 표기로 위치를 확인토록 하였다. 'Ys'는 기본적으로 '관리 항목'에 포함시켰으며, 그 외 '관리 항목'들에 대해서는 편리상 '…'으로 대체하였다. '관리 계획' 하단에 새로 제정될 '표준 문서'에 대한 기록이 있으며, 이에 대해서는 다음 '세부 로드맵'에서 논할 것이다.

Step-13.4. 표준화

제품 설계 과제 경우 기존 제품이나 프로세스의 변경이 많고, 또 없던 유형이 새롭게 탄생도 하므로 그에 맞는 표준 문서가 다량 발생하는 것은 당연하다. '표준'의 국어사전적 정의는 "사물의 정도나 성격 따위를 알기 위한 근거나 기준"이며, '표준화'는 "사물의 정도, 성격 따위를 알기 위한 근거나 기준을 마련함 ⊳ 행동 양식의 표준화"이다. 통계적으로는 '산포를 줄이려는 노력'에 해당한다.

제품 개발을 통해 모든 유형의 표준이 만들어질 필요는 없다. 그러나 재료나 구조 등이 바뀌면 기존에 없던 새로운 것이 반영된 것이므로 제품뿐만 아니라 그를 생산할 프로세스까지 표준화의 범위를 확대해서 고려해야만 한다. 또, 그에 연관된 엔지니어나 작업자 등 모든 사람이 일괄적으로 상황을 인지하고 요구된 품질 수준을 맞추기 위해 필요한 유형 전체에 대한 표준화가 이루어져야 한다. 그렇지 않으면 변경 점에 대해 무엇을 누가 어떻게 해야 하는 것인지 정상적인 의

사 전달이 일어날 수 없다. 특히 지금과 같은 '토이 박스'의 예처럼 '회로'의 추가나 '게임의 기능' 등 변경 폭이 큰 경우 더더욱 표준의 중요성을 인식해야 한다. 다음은 'ISO'에서 정의하는 '표준'을 정리한 것이다. 토이 박스와 같이 개선 폭이 큰 경우의 '규정'부터 '요령'까지 대부분의 표준류가 필요함을 알 수 있다.

[표 V-3] 표준류 예(ISO)

구분	정 의	문서 예
규정(규칙)	규정하는 일의 목적, 체계, 방식, 용어정의, 효력, 취급 등의 규정	취업규칙, 안전보건규칙, 직무분장규정, 여비규정, 자재업무규정, 설비관리규정, 기술관리규정, 도면관리규정, 생산관리규정, 품질관리규정, 원가관리규정
규격	취급하는 물품의 형상, 치수, 외관, 품질, 표시 등에 대한 규정	제품규격, 포장규격, 원료규격, 재료규격, 부품규격, 치공구규격, 금형규격, 작업규격, 수입검사규격, 시험규격
기준	업무, 작업 실시에 대해 필요한 조건, 판단에 대한 규범을 나타낸 것	수입검사기준, 시험기준, 설비점검기준, 작업기준
절차	업무를 실시하는 순서, 처리방법, 담당부서 등에 대한 규정	제품출고절차, 구입품의뢰절차, 검사의뢰절차, 불량품처리절차, 클레임처리절차
표준	생산에 관한 기술적 방법, 제조적 방법에 대한 규정(설계, 검사, 점검, 작업표준)	작업표준, 수입검사표준, 시험표준, 제품검사표준, 계측기점검표준, 공정점검표준
요령	업무, 작업을 실시함에 있어 효과적이며 능률적인 방법, 수단, 순서를 나타낸 것	작업요령, 작업순서, 위험물취급요령, 작업지도서

'세부 로드맵' 관점에서 '표준 문서'의 발생 위치는 어디쯤 될까? 물론 다양한 위치에서 '표준화'가 이루어진다는 것은 부인할 수 없지만 아무래도 설계가 마무리되는 단계가 적절할 듯싶다. 좀 더 구체적으로 말하면 생산 프로세스를 운영하려고 하는 시점 직전이 되는데 바로 'Step-13.3. 관리 계획 작성'이 해당되며, 연결 고리는 '관리 계획' 하단의 '표준 문서 제·개정'과 관계한다. '프로세스 운영'이란 그것이 제대로 흘러가고 있는지 누군가가 관리한다는 것이며, 그러려면 '관리 계획서'에 제시된 '관리 항목'들을 관찰해야 하고, 따라서 이들에 대한 '행동 양식의 표준화'가 요구된다. [그림 V-6]의 하단에 표준들의 목록을 편의상 한 개만 표기했으나 그 외의 것들은 맨 오른쪽에 '개체 삽입'한 것으로 가정한다.

파워포인트에는 대표 표준 한두 개만 나타내고 나머진 '개체 삽입'화하는 것이 흐름과 보관에 유리하다. 다음은 [그림 V-6]에 표기됐던 표준의 작성 예이다.

[그림 V-7] 'Step-13.4. 표준화' 작성 예(토이 박스 개발)

Step-13. 관리계획 수립
Step-13.4. 표준화

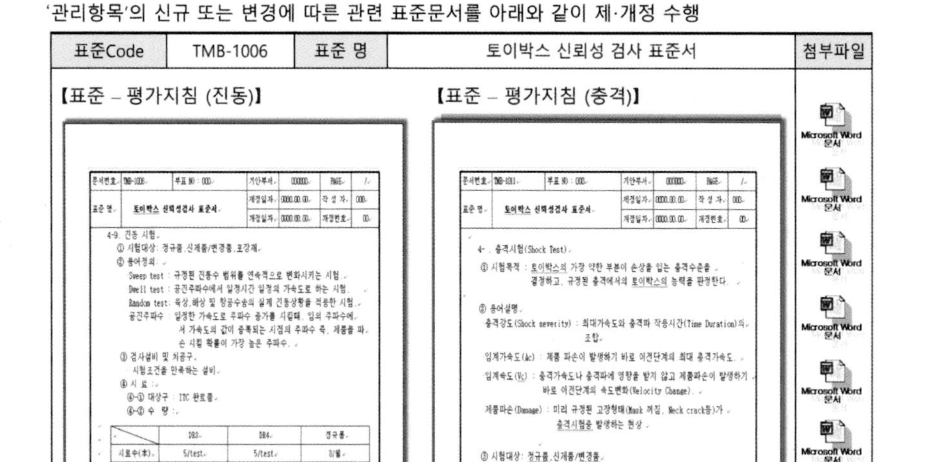

'제품 설계 방법론' 경우 표준들의 제·개정이 '프로세스 개선 방법론'과 비교해 훨씬 다양하고 양도 많을 것이므로 목록 표를 이용해 우선 정리한 뒤 각각에 대해 '개체 삽입'으로 처리하는 방법을 제안한다. 여기까지가 'Step-13. 관리계획 수립'의 과정이며 표준관련 사항들은 회사 고유의 제·개정 절차와 양식 및 운영 체계가 있으므로 흐름 관점에서 간략하게만 소개하였다. 다음에 이어질 내용은 이렇게 수립된 계획을 그대로 실행하는 것인데, 이제부터 '관리 계획 실행'에 대해 알아보도록 하자.

Step－14. 실효성 검증

'제품 설계 방법론 로드맵'에서 가장 중요한 단계를 꼽으라면 당연 Analyze Phase 'Step－7. 아이디어 도출'이다. 제품의 창의적 설계가 실현되는 과정이기 때문이다. 그러나 **더더욱 중요한 단계를 꼽으라면 당연 Verify Phase 'Step－14. 실효성 검증'이라 단언**하고 싶다. 아이디어가 혁신적이고 창의적인들 현실에서 제작이 안 되거나 기능 작동에 문제가 있으면 이전의 모든 과정은 의미를 상실하기 때문이다. '실효성 검증'은 앞서 Verify Phase 초두에 설명한 바와 같이 'Plan－Do－Check－Act' Cycle 중 'Plan'의 연장이며, 개념적으로 '프로세스 개선 방법론'과 동일하나 특징들이 있는데, 첫째, '프로세스 개선 방법론'은 존재하는 프로세스에서 일부를 최적화한 뒤 그를 모니터링 하는 반면, '제품 설계 방법론'은 작은 규모라도 변화된 새로운 모습이므로 실적용에 있어 제약이 많은 단점이 있다. 둘째, '관리 계획 수립'이 'Plan'에 대응되므로 본 '세부 로드맵'은 '실행', 즉 'Do'에 해당하나 15－Step 관점에서 'Check'와 'Act'를 넣을 위치가 없어, 'Do－Check－Act'를 현 'Step－14'에서 모두 수행한다. 이것은 '프로세스 개선 방법론'과 동일하지만 '제품 설계 방법론'에서는 관찰할 'Y'가 다수이므로 관리 규모가 몇 배 더 큰 차이점이 있다.

'P－D－C－A Cycle'만 봐서는 Design Phase 'Step－12. 설계 검증'에서 수행한 과정과 정확히 일치한다. 다만 차이점이 있다면 지향하는바, 즉 목적이 다른데 'Step－12. 설계 검증'은 최적의 환경 조건에서 얻어진 데이터(단기 데이터)를 통해 목표 달성 여부를 판단하므로 단기성과 측면에 초점을 맞추었던 반면(그래서 이론적으로 '6시그마 수준'이 나오기를 기대했었다), 'Step－14'에서는 양산 또는 실제 프로세스에 최소 3주 이상 적용함으로써 마치 장기적 성향의 데이터를 통해 향후 이런 추이로 전개될 것이라는 결론을 얻는다. '상세 설계(최적화)' 내용이 실제 프로세스에서 다양한 잡음과 예상치 못한 환경 등에 최소 3주

이상 노출된다는 것은 마치 장기 데이터를 확보한다는 의미로(물론 여전히 장기 데이터로서는 부족하겠지만) 받아들이며, 따라서 이론적으로 산정된 '프로세스 능력'은 '4.5 시그마 수준'이 돼야 한다. 그래야 '단기 시그마 수준=장기 시그마 수준+1.5'를 통해 'Step-12. 설계 검증'의 '6 시그마 수준'과 일치한다.

그러나 초두 '특징'에서 설명했던 바와 같이 '제품 설계'에서는 실환경에 적용해 장기적인 효과를 예측하고 또 예상치 못한 현실적인 문제점들을 드러내 개선하는 데 목적이 있지만 과제를 수행하는 입장에서는 많은 난관에 부딪히는 게 현실이다. 예를 들면, 짧게는 한 달에서 길게는 6개월 이상까지도 소요되는 고객의 승인을 받아야 하는 문제라든가, IT시스템의 개선이 필요해 개발하는 데만 2~3달의 추가 시간이 소요되는 경우, 타 프로세스와 얽혀 있어 실제 프로세스의 변경을 단시일 내에 이루기 불가한 경우 등이다. 따라서 **장기적인 추이를 객관적으로 보여줄 적절한 접근법을 찾아내는 것도 리더가 해야 할 역할** 중 하나다. 이 시점에 자주 접하는 용어로 'Scale-up'이 있다. 'Step-12. 설계 검증'보다 '양'을 더 늘려 확인한다는 의미다. 그러나 양도 중요하지만 다양한 잡음의 영향을 경험할 수 있도록 '시간'도 함께 늘려야 한다는 점 명심하자. 대형 설계 제품 경우 'Scale-up' 역시 점진적으로 늘려가며 검증을 시도하기도 한다. 이 경우 본문에 제시한 '약 3주'가 아닌 더 긴 시간이 소요될 수 있다. 기업에 따라 'Scale-up'의 단계별 '수량'을 표준에 정해 놓기도 한다.

다음은 'Step-14. 실효성 검증'에서 가장 유용하게 활용되는 도구인 '통계적 프로세스 관리(SPC, Statistical Process Control)'를 소개한 것이다.

Step-14.1. 실효성 검증_Do

본 '세부 로드맵'은 [그림 V-6]의 'Step-13.3. 관리 계획 작성' 중 열

(Column)명(名)인 '기록 방법'과 연결 고리를 갖는다. 즉, '상세 설계' 내용대로 생산 프로세스에서 조립이 잘 되고 있는지 관찰할 대상이 '관리 항목'이면 추이를 어디엔가 주기적으로 기록해 놔야 그것을 토대로 적합성 여부를 판단할 수 있다. 기록하는 방법 중 가장 선호되는 도구가 바로 '관리도'이다. 품질 관리에서는 '관리 항목'의 과학적 통제를 위해 '관리도'의 필요성을 역설하고 있으므로, 실환경에서의 점검을 위해서는 이에 대한 학습이 선행돼야 한다.

통계적 프로세스 관리(SPC, Statistical Process Control)

'통계적 프로세스 관리(SPC)'의 백과사전적 정의는 "관리도(Control Chart) 사용을 통해 프로세스를 모니터링 하는 효과적인 방법으로 이것의 가장 큰 장점은 프로세스 중심과 변동 둘 다를 동시에 모니터할 능력이 있다"이다. '통계적 공정 관리'처럼 '공정'이란 단어가 들어가 있으나 이는 주로 제조 산업부터 적용돼서 붙여진 이름이며, 분야에 관계없이 데이터가 있는 경우이면 언제든지 적용될 수 있는 도구이다. 따라서 본문에선 '공정'보다 '프로세스'로 표현하고 있다. 'SPC'는 1924년에 슈와르츠(Walter A. Shewhart)에 의해 처음 고안되었다. 당시 슈와르츠는 벨 전화연구소에 근무하고 있었으며, 주로 제조 공정의 품질을 눈으로 확인하던 수준에서 '통계적'이라는 용어는 호감을 갖기에 충분한 매력이 있었다. 이 매력에 푹 빠진 자가 있었는데 바로 데밍(W. Edwards Deming)이었다. SPC의 탄생 배경에 대해서는 『Be the Solver_통계적 품질 관리 – 관리도/프로세스 능력 중심』편에서 자세히 소개했으니 관심 있는 리더는 참고하기 바란다.

프로세스 관리에 있어 'SPC'가 '관리도'라고 하는 기법을 통해 모니터링 하는 체계를 이루고 있으므로 이제부터는 '관리도'에 어떤 것들이 있고, 또 어떻게 쓰이는지를 알아볼 필요가 있다. 그러나 많은 품질 교육 과정에서 미니탭을 이용한 실습 등이 다뤄지고 있으므로 세세한 설명은 피하면서 가급적 필요하다고 판단되는 부분들에 대해서만 설명해 나갈 것이다. 다음 [그림 V-8]은 '데이터 유형'과 '표본 크기'에 따른 '관리도 선정 로드맵'을 나타낸다.

[그림 V-8] 관리도 선정 로드맵

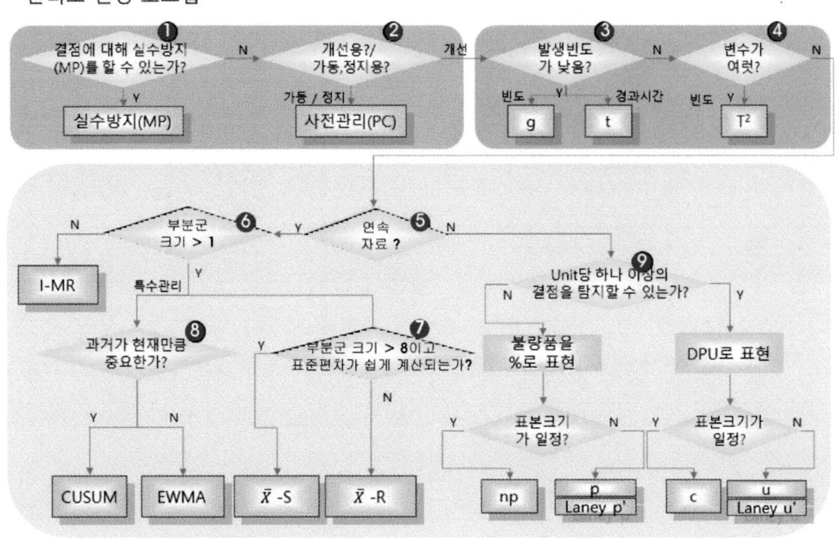

우선 로드맵의 맨 처음 판단 단계인 '① 결점에 대해 실수 방지(MP)를 할 수 있는가?'는 '실수 방지(MP, Mistake Proofing)'가 관리의 필요 없이 시스템적으로 문제의 근원, 즉 결점 발생을 원천적으로 차단하는 도구이므로, 만일 '실수 방지'적 접근이 가능하면 굳이 '관리도'를 사용할 필요가 없다. '실수 방지'는 'SPC(통계적 프로세스 관리)' 차원은 아니지만 관리 도구 측면에서 묶어 고려하는 것이 효과적이다. 다음 두 번째 판단인 '② 개선용/가동·정지용?'은 생산 라인에서 쓰이는 도구로 간단히 용도만 설명하면, 현 제조 프로세스의 상황이 문제가 큰지 작은지만 판단하여 생산을 지속하거나 멈춰야 하는 활동이 중요할 경우, '가동·정지' 방향으로 가서 해당 기법인 '사전 관리(Pre-Control)'[116]를 실행한다. 다시 [그림 V-8]로 돌아가 다섯 번째 단계인 '⑤ 연속 자료?'는 '관리도'가 기본적으로 '연속형 관리도'와 '이산형 관리도'로 구분되는 만큼 데이터 유형을 판단하기 위한 과정이다. '연속 자료'면 다시 '⑥ 부분군 크기가 >1?'을 판단해야 하는데 만일 1개라면('0'개는 의미 없음) 관리도 중 한 개의 데이터로 관리가 이루어지는 'I-MR 관리도'를 선택한다. 참고로 '부분군(Subgroup)'은 한 번 표본 추출할 때의 '표본 크기'를 나타낸다. 1개보다 큰 경우에는 데이터 수(부분군 크기 >8?)에 따라 '$\overline{x}-s$ 관리도'와 '$\overline{x}-R$ 관리도'가 있고, 특수한 목적의 관리도가 필요하면 'EWMA 관리도'나 'CuSum 관리도' 등을 활용한다. 만일 '이산 자료'면 '불량 특성'과 '결점 특성'에 따라 'p 관리도'나 'np 관리도', 또는 'c 관리도'나 'u 관리도'를 각각 선택한다. 이들 외에 '③ 발생 빈도가 낮음?'은 수개월의 빈도로 발생하는 사건이라든가, '④ 변수가 여럿?'은 프로세스에서 관리도가 여럿 있을 때 판단 오류를 줄이기 위해 한 번에 묶어 관리하는 'T^2 관리도'를 나타낸다. 이제부터 대표적인 '관리도'로부터 프로세스가 어떻게 관리되는지 간단히 알아보도록 하자.

'연속형 관리도' 중 'I-MR 관리도'나 '$\overline{x}-s$ 관리도', '$\overline{x}-R$ 관리도' 등은 데이터가 1개이거나 그 이상인 차이만 있을 뿐 근본적으로 관리도상 표현과 해석이 같으므로 가장 일반적으로 사용되는 '$\overline{x}-R$ 관리도'를 대표로 설명하겠다. 그 외의 'EWMA 관리도'나 'CuSum 관리도'는 특수 목적으로 사용되므로 일단 설명에서 제외시켰다. 또 '이산형 관리도' 역시 'np 관리도'는 '개수[$N\times(n/N)$ 형태로, 결국 단위는 '개수'가 됨]'로, 'p 관리도'는 '비율('p'는 비율이란 뜻인 'Proportion'의 첫 자를 의미)'의 차이만 있을 뿐 표현이나 해석이 동일하므로 함께 설명하면서 차이점에 역점을 둘 것이다. 결점특성인 'c 관리도'와 'u 관

116) '사전 관리'에 대한 설명이 있어야 하나 여기서는 생략한다. 관심 있는 리더는 『Be the Solver_'프로세스 개선 방법론'』편을 참조하기 바란다.

리도'에서도 단순히 결점만 입력하는 'c 관리도'와 결점률을 관리하는 'u 관리도'의 차이만 있으므로 역시 함께 설명하되 차이점만 강조할 것이다.

① 연속형 '$\overline{x}-R$ 관리도'

'$\overline{x}-R$ 관리도'는 명칭에서 알 수 있는 바와 같이 '$\overline{x}$(평균)'와 'R(범위)'를 시간에 따라 타점해 나가는 '연속형 관리도'이다. 프로세스를 관리하고 있거나 새롭게 관리해야 할 프로세스가 생겼다고 가정하자. 어느 경우든 관리를 위한 대상, 즉 특성(또는 변수, 구체적으로는 X's들일 것임)들이 존재할 것이고, '연속 자료'이므로 프로세스로부터 일정 크기(표본 크기, Sample Size)만큼 주기적으로 '표집(Sampling)'을 해야 한다. 이때 '표본 크기'가 '8개' 이상으로 충분하면 '평균'은 물론 '표준 편차' 계산도 용이하므로 '$\overline{x}-s$ 관리도'가 활용되지만 경험적으로 현업에서 많은 수의 표본을 추출하는 것이 시간적, 경제적으로 제약이 있으며, 따라서 통상 '5개' 내외의 경우가 대부분을 차지한다. '표본 크기=5개'는 통계적 오차를 줄일 수 있는 최소한의 개수로 알려져 있다. 임의 특성에 대한 10일 동안의 데이터가 다음 [표 V-4]와 같다고 할 때, '$\overline{x}-R$ 관리도'의 작성과 그 해석에 대해 알아보자.

[표 V-4] '$\overline{x}-R$ 관리도'용 데이터

	1일	2일	3일	4일	5일	6일	7일	8일	9일	10일
1	19.7	22.8	20.3	21.1	19.6	19.1	22.8	19	20.7	18.5
2	21.7	21.3	21.6	19.5	20	20.6	22.2	20.5	21.0	21.2
3	21.2	21.8	21.9	20.8	20.9	20.8	23.2	20.3	20.5	19.4
4	22.3	21.5	20.2	20.3	19.3	21.6	23	19.2	19.1	16.5
5	23	21.9	22.1	19.8	20.8	19.8	22.8	20.1	20.6	17.6
X_bar	21.6	21.9	21.2	20.3	20.1	20.4	22.8	19.8	20.4	18.6
R	3.3	1.5	1.9	1.6	1.6	2.5	1.0	1.5	1.9	4.7

먼저 결과를 보자. 다음 [그림 V-9]는 미니탭 경로인 「통계 분석(S) > 관리도(C) > 부분군 계량형 관리도(S) > Xbar-R(B)...」을 보여준다.

[그림 V-9] '$\overline{x}-R$ 관리도' 미니탭 입력 위치 예

MINITAB - 제목 없음

파일(F) 편집(E) 데이터(A) 계산(C) 통계분석(S) 그래프(G) 편집기(D) 도구(T) 창(W) 도움말(H)

기초통계(B) / 회귀 분석(R) / 분산 분석(A) / 실험계획법(D) / 관리도(C) / 품질 도구(Q) / 신뢰성/생존 분석(L) / 다변량 분석(M) / 시계열 분석(S) / 표(T) / 비모수 통계학(N) / 탐색적 자료 분석(E) / 검정력 및 표본 크기(P)

Box-Cox 변환(B)... / 부분군 계량형 관리도(S) / 개별값 계량형 관리도(I) / 계수형 관리도(A) / 시간 가중 관리도(T) / 다변량 관리도(M)

Xbar-R(B)... / Xbar-S(A)... / I-MR-R/S(군간/군내)(I)... / Xbar(X)... / R(R)... / S(S)... / 구역(Zone)(Z)...

워크시트 3 ***

	C1-T	C2
	Sub Group	Data
1	1일	19.7
2	1일	21.7
3	1일	21.2
4	1일	22.3
5	1일	23.0
6	2일	22.8
7	2일	21.3
8	2일	21.8
9	2일	21.5
10	2일	21.9
11	3일	20.3
12	3일	21.6

[그림 V-10] '$\overline{x}-R$ 관리도'의 '검정 항목' 대화 상자

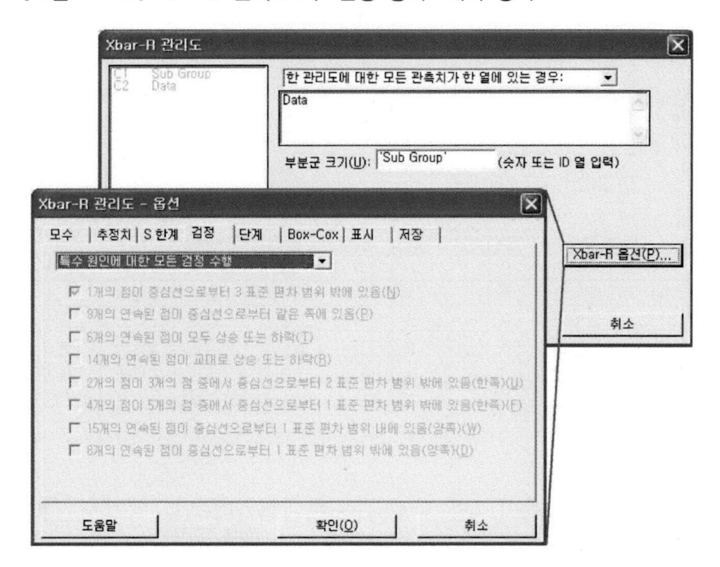

[그림 V－10]은 대화 상자의 입력 상태를 나타낸다. 입력 시 '$\overline{x}-R$ 옵션(<u>P</u>).../검정'으로 들어가 8가지 검정 항목을 모두 선택한다. 8개 중 부합하는 현상이 나타나면 관리도상에 그 해당 현상의 번호(1～8)가 찍힌다. 이 경우 프로세스에 이상이 있다고 판단하고 적절한 조치가 이루어져야 한다.

[그림 V－10]에서 대화 상자 '부분군 크기'엔 열 이름 'Sub Group'이 들어 있으나 [표 V－4]에 보인 바와 같이 '부분군 크기'가 '5개'이므로 열 이름 대신 숫자 '5'를 그대로 입력해도 결과는 같다. 다음 [그림 V－11]은 실행 결과를 나타낸다.

[그림 V－11] '$\overline{x}-R$ 관리도' 결과 예

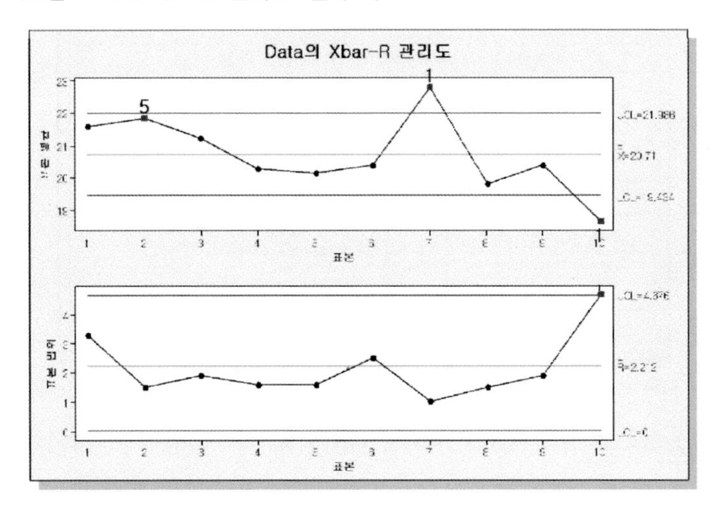

<u>'$\overline{x}$ 관리도([그림 V－11]의 위쪽 관리도)'에서</u> '2일', '7일', '10일'에 관리도상 이상이 있는 것으로 나타났으며, 따라서 '관리 상태(관리하, 안정함)'에 있지 않음을 알 수 있다. '2일'째의 숫자 '5'는 "2개의 점이 3개의 점 중에서 중심선

으로부터 '2 표준 편차' 범위 밖에 있음(한쪽)"에 해당하는 결과로, '7일'과 '10일'의 숫자 '1'은 "한 개의 점이 중심선으로부터 '3.0 표준 편차' 범위 밖에 있음"에 해당하기 때문에 찍혔다. 개선은 불안정 요소인 '1'을 최우선적으로 해결한다. 다음 [그림 V-12]는 '$\overline{x}-R$ 옵션(P)' 내 '검정' 대상인 8개 항목을 나타내며, 특히 빨간 점선 사각형은 [그림 V-11]의 관리도에 찍힌 번호가 의미하는 내용들이다.

[그림 V-12] '$\overline{x}-R$ 관리도' '검정' 예

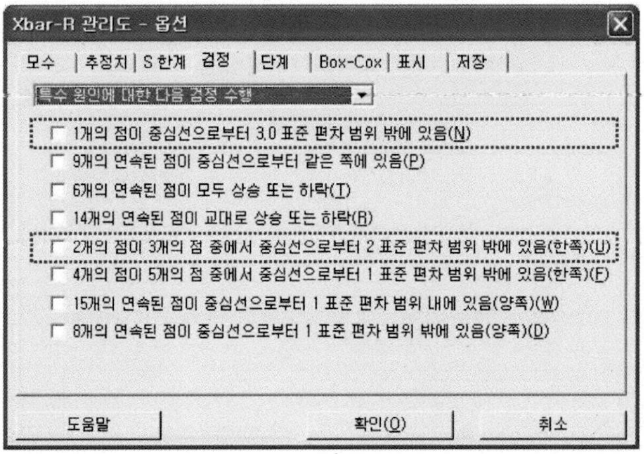

Xbar-R 관리도 - 옵션

모수 | 추정치 | S 한계 | 검정 | 단계 | Box-Cox | 표시 | 저장

특수 원인에 대한 다음 검정 수행

- 1개의 점이 중심선으로부터 3.0 표준 편차 범위 밖에 있음(N)
- 9개의 연속된 점이 중심선으로부터 같은 쪽에 있음(P)
- 6개의 연속된 점이 모두 상승 또는 하락(T)
- 14개의 연속된 점이 교대로 상승 또는 하락(R)
- 2개의 점이 3개의 점 중에서 중심선으로부터 2 표준 편차 범위 밖에 있음(한쪽)(U)
- 4개의 점이 5개의 점 중에서 중심선으로부터 1 표준 편차 범위 밖에 있음(한쪽)(F)
- 15개의 연속된 점이 중심선으로부터 1 표준 편차 범위 내에 있음(양쪽)(W)
- 8개의 연속된 점이 중심선으로부터 1 표준 편차 범위 밖에 있음(양쪽)(D)

도움말 | 확인(O) | 취소

'R 관리도' 역시 '10일'째 데이터가 'UCL(Upper Control Limit)'을 넘었으며, 'R 관리도'가 '그룹 내 변동', 즉 각 집단의 '범위(최댓값-최솟값)'를 나타내므로 표집상의 문제나, 프로세스 내의 이상 유무를 파악해서 문제가 발견되면 조치한다. '$\overline{x}-R$ 관리도'는 통계적 관점에서 두 개의 기본 원리들이 작용한다. 다소 복잡할 수 있지만 앞서 학습했던 내용들을 참고하면서 이 원리들에 대해 조금 파악해보는 시간을 가져보자.[117] '그룹 간 변동과 그룹 내 변동의 해석'과

'UCL/LCL'의 설정원리(중심 극한 정리) 및 '중심선±3×표준 편차를 벗어나는 이상점들에 대한 해석(가설 검정)'에 대해 알아볼 것이다.

'그룹 간 변동과 그룹 내 변동의 해석'은 과제 수행 중 접하는 각종 통계 도구들을 이해하는 데 중요한 기초 역할을 한다. 이 원리로 해석이 가능한 통계 도구는 프로세스 능력, ANOVA, 회귀 분석, 실험 계획, 관리도 등인데 여기서는 관리도에 대해서만 알아본다. 앞서 '$\overline{x}-R$ 관리도'를 작성하는 데 사용한 데이터를 다시 가져와 보자.

[표 V-5] '그룹 내/그룹 간 변동 해석' 예

	1일	2일	3일	4일	5일	6일	7일	8일	9일	10일	
1	19.70	22.80	20.30	21.10	19.60	19.10	22.80	19.00	20.70	18.50	
2	21.70	21.30	21.60	19.50	20.00	20.60	22.20	20.50	21.00	21.20	
3	21.20	[illegible]	[illegible]	[illegible]	20.90	20.80	23.20	20.30	20.50	19.40	
4	22.30	21.50	20.20	20.30	19.30	21.60	23.00	19.20	19.10	16.50	
5	23.00	21.90	22.10	19.80	20.80	19.80	22.80	20.10	20.60	17.60	전체평균
X_bar	21.58	21.86	21.22	20.30	20.12	20.38	22.80	19.82	20.38	18.64	20.71

그룹 내 변동

그룹 간 변동

임의 데이터가 부분군으로 이루어져 있을 경우, 그들 집단의 변동은 식 (V.1)과 같은 항등식에 의해 설명된다. 즉,

$$\sum_{ij}(x_{ij}-\overline{\overline{x}})^2=\sum_{ij}(x_{ij}-\overline{x_j})^2+\sum_{j}n_j(\overline{x_j}-\overline{\overline{x}})^2 \qquad \text{(V.1)}$$

총 변동 = 그룹 내 변동 + 그룹 간 변동

117) 상세한 통계적 접근은 『Be the Solver_확증적 자료 분석』편'을 참고하기 바란다. 여기서는 원리와 결과 위주로 설명하되 최소화시켜 전개될 것이다.

'총 변동'은 '각 데이터'와 '전체 평균'과의 차를, '그룹 내 변동'은 '각 부분군 데이터'와 해당 '부분군 평균'과의 차를, 끝으로, '그룹 간 변동'은 '각 부분군 평균'과 '전체 평균'과의 차를 통해서 얻는다. 이들 각 항들은 데이터 쌍별로 얻어진 값들을 모두 더해서(Σ) 하나의 값으로 변동 크기를 표현한다. 이렇게 '총 변동'은 '그룹 내 변동'과 '그룹 간 변동'으로 나뉘며 관리도는 둘 모두를 시각적으로 관찰할 수 있게 돕는다.

'그룹 내 변동'에 대해 알아보자. 매일 5개 데이터를 주변의 영향이 최소화되도록 표집하면 5개들 간 값들의 차이는 별로 크지 않다. 즉, 그룹 내(5개들 간) 변동은 극소화가 될 것인데 이같이 짧은 기간에 주변의 영향이 최소화되도록 추출한 표본을 '합리적 부분군(Rational Subgroup)'이라고 한다. 그러나 '합리적 부분군' 내에서도 여전히 값들의 차이는 존재한다. 사실 이런 미세한 변동을 유발시키는 원인은 찾아내기가 매우 어려우며 우연히 영향을 주는 원인들이라 해서 그들을 총칭해 '우연 원인(Chance Cause, Random Cause)'이라고 한다. 또 이런 미세한 변동(또는 산포)을 줄이기 위해서는 상당한 기술력과 자원이 들므로 다분히 경영자적 문제로 귀결된다. 누군가 활동을 위한 시간과 투입 비용에 대해 의사 결정을 해줘야하기 때문이다. 또 매우 높은 수준의 기술적 접근이 요구되므로 '기술적 문제'라고 표현한다.

반면에 '그룹 간 변동'은 매일매일 부분군 평균의 차이를 관찰하는 것으로, 만일 그 평균 간의 차이가 극명하게 드러나면 프로세스상에 예상치 못한 문제가 발생한 것으로 판단할 수 있다. 부분군 간 평균의 차가 극명하게 차이가 난다는 것은 잘 관리되던 프로세스 내에 5M－1I－1E(Man, Machine, Material, Method, Measurement, Information, Environment) 중 일부에 갑작스러운 변화가 일어난 것으로 해석할 수 있으며, 이런 원인들을 총칭해서 '이상 원인(Assignable Cause)'에 의한 영향으로 표현한다. 또 정상적인 '관리 상태'에서 벗어난 것이므로 '관리적 문제'라고도 한다. 다음 [표 V－6]은 '그룹 내 변동의 우연 원인'과

'그룹 간 변동의 이상 원인'을 대표하는 표현들을 모아 정리한 것이다.

[표 V-6] '우연 원인'과 '이상 원인'의 비교

그룹 내 변동의 우연 원인	정상	변동 폭 작음	복합적	기술적 문제	항상 존재	안정
그룹 간 변동의 이상 원인	비정상	변동 폭 큼	특정요소	관리적 문제	항상 존재하지 않음	불안정

'우연 원인'이 프로세스 내 늘 존재한다는 것과, '이상 원인'이 5M-1I-1E의 원치 않는 변경에 의한 것으로 요약된다면 [표 V-6] 내 용어들을 관련지어 연상할 수 있다. 다음 [그림 V-13]은 '$\overline{x}-R$ 관리도'의 결과와 각 데이터들 간의 관계를 보여준다.

[그림 V-13] 데이터(부분 군)와 미니탭 결과의 관계

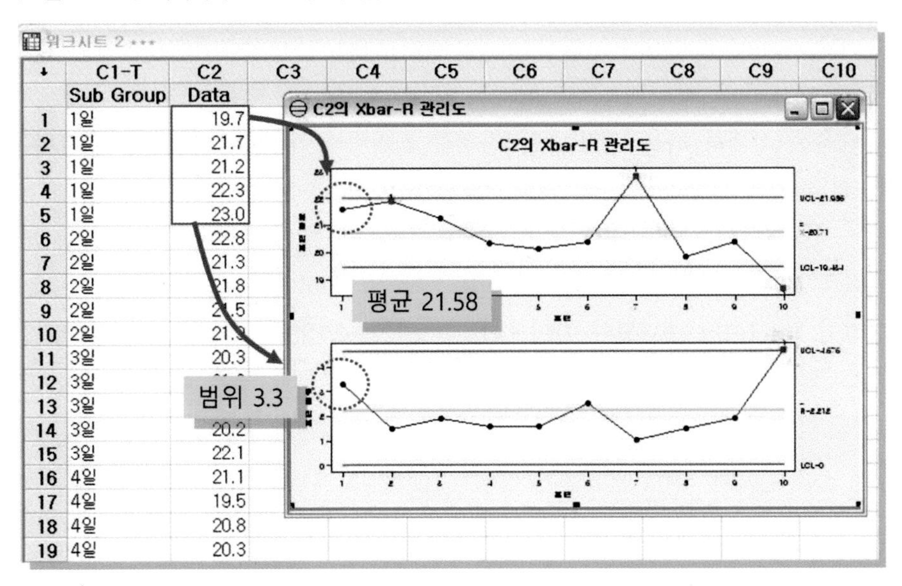

관리도 예를 보면, 1일 차 부분군의 '평균'이 '$\bar{x}$ 관리도'에 찍히고, 부분군의 '범위(최댓값－최솟값)'는 'R 관리도'에 찍혀 나간다. 따라서 '$\bar{x}$ 관리도'는 '그룹 간 변동'을, 'R 관리도'는 '그룹 내 변동'을 시각적으로 확인할 수 있다. 이와 같이 '연속형 관리도'는 수집된 데이터의 '총 변동'을 '그룹 내 변동'과 '그룹 간 변동'으로 분해하여 해석이 용이한 정보를 제공한다. '그룹 내 변동'은 표집 시 '합리적 부분군'이 될 수 있도록 해야 한다. 만일 예의 '7일 차'와 같이 관리 한계선을 벗어나는 경우 '표집'에 이상이 있거나 프로세스의 단기적 변동이 클 가능성을 암시하므로 시급한 원인 파악이 요구된다. 만일 원인 파악 후 개선이 있었다면 재발 방지책을 마련한 뒤 관리도상 타점을 제외하고 다시 그릴 수 있다. 또, '그룹 내 변동'이 우선적으로 '관리 상태'를 유지해야 '그룹 간 변동'의 해석에 의미가 생긴다.

'UCL/ LCL'의 설정 원리는 바로 '중심 극한 정리'에 기반 한다. '중심 극한 정리'는 "모집단으로부터 추출된 표본 평균의 분포는 그 중심이 모집단 평균 'μ'와 같고, 그 표준 편차('표준 오차'라 함)는 '모 표준 편차'를 표본 크기의 제곱근으로 나눈, 즉 '$\sigma/\sqrt{n}$'와 같다"이다. '중심 극한 정리'를 설명하는 것은 많은 지면을 할애해야 하고, 또 로드맵을 설명하려는 당초 목적에서도 벗어나므로 관련 내용을 상세히 다룬 서적[118]을 참조하기 바란다. 본문은 개념도를 활용하는 정도로 하고 그 결과만을 활용해서 'UCL LCL'의 산출 배경을 설명하는 데 집중할 것이다. [그림 V－14]는 '중심 극한 정리'를 설명하는 개요도이다('Be the Solver' 시리즈에 공통 사용된 개요도임).

[그림 V－14]의 개념도와 같이 정규 분포하는 모집단 ~N(u, σ^2)에서 표본크기 'n'개씩 계속 표집한다. 이어 각각의 표본들의 평균을 구한 뒤(여기서 사과의 직경을 측정하는 것으로 상상해도 좋다), 이 값들로 히스토그램을 그리면 그 결과는 정규 분포를 하며, 평균은 모평균인 'μ(개념도에서는 편의상 '$\bar{\bar{x}}$'도 함께 표기)'와 같고, 그 '표준 편차(표준 오차)'는 앞서 설명한 '중심 극한 정리'와 같이

118) 『Be the Solver_확증적 자료 분석』편의 '두 번째 원리 참조'

[그림 V-14] '중심 극한 정리' 개요도

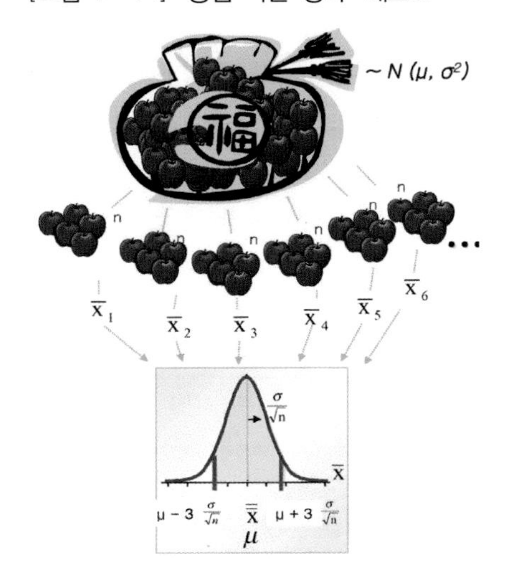

'$\sigma/\sqrt{n}$'가 된다. '$\bar{x}-R$ 관리도'는 표본들의 평균을 타점하므로 결국 그들의 전체 분포는 '중심 극한 정리'에 따라 '중심 값'과 '표준 편차'가 결정된다. 따라서 'UCL/LCL'은 중심으로부터 '±3 표준 편차'만큼 떨어진 위치를 설정한다고 했으므로 '$UCL=\mu+3\frac{\sigma}{\sqrt{n}}$'와 '$LCL=\mu-3\frac{\sigma}{\sqrt{n}}$'가 된다. 다음 [그림 V-15]는 '관리도'와 '표본 분포' 및 'UCL/LCL'의 관계를 보여준다.

[그림 V-15] '관리 한계(Control Limit)' 설정 예

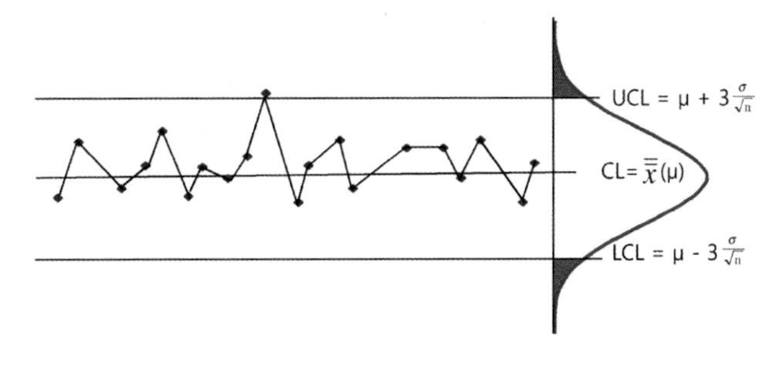

그런데 문제가 있다. 현업에서는 대부분 '모 표준 편차'인 'σ'를 모른다. 따라서 'σ'를 추정해야 하는데 이 값은 '$\overline{R}/d_2$'로 얻는다. 여기서 '$\overline{R}$'는 각 부분군의 '범위(최댓값－최솟값)'를 평균한 값이며, 'd_2'는 표본 크기에 따라 결정되는 상수(www.minitab.com에서 파일명 'UnbiasingConstantsc4d2d3d4.pdf'를 검색, 또는 미니탭 '도움말' 참조)로, '모 표준 편차'를 추정하기 위해 마련된 통계량이다. 따라서 현업에서 실제 'UCL/LCL'을 구하면 최종적인 산정 식은 다음 식 (V.2)와 같다.

$$UCL = \overline{\overline{x}} + (\frac{3}{\sqrt{n}})(\frac{\overline{R}}{d_2}) \qquad \text{(V.2)}$$
$$CL = \overline{\overline{x}}$$
$$LCL = \overline{\overline{x}} - (\frac{3}{\sqrt{n}})(\frac{\overline{R}}{d_2})$$

'중심선±3×표준 편차'를 벗어나는 이상점들에 대한 해석(가설 검정)은 Analyze Phase 'Step－9.2. 설계 요소 분석'에서 주로 논했던 '가설 검정'에 대한 내용을 담고 있다. '가설 검정'이란 '가설'을 세운 뒤 그에 대한 '검정', 즉 객관적 자료를 근거로 어느 생각이 맞을 것인지 확인하는 작업이다. 따라서 우선 가설인 '귀무가설(Null Hypothesis)' 및 '대립가설(Alternative Hypothesis)'이 있어야 하고, 판단에 필요한 기준인 '유의 수준(Significance Level)'이 있어야 하며, '유의 수준'과 비교할 측정치인 '통계량(Statistics)'이 필요하다. 이 중 '유의 수준'은 '0.1, 0.05, 0.01'이 있으며, '0.05'가 관습적으로 가장 많이 사용된다. 그러나 '관리도'에서는 기본적으로 '3×표준 편차' 패러다임이 적용되며, 이것은 프로세스 관리 중 '±3×표준 편차'를 벗어나는 값들이 조치의 대상이 된다는 것을 의미한다. 즉, '관리도'에서 부분군의 평균이 '±3×표준 편차'를 벗어나면 '이상점'이 되므로, '±3×표준 편차'를 벗어나는 면적(또는 확률)이 '유의 수준'이다. 미니탭으로 이 영역을 계산하면 다음 [그림 V－16]과 같다.

[그림 V-16] '관리도'에서의 '유의 수준' 계산

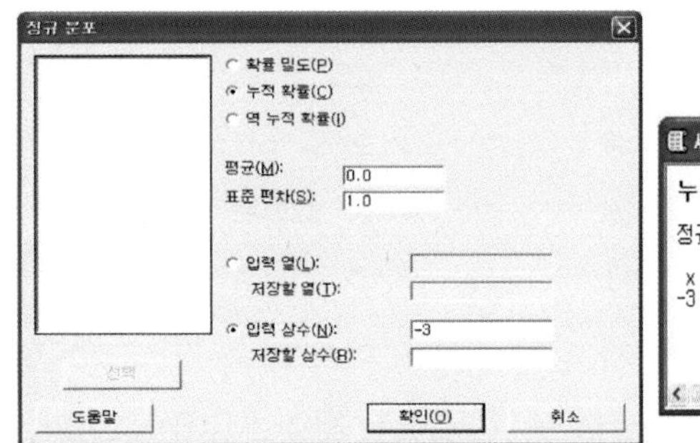

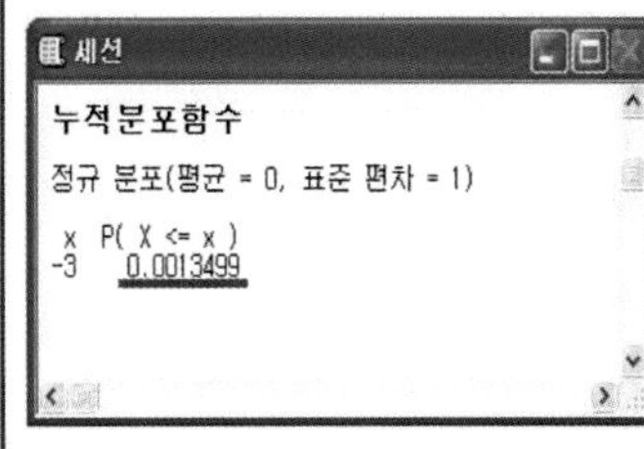

'–3×표준 편차'를 벗어날 확률이 '0.0013499'이며, 타점될 부분군 평균이 '±3×표준 편차' 위 또는 아래 어디든지 갈 수 있으므로 두 확률을 더해 약 '0.0027(또는 0.27%)'이 얻어진다. 이 값이 관리도에서의 '유의 수준'이다(0.05 또는 5%에 익숙한 리더라면 0.27%에도 익숙해져야 할 것이다). '유의 수준'과 '관리도'와의 관계를 [그림 V-17]에 나타냈다.

[그림 V-17] '관리도'에서의 '유의 수준' 산정

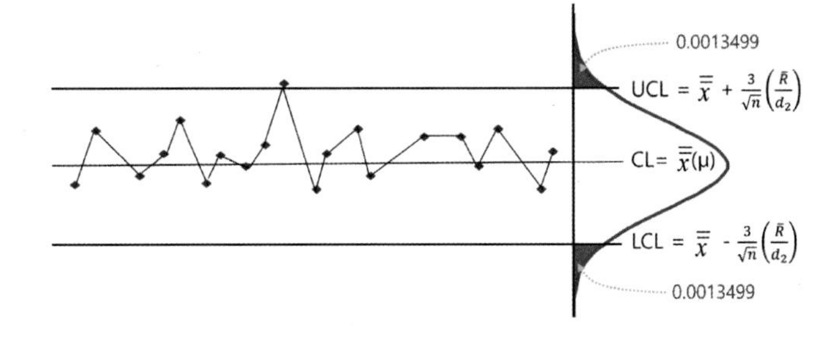

이어 관리도상에서 검정을 수행하기 위해 '가설'이 필요한데 식 (V.3)과 같이 설정한다. 즉,

$$H_o \text{ : 관리상태에 있다.} \qquad (V.3)$$
$$H_A \text{ : 관리상태에 있지 않다.}$$

앞서 설명한 바와 같이 '관리 상태에 있지 않는 경우'는 미니탭에서 '8개의 항목'으로 규정돼 있다고 하였다. 따라서 이들의 상황을 확률로 표현할 때 '유의 수준'인 '0.0027(또는 0.27%)'보다 작으면 '대립가설'을, 그 반대이면 '귀무가설'을 선택한다. 다음 [그림 V-18]에 8개 검정 항목을 다시 기술하였다(미니탭「통계분석(S) > 관리도(C) > 부분군 계량형 관리도(S) > Xbar-R(B)...」).

[그림 V-18] '$\bar{x}-R$ 관리도'의 '검정 항목'

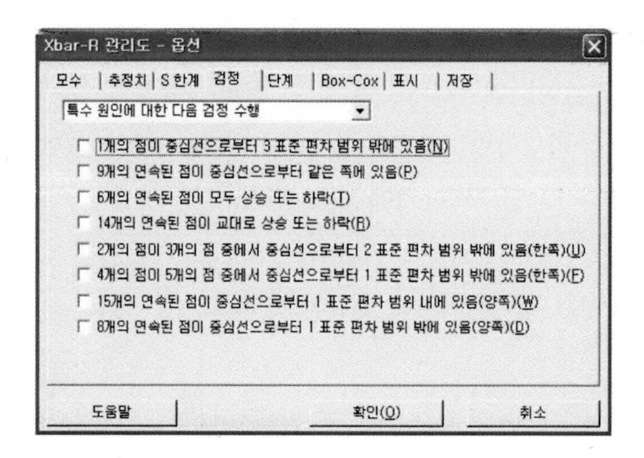

관리도 체계는 1984~1985년 넬슨(Nelson)에 의해서 처음 사용되었으며, 각각의 발생 확률(p-value)이 '±3×표준 편차'를 기준으로 한 '유의 수준(0.27%)'보다 작다는 것을 전제로 한 것이다. 그러나 다음의 넬슨(1985)이 언급한 말[119]을 참고하면 확률을 통한 검정에 크게 얽매일 필요는 없을 것 같다. "이상 신호

119) SAS/Qc User's Guide, Version 7-1.의 'Part 9. The Capability Procedure' 내 'Interpreting Standard Tests for Special Causes'에 기술된 내용을 참고함.

를 감지하는 데 필요한 확률은 아주 정확하게 고려될 필요는 없다. 왜냐하면 확률은 정규성과 독립성이 결여됐다는 가정을 기반으로 산정되기 때문이다(즉, 8개 항목 중 하나가 발생했다는 것은 이미 정규성/독립성이 훼손된 것이므로). 따라서 검정 항목들은 확률이라기보다는 단순히 개선 활동을 위한 실천 규칙으로 받아들여야 한다. 가능성은 낮지만 프로세스가 관리 상태에 있지 않아도 이와 같은 8개 검정 항목들 중 어떤 것도 잡히지 않을 수 있음을 명심해야 한다.－

[이하 원문] the probabilities quoted for getting false signals should not be considered to be very accurate since the probabilities are based on assumptions of normality and independence that may not be satisfied. Consequently, he recommends that the tests should be viewed as simply practical rules for action rather than tests having specific probabilities associated with them. Nelson cautions that it is possible, though unlikely, for a process to be out of control yet not show any signals from these eight tests. －"

② 이산형 'np 관리도', 'p 관리도'

'p 관리도'는 '비율'을 타점으로 하는 관리도이다. '비율'은 전체 대 발생된 개수(불량 개수든, 관심 있어 하는 사건의 개수든)를 나타내므로 결국 몇 개인지를 세어야 하는 '이산형 관리도' 중 하나이다. '이산형 관리도'를 선택할 때 [그림 V－19]와 같은 간단한 '이산형 관리도 선정 4－블록'을 사용한다.

[그림 V－19] 이산형 관리도 선정 4－블록

앞서 설명한 바와 같이 '*np* 관리도'는 '개수'로 타점하므로 부분군 크기가 다르면 관리도상에서 부분군 차이를 감지해낼 수 없다. 따라서 부분군 크기가 일정한 경우에 쓰이는 반면 '*p* 관리도'는 그 '비율'을 타점하므로 부분군 크기가 달라도 관계없다. 다음 [그림 V－20]은 동일한 데이터로 두 관리도를 그린 후 차이점을 설명한 예이다(미니탭 '이항포아송분석.mtw' 사용[120]).

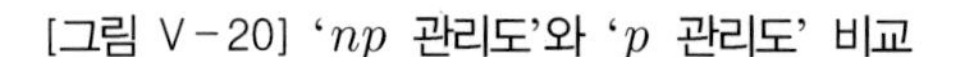
[그림 V－20] '*np* 관리도'와 '*p* 관리도' 비교

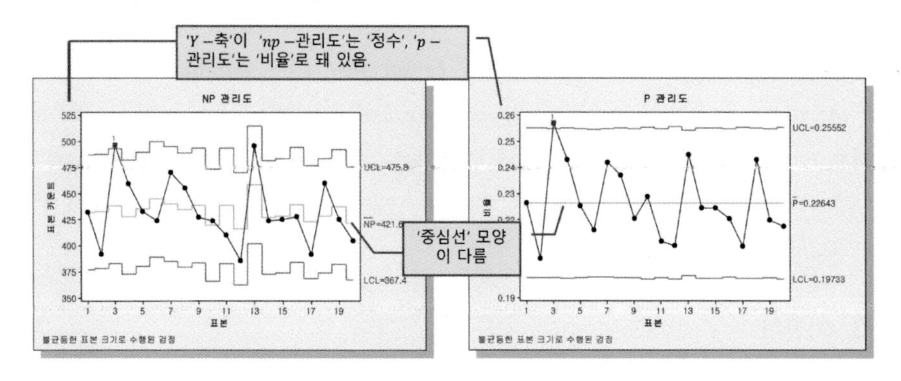

설명 선의 내용처럼 '*np* 관리도'는 Y축이 '개수'로 되어 있는 반면, '*p* 관리도'는 1보다 작은 '비율'로 되어 있음을 알 수 있다. '관리 한계(관리 상한, 관리 하한)'들이 오르내리는 이유는 산식에 '비율' '$\overline{P}$'와, '부분군 크기' 'n'이 들어 있는데, 이 중 비율 '$\overline{P}$' 값이 '총 불량품 수/총 검사 개수'로 일정한 반면, '부분군 크기(n)'가 타점별로 차이가 나기 때문이다[식 (V.4) 참조]. 또 '*np* 관리도' 경우 '중심선(CL, Center Line)'도 오르내리게 관찰되는데, 이 역시 '*np*', 즉 '각 부분군 크기×전체 불량률' 중, '각 부분군 크기'가 변동하는 데 기인한다. 식 (V.4)는 각각의 산식을 나타낸다.

---

120) 미니탭 Ver. 14 이하 버전 경우 'Bpcapa.mtw'로 돼 있다.

[$p-$관리도] [$np-$관리도] (V.4)

$$UCL=\bar{p}+3\sqrt{\frac{\bar{p}(1-\bar{p})}{n}} \qquad UCL=n\bar{p}+3\sqrt{n\bar{p}(1-\bar{p})}$$

$$CL=\bar{p} \qquad CL=n\bar{p}$$

$$LCL=\bar{p}-3\sqrt{\frac{\bar{p}(1-\bar{p})}{n}} \qquad LCL=n\bar{p}-3\sqrt{n\bar{p}(1-\bar{p})}$$

$$\because \bar{p}=\frac{\text{총 불량품 수}}{\text{총 검사 개수}}=\frac{\sum x_i}{\sum n_i}$$, n_i : 각'부분군 크기'

'관리 하한(Lower Control Limit)'인 'LCL'은 계산상으로 음수가 나올 수 있으나 '불량률' 경우 의미가 없으므로 미니탭은 자동 '0'으로 설정한다. 다음 [그림 V-21]은 'np 관리도'에 대한 3번째 타점의 '중심선' 계산 예이다.

[그림 V-21] 'np 관리도'의 중심선 계산

불량개수	부분군 크기	비율	
432	1908	0.226415	
392	1912	0.205021	
497	1934	0.2569	
459	1889	0.242986	
433	1922	0.225286	
424	1964	0.215886	
470	1944	0.24177	
455	1919	0.237103	
427	1938	0.22033	
424	1854	0.228695	
410	1937	0.211668	
386	1838	0.210011	
496	2025	0.244938	
424	1888	0.224576	
425	1894	0.224393	
428	1941	0.220505	
392	1868	0.20985	
460	1894	0.242872	
425	1933	0.219865	전체비율
405	1862	0.217508	0.226427

[3번째 타점의 중심선 값 계산]
- 타점: '불량개수 = 497'이 타점됨
- 중심선: $n\bar{p}$ = (3번째 '부분군 크기') x (전체 비율) = 1,934 x 0.226427 = 437.9

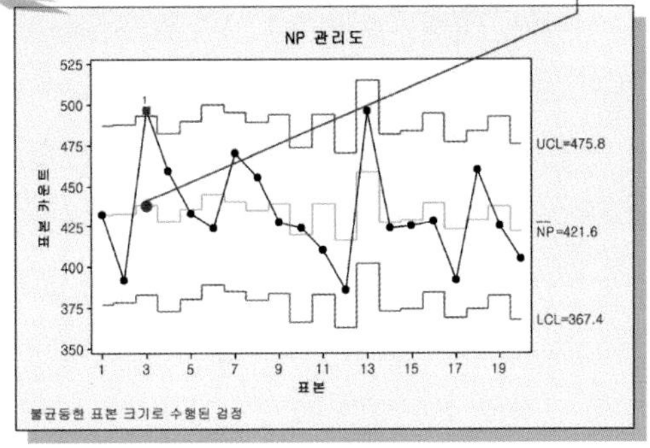

NP 관리도
UCL=475.8
$\overline{NP}$=421.6
LCL=367.4
표본
불균등한 표본 크기로 수행된 검정

③ 이산형 'c 관리도', 'u 관리도'

'c 관리도'는 결점의 수만을 그대로 타점한다. 이것은 미니탭 입력 과정에도 나타나는데 [그림 V-22]가 그 예이다(미니탭 '이항포아송분석.mtw' 사용).

[그림 V-22] 'c 관리도' 입력 예

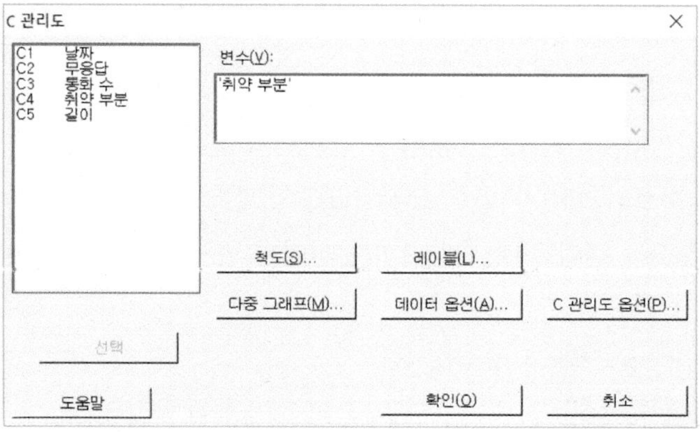

미니탭의 「통계 분석(S) > 관리도(C) > 계수형 관리도(A) > C(C)…」에 들어간 결과이며, 결점 수 열(C4; Weak Spots)만 '변수(V)'에 입력하도록 돼 있고, '부분군 크기' 등을 넣는 입력창은 존재하지 않는다. '부분군 크기'가 일정하다면 굳이 분모에 넣어 비율로 관리할 필요가 없으므로 '결점 수'만 입력하며, 결과 그래프의 'Y축'은 'np 관리도'와 마찬가지로 '개수'가 나올 것으로 예상된다. 이와는 달리 'u 관리도'는 '부분군 크기'를 입력하는 창이 있으며, 이것은 결과 그래프의 'Y축'이 비율로 나타남을 의미한다. 그러나 'p 관리도'와의 큰 차이점이 있는데 결점은 1단위(Unit)에 1개 이상 발생할 수 있으므로 'Y축'에 1보다 큰 값이 나올 수 있는 반면, 'p 관리도'는 1이 넘는 숫자는 나올 수 없다. 다음 [그림 V-23]은 'c 관리도'와 'u 관리도'를 비교한 것이다.

[그림 V－23] 'c 관리도'와 'u 관리도' 비교

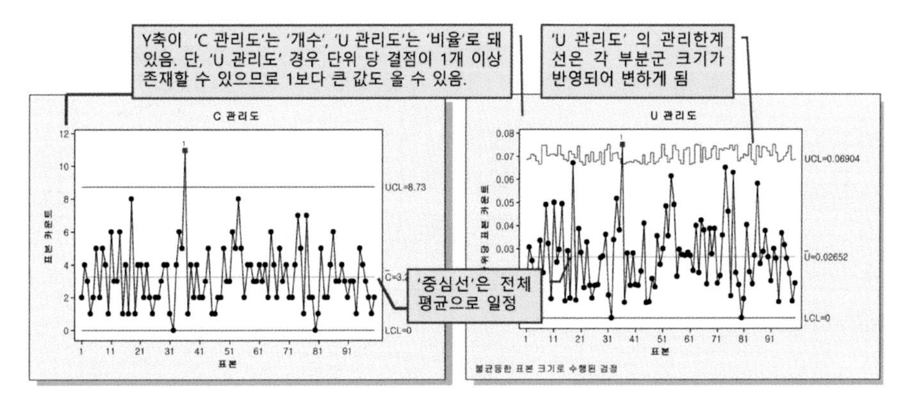

'관리 한계'와 '중심선' 등은 (V.5)의 산식에 근거하므로 참고하기 바란다.

$$
\begin{array}{ll}
[c-\text{관리도}] & [u-\text{관리도}] \\
UCL=\bar{c}+3\sqrt{\bar{c}} & UCL=\bar{u}+3\sqrt{\bar{u}/n} \\
CL=\bar{c} & CL=\bar{u} \\
LCL=\bar{c}-3\sqrt{\bar{c}} & LCL=\bar{u}-3\sqrt{\bar{u}/n}
\end{array}
\qquad (V.5)
$$

$$
\because \bar{c}=\frac{\text{총결점수}}{\text{총검사개수}}, \quad \bar{u}=\bar{c}/n, \ 'n'\text{은 부분군 크기}
$$

'관리 한계'와 '중심선' 산식에서와 같이 'c 관리도'는 일정한 데 비해 'u 관리도'는 '부분군 크기' 'n'이 들어가 있어 매 타점마다 '관리 한계'가 변동됨을 알 수 있다. 관리도에 대한 설명은 이 정도로 마무리하고 다음 '세부 로드맵'인 'Step－14.2. 실효성 검증_Check'에 대해 알아보자.

Step－14.2. 실효성 검증_Check

'Step－14. 실효성 검증'은 'P－D－C－A Cycle'의 'Do－Check－Act'를 포함한다고 하였다. 따라서 설계된 내용들을 실제 프로세스에 적용하면서 'Step－13. 관리 계획 수립'에서의 사항들을 함께 이행해 나간다. 이때 '기록 방법'에 표기된 도구로 '관리 항목(X's)'과 'Y'의 시간적 경향을 기록해 나가며, 이 결과물을 파워포인트에 붙이면 바로 'Step－14.1. 실효성 검증_Do'가 실행된 것으로 본다. 다음은 'Step－14.2. 실효성 검증_Check'로, 실행된 결과물(관리도, 체크시트, 자동 관리 등)을 분석하고, 실 환경 적용에 따른 문제점이 관찰되면 이를 해결하는 '세부 로드맵'인 'Step－14.3. 실효성 검증_Act'로 넘겨 실제 프로세스에서의 운영성 또는 적용성을 향상시킨다. 만일 개선 내용의 실제 프로세스 적용에 있어 추가적인 고려가 필요하면 'Plan'인 'Step－13.3. 관리 계획 작성'으로 다시 돌아가 '관리 항목' 등을 추가 또는 보완을 거쳐 'Do－Check－Act' 과정을 반복한다. 최종적으로 문제가 더 이상 발생되지 않을 것으로 판단되면 'Step－14. 실효성 검증'에서 얻어진 'Y' 데이터를 통해 '프로세스 능력'을 산정한 뒤, Measure Phase 'Step－6.3. Scorecard 작성'에서의 '현 수준' 및 'Step－12.3. 설계 검증_Act'에서의 '단기 능력' 결과와 비교해 그 향상 정도를 파악한다. 기술적 특성들에 대해선 Design Phase의 '[그림 D－56] Product Scorecard 작성 예'의 항목들과 비교한다. 이론적으로는 이곳에서 '4.5 시그마 수준'이 나오며, 이에 '1.5'를 더해 'Step－12.3. 설계 검증_Act'에서의 이론적 능력인 단기 '6 시그마 수준'과 일치돼야 한다. 3～4주간의 수행된 결과가 장기 데이터로 간주될 수는 없지만 나름대로 프로세스의 변동을 경험했다는 의미에서 장기 성향의 데이터로 간주하고 '프로세스 능력'을 평가한다. 다음 [그림 V－24]는 'Do'와 'Check'의 결과를 정리한 예이다.

[그림 V-24] 'Step-14.1/14.2. 실효성 검증_Do/Check' 예

Step-14. 실효성 검증
Step-14.1/14.2. 실효성 검증_Do/Check

Step-13 .관리계획 수립'에서 작성된 '관리계획' 항목 중 '오정렬 발생률'에 대해 실제 프로세스에서의 개선안 적용성을 평가함.

검토 사항					이상 조치
관리 항목	관리 규격	기록 방법	표본 크기/ 주기	담당자	
부착물 접착력	150kgf	X_{bar}- R 관리도	10/ 매일	김수철 대리	▪레시피 확인 ▪투입량 확인
오정렬 발생률	100ppm이하	p - 관리도	변동/ 매일	강철저 대리	▪원인 규명 후 재발 방지
…	…	…	…	…	…

일자	부분군	오정렬 수	일자	부분군	오정렬 수
1일	133	4	14일	135	3
2일	77	2	15일	144	8
3일	143	4	16일	116	5
4일	150	1	17일	116	3
5일	97	3	18일	127	9
6일	143	7	19일	99	2
7일	104	3	20일	72	3
8일	77	12	21일	50	9
9일	105	6	22일	79	9
10일	104	5	23일	55	3
11일	99	9	24일	55	6
12일	80	6	25일	135	5
13일	126	8			

[그림 V-24]의 '관리 계획' 표는 흐름을 쉽게 파악할 수 있도록 'Step-13.3. 관리 계획 작성'의 것을 일부 가져다 놓았다. '관리 항목'들 중 하나인 '오 정렬 발생률'을 알아보기 위해 25일에 걸쳐 부분군별 '오 정렬 발생 빈도' 데이터를 수집하였다. 앞서 설명한 바와 같이 수행 과정은 보여줄 수 없으므로 수행 결과인 데이터를 붙임으로써 'Do' 과정을 대신하였다. 이어 'Check', 즉 '분석'을 수행하는 단계로 'p 관리도' 결과 8일째와 21일째 데이터에서 '관리 상한'을 넘어가는 타점이 관찰되었으며, 조사 결과 정렬을 위해 개발한 도구가 특정 부위에 휨이 발생하여 '오 정렬' 빈도를 높인 것으로 파악되었다. 따라서 휨이 발생하지 않을 강도 높은 재료로 다시 제작하여 재투입하는 조치를 취했다. 이와 같이 원인이 밝혀지고 재발 방지책이 마련된 경우는 이상점을 제거하고 관리도를 다시

그린다(본문에서는 생략하나 보정된 결과는 'Act'에 포함시켜야 한다). 본 예에서 관찰해야 할 그 외의 '관리 항목'들이 여럿 있으나 어떻게 전개할 것인가를 설명하는 과정이므로 나머지는 생략한다.

Step-14.3. 실효성 검증_Act/장기 능력 평가

앞서 'Step-14.2. 실효성 검증_Do/Check'에서 수행된 분석 결과에 대해 제품이나 생산 공정의 보완이 필요한 사항들은 현 '세부 로드맵'에서 처리한다. 일종의 '마무리 개선'이라 표현하는 게 적절할 것 같다. 그러나 문제의 정도가 심각하면 'Plan'인 'Step-13.3. 관리 계획 작성'으로 돌아가 양산성 검증에 대한 새로운 계획을 수립한다. 다음 [그림 V-25]는 현시점에 수행할 핵심 활동이 정확히 무엇인지 그 배경을 보여주는 개요도이다.

[그림 V-25] 'Step-14.3. 실효성 검증_Act/장기 능력 평가'의 수행 활동 개요

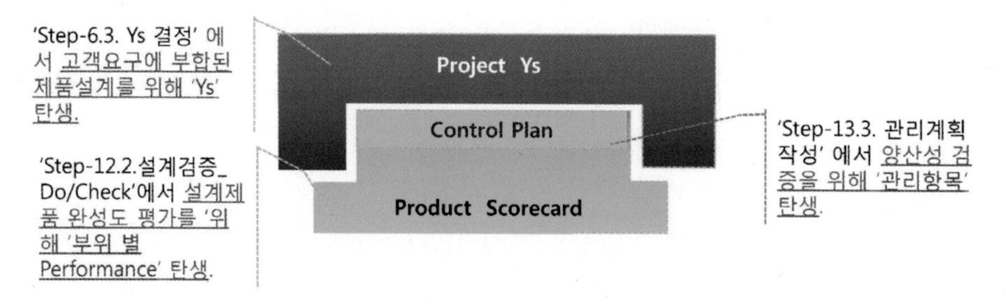

[그림 V-25]에서 파란색 덮개 모양은 전체를 아우른다는 의미를 갖는다. 즉, 어떤 모습의 제품을 설계해야 하는지 고객과 연구원 간 매개 역할을 할 'Ys'가 Measure Phase 'Step-6.3. Ys 결정'의 '운영적 정의'를 통해 탄생한 바 있다.

따라서 이 'Ys'를 토대로 제품이 고객의 요구에 부합하는지 확인할 필요가 있는데 다만 이 부분에 대해선 '[그림 D-64] Step-12.3. 설계 검증_Act 작성 예(Scorecard 작성)'에서 대부분 완성한 것으로 평가되었다(고 가정한다). 다음 [그림 V-25]의 아래쪽은 전체를 받치고 있는 모습의 형상으로 '제품 부위별 성능(Performance)'이 'Step-12.2. 설계 검증_Do/Check'에서 'Product Scorecard'로 도입된 바 있으며, 이를 통해 '제품의 완성도'가 1차 평가되었다([그림 D-57]). 그러나 '제품의 완성도'는 생산 공정을 거쳐야 그 진위가 확인되는 것이므로 양산성 검증 후 2차 평가가 이루어져야 하며, 결국 본 단계에서 'Product Scorecard'의 재평가가 수행돼야 한다. 끝으로 [그림 V-25]의 중간 영역은 고객이 요구하는 '제품 모습'과 '제품 자체의 완성도'를 연결하는 부위로, '관리 항목'이 'Step-13.3. 관리 계획 작성'에서 탄생한 바 있다. 이를 통해 '제품이 실현'되는지에 대한 평가가 있어야 하며, 이 작업도 본 단계에서 수행돼야만 한다. 지금까지의 설명을 요약하면 다음과 같이 정리된다.

- **'Step-14.3. 실효성 검증_Act/장기 능력 평가'**에서의 핵심 활동
  'Ys'에 대한 'Scorecard' 최종 평가
  '제품 부위별 성능(Performance)'에 대한 'Product Scorecard' 최종 평가
  '관리 항목'에 대한 양산성 검증 최종 평가

요약된 활동은 조직적이고 체계적으로 이루어져야 하며 제품과 양산성에 대한 명확한 객관적 자료가 확보될 때까지 지속돼야 한다. 그러나 본문에서 양산 과정에 따른 다양한 사례를 가정하여 설명하는 것은 의미가 없으므로 이 부분은 각 영역에서 활동할 리더와 P/O(Process Owner)의 몫으로 남기고 최종 'Ys Scorecard'와 'Product Scorecard', '장기 능력 평가'들에 대한 결과만 표현하고 넘어가겠다. 다음 [그림 V-26]은 최종 평가된 'Product Scorecard'를 나타낸다.

[그림 V-26] 'Product Scorecard_제품 부위별 성능(Performance)' 최종 평가 예

Product	토이박스								
품번	Assembly	Performance σ		Process σ		Part σ		Software σ	
		DPU Est	Opp Count	DPU Est	Opp Count	DPU Est	Opp Count	DPU Est	Opp Count
TG100	ASS'Y 본체 프레임	0.00000	2	0.00021	10	0.00002	12		
TG200	ASS'Y 루프 부	0.00008	3	0.00009	12	0.00001	9		
TG300	ASS'Y PCB 회로 부	0.00009	2	0.00001	17	0.00002	7		
	Totals	0.00017	7	0.00032	39	0.00005	28		
	First Time Sigma	3.58		3.42		3.91		#NUM!	
	DPU/Opp	0.00002		0.00001		0.00000		#DIV/0!	
	Sigma/Opp Long Term	4.06		4.31		4.65		#DIV/0!	
	Sigma/Opp Short Term	5.56		5.81		6.15		#DIV/0!	

[그림 V-26]에서 'Performance σ', 'Process σ', 'Part σ'의 '장/단기 시그마 수준'이 1차 평가에 비해 약간 떨어졌지만 충분히 만족할 만한 수준으로 확인되었다(고 가정한다. 또는 문제가 발견돼 보완의 과정이 있었지만 모두 해결한 것으로 가정한다). 다음은 'Ys'에 대한 최종 'Scorecard' 작성 예이다.

[표 V-7] 'Y_s'에 대한 최종 'Scorecard' 작성 예

Ys	중요도	단위	T.F. Y/N	성과 표준		Performance σ				목표	비고
				LSL	USL	M	A	D	V		
재미의 표현 수	10	개	N	• 단위; 토이 박스 1개 • 기회; 부여된 표현 • 결점; 5.5점 미만		1개	6.0	6.0	6.0	5 이상	설계제품 기준
놀이 유지 시간	7	분	Y	3	–	0.29	3.6	6.0	6.0	20	$\bar{x}$=24.3
고객 선호도	6	점	Y	1.0	–	–0.27	3.2	6.0	6.0	6.0	시험표본 통한 관찰조사
자극 반응도	6	–	Y	제품 동작매뉴얼 기준		0	1.58	6.6	6.1	6.0	무결점
부착물 접착력	3	Kgf	Y	150	–	2.29	4.8	5.47	6.2	6.0	$\bar{x}$=198.4

☐ *T.F.; Transfer Function/☐ '시그마수준'이 아닌 경우는 정해진 '단위'를 함께 씀.*

[표 V-7]은 'Step-12.2. 설계 검증_Do/Check'의 [표 D-15]를 그대로 옮겨온 뒤 'Verify Phase'만 입력하였다. '6시그마 수준'을 달성한 '재미의 표현 수'나 '놀이 유지 시간' 및 '고객 선호도'는 Design Phase에서 설계가 완성된 후 패널이나 고객층을 대상으로 평가한 것이므로 재평가 없이 기존 결과를 그대로 반영하였다. 그 외의 '자극 반응도'와 '부착물 접착력'은 양산성 검증에서 나온 시험 표본을 대상으로 평가한 결과를 반영한 것이다(로 가정한다. 또는 문제가 발견돼 보완의 과정이 있었지만 모두 해결한 것으로 가정한다). 그 외에 '관리 항목'에 대한 평가도 검증 과정에서 일부 문제가 유발되었으나 본 단계에서 처리하였으며, 최종 결과는 'Ys Scorecard'와 'Product Scorecard' 및 생산 공정 평가에 반영한 것으로 가정한다. 다음은 파워포인트로 정리한 예이다.

[그림 V-27] 'Step-14.3. 실효성 검증_Act/장기 능력 평가' 예

Step-14. 실효성 검증

Step-14.3. 실효성 검증_Act/장기능력평가

양산성 검증을 통해 최종적인 보완사항들은 '개체삽입'에 포함시켰으며, 'Ys Scorecard' 및 'Product Scorecard'는 다음과 같음.

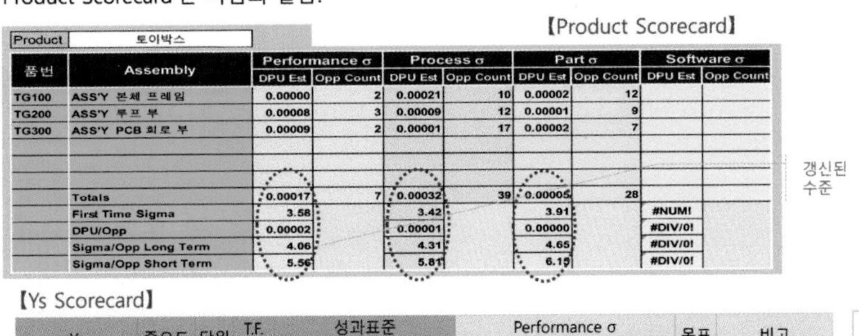

【Product Scorecard】

Product: 토이박스

품번	Assembly	Performance σ DPU Est	Performance σ Opp Count	Process σ DPU Est	Process σ Opp Count	Part σ DPU Est	Part σ Opp Count	Software σ DPU Est	Software σ Opp Count
TG100	ASS'Y 본체 프레임	0.00000	2	0.00021	10	0.00002	12		
TG200	ASS'Y 루프 부	0.00008	3	0.00009	12	0.00001	9		
TG300	ASS'Y PCB 회로 부	0.00009	2	0.00001	17	0.00002	7		
	Totals	0.00017	7	0.00032	39	0.00005	28		
	First Time Sigma	3.58		3.42		3.91		#NUM!	
	DPU/Opp	0.00002		0.00001		0.00000		#DIV/0!	
	Sigma/Opp Long Term	4.06		4.31		4.65		#DIV/0!	
	Sigma/Opp Short Term	5.56		5.81		6.19		#DIV/0!	

갱신된 수준

【Ys Scorecard】

Ys	중요도	단위	T.F. Y/N	성과표준 LSL	성과표준 USL	Performance σ M	Performance σ A	Performance σ D	Performance σ V	목표	비고
재미의 표현 수	10	개	N	•단위; 토이박스 1개 •기회; 부여된 표현 •결점; 5.5점미만		1개	6.0	6.0	6.0	5 이상	설계제품 기준
놀이 유지시간	7	분	Y	3	-	0.29	3.6	6.0	6.0	20	=24.3
고객 선호도	6	점	Y	1.0	-	-0.27	3.2	6.0	6.0	6.0	시험표본 통한 관찰조사
자극 반응도	6	-	Y	제품 동작매뉴얼 기준		0	1.58	6.6	6.1	6.0	무결점
부착물 접착력	3	Kgf	Y	150	-	2.29	4.8	5.47	6.2	6.0	=198.4

(보완내역)

(Scorecard)

PS-Lab Problem Solving Laboratory

실제 과제 수행에서는 [그림 V-27]의 예처럼 각 Phase별 'Y'들의 산뜻한 향상은 기대하기 어려운 게 현실이다. '제품 설계 방법론'을 통해 활동이 이루어진다고 해서 반드시 좋은 결과가 나온다고 주장하는 것보다는 "성공 확률을 높인다"라고 표현하는 게 올바르다. 따라서 기대되는 수준이 달성되지 않았을 때 지나온 과정 중 문제가 있었던 활동을 얼마나 빨리 찾아내는가와 또 얼마나 빨리 보완하고 제 위치로 돌아오는가에 집중해야 한다. Verify Phase의 'Step-14. 실효성 검증'이 완료되었으면 다음은 과제의 최종 마무리 단계인 'Step-15. 이관/승인'으로 넘어간다.

Step－15. 이관/승인

최적화된 내용을 실제 프로세스에 최소 3주에서 1달가량(물론 제품 설계 경우 그 이상도 가능하다) 적용해본 후 개선 효과가 만족할 만한 수준이었으면 이제는 수행 결과를 문서화하고 필요한 인력들과 공유하며, 향후 지속적인 관리를 위한 해당 P/O(Process Owner)에게로의 이관 및 사업부장의 최종 승인 절차 등을 거친다. 물론 다년간 '제품 설계 방법론'을 적용 중인 회사의 경우 IT시스템이 기본적으로 갖추어져 있어, 문서화와 공유, 승인 및 사후 관리까지 한 번에 이뤄질 수도 있다. 따라서 이 Phase에서 중요하게 고려해야 할 항목들을 요약하면 'Step－15.1. 가치/효과 평가', 'Step－15.2. 실행 계획서 작성', 'Step－15.3. 과제 이관', 'Step－15.4. 마무리/승인'과 같은 것들이 포함된다. 이들의 내용과 표현법에 대해 알아보자.

Step－15.1. 가치/효과 평가

'Step－14. 실효성 검증'에서 과제 지표인 'Y'의 '프로세스 능력'을 평가하였으나, 그 향상 정도에 따른 '재무적 효과'는 산정하지 않았다. 물론 'Y'들의 평가 후 바로 '재무적 효과'를 파악해서 마무리하는 것도 한 방법이나, 최종적으로 그 효과를 종합하고 강조한다는 차원에서 'Step－15' 초기에 언급하는 것이 바람직하다. 만일 '재무 효과'의 평가가 가능하면 재무 담당자를 통해 정확한 산출 근거를 마련하도록 한다. 그러나 대부분의 제품 설계 과제는 완료 후 바로 '재무 효과'와 직결되지 않기 때문에 '가치 평가'를 추가하여 'Step－15.1.'을 '가치/효과 평가'로 명명하였다. 여기서 '가치 평가'란 과제 수행 결과물에 대한 '재무적 관점(결과물이 재무적 성과가 아닐 수도 있다, 예를 들면 특허 등. 그러나 재무적 성과에 영향을 미칠 것이므로 '재무적 관점'으로 표현하였다)'의 평가를 의미하며, 주로 Define Phase 'Step-2.3. 효과 기술'에서 추정된 내역들의 갱신 과정을 밟거나 재무적 성과에 영향을 줄 수 있는 요소들을 포함시켜 정리한다. 과제 성과는 다음과 같은 유형으로 구분된다.

[그림 V-28] '과제 성과'에 대한 구분 예

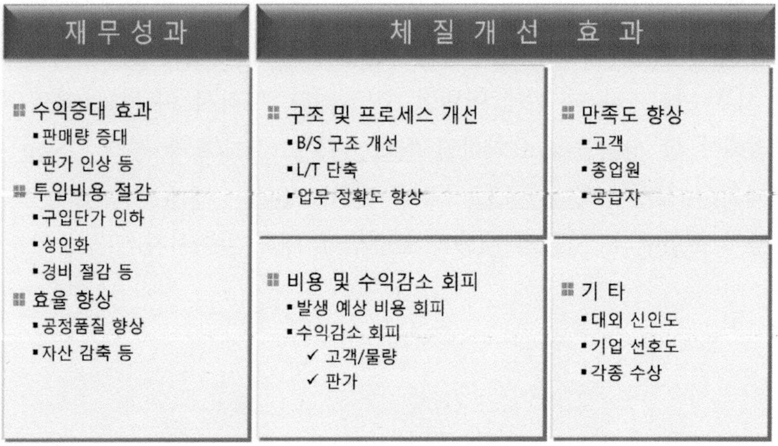

재무성과

- 수익증대 효과
  - 판매량 증대
  - 판가 인상 등
- 투입비용 절감
  - 구입단가 인하
  - 성인화
  - 경비 절감 등
- 효율 향상
  - 공정품질 향상
  - 자산 감축 등

체질개선 효과

- 구조 및 프로세스 개선
  - B/S 구조 개선
  - L/T 단축
  - 업무 정확도 향상
- 만족도 향상
  - 고객
  - 종업원
  - 공급자
- 비용 및 수익감소 회피
  - 발생 예상 비용 회피
  - 수익감소 회피
    - ✓ 고객/물량
    - ✓ 판가
- 기 타
  - 대외 신인도
  - 기업 선호도
  - 각종 수상

'재무성과'는 '손익계산서'에 직접적인 반영이, '체질개선 효과'는 직접적인 반영이 안되는 경우이며, 1개 과제에 여러 효과가 겹쳐 나타날 수 있다.

[그림 V-28]은 국내 대부분의 기업에 벤치마킹 되었으며, 회사별 별도의 표준을 마련해서 평가 전문가들이 활용하고 있다(자세한 내용은 『Be the Solver_과제성과 평가법』편 참조). 다음 [표 V-8]은 제품 설계 과제에 대해 일반적으로 쓰이는 '성과 요약 표'이다.

[표 V-8] 제품 설계 과제의 '가치/효과 요약 표' 예

<table>
<tr><th>과제명</th><td colspan="3">최적화 방법론을 통한 토이 박스 개발</td></tr>
<tr><th>부서명</th><td>(주)솔버 토이</td><th>총괄책임자</th><td>김오락 상무</td></tr>
</table>

<table>
<tr><th>평가지표</th><th colspan="3">성과지표</th><th>성과</th><th>비고</th></tr>
<tr><td rowspan="16">사업화 성과</td><td rowspan="4">매출액</td><td rowspan="2">개발제품</td><td>개발 후 현재까지</td><td>– 억 원</td><td></td></tr>
<tr><td>향후 3년간 전망</td><td>7/15/50억 원</td><td>기존 7/12/40</td></tr>
<tr><td rowspan="2">차상위 제품</td><td>개발 후 현재까지</td><td>– 억 원</td><td></td></tr>
<tr><td>향후 3년간 전망</td><td>– 억 원</td><td></td></tr>
<tr><td rowspan="4">시장 점유율</td><td rowspan="2">개발제품</td><td>개발 후 현재까지</td><td>국내: – %
국외: – %</td><td></td></tr>
<tr><td>향후 3년간 전망</td><td>국내: 5/15/35%
국외: 12%</td><td>기존 국외 '0'</td></tr>
<tr><td rowspan="2">차상위 제품</td><td>개발 후 현재까지</td><td>국내: – %
국외: – %</td><td></td></tr>
<tr><td>향후 3년간 전망</td><td>국내: – %
국외: – %</td><td></td></tr>
<tr><td rowspan="2">세계 경쟁력 순위</td><td colspan="2">현재</td><td>16위</td><td></td></tr>
<tr><td colspan="2">3년 후</td><td>9/5/2위</td><td></td></tr>
<tr><td rowspan="4">특허</td><td rowspan="2">국내</td><td>출원</td><td>4건</td><td>기존 3건</td></tr>
<tr><td>등록</td><td>– 건</td><td></td></tr>
<tr><td rowspan="2">국외</td><td>출원</td><td>1건</td><td></td></tr>
<tr><td>등록</td><td>– 건</td><td></td></tr>
<tr><td rowspan="2">논문</td><td colspan="2">국내</td><td>3건</td><td></td></tr>
<tr><td colspan="2">국외</td><td>– 건</td><td></td></tr>
<tr><td rowspan="2">기술 파급효과</td><td colspan="3">선진국 대비 기술수준</td><td>95%</td><td></td></tr>
<tr><td colspan="3">국산화율</td><td>70/90/100%</td><td>향후 3년</td></tr>
<tr><td rowspan="5">경제사회 파급효과</td><td rowspan="2">고용효과</td><td colspan="2">개발 전</td><td>2명</td><td></td></tr>
<tr><td colspan="2">개발 후</td><td>8/15/30명</td><td>엔지니어</td></tr>
<tr><td rowspan="2">기업 공개</td><td colspan="2">거래소 상장/코스닥 등록 여부</td><td>–</td><td></td></tr>
<tr><td colspan="2">공개 시기
(사업시작 전 또는 후 표시)</td><td>–</td><td></td></tr>
<tr><td colspan="3">외국인 투자유치</td><td>0/100/300만 달러</td><td>향후 3년</td></tr>
</table>

[표 V-8]에서 빨간색으로 강조한 수치는 Define Phase 'Step-2.3. 효과 기술'의 내용 중 상황 변동이나 객관적 자료를 토대로 새롭게 갱신된 것들을 나타낸다. '고용 효과'에 대해서는 'Step-12.2. 설계 검증_Do/Check'의 [그림 D-

61]에서 산정한 인력 중 반드시 있어야 할 전문 엔지니어만 기술하였으며, 생산 인력까지 포함하면 총 80여 명이 향후 3년간 추가될 것으로 예상된다(고 가정한다). 다음은 '가치/효과 평가'에 대한 파워포인트 작성 예이다.

[그림 V-29] 'Step-15.1. 가치/효과 평가' 예

Step-15. 이관/승인
Step-15.1. 가치/효과평가

'Step-2.3. 효과기술'에서의 추정내용을 상황변동과 추가된 객관적 자료를 근거로 다음과 같이 갱신하였으며, 그 외의 산정 근거 및 향후 5년간 국내/외 수급동향, 매출액 전망 등은 '개체 삽입'에 포함시킴.

평가지표	성과지표			성과	비고
사업화 성과	매출액	개발제품	개발 후 현재까지	- 억 원	
			향후 3년간 전망	7/ 15/ 50 억 원	*기존 7/12/40*
		차상위 제품	개발 후 현재까지	- 억 원	
			향후 3년간 전망	- 억 원	
	시장 점유율	개발제품	개발 후 현재까지	국내: - % 국외: - %	
			향후 3년간 전망	국내: 5/15/35% 국외: 12%	*기존 국외 '0'*
		차상위 제품	개발 후 현재까지	국내: - % 국외: - %	
			향후 3년간 전망	국내: - % 국외: - %	
	세계 경쟁력 순위	현재		16위	
		3년 후		9/ 5/ 2위	
	특허	국내	출원	4 건	*기존 3건*
			등록	- 건	
		국외	출원	1 건	
			등록	- 건	
	논문	국내		3 건	
		국외		- 건	
기술 파급효과	선진국 대비 기술수준			95%	
	국산화율			70/ 90/ 100%	*향후 3년*
경제사회 파급효과	고용효과	개발 전		2명	
		개발 후		8/15/30 명	*엔지니어*
	외국인 투자유치			0/ 100/ 300만 불	*향후 3년*

(수급동향)
(매출액 전망)
(산정근거)

PS-La..
Problem Solving Laboratory

[그림 V-29]에서 산정 근거, 향후 5년간 국/내외 수급 동향, 매출액 전망 등 상세 조사 자료는 '개체 삽입'시켰음을 명시하였다. 물론 실제 기업에서 추진될 '제품 설계 과제' 경우 간단한 의사 결정으로 시작되는 유형부터 훨씬 더 복잡하고 전문화된 정보를 기반으로 결정된 유형 등 다양한 과제들이 존재할 것이다. 따라서 가치/효과에 대한 평가 방법이나 양식 역시 다양성을 인정해야 할 것이

다. 이들에 대해선 각 기업에 소속된 리더들의 몫으로 남긴다.

수행된 과제의 '가치' 또는 '효과'를 정확히 산출해서 기술하는 데 주력해야 한다. 즉, 납득할 만한 수준이 돼야만 수개월간의 노력이 꽃을 피울 수 있기 때문이다. 다음은 'Step-15.2. 실행 계획서 작성'에 대해 알아보자.

Step-15.2. 실행 계획서 작성

'프로세스 개선 과제'와 달리 '제품 설계 과제'는 짧게는 6개월에서 길게는 12개월 정도 수행되는 게 보통인데, 존재하는 프로세스에서의 최적화가 아닌 뭔가 새롭게 만들어내는 과정이므로 그에 따른 부가적인 일들이 다양하게 발생한다. 예를 들면 '상세 설계' 적용을 위해 필요한 설비 구매와 입고가 사정상 훗날로 밀린다거나 개선 내용이 고객의 승인을 요하는 경우, 또는 기존 업무에 사용되는 전산 화면의 개발/수정이 IT개발 담당과의 일정 협의 지연 등으로 밀리는 경우이다. 물론 '프로세스 개선 방법론'과 상황은 유사하나 변경이 많은 만큼 그 정도의 폭도 훨씬 크다고 볼 수 있다. 따라서 확정된 사안들에 대해서는 '간트 차트' 등을 활용해 언제까지 누가 어떻게 완료할 것인지를 명확하게 명시한 뒤 완료 승인을 요청한다.

그러나 국내 기업의 과제 수행 경험이 20년이 넘어서고 있는 시점에 이런 부분도 극복해내려고 하는 움직임이 있다. 즉, 과제 성격이 초반에 드러나므로 이런 사안들을 감안해 수행 기간 내에 관계자들과 협의를 거쳐 작업을 미리 걸어두거나, 과제 수행 전 사전 협의를 통해 필요한 시점에 바로 투입할 수 있는 환경을 조성해두는 예 등이다. 여하간 모든 활동은 과제 수행 기간 내 완료하는 것이 원칙이며 불가항력적인 내역은 최소화될 수 있게 사전 준비를 철저히 하도록 한다. 다음 [그림 V-30]은 '토이 박스 개발'의 '실행 계획서' 작성 예이다.

[그림 V-30] 'Step-15.2. 실행 계획서 작성' 예

Step-15. 이관/승인
Step-15.2. 실행 계획서 작성

과제완료 후 타 부서와 협의를 통해 일정 별 완료할 사항들을 정리하고, 담당자의 책임과 수행관리를 명확히 하고자 실행계획서를 아래와 같이 작성함 (일정관리 표는 개체삽입).

실행계획서

마무리 해야 할 사항	일 정		담당부서	담당자	비고
	시작	종료			
부품업체 양산 조달 위한 사전 협의	200x. 1.5	200x. 2.15	구매 팀	이OO	
설비업체 Set-up전 사전 협의	200x. 12.12	200x. 1.30	구매 팀	박OO	
제품 Field Test	200x. 1.4	200x. 1.8	신뢰성 팀	ㅇㅍOO/송OO	
회로조립공정 공사	200x. 1.16	200x.2.2	공무 팀	김XX	-
고객반응 추가 조사	200x. 2.10	200x. 2.17	마케팅 팀	이XX	
Utility 설치 공사	200x. 2.10	200x. 2.17	공무 팀	정OO/ 김OO	
각 단위공정 운영 매뉴얼 제작	200x. 1.18	200x. 2.10	기술 팀	이OO	
내부 인력 교육실시	200x. 1.4	200x. 2.20	인사 팀	한OO/리더	
...	...	...	...	...	

일정관리 표(상세)

마무리 해야 할 사항	12월	1월	2월	3월	4월	5월	6월
부품업체 양산 조달 위한 사전 협의							
설비업체 Set-up전 사전 협의							
제품 Field Test							
회로조립공정 공사							
고객반응 추가 조사							
...	...	...	...	...	...	...	...

(간트차트)

PS-Lab
Problem Solving Laboratory

[그림 V-30]에서 외부 업체들과의 협의 등 외적인 요소와의 관계나 시간이 요구되는 설치 작업들이 주로 추가 일정으로 짜여 있다. 장표 아래쪽에는 각 활동별 '계획 대 실적'을 관찰할 '간트 차트'가 준비돼 있으며, 세부적인 기록과 관리는 장표 오른쪽에 '개체 삽입'된 파일 내에서 이루어지는 것으로 가정하였다.

이 '세부 로드맵'이 진행 또는 완료되는 시점에 사업부장과 팀원은 물론 P/O(Process Owner) 및 관련 부서 담당자들과 회의를 거쳐 제품 설계의 완성도를 평가한다. 설계자 스스로가 설계한 제품을 직접 생산하는 일은 매우 드물다. 그 이유는 최소 6개월 이상 수행되고 참여 인원들도 상당수인 과제가 본인 업무에만 국한된 것이라면 논리에 맞지 않기 때문이다. 따라서 프로세스가 타 부문이나 부서들과 얽혀 있고 '설계'와 '운영'은 분리될 가능성이 높으며, 만일 '운영

자'들이 설계 내용에 거부감을 표시하거나 극단적으로 합당한 이유를 들어 수용 불가 방침을 고수한다면 큰 난관에 봉착할 수 있다. 물론 이 같은 사태는 극히 드문 일이나 현업의 환경을 고려치 않으면(즉, 사전 협의나 수용 과정이 부족하면) 이관 후에 있을지도 모르는 다양한 장애물과 마주칠 수 있으므로 철저한 사전 준비만이 최선의 선택임을 인식해야 할 것이다.

Step-15.3. 과제 이관

'세부 로드맵'인 'Step-15.2. 실행 계획서 작성'이 끝나면 사실 설계 과정은 마무리된 것이며, 이제 실 운영 담당자들에게 넘겨 생산 프로세스를 가동하는 일만 남았다. 이때 필요한 것이 바로 모든 과정의 '성문화(成文化)'인데, 말로 전달되는 내용은 조직 내에선 존재 가치가 없기 때문이다. 결국 과제 수행 결과의 모든 것은 '문서'를 통해 정리돼야 하며, 작성 시 내 맘대로 적어서는 공유나 보존에 애로 사항이 많을 것이므로 가급적 회사에서 마련된 표준에 근거하는 것이 중요하다. <u>'이관 절차'는 다시 '문서화 → 공유 → 학습 → 이전'으로 나뉘며</u>, 다음 [그림 V-31]은 이를 도식화한 예이다.

[그림 V-31] 이관 절차 및 단계별 활동 개요도

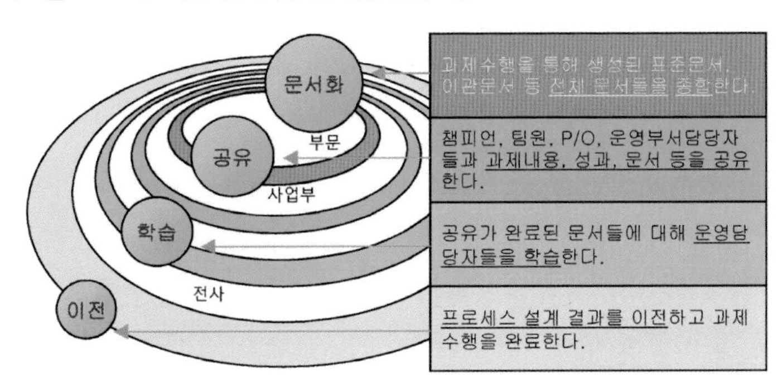

'**문서화**'는 향후 프로세스 운영자들에게 과제 수행에 대한 영구적인 기록을 제시하고, 설계된 내용과 이론적 근거 등으로부터 동일 문제가 재발하는 것을 방지하게 하며, 과제 수행 팀이 획득한 지식을 보관하고 공유하는 일을 보장할 목적으로 작성된다. 작성할 문서를 분류하면 다음 [표 V-9]로 요약할 수 있으며, 표준류는 'Step-13.4. 표준화'에서 기술된 '[표 V-3] 표준류 예(ISO)'를 포함시켜 간단히 정리하였다.

[표 V-9] 과제 관련 문서 분류 예

문서유형	분류 (수준별)	내용
표준문서	그룹공통	그룹, 자매회사 제 규정의 전형이 되는 규정
	규정(전사)	회사의 기본조직 등 전사적인 중요업무의 운영, 제도에 관한 사항을 정한 것
	규칙(사업부)	규정의 구속을 받으면서 각 부문(사업부, 공장)의 특성에 맞는 업무 수행 방법을 정한 것
	세칙	규정, 규칙에 준하여 그 실시에 필요한 세부 사항을 정한 것
	규격	제품, 반제품, 부품, 원재료 등에 요구되는 각종 특성, 성능, 치수, 작업방법, 검사, 시험 방법, 포장, 표시, 단위, 기호 등의 규격
	기준	규정, 규칙, 규격에서 정한 내용을 시행하기 위하여 필요한 구체적인 방법이나 절차 등을 알기 쉽게 해설한 안내서의 총칭. 요령, 기준, 표준 등으로 불리기도 함. 주로 업무, 기술, 자재, 검사, 공정, 작업 표준 등이 속함.
과제수행 관련문서		DMADV 각 Phase별로 작성된 파워포인트 파일 내 과제 기술서, Y정의서, Baseline 검토서, X들의 목록, 상세 설계 내역, 관리 계획, 재무성과, 차기 수행과제 등 이관에 필요한 문서들이 속함.
기타 문서		대외적인 문서(고객사 승인서, 추가 요청 VOC, 법적 문서, 외부 공문, 고객 방문일지, 각종 계약서 등)

수행된 과제에서 만들어진 문서가 [표 V-9]의 표준 분류 중 어디에 해당되는지, 또 그 분류에 속해 있는 회사 내 표준들이 어떤 것들이 있는지 사전에 알 수 있으면 문서들의 정리가 한결 손쉬워진다. 팀원들과 함께 분류표를 통해 관찰하면 누락된 것은 없는지, 추가할 표준은 없는지 등을 쉽게 협의할 수 있기 때문

이다. 참고로 '표준 문서'를 분류하는 기준은 다양하지만 시각화 도구와 함께 설명될 수 있는 '수준별', '국면별', '주제별'의 구분이 바람직하다. [표 V-9]의 분류가 '수준별'에 해당하며 그 외의 분류는 다음 [그림 V-32]에 나타내었다.

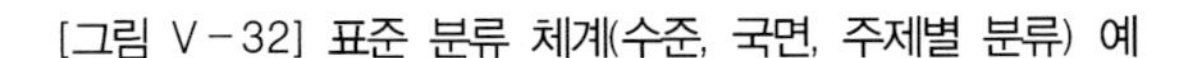
[그림 V-32] 표준 분류 체계(수준, 국면, 주제별 분류) 예

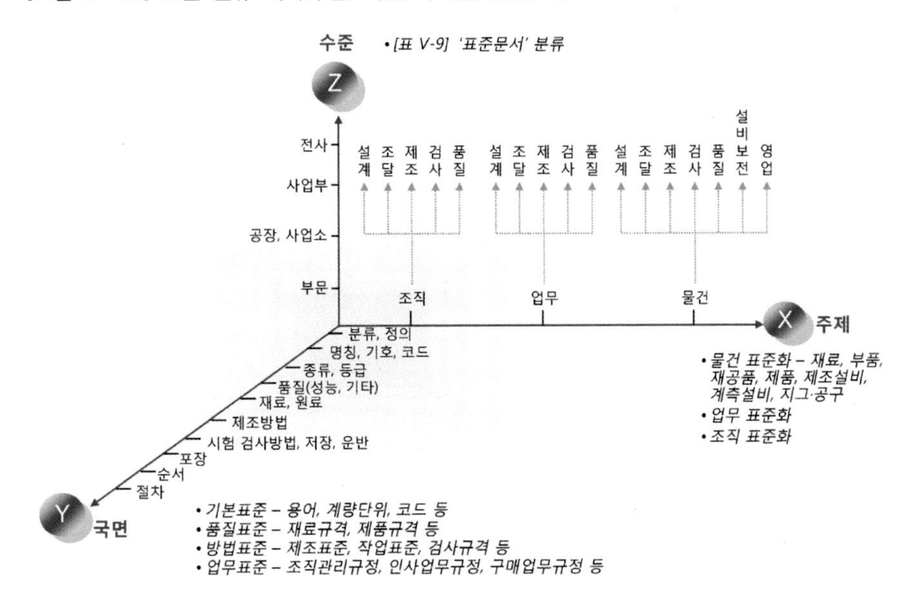

여기서 '수준'은 회사 내 표준 적용 영역(전사, 사업부 등)을, '국면'은 사내 표준에서 열거하는 요구 사항(규정 항목)을, 끝으로 '주제'는 거시적인 구분(조직, 업무, 물건)을 나타낸다.

문서의 표준화가 마무리되면 [표 V-9] 내 '과제 수행 관련 문서'나 '기타 문서'들을 파악해서 정리한다. 전자는 파워포인트 내에 대부분 포함돼 있으므로 필요에 따라 요약해서 활용하도록 한다. 다음 [그림 V-33]은 '문서화'의 파워포인트 작성 예이다.

[그림 V-33] 'Step-15.3. 과제 이관(문서화)' 작성 예

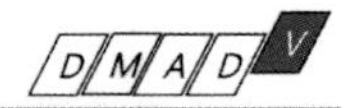

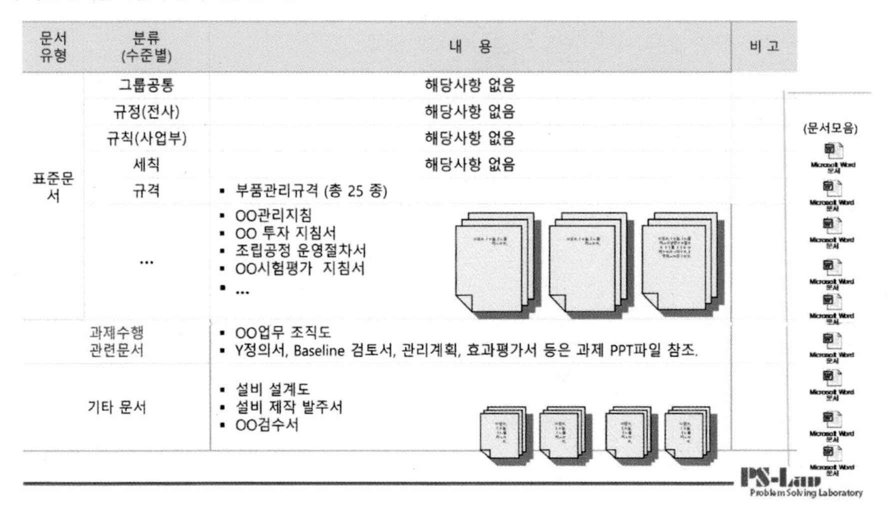

문서 유형	분류 (수준별)	내 용	비 고
표준문서	그룹공통	해당사항 없음	
	규정(전사)	해당사항 없음	
	규칙(사업부)	해당사항 없음	
	세칙	해당사항 없음	
	규격	▪ 부품관리규격 (총 25 종)	
	…	▪ OO관리지침 ▪ OO 투자 지침서 ▪ 조립공정 운영절차서 ▪ OO시험평가 지침서 ▪ …	
	과제수행 관련문서	▪ OO업무 조직도 ▪ Y정의서, Baseline 검토서, 관리계획, 효과평가서 등은 과제 PPT파일 참조.	
	기타 문서	▪ 설비 설계도 ▪ 설비 제작 발주서 ▪ OO검수서	

'과제 수행 관련 문서'나 '기타 문서'를 제외한 표준류 대부분은 'Step-13.4. 표준화'에서 가져왔다(고 가정한다). 또 완료된 문서들은 장표 오른쪽에 '개체 삽입' 기능을 사용해 포함시켜 놓았다.

'공유'는 1차 확정된 문서들을 P/O 또는 실제 프로세스를 운영할 담당자들에게 공개하고, 필요하면 사전에 조율이나 보완을 하는 절차이다. 과제 리더 혼자의 전유물처럼 추진한 뒤 최후에 운영자들에게 건네준다면 무슨 일이 벌어질지 충분히 짐작이 갈 것이다. 아마 메일이나 전화통이 불이 날 것이다. 모든 관계자들이 한자리에 모일 수 있도록 사전에 회의 일정과 취지를 확실하게 공지하고 일정에 맞춰 추진하도록 한다. '공유'에 대해서는 회사마다 사정이 다르므로 이 정도에서 마무리하겠다.

'학습'은 확정된 표준 및 관련된 문서들을 가지고 P/O나 프로세스 운영자들에게 전파 또는 교육을 하는 절차이다. 표준으로 등록했다 해도 리더를 포함한 팀원 몇 명만이 새롭게 적용할 프로세스 운영 규칙들을 알고 있으면 아무리 완전한 문서화가 이루어졌다고 한들 정상적 운영은 보장할 수 없다. 다음 [표 V-10]은 '학습'을 관리하기 위한 양식의 예이다.

[표 V-10] '학습'을 위한 계획 및 관리 양식 예

학습계획 및 관리 양식								
교육 명						No.		
No.	참석자	부서명	사 번	시작일	완료일	참석여부	비 고	강사
1								
2								
3								
4								
5								
6								
7								
8								
9								
10								

이제 '이관'만 남았다. '이관' 전 최종 마무리할 내용과 사업부장 '승인'을 거쳐 과제를 종료한다. 끝으로 과제 '마무리' 및 '승인'에 대해 알아보자.

Step-15.4. 마무리/승인

'마무리/승인'은 크게 2가지 작업으로 압축할 수 있다. 하나는 2000년대 초부터 국내 기업이 대부분 도입한 '과제 관리 시스템(PMS, Project Management System)'에 등록하는 일이고, 다른 하나는 '차기 제안 과제를 요약'하는 일이다.

'**<u>PMS 등록</u>**'은 단순히 '등록'으로서만의 의미가 있는 것은 아니다. IT시스템의 존재 이유가 자료의 저장과 여러 사람들의 접근성을 높이는 데 있으므로 '문서'의 포함/열람, 필요한 사람들과의 '공유' 및 전산 결재인 '승인'을 하나의 화면으로 통합하는 데 의의가 있다. 따라서 'Verify Phase' 최종 입력 화면에 내용들을 입력한 뒤, 그 화면을 캡처 후 과제 장표에 삽입하는 방법으로 처리하면 한 장의 캡처 화면으로 '문서화(자료들이 포함돼 있으므로)/공유/승인'의 과정이 "어떻게

[그림 V-34] 'Step-15.4. 마무리/승인' 작성 예

Step-15. 이관/승인
<u>Step-15.4.</u> 마무리/승인

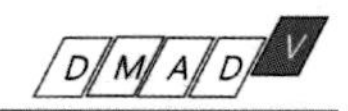

과제를 관리하는 OO시스템에 완료된 과제를 등록하고, 관련 파일을 첨부한 뒤 챔피언에게 승인을 구함. 승인 후 화면이며, 결과물의 공유가 가능하도록 완료함.

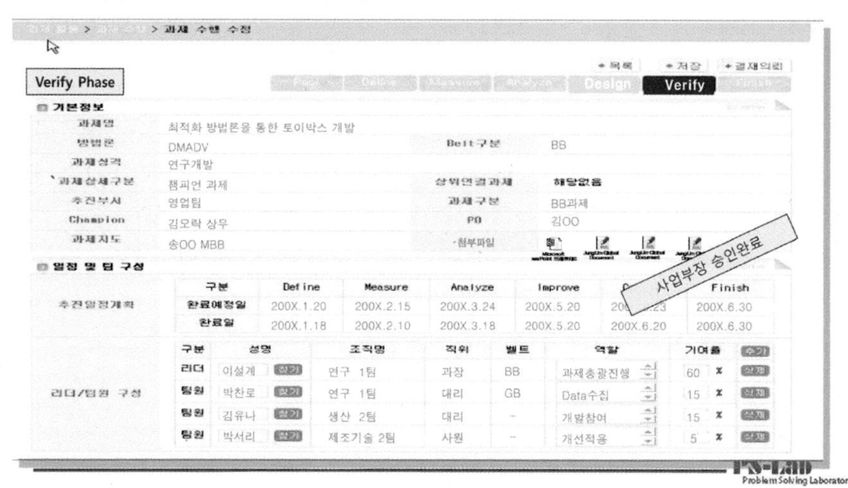

정리할까?" 하는 의문점을 한 번에 말끔히 씻어준다. 다음 [그림 V-34]는 이 과정을 파워포인트 한 장에 표현한 예를 보여준다. 'PMS'가 없는 경우 사내 규정이나 협의 내용을 따른다.

다음은 '**차기 제안 과제 요약**'에 대한 수행이다. 리더는 할당받은 과제를 수행하는 동안 적어도 짧게는 6개월에서 길게는 1년까지 한 분야에만 집중하게 된다. 이렇게 한 영역에 집중하다 보면 다른 사람들이 보지 못한 제품 개발 내 문제점들이 발견될 수 있고, 좀 더 좋은 방향으로 개선할 수 있는 아이디어를 얻어낼 수도 있다. 그러나 과제 수행 기간 동안에는 자원 부족이나 시간적 제약 또는 과제 범위에서 벗어나는 등으로 인해 개선에 포함시키지 못하고 그대로 방치해두는 상황들이 발생한다. 만일 이렇게 접한 내용들을 다른 사람들이 알아내기 위해서는 적어도 비슷한 수준의 시간과 노력이 요구되는 만큼 매우 귀중한 자산으로 볼 수 있다. 따라서 본인이 다음 과제로 수행할 수도 있겠으나 그와 같은 내용들을 상세하게 정리해 놓음으로써 차후 다른 예비 리더들이 과제 선정에 참고해서 활용토록 하는 것도 매우 의미 있다. 표현 방법에는 규칙이 없으나 제3자가 쉽게 이해할 수 있도록 가급적 상세하게 기술하는 것이 좋다. 다음 [그림 V-35]는 가정된 상황을 통한 작성 예이다.

[그림 V-35] ‘Step-15.4. 차기 제안 과제 요약’ 작성 예

Step-15. 이관/승인
Step-15.4. 차기 제안과제 요약

과제수행기간 동안 향후 추가적인 과제수행이 필요할 것으로 예상되는 내용들을 정리함. 4개의 과제를 제안함.

➤ 현 과제에서 해결하지 못한 Issue

당초 토이박스 외관에 고객의 호기심을 자극하기 위한 목적으로 강한 LED장착과 자체 이동할 수 있는 기능을 고려하였으나 태양전지의 전압 충전용량과 모터 등의 추가로 원가상승, 무게 증가 등의 문제가 제기돼 최소화 또는 설계변경이 이루어진 바 있음. 에너지 효율을 높이거나 충전용량 향상기술이 확보되는 방향으로의 심도 있는 연구가 필요할 것 같음 (과제 1).

➤ 현 과제의 성과 창출을 저해하는 Neck 요인

토이박스가 주로 실내에서 사용되므로 광량의 부족으로 30여 분 이상의 지속적인 사용에 제약이 있음. 태양전지 외에 진동이나 충격 등을 에너지로 활용할 수 있는 미래형 연구를 통해 사용시간에 관계없이 즐길 수 있는 에너지원 개발의 필요성 있음 (과제 2).

➤ 부분적 별도 최적화 항목

부피를 최소화해서 휴대할 수 있는 방안을 고려하였으나 여전히 크기가 큰 문제가 있음. 현재의 힌지를 이용한 접기에서 4분의 1로 한 번 더 접을 수 있는 방안이나 혁신적인 아이디어로 부피를 줄였다 늘리는 방안에 대해서도 고민해 볼 가치가 있을 것 같음(과제 3).

➤ 시간적으로 오래 걸리는 별도 개선 검토/ 추진 사항

상기에 언급한 에너지 효율화, 타 에너지원 연구 등이 이에 해당됨.

이 외에도 과제 완료를 위해 필요한 내용이 있다면 추가해도 무방하나, 각 장표의 목적과 그와 관련한 내용이 정확하게 표현되고 전달될 수 있도록 노력하는 자세가 필요하다. 왜 이 장표가 여기에 있는지 그 존재 이유를 모르는 결과물들은 과제 수행에서 얘기하는 실체, 즉 로드맵을 혼란스럽게 하는 요인이 되기 때문이다.

색인

(ㅊ)

(ㅋ)

(ㅌ)

(ㅍ)

(ㅎ)

(영문)

송인식

(현) PS-Lab 컨설팅 대표

한양대학교 물리학과 졸업
삼성 SDI 디스플레이연구소 선임연구원
한국 능률협회 컨설팅 6시그마 전문위원
네모 시그마 그룹 수석 컨설턴트
삼정 KPMG 전략컨설팅 그룹 상무

인터넷 강의: http://www.youtube.com/c/송인식PSLab
이메일: labper1@ps-lab.co.kr

※ 도서 내 데이터 및 템플릿은 PS-Lab(www.ps-lab.co.kr)에서 무료로 받아보실 수 있습니다.

Be the Solver
제품 설계 방법론

초판인쇄 2017년 12월 18일
초판발행 2017년 12월 18일

지은이 송인식
펴낸이 채종준
펴낸곳 한국학술정보㈜
주소 경기도 파주시 회동길 230(문발동)
전화 031) 908-3181(대표)
팩스 031) 908-3189
홈페이지 http://ebook.kstudy.com
전자우편 출판사업부 publish@kstudy.com
등록 제일산-115호(2000. 6. 19)

ISBN 978-89-268-8184-2 94320